CB001274

COLEÇÃO

HISTÓRIA DA IGREJA DE CRISTO

Conheça nossos clubes

Conheça nosso site

DANIEL-ROPS

COLEÇÃO

HISTÓRIA DA IGREJA DE CRISTO

II

A IGREJA DOS TEMPOS BÁRBAROS

4ª edição

Tradução
Emérico da Gama

QUADRANTE

Todos os direitos reservados a
QUADRANTE EDITORA
Rua Bernardo da Veiga, 47 | Tel.: 3873-2270
CEP 01252-020 | São Paulo - SP
atendimento@quadrante.com.br
www.quadrante.com.br

Direção geral
Renata Ferlin Sugai

Direção de aquisição
Hugo Langone

Direção editorial
Felipe Denardi

Produção editorial
Juliana Amato
Gabriela Haeitmann
Ronaldo Vasconcelos
Roberto Martins
Karine Santos

Capa
Gabriela Haeitmann

Diagramação
Sérgio Ramalho

Título original: *L'Église des Temps Barbares*
Edição: 4ª

Dados Internacionais de Catalogação na Publicação (CIP)

Daniel-Rops, Henri, 1901-1965
A Igreja dos Tempos Bárbaros / Henri Daniel-Rops; tradução de Emérico da Gama – 4ª ed. – São Paulo: Quadrante Editora, 2024.

Título original: *L'Église des Temps Barbares*
ISBN (capa dura): 978-85-7465-745-5
ISBN (brochura): 978-85-7465-740-0

1. Igreja - História - Antiguidade tardia 2. Igreja Católica - História I. Gama, Emérico da. II. Título III. Série.

CDD–270

Índices para catálogo sistemático:
1. Igreja : Cristianismo : História da Igreja 270

Sumário

I. O SANTO DOS NOVOS TEMPOS

Em Hipona sitiada

A primavera de 430 foi, como de costume, deliciosa nas províncias da África. Mas quem teve a coragem de saborear a sua doçura? De um extremo ao outro dessas terras que Roma séculos antes fizera suas, não havia senão misérias indescritíveis, bramidos de angústia, êxodos ao longo das estradas, um quadro completo de desespero e acabrunhamento. De uma cidade para outra, buscando de oeste para leste refúgios cada vez mais duvidosos, as multidões fugiam de mistura com os seus rebanhos e também com os restos do exército em fuga. Nas estalagens em que se aglomeravam ao acaso, os exilados relatavam atrocidades que decuplicavam, pelo pavor que causavam, a força do invasor. Só se ouvia falar de crianças cortadas ao meio, de virgens violadas, de mãos decepadas, de línguas arrancadas; a imaginação tinha terreno fértil para divagar sobre horrores que, aliás, eram bem reais. Por toda a parte se esperava ver surgir, alegremente ferozes, os soldados ruivos de Genserico, como se haviam esperado os cavaleiros do Apocalipse. A África romana era presa do terror.

Havia um ano que os vândalos tinham cruzado o mar. A princípio, pensou-se que, semelhantes a tantos outros germanos que se estava acostumado a ver servir sob as ordens romanas, esses homens não passariam de um peão a mais no complicado jogo — tão complicado que fazia pensar numa traição — que o conde Bonifácio conduzia em face dos imperadores de Ravena. Mas bem cedo foi necessário mudar de opinião. Estes bárbaros eram de uma espécie diferente da dos federados godos. A incursão que os trouxera desde as nascentes do Vístula até às margens do Mediterrâneo, após uma breve permanência na península hispânica, fora demasiado rápida para que eles tivessem tido tempo de se pôr em contato com a civilização. Apenas umas vagas pinceladas de cristianismo ariano tinham acrescentado alguns ritos bizarros e novos fanatismos às suas antigas superstições. Quando o seu rei os lançou, em março de 429, para além das Colunas de Hércules, não passavam de ávidos saqueadores, a quem a rica abundância de trigo e de bom vinho da bela África excitava terrivelmente o apetite.

Em maio de 430, estavam prestes a ter toda a África à sua mercê. Daquilo que fora a força e a majestade de Roma, já não restava nada que valesse a pena ser mencionado. Aqui e ali havia ainda alguns núcleos de resistência: Constantina sobre o seu rochedo e algumas guarnições isoladas. No litoral, apenas um torrão permanecera indene. Isolada para além das montanhas cabilas, cobertas ao sul pela cadeia de El-Kantur, a região de Hipona — a atual Bône — estendia ainda ao sol as suas pradarias verdes, os campos rosados de esparzeta e os olivais azuis, como se, por trás dos cumes arroxeados do Atlas, o perigo não estivesse prestes a abater-se, como se os refugiados não atravancassem as estradas, como se o grito de alerta não tivesse ressoado já nas praças fortes. Hipona, antigo porto de refúgio dos fenícios, fortaleza tantas vezes reconstruída, orgulhosa da espessura das suas muralhas, considerava-se inexpugnável. Vencido duas vezes, incapaz de deter a onda bárbara que o acusavam de ter desatado, o conde Bonifácio refugiou-se nela com as tropas que lhe restavam. Os guerreiros vândalos surgiram-lhe no encalço e o horizonte do mar cobriu-se de velas hispânicas. Começou o cerco.

É fácil imaginar o que deve ter sido. Nesta cidade superpovoada, onde fervilhavam os refugiados, o inimigo de fora aliava-se aos de dentro. A fome ameaçava e a epidemia rondava, trazida pelo ar causticante dos estios africanos. Em que força se poderia apoiar essa massa humana para se defender? Apenas no medo. Donde poderia surgir a esperança? Não se encontrava a Itália ameaçada por outros bárbaros? E Bizâncio ficava tão longe! Lutava-se estritamente porque se sabia o que aconteceria se o vândalo se tornasse senhor; lutava-se para retardar o momento do horror inevitável. Na Hipona sitiada, parecia ter-se atingido o fundo do abismo.

Mas, nesta praça assediada, que tudo parecia condenar ao desespero, havia um homem que era a própria encarnação da esperança e da coragem. Era um ancião, já gasto pela idade e pelas fadigas de uma vida de lutas. Acabava de fazer setenta e cinco anos; mas, se as forças físicas — que nunca tinham sido muito consideráveis — declinavam, o espírito nunca fora mais luminoso nem a vontade mais firme. Nos trinta e quatro anos ao longo dos quais vinha habitando no meio deste povo, sempre representara a sua consciência viva; e quando chegou a hora do drama, manteve-se no seu posto. Nada mudou na sua existência costumeira. Como sempre, orava, orava muito, lia, escrevia, ensinava o Evangelho e dava abrigo, sem se cansar, aos infelizes que se juntavam à sua porta. Regularmente, continuava a fazer ressoar, sob as abóbadas da Basílica Maior, a sua voz enfraquecida que quebrava o silêncio angustioso do auditório. E, quando os sitiados de Hipona recolhiam a palavra do seu bispo, sentiam crescer em si, mais do que a vã confiança humana, essa firmeza de ânimo que vai haurir a sua seiva em Deus.

No entanto, unicamente no plano das perspectivas da terra, esse ancião devia ter a impressão de assistir a uma derrocada total. Daquilo que ele amara, proclamara e defendera — o que é que restava? Como filho da África, poderia ver sem amargura as admiráveis terras da sua pátria entregues à pilhagem e ao fogo? Como cristão, herdeiro dos mártires de Cartago e filho espiritual de São Cipriano, poderia aceitar a ideia de que a África cristã, tão florescente, caísse nas mãos de bárbaros que a heresia tornava ainda mais ferozes contra a verdadeira Igreja? Como cidadão, não sentia sangrar em si a ferida da Roma profanada, do Império afundado na anarquia, da degradação universal daquilo que tinha sido a ordem romana? A que agarrar-se? Os acontecimentos pareciam comandados pela ironia de um poder satânico. Que podia significar, para um fiel cristão, um combate em que os godos, mercenários heréticos, lutavam sobre as muralhas contra outros hereges, os vândalos agressores, e em que o chefe do campo fiel, o conde Bonifácio, era um indivíduo sem moral, mais ou menos suspeito aos seus superiores, casado com uma ariana de costumes escandalosos? Seria bem compreensível que, perante tanta miséria e tanta infâmia, esse ancião não esperasse senão "a vida imutável" e se limitasse, nas suas orações, àquele grito resignado que lhe viera aos lábios num dia de amargura: "Senhor, dá ao teu servo a força de suportar todos os males que Tu autorizes ou, pelo menos, tira-o do mundo e chama-o para Ti!"

Não. As palavras que retiniam nos seus lábios continuavam a ser de esperança. Àqueles homens que, sentados a seus pés, sentiam o mundo desmoronar-se, ensinava ele a lançar os olhos para além do imediato, para além desta terra em que as civilizações morrem como os indivíduos. Não havia nele qualquer pessimismo estéril, mas somente a consciência aguda de um futuro trágico e da única saída possível para um homem de fé. "Vós dizeis: 'Abate-se a desgraça sobre nós! O mundo vai morrer!' Mas ouvi então a palavra: 'O céu e a terra passarão; a palavra de Deus não passará!'" Basta de gemidos, basta de queixas! Não sois vós todos responsáveis por este destino que vos acabrunha? "Tempos difíceis, tempos terríveis, dizem os homens. Mas o tempo somos nós. Como nós formos, assim serão os tempos!" Todos somos culpados, sim, mas temos também a promessa da misericórdia e do resgate. Não fostes todos batizados na esperança? Não sabeis que é através das maiores provações que a vontade de Deus se cumpre? "O godo não tira aquilo que Cristo guarda!" As verdadeiras riquezas não são as que os vândalos saqueiam; a verdadeira vida não é aquela que um bárbaro vos pode arrancar... E estas palavras eram mais que consolações complacentes, pobres bálsamos sobre feridas incuráveis. Tão grande era a fé deste homem, tão poderoso era o seu gênio, que esta esperança se tornava criadora. Perante o destino que empurrava uma sociedade para o abismo, o velho bispo apelava para outra, fundada sobre princípios cujos elementos repetia sem cessar. E cada um dos seus apelos era uma opção sobre o futuro.

No terceiro mês do cerco, essa grande voz calou-se. Correu por Hipona a notícia de que o velho bispo estava chegando ao fim. Fora acometido por uma febre infecciosa trazida sem dúvida por algum fugitivo. Percebeu imediatamente que a hora de Deus estava próxima. Encerrou-se na sua cela e passou longos dias em silêncio, não prostrado, mas recapitulando a sua vida, meditando e orando. Às vezes, chegava-lhe aos ouvidos o grito agudo de uma trombeta sobre as fortificações: era o alerta para algum assalto vândalo. Na rua, diante da soleira do bispado-convento, a multidão esperava e orava. Já por inteiro na suprema Presença, pedia a Deus que lhe perdoasse as suas faltas;

acusava-se de não ter feito bastante por Ele, de não ter dado dEle testemunho bastante, de não ter preparado suficientemente a sua vinda. E pediu que pendurassem nas paredes da sua cela uma cópia dos salmos penitenciais, cujos versículos repetia com fervor.

Morreu em 28 de agosto de 430. Na humildade da sua última prece, teria o velho bispo de Hipona suspeitado que o seu pensamento iria iluminar os séculos, que o seu gênio modelaria o mundo que havia de nascer após os grandes desmoronamentos, e que a sua santidade permaneceria para sempre como um exemplo? Pois perante Deus e perante a História, este velho bispo chamava-se *Agostinho*[1].

"Eu amava amar..."

Se alguma vez uma alma humana deu a impressão de estar desde sempre "confiada à guarda de Deus" e de ser conduzida apenas por Ele para o seu verdadeiro fim, foi sem dúvida a desse rapazinho africano que a graça havia de tornar um santo. Nasceu em 13 de novembro de 354, em plena região númida, de velhas cepas do país. A sua terra natal, a que permaneceu fiel durante toda a vida, deu-lhe finura, vivacidade espiritual e um ardor entusiasta, mas dotou-o também desse temperamento levado ao extremo que se reconhece em muitos outros africanos. Desde muito novo, mostrou-se brutal, indisciplinado e um estudante pouco propenso à paciência nos estudos. A sua inteligência fora do comum convencia-o demasiado de que não valia a pena esforçar-se e o seu sangue ardente não lhe permitia suportar nenhum freio. E a verdade é que ninguém conseguia dominá-lo: nem os pedagogos, que o moíam a pancadas, nem o pai, Patrício, pequeno proprietário rural, enérgico, mas mais preocupado com os seus negócios do que com os filhos; e nem mesmo Mônica, a mãe, a quem no entanto venerava.

Mas achava-se dentro dele o germe que só viria a desenvolver-se muito mais tarde, e que nele fora depositado por Mônica. Cristã e católica, nascida de uma família que há muitas gerações vinha sempre sendo fiel a Cristo e à grande Igreja, esta mulher reservada, quase fria na aparência, submetida a um marido boçal, escondia dentro de si, sob uma doçura inalterável, a chama devoradora que arde no coração dos santos. Que Patrício continuasse um pagão sem fé e de moral rasteira; ela teria a sua consolação nos filhos, principalmente nesse Agostinho em quem soubera distinguir um selo inimitável. Mas teve de esperar muito tempo pela realização do seu sonho.

Tagaste[2], o burgo natal, perdido nas montanhas entre florestas de carvalhos, não oferecia oportunidades a uma criança que os pais quisessem fazer progredir. Deixar ali Agostinho seria condená-lo a uma vida de comerciante rural ou, quando muito, de modesto funcionário. Patrício teve o mérito de compreender — pouco antes de morrer — que o filho era digno de melhor sorte. Sonhou para ele a carreira que se abrira a outros africanos, como Vitorino de Tagaste, Frontão de Cirta e mesmo o imperador Pértinax, uma carreira que era a porta da fortuna: a de retórico, ou seja, a da eloquência. Foi, pois, em Madaura — a grande cidade vizinha, onde a lembrança de Apuleio, poeta, sábio e mago, desde há dois séculos ateava ambições juvenis — e depois em Cartago — a capital para onde convergia tudo o que na África testemunhava inteligência — que Agostinho prosseguiu os seus estudos... e também muitas outras experiências!

Nesta cidade do luxo, onde "crepitava por toda a parte, como azeite numa sertã, um enorme fervedouro de amor impuro" — Cartago de Vênus, dizia-se —, entre a agitação de traficantes, retóricos, cortesãs e teólogos, Agostinho passou três anos de formação bastante surpreendente. Não é necessário dizer o que foi a sua vida moral; sem tomarmos exatamente ao pé da letra os pormenores que o seu arrependimento lhe arrancou mais tarde, temos de admitir que essa vida nada teve de exemplar. Não era muito frequente, mesmo na África, que um rapaz de dezoito anos mantivesse uma concubina e tivesse dela um filho.

Mais interessantes e mais formativos eram os contatos que a grande cidade lhe proporcionava com todas as opiniões, todos os sistemas, filosofias, heresias e cismas que a sua paixão pela dialética o levava a conhecer. No seu espírito havia ainda o doloroso e apaixonado tumulto da adolescência, e na sua alma — pelo menos assim o julgava — não havia senão o que ele viria magnificamente a chamar "o silêncio de Deus".

No entanto, neste pequeno negociante da eloquência, que em 374, com apenas vinte anos, regressava ao burgo natal para ali ganhar a vida como um pedagogo em necessidade, o germe que Mônica depositara dentro dele em segredo fizera já brotar o grão. É escusado dizer que ele o ignorava e talvez nunca ousasse pensar que Deus, desde essa época, bem longe de "calar-se", o chamara pelo seu nome. Certamente não soubera ouvir a voz inefável, quando, ainda criança, pensara em pedir o Batismo durante uma grave doença, e depressa pusera de parte o projeto, uma vez curado. Certamente também não soube encontrar a Palavra naquela Bíblia que abriu em Cartago, por curiosidade, entre tantas outras leituras, e que lhe pareceu um livro absurdo, impenetrável. Mas até nos estranhos caminhos a que o seu temperamento de fogo o arrastava, Agostinho de Tagaste, sem o saber, seguia o rasto de Deus.

O rasto de Deus, nele, era já a inquietação, esse tremor do coração e da alma perante os enigmas do mundo e da vida, que todas as suas palavras e toda a sua conduta confessavam. Havia neste rapaz absurdo o tormento inapaziguado e inapaziguável de quem procura resposta para os verdadeiros problemas, e que se desespera em segredo por não sentir ao alcance da mão nada de estável e de eterno. Se é verdade, como disse o cardeal Newman, que uma alma sem inquietação é uma alma em perigo, como devia estar misteriosamente protegida a alma obscura e patética de Agostinho! "O nosso coração está inquieto, Senhor, enquanto não repousar em Ti!" Aos vinte anos, não era ainda capaz de formular a conclusão deste admirável grito da sua maturidade; mas as primeiras palavras vinham-lhe todos os dias aos lábios como *leitmotiv* de uma vida insatisfeita e como promessa de uma expectativa que algum dia se tornaria realidade.

O rasto de Deus, nele, era ainda outra coisa: era a sede do conhecimento, as exigências do espírito. Uma juventude ávida, que experimenta todas as doutrinas como todos os frutos, que é incessantemente tentada pelo que há de exaltante e de assombroso na descoberta das ideias, mesmo quando se extravia traz em si a sua nobreza e, se a sua intenção é reta, não se pode enganar por muito tempo. Deus é a Verdade, e quem procura a verdade acaba por encontrá-la. Agostinho, no limiar da adolescência, podia muito bem imaginar que encontraria a resposta definitiva num tratado de filosofia, o *Hortênsio*[3]; um pouco mais tarde, pôde ainda perder-se nos estranhos emaranhados do esoterismo e das ficções que as seitas maniqueias[4] faziam então proliferar: através de caminhos tortuosos, Deus conduzia-o para a via certa. A iluminação, que ele pensava receber do seu primeiro encontro com a filosofia, era, de fato, a aurora de uma outra luz; e o grito de "Verdade! Verdade!", que os zeladores de Manes tinham constantemente na boca, iria despertar nele ecos muito diferentes.

Mas, acima de tudo, nesta alma jovem em busca da verdade, a promessa de Deus era o amor. Ao longo das comoventes páginas em que, mais tarde, o santo contará as suas experiências juvenis, há uma frase cuja riqueza não se pode exagerar e que resume toda a sua vida: "Eu amava amar..." Aquele que, pelo conjunto do seu pensamento, merecerá ser chamado o Doutor do Amor, aquele cuja mensagem a posteridade resumirá na célebre fórmula: "Ama e faz o que quiseres", trazia dentro de si, desde o seu nascimento, o sentido deste poder inesgotável, desta remissão sempre na expectativa que um dia levou uma pecadora a cobrir-se de lágrimas e cujo penhor eterno é a Cruz. Aos vinte anos, bem podia ele tentar descobrir os sinais desse amor no mistério carnal da mulher, ou no esplendor do mundo, ou ainda em belas mas perecíveis amizades. Um outro amor o espiava, um amor que estava prestes a abrigá-lo sob as suas asas, quando chegasse o dia, quando a experiência da vida o tivesse desprendido totalmente de si.

Se esta era a verdade secreta do seu destino, as aparências, durante nove anos, em nada puderam fazer prever uma conversão. De 374 a 383, primeiro em Tagaste, depois em Cartago, Agostinho aparece aos olhos do mundo como um pequeno retórico veemente, que milita a favor da heresia maniqueísta, que publica um livro de estética puramente profana e que, alojado em casa de um amigo riquíssimo, se embriaga com os prestígios do luxo e com as admirações fáceis. Testemunha de tudo isso, que para ela era um escândalo, Mônica não desesperava desta alma aventurosa; orava e chorava. Um dia em que foi pedir conselho a um bispo seu conhecido e, diante dele, deu largas ao seu desgosto, esse santo homem de Deus respondeu-lhe: "Acalma-te;

é impossível que se perca o filho de tantas lágrimas!" Mais tarde, Agostinho compreenderia que essas lágrimas de sua mãe tinham sido para ele como um primeiro batismo. Mas não havia soado ainda a hora do Senhor.

Essa hora, porém, estava próxima. Impelido pela ambição e pelo tédio, mais inseguro do que queria parecer, em 383 decide partir para Roma[5]. Mas, em vez do cenário à medida dos seus anseios, a princípio apenas encontra ali rancores e desilusões. Doente, minado pela febre, obrigado a mendigar lições em casa dos filhos dos ricos para sobreviver, miseravelmente instalado num desses grandes prédios que nunca tinha conhecido a menor higiene, ignorado do público e defraudado pelos alunos, pensa em voltar para a África quando se produz um acontecimento providencial. Candidato a uma carreira de retórico em Milão, Agostinho, graças à recomendação dos seus amigos maniqueus e à boa vontade do prefeito Símaco, é nomeado chefe do clã pagão, que se sentiu feliz de colocar nesse posto um adversário da Igreja[6]. Livre dos apertos, muito contente (pelo menos aparentemente) e talvez muito orgulhoso da sua pessoa, na primavera de 384 parte na diligência imperial para Milão, onde julga encontrar a fortuna, sem saber que ali, como no segredo do seu coração, Cristo o esperava.

Deus responde a quem O chama

Com efeito, o estado de alma de Agostinho ao chegar a Milão era o de um homem profundamente perturbado e que padecia de um desacordo essencial. Passara já dos trinta anos; estava na idade em que todo o ser humano deseja estabelecer-se sobre bases sólidas, e ele não as tinha. O maniqueísmo, sistema em que tinha esperado encontrar a solução dos grandes problemas, decepcionara-o; depois de um lamentável encontro com o arauto da seita, o bispo Fausto de Milevo, havia-se desligado dele secretamente. O probabilismo da *Nova Academia*, a que recorreu durante alguns meses, não soube reter por muito tempo no ceticismo este espírito ávido de certezas. Aparentemente é feliz: professor escutado, personagem quase oficial, inquilino de uma agradável moradia e de um belo jardim. Mas, no seu íntimo, sabe muito bem que é um homem que derrapa e chapinha. Como necessita de uma doutrina, pelo menos para firmar o seu ensino, decide "tornar-se catecúmeno na Igreja católica, a Igreja de seus pais, até que uma luz certa venha esclarecer a sua carreira". Gesto de conformismo, de prudência?[7] Provavelmente não. Sem que o soubesse, este passo foi para ele um compromisso.

Em Milão, havia um homem que se destacava e que parecia quase encarnar o catolicismo: o bispo Ambrósio[8]. Este descendente de uma família ilustre, antigo alto funcionário imperial que a voz unânime do povo elevara ao episcopado, este prestigioso orador e grande letrado, este expoente político respeitado pelo próprio imperador, representava exatamente tudo aquilo que Agostinho mais podia admirar. Por isso, logo que chegou, apressou-se a visitar o grande prelado. O primeiro contato decepcionou-o um pouco, como dará a entender mais tarde; com uma ponta de malícia, Agostinho contará que Ambrósio o recebeu "bastante episcopalmente". Não estaria o bispo desconfiado do protegido do seu velho adversário Símaco? Ou não teria este romano de velha cepa achado um tanto ardente o fervor meridional do pequeno retórico africano?

Entre estes dois homens não brotou naquela ocasião a faísca que teria podido inflamar uma alma disponível. Mas talvez tenha sido melhor assim, porque, mesmo tendo-se ressentido de uma amabilidade polida mas excessivamente distante, Agostinho não deixou de reconhecer a grandeza de Ambrósio. Escutando-o sempre que o bispo pregava na catedral e lendo os seus escritos, descobriu graças a ele o imperativo espiritual de uma autoridade que não fosse apenas a da razão, e experimentou através do exemplo do santo a necessidade de aderir a uma realidade ao mesmo tempo humana e sobre-humana, na qual todo o homem se sente um tijolo de um imenso edifício e um elo de uma cadeia. A Escritura, tão bem exposta por Ambrósio, e a Igreja que ele representava tão cabalmente — essas eram as bases da autoridade cuja necessidade o catecúmeno experimentaria dali por diante. Estava dado um passo decisivo.

A partir desse momento, como costuma suceder neste gênero de dramas da alma, todas as pancadas desferidas pelo acaso soam, para Agostinho, no relógio de Deus. Impelido incessantemente pelo feliz apetite da inteligência, lê Platão, Plotino e os tratados neoplatônicos que um amigo lhe empresta, nas traduções latinas de um seu compatriota, o retórico Vitorino. Foi um jorro de luz. Descobre a bondade fundamental de todos os seres e isso varre nele os últimos vestígios de maniqueísmo; compreende que o Espírito existe, para além de toda a representação ou matéria. O mundo inteligível dos platônicos permite-lhe aproximar-se do Verbo, e Agostinho exalta-se perante a visão metafísica de um universo que o Verbo ordenou e que o manifesta: "Admirava-me de Te amar, meu Deus — escreveria ele a propósito deste período da sua vida —, a Ti e já não a um vão fantasma. Se ainda não era capaz de Ti, era arrastado para Ti pela beleza".

Este entusiasmo trazia consigo o perigo do orgulho intelectual; mas, com aquela rapidez genial que lhe permitia apreender as doutrinas, absorver-lhes o essencial e depois ultrapassá-las, Agostinho depressa descobre os limites da metafísica platônica. Do Deus dos idealistas, "não é capaz de fruir". Mas não há um outro Deus, que é também o Verbo e que é, ao mesmo tempo, uma Presença viva, uma resposta ao amor? O mistério da Encarnação está muito próximo. Agostinho debruça-se sobre a Escritura de que Ambrósio fala de forma tão penetrante. Lê São Paulo e descobre nos seus escritos o sentido da verdadeira Sabedoria, não segundo os filósofos, mas segundo a loucura da Cruz. "Ocultaste estas verdades aos prudentes e aos sábios, mas as revelaste aos pequeninos". Quando Agostinho ouve estas palavras, toda a sua alma treme: está prestes a transpor o limiar que vai da adesão intelectual à prática da fé.

Mas nem tudo é tão simples, e não é apenas pelos esforços da inteligência que uma alma se entrega a Deus. Agostinho percebe perfeitamente que se impõe uma ruptura. É necessário despir-se do homem velho e revestir-se do homem novo. Mas não tem a força necessária para fazê-lo de um só golpe e debate-se por muito tempo em conflitos obscuros e dolorosas tentações. Os velhos hábitos "puxam-no pela vestimenta da carne"; compreende perfeitamente o que perderá se cortar com a vida presente, com o conforto, com as comodidades e com esses prazeres carnais sem os quais pensa que não poderá viver. Quando sua mãe — que veio ter com ele a Milão — o sente abalado e, querendo pô-lo no bom caminho, o faz abandonar a concubina, na tocante ilusão de lhe arranjar um bom casamento, Agostinho logo arruma outra amante. Ninguém melhor do que ele saberá descrever a trágica experiência da alma acorrentada pelo hábito, incapaz de se libertar do pecado e, no entanto, constantemente solicitada por uma voz silenciosa: porque essa experiência, que é a nossa, ele a viveu inteiramente.

Bem cedo se torna mais viva a luta entre "os dois homens em mim". Agostinho sabe muito bem para onde deve caminhar, mas há no seu íntimo uma força que resiste. Compara-se a um indivíduo que está deitado e que, não tendo coragem para se levantar, exclama: "Só mais um momento!" E esse momento prolonga-se. Quem lhe porá termo? O Senhor; o prestígio do exemplo. De agora em diante, Deus bate-lhe mais fortemente ao coração. Um dia é um sacerdote que Agostinho vai visitar, para lhe confiar a sua amargura, e que lhe conta a retumbante conversão de Vitorino — sim, Vitorino, o ilustre retórico neoplatônico, cujas traduções tanto o haviam apaixonado. Noutra ocasião, é o seu compatriota Ponticiano, que lhe fala com entusiasmo do ideal monástico dos monges reclusos que vivem às portas de Milão, dos desertos pontilhados de eremitas e desses dois oficiais palatinos de Tréveris que, de um instante para outro, depois de terem lido a *Vida de Santo Antão*, deixam o mundo — eles e as suas noivas — para se entregarem a Deus. "E nós também — exclama Agostinho — acabemos com isto!" Mas ainda não. As paixões debatem-se. "Essas misérias de misérias, essas vaidades de vaidades — dirá ele — lá estavam, as minhas antigas amigas; puxavam-me docemente pela minha roupa de carne e diziam-me baixinho: 'Queres deixar-nos? Já não estaremos mais contigo, nunca, nunca? A partir de agora, nunca mais poderás fazer isto... nem aquilo?'" Mas outra voz dizia-lhe: "Por que não hás de poder tu o que estes homens, mulheres e crianças puderam?" Será preciso que Deus bata ainda mais forte.

E foi então — como esta cena nos impressiona! —, foi então, no jardim da sua casa de Milão, que Agostinho descobriu subitamente a inefável Presença e ouviu o apelo misterioso que caiu na sua alma privilegiada como, sob a figueira, caíra na de Natanael ou, na estrada de Damasco, na alma de um pequeno judeu inquieto. Invadido pela terrível amargura de um coração dilacerado e incapaz de se arrancar a si mesmo, Agostinho lança-se por terra, em lágrimas, balbuciante, não sabendo nem mesmo se deseja que Deus o ouça. "Tu, Senhor, até quando?" De repente, no jardim da casa vizinha, uma voz de criança canta, como se fosse o refrão de um jogo: "Toma e lê! Toma e lê!" No estado de confusão em que se encontra, essas palavras parecem-lhe uma ordem divina. Levanta-se de um salto e abre o seu São Paulo ao acaso; é a página do capítulo 13 da *Epístola aos Romanos*: "Não andeis já em comilanças e bebedeiras, nem na cama, fazendo coisas impúdicas, nem em contendas e rixas; mas revesti-vos de Nosso Senhor Jesus Cristo e não vos ocupeis da carne e dos seus desejos" (Rm 13, 13). O livro cai ao chão. Para que ler mais? Amanheceu-lhe na alma a luz da paz. E compreendeu.

A cena do jardim data, certamente, da primavera de 386 e não tardou a produzir o seu efeito. A partir de julho, Agostinho deixa Milão e instala-se numa *villa*, posta à sua disposição por um amigo, para lá meditar e resolver o caminho a seguir. Calma e silêncio, beleza da paisagem, esplendor dos poentes no horizonte alpino. Muito perto, estendem-se os espelhos mágicos dos lagos italianos; a região está cercada de frescos vales, de colinas arborizadas e de águas correntes, e por toda a parte se sente o odor da hortelã e do anis. Durante nove meses, no seu retiro de Cassicíaco[9], acompanhado apenas pela mãe, por alguns amigos verdadeiros e pelo filho, o pequeno Adeodato, cuja inteligência — dirá ele — era sublime, Agostinho aplica-se com honestidade a apreender a sua própria verdade. Os *Solilóquios*, que escreveu nesta altura, denotam bem a violência apaixonada das suas meditações, a misteriosa batalha travada durante noites de insônia com o homem velho que hesitava em morrer. "Faz, ó Pai, que eu te procure!" Este grito, como o de um Pascal, ecoa ao longo de todas essas páginas. E a quem O chama com tão inteira sinceridade, Deus sempre responde.

Na noite de 24 para 25 de abril de 387, juntamente com o filho e com o seu amigo Alípio, Agostinho recebe o Batismo das mãos de Ambrósio. Não com o ruído e a ostentação com que transcorrera o Batismo do retórico Vitorino, mas humildemente, como um cristão pecador em meio a outros. Pouco antes enviara ao bispo um memorial em que resumia os seus erros passados e se comprometia a renunciar a eles para sempre.

Agora restava apenas tirar as conclusões práticas da sua decisão. Renunciara já às suas funções de mercador da eloquência, que podiam dar lugar a equívocos; era necessário também deixar a casa que fora alugada outrora pelo retórico maniqueu seu amigo, e regressar a África, onde a lembrança viva das faltas da sua juventude exigia reparações exemplares. Tudo isto se realizou prontamente; a vontade de Deus era tão manifesta! Quando se preparava para atravessar o mar, Agostinho sentia-se seguro.

Em Óstia, Mônica adoeceu gravemente, acometida de uma febre maligna, da qual faleceu. Serena e firme até o fim, mesmo à beira da morte não pensava senão nesse filho que vira regressar de tão longe e que as suas orações haviam restituído ao Senhor. Uma noite, enquanto ela lhe falava da outra vida e da outra luz para a qual se dirigia, arrimados ambos à janela donde o olhar se espraiava até muito longe no horizonte, sentiram-se subitamente "arrebatados por um ímpeto do coração" para a claridade definitiva. "[...] Chegamos até às nossas próprias almas; passamos além, e continuamos a subir, até chegarmos a essa região da abundância sem fim, onde Deus apascenta eternamente Israel com o pastio da sua Verdade. Ali a vida é essa sabedoria pela qual todas as coisas são, [...] porque é eterna". Num relâmpago, estes dois seres tinham fugido aos limites da condição humana, aproximando-se do Céu.

E, pouco depois, a África que cinco anos antes tinha deixado partir um pequeno retórico ávido de êxito, agitado por ideias contraditórias e por juvenis ambições, via agora regressar um homem inteiramente senhor de si, que realizara a sua síntese pessoal e descobrira a certeza. Voltaram a ver Agostinho em Cartago e em Tagaste, mas foi apenas para vender os bens que herdara do pai, distribuir o produto pelos pobres e instalar-se, com alguns fiéis, naquilo que ia ser o primeiro mosteiro agostiniano.

Uma obra-prima imortal: as "Confissões"

Se hoje conhecemos nos seus detalhes todo o drama interior desta alma em busca de luz e podemos reconstituí-lo com uma precisão excepcional, é porque o homem que o viveu em si mesmo fixou os seus rasgos e assinalou-lhe as fases num livro de uma sinceridade absoluta. As *Confissões* de Santo Agostinho pertencem ao tesouro mais precioso da nossa civilização, e são uma das cinco ou seis obras que desejaríamos ver sobreviver a todos os desastres da história, para testemunharem, junto das gerações futuras, o que terá sido, em toda a sua plenitude, esse tipo de homem hoje ameaçado de desaparecer — o civilizado do Ocidente. Do ponto de vista literário, as *Confissões* são uma obra-prima, que tem sido imitada mas nunca igualada; e do ponto de vista cristão, é um dos textos em que o arroubo místico atinge os cumes mais elevados.

Quando escreveu esta obra, entre 397 e 398, aos quarenta anos de idade — já convertido há muito tempo, sacerdote e bispo —, o fim que Agostinho teve em vista não foi entregar à curiosidade das multidões os segredos do seu passado. Nem uma só vez ele deixa transparecer a triste autocomplacência em que se deleitam tantos autores de diários íntimos. "A paixão, a natureza, a individualidade humana — diz muito bem Michelet — não aparecem aqui senão para serem imoladas à graça divina"[10]. Aliás, não é aos homens que Agostinho endereça este longo memorial: que poderia esperar deles? É a Deus que escreve[11], a esse Deus que tudo realizou nele e a quem é justo e necessário agradecer, louvar e proclamar incansavelmente. Se Agostinho fala de si, dos seus pecados e misérias, é para mostrar com um exemplo concreto a onipotência de Deus e da graça. A obra, de resto, exprime em muitas passagens essa intenção; mil vezes o autor interrompe a sua narrativa para deixar escapar o grito de amor e de louvor que lhe sobe ao peito; a oração ocupa aqui o mesmo espaço que a confissão. Muito mais que no sentido de *confidência*, isto é, de ostentação, o título *Confissões* deve ser entendido na mais alta acepção que lhe possa dar a linguagem cristã, quando se diz que um crente *confessa* a sua fé.

Por outro lado, não é menos verdade que, tendo em vista unicamente glorificar o Senhor, Santo Agostinho abriu caminho para um novo gênero literário, que não podia nascer e desenvolver-se senão em terreno cristão. É possível que na forma tenha sofrido a influência de textos estoicos ou neoplatônicos, mas nem por isso a sua originalidade deixa de ser única. Uns mil anos antes, Heráclito, o "obscuro e melancólico", escrevera entre os seus cento e trinta e três axiomas: "Procuro o meu eu"; e, na Grécia clássica, o frontispício do templo de Apolo em Delfos lembrava aos visitantes o célebre preceito: "Conhece-te a ti mesmo". No entanto, a exigência afirmada pelos gregos revelara-se impossível ou inútil: Sócrates confessara não ter sido capaz de se conhecer e Aristóteles proclamara que "o homem perfeito nunca fala de si mesmo". Mas, depois que Jesus dissera que "o Reino de Deus está dentro de nós", depois que o cristianismo atribuíra uma importância única à alma individual feita à semelhança de Deus, as perspectivas tinham mudado. E compreendê-lo foi uma das profundas intuições de Agostinho. "De uma maneira miraculosa — escreve ele —, o homem interior traz nas suas três forças[12] a imagem de Deus gravada no seu ser". Daqui resulta, por um lado, que, indo até o mais profundo de si mesmo, o homem está certo de atingir a Divina Presença — *noverim me, noverim te*; se me conhecesse, conhecer-te-ia —, e, por outro, que a única maneira de penetrar na verdade total da alma humana é procurar nela o irrecusável traço da Luz, coisa que os nossos introspectivos modernos, quer se trate de Proust ou de Freud, esqueceram em demasia.

Simultaneamente tão humano e tão iluminado pela graça, o livro das *Confissões* é uma obra única, que atinge o leitor na profundidade do seu ser e que é sempre nova e inesgotável para quem a lê frequentes vezes. Talvez apenas os *Pensamentos* de Pascal, nos seus melhores trechos, possam rivalizar com a obra de Agostinho pelo impulso espiritual que provocam e por essa espécie de misteriosa gratidão que suscitam em nós. Basta abrirmos o livro ao acaso para ficarmos impressionados com as palavras e com o raciocínio, que modelam, como que cunhando-os num metal indestrutível, não só a expressão literária mas também os dons do Espírito Santo. Já vimos o *inquietum est cor nostrum*, que é talvez a mais célebre de todas estas joias; mas como é que podemos escutar, sem a reconhecermos como sua, esta patética confissão: "Onde posso estar, não quero; onde quero estar, não posso: dupla miséria!"? Não sentimos estremecer dentro de nós qualquer coisa mais essencial que a própria vida, quando lemos este apelo ao nosso próprio mistério: "Então pus-me diante de mim mesmo e disse: E tu, quem és? E respondi: Um homem"? Conta-se que, subindo certa vez a um monte, num claro dia de abril de 1336, e tendo aberto lá no alto, perante aquele sublime panorama, o livro das *Confissões*, de que nunca se separava, Petrarca, o poeta do *Canzoniere*, ficou chocado ao deparar com estas linhas: "Os homens vão longe para admirar os cimos das montanhas, mas passam ao lado de si mesmos". Quantos de nós, e quantas vezes, não teremos feito esta experiência? Neste livro encontramos de corpo inteiro o homem que somos, tal como o moldaram dois mil anos de cristianismo.

No entanto, por muito especial que seja este testemunho para o conhecimento de Santo Agostinho, nada mais falso do que determo-nos nele. Muitos biógrafos insistem no drama da alma e nas fases da conversão, esquecendo em maior ou menor medida que este livro, escrito aos quarenta anos, foi seguido de trinta anos de aprofundamento espiritual e de lutas, e que as *Confissões* mostram mais o desabrochar do santo do que o seu pleno amadurecimento. É significativo que, depois de ter redigido nove partes, que são — se se quiser chamá-las assim — autobiográficas, e uma décima que é um relato do momento em que escrevia, Santo Agostinho tenha complementado o seu livro com três capítulos diferentes, feitos de considerações sobre os mistérios da fé, como para melhor dar a entender em que sentido o convertido da véspera ia caminhar no dia seguinte. O verdadeiro Santo Agostinho não acaba no Batismo: é ali que começa. É este homem novo, morto com Cristo e com Ele ressuscitado, que daqui por diante vai realizar a sua obra, pela ação e pela pena, com a dupla marca do gênio e da santidade.

Um gênio e um santo

Aquele que veremos agora, durante mais de quarenta anos, travar em nome de Cristo as mais extenuantes batalhas, acumular obra sobre obra e tratado sobre tratado, assumir com integridade plena umas funções oficiais que a época tornava particularmente pesadas, era um homem de saúde precária, pouco dotado de recursos físicos e para quem o primeiro obstáculo a remover era o próprio corpo[13]. Mas verifica-se amiúde que os grandes empreendimentos são levados a cabo por indivíduos de fraca compleição, e que as dimensões das tarefas que realizam estão em desacordo com a sua aparente fragilidade. Uma saúde excelente incita a morder a vida com demasiado ardor e acaba muitas vezes dispersando os esforços; o íntimo sentimento de uma certa deficiência obriga a concentrá-los. Não gozavam de pouca saúde um São Paulo, um São Bernardo, um Santo Inácio — ou um Michelangelo? Sem nunca ter sido um doente, sem ter perdido, mesmo na extrema velhice, o pleno uso dos sentidos, Santo Agostinho, atacado pela bronquite, pela asma e por cruéis insônias, viu-se sempre obrigado a medir os limites das suas forças. Mas como estão longe esses limites nas almas de fé! E, no caso de Santo Agostinho, chegamos a perguntar-nos se alguma vez existiram...

Se a palavra "gênio" tem um sentido, certamente será bem aplicada a este espírito de uma riqueza inesgotável, a este cérebro de um poder único, a esta consciência verdadeiramente profética das exigências do tempo e das expectativas com relação ao futuro. Dessas formas de inteligência, tal como as podemos analisar, não lhe faltou nenhuma; possuiu-as todas, mesmo aquelas que costumamos considerar contraditórias. Abarca tudo, mas em todos os domínios penetra e vai até ao fundo. Não há qualquer problema abstrato que lhe desagrade ou que o desanime; aplica-se por inteiro tanto às questões práticas como às mais minuciosas necessidades da erudição. Modelo desses grandes intuitivos nos quais reconhecemos os expoentes dos gênios, espírito instintivamente orientado para a especulação metafísica, é, ao mesmo tempo, um dialético temível, que a difícil esgrima das ideias encontra sempre pronto para a réplica. Não há assunto que tenha abordado sem que lhe tenha dado uma nova forma, sem que o tenha marcado com o seu selo, sem que tenha obrigado todo aquele que quisesse enfrentá-lo depois a, pelos menos, discuti-lo e, muitas vezes, a aceitar o seu comentário. É, como já vimos, o primeiro dos psicólogos da linhagem cristã, mas pode-se dizer também que é um dos primeiros e mais autênticos poetas que a seiva evangélica fez brotar na história das letras. Ficamos desorientados perante o acúmulo de semelhantes dons, apoiados numa memória muito segura e numa prodigiosa aplicação ao trabalho.

O sinal mais tangível pelo qual este gênio se impõe ao observador é a vastidão da obra escrita que nos legou. Pensem o que pensarem os preguiçosos e os tolos, uma das qualidades superiores do escritor ou do artista é a fecundidade. Tendo ele mesmo feito com cuidado, nos últimos anos da sua vida, o rol dos seus trabalhos, Santo Agostinho não contou menos de duzentos e trinta e dois livros, repartidos em noventa e três obras, e este total impressionante não compreendia nem os sermões nem as cartas, algumas das quais constituem verdadeiros tratados. E assim nos aparece rodeado por uma muralha de livros, pelos dezesseis majestosos tomos da *Patrologia Latina* de Migne, ou pelos grossos volumes do *Corpus* de Viena — uma muralha que, devemos confessá-lo, o protege admiravelmente.

Se é de elementar cultura ter, pelo menos, dado uma vista de olhos às *Confissões*, e de um nível já mais elevado — nos nossos dias — ter uma certa ideia da *Cidade de Deus*, apenas os teólogos (e sabe Deus...) têm estudado o *De Trinitate*, e os pregadores a *Doutrina cristã*. Quem se importa agora, a não ser os especialistas na obra do santo, com obras ricas de páginas admiráveis, como por exemplo *A fé e o Símbolo*, ou esse manual de "agostinismo" que é o *Enchiridion*? A simples enumeração dos seus livros encheria aqui um capítulo. Na sua marcha para Deus, expressão que resume esta obra multiforme, o filósofo dos *Diálogos* vai a par do teólogo de *A verdadeira religião*, dos escritos sobre *A fé*, do *Tratado da Trindade* e da *Cidade de Deus*. Para espalhar e desenvolver a verdade, o teórico do *Enchiridion*, o moralista dos opúsculos, trabalha lado a lado com o apologeta da *Doutrina cristã* e, ao aprofundarmos nas suas bases, configura-se o exegeta que demonstra a *Conciliação dos Evangelhos*, e o comentarista de São João e de São Paulo. E temos ainda de pôr de lado os inumeráveis livros e brochuras que lançou, como dardos acerados, contra os hereges de todas as castas, que nunca deixou de combater. Juntemos ainda trezentos e sessenta e três sermões — ou talvez quatrocentos e cinquenta — considerados autênticos, e duzentas e sessenta cartas que chegaram até nós, certamente de entre alguns milhares... E essa enumeração não passa de um insuficiente esboço deste monumento do espírito![14]

Do ponto de vista literário, é certo que nem tudo tem igual valor no meio de uma massa tão grande. Temos de confessar que nem sempre é fácil vencer o tédio que nos causam algumas das suas explanações, bem como certa irritação que nos provoca — sobretudo nas obras oratórias — o abuso das sutilezas engenhosas, das antíteses rebuscadas, dos jogos de palavras e de conceitos que certamente seriam úteis para cativar o seu público africano. Por muito vasta que fosse a cultura que Agostinho acumulou durante toda a sua vida, está provado que esta se manteve sempre dentro dos limites de um homem que não tinha conhecido a fundo senão Cícero e Virgílio, que hauriu a sua ciência nas obras enciclopédicas de Varrão, que possuía apenas um verniz do grego e — o que é mais grave — se mantinha excessivamente preso aos métodos da gramática e da retórica em que se havia formado. "Um letrado da decadência", disseram dele[15]. E nós acrescentaremos: um espírito que às vezes nos parece insuficientemente crítico, quer se trate de exegese ou de ciências naturais, e que faz certas afirmações que nos levam a sorrir[16].

Tudo isto é a parte caduca da obra — que obra humana não a tem? —, as escórias que o vento do tempo arrasta, e de que um único livro no mundo está indene, porque não é do homem: o *Evangelho*. Mas, por outro lado, que dons extraordinários, que resultados felizes! Este talento que adapta tão agilmente a sua técnica ao seu desígnio, clássico na *Cidade de Deus*, romântico nas *Confissões*, incisivo nos textos polêmicos, quase popular nos sermões, este gênio do estilo que brilha incessantemente em fórmulas definitivas e ao qual se submete tudo o que nasce da inteligência, este arquiteto monumental que, na *Cidade de Deus*, inclui todo o destino do mundo num livro, terá na verdade outro igual na história das letras humanas? Lembremo-nos da famosa passagem de La Bruyère, no seu capítulo dos *Esprits forts*: "Pela vastidão dos seus conhecimentos, pela profundidade e penetração, pelos princípios da pura filosofia e pela sua aplicação e desenvolvimento, pela justeza das conclusões, pela dignidade do discurso, pela beleza da moral e dos sentimentos, não há nada que se possa comparar a Santo Agostinho, a não ser Platão e Cícero". Apesar das suas falhas e das suas fraquezas, a obra de Santo Agostinho inspira respeito, mesmo àqueles que não partilham da esperança que a guia.

Mais que respeito, essa obra inspira simpatia, porque em toda ela é a alma do autor que se descobre e que nos toca de mil maneiras. O que torna Santo Agostinho diferente de um simples literato é o acordo total que ele realiza entre a sua vida e os seus livros. O que pensa, vive-o; o que diz, experimentou-o até o fundo do seu ser. Para este teólogo, Deus nunca é um conceito, mas a realidade viva que o coração sentiu palpitar perto de si no jardim de Milão e que, desde então, o envolveu com a sua soberana presença. Para este apologeta, para este rude lutador, o cristianismo não é nunca um conjunto de posições a sustentar, um mero corpo de doutrina, mas uma maneira de ser e de viver, um compromisso total. Quando aborda os grandes temas — a justiça, a moral, a liberdade, por exemplo —, dá-nos a impressão de nunca os considerar de forma abstrata, mas sempre em relação com o homem verdadeiro, de carne e osso, de esperança e sofrimento; e se pôde fazê-lo, foi porque ligou esses problemas, espontaneamente, às suas experiências pessoais, porque de uma forma ou de outra os viveu todos. *Vitam impendere vero*, empenhou a vida pela verdade. Foi por isso que conseguiu que tudo despertasse interesse, mesmo as questões mais áridas — como a noção do tempo no livro XI das *Confissões* —, porque, para ele, a descoberta da verdade era um dos aspectos da Sabedoria e a "contemplação do verdadeiro estabelece no homem uma semelhança com Deus". Podemos dizer que tudo nele, a sua inteligência, o seu estilo, os seus métodos, está impregnado de sensibilidade. E aqueles que não veem nele senão um Doutor severo, um pessimista tristonho ou um teólogo impiedoso, estão condenados a nada conhecer da sua alma e da mensagem que nos trouxe.

É isto que coloca Santo Agostinho na primeira fila dos escritores cristãos de todos os séculos e muito acima dos outros Padres da Igreja, seus predecessores ou rivais. Há nele um poder de amor que resplandece na sua obra e lhe dá um brilho único. Já se fez notar que as palavras mais frequentemente saídas da sua pena são *amor* e *caritas*; mais do que qualquer outro, ele é o Doutor do amor, o Doutor da caridade. No tempo das suas dolorosas buscas, não foi o amor que o guiou para a luz? Nunca se separou dele, e a extrema velhice, essa idade em que tantas vezes os sentidos se anquilosam como os músculos, encontrou-o tão sensível e de braços tão abertos como na sua inquieta adolescência. E tudo ele envolve nesse amor; é sensível — coisa rara no mundo antigo — à natureza, à beleza da terra, ao esplendor constantemente renovado da vida; e, muito mais ainda, comove-o o ser humano, e é a este que oferece um coração inesgotável. Aquele que foi por vezes apresentado sob o aspecto de um pessimista abrupto, de uma espécie de porta-voz da condenação, e que, de tempos a tempos, nos surpreende com o rigor das teses a que o conduz a firmeza da sua dialética, amou os homens mais do que ninguém, como um cristão os deve amar, isto é, em Deus e para o seu destino eterno.

Este é o sentido da sua caridade, que não é somente humana, mas sobre-humana, virtude sobrenatural que inclui todas as formas do amor, que as dirige para Deus e assim as transcende e realiza. Segundo Jesus, amar a Deus e amar os homens é a mesma coisa; nada pode separar os dois termos "do primeiro de todos os mandamentos". A caridade de Agostinho não é uma filantropia, pois não há caridade verdadeira sem a participação no amor de Cristo; e, em sentido inverso, a mais humilde das ações "caridosas" reveste-se de um alcance imenso a partir do instante em que se estabelece entre Deus e a alma a misteriosa comunicação do amor. A caridade assim entendida é, pois, a regra de ouro de todo o comportamento humano; eis como se deve entender, e não no sentido de uma indulgência fácil, a admirável fórmula de Santo Agostinho: "Ama e faz o que quiseres". Se o amor de Deus e do próximo pudessem ser perfeitos no nosso coração, cada uma das nossas ações seria de uma perfeição inefável.

Ao fim e ao cabo é, pois, o amor de Deus que domina inteiramente Santo Agostinho. É isto o que o sustenta na sua fraqueza física, que refulge na sua inteligência, que se exprime ao longo de toda a sua obra e que lhe indica certeiramente onde deve aplicar os poderes de amor da sua sensibilidade. Não se pode penetrar de maneira nenhuma neste gênio se se perde de vista, por um segundo que seja, que ele foi ao mesmo tempo e acima de tudo um santo — um santo não apenas pelas virtudes excepcionais de que deu provas, mas pela total orientação do seu ser. A característica dominante desta natureza é o impulso espiritual, a contemplação. Dos dois elementos fundamentais da experiência mística, Agostinho possui um e outro: a visão intelectual penetrante das coisas divinas e um amor a Deus que era nele uma paixão devoradora. Dessa experiência mística faz-nos ele uma admirável descrição no *Comentário ao Salmo LXI*; nenhuma dúvida pode haver de que este comentário foi baseado nas observações mais pessoais e que Deus, em vários momentos da vida do santo, se lhe tornou presente.

Assim, nesta personalidade inesgotável, o dado essencial é nada menos que o próprio Cristo. Desde o instante em que se entregou a Ele até ao último suspiro, Agostinho nunca pensou que o seu fim pudesse ser outro que não o de unir-se a Ele. Neste Cristo que o tinha arrancado à sua miséria, neste Cristo cujo contato privilegiado lhe fora dado sentir, neste Cristo que ele percebia dentro de si "gemendo nas provações até o fim dos séculos", foi nEle que o seu "coração inquieto" encontrou a paz. Era Ele que o santo da caridade reconhecia no rosto das criaturas, e foi Ele, enfim, que em dado momento do tempo se tornou a seus olhos a explicação definitiva da história. Nada, na obra de Agostinho, se poderá compreender plenamente, se se esquecer que, acima de todo o talento e de todo o mérito, ele foi um filho de Cristo, um homem de Deus.

Um bispo africano

Agostinho não desejava outra coisa senão viver em Deus quando, no outono de 388, se retirou para Tagaste e, obedecendo à ordem que Cristo dera ao jovem rico, vendeu os bens da herança paterna para abraçar a santa pobreza. À sua volta agrupou-se uma pequena comunidade, formada pelos melhores fiéis, Alípio, Evódio e essa maravilhosa criança, Adeodato, que, aos dezessete anos, a morte próxima já rondava. Não se tratava de um mosteiro propriamente dito, segundo a fórmula dos orientais[17], mas de uma livre associação de almas impelidas pelos mesmos desejos de perfeição e que era dirigida, sem nenhum título nem consagração sacramental, pela personalidade de Agostinho. Foi uma bela existência, recolhida e fecunda, a dos três anos em Tagaste. "Nada melhor, nada mais doce — exclamou um dia o santo — do que perscrutar no silêncio o divino tesouro. Mas pregar, argumentar, corrigir, edificar, inquietar-se com cada um..., que responsabilidade e que trabalho! Quem não procurará fugir de semelhante tarefa?" Ora bem, era precisamente para esse encargo que a Providência iria chamá-lo em breve.

Nos começos de 391, Agostinho foi a Hipona, para avistar-se com um dos numerosos correspondentes que reclamavam as suas luzes, um agente de negócios imperial que ele achava estar prestes a converter-se. Mal chegou à cidade, os católicos do lugar puseram os olhos nele. O bispo Valério, um santo homem, não correspondia às expectativas dos fiéis; era de origem grega, não conhecia a língua púnica e, já de idade muito avançada, não enfrentava com garra os cismáticos do partido donatista. Durante um sermão em que Valério se lamentava dolorosamente da falta de sacerdotes na sua igreja, a multidão interrompeu-o com um clamor: "Agostinho presbítero! Agostinho presbítero!" O único desejo de Agostinho, naquele instante, seria estar a vinte léguas dali, na sua querida solidão de Tagaste. Mas já alguns entusiastas se apoderavam dele, arrastando-o para junto da cátedra episcopal, e Valério, encantado com essa expeditiva captura, conferiu-lhe as ordens. Eram, sem dúvida, costumes vivos demais, mas, em Milão, não fora também Santo Ambrósio eleito para o episcopado da mesma maneira? E, como Agostinho não ocultasse o seu desgosto, uma ovelha, mais zelosa do que sutil, gritou-lhe: "Vai, que em breve serás o nosso bispo!", o que não era para ele nenhum consolo. Efetivamente, pouco depois o velho Valério associava-o a si como coadjutor e, em 396, por morte do bispo, sucedia-lhe o antigo recluso de Tagaste. "E foi assim — diz tranquilamente o seu discípulo Possídio, futuro bispo de Guelma — que esta lâmpada brilhante, que não procurava senão a sombra da solidão, se encontrou colocada sobre o candeeiro..."

É, pois, como bispo que Agostinho vai, logo de início, encarnar o cristianismo, e devemos reconhecer que esta consagração iria aumentar consideravelmente o alcance do seu apostolado. Desde que a Igreja de Cristo existe, o bispo desempenha um papel fundamental em cada comunidade. É ele que assume, não só aos olhos dos homens, mas também perante Deus, a responsabilidade total, material, moral e espiritual do rebanho confiado à sua guarda. Tudo parte dele, tudo termina nele. Os bispos são verdadeiramente as pedras com que se constrói a Igreja. Quase todos os homens que realizam nesta época grandes coisas na ordem religiosa são bispos, quer se chamem Atanásio ou Ambrósio, João Crisóstomo ou Martinho de Tours. Teria faltado um traço decisivo na figura de Agostinho se não tivesse sido bispo de Hipona, isto é, se não o víssemos atrelado às inúmeras dificuldades e tarefas que o episcopado supunha nestes tempos conturbados.

E como eram especialmente difíceis essas tarefas, neste fim do século IV, para um bispo africano! Rica em santos, fecunda em entusiasmos devoradores, a igreja da África foi sempre violenta, inclinada aos extremos e ameaçada por cisões. Para segurá-la, houve sempre necessidade de homens de um vigor acima do comum, de um São Cipriano, por exemplo, ou ainda de um Tertuliano, que aliás terminou mal[18]. No momento em que Agostinho foi sagrado bispo, as comunidades da África encontravam-se mais do que perturbadas pelas tristes lutas do cisma de Donato[19]. Ainda estão próximos os tempos em que se viu Optato, "bispo" rebelde, percorrer com a sua chusma os campos, multiplicando as agressões contra os fiéis de Roma. Na própria Hipona, o bispo donatista Faustino era tão poderoso que proibiu os padeiros de cozerem pão para os católicos, e chegou a ser obedecido! Já era tempo, como escreve Possídio, de que a verdadeira Igreja, "durante tanto tempo humilhada, levantasse a cabeça". Mas é evidente que um cargo episcopal nestas condições não devia ser nenhuma sinecura!

Desde 396 até à sua morte, isto é, durante trinta e quatro anos, Agostinho foi bispo de Hipona, e é hoje nessa cidade de Bône , na encosta arborizada onde se ergue a sua estátua, nas escavações arqueológicas que trouxeram colunas e mosaicos à luz do dia, que nos apraz evocar a sua memória. Agostinho amou Hipona, amou o seu golfo, a pureza das suas linhas, o círculo montanhoso que circunscreve o seu horizonte, os seus grandes pinheiros sussurrantes, os seus olivais, e falou com palavras requintadas dos reflexos cambiantes que as águas do mar tomavam indefinidamente, a toda a hora do dia e da noite. E amou sobretudo a gente de Hipona, essa população exigente, irrequieta, que queria que o seu bispo se interessasse por todos os seus negócios, que o repreendia pela menor ausência e à qual se entregou com uma inesgotável caridade.

No entanto, sabendo bem que a influência de um chefe cristão é exatamente proporcional às virtudes sobrenaturais que o amor de Deus deposita nele, Agostinho quis salvaguardar o contato frequente com Cristo e procurou evitar que os cuidados e tarefas das suas funções oficiais o absorvessem por inteiro. Foi por isso que transformou a residência episcopal num verdadeiro convento, exigindo que o seu clero se submetesse a métodos de vida monacal. Sem ter propriamente uma *Regra*[20] — no sentido em que mais tarde se falará da *Regra de São Bento* —, a comunidade episcopal levava uma existência "regulada": mesa frugal, sem excessos de abstinência, pão e legumes, um pouco de vinho, vestuário modesto e pobre e mobiliário sem luxo. Nas paredes da sala comum em que se tomavam as refeições, havia dois versos que lembravam a cada um o dever da afabilidade na linguagem. "Tu que, sem caridade, murmuras dos ausentes, lembra-te de que nesta mesa se odeiam os maldizentes". As mulheres não residiam na casa santa e, se alguma ali ia em visita, o clérigo que a recebia devia estar sempre acompanhado. Havia horas de trabalho manual que equilibravam as horas de meditação e de prece. Era nesta atmosfera de fraternidade e de fervor que o bispo Agostinho hauria as forças de que necessitava para não ser esmagado pelo peso das suas obrigações.

É difícil para um católico dos nossos dias avaliar as tarefas atribuídas a um bispo dos anos próximos ao ano 400. Por mais paternal que seja, nos nossos dias é frequente que o bispo fique mais ou menos afastado do contato direto com os fiéis. Um bispo do século V, e especialmente um bispo africano, era diferente. Nada do que dizia respeito aos fiéis podia ser-lhe estranho. Esperava-se que tivesse a porta sempre aberta a todo aquele que quisesse tratar com ele dos seus negócios — não só espirituais, mas os mais terra-a-terra. A partir de Constantino, o bispo assume oficialmente as funções de juiz, e só Deus sabe como a África era fecunda em litígios e processos.

Cabe-lhe também prover ao "socorro católico", missão que Agostinho desempenha com uma bondade infinita, ajudando os pobres, remindo os cativos, vendo-se obrigado por vezes a desfazer-se de algum vaso sagrado para atender uma necessidade urgente. A comunidade possui bens que o bispo tem de administrar; e ele, que não ama senão a renúncia, tem de se ocupar de contratos de arrendamento e de rendas. Mais ainda, numa época em que as piores ameaças podem cair sobre o povo e em que o Estado e os seus funcionários, o seu fisco, são tão agressivos que foi necessário criar os "defensores da cidade", encarregados de resistir — oficialmente! — aos excessos dos poderes públicos, é ele que, sem estar investido nesse título, assume esse cargo; um cargo na verdade muito pouco cômodo, num momento em que o Estado é representado na África por um governador militar, um mouro cobiçoso chamado Gildão.

A todos estes trabalhos, para os quais nos perguntamos como pode bastar a vida de um homem, Agostinho tinha de juntar um outro que, segundo os usos, era de estrita obrigação e ao qual, aliás, ele jamais se furtaria, nem mesmo em troca de um tesouro. É ele, praticamente, o único pregador da comunidade, aquele de quem, todos os domingos, se espera a homilia com uma amigável voracidade. Na *Basílica Maior*, também chamada *Basílica da Paz*, não falta nenhum dos fiéis da Igreja católica. Todos estão de pé, os homens de um lado, as mulheres do outro. Conversa-se e trocam-se gracejos. Agostinho começa a falar, e faz-se um súbito silêncio. Aborda familiarmente todos os problemas que preocupam o seu povo e fala-lhes no tom exato em que melhor o podem entender. O auditório entusiasma-se rapidamente e termina em voz alta uma citação que o bispo tinha começado. Por vezes há murmúrios e resmungos, quando exige, por exemplo, que ponham termo a certas práticas semi-pagãs que ainda sobrevivem na comunidade. Outras vezes aclamam-no, e ele responde sem muitas ilusões: "Os vossos louvores são folhas de árvores, e eu quereria ver os frutos!" A homilia prolonga-se, o tempo passa e o orador tem de pedir desculpas, mas reclama mais uns momentos de silêncio, pois a sua voz é fraca e ele logo se cansa. Podemos imaginar a influência que tal eloquência devia exercer sobre um auditório tão próximo e tão vibrante. Ao lermos os textos dos sermões que chegaram até nós, temos a impressão de estarmos a ver o punho forte e caridoso do santo de Hipona, amassando a massa do pão cristão.

Esta sobreposição de santas tarefas não exauria Agostinho? De maneira alguma; e esse é o milagre. Porque, ao mesmo tempo que desempenhava integralmente as suas funções de bispo, continuava a escrever e prosseguia a sua obra imensa, sem se deixar devorar pela administração e pelas tarefas pastorais. A sua ação estendia-se muito além de Hipona. Aquilo que teria esmagado qualquer outro não era para ele senão uma espécie de suporte da sua existência, uma maneira de ter conhecimento dos homens e de estar em contato com a realidade.

O combatente da verdade

Mesmo que tivesse querido limitar-se o melhor possível à sua vida de bispo, Agostinho teria sido obrigado a ultrapassá-la. A fé cristã encontrava-se então ameaçada por diversos lados. Ainda que não fosse senão para proteger o seu rebanho daqueles que denominava "os leões devoradores", era necessário que o pastor levantasse o estandarte da batalha. Por isso, desde a hora em que a voz do povo o chamou ao sacerdócio, até aquela em que adormeceu no Senhor, não se passou um único ano, ou um único mês, em que não estivesse na trincheira, fazendo frente às variadas e terríveis formas de que o erro se revestia.

A luta contra as heresias começara quase nos alvores do cristianismo[21], e em quatrocentos anos conhecera muitos episódios. Para as gerações que tinham precedido a de Agostinho, essa luta atingira um verdadeiro paroxismo quando tinham rebentado contra a Igreja, ao mesmo tempo, os pesados vagalhões do arianismo, do donatismo e do maniqueísmo. Nos princípios do século V, a ameaça continuava grave, acrescida pelo aparecimento de novos inimigos. Nenhum cristão podia manter-se neutro no meio de conflitos em que se jogava tudo, inclusive a própria existência do cristianismo. Mais do que ninguém, Agostinho tinha uma noção exata do perigo e a firmeza de vontade necessária para o enfrentar.

Talvez mais do que qualquer outro, tinha em si o sentido da Igreja. Dela falou admiravelmente. Quantas vezes, na sua pregação, não exprimiu os laços místicos que unem a Igreja a Deus, e quantas vezes não exaltou a sua missão entre os homens! Com que sabedoria, com que sentido exato das exigências históricas, não formulou os termos de uma organização social eclesiástica! Com que fervor não citou, tornando-as próprias, as célebres palavras de São Cipriano: "Fora da Igreja, não há salvação"! Bastava que a *Ecclesia Mater* fosse posta em causa pela heresia, para que se sentisse pessoalmente atingido aquele a quem chamariam "o Doutor da Igreja".

Mas, quando consideramos os episódios da luta do santo, logo se impõe uma outra observação: é que cada um dos dramas em que ele se envolveu foi, em certo sentido, o seu drama pessoal. Não é apenas como representante da Igreja, como depositário oficial da santa doutrina, que arremete contra os inimigos da verdade; dir-se-ia, de cada vez, que são as mais profundas exigências da alma que o guiam e que, respondendo aos adversários, dá solução às suas próprias interrogações. É isto o que transforma as discussões contra a heresia — tantas vezes poeirentas e pesadamente aborrecidas — em batalhas apaixonantes, quando nelas intervém Santo Agostinho. E é por isso também que cada um desses conflitos lhe proporciona ocasião de dar um passo adiante e de realizar uma elaboração doutrinal nova. O combate pela verdade constitui um dos maiores elementos da sua obra.

Denunciar o *maniqueísmo* foi para Agostinho, desde que se tornou cristão, mais do que uma obrigação do seu estado e uma necessidade da sua inteligência: foi um dever de consciência. Permanecera nessa seita durante nove anos — embora, conforme declara, como um catecúmeno bastante tíbio e sem uma adesão total —, pondo os recursos do seu talento a serviço do erro e chegando mesmo a arrastar para ele alguns dos seus amigos. Mal se converteu, em 388, desembainhou imediatamente a espada contra os correligionários da véspera. A luta devia durar vinte anos.

Para nós, depois de tantos séculos, a doutrina de Manes ou Mani[22], "monstro policéfalo", aparece-nos como uma decepcionante amálgama em que uma inteligência vasta, mas desprovida de esqueleto, mistura mil ingredientes mal assimilados — budismo, gnosticismo, tradições judaico-cristãs —, tudo apoiado no substrato do velho dualismo iraniano. A acumulação de mitos — uns bonitos, outros absurdos — dá-nos a impressão delirante de um universo espiritual em estado caótico. Mas não era o que pensava dele um espírito jovem que andava em busca da verdade. O próprio Agostinho declara o motivo que o arrastou para o maniqueísmo: "a pretensão que estes homens afetavam de afastarem o espectro da autoridade em benefício da razão e a promessa de arrancarem os seus discípulos de todo o erro, conduzindo-os para Deus". Foi, portanto, antes de mais nada, a paixão pela verdade que transviou esta alma inquieta. Não "explicava" o maniqueísmo os mais graves problemas, como, por exemplo, o do mal? Afirmando a existência de duas entidades antagônicas e a oposição entre a matéria e o espírito, não resolvia ele o enigma de um Deus puramente espiritual suscitado pelo cristianismo? Será preciso acrescentar ainda que certas comodidades da sua moral, severa para os *perfeitos* e indulgente para os seguidores mais simples, não devia deixar de agradar a um mancebo que se sentia atormentado pela carne?

Inicialmente, a luta contra o maniqueísmo foi portanto, para Agostinho, uma luta travada no interior da sua alma. Como se libertou dele? O senso crítico, desenvolvendo-

-se à medida que os seus conhecimentos filosóficos progrediam, levou-o a julgar pelo seu justo valor as pretensões da seita quanto à verdade. A descoberta do neoplatonismo, oferecendo-lhe uma compreensão mais profunda de Deus e propondo-lhe uma solução para o problema do mal, impeliu-o a dar um novo passo. Escutando Ambrósio e lendo a Escritura, descobriu o valor da autoridade no preciso momento em que ganhava consciência dos limites e das incertezas da razão humana. E a vitória alcançada sobre a sua própria carne acabou de romper todos os laços.

Uma vez libertado do erro, quis libertar dele os outros. O seu primeiro cuidado — e aqui pode-se entrever o elemento pessoal — foi denunciar no *De Moribus* a falsa moral maniqueísta e as suas mal-cheirosas facilidades. Seguiram-se depois, a propósito dos livros do *Gênesis*, os seus primeiros esforços por explicitar os fundamentos da autoridade. Depois, já como sacerdote e como bispo, continua a combater sem tréguas e desafia os sequazes de Manes para sessões públicas, em que cada um dos dois campos apresentaria os seus argumentos. Em 392, tem lugar o longo debate — quarenta e oito horas de confronto — em que Agostinho esmaga Fortunato a propósito do problema do mal; doze anos mais tarde, é outro debate em que o sábio maniqueu Félix se confessa vencido e se converte ato contínuo. Ao mesmo tempo, numa sucessão de textos polêmicos, Agostinho refuta as grandes obras da seita, as teses de Adimanto, os *Fundamentos* do próprio Manes e a grande obra que Fausto de Milevo acabava de publicar contra a Sagrada Escritura e que o bispo de Hipona combate em nada menos do que trinta e três livros. E, paralelamente, para opor a verdade ao erro, Agostinho redige os grandes tratados sobre *O livre arbítrio* e a *Natureza do bem*, como baluartes contra as investidas da "peste do Oriente".

O maniqueísmo sai esgotado desta dura batalha. Quando Agostinho morreu, o fim da heresia estava próximo e seria apenas como uma corrente subterrânea que continuaria a circular. A obra do santo acabara por assentar bases definitivas em benefício do cristianismo: estabeleceu com exatidão as relações entre a razão e a autoridade; definiu o mal, dentro da grande perspectiva paulina, tal como ele é — um *deficit*, uma imperfeição, uma carência, mas não uma realidade —, e afirmou que tudo aquilo que foi criado por Deus é bom na sua essência. Do ponto de vista da civilização, contribuiu para afastar a ameaça de uma doutrina que lançaria por terra os fundamentos da vida coletiva, a moral, a família, as permutas sociais e a disciplina[23].

Apreendemos aqui a ação fundamental deste espírito que, de uma experiência pessoal, extraía as bases do futuro.

Seríamos levados a crer que Agostinho se empenhou de maneira menos apaixonada na luta contra aquilo que ele chamava com desprezo o *partido de Donato*[24], pois nunca alimentou simpatia pelo donatismo, mesmo quando se encontrava ainda fora da catolicidade. Contudo, lançou-se nessa luta com tal veemência e tenacidade que se tornou, desde os anos 400 até à sua morte, o verdadeiro chefe do combate antidonatista, e seu verdadeiro vencedor quando esse cisma herético acabou por afundar-se.

A extrema gravidade do perigo explica o ardor com que Agostinho se lançou à arena. O partido donatista nascera nos começos do século IV, logo após a perseguição de Diocleciano, sob o pretexto de que certos bispos haviam sido *traditores*, isto é, tinham capitulado diante dos agentes imperiais, devendo ser considerados indignos de dirigir os seus fiéis e de administrar os sacramentos; baseado, pois, inicialmente em escrúpulos excessivos, essa tendência depressa se transformara em cisma, em heresia e em coisa pior. Em cisma, porque acabara por criar uma contraigreja separada de Roma; em heresia, porque os teóricos da seita sustentavam que somente os santos faziam parte da Igreja e que os pecadores estavam impiedosamente proscritos. Vespeiro de mil querelas pessoais, rancores, intrigas e invejas, secretamente apoiado por altos funcionários interessados em sacudir o jugo imperial, o donatismo encontrou ainda muitas cumplicidades nas tendências mais ou menos separatistas de numerosos africanos. Aviltada por uma minoria de exaltados, a igreja que se intitulava "dos santos" estava assim, desde há oitenta anos, nas mãos de bandidos e malfeitores de toda a sorte, que moviam uma guerra sem tréguas contra os católicos.

Agostinho, convertido em um dos chefes responsáveis dentro do catolicismo, teve de fazer frente praticamente sozinho ao clã de Donato. Por volta do ano 400, a igreja cismática tinha talvez mais adeptos na África do que a verdadeira Igreja. Organizados, armados, apoiados nas suas tropas de assalto de *circumcelliones*[25], os adversários não recuavam perante coisa alguma; aconteceu mesmo que Agostinho escapou de uma emboscada unicamente porque o acaso o fez enganar-se de caminho. Mas, embora o perigo físico fosse o mais imediato, poderia impedir que o santo lhe medisse as consequências mais longínquas — a unidade da Igreja esfacelada, uma falsa concepção que a viciava nos próprios princípios do seu apostolado e dos seus bens? O antigo ouvinte de Santo Ambrósio compreendia perfeitamente o que significava a fidelidade à única Mãe; e poderia este antigo pecador resignar-se a deixar fora da sua salvaguarda os seus irmãos ameaçados?

A luta contra os donatistas revestiu-se de todos os aspectos imagináveis. Agostinho mobilizou contra o erro todos os inesgotáveis recursos do seu talento. Para espalhar entre o povo a ideia de que as doutrinas contrárias eram falsas, ele — o filósofo, o teólogo — compõe um canto popular, uma espécie de cantilena com refrão! Para convencer os chefes da facção inimiga dos seus erros, desafia-os com frequência para discussões públicas, como fizera com os maniqueus; mas, menos intelectuais do que os seguidores de Manes, a maioria deles recusa-se. E assim combate-os por escrito, multiplicando livros e tratados em que expõe as suas asserções com uma honestidade escrupulosa, acabando por desarmá-los e pulverizá-los. Mas tudo isso não basta. Quando os poderes públicos intervêm, inquietos com a anarquia provocada pelo cisma, é ainda Agostinho a alma da grande conferência de Cartago, em que duzentos e oitenta e seis bispos católicos enfrentam e derrotam duzentos e setenta e nove donatistas, graças ao pensador de Hipona. E quando finalmente o governo ordena a supressão legal do donatismo e começa a perseguir os seus adeptos, é ainda Agostinho quem procura reunir os cismáticos desamparados, para reconduzi-los ao seio da Igreja. Se a partir daí o partido de Donato se desmorona, para desaparecer completamente antes do ano 500, a maior parte do mérito pertence a Santo Agostinho.

Doutrinalmente, esta luta devia ter também uma grande importância. Seguindo na esteira do grande bispo Santo Optato de Milevo, mas levando a tese à sua plenitude, Santo Agostinho, nos seus livros antidonatistas *De Baptismo*, *Contra a carta de Parmênio* e *Contra Crescônio*, e em muitos outros textos, precisa, por entre os mil pormenores da discussão, a doutrina que sempre foi a do catolicismo. O cisma donatista era sectário; orgulhosamente, tinha pretensões a uma santidade exclusiva; era anarquizante e separatista. Santo Agostinho opõe-lhe a imagem autêntica da Igreja. Esta é misericordiosa para com todos, mesmo os pecadores, e os seus membros mais queridos são os humildes de coração. É santa no seu chefe, nos seus ministros, nos seus sacramentos; não está limitada ao nacionalismo suspeito de certas províncias, mas, sendo católica, isto é, universal, cresce no tempo e no espaço, sem qualquer limitação. Nascida da luta, esta apologética conservou incólume o seu prestígio até os nossos dias.

A luta contra o donatismo estava ainda no seu auge, quando surgiu um novo perigo, e novamente foi Agostinho quem teve de enfrentá-lo. O promotor da nova doutrina era um monge bretão que se apresentara em Roma, no pontificado de Anastácio (399-401), sob o nome grego de *Pelágio*, talvez algum druida apaixonado e teimoso como tantos da sua raça. Reagindo contra a indiferença de certos meios católicos, começou a denunciar os semiconvertidos, os cristãos nominais que o Batismo em nada modificava. O seu duro moralismo e a sua intransigência ascética tiveram grande êxito, tanto mais que ele pregava com o exemplo, em núcleos profundamente fiéis. E esse monge bretão, alto, de nuca espessa e fronte ameaçadora, logo foi tido como uma espécie de profeta.

Pouco a pouco, aquilo que a princípio não fora senão uma atitude moral, uma espécie de estoicismo cristianizado, ainda compatível com os princípios da Igreja, organizou-se em corpo de doutrina, sob a influência de dois discípulos de Pelágio, Celéstio e um bispo italiano chamado Juliano de Esclana. O *pelagianismo* proclamava a onipotência moral da vontade; mesmo quando não *quer* o bem nem o *pratica*, o homem *pode* fazê-lo por virtude exclusiva das suas forças naturais. Não é verdade que exista na sua natureza uma falha essencial, uma força secreta que o empurre para o mal; o pecado original não existe, e Adão, criado mortal e concupiscente, não nos prejudicou senão pelo seu exemplo. Portanto, o batismo não é estritamente necessário e a graça santificante não é indispensável à vida sobrenatural. Não há, pois, necessidade — visto que a vontade do homem é o único fator em jogo — de que "a autoridade divina penetre no coração". Como consequência, em última análise, a Redenção perde o seu sentido de regeneração da morte para a vida: quando muito, é um exemplo de elevação para Deus.

Tal sistema reduzia a religião, privada de todo o sobrenatural, a um simples moralismo; negava a utilidade do sacrifício de Cristo e tornava inútil a oração. Se eu sozinho posso salvar-me, para que hei de orar? Tudo o que há de maravilhosamente consolador no cristianismo, na imagem de Jesus assumindo para si os pecados dos homens a fim de os libertar das suas misérias e os içar para Deus, tudo isso desaparecia. Este erro, porém, a princípio não se podia distinguir com facilidade porque, sob muitos aspectos, Pelágio e os seus se apresentavam como cristãos notáveis; a sua doutrina ia-se cristalizando lentamente, e diversos chefes da Igreja não conseguiam enxergar bem onde é que estava o ponto infeccionado. Mas Agostinho, logo que foi informado acerca desta doutrina, não se enganou. Não havia ele de revoltar-se instintivamente contra esse altivo naturalismo, contra essa moral laica e voluntarista, ele que sabia tão bem, por experiência própria, como é fraca a vontade do homem e como é indispensável a ajuda de Deus? "Antes mesmo de conhecer as teses de Pelágio — escreveu ele —, já os meus livros as refutavam". E logo que as conheceu, não teve outro propósito senão defender contra elas os direitos de Deus.

A controvérsia antipelagiana viria a revelar-se complicada e delicada. Entre todos os chefes da Igreja, Agostinho é talvez o único que nos dá a impressão de sempre ter visto claro e de ter em mira um desígnio firme. Desde 411, ano em que o pelagianismo penetra na África, proveniente da Gália, o bispo de Hipona ataca-o, fá-lo condenar nesse mesmo ano no Concílio de Cartago, refuta-o em tratados que se tornarão célebres — sobre *Os méritos dos pecadores* e *O batismo das crianças* —, e opõe-lhe a verdade católica nas suas grandes obras sobre *O espírito e a letra* e *A natureza e a graça*. Depois, quando a Igreja da Palestina se deixa envolver pelo herege, a ponto de absolvê-lo no Concílio de Diospólis (415), Agostinho, sem desanimar, persegue o erro até à sua condenação por Roma, preparada pelo Concílio de Cartago de 416 e pronunciada pelo papa Inocêncio I em 417[26]. Ao mesmo tempo, os tratados sobre *A graça de Cristo* e *O pecado original* repetem incansavelmente e aprofundam a verdadeira doutrina. E quando, enfim, depois de Pelágio e Celéstio já estarem fora de cena, Juliano de Esclana retoma o essencial das teses de ambos, Agostinho prepara-se para desfechar contra ele o terrível dardo do seu segundo tratado *Contra Juliano*. Só a morte foi capaz de imobilizar-lhe a mão.

Assim, neste caso como em muitos outros, Agostinho, ao lutar contra o erro, afastou do cristianismo o perigo e simultaneamente fez progredir a doutrina. Das longas lutas pelagianas, a Igreja saiu não só vitoriosa, mas mais bem armada. Em face do moralismo pelagiano, dessa religião reduzida a uma permuta de obrigações e de recompensas, desse sistema de comportamento virtuoso mas sem verdadeira vida espiritual, Santo Agostinho afirma o caráter propriamente religioso do catolicismo, o seu mistério, isto é, a graça. A ideia central que desenvolve encontra-se resumida na apóstrofe de São Paulo, que tanto o tinha impressionado no tempo da sua grande crise: "Que tens tu que não tenhas recebido?" A graça, as boas obras e a própria fé, nada disso existe senão devido ao socorro divino. O bem que praticamos, é Deus que o pratica em nós; tudo em nós depende dEle. Essa *massa damnata*, "massa de perdição", que a humanidade constituía depois da queda de Adão, bem poderia ter sido abandonada pelo Senhor à sua própria condenação. A divina misericórdia, gratuitamente, de lá tira alguns, sem nenhum mérito da sua parte que esteja em proporção com a imensidade do dom.

Esta é a doutrina agostiniana da graça, que, bem compreendida, não restringe a liberdade humana, porque esta é tanto mais autônoma quanto, libertando-se das ilusões da terra, mais se abandona à misericórdia e à graça. Levando adiante a lógica das suas ideias, Agostinho admite que há *predestinados*, designados por Deus antes do seu nascimento e conduzidos por Ele para a salvação — o que parece indicar que os não eleitos são, nas mesmas condições, destinados ao Inferno. *Parece* indicar, dizemos nós, porque, para Santo Agostinho, na realidade, era muito diferente o *bem* que a graça exige e o *mal* que, como mal, a criatura pratica sozinha. Somente quando for interpretada num sentido muito restrito, é que a sua tese estará na origem das violentas querelas do calvinismo e do jansenismo; a Igreja nunca perfilhou essa interpretação. Mas, excluídos certos excessos devidos às próprias violências da batalha no decurso da qual a doutrina se elaborou, devemos reconhecer que, mais do que ninguém, Santo Agostinho trabalhou para aprofundar alguns dos mistérios essenciais da fé cristã. O título, que muitas vezes lhe é dado, de *Doutor da graça*, está mais que amplamente justificado[27].

Tal foi o sentido de todos estes combates travados por Agostinho. Conduzidos com terrível energia até ao último alento[28], nunca lhe transviaram o espírito, o que acontece frequentemente com os polemistas, a ponto de os fazerem confundir os pormenores da luta com o essencial daquilo que está em jogo. Discernindo nas heresias do seu tempo algumas das tendências permanentes do espírito humano[29], opôs-lhes uma construção doutrinal que ultrapassava o episódico e se apoiava sobre bases definitivas. E esta maiêutica do futuro pelo conhecimento profundo do presente é talvez a característica que melhor nos faz descortinar um gênio.

A inteligência a serviço de Cristo

Pressentir e preparar o futuro: esta foi, em última análise, a missão histórica de Santo Agostinho. Situado precisamente numa das mais difíceis encruzilhadas do dobrar dos séculos, testemunha lúcida da derrocada de todo um mundo, este homem ergue-se, no limiar dos tempos novos, como o pregoeiro e o guia de uma humanidade angustiada. Dir-se-ia que quatro séculos de cristianismo não tinham desenvolvido tanto esforço e não se tinham empenhado em tantas lutas senão para agora se resumirem e desembocarem nesta poderosa personalidade que procurava operar uma síntese de todos esses resultados ainda dispersos, e cujo pensamento vai servir de farol a uma nova humanidade.

No desmoronamento do mundo antigo, todos os valores fundamentais do homem e da civilização — tanto os da inteligência como os da consciência — estavam ameaçados de perder-se, e o verdadeiro problema em que esse mundo se debatia era o de saber como é que esses valores poderiam sobreviver à desintegração da estrutura política e social. Agostinho era essencialmente um intelectual, um grande intelectual, apaixonado pelas ideias e consciente do papel que o espírito deve assumir. "Deus te livre — escrevia ele a um discípulo — de supor que Ele odeia em nós precisamente aquela virtude pela qual nos elevou acima dos seres. Não agrada a Deus que a fé nos impeça de procurar e de encontrar as causas. Com toda a tua alma, esforça-te por compreender!" Mas, para que semelhante esforço da inteligência seja eficaz, é necessário que tenha um objetivo, que seja ordenado para um fim, porque de contrário levará a uma gratuidade estéril que não tem outro nome senão o de decadência. No século IV, a inteligência antiga manifesta todos os sintomas de envelhecimento; a sua seiva criadora secou, e tudo se reduz ao comentário, ao resumo, ao estudo gramatical ou retórico. Dá a impressão de girar no vazio, e de ter transformado toda a riqueza de um passado prestigioso numa enorme confusão.

Mas, pela sua educação, Agostinho estava perfeitamente qualificado para compreender que esse passado da inteligência antiga constituía um valor que cumpria salvaguardar. Já antes dele, certos pensadores cristãos tinham mais ou menos pressentido essa obrigação, ou antes, criticando a cultura pagã e idólatra, tinham tido a ideia de que os métodos intelectuais antigos eram uma ferramenta que se poderia utilizar. Já no século II, um São Justino tinha enveredado por esse caminho[30], bastante novo para o cristianismo que, nos seus primórdios, contava muito poucos intelectuais nas suas fileiras; mais tarde, a escola cristã de Alexandria, com Clemente e Orígenes, havia defendido abertamente essa tese, à qual Tertuliano, apesar da sua intransigência, acabara por aderir na prática. Nos séculos III e IV, à parte algumas resistências isoladas, tratava-se já de uma atitude geral — a dos grandes Capadócios, de São João Crisóstomo e de Santo Ambrósio. E era uma atitude de importância decisiva para o futuro, pois fazia do cristianismo o herdeiro de mil anos de esforços intelectuais e o depositário de um tesouro humano ímpar.

Santo Agostinho situa-se, em certo sentido, na mesma linha. Se se pôde falar do *platonismo* dos Padres da Igreja, é a ele que melhor se aplica o termo; como seu mestre Ambrósio, nutriu-se de Cícero e de Virgílio, a quem critica e venera ao mesmo tempo, e lembramo-nos da formação de retórico que recebeu na sua adolescência. É, portanto, um autêntico herdeiro da inteligência antiga; mas será apenas isso? Nos começos, sem dúvida; em Milão e em Cassicíaco, continuou a sê-lo, mas o homem da grande maturidade, o bispo de Hipona, é já outra coisa. No contato com as suas rudes ovelhas, na experiência vivida de um cristianismo cheio de responsabilidade, transcendeu, de certo modo, os elementos da cultura e colocou-os no seu devido lugar, isto é, na vida. Se os bárbaros chegarem amanhã, se amanhã tudo se desmoronar, serão porventura os discursos de Cícero, os versos de Virgílio ou mesmo os pensamentos sublimes de Platão que irão salvar a civilização? Não; a verdadeira salvaguarda está noutra parte; está na palavra de Vida que eleva os homens acima de si mesmos e que dá ao espírito o seu significado. Enquanto os seus predecessores tinham estado todos mais ou menos espartilhados dentro da cultura antiga, incapazes de imaginar uma vida intelectual diferente daquela a que estavam acostumados, a intuição de Agostinho leva-o a conceber novas bases para o espírito humano. Antes dele, os Padres tinham pensado que a inteligência antiga podia ser um apoio para o cristianismo; Agostinho, porém, compreende que o cristianismo é o único baluarte capaz de proteger as riquezas do espírito contra a ameaça dos bárbaros.

É, portanto, Cristo — e só Cristo — que deve impregnar a inteligência, ser o alfa e o ômega de todo o esforço espiritual. A vida intelectual deve ser inteiramente consagrada a Deus, não apenas como simples homenagem, mas porque contribui diretamente para a vida espiritual. A um amigo que lhe mostrou uns trabalhos literários, Agostinho escreve: "Que me importam esses versos, em que vejo uma alma e uma inteligência que de forma alguma posso oferecer ao meu Deus?" O tesouro da inteligência que Deus nos confia não deve ser utilizado senão para a sua glória. Não existem valores humanos naturais que se possam separar da ordem sobrenatural. Tudo está submetido às exigências da salvação. É uma atitude perfeitamente lógica, consequência moral de uma fé sem condições e que absorve todo o ser; será essa a atitude da Idade Média; basta caracterizá-la para já podermos prever a sua influência decisiva.

Pôr a inteligência ao serviço de Cristo significa reconhecer que as ciências são tanto mais elevadas em dignidade quanto mais nos permitem aproximar-nos de Deus e conhecê-Lo. A ciência mais eminente entre todas é, portanto, a *teologia*, ciência de Deus. Podemos dizer que, embora não a tenha concebido como um ramo do conhecimento inteiramente autônomo, mas ainda muito associado ao comentário escriturístico ou à filosofia, foi Santo Agostinho quem mais contribuiu para assegurar a sua primazia. Antes dele tinha havido ensaios, tentativas muitas vezes notáveis, como as de um Irineu de Lyon ou de um Justino; tinha havido sobretudo a grande obra de Orígenes, de que se nutria a igreja do Oriente. Mas Agostinho é o verdadeiro fundador do espírito teológico no Ocidente; mesmo que, formalmente, a teologia date da Idade Média, ela nunca teria existido sem as suas profundas intuições.

Com ele, o raciocínio sobre o dogma, o esforço por aprofundar os dados da Revelação, assumem uma importância que jamais perderão. A teologia, que ele concebe como a ciência e a compreensão da fé, desenvolvidas mediante as luzes da sabedoria, tem por fim "produzir, nutrir, defender e afirmar a fé salutar que conduz à verdadeira felicidade". Ela é duplamente sobrenatural: pelo seu objeto — a verdade revelada — e pelas luzes que derivam da inefável Sabedoria. Toda a atividade do espírito humano desemboca nela, e por isso vimos como as lutas contra as heresias levaram Santo Agostinho a formular princípios teológicos decisivos. À margem de toda a polêmica, uma grande obra domina este aspecto da sua atividade: o tratado *De Trinitate*, em auxílio do qual convoca todos os conhecimentos, tanto a metafísica como a psicologia, o saber de Platão como o de Aristóteles, e ainda toda a erudição escriturística, a fim de colocar a inteligência humana em face do mistério que excede toda a inteligência. Juntamente com a *Suma Teológica* de São Tomás, o *Tratado sobre a Trindade* é um dos dois pilares do raciocínio teológico cristão.

Se o esforço fundamental reside no conhecimento de Deus, foi dado ao espírito humano um meio de se aproximar desse conhecimento: existe um texto que nos faz chegar à Palavra de Deus. Assim a Bíblia, livro santo, expressão da Palavra (essa Bíblia que o jovem estudante de Cartago menosprezara), deve ser estudada mais do que qualquer outro livro. Também aqui Santo Agostinho já tinha tido predecessores. A *exegese*, a ciência da Sagrada Escritura, florescia desde há muito no cristianismo. Embora a sua obra exegética seja imensa, não é por ela que Santo Agostinho se impõe; não atingiu as qualidades críticas de São Jerônimo (cujos princípios não parece ter compreendido), nem, na interpretação dos símbolos, a altura majestosa dos alexandrinos. Mas o que ele fez compreender com toda a força é que, de futuro, a verdadeira cultura deveria ser bíblica e escriturística, e aplicará ao seu estudo os métodos adquiridos mediante a gramática. Além disso, juntando ao estudo da Escritura inspirada o da Tradição viva pela qual Cristo se perpetua na sua Igreja, foi ele o primeiro grande escritor que comparou entre si os trabalhos dos seus predecessores na história do pensamento cristão; leitor ardoroso de Orígenes, de Tertuliano, de São Cipriano e sobretudo de Santo Ambrósio, perfeitamente a par das obras dos Padres da Capadócia — Basílio, Gregório Nazianzeno —, e mesmo das de Hilário de Poitiers, abre assim um novo caminho à cultura. Mais do que a exegese, será a patrologia medieval que lhe ficará enormemente devedora.

Trata-se, porém, de ciências estritamente orientadas para as realidades divinas; teria Santo Agostinho concebido também outras? Admitiria ele que outros esforços da inteligência, sem estarem diretamente orientados para a única ciência necessária, podiam ser úteis, aproximando o homem da verdade? Esta é uma das questões mais debatidas e que se pode formular assim: existe uma *filosofia* agostiniana, distinta da teologia e que Agostinho tenha concebido como tal? Houve quem exaltasse a filosofia do convertido de Milão a ponto de passar por alto o papel decisivo da sua fé no desenvolvimento do seu corpo de doutrina; outros, mais numerosos, negaram que houvesse nele qualquer atividade filosófica autônoma e afirmaram que tudo, no seu espírito, estava submetido à teologia. A verdade está fora destas duas posições extremas.

Se entendermos por "filosofia cristã" um esforço do pensamento apoiado na razão, isto é, um sistema de raciocínio que não se valha da revelação e da fé como elemento de prova das suas demonstrações, ou ainda uma doutrina elaborada por cristãos e por eles utilizada a fim de expor a fé e aprofundar o estudo de Deus, é fora de dúvida que Santo Agostinho foi um filósofo cristão no sentido pleno do termo. Isto implica que a razão pode atingir a verdade através das suas próprias forças, com a ajuda normal que Deus dá a todo o homem; mas não que a filosofia esteja explicitamente separada da ciência sobrenatural, pois basta que seja possível separá-las. E foi o que Santo Agostinho compreendeu perfeitamente, estabelecendo as bases dessa separação. Foi ele mesmo quem definiu a sua atitude fundamental: "Antes da fé, compreender para crer; depois da fé, crer para compreender". A filosofia e a teologia devem, portanto, ser diferentes, mas estar associadas.

O esforço desenvolvido no Oriente por Orígenes e seus inumeráveis continuadores, e, entre os latinos, com êxitos desiguais, por Tertuliano, Minúcio Félix, Arnóbio, Lactâncio e Ambrósio, foi o que o pensador de Hipona retomou, dando-lhe um novo alcance. É certo que nem sempre distinguiu perfeitamente os campos da razão e da fé; este grande realista, mergulhado na totalidade do ser humano, não tinha as qualidades de análise sistemática que haviam de fazer a glória de São Tomás de Aquino. Os seus dons são de outra natureza, a sua doutrina está orientada para a vida. Mas nem por isso deixou de fazer com que o pensamento cristão desse um passo decisivo: é com ele que esse pensamento atinge a sua maturidade. Apoia-se nas bases do sistema neoplatônico, mas dá-lhe como coroamento um Deus criador, ao invés do Deus nebuloso e imanente de Plotino. Psicologia e moral, teoria das ideias, doutrina do conhecimento — em quantas direções não aplainou ele os caminhos? A sua concepção da *iluminação*, percepção intelectual das verdades fundamentais, sustentada por Deus e a Ele conduzindo, é de uma riqueza inesgotável. É certo que não explicitou tudo, assim como não construiu um sistema completo; mas desempenhou na história da filosofia cristã um papel análogo ao de Platão na filosofia antiga: fecundou o espírito.

Foi este, em última análise, o seu verdadeiro papel no plano da filosofia. Levou os homens que o seguiram a meditar, segundo os princípios cristãos, nas grandes questões eternas. Pondo a inteligência ao serviço de Cristo, literalmente salvou-a.

Será preciso acrescentar ainda que, num plano mais humilde, ele devia desempenhar, nos tempos mais sombrios da história, um outro papel de resgate? Este grande intelectual, amigo dos livros, para quem o livro — do *Hortênsio* de Cícero às *Enéadas* de Plotino — tinha sido uma peça essencial da vida, impôs o respeito e o amor pela literatura a todos quantos sofreram a sua influência, e, se as oficinas dos copistas hão de ser mais tarde os últimos refúgios do pensamento, é talvez porque nelas se venerava a memória de Santo Agostinho. Último dos grandes escritores latinos, elemento de união entre a Antiguidade clássica e a cultura moderna, será a sua língua que servirá de modelo aos últimos latinistas que sobreviverem aos tempos bárbaros. Boa parte da Idade Média não conhecerá a literatura clássica senão através das citações de Santo Agostinho.

Assim salvou ele esse instrumento para a sociedade que havia de surgir mais tarde, sobrepujando as grandes catástrofes, e preparou o futuro renascimento da inteligência. Não foi, porém, apenas pelos valores do espírito, mas muito mais pelas virtudes sociais que ele veio a desempenhar esse papel de baluarte.

A "Cidade de Deus", baluarte cristão

Em fins de agosto de 410, chegou à África uma terrível notícia, que causou grande emoção. Roma acabava de ser saqueada pelos bárbaros! A velha capital, inviolada desde os longínquos tempos da invasão gaulesa, tinha sido forçada pelos bandos de um chefe godo, Alarico, e agonizava sob os seus ultrajes[31]. Logo começaram a desembarcar refugiados que contavam os mais horríveis pormenores: "Ruínas sobre ruínas, incêndios e pilhagens, massacres e torturas"; tudo isso parecia incrível, tanta era ainda a majestade que emanava de Roma; no entanto, era verdade. As almas mais fortes sentiam-se possuídas de uma profunda tristeza. Em Belém de Judá, o rude São Jerônimo soluçava, e em Hipona, exprimindo o pensamento de todo o seu povo, o bispo exclamava — parece-nos ouvir a sua voz entrecortada pela emoção —: "O corpo de Pedro está em Roma! O corpo de Paulo está em Roma! Em Roma repousam Lourenço e os corpos dos mártires! Roma angustiada, Roma devastada! Por todos os lados a aflição e a carnificina! Onde estão as memórias dos nossos santos?"

Para um homem daquela têmpera, porém, qualquer acontecimento adverso representa muito mais do que uma mera ocasião para lamentos; e, para um cristão, as piores catástrofes têm de ser compreendidas no contexto das intenções insondáveis de Deus. Agostinho reagiu à notícia do drama de acordo com o seu temperamento e a sua fé, isto é, como pensador, como escritor e como cristão; mas reagiu igualmente no sentido do seu gênio, isto é, ultrapassando o episódico e vislumbrando nele o futuro. Outros, no mesmo instante, estavam como que fulminados pelo assombro; viam que um mundo se desmoronava diante dos seus olhos, mas, para além desta queda no abismo, não pressentiam nada e não esperavam mais nada. Agostinho, porém, logo se refez. A queda de Roma não era o fim *do* mundo, mas o anúncio do fim *de um* mundo; era uma catástrofe como muitas outras, análoga à queda de Troia. As civilizações, ao fim e ao cabo, revelam-se mortais como os homens; não é isso o que importa. O que importa é compreender o sentido do drama e o seu lugar no tempo e nas intenções divinas.

Partindo de um ponto de vista inteiramente cristão, Agostinho vislumbrava, portanto, de um só golpe, a única concepção histórica legítima. No fluxo contínuo da vida, era bem verdade que a tomada de Roma não representava uma imobilização do tempo, nem mesmo um marco simbólico, e que o verdadeiro trabalho dos homens não era chorar, mas construir os amanhãs.

Como aconteceu muitas vezes com este lutador, a reação de Santo Agostinho originou-se de uma polêmica. Para que pudesse deixar clara a sua doutrina da graça, fora-lhe necessário Pelágio; para que empreendesse a sua grande obra e fundasse a filosofia da história, precisou da queda do Império. Lançadas pelos pagãos, corriam de boca em boca observações como estas: "É no tempo do cristianismo que Roma é devastada; quando se ofereciam sacrifícios aos nossos deuses, Roma florescia. Vós, cristãos, orais ao vosso Deus e proibis que nós oremos aos nossos: vede o que aconteceu!" Talvez esta propaganda tivesse começado a fazer estragos entre os cristãos, porque Agostinho se lançou a refutá-la. Instigado por numerosos amigos, à frente dos quais se encontrava o conde Marcelino, pôs-se a escrever em fins de 412. Durante treze anos, apesar dos trabalhos da sua vida episcopal, não teve descanso. De mês para mês, a obra ganhava amplidão, ultrapassava os quadros do episódico e elevava-se a alturas jamais atingidas. Quando a terminou, em 426, não tinha menos de vinte e dois livros: é *A Cidade de Deus*.

É impossível esgotar, nas poucas linhas de uma definição, um livro que é um dos monumentos do espírito humano. É uma filosofia da história, uma teoria do Estado e da vida social, um compêndio das relações entre o espiritual e o terreno; e é, ao mesmo tempo, uma espécie de arte de viver nas horas de amargura, um tesouro de consolação. Começa com o saque de Roma e termina com o Juízo final. Umas vezes repisando intermináveis exposições sobre os costumes bárbaros, os sistemas filosóficos, as guerras dos impérios ou as hierarquias dos anjos, outras resumindo uma ideia ou uma demonstração em fórmulas definitivas, é um livro maciço, difícil, inesgotável como todas as grandes obras-primas. Nesta síntese magistral, tudo se encontra reunido — fenômenos terrestres e vontade divina, conhecimentos do passado e presciência do futuro. O olhar do gênio abarca a totalidade dos destinos humanos e ordena-os em torno da religião cristã que, se se souber compreendê-la, é "um valor permanente do espírito", isto é, remonta às origens que ela explica e conduz até ao termo final. E tudo isso não se encontra reduzido a raciocínios ou observações áridas, mas está numa ebulição incessante pela referência aos problemas eternos, fazendo compreender que esse drama da história é, ao fim e ao cabo, o *nosso* drama, o drama de todos os homens, e que é do seu resultado que depende o nosso verdadeiro destino. Um eminente comentador[32] fez esta observação: a *Cidade de Deus* é a teologia viva no marco histórico da humanidade, tal como as *Confissões* são a teologia vivida numa alma; em ambos estes livros, Deus é a única e a suprema razão.

O título, que talvez se tenha inspirado em algumas obras donatistas, provinha da tradição bíblica dos *Salmos* e da *Epístola aos Hebreus*, que prometiam aos homens de fé uma cidade perfeita, inefável, lugar de justiça eterna. Mas, em face desta cidade ideal, não existia já uma outra, reino do Maligno, a cidade do pecado? Santo Ambrósio tinha insistido nessa antítese, que está na base do livro de Santo Agostinho. "Dois amores fundaram duas cidades. A cidade terrena, pelo amor de si próprio, levado até o desprezo de Deus; a cidade celeste, pelo amor de Deus, levado até o desprezo de si próprio... Nós dividimos o gênero humano em duas categorias, uma composta por aqueles que vivem segundo o homem, outra formada pelos que vivem segundo Deus". A história é, pois, um drama, o drama que põe frente a frente duas formações humanas; e o seu fim deve ser elevar, tanto quanto possível, a cidade dos homens até o seu arquétipo divino, até a cidade ideal. Em outras palavras: o esforço da civilização deve ser aproximar o homem do seu destino divino, isto é, fazer aquilo que o poeta Baudelaire viria a resumir admiravelmente, quando um dia exclamou que a verdadeira civilização não consiste nem nos lampiões a gás nem nas máquinas a vapor, mas "na diminuição dos vestígios do pecado original".

Reduzido a um esquema escolar, o plano da *Cidade de Deus* podia ser pouco mais ou menos resumido assim: do livro I ao livro X, uma crítica vigorosa do paganismo, inapto para assegurar a prosperidade dos homens e mais inapto ainda para preparar a sua felicidade eterna; do livro XI ao livro XXII, a exposição da doutrina das duas cidades, das suas origens, do seu desenvolvimento através dos séculos e dos seus fins. Mas, olhada de uma perspectiva mais elevada, a lógica da obra é a de um drama teândrico, cujos cinco atos mostram, um após outro, o homem criado à semelhança de Deus, o homem erguendo-se no seu orgulho e caindo para um plano infra-humano, depois Deus educando o homem, ensinando-lhe os seus verdadeiros princípios, e Cristo mostrando-lhe, mediante o exemplo, como é ao mesmo tempo necessário e possível tornarmo-nos semelhantes a Deus; por fim, nos últimos tempos, a grande opção, a grande partilha e a separação dos homens segundo a sua própria escolha. As partes do drama são portanto, sucessivamente, a Criação, a Queda dos nossos primeiros pais, a Revelação, a Encarnação e a Ressurreição. O extraordinário é que uma tal vertigem de especulação metafísica desemboca num conjunto de princípios concretos de maravilhosa eficácia.

Este é o sentido definitivo deste livro-chave, deste livro que é uma reviravolta. Partindo de um propósito análogo ao dos antigos apologistas do século II, mas alçando voo por cima dos métodos dos eruditos e dos polemistas, apresenta-nos o cristianismo como o único fato irrecusável, o único que resiste à prova do tempo. Desmorona-se uma sociedade; mas que importa isso? Há outra para substituí-la, e contra ela nada poderá prevalecer. Para salvar o mundo, basta pôr em prática os princípios de Cristo e aplicá-los, tanto quanto possível, à cidade dos homens. O heroico esforço da "revolução da Cruz" termina, neste grande livro revolucionário, com esta afirmação serena: mesmo que a história viesse a fazer *tabula rasa* do passado, nem tudo estaria perdido, pois subsistirá sempre uma fortaleza, um baluarte, no qual os verdadeiros valores do homem serão salvos.

Assim, este livro trágico, bem mais ensombrado pela imagem dos abismos do que a branda urbanidade de um Símaco ou de um Ausônio, ou do que o ceticismo resignado dos "últimos romanos", este livro trazia à humanidade a única lição válida de esperança: "O mundo envelhece, o mundo morre, o mundo vai desaparecer. Mas tu, cristão, nada receies, porque a tua juventude se renovará como a da águia"[33].

As bases do futuro

A ideia de que o cristianismo trazia consigo a renovação dos valores do homem e da sociedade era tão antiga, na sua essência, como o próprio cristianismo: não anunciara já São Paulo "o homem novo" nascido de Cristo? Durante quatrocentos anos, gerações de fiéis tinham extraído dessas premissas conclusões cada vez mais completas. No fim do século IV, essa concepção era uma ideia-força de todos os cristãos[34]; um Santo Ambrósio já formulava, na ordem social e política, muitas aplicações que dela derivavam.

Para Santo Agostinho, o ponto de partida é evidentemente o mesmo, pois coloca na base de tudo o "homem novo" nascido de Cristo. Mas, enquanto os seus predecessores tinham tido mais o pressentimento do que uma visão total e sistemática da revolução que eles mesmos estavam em vias de realizar, Santo Agostinho, com uma lógica penetrante, tira todas as consequências dessa ideia de fundo. Por exemplo, Santo Ambrósio, Santo Hilário de Poitiers e São João Crisóstomo tinham compreendido perfeitamente a necessidade de defender a Igreja das intromissões do Estado, mas é Santo Agostinho quem trata de edificar uma teoria geral das relações entre o espiritual e o temporal. O que dirige o seu pensamento é a certeza de que o cristianismo não é apenas a mais consoladora das religiões para o coração do homem, a mais satisfatória para a inteligência, mas é também, na ordem das coisas terrenas, a resposta a todos os problemas. Se a cidade terrena tomar por modelo, até onde for possível, a cidade divina, assentará em bases inabaláveis. Desta convicção, deste imenso esforço, o que surgiu foi nada menos do que uma sociedade segundo Cristo, no contexto de uma teoria que abarcava todos os aspectos da vida humana.

Na fachada do enorme edifício está gravado um único preceito: "Amarás o Senhor teu Deus com todo o teu coração, com toda a tua alma, com todas as tuas forças, e o próximo como a ti mesmo". Daqui resultam três consequências. Em primeiro lugar, todas as instituições da sociedade têm por fim último fazer arder no coração do homem o amor de Deus, ou, em outras palavras, trabalhar para que se realize o desejo expresso no Pai-Nosso: "Venha a nós o vosso reino!" Para isso, visto que amar a Deus e amar os homens é a mesma coisa, é necessário que essas instituições sejam modeladas pela caridade. E, enfim, já que o homem é chamado a amar a Deus — pois, nas maravilhosas palavras do cardeal de Bérulle, é "um nada capaz de Deus" —, traz ele consigo uma dignidade e um valor únicos, desde que nunca se esqueça do seu fim sobrenatural. Prevalência do espiritual, exigência da fraternidade entre os homens, primado da pessoa sobre todos os valores e todas as necessidades —toda a moral, toda a sociologia, toda a política de Santo Agostinho não são senão a aplicação do "primeiro de todos os mandamentos".

A *moral* de Santo Agostinho não é a parte mais original da sua obra. Embora o santo se revele, em muitas ocasiões, um moralista de uma sutileza e de uma justeza admiráveis, nada tem a inovar num terreno que já havia sido bem desbravado pelos cristãos. Para ele, como para Santo Ambrósio ou para São João Crisóstomo, as velhas virtudes platônicas da justiça, da prudência (sabedoria), da fortaleza e da temperança são renovadas pela fé cristã e assumem um sentido diferente; o bispo de Hipona apenas insiste incansavelmente sobre o papel primordial da caridade nesta transmutação de valores. É preciso notar, porém, que ele se apoia mais do que os seus predecessores no elemento espiritual que deve sobrenaturalizar todas as atividades humanas. Praticar a moral não é obedecer a mandamentos abstratos: é identificar-se com o único Modelo. Buscar a felicidade é perfeitamente legítimo, mas a única felicidade reside em Deus.

Em muitos casos, esta insistência acaba por iluminar com uma nova luz o comportamento humano. Assim, quando Agostinho fala do amor e o mostra inteiramente permitido no casamento, ultrapassa os seus predecessores, que o justificavam quer por razões naturais ("é preferível casar a arder", dizia São Paulo), quer pela sua utilidade social — fazer "crescer e multiplicar-se" o gênero humano. Para Agostinho, o amor entre o homem e a mulher, que ele compara, segundo a velha tradição bíblica, ao amor entre Deus e a alma, tem um autêntico valor espiritual, pois a comunhão dos corações constitui uma ajuda mútua no comum esforço de elevação interior. Desta maneira, põe-se em foco a grande ideia do "amor-sacramento", inteiramente diferente do amor-prazer e do amor-necessidade social; esta concepção especificamente cristã desempenhará um papel imenso na civilização do Ocidente[35].

Mais ainda que os bens pessoais da alma, são os bens sociais que devem estar subordinados ao duplo preceito do amor a Deus e ao próximo. Foi aqui, na análise desta subordinação e das suas consequências, que Santo Agostinho se revelou mais construtivo. Esta ideia-mestra, que só viria a desenvolver muito tarde, nos tomos majestosos da *Cidade de Deus*, fora já expressa pelo batizado de Milão quando, numa página entusiástica do *De Moribus*, mostrara a Igreja ordenando todas as atividades sociais, regulando tanto os vínculos familiares como as relações entre senhores e escravos, submetendo os povos aos seus chefes, mas ensinando aos príncipes o devotamento ao bem público e eliminando nas relações humanas as causas do ódio e da violência... Imagem magnífica, que será sistematizada na grande obra da maturidade.

Não podemos desenvolver aqui, nem sequer enumerar, todos os pontos de *sociologia* e de *política* em que o pensamento de Santo Agostinho concretizou o ideal cristão, com princípios tão duradouros que até hoje não foram ultrapassados. O melhor será dizer que não há problema que o homem, enquanto ser social, possa formular, que o prodigioso gênio do santo de Hipona não tenha determinado, concretizado e quase sempre resolvido. Quando considera o homem em grupo, distingue claramente os graus das exigências coletivas e os seus limites.

A *família* é para ele o primeiro quadro natural em que a pessoa se ultrapassa; querida por Deus, é a célula-base da sociedade. Não poderá, pois, ser absorvida pela sociedade, como na cidade grega, mas tem de conservar a sua autonomia. A *pátria* é como que a sua extensão; com uma lucidez que muitos modernos perderam, Santo Agostinho não a confunde nunca com o seu órgão administrativo que é o Estado. Para ele, a pátria é uma realidade viva: "carnal", como teria dito Péguy, um feixe de felicidades e de exigências concretas. Ela lhe é, visivelmente, muito mais real e próxima do que o imenso Estado romano, o Império despótico e centralizador de que desconfia.

Dir-se-ia ainda que, por uma admirável presciência, ele, que não tinha sob os olhos senão o *Imperium*, adivinhou o nascimento das futuras pátrias, e as concebeu respeitando-se umas às outras, numa espécie de federação de iguais. Esta grande imagem só ganhará corpo muito mais tarde, quando, no dobrar do ano 1000, a França, a Hungria e a Polônia, as nações batizadas, procurarem tornar-se pátrias e o ideal da *Cristandade* se afirmar. O gênio de Santo Agostinho terá orientado o futuro. Assim entendida, a pátria terá o seu lugar na hierarquia dos deveres humanos e poderá mesmo exigir grandes sacrifícios. Mas o seu verdadeiro significado é ser neste mundo uma prefiguração da comunidade fraterna da cidade de Deus.

Do *Estado*, Santo Agostinho fala longa e minuciosamente. É uma das suas grandes preocupações. Sente-se que tem sob os olhos o exemplo de um Estado cuja decrepitude crescente não o impede de ser opressivo, antes pelo contrário! O Baixo Império, o Império da decadência, é, com efeito, um vasto sistema de servidão. É aqui que Agostinho faz uma afirmação de extrema importância: o Estado nunca pode ser o fim supremo da sociedade e do indivíduo; o cristão não é somente — nem mesmo em primeiro lugar — um cidadão. Mas isto não quer dizer que o bispo de Hipona não tenha consciência do direito natural do Estado e, por conseguinte, da sua legitimidade. Se existe uma autoridade, é porque Deus assim o decidiu. "É a Vontade soberana que dá o poder a uns, e a outros não o concede", escreveu ele, e nisto se mostrou fiel discípulo de São Paulo na *Epístola aos Romanos* (13, 1-2).

Além disso, é necessário que os princípios de governo estejam de acordo com o ideal dos fins espirituais do homem. A tarefa do soberano — repete ele — é fazer reinar a justiça! Este preceito será meditado por um Carlos Magno e posto em prática mais tarde por um Santo Henrique e por um São Luís. Mas se esse ideal for traído, o Estado torna-se ilegítimo, e é por isso que o Império romano se tornou para Agostinho "indigno do nome de Estado": não conheceu a verdadeira justiça, a justiça segundo Cristo. Daí a obediência devida àqueles que exercem a autoridade para fazer reinar a caridade entre os homens, com vistas à felicidade eterna, e a desobediência devida aos soberanos iníquos. A doutrina política de Santo Agostinho assenta sobre estas duas bases.

Contrariamente ao que muitas vezes se tem afirmado, Santo Agostinho nunca escreveu, pois, que todo o Estado é pecador e obra do demônio, nem identifica a cidade dos homens com a cidade da perdição. Pelo contrário, disse muitas vezes que foi o pecado que corrompeu a ordem do Estado e o próprio Estado. Uma das provas mais flagrantes desta desordem, vê-a ele nas *guerras*. "Sem a justiça, como é que os reinos poderão ser outra coisa senão associações de banditismo?" Reconhece que pode haver guerras justas, quando um povo atacado se defende do agressor; mas mesmo essas guerras entram no quadro das consequências do pecado, pois "não pertence a paz à única felicidade eterna?" Portanto, os cristãos tudo deverão fazer para manter a paz e eliminar a guerra, lembrando-se de que todo o ideal neste mundo é um ideal precário e procurando eliminar as verdadeiras causas da violência e do ódio, aquelas que se escondem no coração pecador[36].

Membro de uma família, filho de uma pátria, cidadão de um Estado, o homem nunca deve esquecer que tem uma vocação divina, isto é, que pertence a uma sociedade situada num plano superior ao de todos os outros agrupamentos humanos: *a Igreja*. Como concebe Santo Agostinho esta pertença? Na cidade de Deus, a Igreja surge como a encarnação terrestre do Reino dos céus; mas, no plano da realidade terrena, compreende também homens pecadores e ímpios, que não estão do lado de Deus. Como sociedade humana, engloba-os a todos e, num impulso imenso, esforça-se por erguê-los para o alto. E aqui temos uma concepção infinitamente humana e consoladora que, do menor dos batizados, faz uma humilde pedra do grande edifício que as gerações vão levantando, uma após outra, e cuja cúpula é Cristo.

Este agrupamento visível de homens orientados para os fins espirituais, encontra-se no terreno prático estritamente relacionado com outro agrupamento de homens, este ordenado para fins bem diferentes: o Estado. O imenso problema das *relações entre a Igreja e o Estado* havia começado a impor-se em ritmo de urgência no momento em que Constantino se aliara ao cristianismo, se não por maquiavelismo, pelo menos com algumas intenções menos espirituais. De reinado para reinado, o problema fora-se agravando. A Igreja devia consentir em ser uma mera colaboradora do Estado, isto é, em depender dele de fato? Já sabemos que, instintivamente, os seus pastores se haviam recusado a uma tal abdicação, e Santo Agostinho estabelece agora como doutrina essa atitude espontânea.

Para ele — e isto é o essencial — a cidade terrena e a cidade celeste opõem-se substancialmente, porque são animadas por *espíritos* contrários. Na prática, a Igreja e o Estado podem colaborar; não há inconveniente nisso, desde que não se esqueça que os fins dos respectivos esforços são radicalmente diferentes. A Igreja, sociedade encarregada de assegurar a salvação dos fiéis, possui direitos particulares e irrecusáveis; tem um *jus sacrum*, que Agostinho reivindica para ela. Mais ainda: como a Igreja tem especialmente o segredo e a guarda da justiça e da caridade segundo Cristo, e como — se bem nos lembramos — o Estado é legítimo na medida em que se orienta por essas virtudes, resulta daí que a Igreja possui um direito de vigilância sobre o Estado.

É uma afirmação capital. Se a Igreja, no decorrer dos séculos que vão seguir-se, defende melhor ou pior, e no meio de enormes escolhos, a sua independência perante o poder temporal, é porque está impregnada desta doutrina agostiniana. E, aliás, ela irá ainda mais longe: porventura a ideia de um controle exercido sobre o temporal pelo espiritual *não* contém em germe a doutrina da *teocracia*, essa "utopia", como diz Maritain, que pretenderá fazer passar a Igreja do controle espiritual para o próprio exercício do poder? Santo Agostinho, porém, nunca avançou nesse sentido, isto é, no sentido daquilo que se chamará "o agostinianismo político"; a sua concepção das duas cidades, dos dois espíritos contrários, preservava-o de semelhante erro.

Não é, porém, apenas neste domínio que o seu pensamento, em si notavelmente equilibrado, será desvirtuado pelos seus descendentes. A doutrina do recurso ao *braço secular* fornece-nos mais um exemplo de semelhantes deformações.

O acordo necessário entre a Igreja e o Estado leva aquela a reclamar a ajuda e a proteção deste. Ela tem *direito* a esta proteção, ao passo que os falsos cultos não podem reclamar semelhante favor. Mas até onde deve ir essa proteção?

A questão surgiu com o caso donatista, quando as violências heréticas levaram o Estado a usar de rigor. E o pensamento de Santo Agostinho, neste ponto, mostra-se infinitivamente maleável, dominado ao mesmo tempo pelo ideal da caridade e pelo sentido eminente do real. A tolerância prática de um culto não católico parece-lhe boa, porque, para estender o reino de Cristo, ele conta mais com o poder da verdade do que com o apoio de César. Mas esta tolerância tem limites. Se a paz social é perturbada, se as leis são insultadas, pode tornar-se necessário o rigor; concretamente, Agostinho aprovará medidas contra os donatistas, mas nunca pedirá que os maniqueus ou os judeus sejam convertidos à força. Além disso, esta intervenção do poder tem limites; Agostinho diz claramente que ela nunca pode ir até à pena de morte, e que deve ser precedida por uma caridosa busca de pontos de entendimento. "A liberdade do erro é a pior morte da alma", mas a violência não é boa aos olhos de Deus. A desgraça dos pensamentos muito ricos e, portanto, complexos, é serem explorados pelas paixões humanas em sentidos contraditórios. As fogueiras da Idade Média pretenderão invocar a doutrina agostiniana do "braço secular", mas Agostinho nunca as justificou, nem mesmo antecipadamente.

Assim, em todas as soluções que este homem de gênio propõe para os grandes problemas, o que nos impressiona é a sabedoria profunda da sua atitude; enuncia regras inspiradas no direito positivo, e a seguir as completa ou aprofunda por meio de um senso agudo das contribuições cristãs e dos interesses futuros do cristianismo. Nunca o vemos tomar posições extremas — quase diríamos anarquizantes —, como se observou em certos Padres anteriores. Em face do mais doloroso problema do mundo antigo, a *escravidão*, não propôs a solução que teria sido a de uma fácil demagogia. Não condena a escravidão como instituição social, pois tem perfeita consciência das necessidades econômicas da sociedade em que vive. Também não a justifica pelo direito natural, como fez Aristóteles. Não. "Deus — exclama ele — não criou os homens para que dominassem os seus semelhantes, mas somente os animais". Se a escravidão existe, é como um castigo infligido à humanidade, e esta ordem anormal passou a estar permitida pela justiça divina. Os escravos não têm, pois, o direito de se revoltarem, mas os senhores nunca devem esquecer que o seu escravo é não apenas um homem como eles — Sêneca já o dizia em termos perfeitos —, mas um irmão em Cristo. Tratarão, portanto, os seus escravos como membros da sua família e, na medida em que puderem fazê-lo, dar-lhes-ão a liberdade, "à espera de que passe a iniquidade e de que desapareça toda a soberania humana, para que Deus seja tudo em todos".

Vamos encontrar a mesma sabedoria sobrenatural, o mesmo senso da medida em outro problema delicado: o dos *bens deste mundo*. Deus pôs estes bens à disposição do homem: "Não nos devemos manifestar levianamente contra eles", pois não se tornam maus senão pelo mau uso que deles faz o homem. Devemos servir-nos deles, mas não servi-los; pois tudo deve tender para Deus. A *riqueza* não lhe parece condenável em si: em muitas passagens, Agostinho reconhece o direito à propriedade terrena. A seus olhos, esta faz parte dos "dons concedidos por Deus, e dela deve o homem fazer bom uso". Diz aos ricos que "ergam sobre os tesouros da caridade o sólido fundamento do futuro, a fim de alcançarem a verdadeira vida". É necessário multiplicar as esmolas e reparar, tanto quanto possível, a injustiça de uma sociedade ferida pelo pecado; a salvação do rico dependerá da função social que ele assumir. Estas noções são as mesmas que até hoje persistem na doutrina cristã sobre o dinheiro.

Quanto à sociologia cristã do *trabalho*, não há nada que Santo Agostinho não tenha afirmado. Ao contrário de certa tradição antiga, que considerava o trabalho degradante para o homem ("Não se pode fazer um cidadão de um operário", dizia Aristóteles), a doutrina cristã recolhida na *Cidade de Deus* afirmará a sua dignidade. Citando o exemplo de São José e de São Paulo, Santo Agostinho mostra que o trabalho humano é compatível com a santidade e que é mesmo um elemento eficaz para atingi-la. Põe perfeitamente em foco o valor criador do trabalho e o seu significado de resgate, de purificação espiritual. É em função deste duplo valor, humano e espiritual, que lhe fixa as hierarquias: o trabalho intelectual, superior em dignidade a todos os outros; a agricultura, que ele louva magnificamente pela sua relação transformadora com a obra de Deus; o artesanato, a respeito do qual diz que as tarefas não devem ser tais que impeçam o homem de fixar o seu espírito em objetos mais elevados — vejam-se as nossas linhas de produção em série!... —, e por fim o comércio, que não condena formalmente, mas que mantém sob suspeita porque não ignora que pode muitas vezes lesar a justiça[37].

Como se vê, trata-se de uma construção imensa, da qual, em algumas páginas, apenas se podem apontar os eixos principais. Sem dúvida, depois de Santo Agostinho, ainda ficarão por precisar muitos pontos e — repetimo-lo — não se pode dizer que ele tivesse introduzido inovações nas doutrinas explícitas ou implícitas dos cristãos que o precederam. Mas teve o mérito único de enumerar todos os grandes problemas, de mostrar em que sentido se encontravam as respostas cristãs e de ligar as soluções aos princípios fundamentais. Procurando apenas tirar com lógica, das premissas cristãs, todas as consequências úteis à vida sobre a terra, Santo Agostinho assentou os alicerces do futuro.

Presença de Santo Agostinho

Uma obra tão colossal e uma personalidade de tal brilho poderiam ficar encerradas num pequeno bispado africano? A verdade é que elas ultrapassaram de longe esse quadro, e que, mesmo enquanto vivo, Agostinho conheceu aquilo que hoje chamaríamos celebridade. Poder-se-ia pensar que a modéstia da sua sé episcopal — provinciana e isolada — prejudicou o santo na sua ação, mas sucedeu exatamente o contrário. Pouco depois de se ter tornado seu bispo, Hipona aparece como um ponto alto do cristianismo, o lugar de encontro espiritual de tudo o que na época era essencial dentro da Igreja, um cadinho donde sai o ouro puro da fidelidade.

Na África, ele é incontestavelmente o primeiro. Em princípio, está mais ou menos subordinado, segundo a tradição, ao bispo de Cartago, o firme administrador Aurélio, mas impõe-se a este pelo prestígio da inteligência, e uma sincera amizade une estes dois homens no mesmo combate. Em face dos outros bispos, Agostinho assume, involuntariamente, uma primazia espiritual. Muitos são antigos discípulos seus, porque numerosas igrejas, precisando de bispos, vão buscá-los a Hipona, que era um viveiro de santos. Tagaste, Cirta, Uzális, Sicca, Tenas e Milevo são assim governados por "filhos" de Agostinho, que também exerce uma notável influência mesmo sobre aqueles que não conheceu antes de serem sagrados. Em qualquer concílio ou reunião em que apareça, a opinião de todos inclinar-se-á perante a sua. A sua ciência e santidade são indiscutíveis.

O brilho da sua luz, fora da África, alcança bem longe. As duzentas e sessenta cartas da sua correspondência que chegaram até nós mostram-no em relações com a Itália, Gália, Espanha, Oriente, Palestina e Egito. Interrogam-no a respeito de todas as coisas e ele responde a todos e a tudo. Vemo-lo tratar dos problemas mais variados e até inesperados. Os seus correspondentes são de todos os meios: há entre eles bispos e altos funcionários, como há também simples monges atormentados com o problema da graça, religiosas em dificuldades com a superiora, ou pais de família preocupados com o casamento dos filhos. Entre esses correspondentes, há gente ilustre, como São Paulino de Nola, o bispo-poeta que, embora mais velho e da mais nobre linhagem, lhe escreve espontaneamente a felicitá-lo pelas suas obras, que leu e classifica como "divinas", e o áspero São Jerônimo, com quem a discussão esteve prestes a azedar-se, mas que foi desarmado pela mansidão e fina lealdade do santo de Hipona, originando-se daí uma verdadeira amizade.

Assim, durante um terço de século, Agostinho já surge aos olhos dos contemporâneos como aquilo que nós hoje reconhecemos nele: a consciência do Ocidente e o farol da Igreja. O decurso dos anos não fará mais do que intensificar o seu brilho. Quando sentir aproximar-se o dia que esperava, em que verá face a face Aquele que tanto amava, poderá, sem qualquer dificuldade, indicar ao povo quem lhe deverá suceder na sé de Hipona: Heráclio. E um dos últimos atos da sua longa vida dará testemunho da extraordinária autoridade deste velho bispo enfermo. Quando os vândalos invadem a África, bastantes sacerdotes e até bispos cedem ao pânico coletivo e pensam em fugir; Agostinho, ao ter conhecimento disso, apressa-se a dirigir-lhes uma carta circular de um tom sublime, em que os aconselha a manter-se fiéis ao rebanho que têm a seu cargo, e a continuar a ser as testemunhas de Cristo no lugar em que a Providência os colocou. Quanto a ele, encerra-se com os seus em Hipona e ali se deixa ficar até à morte.

E mesmo a morte não foi capaz de apagar esta grande luz. Uns meses depois, o papa Celestino I, escrevendo aos bispos da Gália, prestava brilhante homenagem a "esta santa memória sobre a qual jamais se projetou a menor suspeita e cuja ciência era contada na categoria da dos mestres mais excelsos". Era uma antecipação sobre a decisão da Igreja, que não somente havia de canonizar Santo Agostinho, mas também proclamá-lo "doutor" e assinalar-lhe um lugar eminente entre as testemunhas de primeira fila do espírito cristão; ao lado de Santo Ambrósio, São Jerônimo e São Gregório Magno, ele é um dos "grandes doutores" do Ocidente. Doutor da Igreja, Doutor da Graça, Doutor da Caridade — é sob estes três aspectos que a sua presença se define na história do dogma; mas, na história geral, o seu papel será ainda mais importante e, em certo sentido, ainda mais decisivo.

De século para século, a influência de Santo Agostinho irá manter-se e crescer. Duas cifras bastam para dar uma ideia concreta dessa realidade: as bibliotecas da Europa não contam menos de quinhentos manuscritos da *Cidade de Deus*, os mais antigos datados do século VI, e quando se inventar a imprensa, far-se-ão vinte e quatro edições diferentes dessa obra-prima entre 1467 e 1495, isto é, em vinte e sete anos!

Logo após a sua morte, são numerosos os fiéis que lhe seguem a esteira; o seu jovem amigo Orósio aplica os seus princípios à *História geral* que escreveu; Mário Mercátor, Próspero de Aquitânia, Claudiano Mamércio e Fulgêncio continuam a sua teologia; Paulino de Pela, Enódio de Pavia escrevem "confissões", seguindo o seu exemplo; Eugípio organiza uma coletânea das suas mais belas páginas, e São Cesário de Arles não cessa de citá-lo. Na época tenebrosa das invasões, ele é o mestre sem rival de todo aquele que estuda as ciências divinas. O papa João II, em 534, não hesita em escrever: "As doutrinas que a Igreja romana segue e mantém são as de Santo Agostinho", e também Isidoro de Sevilha e São Gregório Magno seguem as suas pisadas.

Não é apenas no plano religioso que a sua influência será profunda e eficaz. Não há dúvida de que as ideias políticas e sociais de Santo Agostinho pesaram extraordinariamente e de modo muito feliz sobre algumas consciências e atuaram sobre os acontecimentos. Não foi em vão que Carlos Magno fez da *Cidade de Deus* o seu livro de cabeceira; a ideia do Sacro Império Romano-Germânico procede daí. Mas também "o agostinianismo político — escreve Barby — permitiu aos papas salvar a cristandade da mortal influência dos soberanos germânicos". E, no plano intelectual, podemos afirmar que todo aquele que, durante os oito séculos seguintes, se esforçar por viver a vida do espírito, será devedor do grande bispo de Hipona; elaborar-se-á um *agostinianismo*, do qual já dissemos que nem sempre estará livre de influências espúrias, e até mesmo contrárias ao verdadeiro pensamento de Agostinho, mas cuja seiva irrigará todas as doutrinas e todos os sistemas, sobretudo os mais fecundos, até São Boaventura, São Tomás e Duns Escoto. Santo Agostinho criará entre todos eles um "parentesco intelectual e espiritual".

É fácil ver que esta corrente agostiniana está presente até mesmo entre nós. "Nos nossos dias — escreve o protestante Harnack —, a piedade interior e viva do catolicismo, bem como a sua expressão, são essencialmente agostinianas". Porventura poderia ter existido um Pascal, se Agostinho não o tivesse precedido na estrada em que se procura Deus às apalpadelas? Quantos sistemas seriam o que são sem a profunda e fecundante ação do santo? É o caso, por exemplo, do *cogito, ergo sum* cartesiano, da doutrina de Spinoza, em certo sentido até mesmo de Hegel e Schopenhauer, e mais diretamente de Malebranche, de Kierkegaard, do cardeal Newman... A teologia agostiniana representa uma das duas grandes correntes do catolicismo vivo, juntamente com o tomismo; erra-se quando se pretende opô-las porque, nas suas bases, as duas doutrinas se tocam e penetram. E nos princípios de ação que a Igreja hoje pratica, no "catolicismo social" e nas encíclicas sobre os nossos problemas mais urgentes, não é difícil descobrir a sua influência determinante, como aliás acentuou Pio XI na encíclica *Ad salutem*, publicada por ocasião do décimo quinto centenário da morte do santo.

E assim este homem, morto há tanto tempo, continua a estar singularmente presente entre nós. De quantos se poderá dizer o mesmo? E não apenas presente, mas próximo, com aquela proximidade que reconhecemos nos vivos, nos seres de carne e de sangue, cujo calor percebemos. Todo aquele que se der ao trabalho de aprofundar na sua personalidade e na sua obra não poderá deixar de amar o homem, tanto quanto de venerar o santo. Pelos problemas que focalizou, pelos seus sentimentos e aspirações profundos, pela paixão que pôs em tudo, é um homem que se nos impõe como se fosse um contemporâneo. Precisamos acrescentar que a sua santidade é daquelas que mais nos tocam? Uma santidade tão simples que, por assim dizer, não necessita de milagres para que nela se acredite[38], e que brota, como uma flor sublime, do próprio terreno que é adubado pelos nossos pecados mais familiares.

Historicamente, a influência de Santo Agostinho sobre as gerações que vão seguir-se possui, aos nossos olhos, um poder verdadeiramente iluminador. Saltemos oito ou nove séculos; consideremos a sociedade ocidental no momento em que torna a encontrar o seu equilíbrio, após terríveis derrocadas e atrozes barbaridades. Olhemos a civilização de São Bernardo e de São Luís, de Dante e de São Tomás, das catedrais e das cruzadas. É de uma evidência ofuscante que esta Idade Média está dentro da escola de Santo Agostinho. Todos os mestres espirituais do mundo ocidental são discípulos de Agostinho e reconhecem a sua dívida para com ele: Escoto Erígena, Abelardo, Anselmo de Cantuária, São Bernardo, os Vitorinos, Mestre Eckhart e São Tomás, seu único par. Na literatura, na gramática, e por certo na vida espiritual, a inteligência medieval depende estritamente dos seus livros, principalmente da *Doutrina cristã*. E todas as grandes ideias políticas — sobre a unidade da Europa, sobre os direitos e deveres dos governantes, sobre a guerra e a sua legitimidade, sobre as relações entre a Igreja e o Estado —, todas as concepções sociais sobre a escravidão, o dinheiro, o trabalho e muitos outros assuntos, são diretamente tributárias das ideias da *Cidade de Deus* — mais ou menos bem interpretadas, mas sempre vivas nos seus princípios.

Isto basta para podermos compreender a sua importância, nitidamente única. Porque foi ao mesmo tempo um tradicionalista e um revolucionário, porque foi um santo e um gênio, Agostinho chamou a si todo o passado do mundo antigo, esse passado que rondava o abismo; dele extraiu tudo o que merecia sobreviver, e, apoiando a humanidade no madeiro da Cruz, voltou em direção ao futuro aquela face inquieta que contemplava o passado moribundo. É graças a ele que a alma dos bárbaros se irá distendendo, até ser conduzida para a civilização pela mão do cristianismo. É graças a ele que será assegurada a indispensável continuidade. E para nós, que observamos os acontecimentos no recuo da história, é a obra de Santo Agostinho que nos permite compreender plenamente que a derrocada do mundo antigo não era apenas um fim, mas o anúncio de um nascimento, a gênese de uma nova forma de civilização.

Observamos aqui como que a aplicação de uma lei que nunca conheceu exceções. Em todas as encruzilhadas decisivas da história, sempre se encontrou na Igreja uma figura significativa que parecia ter sido colocada no dobrar dos séculos como a própria testemunha de Deus. O que São Paulo foi nos primeiros tempos, quando era necessário que a Igreja nascente tomasse consciência dos seus verdadeiros problemas, foi-o igualmente Santo Agostinho na hora decisiva em que o mundo ia mudar de bases. O sofredor de Hipona, o adolescente turbulento de Tagaste, colocou perante a humanidade do Ocidente a grande imagem de uma sociedade nova, ordenada pelo cristianismo, de uma inteligência informada pelo Evangelho. Lentamente, com as suas pobres forças, os melhores hão de esforçar-se por atingir esse modelo. Mas, entre os preceitos formulados pelo gênio do santo e as forças bárbaras em plena expansão, a história — que é paciente e que bem sabe que, para as sociedades, as agonias e os nascimentos são lentos —, a história ia abrir seis séculos de debates.

Notas

[1] Hipona resistiu ainda muito tempo, após a morte de Santo Agostinho — cerca de catorze meses. Os vândalos levantaram o cerco. Bonifácio, que recebera alguns socorros da Itália, foi vencido e abandonou a África, que passou a ser um reino vândalo. Por fim, Hipona foi tomada e saqueada.

[2] Hoje Sukh-Ahras, cidade de 13.000 habitantes na linha de Bône a Tebessa, próxima da fronteira tunisina.

[3] Obra de Cícero, hoje perdida.

[4] Sobre os maniqueus, cf. neste cap. o par. *O combatente da Verdade.*

[5] Há um incidente que mostra como ele estava ao mesmo tempo atormentado e indeciso: não ousou dizer a sua mãe que queria partir para Roma. Mônica, com a intuição própria das mulheres, tinha as suas suspeitas. Uma noite, em que o viu dirigir-se ao porto, não o largou. Mas não! Ele não pensava em embarcar; ia apenas acompanhar um amigo que partia. Como Mônica orou! Mas certa vez, quando a mãe passava a noite numa capela, o filho partiu...

[6] Sobre Símaco, um dos últimos defensores do paganismo, cf. *A Igreja dos Apóstolos e dos Mártires*, cap. XII, par. *A agonia do paganismo.*

[7] Em Milão, que era capital, o governo imperial não veria com muito bons olhos um ensino maniqueísta ou cético, exatamente na ocasião em que Teodósio acabava de proclamar o cristianismo como religião do Estado. Se foi válido este argumento, não podemos deixar de observar que, neste gênero de crises, Deus se serve de todos os meios — *etiam peccata*, mesmo dos pecados.

[8] Cf. *A Igreja dos Apóstolos e dos Martires*, cap. XII, par. *Um exemplo: Santo Ambrósio.*

[9] Sobre a localização de Cassicíaco, cf. L. Bertrand, *Autour de Saint Augustin.*

[10] No seu prefácio às *Mémoires de Luther.*

[11] Papini chama às *Confissões*, certeiramente, "epístola a Deus".

[12] Ser, saber e querer, ou ainda: espírito, consciência e amor.

[13] Não temos nenhum retrato de Santo Agostinho, como também não os possuímos de Jesus ou de São Paulo. Os antigos não sentiam esse gênero de curiosidade, e os contemporâneos de Agostinho que falaram dele não o descreveram fisicamente. Em 1900, encontrou-se sob os alicerces da capela do *Sancta Sanctorum*, únicos despojos do mais antigo palácio de Latrão, um mosaico do século V ou VI que representa um homem vestido de toga, com pouco cabelo, de barba curta e grisalha e pequena estatura, que segura na mão esquerda um rolo e parece meditar, sentado em frente de uma estante sobre a qual se vê um livro. Por cima da imagem leem-se dois versos latinos que dizem: "Os diversos Padres disseram diversas coisas; este disse tudo, e por meio da sua eloquência romana fez ressoar o sentido místico". Supõe-se que apenas Santo Agostinho podia merecer tais elogios. Mas, mesmo admitindo que o autor do mosaico quisesse representá-lo, ficaria por saber como é que, cem ou cento e cinquenta anos após a sua morte, podia ter conhecido os seus traços fisionômicos.

[14] Numerosos textos foram atribuídos a Santo Agostinho em épocas posteriores, e a eliminação destes apócrifos tem feito surgir, às vezes, problemas de difícil solução.

[15] Entre outros, H. I. Marrou, na sua notável tese sobre *Saint Augustin et la fin de la culture antique*, que acima se resumiu.

[16] Assim, por exemplo, acreditava na existência de animais fabulosos, como o unicórnio, o dragão e o "hircocervo"; assegurava que a águia, cujos olhos podem fitar o sol de frente, se serve desse teste para verificar se os seus filhotes são legítimos, e mata os que julga resultantes de um adultério; afirmava ainda que os frutos das árvores de Sodoma estão cheios de cinzas, que o sangue de bode consome o diamante, etc...

[17] Sobre as origens e o desenvolvimento do monaquismo, cf. *A Igreja dos Apóstolos e dos Mártires*, cap. XI, par. *Uma força nova: o monaquismo.*

[18] Sobre Tertuliano e São Cipriano, cf. *A Igreja dos Apóstolos e dos Mártires*, cap. VII, par. *A África de Tertuliano e de São Cipriano.*

[19] Quanto a Donato e ao donatismo, cf. ib., cap. X, par. *O cisma herético de Donato.*

[20] Discutiu-se muito, sobretudo na Idade Média, se Santo Agostinho teria verdadeiramente fundado uma ordem, ou somente um grupo de clérigos regulares ou eremitas. É anacrônico falar, no que lhe diz respeito, de regra agostiniana. Os princípios, ministrados por ele aos seus discípulos, foram formulados em dois sermões: na *Vida e costumes dos clérigos* (Sermões 355 e 356) e na famosa Carta 211, escrita em 423 para as religiosas (e que já abrange uma regra de vida completa). Foi o conjunto destes princípios, sistematizados ainda antes do século VI, que constituiu o que se viria a chamar a *Regra de Santo Agostinho*, aquela a que depois recorreriam muitos fundadores de ordens, como São Norberto.

[21] Quanto às heresias anteriores à época de Santo Agostinho, cf. *A Igreja dos Apóstolos e dos Mártires*, caps. VI, VII e X.

[22] Cf. *A Igreja dos Apóstolos e dos Mártires*, cap. X, par. *O maniqueísmo, peste vinda do Oriente.*

[23] Foi por isso que, tanto no seu país de origem como no Império Romano, os maniqueus foram atrozmente perseguidos. Já Diocleciano, em 290, os tinha condenado ao fogo. Constantino, Constâncio, Valentiniano I e Teodósio renovaram as mais severas medidas contra a seita.

[24] Cf. *A Igreja dos Apóstolos e dos Mártires*, cap. X, par. *O cisma herético de Donato.*

[25] Camponeses revoltados, bandidos, escravos e fugitivos, os *circumcelliones* eram, segundo a etimologia, "aqueles que assaltavam as fazendas isoladas", como faziam os *chauffeurs* na França, no tempo do Diretório.

[26] Foi por ocasião desta condenação que Santo Agostinho pronunciou, num sermão, uma frase que se tornaria proverbial e que a tradição resumiu assim: *Roma locuta, causa finita*; Roma falou, a causa está encerrada.

[27] Ficavam ainda por resolver certos pontos que foram objeto de vivas discussões com os *semipelagianos*: a questão do livre arbítrio, a questão da proporcionalidade da graça com os esforços do homem, a questão da universalidade da salvação. A solução foi equacionada primeiro por um discípulo de Santo Agostinho, Próspero de Aquitânia, e continuada pelo papa São Leão Magno, mas só se tornou definitiva no século seguinte, devido à ação de São Cesário de Arles no Concílio de Orange e à aprovação pontifícia que se lhe seguiu.

[28] Nos últimos tempos da sua vida, Agostinho teve ainda de enfrentar a heresia ariana, que pouca penetração tivera na África, mas que, quando se deu a invasão vândala, se identificou para ele com o perigo bárbaro.

[29] De forma talvez um pouco aguçada, Giovanni Papini observou que a tendência expressa pelo maniqueísmo no século IV faz pensar na teosofia; que o donatismo, sob certos aspectos, anuncia o luteranismo e que, finalmente, certas ideias de Pelágio sobre a inocência original evocam antecipadamente Jean-Jacques Rousseau.

[30] Cf. *op. cit.*, *A Igreja dos Apóstolos e dos Mártires*, caps. VI e VII.

[31] Cf. este livro, cap. II, par. *As diversas faces do drama.*

[32] Portalié.

[33] Há, evidentemente, muitas partes caducas na *Cidade de Deus*. Santo Agostinho apoia muitas vezes as suas demonstrações na ciência do seu tempo, e ele não é o único dos apologistas e teólogos que cede a essa inclinação. Os seus raciocínios, as analogias — por exemplo, os dias da Criação, que relaciona com as épocas históricas —, as suas afirmações — sobre o além — são muitas vezes discutíveis. Mas essas falhas não comprometem em nada um edifício de tal solidez.

[34] Cf. *A Igreja dos Apóstolos e dos Mártires*, especialmente o cap. XII, par. *Uma renovação dos valores do homem.*

[35] A expressão "amor-sacramento" é de Maurice Zundel. É impressionante verificar como a grande noção agostiniana do casamento — união *completa* entre o homem e a mulher, carne e espírito, corpo e alma — vem recuperando na nossa época toda a sua importância.

[36] É possível destrinçar, em Santo Agostinho, até mesmo princípios válidos para uma verdadeira Organização das Nações Unidas, na qual cada povo tenha o direito de conservar a sua língua, os seus costumes e as suas instituições, e na qual uma sociedade coletiva resolva os conflitos por meio da arbitragem. Desconfiado do Império Romano do seu tempo, excessivamente estatizante e centralizador, Santo Agostinho concebe uma espécie de federalismo dos povos.

[37] Mas Santo Agostinho condena formalmente o empréstimo a juros, conforme o modo de ver habitual dos Padres da Igreja, o que se explica, em grande parte, pela espantosa difusão da usura no Baixo Império.

38 Não há praticamente milagres na sua vida. Possídio, seu biógrafo, atribui-lhe a cura de alguns possessos e conta que, no decurso da sua última doença, devolveu a saúde a uma criança. Alguns hagiógrafos posteriores, porém, nem sempre observarão esta discrição.

II. O FURACÃO DOS BÁRBAROS E AS MURALHAS DA IGREJA

Barbárie

Numa noite de inverno, banhada de azul pela neve recém-caída, um espantoso tumulto põe em alerta os postos de vigia. Sobre a margem oposta do Reno agitam-se multidões confusas; ouvem-se gritos roucos, o ranger de carroções e o tropel de massas. As armas brilham sob o luar. Faz muito frio. Terá chegado a hora há tanto tempo receada? Os legionários de Roma e os seus federados francos — uma débil cortina — correm para os seus postos de combate. Já o rio está cheio de cavalos que nadam, de jangadas carregadas de homens, de troncos de árvores a que se agarram guerreiros. Começou o ataque — a grande investida da onda bárbara. Vândalos, alanos e suevos, e todo um amontoado de tribos de dentes compridos, encontraram o ponto fraco, o setor da fronteira que se encontra quase vazio. Que poderá fazer a defesa? Empurrada, massacrada, acaba cedendo. E, quando alvorece o novo dia, o Império que ainda dorme já está em poder das hordas, cujas vagas infindáveis se espalham pelas terras sem que nada mais as possa deter.

Esta é a imagem, romanesca se assim o quisermos, e no entanto rigorosamente histórica, com que se tem representado com frequência o acontecimento de incalculável alcance a que se dá o nome de "as grandes invasões". Ocorreu na noite de 31 de dezembro de 406, nas proximidades de Mogúncia, e todo o norte da Gália foi efetivamente varrido, devastado, coberto por essa maré selvagem, essa "tromba étnica", como lhe chamou Ferdinand Lot. Mas nada seria mais falso do que reduzir a este quadro patético o evento, com raízes longínquas e múltiplos desenvolvimentos, que foi a entrada dos bárbaros no Império. A travessia do Reno não foi senão um episódio entre muitos, embora o mais decisivo.

Havia já muito tempo que o mundo romano se encontrava a braços com multidões terríveis, cuja pressão por vezes tinha aberto brechas nas fronteiras, mas que, durante séculos, sempre fora neutralizada. O nome de *bárbaros*, que o Império aplicava a essas massas e que lhe fora ensinado pelos gregos, tinha uma ressonância de desprezo, o desprezo da civilização da cidade e do Estado pela civilização da tribo. E, depois dos dias angustiosos em que, uns cem anos antes da nossa era, Mário não fora capaz de deter as grandes investidas germânicas senão nas imediações do Mediterrâneo — os teutões em Aix-en-Provence (102) e os címbrios em Verceil (101) —, todos os homens políticos de Roma não tinham perdido de vista aquilo que eles sabiam ser o maior perigo que ameaçava o Império. Fora para impedir a passagem ao suevo Ariovisto que César se tinha lançado na Gália (57), e o seu gênio vira claramente que, para fazer cessar a pressão sobre as fronteiras, era preciso levar as armas às próprias regiões bárbaras, lá onde as hordas se abasteciam de guerreiros.

Augusto tinha seguido o exemplo do seu tio, mas, depois do desastre de Varrão e das perdas quase totais que as legiões haviam sofrido na selva hercínia (9 d.C.), a política romana tendera a colocar-se na defensiva; a "sabedoria" de

Tibério e de Adriano, que os seus contemporâneos tinham louvado, havia renunciado loucamente a ocupar a Germânia, a Europa central, a Caledônia (Escócia) e a Irlanda, quando isso ainda era possível. Agora, Roma contava somente com as suas poderosas fortificações — como se as muralhas da China ou as linhas Maginot pudessem suprir a fraqueza dos homens —, com o *limes* e as legiões aquarteladas nas fronteiras, para barrar o caminho a qualquer ataque, resignando-se a ver fervilhar, para além das suas terras, um halo de povos incertos que as suas balistas mantinham em respeito.

No decorrer do século III, a situação mudara, pois tinham-se produzido transformações na massa complexa dos bárbaros. A fragmentação das hordas germânicas, embora sem desaparecer completamente, havia dado lugar a grandes confederações militares: as dos francos, vândalos, alamanos, godos e saxões, ao norte, enquanto, na outra extremidade do Império, os partos, herdeiros dos persas, tinham sido absorvidos pela poderosa dinastia dos Sassânidas (227). Agora a ameaça era permanente. Nem no século III nem no século IV houve um imperador que não estivesse continuamente ocupado em combater os bárbaros. Conheceram-se horas trágicas quando, por exemplo, em 258, alamanos e francos submergiram a Gália, a Itália do Norte e a Espanha; ou quando, em 378, os godos esmagaram o exército romano em Andrinopla e mataram o imperador Valente. No entanto, no momento em que o imperador Teodósio morreu (395), o perigo bárbaro não se apresentava, aos olhos do cidadão médio do Império, como uma ameaça grave ou iminente. É certo que se tornara necessário encurtar a fronteira, abandonando aos alamanos os Campos Decumates (atual Baden, na Alemanha) e aos godos as terras dácias, mas, depois de se terem varrido os imperadores ilírios, reinava uma certa tranquilidade. Aliás, os bárbaros mostravam tanto empenho em se alistarem sob as águias romanas!

Aí estava, na realidade, o fato mais grave, ainda que não se lhe prestasse nenhuma atenção, pois já se estava acostumado a isso. Havia três séculos que os bárbaros, primeiro aos poucos e depois cada vez mais rapidamente, se vinham infiltrando no *Imperium*. Começou-se por aceitar alistamentos individuais no exército, de preferência nos corpos auxiliares, ou contratos de trabalho para o cultivo do campo. Depois, sob o título de *federados*, passou-se a recrutar soldados de todas as raças, por unidades completas — germanos, beduínos, osroenos e africanos —, para aliviar das fadigas do serviço militar e dos trabalhos agrícolas os amolecidos descendentes dos soldados recompensados com uma parcela de terra. O comando superior destas formações, inicialmente confiado a romanos, foi-se transferindo pouco a pouco para a mão dos bárbaros, adornados com títulos latinos. Assim, tribos inteiras, sob as ordens dos seus chefes e conservando os seus costumes, a sua língua e os seus métodos de guerra, foram-se instalando ao longo das fronteiras, em substituição das legiões alquebradas e dos agricultores cada vez mais escassos. E nas guerras civis, tão frequentes nos últimos três séculos, viam-se muitas vezes rivais ambiciosos apelarem ao mesmo tempo para os exércitos bárbaros, a fim de tomarem ou de conservarem o poder[1].

O fato, já de per si bastante grave, fazia-se acompanhar de uma barbarização crescente do mundo romano. Adivinhando vagamente a ameaça, alguns imperadores, como Valeriano e, em 375, Valente, tinham promulgado uma lei que proibia os casamentos entre romanos e bárbaros, sob pena de morte. Tudo prova que foram pouco obedecidos:

pululavam os casamentos mistos, e isso na própria corte! Além disso, que lei teria podido proibir essa espécie de atração mórbida que a violência sã dos bárbaros exercia sobre uma sociedade senil?[2]. Que lei se podia opor a essa regra constante da história, que quer que os detentores da autoridade *de facto* acabem assumindo o poder *de iure*? Estes generais germânicos, em cujas mãos tinha ido parar a força de Roma, não estariam destinados a desempenhar um papel decisivo numa época em que todas as ambições podiam fazer carreira?

Todos os protagonistas da alta política, a partir do fim do século IV, são bárbaros mais ou menos romanizados que já não pensam sequer em esconder a sua origem. É vândalo esse Estilicão que assumirá heroicamente as responsabilidades do Império após a morte de Teodósio; é semibárbaro, filho de um germano da Panônia e de uma latina, esse Aécio, futuro vencedor de Átila; são bárbaros ainda, apesar dos seus nomes, os generais Vítor, Magnêncio, Silvano, Sebastiano, como também, sem se ocultarem, os Merobaude, Dagalaif, Bauto, Ricimer... Fiéis a Roma? Sim, a maior parte deles, e até ao sacrifício no caso de Estilicão e de Aécio; mas também dispostos a jogar a sua cartada no meio daquele *imbroglio* de política sem moral. Entre o general que serve o imperador e o rebelde que sonha com confiscar o Império, muitas vezes não há senão a débil barreira de uma vaidade insatisfeita ou de um desejo incumprido. Vários dos grandes episódios que se incluem sob a rubrica das "invasões" — tal como a aventura de Alarico — são, na realidade, os simples resultados de uma reviravolta de fidelidades. E, como já nunca se sabe onde começa e onde acaba a traição, quem poderá impedir um bárbaro do Império de recorrer ao auxílio dos bárbaros que estão além das fronteiras, se tiver necessidade de tropas?

Do outro lado das fronteiras, a massa dos invasores que estão à espreita não cessou de aumentar o seu reservatório de excelentes guerreiros. Às antigas tribos vêm juntar-se incessantemente outras mais recentes, e a pressão cresce. Depois das revoluções do século III, os bárbaros, mais bem agrupados, ganharam nova consciência da sua força. Desde o Mar do Norte até o Mar Cáspio, apertam-se lado a lado os selvagens prestes a saltar. A maior parte é constituída por germanos, um ramo dos povos indo-germânicos ou arianos proveniente dos brumosos países do Báltico, onde acabaram por fixar-se após numerosas migrações. Na sua maioria, são homens corpulentos, fortes, desordeiros, cobiçosos; e, quase por toda a parte, organizaram-se em comunidades tribais muito disciplinadas e muito obedientes ao "princípio do chefe".

Por volta do ano 400, o mapa dos bárbaros pode traçar-se pouco mais ou menos assim: ao longo do Reno, do Mar do Norte ao Meno, a federação dos francos, que na bacia do Weser e até o Elba fazem fronteira com os saxões; entre o Elba e o alto Meno, os lombardos; um pouco mais ao sul, vindos de Brandenburgo e tendo atingido o Reno a jusante de Mogúncia, os gigantescos burgúndios. Os alamanos, refreados momentaneamente em 357 pelas vitórias do imperador Juliano, instalaram-se desde o Meno ao Danúbio e ocupam as antigas terras romanas dos Campos Decumates; muito belicosos e frequentemente envolvidos em incursões pelo território do Império, são considerados bárbaros dos mais perigosos. O que resta dos marcomanos está na Boêmia e, nas imediações, encontram-se os rúgios e os hérulos, menos importantes.

Em direção contrária, sobre o Danúbio, alinham-se as duas mais fortes federações germânicas: até à Áustria atual, os vândalos, que já Tácito descrevera como homens terríveis, hábeis nos estratagemas de guerra; e, mais adiante, os godos, chegados setenta e cinco anos antes das margens do Vístula, futuros senhores da Dácia, o antigo baluarte de Trajano, e divididos em dois grandes grupos: os "godos brilhantes" ou ostrogodos, que margeiam o Mar de Azov, e os "godos sábios" ou visigodos, que estão voltados para o Império do Oriente.

E, na parte de trás, para além deste alinhamento de povos, há outros que esperam e fazem pressão: anglos e jutos na atual Dinamarca, esquiros na Galícia, noruegueses, getas e suecos na Escandinávia, e, nas planícies russas, eslavos e vênedos ao norte, quados e gépidas ao sul, alanos no Mar Negro; ao mesmo tempo, nas infindáveis estepes asiáticas, estendem-se, flutuam, misturam-se e preparam-se as tribos uralo-altaicas, de raça mongólica, cuja arremetida está na origem do drama, e dos quais os mais célebres serão os hunos.

Este é, a traços largos, o quadro do mundo bárbaro no momento em que vai começar o drama do século V. Mas, ao considerá-lo assim globalmente, arriscamo-nos a cometer muitos erros de interpretação. Mesmo que deixemos de lado os hunos, cujo caso era particular, quantas diferenças não havia entre os diversos elementos que constituíam o enorme quebra-cabeças bárbaro! Nem sequer fisicamente estes povos se pareciam muito, embora fossem todos mais ou menos louros; não se podia confundir um "saxão de olhos azuis e cabelo cortado acima da testa, para alongar o rosto", com um sicâmbrio de longa cabeleira deitada para trás; ou então um magro hérulo, "de rosto azulado, pálido como a alga dos mares", com a carranca afogueada de um burgúndio, esse gigante de sete pés de altura! Também moral e psicologicamente as diferenças eram enormes. Ao passo que os burgúndios eram uns "bons brutos" alegres e sem maldade, os alamanos passavam por ferozes e ásperos nas pilhagens, e os alanos tinham uma reputação de crueldade implacável, que os vândalos — cujo nome se havia de tornar proverbial — lhes disputavam com frequência.

Mas, mesmo tomados em conjunto, estes bárbaros estavam longe de ser selvagens. Há escritores cristãos, como Salviano, que reconhecem neles diversas virtudes: fidelidade, disciplina, castidade e — entre si — honestidade. Tinham um passado de civilização que somente hoje começamos a descobrir. Durante as suas andanças pelas planícies russas, tinham aprendido dos citas e dos sármatas os segredos de uma arte estranha, uma ourivesaria polícroma com ornamentações animais, de um requinte fascinante. E, sobretudo, muitos deles haviam já sofrido, em maior ou menor medida e de diversas maneiras, o influxo de Roma e da Grécia, a ponto de por vezes se encontrarem modelados por ele.

É um aspecto que não se deve perder de vista quando se pensa nas invasões bárbaras; estes povos, muitas vezes desde há longo tempo, conheciam pelo menos vagamente a civilização antiga, e a maioria deles a admirava. Já no século II, o reino dos marcomanos tinha sido profundamente romanizado, e talvez tivesse sido um erro de Trajano e de Marco Aurélio terem desmembrado este "estado-tampão". Os francos dos países belgas, bem como os godos do baixo Danúbio, tinham tido já muitos contatos com a sociedade greco-romana, com os seus diplomatas e, sobretudo, com os seus comerciantes. Entre os jutos, o emprego da "greca" como motivo ornamental; entre os escandinavos, o uso de moedas e de bronzes romanos; entre os godos, as transformações religiosas — tudo atesta numerosos contatos e influências.

Além disso, o hábito que havia em Roma de chamar para a corte jovens príncipes estrangeiros, a fim de garantir a execução dos tratados assinados pelos seus respectivos povos, ia habituando as elites bárbaras a conhecer o Império, a sua civilização, os seus costumes e... as suas fraquezas. Alarico, Teodorico e o próprio Átila foram desses "reféns". Estes chefes bárbaros, que tendemos a considerar talhados todos da mesma pedra rude, como selvagens condutores de hordas, falavam latim e muitas vezes grego, e sabiam apreciar os encantos da vida civilizada, o que só os incitava cada vez mais a apropriar-se dos seus frutos.

Estranhas personagens eram, pois, estes chefes, colocados na orla de dois mundos — um que morre e outro que nasce —, bárbaros na profundidade da sua alma, mas atraídos pela luz multissecular de Roma. Assim Alarico, o conquistador visigodo, descendente da raça "divina" dos Balthung, limita-se, ao apoderar-se de Atenas, a pedir como resgate de guerra o direito de passear um dia pela cidade maravilhosa, de ir saudar as estátuas de Fídias no Partenon, de ouvir uma leitura do diálogo platônico do *Timeu* e de escutar os *Persas* no teatro; mas, quando marcha sobre Roma, em 410, torna às suas fidelidades ancestrais, atira ao Rubicão as insígnias imperiais do seu cargo, retoma a pele tingida de vermelho dos cavaleiros godos e enfia na cabeça o capacete de bronze com dois cornos. Esses são os chefes a quem pertence o futuro.

Desta maneira, pois, quer olhemos para os romanos decadentes e atraídos pela sadia violência dos bárbaros, ou para os bárbaros romanizados a serviço da Europa, ou ainda para os bárbaros fascinados pelo esplendor de Roma[3] — mesmo que a odeiem —, colhemos sempre a mesma impressão de ambiguidade e de pontos de apoio falsos. A própria noção de *barbárie* se alarga e ultrapassa o quadro histórico de algumas investidas mortíferas e intrigas sangrentas.

Barbárie... Não seria esta a característica de um mundo em que o passado e o futuro se misturam numa reação efervescente? De um mundo em que os antigos valores da civilização têm as raízes podres, mas em que os novos elementos não foram ainda assimilados em grau suficiente para permitir que a humanidade se alimente deles? Nestas perspectivas de desequilíbrio trágico, a decadência dos civilizados e a violência dos invasores complementam-se entre si e atraem-se uma à outra. É o mundo ocidental todo inteiro que está agora em estado de barbárie e que nela vai permanecer durante seiscentos anos, o tempo necessário para o doloroso parto de uma nova civilização. Quanto às tribos germânicas que, ao longo de todo o século V, desabam sobre o Império, não são senão os instrumentos de que a história se serve para realizar uma mudança inevitável.

As fases do drama

Nada seria mais falso, portanto, do que imaginar as grandes invasões como um gigantesco ataque conjunto de toda a barbárie contra a civilização. Se chegou a haver acordos entre alguns povos germânicos para empreenderem uma operação determinada, nunca houve qualquer plano geral, nem intenções unânimes, nem nenhum sentido profundo de uma comunidade de raças e de interesses. O próprio termo “germanos” lhes era desconhecido; foram-lhes dado pelos gauleses, para os quais significava somente “vizinhos”. Cada um dos atos do drama teve as suas razões, quase sempre episódicas, o que não quer dizer que não tenha havido, na raiz deste fenômeno, causas profundas e decisivas.

A origem concreta do abalo que, nos começos do século V, devia lançar as tribos ao assalto do Império, é preciso procurá-la nas próprias condições de vida dos bárbaros, nos seus desmembramentos, nas suas perpétuas agitações. Desde que Roma tinha tomado conhecimento do imenso mar desses povos, vira-se periodicamente sacudida por tempestades, cujo sentido real, aliás, lhe escapava. O gosto inato dos germanos pelas migrações e pelas *razzias*, a prática da *vendetta* nas tribos, as rivalidades entre chefes eram motivos suficientes para desatarem essas incessantes tempestades. A partir de meados do século IV, a Rússia meridional e os países transdanubianos constituíam o epicentro dos terremotos que acabariam por abater-se sobre o Ocidente. A grande onda germânica, que desde há mais de um século fluía do Báltico para o sul, chocara-se com a vaga dos povos vindos das estepes asiáticas, que atingia um poder até então desconhecido. Com efeito, os hunos, os terríveis *hiong-nu*, que desde o século IV a.C. eram o flagelo da China, repelidos pelo heroísmo dos imperadores Han e rechaçados das terras amarelas pela construção da Grande Muralha, haviam-se voltado para o oeste. Sucessivamente, os sármatas do Baixo Volga, depois os alanos, depois os ostrogodos e por fim os visigodos tinham sido esmagados pelas suas hordas. A grande invasão dos começos do século V não é senão a outra face do ataque mongol, desencadeando e dirigindo numa direção única — a da fuga — as forças instáveis do mundo germânico.

A necessidade de abandonar as terras ameaçadas, a fuga para o oeste diante do perigo ameaçador, a atração exercida pelos belos países de sol e de riqueza, o desejo de imitar os congêneres já instalados como colonos ou federados, a paixão violenta pela guerra e pela conquista que dorme no fundo do espírito germânico e, sem dúvida, também esse sentido poético da aventura levada a cabo por jovens heróis resplandecentes num mundo encantado e trágico, de vitórias e catástrofes, cujos episódios serão perpetuados oito séculos mais tarde na epopeia dos *Niebelungen* — de tudo isso há um pouco nas razões que motivaram a investida.

Contudo, paralelamente a estas causas, cumpre acrescentar outras que não podemos imputar aos agressores, mas ao Império: intrigas de corte que não hesitam diante da traição, como a de Rufino, primeiro ministro, que lança os bárbaros sobre a Itália, ou talvez (pelo menos assim se suspeitou) a do conde Bonifácio, que abre a África aos vândalos de Genserico; rivalidades pessoais entre os generais "romanos", esses bárbaros mal envernizados; cumplicidade das tribos já instaladas e, mais sutilmente, a própria conivência moral de uma parte do povo civilizado, essa espécie de convite fatal que a fraqueza dirige à força bruta para que a submeta e lhe ponha um ponto final. Assim como um corpo humano já gasto pela velhice praticamente chama as doenças, assim o Império, por volta do ano 400, chamava pelos bárbaros.

E eles vieram. Chegaram, mas não somente como se estava acostumado a vê-los outrora, como soldados mais ou menos arregimentados; eram tribos inteiras, com mulheres e filhos, carroças, carregadores de bagagens, cavalaria de reserva, animais e rebanhos. Muito mais que a palavra *invasão*, que faz pensar sobretudo na entrada de um exército em território alheio, o termo exato para designar o fenômeno seria o alemão *Völkerwanderung*, migração de povos. O que o mundo mediterrâneo havia conhecido mais de mil anos antes da nossa era, quando os invasores arianos e os povos gregos e latinos se tinham lançado ao assalto contra os velhos impérios micênicos e etruscos, repete-se a partir do fim do século IV. Repete-se, não: é antes mais uma vaga da grande investida ariana, a última que a história conheceu — o que não quer dizer que seja a última que possa vir a conhecer.

Devemos colocar o início do drama na terrível noite de 31 de dezembro de 406? Sem dúvida. É verdade que, um ano antes, em fins de 405, um bando de godos instalados como federados na Panônia (a atual Hungria), sob o comando de um certo Radagásio, tinha atacado a Itália do Norte, saqueando e incendiando à vontade; mas o firme ministro Estilicão esmagara-os em 23 de agosto de 406 nas colinas de Fésulas, e Radagásio fora atrozmente supliciado. Este episódio podia ainda passar por um simples incidente de política interna, simples revolta de um chefe com ambições desmedidas, como o Império já vira tantas.

Mas quando, no último dia daquele mesmo ano em que os godos tinham sucumbido na Toscana, se rompeu a defesa do Reno; quando os alanos, expulsos da sua região pelos hunos, se precipitaram, depois de trinta anos sem residência certa, através da brecha aberta, arrastando consigo vândalos e suevos e empurrando na sua frente uma multidão de burgúndios — aí começou a verdadeira invasão. Foi necessário todo um ano para que o Império começasse a reagir. Lentamente, a vaga avançou sobre a Gália. Um general improvisado, chamado Constâncio, mais ou menos revoltado contra o governo de Roma, assumiu a defesa, conteve provisoriamente os burgúndios, tornando-os federados na região de Worms, e apanhou os outros perto de Toulouse, mas não pôde aniquilá-los nem mesmo impedir que fossem fazer na Espanha o que tinham acabado de fazer na Gália. Seria só em 411 que se concluiria um tratado, instalando como federados os vândalos asdingos e os suevos na Galícia, os vândalos silingos pelos lados de Sevilha e os alanos na região onde hoje estão Múrcia e Valência. Doloroso resultado!

Agora os espíritos avisados já compreendiam. Escrevendo a uma das suas amizades italianas, diz-lhe Santo

Agostinho: "A sua última carta nada me diz do que se passa em Roma. No entanto, eu desejaria muito saber o que há de verdade numa confusa notícia que me chegou, acerca de uma ameaça que paira sobre a cidade. Não quero acreditar..." Este receio do santo bispo de Hipona havia de tornar-se uma realidade dois anos depois: Roma tomada por Alarico — Roma, a inexpugnável, entregue ao saque, a Cidade Eterna confessando-se mortal. Em 24 de agosto de 410, soa aos ouvidos romanos o primeiro toque de finados.

No entanto, nas suas origens, a agressão de Alarico era também, como a de Radagásio, uma questão de política interna imperial. Grande homem frustrado, mas hábil diplomata, o rei dos visigodos tinha-se aproveitado das intrigas da corte, e especialmente do ódio recíproco dos ministros Rufino e Estilicão, para conseguir instalar-se na Ilíria. Uma reclamação por não pagamento de soldos, e muitos outros agravos e invejas contra Estilicão — esse "bárbaro bem sucedido" —, decidiram-no a conduzir para a Itália os seus bandos revoltosos. Por duas vezes fracassou, mas assustou tanto o governo que este resolveu deixar Roma e instalar-se em Ravena (404), que estava mais bem protegida e que passou, assim, a ser a capital. Da terceira vez, em agosto de 410, postergando ostensivamente tudo o que fazia dele um soldado do Império, Alarico marchou sobre a cidade, sitiou-a no meio de uma terrível tempestade e apoderou-se dela. Seguiram-se quatro dias de assassinatos, saques e estupros, numa atmosfera de pânico. Vitória inútil, porém, uma vez que, perseguido pela fome, o godo preparava-se para embarcar para as terras da África, ricas em trigo, quando morreu. Seu cunhado Ataulfo, mais prudente, conduziu o seu povo para Aquitânia, na Gália, onde, reconciliado com Roma, conseguiu fixar-se como federado (416).

Embora mal sucedida, a incursão italiana de Alarico teve uma enorme repercussão: mostrou ao mundo e especialmente aos bárbaros a verdadeira fraqueza do Império. E desde então sucederam-se os assaltos. Na fronteira norte da Gália, os francos, federados, penetram no território imperial, atravessam o Escalda e sobem o vale do Lis; em 430, um dos seus chefes, Clódion, apodera-se de Cambrai e chega ao Saône. Os burgúndios, apertados na região de Worms, julgam-se no dever de seguir o exemplo dos francos; deixam-nos agir e dão-lhes a *Sabáudia*, provavelmente o norte da atual Saboia, a Suíça até Neuchâtel e aquela parte do vale do Saône que tomará o seu nome. Os vândalos de Genserico, atacados na Espanha pelos visigodos a serviço de Roma, aproveitam as hesitações do conde Bonifácio, entram nas terras da África, varrem-nas com os seus bandos (429), fazem cair Hipona, onde morre Santo Agostinho, e ocupam praticamente toda a região que se estende do Marrocos até Cartago, privando Roma dos seus melhores celeiros.

Desmorona-se tudo aquilo que fizera o edifício do orgulho romano. Até à ilha da Bretanha, não há quem não veja aparecer os invasores; retiradas as legiões em 407, o mar dá livre passagem aos barcos intrépidos dos anglos e dos jutos, aos quais os bretões opõem a princípio uma resistência terrível; mas, pouco a pouco, são obrigados a ceder e refugiam-se nas montanhas ou emigram para o continente, para a península da Armórica, que se tornará a atual província francesa da Bretanha (442).

Como é que se desenrolaram, na prática, estes acontecimentos terríveis? Neste ponto também, é preciso desconfiar das simplificações. Os bárbaros não entraram em toda a parte de tocha na mão e com a espada gotejando sangue. Na infinita complexidade dos fatos desta ocupação, observam-se todas as modalidades, desde a simpatia mais ou menos cúmplice até a extrema atrocidade. A instalação dos burgúndios, por exemplo, parece ter-se produzido com um mínimo de violência, e a dos francos sem crueldade. Pelo contrário, na "Bretanha", é certo que os anglos — os futuros ingleses — desencadearam contra as tribos célticas originárias uma tarefa de destruição, e que na África os vândalos procuraram aniquilar a própria romanidade.

Por toda a parte, evidentemente, a chegada dos bárbaros era acompanhada de grandes saques. O historiador Procópio, com uma ponta de exagero, fará datar o despovoamento da Itália da invasão de Alarico, e sabe-se por Jordanes — godo de origem — que os bárbaros tinham uma deplorável propensão para pôr fogo em todas as terras por onde passavam. Os piores horrores foram, segundo parece, os praticados pelos vândalos na África, e é a eles que Santo Agostinho se refere: crianças cortadas ao meio, meninas torturadas com ferros em brasa aplicados aos seios, homens veneráveis empalados com uma estaca debaixo do queixo.

Mas, de maneira geral, os sofrimentos que os habitantes das diversas regiões do Império tiveram de suportar foram o resultado natural da guerra, em que, infelizmente, sofrem tanto os amigos como os inimigos. Houve, no entanto, diversos exemplos curiosos de delicadeza bárbara, tais como o de Alarico mandando respeitar as igrejas de Roma, o de Ataulfo que, tendo-se apaixonado pela sua bela cativa Gala Placídia, filha da imperatriz, não a quis constranger e esperou pacientemente que ela o desposasse livremente, e o do próprio Átila, mais tarde, mostrando o seu respeito pelos bispos...[4] Na acepção corrente, "bárbaro" tornou-se sinônimo de "selvagem feroz", mas, na realidade, isso não é assim tão simples. Nesta época decisiva, em que o mundo começava a criar pele nova, a violência desempenhou apenas o papel que a natureza lhe confere; para a sociedade como para os homens, o nascimento e a morte jamais se produzem sem dor.

"Neste mundo de cabelos brancos..."[5]

A rapidez do drama que, em menos de três quartos de século, entregou todo o Ocidente aos bárbaros, sugere-nos uma única e angustiosa pergunta: por quê? Por que este desmoronamento súbito, esta queda no abismo? Afinal de contas, o Império tinha ainda as suas fortalezas, contra as quais as hordas pouco podiam; tinha as suas estradas estratégicas, as suas tradições de eficácia militar, uma diplomacia hábil em enganar, comprar e dividir o adversário. Se a diferença de armamento entre Roma e os bárbaros não se compara à que existe nos nossos dias entre os países europeus e os da África central, não é menos verdade que aos germanos faltavam o método e a disciplina e que eram incapazes de assegurar o reabastecimento dos seus exércitos. Além disso, até à vitória dos vândalos na África, os romanos tinham sido incontestáveis senhores do mar. E todos estes trunfos lhes caíram das mãos. Por quê? Uma única resposta se impõe: porque o Império se tinha condenado a si mesmo à perdição. Quando os bárbaros atacaram a sério o edifício, este estava todo apodrecido e a sua força já não passava de mera aparência. Para que pode servir a melhor das armas, se está nas mãos de um moribundo?

Em 17 de janeiro de 395, Teodósio, o último dos grandes imperadores, morrera no seu palácio de Milão, no meio de uma avalanche de ambições alvoroçadas. Qualquer espírito mais avisado teria podido predizer que estava soando novamente a hora das intrigas, das revoluções palacianas e das guerras civis. Em volta do leito de marfim e de madeira preciosa em que o imperador agonizava, no meio da púrpura e das peles, lá estavam todos: os dignitários nas suas túnicas de seda, os prelados com as dalmáticas recamadas de cruzes negras e os chefes de exército bárbaros com as suas fardas de generais romanos. Ia jogar-se uma partida decisiva, cujo prêmio seria o poder absoluto.

Sentindo-se adoentado já no ano anterior, Teodósio previra a sua sucessão e dividira o Império entre os filhos: Arcádio governaria o Oriente e Honório o Ocidente. Mas alimentaria ele, realmente, a menor ilusão sobre as possibilidades de sobrevivência dessas duas crianças? Tão pequena era, na verdade, a sua confiança, que colocou ao lado de cada uma delas uma força mais viril — junto de Arcádio, adolescente mirrado, pôs Rufino, filho de um sapateiro dos Pireneus, que tinha galgado postos graças à sua grande audácia e cinismo; e junto de Honório, um desastrado menino de onze anos, colocou Estilicão, o vândalo, cujo pai tinha comandado o esquadrão dos "cabeludos". Estes dois homens odiavam-se e, mal Teodósio desceu à cova, deram início aos distúrbios que já nunca mais haviam de terminar.

Como é estranha e dramática esta época das últimas décadas do Império Romano do Ocidente! Quem manda? Quem obedece? Quem trai? Quem é fiel? Há uma contradança incessante entre o partido do imperador e o deste ou daquele chefe invasor ou rebelde. Há um mal dissimulado antagonismo entre os dois ingredientes da romanidade — o Oriente e o Ocidente —, que recorrem por igual aos bárbaros, cada um contra o seu rival. Este tempo está cheio de figuras extraordinárias, de personagens ambíguas e inclassificáveis. Será Estilicão — o ministro vândalo —, será ele o servidor da grandeza romana, tal como é evocado pelo díptico de marfim que o representa em Monza? Será ele apenas o vencedor de Radagásio, o baluarte que conteve os primeiros assaltos dos godos? Quais seriam os seus pensamentos reservados quando parlamentava com Alarico e parecia preparar um trono para o seu filho? Quando Honório, apesar de ser seu genro, o mandou assassinar em 408, estaria castigando um traidor? Seja como for, no momento supremo Estilicão recusar-se-á a resistir aos emissários do seu senhor e, num ato de profunda e comovente fidelidade, estenderá o pescoço aos carrascos...

Da mesma maneira, devemos classificar entre os traidores ou entre os bons servidores o general ilírico Constâncio, que em 407 deteve na Gália o avanço dos suevos e dos vândalos, num momento em que ele mesmo não passava de um rebelde e tinha a cabeça posta a prêmio pelo governo? E que, mais tarde, desposou em segundas núpcias Gala Placídia, irmã do imperador, fez-se nomear Augusto e passou a viver em Arles, aliás muito legitimamente, como vice-imperador das Gálias?

E que devemos pensar ainda do destino extraordinário dessa Gala Placídia, cuja memória ainda faz sonhar aquele que visita o seu mausoléu em Ravena, sob os mosaicos verde e ouro, onde a luz brinca nos ladrilhos de alabastro? Princesa imperial, prisioneira dos godos, ao que parece esposa apaixonada de Ataulfo, rainha bárbara da Espanha, volta à Itália depois de viúva e casa-se em segundas núpcias com Constâncio; enérgica regente do Império quando Honório morreu, consegue ainda impor aos exércitos o seu filho de dois anos, Valeriano III (423-425). Apenas talvez a Itália do Renascimento tenha conhecido destinos tão singulares, que aparecem como que disputados aos dados no jogo entre o poder e a morte, o triunfo e o assassinato.

Mas, por pitoresca que esta época possa parecer em certo sentido, não deixa de ser tempo de uma decadência definitiva, de uma irremediável gangrena daquilo que havia sido o altivo organismo romano. Não podemos contemplar sem repugnância estes débeis senhores do mundo que, na sua capital de Ravena, ao abrigo dos insalubres pântanos, levam uma vida pouco transparente, misto de devoção e luxúria, no meio dos seus eunucos, cortesãos e guardas germânicos, urdindo intrigas contra aqueles mesmos que os defendem, e a quem a sombra da antiga grandeza imperial já não protege, ao fim e ao cabo, das sedições e do punhal. Não se pode evocar sem desgosto esses ministros, esses grandes funcionários que, no poder, conservam a sua alma de ex-escravos, quando não os seus costumes de castrados. Um antigo cardador de lã numa oficina de mulheres, um ex-cozinheiro, bárbaros untados às pressas com um verniz romano — eis os senhores do mundo! Como é possível admirar-se de que o sentido do bem comum tenha desaparecido totalmente e de que, no meio deste desconcerto universal, cada um procure apenas a satisfação dos seus apetites, mesmo quando, por um feliz acaso, essas ambições coincidem com o interesse geral?

Todas as causas profundas do declínio que observamos no decorrer do século IV[6] produzem agora, nos começos do século V, o seu efeito pleno. A política absolutista posta em prática a partir de Diocleciano e intensificada na monarquia teocrática de Constantino e dos seus sucessores, tende a comprimir toda a vida do Império num espartilho de ferro de regulamentos e coações: tudo deve depender do Estado, só se deve trabalhar para engrandecê-lo.

Mas, se esse regime se enraizou facilmente no Oriente, onde se apoiava em velhas tradições aristocráticas[7], no Ocidente fracassou completamente. O fortalecimento dos poderes estatais serviu apenas para favorecer os administradores do alto escalão, os chefes de província, os condes, que estavam em condições de trocar os seus direitos administrativos por terras; e neste esfacelamento da autoridade, esboça-se já o futuro regime feudal. Este despotismo do Estado parece tanto mais insustentável quanto mais incapaz se mostra de manter sequer um mínimo de ordem e segurança. Nunca a ameaça bárbara foi tão pesada; as guerras entre rivais ambiciosos assolam as províncias; hordas de salteadores anarquizantes, os *bagaudes*, percorrem as regiões rurais, protegidos por muitas cumplicidades que lhes garantem o êxito.

Por outro lado, o colete do Estado paralisa as forças vivas da nação. Será necessário recordar os vícios do sistema? O Baixo Império não teve o monopólio desses vícios, que, aliás, se manifestam sempre que o Estado excede as suas atribuições e pretende tudo absorver. O funcionalismo prolifera de tal modo que um contemporâneo afirma que há mais funcionários do que contribuintes que lhes paguem. A crise financeira tornou-se permanente, e nem uma inflação programada (começada na dinastia dos Severos, com a desvalorização da moeda), nem as costumeiras manipulações monetárias, nem todas as astúcias dos governantes em dificuldades conseguem vencê-la. Daí provém um fisco esmagador, demencial, que provoca uma evasão geral de impostos, evasão que as piores sanções não conseguem evitar. O custo de vida sobe constantemente, sem que surta efeito o tabelamento dos preços (o primeiro data de 301), ao mesmo tempo que se verifica uma crise de produção devido à redução da mão-de-obra e à diminuição das trocas comerciais causada pela anarquia. A moral desta história aflitiva é extraída pelos contemporâneos, ao apontarem para onde leva o furor generalizado: Orósio fala-nos de "romanos que preferiam conhecer a pobreza e a independência no meio dos bárbaros a suportar o peso dos impostos no meio dos romanos", e Salviano chega a dizer: "Os pobres, desesperados, suspiravam pela chegada do inimigo e suplicavam a Deus que lhes enviasse os bárbaros"...

A estes fatores públicos de decadência sobrepõem-se ainda causas muito mais graves, espirituais e morais. Ao instalar-se na sociedade antiga, o cristianismo não pôde transformá-la completamente de um dia para o outro. Não só continua a haver grande número de pagãos, como também há muitos recém-convertidos que se deixam contaminar pelo ambiente. Basta abrirmos Santo Agostinho, São Jerônimo ou qualquer outro Padre da época, para termos a prova de que a evangelização não conseguiu deter a desagregação moral. Desde as classes altas ociosas, que não vivem senão para o luxo — sedas da China, perfumes, anéis em todos os dedos —, até à arraia-miúda indolente, que passa o tempo a jogar aos dados os seus parcos soldos, não há homem livre que se sujeite a trabalhar. E não vale a pena falar dos costumes sexuais: o divórcio, a prostituição — tanto feminina como masculina — e a diminuição da natalidade atingem o cúmulo do escândalo. Apesar das tentativas imperiais para diminuir-lhes o horror e o número, os sangrentos jogos nos anfiteatros continuam a excitar as multidões com o seu degradante eretismo, e Santo Agostinho fala com tristeza desses infelizes que se nutrem de palhaçadas e espetáculos ignóbeis, enquanto o inimigo está às portas e degola os seus irmãos.

Na ordem propriamente espiritual, como se pode compreender, a situação é igualmente aflitiva. O paganismo degenerado não passa de uma fidelidade literária, de uma forma de conservadorismo restrita a alguns intelectuais ou grandes senhores; e, no povo, para aqueles que ainda se agarram a ele, é uma confusa mistura de superstições, astrologia e magia negra. Sob este aspecto, a atmosfera desta época está tão carregada de germes de infecção que o próprio cristianismo tem de se pôr em guarda para não se deixar contaminar.

Esta sociedade dos princípios do século V mostra-se bem "um mundo de cabelos brancos", nas palavras tão exatas de Santo Euquério, bispo de Lyon. A civilização romana atingira esse ponto em que já não há remédios que sirvam, porque a deterioração do organismo os torna inúteis. O que surpreende não é que este mundo esteja morto; é que ele tenha levado tanto tempo para morrer. Não existiam já há dois séculos as causas profundas que deviam determinar a sua ruína? Mas o organismo era tão sólido que continuava a resistir obstinadamente. Ainda na hora em que tudo se desmorona, aparecerão homens — quer se trate de ambiciosos de caráter duvidoso, quer de semibárbaros — dispostos a enfrentar a situação e a não capitular. Surgem personalidades grotescas, como as de alguns soberanos que têm gestos de energia inúteis, graças a uma certa altivez e a um sentimento de suprema fidelidade ao passado; assim acontece com Honório que, bloqueado nos pântanos de Ravena, sem exército e sem qualquer meio de ação, se obstina em recusar a Alarico o título de "senhor da milícia", de que o julga indigno.

Tudo isto talvez deva levar-nos a apreciar com menos severidade esta época tão complexa e geralmente tratada pelos historiadores com tanto desdém. É fácil englobar no mesmo desprezo os bárbaros, esses selvagens, e os romanos do século V, esses decadentes invertebrados. Mas não há momentos em que as forças que determinam os acontecimentos são mais poderosas do que qualquer vontade humana? Os dois protagonistas do drama assumiram cada um o seu papel com os meios que tinham à sua disposição, envolvidos ao mesmo tempo nessa incerteza fundamental que é própria dos destinos humanos.

E depois, se este século V foi uma época de caos e de baixeza, foi também um tempo de preparação, em que o futuro germinava na lama e no sangue. É deste terrível cadinho da história que sairá muito mais tarde a civilização que havia de tornar-se definitivamente a nossa. Os grandes acontecimentos deste século — como, por exemplo, a prisão de Átila em 451 — pesaram muito sobre os destinos ocidentais, muito mais gravemente do que as guerras romanas ou as expedições de Alexandre. Nós somos os descendentes desse caos ou, antes, da ordem que dele nasceu.

Porque desse caos derivará uma nova ordem. No próprio seio desta sociedade em perdição, existia um poder capaz de dar um sentido ao drama, de organizar a desordem, de integrar os bárbaros na civilização e de utilizar as suas forças ainda jovens para restituir o vigor e a saúde ao mundo. E esse poder de salvação era a Igreja.

Juventude da Igreja

No momento em que estava para desencadear-se o furacão dos bárbaros, havia pouco menos de um século que o cristianismo triunfara. A longa e trágica luta que começara nos tempos de Nero, e que, geração após geração, opusera ao Império pagão de Roma a revolução da Cruz, tinha cessado em 313, quando Constantino decretara em Milão que, daí por diante, "os cristãos teriam plena liberdade para seguir a sua religião". Uma vez dado o primeiro passo, os outros seguiram-se sem problemas. Transformados em protetores do cristianismo, os imperadores passaram a estar cada vez mais ligados a ele. A breve tentativa de Juliano o Apóstata, de reconduzir Roma ao paganismo, mostrou claramente, pelo seu fracasso, a impossibilidade de tal ressurreição. O determinismo dos acontecimentos — essa manifestação histórica dos planos da Providência — acabaria por trazer consigo a conclusão lógica da posição tomada por Constantino, que já em 380, em Tessalônica, tinha ordenado a todos os seus povos "que aderissem à fé transmitida aos romanos pelo apóstolo Pedro". No momento em que se sentia cambalear, o Império apoiava-se na Cruz.

O antigo adversário do cristianismo estava por terra, e o paganismo, por sua vez, passava a ser *religio illicita*. Uma verdadeira cascata de disposições proibitivas e repressivas caiu sobre os últimos pagãos. A partir de 5 de agosto de 395, Arcádio e Honório fizeram saber que as leis do seu "divino pai" contra os pagãos seriam aplicadas com todo o rigor. Foi interditada a prática da adivinhação em privado, bem como o recurso à magia; proibiram-se os sacrifícios e até os banquetes funerários, tão caros ao coração dos antigos; e interditaram-se também as libações durante as refeições! Os ministros dos cultos e outros sacerdotes pagãos foram despojados, em 396, dos seus últimos privilégios, e em 408 foi proibido o acesso à administração do Palácio a todos "os inimigos da fé do imperador". Os templos foram fechados ou convertidos em simples obras de arte, ou então destruídos. O grande Pã estava morto!

Não há dúvida de que este desenraizamento de uma fé que mergulhava tão longe no passado não se fez sem resistência. Em muitos lugares, o fechamento dos templos foi acompanhado de verdadeiros motins, como aconteceu em Alexandria do Egito, em Gaza na Palestina, na Síria e no Líbano. Na África, quando Agostinho era bispo de Hipona, os pagãos cometeram verdadeiras agressões contra as igrejas e comunidades cristãs de Cartago, Sufétula e Guelma. Mais obscuras, mais sutis foram as resistências individuais; como se poderia impedir que se fizesse privadamente uma libação sobre algum altar clandestino ou que se imolasse um carneiro segundo os velhos ritos? Na própria Roma cercada por Alarico, o cônsul Tertulo, ao assumir as suas funções, observará gravemente os frangos sagrados que se usavam para prever o futuro, traçará contra o céu os círculos prescritos do bastão augural e consultará o voo das gralhas. Mas tudo isto não passava dos estertores da antiga fé ferida de morte, a qual, dentro em breve, só encontrará refúgio nos subterrâneos das superstições populares e no esnobismo de alguns intelectuais. Para o cristianismo, essas crendices já não representavam qualquer perigo.

Juridicamente, a Igreja não só teve reconhecidos todos os seus direitos, como ficou colocada acima da lei comum. Obteve — o que conta muito num tempo de imposições tão pesadas — preciosos privilégios fiscais, particularmente a isenção, para os clérigos, das "prestações" pessoais que todos os cidadãos eram obrigados a pagar. A partir de Constantino, gozou de jurisdição civil, e a sua justiça é cada vez mais preferida à dos tribunais seculares, porque é mais equitativa e, além disso, gratuita: a tal ponto que tiveram de ser tomadas medidas oficiais para deter essa corrente que ameaçava deixar desertos todos os pretórios civis. As igrejas tornaram-se lugares de asilo, ao invés dos antigos templos, exceto para os criminosos comprovados e... para os devedores do fisco. Mesmo em assuntos penais, a Igreja tem o direito de julgar o seu clero; é o "privilégio do foro", que terá tanta importância na Idade Média. E, indo ainda mais longe, o próprio Estado procura pôr-se a serviço dos interesses da Igreja, constituindo-se no seu *braço secular*, segundo as ideias de Santo Agostinho — aliás, infelizmente, de forma menos matizada do que ele teria desejado. Em resumo: a Igreja vê-se investida num conjunto de direitos e prerrogativas, e não há imperador que, no decorrer do seu governo, não afirme, como Honório, o seu desejo de "nunca restringir os privilégios da venerável Igreja".

Mas estará nisso o essencial? Não. A verdadeira força do cristianismo não reside na aliança doravante selada com o trono; é exatamente o contrário: é a Igreja que sustenta o poder imperial. A sua verdadeira força está na sua juventude, no seu maravilhoso impulso. Poderão os cristãos do nosso tempo — acostumados a ver no cristianismo uma rotina e na Igreja uma instituição estabelecida — imaginar o que seria a fé dos seus antepassados de há quinze séculos, no momento em que, através de tantas provas e sofrimentos, a nova doutrina triunfava? Compreenderemos nós plenamente o que poderiam significar o entusiasmo e o ardor dessas multidões batizadas, a quem a história acabava de demonstrar que era a elas que o futuro pertencia? As jovens basílicas que germinavam por toda parte sobre a velha terra romana eram verdadeiramente os templos da esperança e da Ressurreição! Com que ânimo se entoava nelas esse "cântico novo" que o Senhor esperava! Com que paixão se escutavam, de pé, durante horas seguidas, os pregadores inflamados que falavam do céu e das coisas da terra com uma sublime familiaridade! É bem verdade que nem tudo era perfeito nesta Igreja dos princípios do século V[8], que já não tinha aquele caráter de minoria escolhida dos seus primeiros tempos; mas em que época pretendeu a Igreja não ter senão santos? O que havia nela — mesmo nos seus erros, por exemplo nas violências a que se entregaram alguns cristãos[9], e no ardor talvez um pouco exagerado das lutas teológicas — era um vigor, uma audácia e uma vontade de conquista que faziam dela, juntamente com os bárbaros, a única força eficaz desta época de derrocada.

A expansão do cristianismo, que não tinha cessado desde a ordem de Cristo: "Evangelizai todos os povos", é favorecida agora pelo apoio das autoridades imperiais e torna-se mais rápida e mais atuante. No primeiro quarto do século V, não há parte alguma do Império — podemos afirmá-lo com certeza — que não tenha ouvido falar de Cristo. É certo que ainda existem grandes diferenças de densidade cristã; os povos do Oriente estão na sua imensa maioria batizados, ao passo que no Ocidente (mesmo sem falar dos bárbaros pagãos ou hereges) há ainda grandes núcleos que não estão à sombra do catolicismo. Mesmo que se possa considerar arriscada qualquer cifra nesta matéria, parece plausível que cerca de metade da população global do Império tivesse sido conquistada: em cem milhões de habitantes, uns cinquenta.

Todos os elementos da sociedade foram penetrados pela propaganda cristã; nas classes dirigentes, as conversões tornaram-se talvez mais abundantes e mais rápidas a partir do momento em que a adesão ao cristianismo passou a ter um significado político; mas a burguesia média, a gente humilde, os artistas e os escravos constituem o grande exército do rebanho cristão; nos campos, todavia, apesar dos esforços de São Virgílio de Trento, de São Vitrício de Rouen e sobretudo de São Martinho de Tours, o apego aos velhos cultos da natureza e a superstições locais milenares entrava o avanço do Evangelho, e esse obstáculo só cederá lentamente. Em parte alguma, seja em que terreno for, a Igreja desiste de travar a luta, a grande luta pela conquista das almas. Para ela não há fronteiras, nem mesmo as do Império; os postos avançados que estabeleceu na Armênia, na Arábia e na Etiópia fortalecem-se cada vez mais, e ao mesmo tempo há muitos que vão povoar os desertos e a Índia[10].

Não devemos considerar o triunfo do cristianismo apenas na sua extensão, mas também na sua crescente profundidade e na influência que, há já muitos anos, exerce sobre a sociedade[11]. Perante o absolutismo imperial e o arbítrio opressivo e às vezes sanguinário, fomentados pelo servilismo dos cortesãos, há uma única força de resistência: a Igreja, na pessoa dos seus bispos, os únicos que ousam enfrentar os déspotas. É este clero privilegiado, agora tão poderoso, quem protege a liberdade pública e garante o direito das gentes. Como filho da Igreja, o imperador não pode desobedecer aos seus preceitos sem que logo se faça ouvir uma grande voz que o chame à ordem — como Santo Ambrósio fez com Teodósio. É por isso que o governo destes príncipes cristãos é, no seu conjunto, mais moderado e mais caridoso, a ponto de se tornar quase anual o hábito da anistia pela Páscoa.

A partir de Constantino, os princípios do Evangelho começam a penetrar também no direito: será preciso lembrar as leis que, uma após outra, punem severamente a delação, a difamação, a usura e o abandono ou a venda de recém-nascidos? Extraem-se dos ensinamentos de Jesus manifestações de delicadeza para com as mulheres: dispensam-nas de comparecer aos tribunais e — contrariando a lei que proibia expressamente que alguém deixasse a sua profissão — permitem que as atrizes que abraçam a religião cristã abandonem o teatro. A moral pública é defendida a sério, e se, infelizmente, a prática dos jogos, solidamente enraizada, não pôde ser posta de parte com rapidez, suprimem-se pelo menos os seus aspectos mais ferozes, proibindo a morte de seres humanos. Os vícios contra a natureza, bem como o adultério, são severamente castigados.

Quando se pensa nesta época como um tempo de decadência, com tudo o que a palavra pode trazer consigo de deprimente em matéria de costumes, não se deve perder de vista o efeito dessas ações da Igreja sobre o miolo moral da sociedade; foi ela que preservou da podridão os melhores elementos do Império, e assim foi ela — como pressentia

Santo Agostinho — que preparou as bases das reconstruções futuras.

Ao mesmo tempo, os germes espirituais que o cristianismo semeava nas profundezas da sociedade — esses mesmos que homens como Ambrósio e Agostinho já haviam apontado como indispensáveis —, a *Mater Ecclesia* tornava-os capazes de sobreviverem às grandes catástrofes que ameaçavam, conservando-os e transmitindo-os de geração em geração. Se a Igreja católica romana não tivesse tido uma admirável organização temporal, como poderiam ter subsistido os melhores princípios do Evangelho, que corriam o risco iminente de serem desconjuntados pelas terríveis vagas das invasões, absorvidos, diluídos não se sabe no meio de que barbáries?

Mas, precisamente, ela era essa organização. O esforço institucional que desenvolvera desde as suas origens e que levara adiante, obstinadamente, nos quatro primeiros séculos, produzia agora os seus frutos. Cada vez mais apinhada (pelo menos no Ocidente)[12] em torno do bispo de Roma, o Papa; decalcando as suas circunscrições administrativas nas do Império; cada vez mais adaptada a tarefas práticas, uma vez que as autoridades civis se iam afundando[13], ela representa o único ponto estável num mundo em que tudo estremece; no meio do furacão dos bárbaros, ela é a muralha que nada poderá arrasar. É o que já dizia, mesmo neste tempo, o poeta Lactâncio: "Somente a Igreja conserva e sustenta tudo".

Dar um sentido ao drama

Se quisermos medir a importância do papel da Igreja neste tempo em que tudo está em crise, basta considerar dois fatos: na ordem prática, o lugar que os seus homens ocupam no momento das piores provações; na ordem espiritual, a influência decisiva que exerceu sobre o próprio sentido dos acontecimentos. Bem pesado tudo, podemos perguntar-nos se não está aqui o essencial. Aquilo de que os homens mais necessitam, para que a sua ação na terra seja eficaz, é terem, pelo menos inconscientemente, o sentido do fim para o qual tendem os seus esforços. Uma sociedade que perde o sentido da meta a atingir, que já não compreende nem o para quê nem o como dos acontecimentos, só pode oscilar entre o delírio e o desânimo. Agita-se numa espécie de angústia hamletiana. O maior serviço que o cristianismo prestou aos homens do século V — pelo menos aos mais lúcidos — foi o de dar um sentido ao seu drama, impedindo-os de permanecer inertes, sós e angustiados, à beira de um abismo para além do qual já nada enxergavam.

Ante os acontecimentos que eclodiam com estrondo, qual era em geral a reação dos contemporâneos? No seu conjunto, decepcionante. Não falemos das massas que, como é regra, passavam do terror para a busca do prazer. Mas, mesmo nos cérebros mais bem constituídos, nos espíritos mais avisados, era raro haver uma compreensão lúcida da situação. As poucas cabeças cujas ideias políticas ultrapassavam as preocupações imediatas tinham, quase todas, a insensata esperança de que a crise seria passageira. O Ocidente estava ameaçado? Olhava-se para o Império do Oriente, de onde se esperava que viesse a salvação. Estava-se tão persuadido da invulnerabilidade de Roma e do Império que todos se agarravam a essa ideia tradicional como se fosse uma tábua de salvação. A cidade não era eterna? Não lhe fora prometido o domínio do mundo?

Em 417, o bom gaulês Rutílio Numantino, profundamente eufórico por ver os visigodos expulsarem da Gália para a Espanha os vândalos, escreveu serenamente um poema à

"Roma eterna, orgulho de um mundo repleto do seu poder, estrela entre as estrelas!" Sidônio Apolinário afirma, um pouco mais tarde, que "Roma continua a ser o cimo do mundo!" Sofriam tanto com a ideia de terem de separar-se de um passado moribundo, que mesmo um homem tão inteligente como o escritor cristão Orósio, cuja visão do futuro costuma ser incluída entre as mais atiladas que já houve na história universal, não pôde deixar de escrever páginas em que afirmava que, no fim das contas, a sua época não era assim tão desagradável, que dava gosto viver nela, e que talvez fosse somente por um efeito de perspectiva que diziam ser ela tão calamitosa! Não julguemos com demasiada severidade esta quase-cegueira, talvez voluntária. Quantos, entre os homens do século XX, medem verdadeiramente o abismo à beira do qual traçam o seu caminho?

No entanto, alguns compreenderam. Alguns cristãos. São numerosos os testemunhos que mostram que os mais qualificados entre os porta-vozes de Cristo eram perfeitamente conscientes do que estava acontecendo. Assim, São Jerônimo escreve: "O navio está afundando"; Santo Orânio, bispo de Auch, exclama: "Para que havemos de narrar os funerais de um mundo que desaba, seguindo a lei natural de tudo o que é mortal?"; e Santo Agostinho observa, como uma constatação evidente diante da queda de Roma: "Talvez ainda não seja este o fim da Cidade, mas em breve a Cidade terá um fim". Mais tarde, em 450 — com menos mérito, pois os acontecimentos já haviam esclarecido muitos espíritos —, Salviano diz com a sua rude franqueza: "O Império Romano já está morto, ou pelo menos em agonia, mesmo onde ainda parece viver".

Diante destas comprovações, qual foi a reação dos cristãos? Não foi sempre a mesma por toda parte. Alguns, aqueles que estavam ligados por muitas das suas fibras a esse mundo antigo prestes a morrer, especialmente os letrados que deviam à cultura greco-romana a sua formação pessoal, sentiram-se como se tivessem sido atingidos em cheio por uma maça. No seu retiro de Belém, São Jerônimo escreve: "A minha voz extingue-se; os soluços embargam-me as palavras. Foi tomada a Cidade que tinha tomado o mundo! Pereceu pela fome e pela espada; está em chamas a ilustre cabeça do Império! Quis hoje dedicar-me ao estudo de Ezequiel, mas, no momento em que ia começar a ditar, pensei na catástrofe do Ocidente e tive de calar-me, sentindo que chegara a hora das lágrimas". Não se pode ler sem emoção esta confissão de amargura, mas o que se impunha nesta encruzilhada de destinos era justamente superar o sofrimento dilacerante.

Entre os cristãos, aqueles que verdadeiramente prepararam a transformação do mundo foram os que não se deixaram esmagar pelo peso da fatalidade. E foram numerosos. Lembremo-nos de um Rufino de Aquileia que, refugiado na Sicília, vê os godos incendiarem Régio do outro lado do estreito de Messina e diz, com a simplicidade de um verdadeiro homem de fé, que se aplica ao seu trabalho de escritor e de tradutor como única consolação para as suas misérias: "Nas piores circunstâncias, é preciso cumprir o nosso dever de homens!" Bela lição! Pensemos em Santo Agostinho que, num célebre sermão sobre a queda de Roma, confessa estar desolado com as notícias desses montões de ruínas, dessas violências, dessas torturas, mas que no momento sente unicamente o desejo de animar a multidão acabrunhada que o escuta; dentro em breve, para responder à sua própria angústia e à do mundo, há de lançar-se à grande obra da *Cidade de Deus*.

O que o santo bispo de Hipona afirmou melhor do que ninguém, porque dispunha dos recursos do gênio, outros pensadores cristãos o sentiram imperiosamente e o disseram de uma forma ou de outra: que a tarefa da Igreja era salvar a esperança. "Cristo te fala; escuta!" — exclama Santo Agostinho. "Ele te diz: Por que temer? Não te predisse eu já tudo isso? Eu te predisse tudo, para que, quando a desgraça chegasse, a tua esperança se voltasse para o bem verdadeiro, ao invés de soçobrar neste mundo". Esta ideia, a de que todos os acontecimentos, por terríveis que possam ser, obedecem a uma intenção divina e procedem de uma lógica infinitamente benéfica, foi a grande ideia-força que o cristianismo propôs ao mundo para galvanizar os corações. Quando o presbítero Paulo Orósio, discípulo espiritual de Santo Agostinho na Espanha, publica por volta do ano 417 a sua *História Universal*, é esta a ideia que desenvolve ao longo das suas páginas. E quando Salviano, sacerdote de Marselha, multiplica mais tarde os seus sermões, panfletos e libelos, ouve-se sempre o mesmo refrão: "Vós vos queixais de que Deus deixa tudo desabar? Não é assim; Deus governa o mundo! Não é verdade que Ele não se importa com a terra: ela é objeto de todos os seus cuidados!" É o que diz também São Paulino de Nola, no seu bispado onde Alarico o vai atingir, ou esse maravilhoso poeta anônimo da Aquitânia — talvez um pouco suspeito de pelagianismo, mas tão comovente — que escreve, no décimo ano da invasão da Gália, isto é, em 416, o seu célebre *Canto da Providência*.

Mas então, se Deus governa o mundo, por que permite que se desencadeiem tantas tempestades? A resposta, encontram-na esses cristãos de grande fé no próprio juízo que fazem da sociedade do seu tempo e principalmente dos seus coetâneos cristãos. As palavras mais claras são proferidas por São Jerônimo, com a rudeza de sempre: "São os nossos pecados que fazem a força dos bárbaros, foram os nossos vícios que venceram os exércitos!" Santo Agostinho, com palavras menos ásperas, exclama que os homens, ao invés de se admirarem por serem castigados por Deus, deviam antes olhar para si mesmos e perguntar a si próprios se não mereceram o castigo. Orósio, no mesmo tom, declara que a tomada de Roma por Alarico é a justa punição das faltas da cidade. E quando Salviano, por sua vez, se debruça sobre o tema, ele que foi expulso do seu país pelos vândalos e observou com os seus próprios olhos tantas ruínas e tantos sofrimentos, indigna-se ao ver que os seus contemporâneos, perante realidades tão terríveis, não são capazes de tomar uma atitude verdadeiramente cristã; e esse Jeremias da Gália flagela-os com palavras que o nosso Bernanos não desaprovaria.

Serão frases de pregadores, declamação vulgar dessa eloquência de púlpito que o uso excessivo tanto desvirtuou para nós? Não. Esses pensadores cristãos tiraram, dessas comprovações amargas, motivos para trabalharem com um coração mais ardente na preparação do futuro. Compreenderam e disseram que não se podia refazer uma sociedade sem primeiro refazer o homem. É este apelo para uma renovação de valores, que já Santo Ambrósio julgara indispensável, que se torna para Santo Agostinho e para os seus sucessores a força criadora que permitirá salvar a civilização. E é assim, com efeito, que a Igreja a salvará.

As muralhas da Igreja

Se esta influência profunda do cristianismo sobre a evolução dos acontecimentos foi, a princípio, obra dos grandes pensadores cristãos, pôde traduzir-se em fatos porque se verificou que a Igreja, nos momentos decisivos, possuía homens de ação do mesmo calibre; aliás, foram frequentemente os mesmos. Santo Agostinho não foi o único a reunir, numa espantosa multiplicidade de iniciativas, os dons do pensamento e os méritos da eficácia. Se o termo "elite" tem um sentido, e se por ele entendemos elementos sociais eminentemente conscientes das suas responsabilidades históricas e superiormente dotados para as assumir, então é fora de dúvida que a Igreja esteve dotada de uma elite admirável ou, melhor, que quase toda a verdadeira elite social se alistou nas suas fileiras.

Desde as suas origens, a Igreja sempre contou com chefes de primeira ordem: os *bispos*[14]. Assumindo em plenitude o ônus de uma função esmagadora — ao mesmo tempo sacerdotes, liturgistas, oradores, administradores, pais dos fiéis, arrimo de todos —, os bispos dos quatro primeiros séculos foram os pilares sobre os quais se elevou, pouco a pouco, o grande edifício da Cruz. *Ecclesia in episcopo*: toda a Igreja está no bispo! Estas palavras de São Cipriano, bispo mártir, não tinham deixado de ser verdadeiras. E no fim do século IV, no momento em que se produziam os primeiros desabamentos, o bispo passou a assumir uma importância ainda maior; ante a omissão crescente das autoridades civis e ante o perigo que recrudescia, o pastor do rebanho ergueu-se em toda a sua estatura. Já Santo Ambrósio tinha sido um modelo admirado pelo próprio imperador.

A sorte providencial da Igreja, por ocasião do drama do século V, foi ter a seu serviço uma plêiade de figuras poderosas — e isso por toda parte —, homens que puseram à disposição de Cristo qualidades e virtudes que nos causariam espanto pela sua riqueza, se não as víssemos sustentadas e explicadas pelos dons da santidade. Estas testemunhas de Cristo, que na vida particular se entregavam à penitência, ao desprezo das coisas terrenas e à humildade, cheias de espírito de justiça e de sabedoria, estes homens que viviam quase sempre como monges, perdidos em Deus, souberam ao mesmo tempo dar conta de todas as obrigações — muitas vezes terríveis — do seu cargo. Pregar a palavra de Deus às comunidades que presidem, levantar edifícios, fundar mosteiros, celebrar intermináveis liturgias que somente eles podem oficiar e, ao mesmo tempo, administrar os bens da diocese, que em muitos casos alcançaram cifras razoáveis, ocupar-se dos desgraçados, dos pobres e dos enfermos, dedicar-se ao resgate dos cativos (chegando a vender os vasos sagrados em caso de urgência, como fizeram Santo Agostinho, Santo Hilário de Arles e muitos outros), empenhar-se em converter os pagãos e em civilizar, pela amabilidade do acolhimento, os bárbaros que ocupam as suas terras — isto seria tudo?

Não, porque, ao assumirem as suas funções pastorais, estes bispos tiveram de desempenhar além disso, e à revelia de si próprios, um papel político considerável. No momento em que os funcionários imperiais ou os militares romanos se mostram tantas vezes incompetentes diante da sua tarefa, o representante do povo já não é o burocrata ou o soldado, mas o bispo. Em inúmeros casos, é ele o verdadeiro "defensor da cidade"; normalmente não detém esse título, que por lei costuma ser atribuído a um magistrado municipal, mas na prática assume-lhe as funções até ao heroísmo e ao sacrifício. E é então que estes príncipes da Igreja se revelam também grandes chefes políticos e militares. Quando tudo amolece, eles seguram. Assim, Santo Agostinho faz reviver a coragem na Hipona cercada; São Nicácio deixa-se matar na sua catedral, em Reims; Santo Exupério de Toulouse resiste de tal forma aos vândalos que é deportado, Santo Ainon organiza a defesa de Orleans, São Lobo lidera a resistência em Troyes, e tantos outros...

Seria vã qualquer tentativa de enumerar sequer os principais destes grandes bispos. Se dois ou três dentre eles já nos estão claramente gravados na memória — um Santo Agostinho, sobretudo, ou um Santo Ambrósio —, quantos mais existem, cujos nomes nada lembram aos cristãos de hoje! Estamos muito longe de poder calcular o decisivo papel de salvaguarda que estes baluartes da Igreja desempenharam ante o furacão dos bárbaros, e muito menos somos capazes de avaliar até que ponto o destino da civilização teria sido diferente, se estes homens não tivessem feito o que fizeram! Aquilo que o mais notável de entre eles realizou nos trinta e quatro anos do seu episcopado em Hipona — esse ilimitado devotamento à causa da Igreja, essa constante solicitude pelas mais diversas preocupações do seu rebanho, essa atitude inflexível ante as piores ameaças e, enfim, essa resistência serena à onda dos bárbaros —, quantos não o realizaram também, talvez contando com recursos de alma e de inteligência mais modestos, mas com igual consciência das responsabilidades que lhes cabiam!

É *São Paulino de Nola*, correspondente e amigo de Santo Agostinho, antigo aluno de Ausônio em Bordeaux e filho de uma ilustre família patrícia, a *gens Anicia*, que tendo sido aos vinte e cinco anos de idade nomeado cônsul e depois governador da Campânia, sente-se pouco a pouco chamado por Deus e obedece à voz inefável, vende os seus bens na Aquitânia para os dar aos pobres e volta para Nola, de que é feito bispo. Consagrando dali por diante toda a sua experiência de administrador à administração das comunidades que tem a seu cargo, esta alma de cristal, cheia de doçura e mansidão, este poeta às vezes inquietante — um dos últimos poetas latinos —, é por fim o chefe que, no momento em que Alarico e as suas hordas vierem pilhar Nola, lhes fará frente com um heroísmo tranquilo e morrerá no ano seguinte (431), devido aos maus tratos sofridos e à emoção.

É *Sinésio de Cirene*, que não mereceu ser proclamado santo — e talvez por isso nos pareça mais próximo da nossa fraqueza humana —, também um bom letrado e ex-aluno da "divina Hipácia"[15] em Alexandria, poeta cujos *Hinos* sensibilizaram Lamartine, grande senhor feliz que aceita, por consciência do perigo desta hora decisiva, o cargo de bispo de Ptolemais (410), renuncia à sua vida fácil, à caça e à poesia, entrega-se de corpo e alma aos seus diocesanos, aceita as tarefas mais absorventes, escreve ao imperador uma carta profética sobre o perigo germânico, enfrenta sucessivamente as hordas beduínas, os saqueadores bárbaros e os funcionários imperiais, quase tão perigosos, e morre de esgotamento em 413, depois de se ter aprofundado maravilhosamente nessa fé cristã a que a princípio se entregara por dever cívico. Mais tarde, Bossuet classificá-lo-á entre os "grandes"[16].

É esse *Quodvultdeus* — nome predestinado —, antigo diácono de Santo Agostinho que, no momento do ataque vândalo, teve tanto medo que pensou em fugir, mas que, feito bispo de Cartago (437), se revelou um chefe admirável, organizou a resistência aos ocupantes vândalos, envergonhou aqueles dos seus concidadãos que toleraram medrosamente o invasor, encorajou a resistência, fazendo em pleno púlpito mil alusões transparentes ao Faraó, a Nabucodonosor, Holofernes e os outros déspotas do Antigo Testamento cujos reinados acabaram tão mal, e que, por fim, expulso da sua sé, despojado de tudo e refugiado em Nápoles, continuou a preparar a luta de libertação e morreu exclamando: "Eles combatem o Cordeiro, mas o Cordeiro os vencerá".

Deixamos a África e a Itália? A Gália conta igualmente um número considerável destes grandes líderes cristãos. Quem não conhece o nome de *São Germano de Auxerre*, tão caro ao coração dos parisienses, aquele mesmo que, ao passar por uma estrada de Nanterre, reconhecerá o selo da graça na fronte de uma pastora e lançará Santa Genoveva pelas vias do seu glorioso destino? Também grande senhor, sagrado bispo de Auxerre em 418, restaurou a sua abalada diocese e multiplicou com uma caridade sem limites as obras de beneficência; viajando sem cessar, à procura de países por converter, foi duas vezes à Grã-Bretanha para aí defender a verdadeira fé contra a heresia pelagiana. Ao voltar da sua segunda missão, com cerca de setenta anos, corre ainda em auxílio das populações do oeste da Gália, devastadas simultaneamente pelos cavaleiros alanos e pelos saqueadores *bagaudes*, e, graças ao prestígio da sua santidade, consegue sustar os furores bárbaros. Quando morre em Ravena, em 448, os fiéis vão buscar o seu corpo e levam-no para Auxerre à luz de tochas.

E quantas lições não se podem extrair também daqueles que a Providência não quis convocar para lutas heroicas! Lembremo-nos de *Santo Hilário de Arles*, bispo aos 30 anos (428), cuja influência irradia por toda a Gália do Sul, fazendo triunfar o Evangelho entre os pagãos e expandindo a verdadeira fé por entre as doutrinas suspeitas; ou de *Santo Euquério de Lyon*, antigo senador, escritor de talento que, chamado ao episcopado (434) nesses tristes tempos que ele sabe avaliar tão lucidamente, se empenha em salvar a esperança, defende ante os burgúndios os direitos da Igreja e dá em vida tal exemplo de virtudes que quatro dos seus filhos serão canonizados. Em Paris, temos *São Marcelo*, bispo de 405 a 436, que foi quem verdadeiramente converteu as massas parisienses e deu à diocese de Lutécia o seu primeiro grande brilho, depois do martírio de "*Monsieur* São Dinis".

São muitos os bispos cuja ação foi, de muitas maneiras, decisiva. No decorrer de todo o século, vamos encontrá-los em plena atividade; quando, no último terço da centúria, os visigodos dão a impressão de se terem instalado definitivamente em terra gaulesa, *São Sidônio Apolinário*, bispo de Clermont-Ferrand em 417, senador, genro do imperador Avito e poeta excelente, toma a peito a tarefa episcopal, multiplica-se junto dos seus diocesanos para conservar neles a verdadeira fé e a civilização, e oferece aos ocupantes, no seu baluarte, uma tal resistência moral que acaba por ser deportado para Carcassonne.

Por toda parte, e em toda a Igreja, abundam exemplos admiráveis. Um São Máximo de Turim e um São Pedro Crisólogo, italianos, são ao mesmo tempo grandes batalhadores, aniquiladores de heresias e infatigáveis defensores da civilização ameaçada; e, mais ainda do que eles, temos que destacar esses bispos de Roma cujo papel ultrapassará imensamente os limites da sua diocese e cuja grandeza se encarnará na personagem magnífica de *São Leão*[17]. A bem dizer, no meio da terrível tormenta que abalava o mundo, é prodigioso encontrar, entre os chefes cristãos, tão poucas deserções: alguns bispos que fugiram diante dos vândalos e alguns raros prelados, aqui e ali, dispostos a vender-se ao invasor. No conjunto, todo o episcopado católico foi exemplar, e a sua atitude viria a ser de uma importância capital para o futuro cristão da civilização.

À homenagem que se rende a estas figuras de primeiro plano torna-se necessário acrescentar ainda outra. Se os bispos foram os diques contra os quais vieram quebrar-se os vagalhões bárbaros, houve, para os apoiar, para lhes servir de parapeito, outra grande instituição cristã, cujo papel não cessará de se desenvolver a partir de agora, até se tornar primordial: *os mosteiros*.

Sabemos que o monaquismo nasceu no Oriente[18] por iniciativa de Santo Antão e dos Padres do Deserto, sob a forma eremítica; tomou a seguir, na mesma região, a forma cenobítica, graças a São Pacômio, e finalmente foi reorganizado na Ásia Menor por São Basílio, atingindo um desenvolvimento impressionante na segunda metade do século IV. Por volta do ano 400, não há qualquer parte da cristandade que não conheça estas comunidades de homens ou de mulheres que se consagram ao serviço exclusivo do Senhor, e que levam, segundo os princípios de uma regra mais ou menos fixa, uma vida de ascese e de oração. Em Roma, nos arredores de Milão ou na África, os conventos são frequentíssimos. Na Gália, São Martinho funda Ligugé e, depois, Marmoutier, cujo crescimento se faz com uma rapidez inaudita, e em Marselha São Cassiano reúne na abadia de São Vítor um grupo de almas contemplativas.

De todos estes centros de intensa irradiação espiritual, o mais ardente e eficaz foi *Lérins*. Criado em fins do século IV, na ilha que hoje tem o seu nome, por Honorato, um jovem patrício gaulês que seguiu o exemplo dos monges do Oriente, este mosteiro logo atraiu centenas de almas, talvez milhares, e as ilhas selvagens povoaram-se de colônias eremíticas e de celas de contemplativos — de "buscadores de Deus", como dirá Santo Hilário de Arles, que era um destes monges.

O papel dos conventos foi triplo. Em primeiro lugar, espiritual. Quando pensamos no poder de ação que a Igreja manifestou nos tempos bárbaros, não devemos esquecer que a sua eficácia teve por fundamento as graças espirituais, uma profunda vida interior e um contato permanente com o divino. Foram estas bases espirituais que os conventos asseguraram, a tal ponto que os homens mais empenhados na ação sentiam a necessidade de ter junto de si uma comunidade de fraternidade e de oração, no meio da qual viviam ou aonde se dirigiam para retemperar as forças, como fizeram São Martinho em Marmoutier, Santo Agostinho em Hipona, São Paulino em Nola, Santo Hilário em Arles e tantos outros. Estes mosteiros episcopais exerceram certamente uma influência profunda sobre os bispos com quem partilhavam os anseios de vida interior. Santo Hilário diz muito bem que os monges constituíam uma "espécie de episcopado privado".

O segundo papel que os mosteiros desempenharam foi o de constituírem autênticos viveiros de bispos, uma espécie de seminários superiores para os futuros pastores cristãos. Foi da comunidade agostiniana de Hipona que saíram os melhores bispos africanos desta época. Chega a ser incrível o número de monges de Lérins que, muitas vezes contra vontade, foram chamados para dirigir dioceses: Hilário de Arles, Euquério de Lyon, Fausto de Riez, Lobo de Troyes e quantos outros não levaram para longe os métodos de espiritualidade e de trabalho que aprenderam na ilha de Santo Honorato! Até fora da Gália vamos encontrar um antigo monge de Lérins, São Patrício, o apóstolo da Irlanda, país cujos monges hão de desempenhar um papel tão importante quando chegar a hora de converter o Ocidente bárbaro. Há, assim, uma imensa irradiação deste grande mosteiro, tão grande que chegou a causar um pouco de desconfiança e levou alguns papas, como São Leão, a reagir perante essa invasão dos bispados pelos monges.

Podemos então afirmar que, a partir deste momento, as comunidades cenobíticas assumiram o papel realmente civilizador que havia de fazer a glória dos "monges do Ocidente", como diz Montalembert? Sem sombra de dúvida, ainda que de forma por enquanto modesta. Atraindo para as suas fileiras jovens bárbaros, os mosteiros contribuíram, como diz Santo Hilário de Arles, para "suavizar muitas ferocidades"; e ao mesmo tempo, no plano intelectual, conservaram as tradições e os elementos culturais que se encontravam ameaçados. Lérins e Marselha foram focos de estudo, e lá se redigiram certamente muitas das *Atas dos Mártires*, lá se prepararam todas as grandes lutas doutrinais da cristandade, e foi também lá que São Vicente de Lérins organizou essa espécie de primeiro "catecismo" que é o *Commonitorium*. São também monges *Arnóbio*, o comentador romano dos *Salmos*, e *Pelágio*, que o orgulho tornará herege.

Se acrescentarmos ainda que em todos os conventos foram criadas escolas externas — chamavam-se então "alunados" — cuja fama atraiu um considerável número de alunos, podemos avaliar bem qual deve ter sido a influência destes outros baluartes da Igreja e da civilização, influência que se tornará ainda mais ativa a partir do século seguinte, quando o monaquismo encontrar o seu mestre na pessoa de São Bento.

Perante os bárbaros

É à Igreja de Cristo, único elemento vivo num mundo em desagregação, solidamente estabelecida sobre as suas bases espirituais, sobre a sua organização e as virtudes dos seus chefes, que incumbe agora a tarefa de resolver o problema mais grave da época, o da presença dos bárbaros na romanidade. Era ela a única que podia fazê-lo — e o fez.

A partir do momento em que os germanos, de um modo ou de outro, puseram o pé no Império, estabeleceram relações com os habitantes, a quem eles chamavam "romanos" (na realidade, eram um autêntico mosaico de povos que o verniz latino tinha mais ou menos coberto e unificado); relações complexas, cambiantes, contraditórias, variando segundo os lugares, os indivíduos e as épocas, e das quais podemos ter uma ideia bastante aproximada se pensarmos nas diversas formas de ocupação que a Europa conheceu durante a segunda guerra mundial e depois.

Legalmente, a situação dos bárbaros ocupantes regularizou-se com facilidade. Não havia já muito tempo que povos inteiros de bárbaros se tinham instalado no Império como "federados"? Na ocasião, tinha-se promulgado uma legislação social que fixava as modalidades do seu acantonamento; ante uma ordem de aboletamento, todo o habitante era obrigado a ceder-lhes uma parte da sua "casa", isto é, das propriedades, que um edito de Arcádio e Honório, em 398, fixara num terço. Além disso, se se previa que a instalação seria duradoura, concedia-se a estes "hóspedes" (era esta a designação oficial) um terço dos rendimentos dos jardins, campos, florestas e rebanhos, e até um terço da mão-de-obra servil.

O extraordinário é que este regime foi depois aplicado pelas tribos recém-chegadas, isto é, pelos conquistadores! Prestígio de Roma... Salvo raras exceções, os invasores consideravam-se em regime de "hospitalidade". Vez por outra, exigiam mais do que isso, e os burgúndios chegaram até a confiscar dois terços dos bens. No conjunto, porém, as coisas não correram mal. Os proprietários de grandes domínios — os mais atingidos, naturalmente — resignavam-se a partilhar os seus bens com um chefe de clã germânico. E esta prática da hospitalidade, dispersando os bárbaros, veio a contribuir poderosamente para que eles fossem absorvidos pelas populações célticas e latinas, apesar das medidas tomadas para proibir os casamentos mistos e manter absolutamente separadas as jurisdições e os costumes, principalmente os relativos à propriedade e à herança[19].

Mesmo dando por regulamentadas as relações legais, restavam as relações pessoais, bem mais difíceis de estabelecer.

Os bárbaros estavam presentes em quase todas as partes do Império do Ocidente; alojavam-se na casa do cidadão, encontravam-se com ele nos caminhos e acotovelavam-se a seu lado nas cidades. Que pensar deles? Inicialmente, por ocasião das primeiras investidas, os civilizados ficaram impressionados com esses corpulentos soldados louros, vestidos de couro e ostentando os famosos capacetes de cornos duplos, que surgiam de arco ao ombro e espada em punho, com um grande saco de forragem suspenso do pescoço das suas montarias. Como geralmente eram seguidos por inumeráveis carroças abarrotadas de mulheres e crianças, tinha-se a impressão de que se tratava de uma maré irresistível. Mas, passada a emoção do primeiro choque, vinha a reação e o medo diminuía. O contato com a soldadesca germânica, porém, não era tão agradável. Os escritores do tempo não escondem a aversão que se sentia diante dos burgúndios, "cosmetizados com manteiga rançosa e arrotando cebola e alho", ou diante de alguns godos cujo sistema piloso era tão abundante que se viam obrigados a cortar diariamente os pelos das narinas!... O desprezo pelo bárbaro, herdado dos gregos, estava bem vivo no coração dos romanos e, ao pé de um alano ou de um suevo, não havia nenhum antigo gaulês ou íbero que não se sentisse um paladino da civilização.

Mas esta aversão, este desprezo e este desgosto iriam ao ponto de provocarem a cólera e a hostilidade sistemática? Nos primeiros momentos da invasão, no meio da desolação daquelas ruínas e violências, sim, e de São Jerônimo a Santo Agostinho, de Paulino de Béziers ao cronista espanhol Inácio, são numerosas as testemunhas que gritaram bem alto a sua indignação e o seu furor contra os bárbaros. Esta reação teve, aliás, um resultado excelente: deu a todos os povos da Europa o sentimento de uma comunidade de destino, de uma fidelidade à *romania* — termo que apareceu precisamente nesta época. Mas seria exagerado pensar que esta atitude foi permanente e geral (a não ser, repetimos, em casos excepcionais, sobretudo nas regiões ocupadas pelos vândalos); não houve uma "resistência" sistemática a uns bárbaros considerados por princípio como inimigos, uma vez que estes se tinham a si próprios por "aliados" do Império.

Estaríamos certamente exagerando se disséssemos que todos os bárbaros admiravam a tal ponto a civilização romana que estavam prontos a inscrever-se nas suas escolas. Alguns deles continuavam alimentando os velhos hábitos de cupidez, que lançavam as hordas sobre as riquezas dos países prósperos; esta foi, desde o princípio da invasão, a meta dos vândalos, e mais tarde também a dos saxões, dos alamanos e dos lombardos. Mas, em muitos casos, o gosto pela pilhagem andava de mãos dadas com sentimentos muito diferentes. Se Alarico saqueia Roma em 410, é sobretudo pelo despeito de não ter obtido de Honório o título que ambicionava: furor de amante rejeitado...

O certo é que muitos bárbaros, no dizer de Fustel de Coulanges, consideravam o Império "não um inimigo, mas uma carreira", pois sonhavam em galgar os altos postos de comando do exército romano. A própria massa dessas tribos nutria um sentimento mais ou menos confuso, mas sincero, de admiração por Roma, por tudo aquilo que Roma ainda representava de capacidade de organização, de riqueza e tradições. Pelo menos entre os germanos (porque haverá também Átila, o huno), apenas os vândalos desprezavam e odiavam os civilizados, e o seu rei Genserico empreenderá na África uma campanha de destruição sistemática da romanidade, chegando a gritar, em resposta a umas queixas muito justas: "Jurei aniquilar o vosso nome e a vossa raça, e vós ainda ousais pedir-me alguma coisa?" Mas não se pode garantir que não tenha sido sobretudo o fanatismo religioso ariano que o levou a esse caminho. Não há dúvida alguma de que uma minoria, decidida a dominar efetivamente o povo que conquistou, pode transformar profundamente as características desse povo; assim o fizeram os turcos nos Bálcãs e os normandos de Guilherme, o Conquistador, na Inglaterra. No conjunto, porém, os germanos não tiveram essa intenção.

No entanto, se eles não passavam de uma minoria, era natural que algumas vezes sentissem o receio de serem absorvidos pela massa conquistada; e, de tempos a tempos, houve determinadas reações brutais que só se explicam por esse medo. Todas as cifras que se podem reunir mostram que os invasores eram, no fim das contas, muito pouco numerosos: provavelmente, representariam um máximo de meio por cento da população global do Império, isto é, quinhentos mil em cem milhões. No momento em que entraram na Espanha, os visigodos não chegavam a cem mil; as tribos reunidas dos vândalos e alanos, quando atravessaram o estreito de Gibraltar, contavam cerca de oitenta mil almas, incluindo mulheres e crianças, e os burgúndios não parecem ter ultrapassado vinte e cinco mil pessoas, das quais só cinco mil eram guerreiros. Na Itália, para seis ou sete milhões de habitantes, haveria cem mil ostrogodos[20].

Surpreende-nos a relativa insignificância deste contributo étnico dos invasores, de que temos duas provas: a primeira é o fato de o tipo físico germânico ser hoje muito raro na Provença, Itália e Espanha; a outra é a sobrevivência de línguas latinas por todo o Ocidente, exceto nas regiões limítrofes, onde a massa germânica era densa. E esta inferioridade numérica explica que, muito em breve, as famosas virtudes bárbaras, tão apreciadas por Salviano, se tivessem dissolvido na decadência romana e que, da mistura desses dois elementos, tivesse surgido o pouco agradável complexo de violência, de devassidão, de cupidez e de crueldade que caracteriza o fim dos reinos bárbaros e ilustra dolorosamente os tempos merovíngios. A Europa imperial não chegou a germanizar-se — só se barbarizou.

Qualquer observador lúcido e sem preconceitos poderá perceber que as condições do momento apontavam no sentido de se preparar uma fusão entre os recém-chegados e os antigos ocupantes do Ocidente. O problema que surgia agora era saber se se poderia chegar a uma plataforma de entendimento com os bárbaros, para um trabalho em comum que visasse uma renovação do Império Romano e um rejuvenescimento da civilização. É assim, pelos menos, que a questão se formula aos nossos olhos, e é bastante admirável que, mesmo mergulhados até o pescoço nos acontecimentos em plena ebulição à sua volta, alguns homens do século V — cristãos — o tivessem pressentido.

Podemos compreender assim a reação desses homens: uma vez que o cataclismo das invasões não assinalara o fim do mundo, a Igreja não podia ficar fechada na estéril lamentação do passado. A sua profunda consciência do drama ditava-lhe outra atitude. No plano especulativo, a que o seu gênio facilmente o guindava, Santo Agostinho mostrara na *Cidade de Deus* que era necessário ultrapassar o Império moribundo e conceber um mundo novo. Por muito apegado que estivesse à romanidade, sentia que ela devia ser deixada para trás, como "indigna do nome de Estado" e infiel à verdadeira justiça de Cristo. O seu discípulo *Orósio*, mais jovem, isto é, apoiado numa experiência mais concreta — o tempo, nestas matérias, encarrega-se de mudar muitas posições —, aceitará sem revolta a ideia de incluir os bárbaros numa *romania* alargada e transformada, num Império novo; desenvolverá a ideia do seu mestre e conceberá uma espécie de confederação de nações cristãs sob a autoridade do Papa, ideia que um Otão III, muito mais tarde, tentará pôr em prática. Vinte e cinco anos depois, *Salviano*, apontando aos romanos as tribos germânicas como modelos de virtudes, não se deixará arrastar somente pela sua inclinação para a pregação e para a polêmica: se passa alegremente para os bárbaros, é com o fim de conseguir que os cristãos deixem de lado os elementos podres do velho mundo e suscitem um outro estado de coisas, uma nova ordem. Era preciso, no entanto, que não houvesse precipitação e que se tivesse em conta o fator tempo, para não acontecer o que aconteceu ao nobre Paulino de Pela, que teve de morder os dedos por ter aceitado demasiado cedo a "colaboração" dos visigodos; mas o que em 417 não passava de uma perigosa temeridade, em 460 seria quase admissível. Em política, a "verdade" é muitas vezes uma questão de oportunidade.

Assim, o sentimento cristão foi-se inclinando a favor dos bárbaros, a ponto de tornar desejável a fusão. Por quê? Primeiro, porque a Igreja sempre teve um sentido realista das exigências políticas do momento, um sentimento tanto mais vivo quanto, para ela, essas exigências não constituem o essencial, uma vez que o Reino de Deus não é deste mundo. No meio da desordem geral, os bárbaros constituíam uma grande força; por que não servir-se dela? Além disso, a derrocada do Império deixava o campo livre, liquidando aquele velho adversário que era o paganismo greco-romano. Por outro lado, a hierarquia católica compreendia perfeitamente que, com o desmoronamento da ordem antiga, o seu papel pessoal crescia e que ela surgia agora como a principal força ordenadora; os bispos percebiam que, em muitos casos, eram eles que se impunham aos bárbaros. Por fim — e sobretudo —, entre estes homens abrasados pelo zelo apostólico, não podia deixar de haver um desejo veemente de ganhar para Cristo as almas dos invasores, o que equivalia, ao mesmo tempo, a ganhá-los para a civilização.

Eram estes os sentimentos dos que detinham em suas mãos as responsabilidades da Igreja. Isto não significa que tivesse havido — como parece pensar Ozanam, com um pouco de generoso romantismo — um "plano de campanha" sistemático para a conversão dos bárbaros; se o catolicismo se resolveu a adotá-los e a conquistá-los, foi unicamente em virtude dessa necessidade profunda e irradiante que, desde os seus princípios, o levava a difundir a Boa-nova por toda parte. E, como possuía ao mesmo tempo uma força espiritual inigualável, uma organização única e uma universalidade que, aos olhos dos homens, prolongava a antiga e desaparecida universalidade de Roma, a Igreja acabou por triunfar nessa empresa tão audaciosa que foi a conquista dos bárbaros.

União contra os hunos

Em meados do século V, deu-se um acontecimento dramático que deve ter feito compreender tanto aos romanos como aos germanos que os seus interesses podiam coincidir: a invasão dos hunos. Pela primeira vez pesou sobre a Europa o "perigo amarelo"; civilizados e bárbaros, todos em conjunto, se encontravam agora sob a ameaça de cair em poder dos mongóis.

É surpreendente e apaixonante a história deste primeiro "império das estepes"[21], cujo terrível poder flutua ao sabor de um exército quase desconhecido, cujas forças se deslocam incessantemente ao galope dos seus atarracados pôneis. Ontem assaltavam a China, hoje lançam-se sobre a Europa, para amanhã se retirarem com a subitaneidade de uma onda imprevisível, não deixando atrás de si senão um rasto de cóleras e destroços. Essa história mergulha as suas raízes num terreno mitológico, vindo de mais de trinta séculos atrás, até a época em que, segundo as fábulas chinesas, Hoang-Ti, o Domador, com o seu exército de panteras e tigres, derrotara fragorosamente os *hiong-nu*; e podemos remontar mais ainda, até essas cidades misteriosas da Ásia Central, cuja invasão pelas areias tinha, conforme se dizia, condenado os hunos ao seu eterno vaguear. Mesmo na história muito mais próxima, porém, há muitos aspectos que continuam sem explicação. Por que motivo, detidos pela força calma dos imperadores Han e pela majestade da "paz chinesa", irmã oriental da *pax romana*, estenderam eles as suas conquistas a uma distância de 10.000 quilômetros? Por que motivo, deixando as estepes ao norte do lago Aral, por volta do ano 370 da nossa era, atravessaram o baixo Volga para continuarem na sua marcha para oeste? São coisas que não sabemos; mas sabemos que a pressão que exerceram foi a causa determinante das invasões germânicas. Tendo atirado para o interior da *romania* os alanos e os godos, como uma espécie de guarda avançada, surgiram eles por sua vez sobre o *limes*, e os civilizados os contemplaram com terror.

A célebre descrição que deles fez Amiano Marcelino gravou-se de tal forma nas nossas imaginações que é impossível deixar de ver esses terríveis nômades sob o aspecto evocado pelo historiador romano. "Ultrapassando em ferocidade tudo quanto se possa imaginar, com o seu corpo atarracado, os membros superiores enormes, a cabeça desmedidamente grande, as faces sulcadas de cicatrizes que eles mesmos se infligem para impedir o crescimento da barba, serão feras ou serão homens? Diz a lenda que nasceram da cópula monstruosa entre feiticeiras e demônios, e é a cavalo que passam a vida, e reúnem as suas assembleias, e compram e vendem, e bebem e comem, e até dormem, inclinados sobre o pescoço das suas montarias. Entre eles não há arado, nem cultura, nem casa estável". As mulheres e as crianças vivem dentro de carroções que acompanham a horda nas suas andanças. A seguir, o pormenor famoso, inesquecível: "Não se dão ao trabalho de cozinhar os alimentos; comem a carne crua, depois de a terem algum tempo debaixo da sela, para que fique mais macia". Além disso, são maravilhosos soldados: "Nada iguala a perícia com que atiram a distâncias prodigiosas as suas flechas com pontas de osso, tão duras e mortíferas como o ferro".

A bem dizer, esta descrição — verdadeira no seu conjunto e confirmada pelos historiadores chineses —, esta evocação de "animais de duas patas" deveria, para ser exata, sofrer alguns retoques. Não seriam nada mais do que selvagens, esses homens cujos bronzes animalistas nos revelam dons artísticos cheios de um estranho encanto, repletos de realismo e de poesia? No meio do século V, estando já há tanto tempo em contato com o mundo civilizado, não teriam eles sofrido muitas influências desse mundo? O escritor grego Prisco, que os visitou no acampamento real instalado na planície húngara, maravilhou-se com o luxo que pôde observar nas tendas de madeira alinhadas em círculos: tapetes macios, banheiras de pedra, baixela de ouro e prata, vinhos saborosos, cozinha requintada, e até cantores e bufões para distrair os hóspedes. A civilização dos hunos era uma amálgama de todos os contrastes; dentro de cabanas de palha, sedas maravilhosas; sobre os vestuários mais disformes, pérolas ou esmeraldas sem preço...

As suas primeiras relações com o Império Romano estiveram longe de ser ferozes. Vários dos seus chefes, atraídos pelos soldos, dispuseram-se a servir como corpos auxiliares do exército. Estilicão, por exemplo, contratou uma tribo inteira e ficou satisfeito com os seus leais serviços. E não deixava de ser surpreendente ver desfilar pelas ruas de Milão ou de Ravena esses estranhos defensores do Ocidente, de olhos velados, pele amarela, vestidos de couro e de peles, e de quem os legionários se mantinham à distância..., tão mal eles cheiravam.

Tudo mudou quando apareceu *Átila*. Aquele de quem a tradição, sempre simplificadora, julgou desembaraçar-se batizando-o com o nome de "flagelo de Deus", é na verdade uma das personagens mais extraordinárias que o seu tempo e talvez o mundo já conheceram. Pertence à raça dos grandes conquistadores, daqueles que não são apenas feras de bela talha, mas espíritos cheios de altos desígnios. Notavelmente inteligente — de uma inteligência, aliás, mais política e diplomática do que militar —, hábil no manejo dos homens, em ganhar uns e enfraquecer outros pelo emprego judicioso do terror[22], perfeitamente capaz de clemência, de generosidade e de respeito pela bravura alheia e pela autoridade espiritual, tão intrépido quanto supersticioso, vivendo com extrema simplicidade no meio de uma corte onde abundavam os tecidos persas e os bordados chineses, asceta durante meses seguidos, para depois se entregar subitamente às luxúrias de um harém — donde lhe nascerão nada menos que sessenta filhos —, este homem não se define nem se esgota em meia dúzia de linhas. Antigo refém na corte imperial, não se deixara contaminar, apesar da pouca idade, pelas influências debilitantes desse meio malcheiroso, pois avaliara-lhe perfeitamente a fraqueza e discernira com exatidão as suas linhas de ruptura;

ali aprendera o latim, que falava corretamente, com um acento um tanto rouco.

Quando, em 435, herdou o trono, depois do expedito assassinato de seu irmão, julgou-se no dever de modificar toda a política do seu povo: tratou como desertores os chefes hunos que serviam no exército romano e mandou-os crucificar; a seguir, estabeleceu entre o seu povo e o Império um corredor deserto com a largura de três dias de marcha — uma espécie de "cortina de ferro" — para que a gangrena da civilização não contaminasse os seus homens. Depois, tendo conseguido pela força e pela astúcia a união de todas as tribos do seu domínio, tanto amarelas como brancas, preparou-se para uma vasta empresa. Qual? Nada menos, com certeza, que o estabelecimento de um império asiático na Europa, que substituiria o de Roma e que poderia servir mais tarde de trampolim para a conquista do mundo... Que perigo não representou para o Ocidente esta utopia, servida por uma vontade implacável!

Depois de ter tateado o terreno do lado do Oriente e de se ter divertido com os exércitos de Teodósio II, o Calígrafo[23], em 450 mudou subitamente de direção, por motivos aliás obscuros: talvez o tivesse impressionado a atitude firme do velho soldado Marciano, ou talvez tivesse sido chamado para oeste pelas secretas combinações com outro "inimigo do nome romano", o vândalo Genserico. O pretexto que invocou para atacar o Império do Ocidente não deixou de revelar um humor de excelente qualidade. Tempos atrás, uma princesa imperial chamada Honória, de vinte anos, quer porque fosse um pouco doida, ou porque, no tédio daquela corte decadente, a imagem de um verdadeiro selvagem lhe tivesse alvoroçado o coração, enviara-lhe uma carta de amor, um pedido de casamento, e juntamente um anel. Naquela ocasião, Átila abstivera-se de responder-lhe.

Em 450, fez-se de apaixonado por essa longínqua princesa e reclamou de Ravena não só a mão da sua amada, mas também o seu dote, isto é, a... metade do Império do Ocidente. E, enquanto tratavam de casar Honória às pressas e enviavam ao huno a mais diplomática das recusas, Átila começava a trabalhar a Gália e os seus emissários procuravam avaliar as forças de Roma. Finalmente, na primavera de 451, atacou.

É difícil descrever exatamente o que foi a investida dos asiáticos sobre a Gália. Os contemporâneos, impressionados com o aspecto dos assaltantes e sentindo confusamente que se tratava de uma luta infinitamente mais grave do que aquela que tinham acabado de travar com os germanos, tenderam a exagerar os estragos do "flagelo de Deus". Muitas vidas de santos, para darem um sabor de aventura à história dos seus heróis, fazem aparecer os hunos onde eles nunca estiveram, como por exemplo em Tréveris, em Langres e em Arras. O que é preciso notar bem é a brevidade de todo este drama: sabe-se ao certo que foi em fins de março que Átila passou o Reno em barcas construídas com velhos carvalhos da Floresta Hercínia ; quando acabou o verão, já tinha desaparecido. Quanto às cifras que têm sido apontadas para avaliar os seus efetivos, serão mais do que lendas? Quinhentos, seiscentos mil cavaleiros, seguidos de uma onda de mulheres e crianças... O péssimo estado das estradas e a impossibilidade de abastecer uma tal multidão de pessoas tornam inaceitáveis essas cifras. Mas não há dúvida de que o gigantesco bando de tribos bárbaras misturadas sob o comando huno — gépidas, rúgios, hérulos, turíngios e burgúndios — representava um perigo grave para as terras gaulesas mal defendidas. Metz foi tomada em 7 de abril, dia da Páscoa, Troyes poupada e Paris contornada, talvez por prudência ou devido ao desejo de avançar depressa para o sul, ao encontro dos vândalos da África; e Átila estava justamente iniciando o cerco de Orleans, para abrir a passagem do Loire, quando lhe surgiu pela frente um adversário que o deteve.

Chamava-se *Aécio* e mereceu o cognome de "o último dos romanos". Filho de um germano da Panônia, que tinha sido mestre de cavalaria e conde de África, e de uma latina de nobre estirpe, Aécio conhecia profundamente todos os bárbaros devido ao tempo que, quando jovem, passara junto de Alarico, como refém, e depois entre os hunos. Ao serviço de Gala Placídia e de Valentiniano III, adquirira os mais elevados títulos e manifestara — não sem segundas intenções — uma grande dedicação. Era o tipo acabado desses chefes semibárbaros em quem o Império moribundo encontrou os seus últimos apoios, perfeitamente informados da decrepitude de Roma e desprezando os homens que aceitavam por senhores, mas mesmo assim fiéis àquilo que lhes parecia ainda uma grande ideia. Embora fosse o único adversário à altura de Átila, teria Aécio o gênio para conceber um plano completo de renovação do Império por meio do sangue germânico? Fosse como fosse, na prática, foi dessa política que ele lançou mão quando a ameaça dos hunos se abateu sobre o Ocidente.

Tendo chegado da Itália em maio, com algumas legiões, agregou a elas os contingentes dos avernos, dos bretões que habitavam os Alpes, dos armóricos da Bretanha, dos francos de Meroveu e dos burgúndios de Gunther, e organizou metodicamente a resposta aos hunos, juntando nas cercanias de Arles um exército heteróclito, em que saxônios, suevos e sármatas cerravam fileiras com os seus italianos; em suma, o que fez foi tentar estabelecer uma frente única dos brancos contra os mongóis. O seu triunfo foi conseguir por meio da diplomacia a participação dos visigodos de

Toulouse no seu bloco; embora antes tivessem sido batidos por ele, estes homens mediram bem o perigo huno e puseram-se ao seu lado.

Em 23 de junho, no exato momento em que Orleans era forçada a abrir as suas portas aos mongóis, Aécio chega diante da cidade, contra-ataca e estabelece o pânico entre os salteadores, que refluem a galope para a Champagne. O exército "romano" — se é que se pode chamá-lo assim —, o exército das nações, vai no seu encalço. E foi então, provavelmente em fins de agosto de 451, que se travou essa terrível e significativa batalha chamada vulgarmente dos *Campos Catalaúnicos*. Durante todo um dia a Europa e a Ásia estiveram frente a frente. Às flechas dos hunos e ao redemoinho dos seus esquadrões, os ocidentais opõem o velho método legionário dos quadrados impenetráveis; depois, quando os assaltantes se cansam, dá-se o contra-ataque com as fundas e os dardos revestidos de chumbo, cujo emprego acabava de ser preconizado por Vegécio, o teórico do combate; segue-se, por fim, a grande manobra tática: o esfacelamento do centro do inimigo, com a deslocação da sua frente, e a sua retirada para o acampamento, até o qual Aécio julgou preferível não o perseguir.

No dia seguinte, Átila tinha desaparecido. A aventura do huno fora interrompida e a civilização do Ocidente estava salva. E, mesmo que geograficamente esta batalha dos Campos Catalaúnicos não tenha sido uma batalha do Marne — uma virada da sorte na undécima hora —, foi-o no sentido simbólico do termo, como um acontecimento que muda o destino do mundo; o mesmo aconteceria mais tarde, na batalha de Poitiers, e, já mais próximo aos nossos tempos, na vitória de Joffre em 1914.

A decadência dos hunos foi extremamente rápida. Repelido mais do que vencido, Átila nem por isso se sentiu menos abalado. Talvez pensasse em reformar o seu exército, a fim de torná-lo capaz de enfrentar as legiões romanas, ou lhe tivesse ocorrido voltar-se de novo contra o Oriente. A verdade é que em 452 tornou a atacar a Itália, mas concordou em afastar-se mediante a promessa de um tributo. Era já um homem gasto, muito menos senhor de si e já envelhecido, quando se retirou para as suas planícies, nas margens do Tisza e do Korós. Morreu pouco depois, numa noite de núpcias, pois já perto dos setenta anos raptara uma jovem germânica, uma maravilhosa beleza loura. Encontraram-no no leito nupcial, com o sangue da congestão escorrendo-lhe pela boca e pelo nariz. E foi então que Valentiniano III, que nunca perdoara Aécio por ter salvo o Império, o assassinou por suas próprias mãos...

O grande e terrível ciclone que a horda dos hunos desencadeou sobre o Ocidente não deixou marcas profundas na sua história. Permanecerá apenas a lembrança, o horror que o seu nome há de inspirar às gerações futuras, e alguns episódios, aliás inteiramente deformados — os *Niebelungen* —, em que aparecerá o terrível Eitel. Mas esta invasão teve o resultado concreto de provocar a grande junção das forças ocidentais que lhe fizeram frente, isto é, mostrou que, por mais frágil e mais eivada de suspeitas recíprocas que fosse, a união de romanos e germanos era ainda possível. Assim, este acontecimento antecipava o futuro.

Qual foi o papel da Igreja nesta conjuntura crucial do destino do Ocidente? Há muitas razões para pensar que não foi secundário. Assinalemos que foi Ainon, bispo de Orleans, quem se dirigiu a Arles para pôr Aécio a par da situação e quem conseguiu que ele empreendesse a marcha sobre o Loire, que viria a mostrar-se decisiva. Foi também outra personalidade cristã, *Avito*, futuro imperador e futuro bispo[24], quem negociou a entrada dos visigodos na coligação e quem conseguiu levar a bom termo essa difícil manobra diplomática. Tem-se a fundada impressão de que, por trás de Aécio e das suas tropas tão díspares, se erguia o poder da Igreja.

É por isso que nos parecem profundamente verdadeiros e históricos os episódios que nos mostram Átila detido várias vezes por diversos santos. Em Troyes, o bispo Lobo impõe-se de tal forma ao asiático que este resolve não violar a cidade; em Orleans, o bispo Ainon é a alma da defesa na hora em que a coragem esmorece e os mercenários alanos cometem uma traição. Tudo isto tem o valor de um símbolo. E este símbolo é encarnado ainda por uma outra figura, com um significado muito mais elevado: *Genoveva*, a santa de Paris.

Esta menina com o coração cheio de fé, que São Germano de Auxerre tinha descoberto pastoreando os seus carneiros, a monja heroica que, na entrada do batistério de São João-le-Rond, no extremo da ilha da *Cité*, enfrenta o pânico dos homens e se recusa a abandonar ao huno a cidade dos parísios, é uma dessas figuras essenciais da história; a terna tendência das multidões para o fabuloso pode carregá-las destes ou daqueles traços, sem lhes modificar a verdadeira imagem. "Podem os homens fugir, se assim o quiserem e não forem capazes de combater; nós, as mulheres, pediremos tanto a Deus que Ele acabará ouvindo as nossas súplicas!" E, com efeito, Átila não atacou Paris. Depois, durante a sua longa vida (423-502), a monja foi como que um guia espiritual para a cidade de Lutécia: mandou erigir uma igreja em memória de São Dinis; já entrada em anos, não hesitou em partir em busca de víveres para os seus compatriotas ameaçados pela fome; e, na ocasião em que Clóvis se converteu à fé católica, tornou-se, para ele e para a sua esposa Clotilde, uma espécie de amiga tutelar. Mas toda esta vida de caridade quase desaparece à luz do episódio de 451. A Igreja que fez recuar os bárbaros graças à energia das suas orações é bem mais do que uma imagem: é uma verdade histórica. E há outro exemplo que ilustra esta ideia basilar com a mesma força: o papa Leão Magno.

Leão Magno e o papado

Corria o mês de agosto de 452 quando Átila lançou o seu segundo ataque contra o Ocidente. O vencido da Champagne, tendo refeito as suas forças, invadiu a Itália, esmagou todo o Norte, dispersou as populações[25], assaltou e destruiu o grande porto de Aquileia; avançava sempre lentamente, mas de modo implacável, como se a onda amarela devesse varrer toda a Península. O medo era tão grande que a corte, julgando Ravena muito próxima dos bandos da Mongólia, se refugiou em Roma.

Desta vez, toda a esperança parecia vã. Já não havia confiança no generalíssimo Aécio, quase que inteiramente marginalizado por invejas, por intrigas e por causa de dois pequenos insucessos. Os conselheiros europeus de Átila — o romano Orestes e o grego Onegésio — incentivavam-no a atacar a Cidade Eterna antes que o calor, as febres e a escassez de mantimentos esgotassem as forças das suas tropas. Mas, no momento em que ele se preparava para atravessar o Míncio, viu aproximar-se um estranho cortejo no meio de uma nuvem de poeira dourada; sacerdotes cristãos com as suas dalmáticas, monges vestidos de burel, dois patrícios a cavalo, uma multidão de diáconos e de chantres empunhando cruzes e pendões, e levantando ao alto ostensórios cujo ouro brilhava ao sol, marchavam vagarosamente ao seu encontro, enquanto de toda essa coluna subiam num coro formidável as respostas ritmadas de hinos e salmos. No meio de toda essa gente cavalgava um ancião de barba branca que orava. O huno avançou para o rio com o seu cavalo e deteve-se numa ilha de areia, ao alcance da voz. A estranha delegação esperava na outra margem. — "Como te chamas?", gritou Átila ao ancião. — "Leão, papa". Os cantos haviam cessado. Átila hesitou um momento, atirou o cavalo para a água e chegou à outra margem. E o papa foi ao seu encontro.

Esta é a cena — digna de ser lembrada pela imaginação popular[26] — que define e resume bem (ainda que um pouco brevemente...) a ação do papa *São Leão I* o Grande (440--461). Perdida toda a esperança terrena, este homem de Deus tinha sido encarregado pelo imperador Valentiniano III de tentar deter a invasão amarela, e conseguiu ser bem sucedido numa empresa em que o êxito parecia impossível. Átila retirou-se, mediante a promessa de um tributo. Talvez tivesse razões estratégicas para essa retirada, principalmente o enfraquecimento do seu exército e o receio de se afastar mais das suas bases. Não sabemos qual foi o argumento que São Leão empregou contra o bárbaro supersticioso. Lembrar-lhe-ia a sorte desastrosa de Alarico, depois de ter saqueado a cidade? É pouco provável; a verdade é que os contemporâneos comentaram que o prestígio do *Leão* de Roma foi tão decisivo como o do *Lobo* de Troyes, no ano anterior. Nunca saberemos como se desenrolou o diálogo entre os dois homens; "Agradeçamos a Deus — disse apenas Leão a Valentiniano, ao regressar da sua missão —, porque nos salvou de um grande perigo".

Este episódio teve uma importância enorme, pois constituía uma réplica irretorquível às críticas dos pagãos, que argumentavam que a verdadeira causa dos desastres do

Império era o abandono dos antigos cultos. Santo Agostinho acabara de responder a esse argumento na *Cidade de Deus*, mas São Leão respondia com atos. Por isso se pôde escrever que "indiretamente, Átila contribuiu talvez mais do que qualquer outro personagem histórico para a criação desse poderoso fator político que é o Papa, rei de Roma". Melhor ainda: graças à sua ação, São Leão iria dar à Sé Apostólica uma projeção e uma autoridade que ela nunca mais havia de perder.

Este papado romano, cuja primazia a Igreja reconhecera desde os tempos de São Pedro[27]; esta autoridade de que já Santo Inácio de Antioquia, em 106, falava com tanta veneração; esta Sé Apostólica que, cada vez mais consciente das suas prerrogativas disciplinares e dogmáticas, tinha feito de Roma a capital do mundo cristão — exatamente no momento em que o prestígio de Roma como residência imperial era transferido para cidades da província —, que importante papel não ia desempenhar agora![28] É uma história admirável a dos progressos do papado nos quatro primeiros séculos, desse papado que, sem inovar nos princípios, sem se afastar da linha traçada pelo próprio Mestre em algumas frases definitivas — e por mais que alguns papas tivessem passado à história como personalidades um pouco apagadas —, tendeu obstinadamente a alargar a sua projeção e a assumir em plenitude os seus direitos e responsabilidades. No grave momento em que a civilização deslizava para o abismo, era da maior importância que Santo Ambrósio tivesse podido escrever: "Onde está Pedro, lá está a Igreja", e que, das últimas palavras de um sermão de Santo Agostinho, se tivesse podido extrair naturalmente a célebre fórmula: *Roma locuta, causa finita* — Roma falou, a causa está encerrada[29]. A Igreja, única força de resistência, tinha a sua cabeça.

Entre os predecessores imediatos de São Leão, dois tinham anunciado a sua grande figura; não tanto *Santo Anastácio I* (398-401), mas *Santo Inocêncio I* (401-417), o papa que ousara defender São João Crisóstomo contra os déspotas de Bizâncio[30], que tentara ainda conseguir um entendimento de última hora entre Alarico e Honório para impedir a catástrofe, e que enfrentara com grande lucidez a heresia de Pelágio. *São Zózimo* (417-418) e — depois do penoso interregno do antipapa Eulálio — *São Bonifácio I* (419-422) são figuras mais discutíveis. Mas *São Celestino I* (422-432) revela uma alta compreensão do seu papel; foi ele que confirmou solenemente o direito de qualquer fiel de apelar para Roma contra as decisões dos tribunais diocesanos; foi ele que confiou a São Patrício a evangelização da Irlanda, e que, contra o imperador do Oriente Teodósio II, condenou o herege Nestório. Quando, depois do pontificado de *São Sisto III* (432-440), cuja obra mais lembrada é a esplêndida decoração da Basílica de Santa Maria Maior, foi eleito o diácono Leão, a situação, por mais perigosa que pudesse parecer humanamente, era favorável ao alargamento da autoridade apostólica, e é a isso que o novo papa se vai dedicar.

Leão nascera na Toscana, mas cedo viera para a Cidade Eterna, que ele chama "a minha pátria". Pelos seus ascendentes, bem como pela educação, era um verdadeiro romano, dessa raça que havia sido tão forte no tempo da República e no século de ouro do Império. Incorporado ainda jovem ao clero romano, logo conquistou uma grande autoridade por suas virtudes, inteligência e caráter. Ainda como simples "acólito", fora encarregado por *Sisto*, o futuro papa, de uma missão junto de Santo Agostinho. Em 430, já arquidiácono de Roma, gozava de tal prestígio que Cassiano, o sábio monge de Marselha, o classificou como "ornamento da Igreja romana e do ministério divino", e numerosas personagens de primeiro plano se correspondiam assiduamente com ele. Foi ele quem alertou as autoridades pontifícias contra as ideias de Juliano de Éclane[31], continuador da heresia pelagiana. Como conselheiro de Celestino II e Sisto III, foi encarregado diversas vezes de delicadas missões diplomáticas e religiosas. Numa delas, muito difícil, encontrava-se na Gália quando o papa morreu. E o seu prestígio era tão grande que os fiéis romanos o elegeram, mesmo estando ele ausente. Foi sagrado quando regressou, em 29 de setembro de 440. Contava então entre quarenta e cinquenta anos.

A situação, por qualquer lado que se encarasse, era grave. No Ocidente, Valentiniano III, um insignificante adolescente de vinte anos, não tinha forças senão para os seus prazeres e deixava governar a mãe, Gala Placídia, que, às qualidades sérias de um líder, aliava o nervosismo instável de uma mulher, de forma que, para enfrentar os bárbaros espalhados há trinta e cinco anos pelo Império, apenas se podia contar com a energia de Aécio, que por sua vez não contava com a confiança da corte. No Oriente, Teodósio II, o Calígrafo, sob a influência do camareiro-mor Crisafo, tornara-se protetor dos hereges. Perante figuras tão grotescas, como parecia vigorosa a personalidade de Leão! E bem compenetrado está ele da missão que agora recai sobre os seus ombros. "O bem-aventurado Pedro — exclama — persevera na solidez da pedra que recebeu; ele jamais abandonará o governo da Igreja que lhe foi posto nas mãos!" O novo papa é consciente de que lhe cabe continuar a obra do Príncipe dos Apóstolos, e não fracassará!

São Leão revela o perfil de um líder. Claro, preciso, metódico, é um desses cérebros que, instintivamente, equacionam os problemas mais complexos e lhes encontram a solução mais prática. Dotado de um caráter sólido e inquebrantável, não se deixa dominar pelos acontecimentos adversos; quando tudo desmorona, sabe conservar-se firme, e a sua maravilhosa serenidade acalma as inquietações que o rodeiam. É também uma alma generosa, sempre pronta a acolher seja quem for, uma alma amassada na caridade de Cristo; mas, se sobrepuja as desgraças do seu tempo, não devemos julgá-lo insensível a elas. E todos estes méritos, de que ele tem perfeita consciência porque conhece o elevado desígnio a que os destina, assentam sobre um sólido fundamento de humildade. De uma humildade que cresce com a consciência que tem da sua missão. "Não deveis medir o valor da herança pela indignidade do herdeiro", dizia ele. Estas palavras definem-no. É esta a fé e a maneira de proceder de um verdadeiro cristão.

Um homem assim estava predestinado a robustecer a Igreja numa época tão crítica. Desde que o Império cambaleante se apoiara nos braços da Cruz, os melhores chefes cristãos tinham compreendido que era um perigo para a Igreja ligar a sua sorte à desse mundo ameaçado; em face das empresas do poder temporal, sempre os mais notáveis desses chefes tinham afirmado a autoridade independente da Igreja de Cristo. É esta a lúcida atitude de São Leão Magno. Ao Império que se esboroa, opõe ele "Roma, a sede sagrada do bem-aventurado Pedro, por intermédio de quem ela se tornou rainha do Universo". A sua influência política é imensa: Gala Placídia escuta-o de bom grado, e o próprio Valentiniano tem por ele um respeito um pouco inquieto. Mas nunca se deixa envolver nas malhas das intrigas de Ravena; quando o vêm procurar para pedir-lhe que negocie com Átila, fica hesitante, receoso de sair do seu papel e de envolver-se em alguma obscura maquinação imperial. Na presença de Teodósio II, fala com magnífica segurança.

Marciano será seu amigo e beneficiar-se-á do seu ascendente; mas, quando o imperador Leão I claudicar, o papa não hesitará em fazer uso do seu ministério e em repreendê-lo com firmeza.

Dentro da Igreja, o seu papel é imenso. Quer que nada lhe escape de tudo quanto diz respeito aos sagrados interesses que lhe foram confiados. Em Roma, veem-no, muito acessível, sair com frequência do seu palácio de Latrão para se ocupar das misérias públicas, erguer as ruínas, dirigir as pesquisas nas catacumbas, distribuir pão nas horas de fome. Na Itália, como se verifica pela sua correspondência, ocupa-se de mil assuntos: das condições que devem ser exigidas aos candidatos ao episcopado, da administração dos bens eclesiásticos, da data do Batismo, das relações com os bárbaros. A sua influência estende-se até às províncias mais afastadas: não tolera que se transija com a tradição, com os princípios ou com a sua autoridade. Alguns bispos, que se mostravam demasiado independentes, são chamados à ordem de forma bastante rude, como aconteceu com Hilário de Arles que, sendo um santo, aceita bem a repreensão, e com o bispo de Tessalônica, cujo zelo excessivo tem de ser moderado pelo papa. Quando o patriarca de Constantinopla revela intenções ambiciosas que ameaçavam o primado de Roma, Leão não hesita em enfrentá-lo, por mais que aquele tivesse o apoio de um concílio e do seu imperador. Desencadeia uma luta sem tréguas contra os hereges de todos os tipos; tanto o pelagianismo como o maniqueísmo e o priscilianismo encontram-no firme no seu posto e decidido a "arrancar as almas do abismo do erro".

Não houve nenhuma questão relacionada com a Igreja, grave ou não, que ele não tivesse examinado e para a qual não tivesse procurado uma solução[32]. Foi assim, por esta ação incessante e universal, que São Leão assegurou para sempre a ideia do primado da Sé Apostólica, e se tornou, no dizer de Battifol, o "organizador do papado histórico". "Roma — lê-se numa carta por ele dirigida em 10 de agosto de 446 a alguns bispos africanos —, Roma dá sempre soluções aos casos que lhe são apresentados; essas soluções são sentenças, e Roma, daqui para o futuro, decretará sanções". Era a primeira vez na história cristã que se ouvia linguagem tão desassombrada.

O mais admirável é que, para Leão, como para Santo Agostinho, do qual ele é de muitas maneiras como que um prolongamento, esta atividade corre paralelamente à elaboração de uma considerável obra literária. Menos especulativo que o bispo de Hipona, mais mestre do que teólogo, São Leão, em muitos sentidos, contribuiu para expandir o pensamento cristão. Ainda hoje podemos ler com prazer — pelo menos em parte — os seus sermões, tão dignos e de um tom tão acessível. A sua correspondência, que conta cento e setenta e três peças, está cheia de detalhes de grande importância sobre o governo da Igreja e os problemas cristãos do seu tempo. Se os seus trabalhos escritos revelam escassas bases filosóficas e mesmo poucos refinamentos de cultura (desconhecia o grego), impressionam-nos pelo gosto que revelam, pelas fórmulas nítidas, precisas, muito distantes das dissertações "bizantinas". Algumas das suas obras, como o *Tomo a Flaviano*, hão de desempenhar — como veremos — um papel importante nas disputas dogmáticas do tempo sobre a pessoa de Cristo e sobre o papel da graça. Foi talvez por sua influência que se redigiu nesta época o primeiro dos missais, aquele que, no século seguinte, mais ou menos remanejado, passaria a ser chamado *sacramentário leonino*. Quanto ao papel da Igreja, à sua unidade e aos seus fundamentos, a sua doutrina decantou a experiência do passado e serviu de base para o futuro.

Assim foi este homem, este homem de Deus. Pela sua simples presença, pela confiança absoluta que durante toda a sua vida manifestou na perenidade da Igreja e na sua ação salvadora, foi verdadeiramente a encarnação da esperança numa época dominada pelo desalento. Mesmo que a antiga Roma devesse desaparecer (suspeitaria disso São Leão?), a Roma dos apóstolos e dos mártires estava erigida sobre a pedra que nada poderia abalar. Foi esta convicção que lhe deu — a ele, um sacerdote sem armas — a coragem necessária para enfrentar Átila, e que lhe conferiu o prestígio necessário para conseguir a retirada das tropas hunas. E ainda em outra ocasião o velho papa teve de assumir novamente a mesma responsabilidade: foi quando, em 455, os vândalos desembarcaram na Itália e se apoderaram de Roma. A anarquia estava no auge; Valentiniano acabava de ser assassinado, por sua vez, por Petrônio Máximo, vingador de Aécio; e este, que o substituíra, tinha sido esquartejado pelo povo, furioso com a sua covardia; com o Império acéfalo, Leão era o único que podia enfrentar o invasor. Conseguiu de Genserico que a cidade não fosse incendiada e que os seus habitantes não fossem torturados, embora não pudesse evitar catorze dias de saque. Nesta época de angústias, não se podia alimentar a esperança de salvar tudo...

O grande papa morreu em 10 de novembro de 461. Sepultaram-no no átrio da Basílica de São Pedro, onde continuaria — como diz o epitáfio, composto pelo papa Sérgio I em 688 — "a velar para que o lobo, sempre à espreita, não dizime o rebanho". Papa do Velho Mundo, foi como lhe chamaram, sim, no sentido de que foi a testemunha mais lúcida do drama em que se afundava uma sociedade. Mas foi sobretudo o Papa da salvaguarda, cuja energia e fé salvaram aquilo que podia ser salvo e prepararam a Igreja para o esforço do amanhã. Depois do grande Papa da defesa, surgirá mais tarde o grande Papa da reconquista: Gregório. Mas ao cabo de quantos sofrimentos e de quantas derrocadas!

O fim do Ocidente romano

Quando, em 21 de setembro de 454, Valentiniano III, "imperador palaciano cuja pálida majestade nunca tinha sido vista pelos exércitos", degolou Aécio por suas próprias mãos, os contemporâneos disseram que ele "cortara a mão direita com a esquerda". A morte do "último dos romanos" foi o sinal do fim. O Império do Ocidente debater-se-á ainda por vinte anos nas convulsões de uma ignóbil agonia, em que o princípio do assassinato será erigido em axioma político.

Valentiniano III é por sua vez assassinado em março do ano seguinte e, a partir dessa data, sucede-se uma série quase cômica de príncipes fantoches, nenhum dos quais tem sequer a ridícula pretensão de governar a sério. Petrônio Máximo afunda-se em poucas semanas; Eudóxia, viúva de Valentiniano III, chama à Itália Genserico e os seus vândalos, e parte apressadamente com eles... e com o espólio "arrecadado" em Roma. Surge então um chefe, o suevo Ricimer, mestre da milícia, que aspira a brincar de Estilicão. Os fantasmas dos imperadores não o assustam. Feliz daquele que, como Avito, consiga libertar-se pedindo demissão e entrando apressadamente para o episcopado! Majoriano, que resiste, é morto. Ricimer nomeia imperadores as suas criaturas Severo e Antêmio, mas, como estes pobres diabos imaginam que são realmente imperadores, desfaz-se deles. Tratava-se, como se vê, de um bárbaro resoluto, que não fazia as coisas irrefletidamente... Teve, pelo menos, o mérito de impedir que os outros bárbaros se estabelecessem no solo da Itália, considerado por ele como intangível e sagrado, bem como de repelir os vândalos, mantendo durante dezesseis anos uma situação que quase se aproximava da tradição romana. Quando morreu, em 472, seguido pouco depois no túmulo pelo último simulacro de imperador que tinha tirado do nada — esse Olíbrio, cujo nome tomou um sentido simbólico... —, o desfecho estava próximo.

O novo "mestre da milícia", isto é, generalíssimo — supremo defensor de Roma —, não foi outro senão Orestes, o mesmo romano que traíra a causa de Roma quando, como secretário de Átila, empurrara os hunos para a Itália. Depois de ter liquidado alguns novos fantoches, tentou o que nunca haviam tentado Estilicão, Aécio e o próprio Ricimer: proclamou imperador seu filho *Rômulo Augústulo* (475), cujo nome, igual ao do fundador e primeiro rei da cidade, por uma ironia amarga, parecia sintetizar toda a grandeza histórica de Roma. Falando desta sombra pálida, os historiadores somente souberam dizer que "o príncipe era belo"...

Entretanto, o Império ia-se decompondo rapidamente. Os anglos e os saxões instalavam-se na Bretanha; na África, os vândalos reinavam pelo terror; os burgúndios tinham-se apoderado de Lyon e Genebra; Eurico, rei dos visigodos, apoderara-se da Auvergne, apesar da resistência oferecida pelos seus habitantes, chefiados por Ecdício e por seu cunhado, São Sidônio Apolinário; as cidades da Armórica proclamavam-se independentes; Siágrio, filho de Egídio, que, sendo lugar-tenente de Aécio, lhe havia sucedido na Gália, fizera a mesma coisa em Soissons. Apenas os francos sálios se mantiveram fiéis aos seus deveres de federados, mas não por muito tempo.

Ante essa anarquia, os mercenários germanos que se encontravam na Itália exigiram que lhes dessem a propriedade das terras, à maneira do que se fizera com os godos, os burgúndios e os francos na Gália, ao invés de os manterem ali simplesmente acantonados. Orestes, num último gesto de orgulho, recusou-se a abandonar-lhes a santa Itália. Houve uma revolta, nomearam rei o hérulo *Odoacro*, desembaraçaram-se de Orestes e encerraram o último imperador, o pobre Rômulo Augústulo, numa cidade perto de Nápoles. O Império do Ocidente deixara de viver; no dia *4 de setembro de 476* extinguiam-se mil anos de glória.

Respeitando as formas e ainda impressionado com a imagem dessa grandeza que acabava de lançar por terra, Odoacro embrulhou cuidadosamente as insígnias imperiais e enviou-as ao imperador de Constantinopla, pedindo-lhe modestamente o título de "Patrício", que Zenão se absteve ao mesmo tempo de lhe dar e de lhe recusar. E enquanto Odoacro, durante treze anos, foi senhor incontestado da Itália e a defendeu bem, chegando mesmo a reconquistar terras na Panônia e na Nórica, os bárbaros acabaram de instalar-se em todo o Império. Quando, em 489, a vaga dos ostrogodos de Teodorico se espalhou pela Itália, representou o último ato do drama iniciado nos começos do século. Já não havia Ocidente, nem Europa, nem unidade romana: um mosaico de estados bárbaros tinha sucedido ao *Imperium*.

No entanto, persistia ainda um princípio de unidade, sempre o mesmo: a Igreja, o cristianismo, que continuava a fermentar por toda parte, resistindo aos visigodos com o bispo Sidônio Apolinário, opondo-se teimosamente aos ferozes vândalos na África, continuando a conquistar almas e formar homens, a dirigir e administrar; a Igreja que, encarnada nos seus papas, prosseguia a obra de Leão Magno. Dos cinco papas que, desde a morte de São Leão até o fim do século, ocuparam a Sé Apostólica, não houve certamente nenhum que o igualasse, mas também não houve nenhum que não evidenciasse um profundo sentido da sua missão.

Santo Hilário (461-468) trata de reerguer tudo quanto os vândalos tinham reduzido a escombros, e elabora uma série de leis para manter, por meio de frequentes concílios provinciais, a coesão do cristianismo ameaçada pelo esfacelamento do mundo romano. *São Simplício* (468-483) faz-se respeitar por Odoacro, combate os hereges no Oriente e luta contra as tendências autonomistas de Constantinopla: é o Papa contemporâneo da grande derrocada, e ocupa no Ocidente uma situação mais forte do que nunca. *São Félix III* (483-492), mesmo elevado ao poder por Odoacro e amigo pessoal do imperador do Oriente Zenão, não se deixa influenciar nem por este nem por aquele, e exige com indomável coragem "o direito de a Igreja se reger por suas próprias leis". *São Gelásio I* (492-496), cuja inteligência e energia surpreendem os seus contemporâneos, é louvado pela sua incessante caridade, pela eficácia da sua obra social e pela proteção que dispensa aos pobres e aos fracos nestes tempos tão ferozes. Dele afirmou Bossuet: "Ninguém falou mais eloquentemente da grandeza da cátedra em que se sentam os papas". Foi São Gelásio que escreveu ao imperador do Oriente: "Ficai sabendo isto: quando a Sé do bem-aventurado Pedro se pronuncia, a ninguém é permitido julgar o seu julgamento". E também *Santo Anastácio II* (496-498), por vezes acusado de se ter mostrado muito fraco para com os hereges orientais — motivo pelo qual Dante lhe atribuirá injustamente um lugar no seu *Inferno* —, empenha-se em alicerçar a unidade cristã sobre os elementos ainda sólidos do mundo, especialmente sobre Bizâncio, no momento em que ia levantar-se a questão decisiva para o Ocidente católico: a de anexar espiritualmente os bárbaros e torná-los seus.

Qual é a situação no momento em que vai findar o século V, o século da transição? Materialmente, como já vimos, subsiste apenas um mosaico de estados bárbaros. Na Itália reina Teodorico, o chefe dos ostrogodos que, depois de quatro anos de lutas, esmagou Odoacro e passou a ser o senhor único, não só em toda a Península, mas também na Sicília, na Récia, na Nórica, na Dalmácia e numa grande parte da Panônia; constituiu-se verdadeiramente num grande senhor, com quem os imperadores de Bizâncio tratam de manter um relacionamento cordial. Na África, na Sardenha e na Córsega, os vândalos compensam a sua inferioridade numérica mediante uma política de terror, e a hora da liberdade ainda não soou. Na Gália e na Espanha, os visigodos de Eurico (466-484) são senhores de todo o espaço que vai do Loire até o sul da Andaluzia; fizeram recuar os suevos para o ângulo noroeste da Espanha, a Galiza, e os cântabros para as montanhas, e agora pensam em restabelecer em seu proveito a unidade da Gália. Mas os burgúndios ocupam o sudeste do país, e o seu rei Gondebaudo (474--516), por mais bonacheirões e pacíficos que sejam os seus súditos, alimenta também grandes ambições. Ao norte da Gália restabelece-se a unidade em detrimento dos últimos sobreviventes da autoridade romana, isto é, de Siágrio, e em benefício dos francos, desejosos agora de independência graças a um rei ousado, que governa desde 481 e a quem a história dará o nome de *Clóvis*. Na península armoricana, os bretões, tribos célticas emigradas das suas ilhas nativas, constituíram há cerca de meio século federações de cidades, como a Domnoneia ou o Bro Werech; os seus clãs são dominados com mão firme pelo clero, constituído por monges ascetas e bispos ambulantes, mas, na "política externa", não reconhecem a autoridade de ninguém. Entretanto, na grande ilha que vai tornar-se para sempre a Inglaterra, os anglos, jutos e saxões, vindos por mar da atual Dinamarca, instalam com a violência de um paganismo ainda vigoroso o domínio dessas tribos, e o seu nome sobrevive ainda hoje nas províncias de *Essex*, *Sussex* e *Wessex*. Era um espetáculo doloroso para quem se lembrasse da situação de há um século e do Império ainda admirável que Teodósio deixara ao morrer!

Mas, por muito trágica que fosse a situação material do Ocidente desmembrado, no plano espiritual nem tudo parecia perdido. Alguma coisa sobreviveria à gigantesca derrocada, uma grande imagem cujo prestígio não desapareceria tão cedo. Já não havia imperador no Ocidente e — excetuando-se um breve momento do século VI — não voltará a havê-lo antes de Carlos Magno; no entanto, o imperador, ausente de fato, permanece presente de direito. Teoricamente, Odoacro, ao enviar as insígnias a Bizâncio, restabelecera a majestosa unidade imperial. Os chefes bárbaros — com exceção dos vândalos e dos anglos — têm por grande honra exibirem títulos de funcionários ou de soldados romanos; é em nome do imperador que Teodorico finge reinar, e um dos maiores dias da vida de Clóvis será aquele em que for nomeado cônsul pelo longínquo imperador bizantino.

Todos estes povos germânicos — e, neste caso, incluindo os próprios vândalos, que preferem na verdade confiscar a destruir — procuram inserir-se nas instituições romanas, adotam a organização administrativa, os métodos fiscais e as hierarquias dos funcionários do Império. O ideal de unidade dos séculos áureos de Roma — esse mesmo ideal que ainda em 417 o ingênuo gaulês Rutílio Numantino cantava com estas palavras: "De tantas nações fizeste uma só pátria, ó Roma, e uma cidade de todo o mundo!"—, essa foi a única coisa que sobreviveu à derrocada. Das épocas felizes em que o Ocidente era uno, ficou a nostalgia... Tudo impele os homens deste tempo a idealizarem o grande símbolo: para os antigos romanos, constitui o signo das velhas fidelidades; e para os cristãos, o penhor do futuro, de um futuro em que a Roma batizada, substituindo a velha Roma pagã, irá assumir a mesma vocação unificadora.

Desta forma, as ideias de Santo Agostinho sobre a necessária influência do espiritual sobre o temporal, retomadas pelos seus continuadores Orósio e São Leão, vão agora impor-se à consciência coletiva, aliando-se à certeza, ancorada no fundo dos corações, de que o Império não pode desaparecer. É esta convicção que, quatro séculos mais tarde, na noite de Natal de 800, há de levar o Papa a colocar sobre a fronte de Carlos Magno a coroa imperial; é esta certeza que, duzentos anos depois, por volta do ano 1000, há de persuadir os Otões e os Henriques, imperadores do Sacro Império Romano-Germânico, de que são os legítimos herdeiros de Constantino, de Teodósio e de Justiniano[33].

Daqui por diante, o problema impõe-se de maneira premente. Já que o Império não pode desaparecer, porque é uma "maneira de ser do mundo, necessária e superior aos acidentes históricos"[34], é preciso que os recém-chegados se integrem nele, como um enxerto se integra na própria substância de uma árvore. Somente a Igreja, que era agora o único tronco dessa árvore, poderia realizar essa tarefa; mas não o poderá fazer antes de se libertar de um grave obstáculo.

Arianismo gótico e catolicismo romano

Esse obstáculo era de natureza religiosa. Quando se instalaram no Império, os bárbaros já estavam batizados na sua imensa maioria; não porém na Igreja católica romana, mas segundo a fé dos arianos. Já sabemos que no século IV, no momento em que o cristianismo alcançava a sua vitória definitiva, ocorrera o terrível assalto da pior heresia de todos os tempos: a do sacerdote alexandrino Ário, que negava a divindade de Jesus Cristo[35]. E sabemos também que o arianismo, condenado pelo Concílio de Niceia (325) e combatido — não sem inúmeras dificuldades e reviravoltas — através de todo o Império, já estava praticamente extinto quando lançou as suas sementes no seio das tribos góticas acampadas no Oriente; e essas sementes já tinham germinado e estavam em pleno crescimento.

A conversão dos godos ao arianismo foi obra principalmente de um personagem extraordinário, cujo nome grecizado — *Úlfilas* ou Wulfila — mal dissimulava a sua origem germânica; seus avós, no entanto, provinham da Capadócia, a sólida província cristã dos Padres. Educado no catolicismo e escolhido ainda muito novo como "leitor", porque a sua ciência era grande, Úlfilas aderiu ao arianismo por ocasião de uma das suas viagens a Constantinopla, onde Eusébio, o prelado arianizante, o sagrou bispo.

Tendo voltado para o meio dos godos, dedicou-se por inteiro, com uma fé incontestável, à conversão dos seus irmãos de raça à fé ariana. Depois de ter inventado um novo sistema de escrita, traduziu a Bíblia para o gótico, dotando o seu povo de um monumento religioso fundamental, que lhe permitiu passar a celebrar o culto cristão nessa língua. Os princípios da doutrina foram reduzidos a esquemas muito simples, que excluíam quase por completo a teologia dogmática. Aplicou-se também a transformar a moral evangélica numa moral de força, de energia e de heroísmo, pois eram estes os elementos aos quais os militares bárbaros se mostravam mais sensíveis. A liturgia tomou aspectos novos, apropriados à exaltação da alma daqueles guerreiros místicos: missas em plena noite, celebradas muitas vezes ao ar livre, durante as quais se erguiam ao céu as belas vozes dos coros germânicos, misturadas com o fumo avermelhado das tochas.

Esta versão tão peculiar do cristianismo espalhou-se com uma rapidez prodigiosa. Quando os visigodos de Fritigern se instalaram na margem direita do Danúbio (376), para fugirem ao ataque dos hunos, já haviam sido trabalhados por missionários arianos e, uma vez convertidos, entregaram-se a uma vigorosa propaganda entre os seus congêneres. Ao ocupar a Ilíria, em 399, Alarico levou consigo um numeroso clero ariano. E logo depois o cristianismo herético passou dos visigodos para todos os povos que estavam submetidos à supremacia dos hunos: ostrogodos, gépidas e hérulos, chegando até aos vândalos, que se preparavam para emigrar da Silésia para os Cárpatos. À exceção dos francos e dos anglo-saxões, que ainda se conservavam pagãos, pode-se dizer que todos os povos bárbaros que entraram no Império no século V pertenciam à seita ariana, incluindo entre estes até mesmo os últimos a chegar, isto é, os hérulos, esquiros e rúgios de Odoacro e os ostrogodos de Teodorico.

A Igreja opôs uma contra-ofensiva imediata à expansão da heresia. Assim, São João Crisóstomo enviou missionários a algumas tribos de godos já batizadas na Igreja católica, ordenando-lhes que, nas suas orações, fizessem uso da língua gótica para não ficarem inferiorizados diante dos arianos; e não há dúvida de que, no Bósforo e no médio Danúbio, esses missionários obtiveram êxito, pois encontramos com frequência católicos entre os ostrogodos, como por exemplo a mãe de Teodorico. Nas regiões ocupadas pelos hunos, Teótimo de Tomos esforçou-se por manter uma obra de caridade em nome da igreja romana. Na Dácia interior (a atual Sérvia), Nicetas de Remesiana, autor do *Te Deum*, durante o seu longo episcopado (366-415), converteu ao catolicismo diversos núcleos de citas, trácios e getas, chegando até a fundar alguns mosteiros de bárbaros.

O mais notável destes postos avançados do catolicismo foi ocupado pelo misterioso *São Severino*, possivelmente um grande personagem romano que, por volta de 450, se fez monge em pleno país bárbaro, no Danúbio acima de Viena, e ali fundou um convento. A sua autoridade chegou a impor-se a toda a população ribeirinha pela sua firmeza e incansável generosidade nesses tempos de provação, e até à sua morte, em 482, gozou de tal renome entre os próprios bárbaros arianos que pôde impedir a fanática Giso, rainha dos rúgios, de impor pela força o batismo herético aos católicos da região. Quando Odoacro ocupou a Itália, escreveu ao santo dizendo-lhe que escolhesse um favor e que ele lho concederia imediatamente. Mas, por muito louváveis que fossem estes esforços, não chegaram a modificar o essencial da situação, ou seja, o fato de que, na sua maioria, os bárbaros invasores permaneciam arianos.

Este fato, no entanto, não deixou de trazer consigo algumas consequências felizes. Em certos casos (que talvez os moralistas católicos tenham exagerado a fim de apresentarem os bárbaros como instrumentos de Deus encarregados de punir as faltas dos maus cristãos...), em certos casos, os chefes germânicos sentiram-se suficientemente cristãos para fazerem respeitar as igrejas, os objetos sagrados e as relíquias. Esta parece ter sido a atitude de Alarico e dos seus homens. Orósio conta que, durante a tomada de Roma, um godo se apossou dos vasos preciosos da Basílica de São Pedro, e a monja que guardava o depósito lhe disse que ela, certamente, não o podia impedir de fazê-lo, mas que São Pedro saberia defender o que lhe pertencia.

O soldado, inquieto, contou aos seus chefes o que se tinha passado, e Alarico ordenou imediatamente que todos os objetos sacros fossem levados de volta para o lugar santo, intactos, acompanhados de uma boa escolta. Viu-se então, pelas ruas da cidade, um surpreendente cortejo de sacerdotes romanos, de fiéis e de bárbaros, conduzindo os vasos sagrados em meio a um coro de vozes unidas!...

Mas é preciso confessar que, em outros casos, os acontecimentos não transcorreram de forma tão satisfatória. Houve muitas ocasiões em que o fanatismo religioso destes cristãos, ainda recentes e rudes, aliando-se aos seus hábitos bastante elementares, deu lugar a violências extremas, que os presbíteros arianos fomentavam com o ardor de um proselitismo selvagem. Foi o que sucedeu em Elêusis, onde os estranhos capelães dos bandos visigodos moeram a pancadas o velho sacerdote pagão e os seus auxiliares por serem "zeladores de ídolos", enquanto os soldados saqueavam alegremente o tesouro do santuário, causando sem dúvida a perda irreparável de inúmeras obras de arte.

Além disso, as convicções arianas dos invasores, mesmo tendo sido aceitas pela maioria deles sem um exame sério, vieram a converter-se, depois da sua instalação no Ocidente, num elemento da maior importância para afirmarem a sua autenticidade nacional e se distinguirem dos romanos. O Império cristão teria absorvido mais facilmente os bárbaros se não tivesse havido entre estes e aquele o obstáculo do fanatismo religioso. De todos os problemas resultantes da ocupação, este foi o mais espinhoso: o das relações entre os católicos e os hereges. Em diversos lugares, os bárbaros requisitaram igrejas para transformá-las em templos — arianos, como é lógico — dos seus acantonamentos. Entrar em relações com um bárbaro equivalia a transigir com a heresia: houve sacerdotes que foram excomungados por terem comido em casa de arianos. Por sua vez, os ocupantes, para se preservarem, promulgavam leis condenando as conversões ao catolicismo e chegaram até a proibir que os fiéis de Roma construíssem igrejas. Sidônio Apolinário deixou-nos um quadro aflitivo da situação das comunidades da Gália visigótica, com as suas igrejas quase desmanteladas e o seu clero despojado de pastores, e não esconde os seus sentimentos para com os dominadores, sentimentos de uma oposição impotente, mas que está à espera da sua hora. É preciso ter diante dos olhos esta psicologia do clero católico nas regiões ocupadas pelos arianos para compreender bem a importância do apoio que a Igreja daria ao pagão Clóvis.

Mas, no fim das contas, que representava o arianismo bárbaro como poder real? Muito pouco. Apoiava-se nas armas dos chefes godos, vândalos ou burgúndios, mas a sua autoridade espiritual era muito limitada. O clero ariano, situado à margem da cultura clássica e das mais antigas tradições cristãs, bem como da patrística, dada a sua ignorância do grego e do latim, nunca chegou a ultrapassar o baixo nível cultural do seu meio. Não havia entre os bárbaros nada que pudesse rivalizar com esses focos de cultura e de espiritualidade que eram os mosteiros católicos, nem havia entre eles homens que se pudessem comparar aos grandes bispos da obediência romana. Apoiada na massa das populações autóctones e não num punhado de invasores, enraizada no solo vivo das fidelidades profundas, a Igreja católica conservava o bastão de comando, mesmo agora que o poder estava nas mãos dos zeladores de Ário. E foi por isso que só ela se encontrou em condições de resolver o problema fundamental da síntese entre os sobreviventes da antiga ordem e os bárbaros, os agentes da nova ordem.

Dois malogros: a solução vândala e a solução ostrogoda

Para reconstruir a unidade do Ocidente dilacerado pela invasão, pela ocupação e pela cisão religiosa, três soluções podiam ser tomadas em consideração. A primeira, a mais radical, consistia em desenraizar a romanidade, conservando apenas as instituições administrativas, na medida em que estas pudessem assegurar o domínio dos conquistadores, e tratando os vencidos como um rebanho de escravos, barbarizando-os pelo terror. Mas apenas um dos povos invasores tentou sistematicamente esta experiência: os *vândalos*, na África.

Genserico (431-477), o anão coxo no qual alguns historiadores julgaram descobrir o gênio de um verdadeiro chefe, desde que se instalara na África, tinha passado a comportar-se como se o Império não existisse; começou por arrasar as fortalezas que pudessem servir de apoio às tropas imperiais, expulsou todos aqueles que lhe pareciam suspeitos de excessiva fidelidade a Roma, e por fim rompeu oficialmente com o usurpador Petrônio Máximo, com o irônico pretexto de que um homem como ele, Genserico, não podia obedecer a um assassino. Depois de uma guerra-relâmpago infernal nas costas da Sicília, da Calábria e da Campânia, estendeu o seu império à Córsega, Sicília e Sardenha, e tornou-se assim tão poderoso que, em 476, Zenão, imperador do Oriente, teve de reconhecê-lo como independente de fato.

A ideia de Genserico era clara. Que desejava ele? Fazer dos seus cem mil vândalos uma casta isolada, que explorasse a África e dominasse as populações vencidas sem se misturar com elas. Uma lei severa proibia, sob pena de morte, os casamentos entre vândalos e naturais da província. O mero relacionamento já era considerado mais do que suspeito, e a polícia do rei estava em alerta permanente. No plano religioso, foi literalmente a perseguição. Genserico decidiu que ele e os seus arianos aplicariam aos católicos as mesmas penas que os imperadores católicos haviam decretado contra os arianos. Bem se vê que não faltava a este bárbaro um humor sinistro!... Os funcionários receberam ordem de esvaziar as igrejas de todos os objetos sagrados, incluindo os panos litúrgicos, com que as tropas fizeram calções. Em Cartago, as igrejas não requisitadas pelos arianos foram fechadas pela polícia e, por ordem real, os fiéis que se tinham reunido para celebrar a Páscoa foram cercados e exterminados com flechas. Aterrados, os católicos da África descobriram então que o nome de Genserico, escrito em grego, dava, somando as suas letras, o número 666, da besta do *Apocalipse*, e logo se julgaram entregues às mãos do Anticristo! Vítor de Vita relata inúmeros detalhes, todos atrozes, desta perseguição dos vândalos: suplícios, escalpelamentos, campos de concentração, raptos de jovens por oficiais bárbaros e violações de monjas... A morte de Genserico não pôs termo a este cortejo de sevícias, pois o seu sucessor Hunerico, embora casado com a filha de Valentiniano III, ainda as agravou mais.

Na prática, os resultados desta política de terror foram quase nulos, porque os vândalos eram poucos para poderem continuá-la por muito tempo. A princípio, trataram de "explorar" a África, por meio dessa organização metódica do saque que se chama "requisição"; mas, ante a ingente ameaça de uma fome generalizada, tiveram de compreender que lhes era indispensável o trabalho das gentes do país e que, a não ser que colocassem um soldado junto de cada camponês, teriam de se mostrar menos brutais. Ao mesmo tempo, apesar de todas as precauções, a indolente África, a deliciosa África — Cartago de Vênus, dizia-se no tempo de Santo Agostinho — teve sobre os rudes soldados de Genserico o mesmo efeito que Cápua tivera sobre as tropas de Aníbal: sem deixarem de ser cruéis, bastou uma geração para que se deixassem contaminar por todos os vícios das cidades em que viviam. A ocupação dos países de vida fácil nunca deu certo para os "sãos e puros" soldados germânicos...

A decadência não se fez esperar. Sustentada por um clero enérgico, no meio do qual aparecem homens como Fulgêncio de Ruspe e Quodvultdeus de Cartago, organiza-se uma resistência anti-ariana e antivândala, cujo santo-e-senha era um lema de Fulgêncio: "O nosso reino voltará com o do Senhor!" Apenas a ferocidade das companhias de mercenários berberes e a covardia geral das autoridades do Ocidente permitiram que os reis vândalos ainda conservassem a África em seu poder por mais algumas décadas; mas quando, em 533, Justiniano lançar contra eles o ataque decisivo, a própria fraqueza numérica das forças bizantinas que alcançarão a vitória — apenas 15.000 homens — demonstrará como era frágil o domínio bárbaro na África e até que ponto a solução vândala foi um fracasso.

A segunda solução consistia em tentar realizar a síntese da romanidade e da barbárie sob a égide dos chefes germânicos arianos e com o máximo de respeito pelos vencidos, promovendo a fusão de ambos os elementos. Parece que diversos chefes tiveram simultaneamente esta ideia "colaboracionista".

O primeiro foi *Ataulfo*, cunhado de Alarico, um godo delicado que tinha aspirado à mão da sua bela cativa, a princesa imperial Gala Placídia, e acabara desposando-a em Narbonne, segundo as pompas romanas. Conta-nos Orósio que, estando em Belém junto de São Jerônimo, conheceu um antigo funcionário imperial que convivera com o chefe godo e que lhe disse: "Nos primeiros tempos, Ataulfo pretendia aniquilar o próprio nome dos romanos e distribuir entre os godos o solo e o poder, de forma que a *goticidade* viesse, por assim dizer, a substituir a *romanidade*. Ele mesmo, Ataulfo, se tornaria o que fora César Augusto. Mas, com o correr dos acontecimentos, aprendeu por experiência que os godos não eram capazes de obedecer às leis por causa da sua violência desenfreada, e que, sem obediência às leis, era impossível fundar um Estado sólido. Resolveu, pois, optar pela glória de apoiar o imperador romano para obter da posteridade pelo menos o título de 'restaurador', já que não tinha a menor probabilidade de conseguir o de 'substituto'". A morte impediu Ataulfo de pôr em prática esse plano. No fim do século haveria uma nova tentativa do mesmo gênero, e em condições mais favoráveis, uma vez que o imperador do Ocidente tinha desaparecido e o Império já não passava de um mito. Essa tentativa foi feita pelo mais notável de todos os chefes góticos: *Teodorico*, rei dos ostrogodos.

Antigo refém na corte de Constantinopla, falando corretamente o grego e o latim[36], e com suficiente cultura clássica para compreender o que a civilização acrescenta à força, Teodorico (493-526) tentou realizar essa conciliação dos dois elementos no seu domínio e procurar um entendimento entre godos e romanos, para juntos formarem uma única nação. Os trinta e três anos do seu reinado foram para a Itália uma época de incontestável prosperidade e grandeza. Não contente com reinar da Hungria até o Ródano, Teodorico soube estender a sua influência para além das suas terras; casou as filhas com reis visigodos ou burgúndios, casou a irmã com o rei vândalo e ele mesmo desposou a irmã de Clóvis, rei dos francos. Chegou a gozar de tal prestígio que, no fim da vida, exercia em nome do jovem rei visigodo Amalarico uma verdadeira tutela sobre a Gália meridional e a Espanha; até mesmo os imperadores de Bizâncio o tratavam com um respeito sincero, embora não isento de alguma suscetibilidade.

Toda a sua política interna revela o desejo, se não de fusão — porque os casamentos entre romanos e bárbaros continuavam proibidos pelas leis imperiais —, pelo menos de um acordo entre os dois grupos étnicos do Estado ostrogodo. Teodorico empenhou-se em copiar fielmente os quadros do ex-Império, os seus funcionários, o prefeito do Pretório e os demais elementos administrativos, bem como em dar nova vida ao Senado, dirigindo-lhe com frequência comunicações num estilo pomposo, cheio da majestade romana. "O nosso reino — escrevia ele ao imperador Anastácio — é uma imitação do vosso!" Não se poderia dizer melhor. No seu esforço de aproximação, foi ainda mais longe, pois suprimiu, pelo menos de fato, o princípio do direito pessoal, procurando que os seus romanos e os seus godos fossem julgados em pé de igualdade, e até que usufruíssem dos mesmos monumentos e assistissem juntos aos mesmos jogos no circo. Os altos comandos e os principais postos da administração foram equitativamente distribuídos entre romanos e bárbaros e, dentre estes, muitos já começavam a desaprender a língua germânica, pois julgavam mais cômodo falar o baixo latim.

Para dar um arremate faustoso a toda esta obra, Teodorico, herdeiro dos Augustos e dos Césares, quis dispor, como os seus antecessores, de bons trabalhadores e de grandes construtores: a conservação das estradas, a drenagem pelo menos parcial dos pântanos Pontinos, obras de restauração nos palácios imperiais do Palatino e nos teatros, aquedutos e esgotos na cidade foram alguns dos empreendimentos que levou a cabo. Ao mesmo tempo, a corte de Ravena, numa suntuosa imitação de Bizâncio, cobriu-se de monumentos magníficos, que ainda hoje vemos brilhar em todo o esplendor dos seus mosaicos: o *Spirito Santo*, o Batistério dos Arianos e a igreja de Santo Apolinário, o Novo, na época conhecido como "São Martinho do céu de ouro".

Na realização deste esforço, Teodorico teve o apoio de muitos romanos, mesmo da mais alta aristocracia, e até de católicos. O mais entusiasmado, e também mais prolixo, dos seus panegiristas foi o bispo Santo Enódio de Pavia. E os seus dois colaboradores mais eminentes foram ambos grandes personagens da velha raça: *Boécio*, descendente dessa família dos Anícios que contava nas suas fileiras um santo (São Paulino de Nola), dois imperadores (por assim dizer: Petrônio Máximo e Olíbrio) e talvez mesmo um papa (Félix III); e *Cassiodoro*, da *gens Aurelia*, neto de um general e filho de um embaixador. Que pensariam estes homens, de sólida cultura e de firmes convicções católicas, para se colocarem assim a serviço do godo ariano? Provavelmente viram neste bárbaro de boas intenções o único meio de salvar a civilização e de restituir à romanidade o vigor perdido e a fé no futuro; quanto ao resto, ou seja, quanto ao obstáculo religioso entre eles e os novos detentores do poder, esperavam que o tempo e a Providência se encarregassem de compor as coisas.

Mas as coisas não se compuseram tão cedo. A política colaboracionista de Teodorico chocou-se contra vivas resistências por parte dos dois elementos que ele queria unir no mesmo esforço. Por parte dos godos, havia uma espécie de rancor — que significava serem senhores se não deviam dominar os vencidos? — e, ao mesmo tempo, uma certa desconfiança da civilização. Teodorico pôde avaliar a força desse sentimento quando a sua filha Amalasonta quis dar ao filho uma educação romana, e os godos que a rodeavam levantaram tal clamor que ela teve de renunciar à ideia. Além disso, como se poderia impedir que o clero ariano, aproveitando-se da fé ariana do seu rei, promovesse discussões e querelas teológicas? E por parte dos católicos — apesar das tentativas de aproximação e das reiteradas declarações de Cassiodoro de que ninguém seria perseguido por causa da sua fé —, nunca chegou a desarmar-se a desconfiança da massa, do episcopado médio e da aristocracia possuidora de terras, furiosa pelo confisco de um terço dos seus bens. A toda a hora, o rei ostrogodo deparava com a má vontade de um sacerdote ou com a intemperança verbal de um pregador, como Santo Urso, que teve de se refugiar em Val di Óstia. E tudo isso, pouco a pouco, o tornava desconfiado. Quando Boécio, desejoso de assentar as bases da civilização, tentou uma aproximação entre o Papa e Bizâncio, Teodorico, vendo nisso uma conspiração dos católicos contra o Estado, mandou-o prender e condenar; e, depois de o ter mantido por um ano na prisão — ano durante o qual o cativo escreveu o livro a *Consolatio philosophica*, que é sem dúvida a última obra-prima do pensamento antigo —, mandou-o executar*. Daí em diante, o velho rei godo foi derivando para uma política de repressão. O papa João I recebeu ordem de ir a Bizâncio com o fim de reclamar do imperador a restituição das igrejas arianas e o retorno ao seu arianismo de origem de todos os godos que se haviam convertido ao catolicismo; e, a fim de puni-lo por não ter

---

* Boécio, cujo nome completo era Anécio Mânlio Torquato Severino Boécio, influiu decisivamente na Idade Média pelas traduções que fez de uma parte dos livros de Aristóteles e pelas suas próprias obras acerca das artes liberais (chegaram até nós apenas as que tratavam da aritmética e da música), que cunharam todo o ensino medieval e indiretamente levaram à fundação das universidades. Até o século XII ou XIII, o Ocidente somente conhecerá Aristóteles através de Boécio, que além disso precisou em muitos detalhes o pensamento do filósofo grego e cunhou definições lapidares, muitas vezes válidas até hoje. Boécio teve vida exemplar e goza em Pavia, onde foi supliciado, de um culto local (N. do T.).

sido bem sucedido nessa missão paradoxal[37], Teodorico o meteu na prisão, onde morreu[38].

As pontes estavam cortadas. Provara-se que a solução ostrogoda não surtia mais efeito do que a solução vândala, e que o único meio de rejuvenescer o velho sangue romano, realizando a fusão das duas raças, estava nas mãos da Igreja. E esse meio era somente a *conversão*.

E, quando se levou para o estreito mausoléu de cúpula monolítica, que ainda hoje se vê em Ravena, aquele que em certo sentido bem mereceu ser chamado Teodorico, o Grande, havia já trinta anos que um pequeno chefe bárbaro, um pagão idólatra, recebera na catedral de Reims o Batismo católico; desde então, a Igreja entregara a esse franco, Clóvis, a chave de ouro do futuro.

Notas

[1] Quando, em 384, Teodósio bateu o seu rival Arbogastes na segunda batalha de Aquileia, havia no seu exército godos, alanos, íberos do Cáucaso e até hunos, e entre os seus generais o vândalo Estilicão, futuro defensor do Império, e o godo Alarico, que viria a tomar Roma quinze anos mais tarde. Arbogastes, por sua vez, tinha um exército de francos e alamanos. Que política, a romana...!

[2] Há inúmeras provas desta atração, como por exemplo a surpreendente história da princesa Honória, filha da imperatriz Gala Placídia, que enviou um anel a Átila, acompanhado de uma carta de amor em que lhe propunha casamento.

[3] Há uma única exceção: Átila, rei do hunos. Daí o seu papel excepcional na história, que será estudado mais adiante: cf. par. *União contra os hunos*.

[4] Com o passar do tempo, foram frequentemente atribuídos aos bárbaros estragos que eles não cometeram. Assim, está provado que a destruição de Toulouse não deve ser imputada aos vândalos, como pretendia a tradição, mas a uma inundação do rio Garonne.

[5] "Viu-se, e ainda se vê, neste mundo de cabelos brancos, a fome, a peste, a devastação, as guerras e o terror". Santo Euquério, bispo de Lyon, *Carta a Valeriano sobre o desprezo do mundo*.

[6] Cf. *A Igreja dos Apóstolos e dos Mártires*, cap. XII.

[7] Foi só por isso que o Império do Oriente sobreviveu.

[8] Cf. cap. V deste volume, onde se citam os aspectos críticos, que já Santo Agostinho apontava sem rodeios.

[9] As resistências pagãs explicam, sem as desculpar, as frequentes violências praticadas em diversos lugares por multidões de batizados que o fanatismo excitava. Numerosos incidentes mostram, nos quatro cantos do Império, que a lição de amor do Evangelho não chegara a penetrar no íntimo de certos convertidos. Ante a fúria iconoclasta que procurava destruir os templos pagãos e quebrar estátuas de grande valor artístico, o imperador viu-se obrigado a adotar medidas de proteção dessas riquezas. Aqui e ali chegou a haver atentados pessoais. O mais célebre e o mais penoso destes episódios foi o assassinato, em Alexandria do Egito, da célebre filósofa Hipácia, luz do pensamento neoplatônico: em março de 415, um bando de fanáticos, incitados por um leitor cristão, arrancou-a da sua carruagem, quando ela se dirigia para a academia em que lecionava, arrastou-a para dentro de uma igreja, despojou-a de suas vestes e a fez em pedaços. A estupidez e a crueldade das multidões são de todas as épocas, e o próprio Batismo não é suficiente para libertar da sua baixeza a besta humana coletiva.

[10] Cf. *A Igreja dos Apóstolos e dos Mártires*, cap. XI, e neste volume o cap. V, par. *Uma obra paciente*.

[11] Resume-se aqui o que já foi dito em *A Igreja dos Apóstolos e dos Mártires*, cap. XII, par. *A renovação dos valores humanos*.

[12] A evolução do cristianismo no Oriente será bastante diferente. Cf. neste volume o cap. III.

[13] Cf. cap. V.

[14] Sobre o papel determinante dos bispos, cf. *A Igreja dos Apóstolos e dos Mártires*, cap. V, par. *A organização dos quadros*, e cap. XII, par. *Os quadros do revezamento: os bispos*.

[15] Cf. neste cap. a nota 9.

[16] *Relation sur le Quiétisme*, III, 5.

[17] Cf., neste cap., o par. *Leão Magno e o papado*.

[18] Cf. *A Igreja dos Apóstolos e dos Mártires*, cap. XI.

[19] O direito tende a tornar-se *pessoal*, aplicado aos indivíduos, e já não *territorial*. O princípio da territorialidade jurídica só voltará a aparecer no século IX, quando se completar a fusão das duas populações. A Igreja, considerada como um corpo, estará nesse meio tempo vinculada à lei romana, ao passo que os clérigos ficarão submetidos à lei pessoal de cada agrupamento.

[20] A área das línguas, que quase não se alterou em quinze séculos, indica que os francos povoaram a Gália do Norte e do Nordeste, e os alamanos a Alsácia e a Sequânia (Helvécia, Suíça). O elemento "romano" perdeu cerca de 90.000 quilômetros quadrados em proveito do elemento germânico, do total de 639.000 quilômetros quadrados da Gália, ou seja, quando muito um sexto do total. A não ser esta partilha antecipada do solo romano, pode-se e deve-se admitir que os francos tiveram colônias na Gália, mas "esporádicas" (Ferdinand Lot, *Naissance de la France*).

[21] "Império das estepes" é uma expressão de René Grousset, que utilizou como título de um livro admirável. Três "impérios das estepes" deviam suceder-se no decurso da história: o de Átila (séc. V), o de Gengis Khan (século XII) e o de Tamerlão (século XIV); todos eles se desenvolveram de forma surpreendente, mas também foram todos bastante frágeis.

[22] É indiscutível que os horrores, aliás limitados, a que se entregou, tinham a intenção precisa de aniquilar eventuais resistências; era a sua maneira de "mostrar força para não ter que servir-se dela". Gostava de chamar-se "o homem mais odioso da terra", e ninguém lhe deu maior alegria que o monge gaulês que o chamou "flagelo de Deus".

[23] Cf. cap. III, par. *Autocratas teológicos.*

[24] Cf. adiante o par. *O fim do Ocidente romano.*

[25] Foi por ocasião deste ataque que os vênetos se refugiaram nas ilhotas da embocadura do Pó, onde ia nascer Veneza.

[26] A lenda tomou conta deste episódio e, para explicar a súbita retirada dos hunos, chegou a afirmar que tinha havido uma intervenção sobrenatural. Enquanto o papa falava com Átila, este teria visto por trás do seu interlocutor um personagem vestido de branco, como um sacerdote, que lhe apontava uma espada ameaçadora. Conforme diversas opiniões, esse personagem teria sido um anjo, ou São Paulo, ou ainda São Pedro. Esta fábula, que todos os contemporâneos ignoravam, apareceu nos séculos IX ou X, foi difundida no século XII por Sigisberto de Gembloux, e de novo no século XIII por Jacques de Voragine, na *Lenda Áurea*. Foi ela que inspirou o célebre quadro de Rafael nas *Stanze* do Vaticano.

Uma vez que estamos tratando das lendas relacionadas com São Leão, é preciso acrescentar também que lhe atribuem por vezes a ereção da famosa estátua de São Pedro nas grutas vaticanas, para comemorar a "vitória" do Míncio. Mas, na realidade, a vitória é perto de um século posterior à estátua.

[27] Cf. *A Igreja dos Apóstolos e dos Mártires*, cap. V, par. *A unidade da Igreja e o primado de Roma*; cap. VII, par. *Desenvolvimento das instituições cristãs*; cap. XI, par. *O reconhecimento definitivo do primado de Roma.*

[28] Sobre o funcionamento da instituição pontifícia, cf. cap. V, par. *Os quadros da Igreja do Ocidente.*

[29] Cf. cap. I, par. *O combatente da verdade.*

[30] Cf. cap. III, par. *Arcádio e o Santo.*

[31] Sobre Juliano de Éclane, bem como sobre Pelágio e a sua heresia, cf. cap. I, par. *O combatente da verdade.*

[32] São Leão interveio também, por exemplo, na velha disputa em torno da data da festa da Páscoa. O Concílio de Niceia pusera fim às antigas controvérsias, condenando definitivamente os *quartodecimanos*, isto é, aqueles que queriam celebrar a Páscoa no dia 14 de Nisã (cf. Daniel-Rops, *Jesus no seu tempo*, índice das questões controvertidas), e fixando a festa no domingo que se segue à lua cheia de março. Alexandria fora encarregada de notificar aos bispos essa deliberação. Em meados do século V, foi posta em dúvida a exatidão dos cálculos alexandrinos. São Leão pronunciou-se a favor das decisões tomadas e dos cálculos feitos em Alexandria, pela "preocupação com a unidade, que importa conservar acima de tudo".

[33] Ferdinand Lot aponta com justeza que, do ponto de vista do direito constitucional, a "certidão de óbito" oficial do Império Romano do Ocidente data somente de 6 de agosto de 1806, dia em que Francisco II, vencido por Napoleão, renunciou ao título de "imperador romano da nação germânica", para tomar o de "imperador da Áustria".

[34] Lavisse, *L'Histoire générale*, pág. 208.

[35] Cf. *A Igreja dos Apóstolos e dos Mártires*, cap. X, par. *As sequelas do arianismo.*

[36] A reputação de analfabeto de que Teodorico gozou por muito tempo foi derrubada modernamente. Sabia escrever, mas a sua mão pouco hábil escrevia mal. Foi por isso que, não sabendo dar toda a elegância à palavra "eu li", com que assinava os seus documentos, mandou confeccionar uma lâmina de ouro recortada que lhe guiava a pena. Custou-lhe muito

aprender a escrever; o *Anônimo de Valois* fala em dez anos de esforços. Cf. Ernest Stein, *Histoire du Bas-Empire*, it. *Théodoric savait-il écrire?*, Bruxelas, 1949, pág. 791.

[37] Mais tarde, porém, alguns pedidos razoáveis de tolerância religiosa foram atendidos pelos bizantinos; ao que parece, concedeu-se uma certa liberdade aos hereges, e uma lei promulgada em 527 por Justino e Justiniano permitia o acesso dos godos arianos federados às funções públicas (cf. Ernest Stein, *Histoire du Bas-Empire*, v. II, pág. 261).

[38] Foi considerado mártir e, por ocasião do enterro, o povo romano despedaçou-lhe as vestes para guardar os pedaços como relíquias.

III. Bizâncio dos autocratas e dos teólogos

A preservação de Constantinopla

Enquanto o Ocidente era rasgado em pedaços ao longo de um século de episódios trágicos, para se encontrar finalmente, por volta do ano 500, desmembrado num conjunto de reinos bárbaros, o Império do Oriente mantinha-se firme.

A *romania* não só sobrevivia ali, mas transformava-se gradualmente numa forma de civilização nova, de um tal vigor que poderá fazer face ao destino adverso durante outros mil anos. Bem pode a história mostrar-se surpreendida com esta resistência, sob tantos aspectos admirável. Com efeito, não tinha sido na *pars orientalis* do mundo romano que se dera a primeira incursão das hordas bárbaras? No fim do século IV, quando massas compactas de visigodos, de hunos e de ostrogodos começaram a exercer uma pressão que seria decisiva, não fora a fronteira da Grécia a mais perigosamente ameaçada? E as ameaças nunca cessaram: mais hunos, depois búlgaros e ávaros e, por fim, as hordas eslavas... Mas nada deitará por terra a fortaleza bizantina, que a onda bárbara tentará cobrir de lama e até, em certos momentos, inundar parcialmente, mas jamais conquistará.

Que razões explicam este mistério? Distinguem-se três bastante bem. Uma delas é estritamente estratégica. Quando Constantino, o Grande, em 330, fizera de Bizâncio a sua capital, a "Nova Roma" do mundo oriental, ter-se-ia dado conta do valor militar desse local, cuja escolha — segundo diziam — lhe fora sugerida por uma inspiração mística? Construída num dos pontos extremos da Europa, num promontório que o mar, o relevo e o traçado das margens tornavam ideal para a defesa, Constantinopla armara-se prudentemente contra os eventuais agressores. Às fortificações erguidas pelo seu fundador, os sucessores deste acrescentaram dois outros sistemas de defesa: as muralhas de Teodósio II (construídas em 413), que erguiam, desde o Mar de Mármara até ao Corno de Ouro, numa extensão de sete quilômetros, as suas ameias situadas a doze metros de altura e as suas oitenta e seis torres de vigia; e depois, a quinze léguas da cidade, em pleno campo, as "vastas muralhas" de Anastácio I (concluídas em 512), numa extensão de mais de setenta e cinco quilômetros, que constituíram uma verdadeira muralha da China. O resultado destas precauções foi que Bizâncio se tornou praticamente inexpugnável: trinta vezes cercada no espaço de mil anos, apenas uma vez foi forçada, pelos Cruzados do Ocidente (1204); assim, desta cidadela, esteve sempre pronta para partir a contra-ofensiva que deteria o assalto dos bárbaros.

Esta circunstância torna-se ainda mais importante se a confrontarmos com a situação do Ocidente que, nesta mesma ocasião, dava uma desastrosa impressão de fraqueza. Nenhum chefe bárbaro, por menos cauteloso que fosse, hesitava à hora de escolher entre atacar as fortificações orientais ou marchar sobre a Itália e a Gália mal defendidas. A segunda causa da salvação de Bizâncio está relacionada, portanto, com o desequilíbrio de forças que, como por uma lei física, desviou para o Ocidente um Radagásio, um Alarico e um Átila, afastando-os do leste.

Mas teria esta segurança estratégica sido suficiente por si mesma? Nem a muralha da China nem o *limes* romano sobre o Reno puderam salvar povos que já não eram capazes de combater nas ameias. O terceiro motivo da duração de Bizâncio foi o fato de que o sistema autocrático e quase totalitário em que o Império de Roma se transformara a partir do século III — apesar de chocar continuamente com os costumes e as tradições do Ocidente —, já no Oriente mergulhava as suas raízes num passado que, indo de Alexandre aos reis persas, corria paralelamente aos estritos rigores administrativos dos Sargônidas e dos Faraós. No momento em que a Pérsia sassânida alcançar o seu apogeu, apoiada no fanatismo da religião de Zoroastro, Bizâncio poderá fazer-lhe frente — e ao mesmo tempo combater também os germanos — porque, de muitas maneiras, terá ido buscar os seus métodos às tradições asiáticas. Sustentada com firmeza pela mão dos seus déspotas, a parte oriental do Império encontrará, neste mesmo despotismo, um arcabouço multissecular que a salvará.

Compreende-se, pois, o milagre bizantino: aos olhos do historiador, é realmente um milagre este desabrochar de uma nova forma de civilização, a sua expansão ao longo dos séculos e esta reafirmação da infinita riqueza do homem e dos seus dons criadores. Constantinopla não foi o prolongamento de um passado moribundo. O mundo bizantino foi romano pelas suas tradições, helênico — cada vez mais — pela sua cultura e métodos de pensamento, e finalmente oriental, não só pelas suas técnicas de governo, mas por mil e um costumes e pelas influências da arte ou do comércio; realizou assim uma síntese profundamente original, a cuja grandeza nem sempre se tem prestado a devida justiça, mas cujo papel histórico foi imenso. Estendendo-se do Mar Negro à Grande Sirte da África, possuindo os Bálcãs, a Grécia, o arquipélago Egeu, toda a Síria, o Líbano e o Egito, isto é, toda a bacia oriental do Mediterrâneo, cruzamento privilegiado das estradas da Europa para a Ásia e do norte para o sul, ao mesmo tempo império marítimo e potência colonial, este mundo bizantino ia servir simultaneamente de laço com o Extremo Oriente, rico em germes de civilização, e de baluarte contra as suas ameaças. A história da Europa teria sido inteiramente diferente se não tivesse havido, para equilibrar o redemoinho do Ocidente bárbaro, este outro cadinho no qual muitos elementos puderam fundir-se ao calor do cristianismo.

Assim, durante mil anos — e mais: até 1453 —, Bizâncio vai viver, ou melhor, sofrer alternâncias de grandeza e decadência, vai lutar para se defender ou para se perder, vai misturar mil misérias com autênticos elementos de grandeza para, por fim, acabar por traçar um sulco muito profundo na história. Há uma fascinação em Bizâncio que a literatura tentou por vezes captar[1] e à qual não poderá ficar insensível quem quer que tenha visto em Ravena, na Sicília ou sobretudo em Constantinopla os grandiosos monumentos desta civilização. O que Bizâncio evoca é um mundo de uma riqueza prodigiosa: cais atulhados das mais heteróclitas mercadorias, docas cheias até transbordar de cereais do Egito, de carnes da Tessália, de lanifícios helênicos, de madeiras do Líbano, de especiarias árabes e dessas sedas sem preço que as vagarosas caravanas transportam através da Ásia, enquanto não se consegue roubar à China o segredo da sua fabricação. Bizâncio é a suntuosidade dos vestuários e dos adornos, das togas violetas guarnecidas com passamanes de serpentes azuis, das longas túnicas claras bordadas com figuras humanas, dos ofuscantes diademas onde cintilam o diamante hindu, a esmeralda e a safira, dos pesados colares e dos braceletes maciços que a arte do cinzelador esculpiu em ouro puro. Bizâncio é também a atmosfera oriental (sensível ao nariz e à garganta...), aquela mesma que ainda hoje se encontra, imutável, nas cidades que foram suas: as folhas de videira recheadas, os cabritos assados com alho, os odores a peixe e a gordura rançosa que se espalham pelas ruas, e as repugnantes empadinhas. E, por fim, Bizâncio é — não o podemos esquecer — o foco privilegiado da inteligência: a partir de Teodósio II e durante séculos, será a metrópole cuja escola de estudos jurídicos irradia por todo o Oriente, a mãe dos Códigos e dos Digestos, e — mais ainda — o lugar privilegiado em que a mais miraculosa das audácias arquitetônicas projetou no espaço e manteve inquebrantável ao longo dos séculos a geometria pura, a imensa mole aérea da cúpula de Santa Sofia.

É tudo isso que o nome de Bizâncio suscita na nossa memória, juntamente com outras noções e outras imagens que se nos afiguram ainda mais singulares. Bizâncio é o reino da hierarquia e do hieratismo, das pompas minuciosas e de uma etiqueta tão vertiginosamente complicada que, em comparação, a de Luís XIV em Versalhes nos parece nua e despojada. Bizâncio é o país dos sonhos para os seus dignitários e funcionários, para esse rigoroso emaranhado de precedências, para esse sistema administrativo incompreensível a qualquer um que não seja um especialista, em que os guardas imperiais e os *hipográmatas*, os *doríforos* palatinos e os *silenciários*, os *orfanótrofos* e os *vestiários* — e muitos outros — têm cada um a sua função quase sagrada. Mas, ao mesmo tempo, perante o autocrata que se pavoneia no cimo desta mecânica prodigiosa, Bizâncio é também o perpétuo ir e vir da multidão, a agitação latente que, chegando ao motim e ao assassinato, fixa limites à sua onipotência.

Bizâncio é o *Hipódromo*, esse símbolo da demagogia, o gigantesco circo capaz de abrigar cinquenta mil pessoas, o lugar onde se concentra e fervilha toda a vida pública, onde são aplaudidos os dançarinos, os domesticadores de ursos e os prestidigitadores, onde se grita a favor ou contra as equipagens das quadrigas lançadas a todo o galope sobre a pista, onde se julga, se discute e se executa; e o Hipódromo é o campo de batalha de dois partidos opostos — os *azuis* contra os *verdes*.

Uma imagem exata de Bizâncio não deve, pois, limitar-se ao exterior compassado e estereotipado das grandes cerimônias. A sua verdade profunda é a paixão, a extrema violência dos sentimentos, uma espécie de anarquia moral e espiritual, paradoxalmente associada ao rigor das instituições e das leis. Assim, nada nos poderá dar uma ideia mais falsa do mundo que, por mais de mil anos, foi o palco desta civilização, do que a palavra *bizantinismo*, que o uso transformou num termo depreciativo. É perfeitamente verdade que, se empregarmos a palavra na acepção de tendência para usar de excessivas sutilezas ou para discutir indefinidamente acerca de bagatelas, o povo bizantino claramente revelou tal excentricidade. Mas não devemos esquecer que, no decorrer dessas discussões aparentemente fúteis, as paixões se empenhavam a fundo e nelas imprimiam, por vezes, um cunho trágico que impressiona. E se usarmos a palavra como sinônimo de insignificância, o termo é pura calúnia. Não foi insignificante o mundo que transmitiu aos tempos modernos o legado da civilização antiga, que mais contribuiu para nos conservar a literatura grega e o direito romano, o mundo que, durante mil anos, impediu que a barbárie esmagasse metade do Império!

O que impressiona o historiador, ao estudar no seu conjunto a civilização bizantina, não é o seu "bizantinismo", e sim a facilidade desconcertante — mas perfeitamente natural — com que essa civilização se adaptou à contradição. Tão longe quanto possível dos nossos métodos "cartesianos" de pensamento, o homem de Bizâncio nunca se lembrará de que é impossível dizer ao mesmo tempo "sim" e "não", e de que está plenamente demonstrado que dois mais dois são quatro. Todos os contrastes são, portanto, possíveis e admitidos. Como acabamos de ver, o despotismo e a demagogia estão aqui intimamente associados. As pessoas ajoelham-se diante do imperador, mas subitamente alguém lhe grita: "Tu és um asno!", e logo uma sublevação o faz literalmente em pedaços. Estes déspotas de orgulho ilimitado são privadamente humildes de coração; mas a verdade é que vemos esses cristãos fervorosos cometer um sem-número de crimes com uma espécie de inocente candura e de espantosa inconsciência. Bizâncio é o país dos eunucos, que pululam por toda parte e atravancam as administrações; no entanto, muitos destes castrados são homens dotados de uma energia admirável, como Narsés, o vencedor dos ostrogodos. A contradição fez, pois, a sua morada por toda parte neste regime a que inutilmente procuraremos aplicar os nossos critérios. A centralização e as tendências separatistas andam de mãos dadas: conquista-se o Ocidente e ao mesmo tempo deixa-se que o inimigo viole as fronteiras; legisla-se fervorosamente, mas ao mesmo tempo deixam-se correr as coisas...

É dentro deste complexo de paixão, de falta de lógica, de contradição e de violência, que devemos considerar a evolução do cristianismo, parte integrante dessa estranha civilização e ligado a essa sociedade tanto para bem como para mal.

O cristianismo "à bizantina"

Ora, a sociedade bizantina é, acima de tudo, uma sociedade religiosa, e é nisso que reside o seu traço mais determinante; condena-se, pois, a nada compreender a seu respeito aquele que a julgar segundo os critérios políticos ou econômicos habituais. Ao passo que, para o homem moderno, a organização social tem como fim principal ocupar-se do bem-estar material dos seus membros, em Bizâncio o primeiro desígnio é realizar um ideal espiritual, e, mesmo que os meios postos em ação para atingir esse fim muitas vezes sejam discutíveis, essa intenção impregnará a existência inteira, conferindo-lhe um colorido e um significado inteiramente próprios. Neste sentido, Bizâncio tomou a dianteira à Idade Média ocidental, e por esse aspecto tornou-se admirável. Mas, por outro lado, constituiu uma ameaça terrível, visto que toda a oposição e toda a rivalidade conterão em germe uma guerra religiosa.

O cristianismo — não o podemos esquecer — nasceu nesse Oriente mediterrâneo que, no século V, constituiria o domínio de Bizâncio. Foi nas suas províncias que se levou a cabo a primeira sementeira da Boa-nova. Foi nas suas grandes cidades, em Antioquia e Alexandria, que a inteligência cristã tomou plena consciência de si mesma e encontrou os seus primeiros grandes pilares. Se o grego era a língua vulgar do mundo bizantino, foi em grego que se difundiu o Evangelho e que os primeiros Padres da Igreja escreveram. Em fins do século IV, a densidade da penetração cristã continuava a ser muito maior do que no Ocidente: quase por toda parte, os fiéis constituíam a grande maioria e até a totalidade da população. O cristianismo ultrapassava amplamente os limites do Império, estendendo-se para além do Egito em direção à Arábia e à

Etiópia, para além do Líbano e da Síria em direção à Mesopotâmia e mesmo à Pérsia, e para além da Ásia Menor em direção à Armênia. Este cristianismo oriental talvez já tivesse perdido um pouco o magnífico caráter de risco e de aventura que conservava no Ocidente, e a evangelização avançava agora de forma menos impetuosa — ou melhor, o risco era transposto para outro plano, o da especulação —; mas mesmo assim permanecia intimamente associado à existência dos fiéis e nada tinha perdido do seu fervor.

Não podemos falar sem respeito deste cristianismo oriental que, de muitos modos, contribuiu para dar origem ao nosso. O que o pensamento cristão, a teologia, a exegese e a filosofia lhe deveram, o que a liturgia herdou das suas solenes cerimônias[2], o que a piedade cristã recebeu, mesmo sem sempre o perceber claramente, dos admiráveis fiéis do Oriente — é um legado literalmente inesgotável. Pátria dos doutores da Igreja, onde apareceram sucessivamente os primeiros Padres apostólicos, os primeiros apologistas e as *didascálias* de Alexandria, os sólidos defensores da fé e da tradição e mais tarde os grandes Capadócios; pátria, também, dos grandes místicos, como um São Gregório, o Taumaturgo, um Dídimo, o Cego, um Santo Efrém e tantos outros —, o Oriente cristão foi uma espécie de celeiro donde partiu uma sementeira admirável. Viera do Oriente esse Santo Irineu, bispo mártir de Lyon no século II; e em sentido inverso, era ao Oriente que muitas almas iam buscar um enriquecimento espiritual, como São Jerônimo ou Santa Melânia, que se instalaram na Palestina, ou ainda Santo Honorato, que ali foi aprender os métodos que havia de aplicar depois em Lérins. Algumas preces orientais — o *Phos Hilaron*, "Fogo de Hilário", por exemplo, ou as antífonas litúrgicas de São Basílio — contam-se entre as mais belas de todo o cristianismo. E foi também no Oriente que se desenvolveu, com as suas maravilhosas delicadezas, como borboleta que sai da crisálida, o culto da Virgem Maria, em honra da qual Santo Efrém, o Sírio, Basílio de Selêucia e Romano, o Melódio, deixaram extravasar em canto a sua inspiração poética.

Esta tradição de fervor impregnará toda a história de Bizâncio, uma história balizada por figuras santas que, qualquer que seja a situação humana em que se encontrem metidas, têm acima de tudo a intenção de servir a Deus. Podemos vê-las por toda parte: nas imediações do trono, onde as três princesas Pulquéria, Arcádia e Marina vivem como monjas no palácio imperial, tendo gravado sobre placas de ouro depositadas na catedral o seu voto de virgindade perpétua; no próprio trono, onde um Teodósio II, maníaco da bela escrita (o que lhe valeu o título de "Calígrafo") e fanático da teologia, se revela, apesar de todos os seus defeitos, um cristão minuciosamente ardente; onde um Anastácio I, não obstante uma ortodoxia bastante suspeita, é de uma piedade exemplar; onde um Marciano, rude soldado, manifesta uma fé de cruzado tão viva que a igreja do Oriente o considerará santo. Nos altos escalões da administração, não só episcopais como também civis, é igualmente frequente ver um grande personagem — como por exemplo Arsênio, tutor do imperador Arcádio — abandonar o seu cargo e a sua fortuna para se retirar para um convento ou para o deserto. E assim por diante.

Algumas destas figuras já iluminam esse século em que, desde a morte de Teodósio até à de Justiniano (450-565), Constantinopla se transforma em Bizâncio. A figura de *São João Crisóstomo* é de tal modo exemplar que convirá detalhá-la mais adiante. Menos ilustre e menos dramático, o destino de *São Sabas* também é característico do vigor da fé nesta época. São Sabas entrou para o convento aos oito anos, entregando-se inteiramente à ascese e à oração;

fundou depois, a duas léguas e meia de Jerusalém, um convento, essa "Grande Laura" que ainda hoje domina o desfiladeiro do Cédron com os seus formidáveis silhares, e andou envolvido com uma energia inflexível em todas as lutas travadas em defesa da verdadeira doutrina. Já nonagenário, foi a Constantinopla, para ali, com a sua autoridade, fazer pender o fiel da balança a favor da ortodoxia; morreu com cem anos (532), depois de noventa e dois de vida dedicada a Deus.

Toda uma literatura mística, de uma qualidade rara e de duradoura influência, desabrocha no meio deste cristianismo oriental e produz, por vezes, verdadeiras obras-primas. Não há nenhuma região em todo o Império bizantino que não veja despontarem escolas de elevada meditação cristã. Nós, os ocidentais, não prestamos a devida homenagem a esses testemunhos, mas a Igreja no Oriente continua a venerar um São Cirilo de Jerusalém, cujas doutrinas sobre a graça santificante foram decisivas; um Barsanufo, cujas cartas de direção espiritual irradiavam a partir do seu eremitério de Gaza para o mundo inteiro; um Zózimo, *higoumene* (abade) de um convento da Palestina, autor de *Conferências* e *Práticas* que fizeram com que o considerassem santo em vida; um São Nilo (cuja data é um pouco incerta) que, do seu mosteiro cenobítico próximo de Ancira, lançava tratados e cartas de uma energia áspera mas tonificante; um Diádoco de Fótica, bispo da Velha Épiro na Grécia, cuja *Visão* é um dos textos místicos mais curiosos de toda a história cristã, e cujos *Cem capítulos sobre a perfeição* constituem um tratado completo de vida espiritual. De todos estes escritores orientais que viveram por volta dos séculos V e VI, poucos venceram o duplo obstáculo da distância e do tempo para serem relembrados na igreja latina. O mais célebre é esse escritor misterioso —

possivelmente sírio — que se ocultou sob o pseudônimo de *Dionísio Areopagita*, discípulo de São Paulo, a quem a Idade Média dedicará uma veneração quase igual àquela de que beneficiavam os textos inspirados, e cujos tratados sobre os *Nomes divinos*, as *Duas hierarquias* e a *Teologia mística* estão cheios de uma mistura muito nutritiva de neoplatonismo e de elevada mística.

Já percebemos que grande parte destas personalidades pertencia ao monaquismo; aliás, um dos traços que melhor caracterizam o cristianismo à oriental é justamente este prodigioso pulular de monges e o papel que desempenharam na vida cristã. Nascida no Oriente[3], no deserto onde Santo Antão a havia pregado com o exemplo, desenvolvida, organizada e até reformada por São Pacômio e São Basílio, a instituição monacal, sob a dupla forma dos eremitas e dos cenobitas, experimentou no século V um desenvolvimento que chega às raias do milagre. Havia monges por toda parte. Não havia deserto nem montanha agreste que não abrigasse um solitário meditador, nem província em que não se vissem inúmeros mosteiros, frequentemente povoados por centenas de "calouros" (monges). O Egito, a Palestina, o Líbano, a Síria, a Armênia e até a Pérsia, bem como a Ásia Menor, Constantinopla e a Grécia estavam abarrotados destas santas casas, de verdadeiras "ruas de celas" (*laura*, em siríaco, quer dizer "rua"). Até nas impenetráveis cadeias do Sinai florescia o convento de Santa Catarina, que ali se vê ainda hoje.

Estes monges eram as testemunhas e os arautos da vitória da fé sobre o mundo. Longe da sociedade, recusando-se a combater e a pagar impostos, sem família e sem filhos, procuravam unicamente proclamar a glória de Deus e a necessidade da penitência; eram verdadeiros "mandatários do Absoluto". Entre eles, a elite era constituída pelos *acemetas* (*akimiti*, os que não dormem, os "sem-sono"), fundados em 405 pelo monge Alexandre, que tinha lançado a ideia da oração perpétua, dessa *laus perenis* que, um século mais tarde, os monges de São Maurício de Agaune tomariam de empréstimo e que se espalharia por todo o Ocidente. Nos seus conventos, havia grupos de orantes que se revezavam, de forma que os hinos subiam ao céu sem interrupção. Pouco tempo mais tarde, o *Stoudion*, fundado em 463 pelo patrício João Stoudios, acrescentou uma nova joia à coroa mística de Bizâncio: a ordem dos estuditas que, no século IX, havia de notabilizar sobre a cadeira abacial um dos maiores santos da igreja oriental, São Teodoro.

Foi nestes grandes mosteiros que se desenvolveu a prática daquilo que hoje conhecemos por "oração pura", "oração do coração" ou ainda "oração de Jesus". Este método nasceu sem dúvida entre os solitários do deserto, especialmente através de *São Macário*; depois foi sistematizado e codificado por um intelectual originário do Ponto, *Evagro Pôntico*, que se retirou para junto daquele velho eremita; e foi desenvolvido por um autor desconhecido do século V, que lançou as suas *Homilias espirituais* sob o pseudônimo de Macário. O sistema foi adotado pelo célebre mosteiro do Sinai, fundado por Justiniano, e a partir do século VI experimentou um sucesso considerável, com a difusão da famosa *Escada do Paraíso* de São João Clímaco. Em que é que consistia? Aparentemente, é uma oração reduzida a algumas palavras essenciais, mas capaz de elevar a alma aos mais altos estados de contemplação mística. Repetindo o *Kyrie eleison*, o monge podia levar a cabo uma experiência espiritual completa, incluída a da morte e a da eternidade. Essas palavras sagradas marcavam-lhe o ritmo da existência inteira, como o murmúrio de uma fonte, como o sussurrar contínuo de um sopro de vento na folhagem. Esta oração pura, o *hesicasmo*, contribuiu com certeza de modo poderoso para encher os mosteiros de almas fervorosas.

Mas estas testemunhas de Deus não permaneciam encerradas nos seus conventos; pelo contrário, saíam para o meio do mundo, impelidas por aquilo que pensavam ser o próprio Espírito Santo. Pregavam e propunham os grandes exemplos, os dos heroicos ascetas, cujas incríveis proezas eram também narradas por Paládio (363-425) na *História lausíaca* (dedicada a Lauso, camareiro de Teodósio II) e por Rufino (345-411) na *História dos Monges do Egito* — os "best-sellers" do seu tempo. Vez por outra, esses homens irrompiam em alguma cidade, esfarrapados, frenéticos, gesticulando, gritando a verdade às massas, anunciando o castigo dos ímpios, perseguindo as prostitutas e os hereges, e pondo em estado de alerta os bispos e os teólogos. Destes ascetas desenfreados, destes profetas vestidos com peles de feras, o povo fazia heróis lendários, tão célebres e tão venerados que os próprios poderes públicos se viam obrigados a tratá-los com luvas de pelica.

Entre estas hirsutas testemunhas de Deus, algumas levavam a penitência a extremos que hoje nos hão de parecer estranhos. Deixemos de lado os *reclusos*, que se encerravam numa cela por um certo tempo ou até por toda a vida, sendo alimentados através de um postigo. Já nos custa mais, sem dúvida, imaginar a vida de um *estilita*, empoleirado sobre um pequeno estrado no alto de uma coluna, mal abrigado das intempéries por um tosco cubículo, orando, salmodiando, interrompendo-se apenas para abençoar a multidão apinhada à sua volta, e chegando a lá permanecer durante cinquenta anos! Mas, quando abrimos a *História Religiosa* de Teodoreto, podemos perguntar-nos se não estaremos em pleno terreno da patologia, quando nos defrontamos com os *sideróforos*, que durante toda a vida curvavam o corpo sob o peso intolerável de umas cadeias; com os *estacionários*, que faziam voto de estar sempre de pé, e — pior ainda — com os *herbívoros*, que se comprometiam a alimentar-se apenas de capim, ou com um tal Sabino, que não se nutria senão de alimentos estragados...[4]

Que tais fenômenos não tenham sido muito raros constitui um sintoma bastante grave, pois é sinal de uma das enfermidades de que padecia o cristianismo oriental: a tendência para a falta de medida e para o excesso. Se é um fato que o Reino dos céus pertence aos violentos e que Deus vomita os tíbios, não é menos verdade que nem sempre é fácil distinguir a santa violência, que é virtude, do frenesi, que é a sua caricatura. E se a fé cristã, como já vimos, coloria toda a vida daquele povo, o seu temperamento ardente, levado ao extremo, coloria de forma estranha a própria fé cristã.

Por isso o Oriente foi, desde as origens, a terra da promissão das heresias. No século IV, quando já não havia pagãos para combater, o gosto pela violência passou a exercer-se com toda a naturalidade no seio da Igreja e, como esse gosto corria paralelamente à inesgotável paixão dos orientais pelas discussões, as querelas sobre pontos dogmáticos atingiram uma veemência espantosa. As conhecidas palavras de Voltaire têm certo fundamento: em Bizâncio só se tratava do *Hipódromo* e das *Hipóstases*... A discussão teológica era comum por toda parte e em todos os meios. "Se formos comprar pão — diz São Gregório Nazianzeno com ironia —, o padeiro, em vez de nos dizer o preço, empenhar-se-á em provar-nos que o Pai é maior do que o Filho; se formos ao cambista, esse homem, em vez de nos dar o nosso dinheiro, falar-nos-á do 'gerado' e do 'ingênito'; e, se formos à casa de banhos, podemos estar certos de que o encarregado, antes de nos deixar entrar na água, tentará demonstrar-nos que o Filho não procede de nada".

Como é sabido, são os motivos religiosos que tornam mais cruéis as guerras; mas, neste caso, a paixão pela dialética e a fidelidade aos dogmas não chegam a ser suficientes para explicar alguns enfrentamentos. Para dizer a verdade, todos esses debates teológicos tinham por pano de fundo conflitos políticos, econômicos ou sociais evidentes. Entre os súditos e o governo, a aceitação ou a recusa de um dogma podia ser a cartada decisiva para uma submissão ou para uma rebelião; se o imperador era odiado e professava a heresia, é escusado dizer que a oposição se sentia furiosamente ortodoxa, e vice-versa. Em certas regiões, por uma questão de temperamento ou de fidelidade a tradições nacionais, manifestavam-se tendências separatistas; e a instituição dos *patriarcados*, que se estabelece definitivamente durante o século V e encontrará acolhida na legislação de Justiniano, consagrará essa tendência no plano eclesial. E, naturalmente, nas suas mútuas oposições, mais ou menos nítidas, nas suas resistências às iniciativas governamentais, as autoridades regionais farão intervir questões dogmáticas, o que contribuirá para que as grandes batalhas a respeito das heresias sejam ao mesmo tempo conflitos pessoais mais ou menos declarados entre os patriarcas de Alexandria, de Jerusalém, de Antioquia e de Constantinopla.

Mais sutilmente ainda, o que se pode entrever sob as disputas a propósito de Cristo e da Trindade, são determinados antagonismos sociais; basta que na capital os ricos apoiem Nestório, para que logo os humildes se mostrem de uma terrível ortodoxia: quando lemos o hino cristão da Síria chamado *Canto de Chamouna*, em que se parafraseia a maldição lançada por Cristo contra os ricos, não demoramos a adivinhar o sentido claramente revolucionário de algumas aclamações dirigidas Àquele "que desprezou todas as riquezas do mundo e a cuja porta o rico espera inutilmente". Não havia lugar algum, incluídos os jogos do circo, onde não surgisse a mania da discussão, pois era evidente que, se os azuis defendiam as duas naturezas de Cristo, logo os verdes se declaravam monofisitas.

Todas estas razões explicam por que a história religiosa de Bizâncio foi assinalada por certos episódios, dos quais o menos que se pode dizer é que pouco serviram para edificação da posteridade... Em muitas ocasiões, no decurso das lutas teológicas, os monges de uma região inteira convocaram uma verdadeira mobilização geral, armaram-se e foram desafiar as tropas governamentais, porque estavam em desacordo com o *basileu* — o imperador — ou com o conde da Província sobre esta ou aquela propriedade de uma das três Pessoas divinas. Outras vezes, viram-se multidões delirantes precipitarem-se sobre os bispos e assassiná-los, como aconteceu em Alexandria, na Sexta-Feira Santa de 457. Mesmo em Constantinopla, não foi uma vez, mas dez ou doze num só século, que os guardas se viram obrigados a entrar em Santa Sofia para restabelecer a ordem. Não faltam também nesta história os episódios cômicos, como o da entrada solene que fez na sua igreja o patriarca de Constantinopla, Acácio, cismático e herege, pois levava, pendurada na parte inferior das costas, a sentença de excomunhão do Papa que um monge zeloso e muito astuto conseguira — com risco da própria vida — pendurar-lhe na capa.

O incidente mais trágico foi o que teve lugar em Éfeso (449), por ocasião das lutas desencadeadas pela heresia monofisita. Reunidos em concílio, os prelados anatematizaram-se mutuamente a seu bel-prazer, ameaçaram fazer-se em pedaços, depuseram-se uns aos outros e acabaram por chegar às vias de fato; depois apelaram para a polícia, que foi seguida pela ralé do porto, e finalmente maltrataram tanto o santo patriarca Flaviano de Constantinopla, que acabou morrendo em consequência dos ferimentos recebidos. A história batizou esta tragédia com o nome de *latrocínio de Éfeso*, uma expressão inteiramente justificada.

Assim, aquela lei dos contrastes que explica a civilização bizantina não caracterizou menos o seu cristianismo. Podemos criticar, e até acerbamente, alguns aspectos dessa civilização; mas, por outro lado, não devemos esquecer que é dela, dos seus filósofos, dos seus teólogos, da sutileza da sua língua e das tendências profundas do seu pensamento que Deus se serviu para precisar e determinar certos pontos delicados e necessários do nosso dogma, sem esquecermos também os seus santos e os seus mártires. Igreja de apóstolos e de exaltados, de almas nobres e de prelados politiqueiros, de grandes místicos e de hereges, esta igreja oriental é tudo isso simultaneamente; e acima dela paira, com todo o seu peso, fixando o rumo às convicções e aos acontecimentos, uma figura de importância excepcional: a do imperador, o autocrata que, naturalmente, não podia deixar de ser também teólogo.

Autocratas teólogos

Desde a sua origem, o Império Romano nunca cessara de evoluir em direção a um absolutismo cada vez mais rigoroso, isto é, a uma autocracia segundo o estilo oriental. Por mais zeloso que tivesse sido quanto aos seus direitos e prerrogativas, Augusto, o seu fundador, mal teria podido reconhecer-se nos seus longínquos sucessores do século V. De dinastia em dinastia, dos últimos Severos a Aureliano e de Diocleciano a Constantino, o regime tinha-se assemelhado cada vez mais ao das monarquias da Ásia e do Egito. Por volta de 450, o Império cristão de Bizâncio aparece como perfeito homólogo da nova monarquia zoroastrina que domina a Pérsia sassânida; como ela, é autoritário, rigoroso, formalista e, como ela, também teocrático.

Vejamos, por exemplo, o *basileu*[5], no instante em que o funcionário de serviço corre o cortinado do crisotriclínio octogonal para introduzir na sala das audiências o feliz beneficiário de tão grande favor. Sentado no trono de ouro encimado por um dossel, vestindo a clâmide púrpura e calçando borzeguins da mesma cor, insígnias da suprema dignidade, imóvel, adornado com pesadas joias, o imperador vê avançar o seu visitante apoiado em dois eunucos, como se a emoção lhe imobilizasse as pernas; em seguida esse súdito, senador, general ou alto funcionário, prostra-se diante dele e, rastejando com a fronte por terra, aproxima-se para beijar-lhe uma aba do manto ou até a ponta do sapato. Estão presentes alguns grandes dignitários, vestidos também com as suas túnicas de cores rituais, e os guardas couraçados de ouro, que exibem feições de estátua. Ardem os círios e o fumo odorífero dos turíbulos espalha-se por toda a sala. O senhor levanta o visitante, beijando-lhe ao mesmo tempo a testa, mas, enquanto durar a entrevista, o homem deverá permanecer semi-prostrado, quase como se estivesse em oração. Se o imperador lhe entregar algum objeto, uma insígnia ou carta de mercê, não poderá recebê-lo senão com as mãos envoltas numa aba do seu manto. E tudo isto, que é? Trata-se de uma cerimônia política ou de um ato de culto? Ambas as coisas. Para este ser providencial, lei viva, encarnação de uma vontade sobrenatural, que César Augusto passou a ser, o divino e o humano se confundem.

Cerca de quarenta milhões de homens têm assim os olhos voltados para o palácio onde, como se fosse um ídolo vivo, um homem encarna de tal forma o poder que os "Reis dos reis" persas e os Faraós mais autoritários são incontestavelmente superados. O povo nunca o vê; apenas sabe que ele está ali, na vasta residência situada bem acima do Corno de Ouro, onde os pavimentos são de pórfiro, onde brilham os fios metálicos e as sedas das tapeçarias ornamentadas, onde uma etiqueta rígida regula todos os seus atos e onde lhe é reservado tudo quanto há de rico e delicado. Quando sai, é sempre rodeado de um suntuoso cortejo, ao som de órgãos de prata e de trombetas, por entre as aclamações ritmadas dos coros alternados. Quando morre, as cerimônias do funeral duram mais de uma semana. Tudo está feito e minuciosamente previsto para dar ao absolutismo um caráter tão elevado que o súdito simples, esmagado por tamanha superioridade, nem mesmo concebe a ideia de lhe poder resistir.

E a verdade é que o regime, de um modo geral, atingiu os resultados desejados. Durante os cento e setenta anos que medeiam entre a morte de Teodósio e a de Justiniano, haverá altos e baixos, tempos de euforia e de crises, e senhores mais ou menos qualificados para ocupar o trono; mas o sistema não deixará de funcionar, as mensagens imperiais continuarão a sair do palácio e o absolutismo continuará a dominar em todo o Império, limitado unicamente pela eventualidade dos motins populares a que nenhuma tirania poderá jamais escapar.

Tomados em conjunto, estes imperadores do século V, até Justiniano, não são particularmente notáveis; e, no entanto, nenhum deles, mesmo o mais fraco, deixou de tomar algumas medidas de real valor político. Não foi no tempo de *Arcádio* (393-408), esse semidébil mental que não fez mais do que emprestar o seu título e o seu poder a eunucos e a mulheres, que se realizou uma operação de capital importância — a expulsão dos soldados godos, que vinham tomando demasiado vulto no Império, e que foram massacrados juntamente com o seu chefe Gainas? Não foi sob o governo de *Teodósio II, o Calígrafo* (408--450), esse amável maníaco da bela caligrafia, a que consagrava todas as suas forças e tempo, que se levaram a cabo três empreendimentos consideráveis — a construção das segundas muralhas, a fundação da Escola de Constantinopla e a redação do *Código Teodosiano*, que, aliás, nunca foi lido por aquele que lhe deu o nome?

Mesmo no meio do século V, nos dias incertos que então atravessa o Império, o Estado mantém-se firme, por mais que seja agitado por lutas e tumultos. Pode o velho general *Marciano* (450-457) ser colocado no trono pela vontade de uma mulher, que nem por isso deixará de prestar ao Império o extraordinário benefício de cortar pela raiz as pretensões de Átila, recusando-se a pagar-lhe qualquer tributo. Pode um obscuro tribuno, *Leão I, o Trácio* (457-474), ser elevado ao poder pelo todo-poderoso Áspar, generalíssimo alano, que nem por isso deixará de se desembaraçar do seu incômodo protetor e de reorganizar o exército. Vem depois o bárbaro *Zenon* (474-491), um montanhês isauro do Tauro cujo nome verdadeiro era Tarasicodissa, que se viu envolvido em incessantes guerras civis, mas achou maneira de livrar-se de Teodorico e dos ostrogodos, empurrando-os para o Ocidente.

Os dois melhores imperadores deste período são, curiosamente, os últimos: *Anastácio I* (491-518), que mandou levantar a terceira linha de fortificações, chamou à ordem os incômodos isauros e teve a notável ideia de modificar o sistema fiscal para torná-lo menos opressivo; e *Justino* (518-527), velho soldado tão analfabeto que assinava os documentos servindo-se de uma lâmina com o seu nome vazado, mas que era dotado de um caráter firme e preparou a ascensão do seu sobrinho Justiniano.

Em resumidas contas, pois, o absolutismo autocrático não deu maus resultados no plano prático. No meio de inumeráveis intrigas, das lutas dos imperadores contra os seus ministros ou generais, das revoltas, desgraças e assassinatos, o Estado manteve-se em pé. O verdadeiro perigo que o ameaçava não residia nas disputas pelo poder, mas no próprio caráter desse Estado imperial, na confusão que ele próprio estabelecia entre as suas bases políticas e as prerrogativas religiosas que, cada vez mais, procurava usurpar.

O processo de divinização do imperador, homem "providencial", tivera início com o próprio Império, quando se estabelecera o culto de *Roma e Augusto* e o costume da apoteose entronizara o soberano morto entre os deuses. É bem sabido que essa tinha sido a razão profunda da oposição entre o cristianismo e o Império[6]. Pouco a pouco, já não era só o defunto que se adorava, nem tampouco a "onipotência" temporal por ele encarnada; era o próprio homem, o imperador mortal, que já enquanto vivo se fazia reconhecer como deus, a ponto de ter os seus sacerdotes e os seus flâmines. Os esforços levados a cabo por alguns desses imperadores, como Aureliano, para desenvolverem o culto solar — o do *Sol invictus* —, não tinham outro propósito senão dar bases teológicas a essa doutrina.

Tornando-se cristão, o imperador não podia continuar a manter tais pretensões, já não podia em sã consciência declarar-se deus; mas é evidente que era pelo menos o lugar-tenente de Deus sobre a terra. Depois da conversão de Constantino, e cada vez mais intensamente nos sucessivos reinados, os senhores do mundo passaram a pensar que tinham sido investidos pela Providência da missão de levar o cristianismo a triunfar nos seus Estados. Com Constâncio II, com Teodósio, essa ideia ganhará foros de cidadania e as próprias autoridades cristãs quererão adotá-la. "Donde veio para a terra — exclamava Eusébio de Cesareia — a comunicação do poder imperial a um ser de carne e sangue, senão do Verbo de Deus, que penetra todas as coisas e que sugeriu a todas as inteligências o modelo de uma magistratura decalcada sobre a de Deus?" É certo que Eusébio é um bispo cortesão, mas o próprio papa Anastácio dirá o mesmo: "O imperador é a imagem de Deus, seu representante sobre a terra, seu vigário e seu procurador".

No século V, o caráter teocrático do Império oriental já não oferece dúvida alguma. O soberano é chamado oficialmente "o ortodoxo e apostólico imperador"; a sua corte é o "palácio sagrado"; os seus bens são designados como a "casa divina"; os seus decretos são "ordens celestes", e os próprios impostos são chamados "repartição divina" — o que, convenhamos, já é ir longe demais! A partir da subida ao poder de Marciano em 450 — sob uma forma ainda modesta e de mera devoção —, e depois a partir da sagração de Leão I em 457, a coroação é levada a cabo com uma santa unção e cerimônia litúrgica, assegurando ao imperador um caráter autenticamente sagrado. É um rei-sacerdote como os de Israel; no Hipódromo, antes de se iniciarem as corridas, ele abençoa o povo do alto da tribuna e, quando aparece, a aclamação oficial é: "Filho de Deus, reina através do imperador!"

Por mais que nos surpreenda este comportamento, não era absolutamente necessário que levasse à confusão entre os poderes políticos e as prerrogativas religiosas. Representante de Deus sobre a terra, encarregado de preparar a vinda do Senhor, o imperador teria podido mesmo assim manter-se no âmbito dos seus direitos, deixando que no plano espiritual atuassem aqueles que pertenciam legitimamente ao organismo que era o guardião da mensagem de Cristo e da verdade do dogma, isto é, à Igreja. Era essa a tese autêntica da Igreja católica e romana, a dos papas, aquela que Santo Ambrósio pusera em prática quando obrigara Teodósio à penitência, a mesma que, como já vimos, estava na base de toda a doutrina política da *Cidade de Deus* de Santo Agostinho. A Igreja e o Império são dois poderes dotados de autoridade própria, uma espiritual e outra temporal, e que devem ajudar-se mutuamente para maior glória de Deus, ficando bem entendido que, sendo o espiritual superior ao temporal, é a Igreja quem deve dizer a última palavra no caso de surgir qualquer oposição entre ambos relativa a pontos de dogma ou de moral.

Na prática, porém, as coisas não se passaram assim. É fatal que os estados autocráticos queiram imiscuir-se em tudo, e o erro totalitário não nasceu no nosso século. Considerando-se defensores da fé, os imperadores viram-se arrastados a envolver-se em questões que não lhes diziam respeito. As crises das heresias dos séculos IV e V forneceram-lhes mil oportunidades para essas usurpações. A própria Igreja, que já havia chamado Constantino em seu auxílio contra o cismático Donato e que incitara o imperador a reunir contra Ário o Concílio de Niceia, deslizou pelo declive em cujo fundo se estabeleceria o *cesaropapismo* bizantino. Já Constantino confundira amplamente os poderes, e no século V a confusão torna-se completa. A Igreja e o Estado consideram-se solidários. Atacar o cristianismo equivale a revoltar-se contra o Estado, cujas leis se apoiam sobre a doutrina cristã. Chama-se "apóstata" tanto ao renegado em matéria religiosa como ao revoltado político. Em vez de permanecerem separados, os poderes do Estado e da Igreja interpenetram-se mutuamente. E como os imperadores — todos os imperadores, sem exceção —, e as imperatrizes, e as princesas, e os ministros, e os altos funcionários cedem todos ao gosto da época pela discussão teológica, não se constrangem de intervir nos inúmeros debates que agitarão Bizâncio a propósito das Pessoas da Trindade ou das qualidades da Virgem Maria, utilizando o seu poder político para dizerem a última palavra nas controvérsias, como se possuíssem uma verdadeira infalibilidade em matéria de fé.

São incontáveis os exemplos desta confusão. A bem dizer, os imperadores bizantinos metem-se indiscretamente em tudo o que diz respeito à Igreja. Para começar, intervêm na nomeação dos patriarcas e dos bispos e não têm o menor escrúpulo em depor aqueles que não lhes agradam. Alteram as circunscrições eclesiásticas, ocupam-se da vida interna da Igreja, modificam o calendário litúrgico, codificam as cerimônias. Além disso, arrogam-se uma autoridade disciplinar, formulam normas sobre a admissão dos monges e sobre o comportamento dos sacerdotes. Mas nada disso se compara ao perigo para a fé que as convicções doutrinais do *césaro-papa* podem provocar. Basta que o soberano adira a uma heresia para que se esforce — naturalmente — por arrastar consigo os seus súditos. A verdade doutrinal do cristianismo encontra-se à mercê de qualquer clã de teólogos que em determinado momento imponha as suas opiniões ao espírito do imperador, e até — como se viu diversas vezes — à mercê de alguma influência feminina. Se as crises religiosas foram tão graves em Bizâncio, não resta dúvida de que isso se deveu à confusão entre os âmbitos espiritual e temporal.

É escusado dizer que, a partir do instante em que o poder político passou a intervir na ordem religiosa, os abalos da política fizeram sentir-se no domínio espiritual e vice-versa. O próprio Estado oferecia assim o flanco a ataques que, como já vimos, o próprio caráter do despotismo bizantino tornava perigosos. O imperador Anastácio pôde sentir duramente na própria carne esse perigo do *cesaropapismo*; tendo aderido ao monofisismo, encontrou-se a braços com o povo de Constantinopla, que, em nome das duas naturezas de Cristo, se revoltou contra ele e o obrigou a pedir perdão no circo. A confusão dos poderes, já se vê, não podia favorecer a paz.

Se a igreja do Oriente, no seu conjunto, resistiu mal a esta intromissão do Estado em questões de fé, não se pode no entanto dizer que os grandes princípios tenham sido sempre esquecidos. Mesmo nos tempos mais sombrios das heresias e dos cismas, houve grupos de clérigos e de monges que lembravam a verdadeira doutrina, isto é, que o imperador, como cristão, continuava submetido a leis superiores às da sua vontade e que a sua autoridade tinha por limite a da Igreja. E a verdade é que nenhum basileu conseguiu fazer triunfar por muito tempo dogmas que a ortodoxia condenava. Mas, na prática, a confusão teve resultados muito graves para a igreja bizantina: ligou a sorte do cristianismo à do Estado — e essa será a verdadeira causa do êxito avassalador do islã em muitas regiões submetidas à tirania bizantina —; agravou e prolongou os conflitos provocados pelas heresias, e tendeu a cavar um fosso entre essa Constantinopla cesaropapista e Roma, onde, ao mesmo tempo, o Papa se libertava de toda a tutela e se engrandecia à medida que o Estado se ia desmoronando[7].

Arcádio e São João Crisóstomo

Nesse ambiente que acabamos de ver — no meio das paixões populares sempre prestes a explodir, dos interesses da corte, dos germes de intrigas e das opressivas intervenções do basileu —, a coisa mais difícil do mundo era, sem sombra de dúvida, seguir sem desfalecimentos o verdadeiro caminho cristão. Há um episódio dramático e doloroso que, já no princípio deste período, mostra claramente que querer salvaguardar os princípios do Evangelho e a independência da Igreja equivalia a arriscar a própria vida.

Em 26 de fevereiro de 398, na catedral de Constantinopla, havia sido entronizado bispo da capital um homem franzino, de aparência frágil, mas em cujo rosto brilhava a chama de Deus. Chamava-se João e tinha sido sacerdote em Antioquia. No seu país de origem, a Síria, esse homem havia adquirido uma imensa celebridade, tanto pelas suas virtudes, sabedoria e coragem, como pela eloquência dos seus sermões. Durante vinte anos, as multidões se tinham acotovelado para ouvir essa voz maravilhosa que lhes falava, numa linguagem de perfeição clássica, de temas concretos, vivos, dirigidos diretamente ao coração. Certo dia, explodira na cidade um grande motim, e fora somente por sua intervenção que se pudera restabelecer a calma. Chamavam-lhe "João da Boca de Ouro"[8]. E fora precisamente esta celebridade que o fizera subir ao trono episcopal mais cobiçado do Oriente. Para dar brilho a esta sé — depois dos dezesseis anos pouco reluzentes do velho Nectário —, a eleição fora preparada por um verdadeiro partido dentro da corte, formado por um poderoso ministro, o eunuco Eutróprio, pela imperatriz Eudóxia e pelo clã dos burgueses ricos e de todos aqueles cuja intenção última era erigir a Nova Roma em rival da antiga, mesmo no plano cristão. João Crisóstomo foi raptado — literalmente, pois se receava que os fiéis de Antioquia não deixassem sair de lá o seu santo presbítero —, e viu-se sagrado bispo de Constantinopla sem o ter desejado. Este singular golpe do destino haveria, porém, de trazer-lhe mais preocupação do que felicidade.

Aqueles que se gabavam de ter trazido para o seu jogo o novo bispo em breve se desencantaram. João Crisóstomo era justamente o tipo desses cristãos que se recusam a aceitar conchavos. Mal se instalara na sua sé, avaliou imediatamente o valor exato dos autores da peça em que queriam dar-lhe um papel: Arcádio, o imperador, débil filho do grande Teodósio, era um homenzinho mirrado, de pele esverdeada e tez mortiça, dócil instrumento nas mãos rivais da sua mulher e dos seus sucessivos ministros; Eudóxia, uma ambiciosa sedenta de gloríolas; Eutrópio, um indivíduo suspeito, sem moral e de uma vaidade ilimitada; e, por último, nesses fiéis bem situados na vida que tanto haviam aclamado a sua chegada, descobria-se mais jactância do que moral, mais autocomplacência do que fé.

Com uma intransigência serena, sem se preocupar com agradar ou desagradar aos poderosos, João fez aquilo que a sua consciência — e somente a sua consciência — lhe ordenava. Começou por reformar a casa episcopal, desfazendo-se de todo o luxo. Ao contrário de Nectário, que comia sempre fora ou no palácio, tomava as refeições sozinho e com a maior frugalidade; o clero, que se permitira certas liberdades em matéria de costumes, foi logo chamado à ordem, e os monges, demasiado habituados a perambular pela capital, foram convidados a recolher-se urgentemente às suas celas. Do alto da sede episcopal, o santo fazia ouvir a sua voz todos os domingos e as verdades caíam equitativamente repartidas da sua boca: quer se tratasse de um general godo ou de algum alto funcionário, todos os que o mereciam eram atingidos, porque o bispo fustigava os arianos do exército com a mesma tranquilidade com que verberava a miséria dourada da corte imperial. E o povo, que a princípio vira com frieza a eleição deste bispo trazido da Ásia por uma intriga de palácio, não tardou a amar com fanatismo esse apóstolo dos pobres, esse bispo de uma inesgotável caridade, esse homem franzino que dizia as verdades aos ricos e que não temia os poderosos.

Um incidente acabou por fixar posições. Eutrópio, o ministro todo-poderoso, caiu em desgraça; a bem dizer, a sua ambição e a sua vaidade haviam-no tornado intolerável para toda a gente, mesmo para Eudóxia, a quem, no entanto, tinha conduzido anos antes ao tálamo do imperador. De combinação com Gainas, o chefe dos aliados godos, a basilissa instigou o fraco marido contra o eunuco. Perseguido, Eutrópio refugiou-se em Santa Sofia, invocando o direito de asilo, um direito que — pormenor irônico — ele próprio tinha querido suprimir quando se encontrava no auge do poder. São João Crisóstomo, sem a menor hesitação, defendeu-o, acolheu-o e protegeu-o. Da mesma forma que tinha criticado livremente os excessos do ministro, empenhou-se agora em salvar o decaído. Na prática, isso não serviu para nada, a não ser para dar um belo testemunho da independência de uma consciência cristã. Pouco tempo depois, Gainas exigiu que o refugiado se entregasse, e o fantoche Arcádio mandou decapitar o seu favorito da véspera, à espera de que também Gainas, algum dia, por sua vez...

A partir desse momento, viraram-se contra Crisóstomo todos os que o tinham trazido para Constantinopla. Aquele que não deveria ser mais do que um político acabara por comportar-se como um cristão. Não era um descalabro? O alto clero, a quem o bispo incomodava na sua vida fácil; os monges que andavam rompidos com os seus conventos; as grandes damas que tinham ouvido, do alto da cátedra episcopal, transparentes alusões aos seus desvios morais acobertados por uma devoção bem apregoada; os pregadores da moda agora eclipsados; os godos arianos furiosos com o apoio dado a Eutrópio; os bispos da Ásia — incluídos alguns prelados certamente apreciadores da boa mesa e humilhados pela sóbria hospitalidade do seu colega de Bizâncio —, que São João Crisóstomo tinha acusado de simonia e obrigara a destituir, todos eles provocaram uma terrível perseguição contra o santo. Eudóxia fazia parte do conluio, desde que algumas boas almas lhe tinham dito que certo sermão sobre Jezabel era com certeza dirigido contra ela. E Arcádio, manejado sem dificuldade pelos que o rodeavam, persuadiu-se de que o santo intrigava contra ele.

Para colocarem em má situação o grande bispo, atiraram-lhe como casca de banana uma dessas questões dogmáticas complicadas que surgiam sem cessar no Oriente. Tratava-se do *origenismo*, isto é, das teorias que alguns discípulos fanáticos e determinados sucessores aventureiros do grande pensador de Alexandria[9] tinham extraído dos seus livros, não sem deformarem ou exagerarem o seu pensamento. Não era verdade que até mesmo alguns hereges declarados — os arianos — apelavam para o testemunho do célebre doutrinador do Egito? Após cento e cinquenta anos, havia-se chegado à conclusão de que o origenismo constituía um perigo para a Igreja — o que, aliás, em certa medida, era verdade —, e, sob o pretexto da pureza da doutrina, tinha havido graves conflitos na Síria e no Egito. Epifânio, um autêntico santo, com mais fortaleza do que prudência, especializara-se em questões de anti-origenismo. São Jerônimo, nos seus dias de mau-humor, rachava também a heresia de alto a baixo. E sobretudo o orgulhoso Teófilo, bispo de Alexandria, a quem a eleição de João Crisóstomo deixara ulcerado (porque esperava que a sede episcopal fosse ocupada por uma das suas criaturas), avocou o caso a si e fez dele uma máquina de guerra contra o bispo bizantino.

Foi para Crisóstomo um período de permanente inquietação. Se defende os monges egípcios, injustamente acusados de origenismo pelo seu bispo, logo há quem o censure de simpatizar com ideias heréticas. Epifânio, apesar dos seus noventa anos, dá uma escapada até à capital para denunciar o bispo suspeito, e só sai de lá quando o bom povo da cidade, cioso do seu santo, ameaça o intruso de fazê-lo passar um mau bocado. Teófilo desembarca por sua vez, mas, mais esperto, alia-se ao clã dos descontentes e, apoiado pela imperatriz, reúne uma espécie de concílio, "o conciliábulo do Carvalho" — assim designado devido ao nome da vila onde se perpetrou o golpe baixo —, no qual trinta e seis bispos, cuidadosamente escolhidos entre os que não simpatizavam com João, o depõem. Arcádio, mais uma vez manobrado pelos que o rodeiam, manda exilar o prelado, o que não é nada fácil porque o povo não está de acordo e quer defender o seu bispo contra a polícia. É necessário que o próprio Crisóstomo intervenha, acalme os ânimos e se entregue secretamente aos guardas, que por fim o embarcam para as costas da Bitínia.

Este primeiro exílio não seria muito longo. A multidão dava largas à sua fúria e escarnecia dos arautos encarregados de ler a sentença contra São João Crisóstomo. A corte inquietava-se e hesitava. Teófilo de Alexandria revelava-se afinal um homem odioso. Além disso, não era verdade que os próprios sinais do céu tomavam partido? Aterrada por um tremor de terra, Eudóxia convence o marido a chamar de novo o santo. O seu regresso foi um verdadeiro triunfo. Um cortejo formado por milhares de pessoas, entre as quais trinta bispos, reconduziu João à sua igreja, onde ele teve estas palavras: "O Faraó quis raptar-me, como outrora fez a Sara[10], mas Sara conservou-se fiel; assim, a minha igreja conservou-se fiel e o adúltero foi humilhado!" O Faraó era, evidentemente, o potentado do Egito, que compreendeu a alusão e retirou-se de cena.

Mas os inimigos de São João não se desarmaram. Bastava-lhes esperar, porque, com a sua costumeira intransigência, mais dia menos dia ele havia de oferecer o flanco. E a ocasião chegou. Tinham decorrido apenas alguns meses, quando teve lugar a ruidosa inauguração de uma estátua da imperatriz, lavrada em prata maciça e colocada sobre uma coluna de pórfiro no próprio limiar da basílica de Santa Sofia. Acompanhada por uma verdadeira bacanal do povo, a inauguração desencadeou a cólera do bispo, que falou e trovejou. Teria ele aludido à impura Herodíades? Seja como for, Eudóxia fingiu-se ofendida e, mais uma vez, manobrou o marido, persuadindo-o de que Crisóstomo se afundava na heresia e levando-o a assinar uma carta muito dura contra o prelado. Teófilo entrou novamente em cena, desta vez com uma arma nova. Não havia por acaso um cânon da Igreja que condenava todo o bispo que, depois de deposto por um concílio, se mantivesse ainda no cargo? Ora, essa era exatamente a situação de Crisóstomo — supondo-se que o conciliábulo do Carvalho tivesse sido válido.

A manobra foi bem sucedida e o santo foi condenado pela segunda vez. Assinou-se nova ordem de exílio e, às pressas, substituíram o bispo por um velho prelado octogenário, que no dizer de um cronista era "mudo como um peixe e imóvel como uma rã". Mas esse rebotalho de homem compreendeu a manobra, porque abriu a boca pelo menos uma vez para dizer ao imperador: "Deus não te submeteu a nós, mas nos submeteu a ti; podes fazer tudo quanto quiseres..." E, enquanto o povo se revoltava e, no auge da sua fúria, punha fogo às cercanias do palácio, os partidários de João eram perseguidos e substituídos pelos seus antigos adversários; e lá se foi o santo para a Ásia, para outro exílio.

Durante três anos ficará detido numa residência vigiada, doente e envelhecido — já com mais de setenta anos — e submetido a penosos vexames. Mas, por mais longe que esteja, continua a ser uma inquietação e uma censura para os poderosos. A sua eminente ação apostólica prossegue sem cessar; converte os montanheses isauros e envia missionários aos godos. Além disso, goza de enorme prestígio entre os exilados que vivem na Ásia; e, por outro lado, quando os ecos do caso chegarem a Roma, o papa Inocêncio não ocultará a sua desaprovação, anulará as decisões do falso concílio do Carvalho e escreverá pessoalmente a Crisóstomo.

Era necessário acabar com aquela situação. E, com efeito, o fim não se fez esperar — um fim atroz e sublime. Na primavera de 407, chegou uma ordem de Arcádio, mandando transferir o antigo bispo para alguma aldeia perdida do Cáucaso, tão longe quanto possível, nas fronteiras do Império. Os guardas compreenderam perfeitamente a intenção. Conduziram o pobre velho pelos mais penosos atalhos de montanha, a pé, debaixo de sol e de chuva, tendo sempre o cuidado de não parar em nenhuma povoação onde ele pudesse achar repouso e amigos. Durante três meses, arrastaram-no assim de uma extremidade para outra da Ásia Menor. Em 13 de setembro de 407, o triste cortejo chegou a Comanos, cidade do Ponto. São João Crisóstomo já não aguentava mais, mas não o deixaram fazer um alto na cidade. Trancaram-no numa capela dedicada a um mártir local chamado Basilisco. No meio da noite, o santo teve uma visão; apareceu-lhe o mártir e disse-lhe: "Coragem, meu irmão João, amanhã estaremos juntos". De manhã, quando os guardas quiseram pô-lo de novo a caminho, o bispo desmaiou. Conduziram-no às pressas para a capelinha. João Crisóstomo pediu paramentos brancos e a Sagrada Eucaristia, e morreu murmurando uma última prece: "Seja dada glória a Deus em tudo!".

Os grandes debates sobre a natureza de Cristo

Os mesmos elementos que determinaram o drama de Crisóstomo, vamos nós encontrá-los ao longo de todas as lutas doutrinais que dominaram o quinto século bizantino, transbordaram para o sexto e ainda haveriam de durar pelos séculos seguintes; prevalece um fanatismo religioso em que a lógica clara e a lei evangélica do perdão e da caridade se veem afogadas. Seria uma empresa irrealizável evocar todos esses debates em pormenor; o número das tendências, das variantes, das seitas e das escolas desanima por antecipado qualquer tentativa de enunciá-las.

Neste ponto, porém, precisamos ser objetivos. A nossa reação como ocidentais, como cristãos do século XX pouco familiarizados com a teologia, leva-nos a ver nessas refregas dogmáticas o próprio tipo da discussão "bizantina", no pior sentido do termo. Mas o historiador não pode partilhar dessa opinião preconceituosa. Essas batalhas foram de uma importância capital, e há até alguma coisa de comovente nesse grande entrechoque de ideias em que — segundo um ritmo pendular que chegou a tocar o perigo dos extremos — a Igreja, na sua sabedoria, conseguiu estabelecer o equilíbrio. Não devemos esquecer que é no período que vai do Concílio de Niceia (325) ao Concílio de Calcedônia (451) que se fixam em fórmulas autênticas os grandes dogmas que até hoje definem o perfil da fé católica. E a glória de Bizâncio consistirá em ter dolorosamente pesquisado a verdade neste domínio, certamente através de muitas desordens, mas até ao sacrifício do sangue.

Se no princípio do século IV os *arianos*, que negavam a divindade do Verbo, estavam quase inteiramente derrotados — com exceção das tribos germânicas instaladas como federadas no Império —, restavam ainda semiarianos e outros hereges conexos, tais como os *pneumatômacos*, que se recusavam a admitir a divindade do Espírito Santo. Já vimos que as doutrinas *origenistas*, em especial aquelas que diziam respeito aos últimos fins do homem e que sustentavam o caráter temporário das penas do Inferno, causavam perturbações em diversas igrejas. Apesar de todos os rigores oficiais, havia também *maniqueus* no Oriente, do mesmo modo que os havia na África nos dias do jovem Agostinho, e a doutrina dualista do bem e do mal continuava a ser tema de violentas discussões. E, se os *pelagianos*, os hereges da graça que insistiam na onipotência da vontade humana na obra da salvação, não se espalharam no Oriente tanto como no Ocidente, não deixaram de suscitar na Palestina uma agitação suficiente para que dois concílios se vissem obrigados a condená-la[11].

Mas os conflitos mais graves, os tumultos mais trágicos, as discussões mais apaixonadas do século V tiveram como tema justamente o núcleo central da doutrina cristã: a natureza de Cristo. Depois da sua *divindade*, que tinha sido negada por Ário, é agora a sua plena *humanidade* que terá de ser defendida, e esta única palavra é suficiente para que possamos avaliar a importância do debate.

Para podermos compreender a essência das discussões que se travaram e o seu prodigioso emaranhado, precisamos observá-las no seu conjunto, sem isolar as diversas teorias, porque na verdade todas elas foram elaboradas numa série contínua de ações e reações. Qual é, então, esse ponto fulcral? Contra os arianos, que não viam em Cristo senão um homem divinizado, o Concílio de Niceia havia afirmado que nEle há dois elementos, tão real um como o outro: a divindade e a humanidade; e proclamara também que em Jesus, nascido do Pai e feito homem no seio de Maria, esses dois elementos se encontram unidos. Mas como se pode conciliar essa unidade e essa dualidade? Aí estava o problema.

Ora, há duas maneiras de abordar este mistério da fé[12]: ou da forma que nos sugere o célebre prólogo do quarto Evangelho, isto é, partindo do Verbo divino que reside desde toda a eternidade no seio do Pai e que se torna homem em determinado momento do tempo para salvar o mundo — e isto era o que se repetia na escola de Alexandria; ou então partindo da amável figura que vemos no Evangelho e considerando todos os traços tão comoventes que a aproximam de nós, para descobrir através do seu comportamento e sobretudo dos seus milagres a prova da sua divindade — e esse era o tema preferido pela escola de Antioquia. A verdade completa é que Cristo é ao mesmo tempo tudo isso: o Verbo e o Homem perfeito, o Filho de Deus e o Homem-Deus. Mas, se insistirmos apenas num desses dois aspectos da doutrina, deixando de lado o outro, cairemos numa ou noutra das grandes correntes heréticas que vão desenvolver-se no Oriente.

Voltemos a uma época um pouco anterior, ao ano 360. A questão, a grande questão, continua a ser a da luta contra a heresia ariana, que fora condenada em Niceia mas ainda subsiste e se multiplica em mil variantes híbridas. Para melhor poderem refutá-la, para mostrarem bem que o Verbo é Deus, os teólogos de Antioquia, precursores de Diodoro de Tarso e de Teodoro de Mopsuéstia, sublinharão tanto a distinção das duas naturezas de Cristo que acabarão comprometendo a sua unidade. Esta reação torna-se especialmente grave por voltar-se contra um homem muito sábio e virtuoso, amigo e irmão de armas de Santo Atanásio e dos Padres Capadócios na luta contra o arianismo, um homem conhecido não só pelos seus sábios trabalhos de exegese, como também por um panfleto disparado contra o imperador Juliano, o Apóstata: chama-se *Apolinário*, e é bispo anti-ariano de Laodiceia, na Síria.

O fim que Apolinário tem em vista é claro: salvaguardar a unidade de Cristo com Deus. Para que a Redenção se tenha realizado, não se pode admitir que houvesse em Jesus duas naturezas tão separadas que cada uma delas tivesse agido de forma independente. É necessário que tenha sido verdadeiramente o Filho de Deus encarnado quem sofreu e morreu por nós. Até aqui, tudo é fruto de uma fé perfeitamente sã. Mas Apolinário acrescenta: como se poderiam unir dois elementos completos em si mesmos? As duas metades de um fruto podem soldar-se novamente e formar um único fruto, mas dois frutos não podem formar um fruto único. E, como leu os filósofos gregos, afirma ainda, de acordo com o melhor aristotelismo, que toda a natureza completa é, por esse mesmo fato, uma pessoa. Conclusão: se o Verbo se fez homem, a sua humanidade não podia ser completa; do homem, não tomou senão o corpo e a alma animal, substituindo a alma espiritual pela divindade. Cristo não é, portanto, um homem completo, mas meio homem, ao qual se soldou a divindade do Verbo. Trata-se de puro monofisismo antecipado.

Para chegar a semelhante teoria, Apolinário devia conhecer mal tudo aquilo que o Evangelho nos mostra de Jesus, tão maravilhosamente próximo de nós pelas suas emoções, afetos, lágrimas, angústias e até pelas suas justas cóleras. A psicologia de Cristo, a vida intelectual e moral do filho do carpinteiro, tudo isso já não conta para ele. Mas então o que é que sobra da Redenção? Já não é um homem semelhante a nós que agoniza na Cruz; é uma humanidade equívoca, bizarra, é um corpo sem espírito, é um Deus simplesmente revestido da nossa carne e para quem, por consequência, a carne não é senão uma vestimenta sem valor.

Sucessivos sínodos reunidos em Roma (377-382), em Alexandria (378) e em Antioquia (379) rejeitaram as ideias de Apolinário, que alguns discípulos imoderados acabaram de comprometer, e o segundo Concílio ecumênico de Constantinopla, em 381, condenou-o definitivamente. Mas os seus seguidores — os *apolinaristas* — continuaram a existir e a espalhar as suas teses no Oriente. Voltaremos a encontrá-los quando o pêndulo da história condenar o dualismo nestoriano e, mais tarde, arrastar de novo os espíritos para a tese da natureza única: serão eles os defensores do monofisismo.

Antes, porém, o pêndulo ainda oscilaria noutra direção. Diodoro e Teodoro de Mopsuéstia, os opositores de Apolinário, iriam ter um discípulo e herdeiro. Em 428, foi chamado a ocupar a sé de Constantinopla um brilhante teólogo de Antioquia, antigo monge num convento dos arredores dessa cidade: *Nestório*. Tratava-se de um homem muito inteligente, mas de temperamento rude. No começo do seu episcopado, mostrou-se vigoroso na luta contra os hereges; mas, como quase todos os antioquenhos, tendia para a concepção dualista de Cristo, embora matizasse as suas proposições. Há em Cristo — diziam os *nestorianos* — duas naturezas completas, a natureza divina e a natureza humana, isto é, duas pessoas, a pessoa divina e a pessoa humana, ou, como também se dizia, duas *hipóstases*. No Salvador, temos que distinguir nitidamente o homem e Deus. Mas, nesse caso, levanta-se a objeção: poderemos atribuir à natureza divina, ao Verbo, as propriedades, ações e paixões da natureza humana, e vice-versa? Eles respondem: não!

É fácil ver imediatamente as consequências dessa atitude: na Cruz, foi apenas o homem que morreu; já não se pode escrever que "o Filho de Deus sofreu por nós" ou que "Deus morreu por nós"; o essencial do mistério da Redenção, o sacrifício voluntário de Deus em resgate do mundo, fica assim anulado. É verdade que os teólogos mais hábeis desta tendência, incluindo o próprio Nestório, falam de uma "união moral" entre as duas naturezas, do amor recíproco que elas se votam, de "ligação", de "conjunção" entre elas e do "alojamento do Verbo no templo que é o homem", mas semelhante "união moral" não deixa de manter o essencial da tese.

O escândalo rebentou por culpa de um discípulo de Nestório, um presbítero chamado Anastácio que, em pleno púlpito, falando da Virgem Maria, afirmou que não se tinha o direito de chamá-la "mãe de Deus", mas apenas "mãe de Jesus", isto é, do homem que foi Jesus. "Uma simples criatura — clamava ele — pode gerar a Deus?" O culto da Virgem Maria não alcançara ainda o desenvolvimento que depois viria a experimentar (precisamente como uma reação contra tais asserções), mas o hábito de denominá-la "Mãe de Deus" já era muito do agrado da cristandade, e esse termo — em grego, *theótokos* — era usual. Foi uma onda de protestos. Nestório foi intimado a desmentir o seu auxiliar. Não o fez. "Maria — repetiu ele — não gerou senão o homem em quem o Verbo tomou carne". E, para tentar atenuar o escândalo, acrescentou um remendo: "Mas, mesmo assim, Jesus é um Deus para mim, visto que encerra Deus. Adoro o vaso por causa do seu conteúdo, a vestimenta por causa do que ela cobre".

Estalou o tumulto. Houve protestos dos fiéis em plenos atos de culto. Certa vez, um bispo que se achava presente na igreja interrompeu o patriarca. Eusébio de Dorileia, também bispo, denunciou-o por escrito como herege. Insurgiram-se os monges partidários da maternidade divina. As teses nestorianas foram levadas ao conhecimento de Roma, e o papa Celestino manifestou a sua reprovação. No palácio, as princesas que governavam em nome de Teodósio II olhavam o caso com crescente desagrado, pois encontravam-se indecisas entre o povo devoto de Maria e os altos funcionários que as aconselhavam a não exacerbar os ânimos nas províncias da Síria, onde as doutrinas antioquenhas estavam bastante espalhadas.

Subitamente, interveio no debate uma personalidade de extraordinário vigor: *São Cirilo*, bispo de Alexandria. É de notar que, sempre que uma heresia ameaçou a Igreja, esta encontrou no seu seio um homem capaz de defender a verdade. O papel que Santo Atanásio tinha desempenhado no século anterior, contra o erro ariano, foi agora assumido por São Cirilo, contra o erro nestoriano. Teólogo de garra, caráter íntegro, empreendedor e combativo, Cirilo era sobrinho daquele Teófilo que tinha sido a alma danada da conspiração contra São João Crisóstomo. Sinceramente chocado com as doutrinas de Nestório, não lhe desagradou, como bom alexandrino que era, a possibilidade de pregar uma peça simultaneamente à escola de Antioquia e ao bispo de Constantinopla. Além disso, acusavam-no — aliás sem razão — de ter estado implicado em alguns incidentes que haviam agitado Alexandria, tais como a invasão da cidade por um bando de monges que quase conseguiram massacrar o prefeito, e o odioso assassinato, por alguns cristãos fanáticos, da célebre filósofa Hipácia, cabeça da escola neoplatônica. Assumindo a tarefa de refutar Nestório, Cirilo libertava-se de todos esses rumores hostis e agia de acordo com a sua fé e o seu temperamento.

Soube mexer-se muito bem: começou por admoestar Nestório por meio de comoventes cartas, em que falava admiravelmente da Mãe de Deus. O bispo de Bizâncio, porém, não se contentou com dar uma resposta desdenhosa, mas foi ao ponto de acolher alguns monges egípcios que estavam em conflito com o seu bispo. Cirilo voltou-se então ao mesmo tempo para o papa e para as princesas Eudóxia e Pulquéria, esposa e irmã do imperador. Se do Palácio recebeu apenas um desagradável bilhete em que mais ou menos o acusavam de fomentar discórdias na Igreja, em Roma conseguiu que o papa reunisse um concílio em 430, no qual a tese de Nestório foi condenada e o prelado intimado a retratar-se. O orgulhoso bispo ficou fora de si, e foi em vão que o seu amigo João de Antioquia o avisou do perigo em que se metia. Ato contínuo, Cirilo enviou a Constantinopla alguns mensageiros com uma carta em que anatematizava os erros nestorianos; o bispo respondeu com um discurso extremamente violento e, sentindo-se seguro da vitória, levou o imperador a convocar um concílio que pusesse fim ao debate.

Foi o *Concílio de Éfeso* (430), a que Cirilo compareceu e a que presidiu em virtude dos poderes recebidos do papa, conduzindo as coisas a toque de marcha acelerada. A multidão da cidade, devota da Virgem Maria, organizava manifestações contra os adversários da Mãe de Deus e levava em triunfo, à luz de archotes, o legado papal, Cirilo, e os partidários da fé. Após três meses de discussões, durante as quais o imperador teve de intervir muitas vezes — chegou a mandar prender Cirilo e Nestório —, mas sem saber ao certo o que queria, o Concílio terminou com a condenação total do herege e com a sua deposição. Pouco depois foi exilado para Petra, na Arábia, e a seguir para o Grande Oásis do Egito, onde viveu ainda vinte anos, obstinado nas suas teses e continuando a propagá-las acobertado por diversos pseudônimos. Para restabelecer a paz, São Cirilo e João de Antioquia, amigo de Nestório, procuraram e encontraram fórmulas conciliatórias que antioquenhos e alexandrinos pudessem pronunciar juntos, e nelas admitiu-se a expressão *Theótokos*[13]. Mas já o pêndulo da história se pusera de novo em movimento: dentro em breve, os firmes defensores das "duas naturezas" iriam ver-se a braços com a desforra dos seus oponentes.

Após a morte de São Cirilo, em 444, a sé de Alexandria foi ocupada por um homem ambicioso e violento, chamado Dióscoro. O novo prelado não teve outra pressa que a de afirmar a preeminência de Alexandria sobre Antioquia e sobre Constantinopla — sempre as rivalidades regionais, sempre as segundas intenções políticas! Deu a entender que São Cirilo, na sua vontade de conciliação, se tinha mostrado muito fraco e que as decisões de Éfeso não tinham esmagado suficientemente os nestorianos, passando a cumular de vexames os antigos amigos de Nestório, Teodoreto de Ciro e Ibas de Edessa, e afirmando que a sua submissão às decisões do Concílio eram pura mentira. No plano dogmático, tanto ele como os seus partidários puseram-se a proclamar com tal intensidade a unidade pessoal das duas naturezas de Cristo que em pouco tempo acabaram por confundi-las e torná-las equivalentes. Desta forma vieram de novo à tona as doutrinas outrora defendidas por Apolinário, agora revigoradas pela convicção de terem triunfado do adversário. Nasceu assim o *monofisismo*, doutrina da "natureza única" de Cristo; ou, melhor, *os monofisismos*, uma vez que esta teoria se desdobrou num incrível número de variantes e seitas.

As razões e os sentimentos que conduziam a esta tese não eram, aliás, nada vulgares. Se, como pano de fundo, está sempre presente a rivalidade entre alexandrinos e antioquenhos, há também, em primeiro plano, um incontestável ardor de fé, um desejo de representar Cristo, não revestido da nossa miserável humanidade, mas como uma figura maravilhosa, como uma sombra sublime, ideal..., mas uma sombra. Este desejo acentuava-se de forma mais intensa entre os ascetas e os monges dos conventos, que diziam defender assim a verdadeira fé contra os últimos sequazes do nestorianismo. Reivindicavam e brandiam textos assinados por nomes ilustres, como Santo Atanásio e São Gregório, o Taumaturgo, mas que na realidade não passavam de obras de Apolinário... Além do mais, não havia no seio do clã monofisita nenhum acordo sobre a forma como, em Cristo, a natureza divina substituía a humana.

Há algo de cômico no pulular de doutrinas que surgem nesta época, e aqui poderíamos, sim, falar com toda a razão em "bizantinismos". Teremos o *monofisismo estrito*, que afirma que em Cristo há *unidade de natureza*, mas teremos também o *monofisismo mitigado*, que pensa o mesmo mas não o diz, ocultando-se sob a voluntária complicação das fórmulas. Entre os monofisitas estritos, distinguem-se nada menos que quatro tendências: aqueles que defendem a absorção da humanidade pela divindade "como uma gota de mel que se dilui no mar"; aqueles que dizem que o Verbo "se esvaiu na carne", ou ainda que "se condensou em carne"; aqueles que afirmam a mistura da divindade e da humanidade numa natureza diferente, indefinível; e, por último, os verdadeiros descendentes de Apolinário, os partidários da "composição", em Cristo, de um homem carnal e de Deus. Isso será tudo? Nem de longe. Para que se tenha uma ideia do ponto a que se pode chegar quando se envereda pela extravagância, devemos citar ainda os *actistetas*, segundo os quais o corpo de Cristo era "incriado"; os *fantasiatas*, que não viam na sua carne senão um fantasma; os *aftartodocetas*, que consideravam Cristo impassível e incorruptível; os *niobitas*, que modestamente confessavam ser incapazes de distinguir o divino do humano; e ainda os *acéfalos*, cujo nome não significava que tivessem perdido a cabeça, mas que, rebeldes a todas as doutrinas, fossem elas ortodoxas ou heréticas, já não reconheciam nenhum chefe.

Os enfrentamentos verdadeiramente sérios surgiram em Constantinopla. Por volta de 446, encontrava-se à frente do partido monofisita dessa cidade um certo Eutiques, arquimandrita ou abade de um convento da região, espírito obtuso, sem cultura teológica e plenamente convencido das teses de Dióscoro. Tratava-se de personalidade muito influente, porque o seu afilhado, o eunuco Crisafo, era na ocasião todo-poderoso no palácio, principalmente junto da imperatriz Eudóxia, esposa de Teodósio II. Sob o pretexto de eliminar o nestorianismo, Eutiques conseguiu conquistar para o monofisismo a camarilha imperial e a corte, à exceção da princesa Pulquéria que, furiosa por ver a cunhada dominar cada vez mais o seu indolente irmão, se refugiou numa ortodoxia cada vez mais ferrenha.

O caso teve, portanto, desde o seu início, nítidas ressonâncias políticas. O bispo Eusébio de Dorileia, um dos primeiros a atacar Nestório, resolveu chamar o assunto a si, e com isso precipitou os acontecimentos. Denunciou Eutiques a um concílio local de Constantinopla, em 448, mas o monge recusou retratar-se, afirmando que, se o fizesse, trairia ninguém menos que Santo Atanásio e São Cirilo! O tumulto teológico degenerou imediatamente: foi o povo contra o palácio e Alexandria contra Constantinopla. Excomungado, Eutiques teve o descaramento de apelar para o papa, para Dióscoro, para diversos santos do tempo e, é claro, para o imperador. Dióscoro apressou-se a declará-lo inocente e Eudóxia conseguiu do marido a convocação de um concílio para rever o assunto.

Desta feita, porém, a nova heresia ia encontrar o seu grande adversário no papa, que na ocasião era nem mais nem menos que *São Leão*, o maior papa da época e um dos maiores da Igreja[14]. O homem que haveria de enfrentar o próprio Átila não era criatura que se deixasse impressionar por um herege, e a sua sólida racionalidade latina não estava disposta a deixar-se engodar por umas quantas argúcias bizantinas. Informado da questão por Flaviano, o bispo de Constantinopla, que se conservava fiel à sã doutrina, o papa não se deu ao trabalho de refutar a embrulhada monofisita. Limitou-se a escrever um único texto, que se tornou célebre sob o título de *Tomo a Flaviano* (ou *Epístola dogmática*), em que expunha a verdadeira doutrina católica sobre Cristo: em Jesus há uma só *pessoa*, mas nessa *hipóstase* única há duas naturezas, a divina e a humana, cada uma delas conservando as suas qualidades e as suas faculdades próprias. Esta exposição de notável clareza revestiu-se ainda, ao ser promulgada, da autoridade de um pontífice que era conhecido como santo, e causou enorme impressão por toda parte.

Mas o triunfo da verdade sobre o erro ainda se faria esperar. O concílio de revisão, convocado pelo imperador, transformou-se no *latrocínio de Éfeso*, a que já nos referimos, com intervenção da multidão e da polícia, e com grandes perseguições aos ortodoxos organizadas pelos monges fanáticos adeptos do monofisismo. Salvos por um triz, os legados levaram ao papa os protestos indignados dos defensores da fé, e sobretudo de Eusébio de Dorileia e do infeliz patriarca Flaviano, que morreu em consequência dos maus tratos recebidos. São Leão não hesitou um segundo; verberou o "latrocínio" e mandou realizar um novo concílio. Este certamente não teria chegado a reunir-se se, por sorte, Teodósio não tivesse morrido nessa ocasião, e se sua irmã Pulquéria não tivesse assumido o poder com seu marido Marciano. Subitamente, todos os ambiciosos e todos os intrigantes sentiram declinar a sua fé na natureza única...

Reunido em Calcedônia, em 451, e presidido por dois legados pontifícios, o Concílio — um concílio enorme, em que tomaram parte seiscentos delegados — condenou formalmente os monofisismos. A *Epístola* de São Leão foi aclamada por todos: "Pedro falou pela boca de Leão"; e decretou-se um Símbolo em que se liam afirmações fundamentais: "Nós confessamos um só e mesmo Cristo Jesus, Filho único que nós reconhecemos possuir duas naturezas, sem que haja nem confusão, nem transformação, nem divisão, nem separação entre elas. A diferença das duas naturezas não é de modo algum suprimida pela sua união, mas, pelo contrário, os atributos de cada natureza estão salvaguardados e subsistem em uma só pessoa". Afirmava-se assim a verdade cristã[15], tão distante de Eutiques quanto de Nestório.

Iria agora reinar a paz no seio da cristandade? Ainda não! As paixões desencadeadas continuavam muito vivas, e a política, que vimos misturada em todas estas questões, vai pôr-se de novo em ação. As tendências separatistas que minavam os povos cristãos do Oriente vão utilizar para os seus fins as resistências que os homens opõem às ideias. O Egito e a Síria, as igrejas da região de Edessa, da Mesopotâmia e da Armênia, e até mesmo as que existiam no Império persa, entram em secessão, permanecendo umas fiéis ao nestorianismo[16] e outras partidárias da natureza única. Esta será a origem de algumas igrejas locais, que perdurarão até aos nossos dias, separadas da *Mater Ecclesia*, endurecidas no seu exclusivismo, diminuindo de número sem cessar no decorrer dos séculos, e que irão beber numa fonte cristã adulterada, embora viva, a força necessária para enfrentar o islã: a igreja caldaica nestoriana; a igreja monofisita da Síria, chamada "jacobita" por causa do nome do seu principal organizador, Jacó Baradai; a do Egito (copta) e a da Abissínia. Até nas costas da Índia, a igreja siro-malabar será sucessivamente nestoriana, depois católica, e a seguir parcialmente monofisita até o século XVII.

Introduziram-se assim grandes rasgões na túnica inconsútil da Igreja. Mas houve coisa ainda mais grave, porque, prolongando-se, estes debates iriam fornecer motivos para conflitos inesgotáveis a um outro antagonismo que estava em gestação já há quase um século — o conflito entre a Roma antiga e a nova, a Roma de São Pedro e a do basileu.

Constantinopla ou Roma?

Desde o ano 330, em que Constantino, o Grande, tinha inaugurado a sua nova capital com grandes festejos imperiais, estava virtualmente criado um problema. Entre a segunda Roma, erguida sobre as margens do Bósforo no esplendor da sua jovem glória, e a Roma antiga, a de Rômulo e Augusto, fatalmente havia de nascer uma rivalidade. Constantino fizera tudo para que Constantinopla usufruísse das prerrogativas da Cidade Eterna. No plano político, desde o seu reinado, era total a igualdade entre as duas cidades; depois, à medida que o Ocidente se foi enfraquecendo, passou a produzir-se um desequilíbrio crescente em favor da inexpugnável capital do Império do Oriente. Mas, tendo em vista o que já conhecemos das tendências dos senhores de Bizâncio, desse cesaropapismo tão ativo em matéria de fé, não era menos fatal que essa rivalidade se estabelecesse também no plano religioso. O basileu, que se considerava tanto um chefe espiritual como temporal, tendia naturalmente a ver no autêntico chefe espiritual da Igreja, o Papa de Roma, uma espécie de concorrente.

Assim, de reinado em reinado, foram ocorrendo inúmeros incidentes que se revelaram sinais precursores desse antagonismo. Em breve a sé episcopal de Constantinopla se emancipava da autoridade do metropolita de Heracleia, ao qual estava canonicamente submetida — em teoria. No Concílio ecumênico de 381, celebrado na mesma capital, e que consagrou a vitória da ortodoxia niceense, proclamou--se o primado do bispo de Constantinopla logo a seguir ao do bispo de Roma, "já que essa cidade era a nova Roma". Este primado de honra conduziu bem cedo a uma autoridade também administrativa sobre as regiões eclesiásticas vizinhas. No século V, Bizâncio é a sede de uma "igreja do Estado"; intimamente ligado às vicissitudes da política religiosa do Império, o seu bispo empenha-se em alargar o seu campo de ação. Em consequência, sem o querer expressamente — pelo menos a princípio —, e até sem o perceber, o bispo de Constantinopla irá derivando insensivelmente da posição de chefe de uma circunscrição da Igreja universal para a de cabeça de uma igreja nacional grega, enquanto os papas, que tinham consciência do perigo, reivindicavam frequentes vezes os seus direitos, afirmando com majestade o seu primado, a sua autoridade dogmática e disciplinar, e intervindo tanto quanto lhes era possível, de acordo com as suas prerrogativas.

Os pormenores desta luta acirrada são demasiado numerosos para que possamos mencioná-los todos. Assim, por ocasião do drama de São João Crisóstomo, vimos o santo apelar para Santo Inocêncio, a fim de que este o ajudasse contra a tirania de Arcádio, e vimos também o papa intervir com firmeza para restabelecer a verdade; mais tarde, por ocasião do caso nestoriano, que está de fato circunscrito ao domínio do Império do Oriente, vemos o papa Celestino receber um apelo do prelado herege e condená-lo em Roma. Ambos os casos constituem uma boa prova da clara vontade que os pontífices tinham de fazer reconhecer os seus direitos universais. Em sentido contrário, os bispos de Constantinopla aproveitam muitas ocasiões para alargarem a sua jurisdição, usurparem uma autoridade que não lhes compete em questões doutrinais e submeterem a si novos distritos. Vimos já o papel que desempenharam nas batalhas cristológicas. Por volta de 435, um deles, Proclo, procura incluir na sua esfera de influência todos os bispos da Ilíria, tentativa de que foi impedido, muito oportunamente, pelo papa Sisto III[17]. E em 451 ocorre o primeiro incidente grave, o primeiro que anunciava verdadeiramente os tumultos futuros.

Estava para encerrar-se o Concílio de Calcedônia. Este Concílio, como já vimos, fora um triunfo para o grande papa São Leão, a quem um dos seus legados fizera aclamar como "o arcebispo de todas as igrejas" e cuja carta dogmática tinha estabelecido com toda a clareza os limites entre a ortodoxia e a heresia monofisita. Mas os orientais não tinham renunciado às suas ambições e aos seus desejos de poder. Aproveitando-se do fato de se terem acabado de regular alguns pontos secundários de disciplina, e ainda da circunstância de os legados pontifícios se encontrarem ausentes, fizeram votar subrepticiamente — processo muito do agrado das assembleias parlamentares — um texto de importância capital. Era o *cânon 28*. Dizia-se aí que, "tendo sido justamente concedidos direitos especiais à sé da Antiga Roma, porque esta cidade é a cidade imperial", pela mesma razão "os mesmos privilégios são atribuídos à Nova Roma, honrada com a presença do imperador e do Senado".

Foi um bom passe de prestidigitação; não se dizia uma única palavra sobre as verdadeiras razões que fundamentavam o primado da cidade de São Pedro; não lhe reconheciam supremacia senão como capital política, para assim poderem concedê-la à outra capital. E, ao mesmo tempo, erigia-se Constantinopla como sé metropolitana com jurisdição sobre o Ponto, a Ásia e a Trácia — um verdadeiro patriarcado. Os legados tentaram em vão opor-se a esta manobra, mas já era tarde; nada mais puderam fazer senão lavrar o seu protesto nas atas. São Leão ficou indignado e, logo que teve conhecimento do que se passara, dirigiu ao casal imperial, Marciano e Pulquéria, uma carta em que, com toda a veemência, falava de "insolentes tentativas, contrárias à unidade cristã e à paz da Igreja". Mas nunca recebeu resposta...[18]

Pouco depois, surge um conflito infinitamente mais grave. Em 471, foi elevado ao trono patriarcal de Constantinopla um bispo ambicioso e autoritário, mas hábil manobrador, de nome *Acácio*. Defensor acérrimo das doutrinas de Calcedônia no tempo do imperador Leão I, que as aceitava, este prelado mudou de posição no momento em que o novo imperador, Zenão, enveredou por novos caminhos. Muito preocupado com a ameaça dos godos e com as incessantes conspirações tramadas contra ele, Zenão concebeu a ideia — incontestavelmente política — de reconciliar todos os seus súditos, ortodoxos e monofisitas, para eliminar quaisquer motivos de discórdia nos seus territórios. Acácio, por sua vez, não simpatizava com Roma, que continuava a recusar o seu assentimento ao cânon 28 (atitude em que persistirá até o século XIII), e acalentava o sonho de ser uma espécie de papa bizantino que governasse todas as cristandades do Oriente. Entrou em contato com Pedro Monge, bispo monofisita de Alexandria, e procurou definir com ele um amplo terreno em que pudessem pôr-se de acordo.

Em 482, foi publicado o decreto imperial chamado *Henótico*, isto é "unificador", em que mais uma vez Nestório e Eutiques eram anatematizados, e mais uma vez ainda se afirmavam a humanidade e a divindade de Cristo; mas tudo isso em termos tão frouxos, com tal cuidado de evitar fórmulas categóricas e de um modo tão verdadeiramente bizantino de harmonizar elementos contrários, que ninguém podia enganar-se sobre o verdadeiro sentido do texto: tratava-se, no fundo, de renegar as decisões de Calcedônia. Acácio e Pedro Monge subscreveram imediatamente o decreto, e os bispos que se recusaram a aceitá-lo foram expulsos das suas sés.

Mas Roma protestou. O papa São Simplício (468-483), e depois o seu sucessor São Félix III (483-492), agiram com decisão. Embora os legados pontifícios se tivessem deixado amedrontar pelas violências e corromper pelos presentes, Félix não se deixou lograr. Fulminou Acácio com uma sentença de deposição e excomunhão (aliás, foi este decreto que Acácio levou tão involuntariamente pregado nas costas, quando entrou na sua igreja...[19]). Apoiada pelos monges, e em boa medida pelo povo da capital, que detestava Zenão, a ortodoxia opôs-se com todo o vigor à usurpação. Acácio, instigado pelo imperador, lançou-se então em revolta aberta e riscou o nome do papa das placas de mármore que perpetuavam, no santo sacrifício da missa, a lembrança do chefe da Igreja. Assim eclodiu o *primeiro cisma grego*, o *cisma de Acácio*, que devia perdurar por trinta e cinco anos (483-518), isto é, ainda por bastante tempo após a morte (489) daquele que o desencadeara.

A crise abalou duramente a Igreja e o Império, não só no Oriente, onde as resistências foram tão fortes que o imperador Anastácio, acusado sucessivamente de maniqueísmo, de arianismo e de monofisismo, esteve a ponto de perder o trono, mas também na própria Roma, onde, após a morte do papa Santo Anastácio II, um grupo favorável à aproximação com Bizâncio elevou ao pontificado um antipapa chamado Lourenço, obrigando o verdadeiro papa, São Símaco, a entrincheirar-se em São Pedro, tendo faltado pouco para que o conflito tivesse de ser arbitrado por Teodorico, um rei ariano! O mesmo não aconteceu no Ocidente mais remoto, onde o cisma não teve maiores consequências; foi até em grande parte por causa dele que o episcopado galo-romano, o de São Remígio e de Santo Avito, até então muito apegado à ideia imperial, se desligou do imperador bizantino infiel a Roma e se voltou para os reis bárbaros, especialmente Clóvis, cujo Batismo ocorreu exatamente nesta época (498-499).

Mas, se há um fato que deve ser posto em destaque neste momento penoso, é a serenidade e a intrepidez com que os papas reivindicaram os seus direitos em defesa da verdadeira tradição. Ao que parece, apenas um, Santo Anastácio II, entendeu dever fazer algumas concessões para pôr fim ao cisma[20]; todos os outros se mostraram intransigentes. Assim, vemos o papa São Gelásio reivindicar, junto do imperador Anastácio, a superioridade do poder sacerdotal sobre o poder civil, "porque aquele tem de prestar contas de tudo no tribunal supremo, mesmo do que diz respeito aos reis". Da mesma forma, o papa Símaco, logo que se desembaraçou do antipapa, escreveu ao próprio autocrata de Bizâncio: "Comparai, imperador, a vossa dignidade com a do chefe da Igreja. Lançai um olhar sobre a longa cadeia daqueles que têm perseguido a Igreja: todos eles caíram, ao passo que a Igreja vê aumentar o seu poder com a perseguição que sofre". E, quando Anastácio, rompendo as negociações, maltratou os legados pontifícios, e escreveu ao papa Santo Hormisdas uma carta inaceitável, este deu-lhe a admirável resposta: "Que me injurieis e me reputeis como coisa sem valor — seja; mas quanto a pensardes que eu aceitarei as vossas ordens — não, nunca!"

O drama desfez-se em 518, quando subiu ao trono de Bizâncio o honesto soldado Justino. Era um homem profundamente católico, e, além disso, duas razões de natureza política o levaram a enveredar por um novo caminho: o desejo de cortar as asas a um tal Vitaliano, que agitava as províncias sob o pretexto de ortodoxia, e os planos do seu sobrinho Justiniano que, pensando já em reconquistar o Ocidente aos bárbaros, queria reconciliar-se com Roma. O papa Hormisdas, a quem Justino, muito respeitosamente, dera notícia da sua elevação ao trono, mandou-lhe legados que, conforme os seus desejos, pusessem fim ao cisma. Estes mostraram-se tão enérgicos quanto hábeis. Como o patriarca lhes tivesse mandado dizer que discutiria com eles com a maior boa vontade, responderam-lhe com firmeza: "Não viemos aqui para discutir, mas para apresentar uma fórmula que todo aquele que quiser reconciliar-se com a Sé Apostólica deve aceitar". Uma linguagem dessa natureza deu resultado: os bispos monofisitas foram depostos, e o patriarca, com mais ou menos boa vontade, teve de assinar uma declaração de ortodoxia que repudiava o Henótico. Os nomes de todos os heresiarcas, incluindo os imperadores Zenão e Anastácio, foram riscados das placas de mármore, e os hereges reprimidos pela polícia. Todo o episcopado oriental teve de aceitar a célebre *fórmula de Hormisdas* (518), que afirmava os privilégios intangíveis da sé de Roma e a obrigação, para todo aquele que quisesse dizer-se católico, de permanecer unido ao Papa e de seguir as suas prescrições.

O sucessor de São Pedro triunfava[21]. Triunfava porque os laços entre as duas partes da cristandade eram ainda muito fortes para poderem ser quebrados; mesmo no auge do antagonismo, os imperadores não tinham ousado levar as coisas ao extremo, e um papa como São Gelásio aconselhava: "Venerai o imperador, na sua qualidade de cidadão romano". O Papa triunfava porque a Sé Apostólica tinha sido ocupada por homens de caráter enérgico, e triunfava ainda — é preciso dizê-lo — porque a conjuntura política lhe havia sido favorável. Mas os motivos profundos do conflito entre as duas Romas não tinham desaparecido, e é este antagonismo subterrâneo que, em última instância, fará incidir uma penosa sombra sobre o grande reinado que se abriu por morte de Justino, em 527.

Justiniano e Teodora

Justiniano e Teodora: são dois nomes que, por si sós, parecem resumir toda a glória de Bizâncio, o seu fausto e o seu prestígio vagamente misterioso; e é bem verdade que, para a história, este ilustre casal é o exemplo mais significativo do que o sistema do Império teocrático podia produzir de mais admirável e, ao mesmo tempo, de mais inquietante. É na igreja de São Vital de Ravena que devemos vê-los, iluminados pela luz nacarada que flutua na ábside, acaricia o mármore rosa e a brecha egípcia das colunas, e que depois vai difratar-se numa poeira dourada sobre as mil facetas dos mosaicos. Lá em cima, sobre a curva do arco triunfal que conduz ao coro, Cristo e os apóstolos meditam na sua glória; mas logo o visitante não tem olhos senão para observar aquelas duas procissões prodigiosas em que, face a face em duas paredes opostas, avançam Justiniano com os seus dignitários e Teodora com as suas damas da corte, no meio de um cegante esplendor de esmaltes e de pedras preciosas.

Ele, aureolado como um santo, vestindo uma dalmática de púrpura cujas dobras caem até à pedraria dos sapatos, coberto com um alto diadema de dois andares e tendo o ombro direito encimado por uma rosácea de diamantes, segura na mão as oferendas rituais que, em breves instantes, irá depositar devotamente sobre o Altar. Na sua frente, avançam os prelados: o bispo Maximiano, de estola e capa litúrgicas e com uma cruz na mão, e dois clérigos, um com o turíbulo e outro com os livros sagrados, cujas capas brasonadas resplandecem de safiras. Atrás vai o séquito oficial, composto apenas de seis personagens: dois ministros, um general — talvez Belisário — e alguns guardas do palácio, vestindo cotas de malha de ouro, empunhando espadas e tendo os escudos com o monograma de Cristo apoiados no chão. Este séquito evoca, associadas ao triunfo do Senhor, essa política e essa estratégia audaciosas que acabavam de ser consagradas com a vitória e com a reconquista de Ravena aos godos.

Ela, Teodora, tão delicada, tão frágil, levemente esmagada sob a enorme coroa, com um duplo colar e uma murça tecida de esmeraldas e rubis, e talvez igualmente esmagada pela grande auréola de ouro que a dota de uma santidade oficial... Também ela vai à cerimônia, escoltada por donzelas de delicada figura, hieráticas nos seus vestidos de lhamas e brocados. Já um servo acaba de erguer a tapeçaria. Poderia a Basilissa deixar de participar da glória do imperador, ela que participara de todos os seus trabalhos e de todos os seus riscos? Mal podemos distingui-la sob as pregas retas do seu manto de cerimônia — sobre o qual, em baixo, um bordado mostra os reis magos em adoração diante do Menino-Deus —; como se compreende então que nos dê tal impressão de força tranquila e resoluta? Tudo o que dela sabemos pela história, este retrato confirma-o e transfigura-o: o encanto do seu rosto triangular, o brilho dos seus olhos profundos, essa serenidade suprema, um pouco forçada, que a antiga dançarina conseguiu atingir, e — na atenção inflexível que se vê pintada nos seus frágeis traços — essa coragem verdadeiramente excepcional com que fez face ao destino.

É diante destes dois retratos em mosaico, no cintilar do seu ouro e na perfeita harmonia dos seus tons contrastantes e fundidos, que deveremos evocar a glória de Bizâncio, transfixada nos seus dois mais completos representantes. Tudo aqui foi feito para exprimir essa glória, numa majestade que se impõe ao espírito; mas basta considerar esses rostos, graves mas não estereotipados, em que a segura técnica dos artesãos de pedras soube obter um realismo discreto, para adivinhar que, por trás dessas frontes coroadas, nesses peitos invisíveis sob a púrpura, se agitavam as mesmas paixões de qualquer ser humano: o amor e o ódio, a ambição e a angústia...

É exatamente esta humanidade que dá ao reinado de Justiniano e Teodora — reinado sob muitos aspectos tão relevante que parece reduzir ao papel de simples preâmbulo os governos que o precederam nos cem anos anteriores — o seu caráter patético. Admirável pelos projetos que este homem e esta mulher empreenderam, é ao mesmo tempo um reinado assinalado pela fraqueza humana, e mostra muito claramente os limites que as condições da história — essas manifestações da Providência — impõem à ambição dos mortais. Justiniano e Teodora tiveram, certamente, uma consciência nítida da obra que lhes era imposta; mas, em última análise, não passavam de um homem e de uma mulher, submetidos às tradições, aos hábitos de pensamento e às lamentáveis tendências espirituais desse mundo oriental que lhes estava sujeito, orgulhosos e violentos como ele, como ele briguentos e complexos, cheios de contradições e contrastes, e totalmente incapazes — apesar da centelha de gênio que por vezes os atravessa — de quebrar o círculo dos seus condicionalismos.

Vestiram a púrpura em 527, os dois juntos, na velha basílica de Santa Sofia construída por Constantino, com aquele cerimonial minucioso e interminável que era próprio das coroações bizantinas. Um após o outro, ajoelharam-se diante do imperador Justino, deixaram que os cerimoniários os vestissem, lhes calçassem nos pés os borzeguins de seda vermelha e lhes cingissem a fronte com o diadema, enquanto a multidão atroava os ares com aclamações rimadas, e os generais, os dignitários, as patrícias de cintura fina e as damas da corte se prostravam por terra, e as trombetas de prata davam sinal aos coros sacros para entoarem os salmos em ação de graças. Assim o quisera o velho militar inculto que, não tendo tido outra ternura do mundo fora a que sentia pelo seu sobrinho, mandara dar-lhe uma instrução perfeita, fizera-o primeiro patrício e depois cônsul, perdoara-lhe delicadamente o casamento escandaloso e, por fim, associava-o ao trono, alguns meses antes de morrer.

Justiniano era então um homem em plena força da idade, com pouco mais de quarenta anos, e já suficientemente formado ao longo de dez anos de vida na corte e de diversos comandos e responsabilidades oficiais. Nem alto nem baixo, nem gordo nem magro, nem bonito nem feio, não ia além de uma honesta mediania, e é assim que o mostra o mosaico de São Vital. O rosto tranquilo e corado não parecia transbordar de inteligência. E quanto ao aspecto moral? Não podemos, sem sombra de dúvida, levar a sério o retrato que Procópio nos traça dele[22]. Quando um historiador escreve de um príncipe: "Era mentiroso, dissimulado, violento nos seus ódios mas hábil em ocultá-los, capaz de se desfazer em lágrimas se o seu interesse assim o exigia, amigo sem fé, inimigo tortuoso, ávido de sangue e de dinheiro, dotado de uma natureza sem princípios, viciado pela estupidez e pela maldade...", não se pode deixar de pensar que uma acumulação tão bela de epítetos é indício de calúnia, pois sempre foi mais ou menos assim que os panfletários de todos os tempos trataram os seus inimigos políticos. E quando lemos, escrito pela mesma pena, que Justiniano "não era um homem, mas um demônio que tomara a forma humana", ficamos sabendo o que pensar. A verdade é que este montanhês da Trácia, de fronte obtusa e de aparência insignificante, manifestava uma preocupação notável pelos deveres do seu cargo, uma aplicação muito respeitável ao trabalho, faculdades de clarividência política que não eram banais, um sentido bastante excepcional da grandeza, tudo curiosamente misturado com estranhas falhas de caráter e súbitas fraquezas, como se a tensão, talvez excessiva, a que o obrigavam as suas esmagadoras responsabilidades, por vezes afrouxasse repentinamente.

A seu lado, porém, o destino colocou um ser cuja firmeza se mantinha sem brechas, uma verdadeira alma de aço temperado. É evidente que o reinado de Justiniano não teria tido a importância histórica que teve se Teodora não estivesse associada à sua ação; enquanto viveu, foi a sua conselheira secreta e, mais do que conselheira, a sua consciência viva; e soube sê-lo tão habilmente que as próprias diferenças de temperamento, de gostos e de convicções religiosas puderam ser postas a serviço da sua política comum. Mais tarde, quando ela morreu, em 548, seu velho marido continuou ainda durante dezessete anos a viver e a agir como se estivesse à sombra da sua invisível presença, com uma fidelidade comovente. É isto o que importa na vida de Teodora, e não esse romance-folhetim de episódios equívocos que é a *História Secreta*, onde cada um se sacia a seu bel-prazer. Do estranho destino que, da filha de um domador de ursos, de uma dançarina do Hipódromo, de uma conviva "divertida e brincalhona" de muitas ceias noturnas, fez a esposa do herdeiro do trono e depois a Basilissa, o que é preciso fixar é a indomável energia de que deu provas aquela que, partindo de tão baixo, conseguiu chegar a tão elevado patamar e aí se soube manter; é o mérito moral — e por que não dizer o valor espiritual? — que essa pecadora revelou ao regressar à virtude; e é ainda a experiência dos homens dolorosamente adquirida pela aventureira, e da qual a imperatriz soube depois extrair um excepcional senso político[23].

Reinaram juntos, portanto, de acordo com os mesmos costumes que eram regra em Bizâncio desde havia perto de um século, seguindo a mesma etiqueta e o mesmo absolutismo asiático que os seus predecessores. Chegaram até a levar mais longe essas características da autocracia oriental. Acentuou-se a adulação cortesã, e os velhos bizantinos não deixaram de cochichar quando a Basilissa em pessoa obrigou todos os visitantes, incluídos os senadores, à formalidade do beija-pé. Vã gloríola? Ridícula manifestação de orgulho? Não. Cada regime tem as suas exigências, e assim como as democracias — se desejam permanecer fiéis aos seus princípios — acabam quase que fatalmente por cair no permissivismo, assim também os regimes autoritários não podem manter-se senão levando as coisas ao extremo, tornando-se cada vez mais duros. No começo do seu reinado, estimulados pelo grande prefeito do pretório João da Capadócia, Justiniano e Teodora tinham acariciado o sonho de levar a população do seu Império a participar da vida cívica, diminuindo o peso da tirania do Estado, isto é, levando avante a política do seu predecessor Anastácio, iniciada vinte anos antes. Mas logo verificaram que, com a decadência moral dos seus súditos, esse sonho era uma loucura; um terrível incidente encarregou-se de abrir-lhes os olhos.

Nos primeiros anos, em virtude dessa política, e também porque a guerra contra os persas mantinha longe o exército, soltaram um pouco as rédeas ao seu povo. O resultado foi que a turbulência aumentou, os azuis e os verdes se digladiaram em grande estilo, e a desordem tornou-se ameaçadora, fomentada talvez por baixo do pano pelos grandes proprietários de terras, cujas tendências feudalistas se estavam tornando um verdadeiro perigo, e que João da Capadócia combatia ardorosamente. Como é natural, mais do que nunca as oposições teológicas sobre a natureza de Cristo serviam de pretexto para todas as rivalidades de interesses e para os antagonismos de classe. Em 532, restabelecida a paz, e tendo o exército voltado para Constantinopla, Justiniano e Teodora quiseram reagir, e o jurista Triboniano, juntamente com João da Capadócia, foram encarregados de apertar o torniquete com relação ao policiamento e aos impostos. A temperatura política subiu.

Um dia de janeiro, a multidão, comprimida como de costume no Hipódromo, manifestou o seu desagrado. Corria pelas arquibancadas um rugido de cólera e soltavam-se gritos que não visavam propriamente os aurigas que conduziam na arena os seus carros em disparada. Por três vezes Justiniano, do alto da sua tribuna, procurando evitar a violência, tentou discutir, na esperança inútil de acalmar aquela confusa agitação. Do seu camarote, resguardado com rede e instalado nos flancos da igreja de Santo Estêvão, Teodora observava tudo com ansiedade. Bruscamente, um erro do prefeito João da Capadócia desencadeou o drama. Enervado de tanto ouvir o povo reclamar a sua cabeça, tomou ao acaso alguns reféns no grupo dos verdes, que dirigia a manifestação. Desgraça! Entre esses presumíveis agitadores encontrava-se um azul, que foi imediatamente enforcado...

Explode o motim. Unidos os azuis e os verdes, toda a cidade se põe em pé de guerra. As tropas concentram-se às pressas nas suas casernas. O casal imperial e a corte entrincheiram-se no palácio sagrado. Durante três dias, a revolução parece ter-se apoderado da capital. Santa Sofia está em chamas e, com ela, palácios, igrejas e casas dos ricos, ao mesmo tempo que a escória libertada das prisões organiza um saque gigantesco. Vitória! Vitória!, gritam os rebeldes. *Nika! Nika!* E assim, na história, este drama se tornará conhecido como a "sedição de Nika". Já se fala até em coroar um dos sobrinhos do antigo imperador Anastácio para substituir Justiniano.

No palácio reina a incerteza e a pior desorientação. Justiniano, desnorteado pela rapidez dos acontecimentos, encontra-se afundado. Anda de um lado para outro, hesita, tergiversa, chega a falar em abandonar a cidade e a embarcar num navio de guerra... Mas então Teodora ergue-se na sua frente. Cheia de prodigiosa energia, reage: "Talvez não seja papel de uma mulher falar diante de homens e aconselhar coragem aos covardes. Estou convencida de que a fuga, nestas condições, não seria a salvação. Quem uma vez teve sobre os seus ombros a soberania, não deve viver se dela for despojado. Quanto a mim, nunca renunciarei ao título imperial. Tu podes fugir, César, se assim o desejas; tens dinheiro, barcos e o mar livre. Mas pensa que, se abandonares este palácio, perderás tudo, mesmo a vida. Quanto a mim, atenho-me à velha máxima: 'A púrpura é a mais bela das mortalhas!'"

Estas palavras de mulher foram uma verdadeira chicotada nos homens. Os generais voltam a si e os políticos enviam emissários com o encargo de trabalhar os partidos a troco de dinheiro e de separar os azuis dos verdes. Estes últimos, ébrios de cólera e de rapinas, cometem a loucura de amontoar-se no anfiteatro para aclamarem o seu imperador fantoche. Estão perdidos. Foi só cercá-los e lançar sobre eles os federados alanos e os mercenários hunos. Ao fim de quatro dias, quantos cadáveres estariam estendidos nas arquibancadas e na arena? Trinta, quarenta mil? Não se sabe. Mas Justiniano e Teodora nunca mais seriam capazes de esquecer a lição tão duramente aprendida: não se pode ser autocrata pela metade.

Títulos de glória de um grande reinado

Os fatos demonstram que durante este reinado o Império experimentou um desenvolvimento que só se pode comparar ao do reinado de Constantino.

Edificar e conquistar têm sido sempre, para os reis dos homens, os dois principais meios de afirmarem a sua grandeza; ora bem, ainda que se possa discutir os benefícios que, em última análise, os súditos tiram dessas custosas manifestações de prestígio, não é menos verdade que elas só são possíveis quando a nação se sente sólida, equilibrada, próspera e bem governada. Tanto como grandes conquistadores quanto como grandes construtores, Justiniano e Teodora inscreveram os seus nomes na história graças às suas vitórias e aos seus monumentos; e a própria extensão das suas iniciativas assegura que eram sólidas as bases do seu poder.

Cessou a desordem interna, que tinha sido demasiado favorecida pelas recentes disputas entre as facções e pelas anteriores rebeliões dos pretendentes ao trono. Fez-se um grande esforço de policiamento das estradas e, no mar, a caça aos piratas e o esmagamento do poder africano dos vândalos tiveram os melhores resultados. Uma hábil política econômica que, conforme as circunstâncias, lançava mão quer do intervencionismo, quer do mercantilismo, animou a produção e o comércio. Como a guerra com a Pérsia tivesse causado uma grave crise entre os tecelões de seda, Justiniano, para salvar essa importante indústria, tornou-a monopólio do Estado; mas, pouco depois, tendo conseguido que se roubassem na China casulos de bichos-da-seda e o segredo da sua criação, ordenou em 552 que se plantassem por toda parte amoreiras e se construíssem viveiros; a seguir, deu liberdade à indústria privada da seda, estabelecendo as bases para que esta se desenvolvesse com uma rapidez prodigiosa, tanto em Beirute e em Tebas como em Alexandria e em Bizâncio. Não há nenhuma dúvida de que, durante o terço de século que durou o seu reinado, o comércio de tecidos, de especiarias, de perfumes, de matérias-primas e de víveres oriundos dos quatro pontos cardeais foi uma verdadeira fonte de riqueza que jorrou dos movimentados cais da baía do Corno de Ouro.

A expansão da civilização bizantina não foi menos notável no campo intelectual. Constantinopla, senhora do Mediterrâneo, empório do mundo, viu afluir a ela tudo o que o espírito contava então de melhor. A sua Academia teve um desenvolvimento extraordinário, o que acabou favorecendo o encerramento, em 529, da Escola de Atenas, aliás já há muito moribunda.

Da nova Roma irradiou uma cultura brilhante, não mais latina — porque o latim se tinha rebaixado cada vez mais ao nível de uma língua provinciana —, mas helênica, e que pretendia igualar a herança dos grandes mestres gregos, embora fosse mais teológica do que literária ou filosófica. Liam-se por toda parte as *Histórias* de Procópio e entoavam-se os hinos de Romano, o Melódio; no próprio palácio havia serões de poesia. Foi a esta expansão intelectual que Justiniano ficou devendo os dois florões mais duradouros da sua coroa: a obra jurídica que traz o seu nome e a basílica de Santa Sofia, sendo de sublinhar que tanto uma como outra trazem impresso o selo cristão.

Alguns meses depois da sua elevação ao trono, Justiniano, perfilhando a ideia do seu predecessor Teodósio II, ordenou que se redigisse um *Código* legal, que traria o seu nome. A concepção que ele tinha dos seus poderes e das suas responsabilidades levava-o a assumir o papel de legislador. Com efeito, não era ele a encarnação viva da lei?

Os juristas Triboniano e Teófilo receberam ordem de reunir e harmonizar as leis imperiais promulgadas desde Adriano, e de fazer um todo sólido do enorme depósito da doutrina jurídica de Roma. Ao fim de catorze meses, a obra estava concluída, e veio à luz o *Código de Justiniano*. Depois, de 530 a 533, compilaram-se as passagens mais marcantes das obras dos trinta e nove jurisconsultos mais célebres, e assim se organizou o *Digesto* ou *Pandectas* que, segundo se dizia, condensava tanta matéria que os livros originais representariam a carga de alguns camelos![24]

A seguir, reuniram-se resumidamente os princípios do direito num manual para uso dos estudantes: os *Institutos*. Por uma questão de fidelidade para com os antigos, esta obra gigantesca foi escrita em latim; mas as *Novelas*, disposições promulgadas pelo próprio Justiniano para a aplicação de todos esses princípios, foram escritas em grego.

Este trabalho prodigioso teve grandeza suficiente para atravessar os tempos, e não há estudante de direito que não tenha recebido dele algumas luzes. Por vezes, tem sido muito criticado: é um trabalho atravancado — dizem os detratores —, feito sem cuidado e sem crítica, e que, ao querer construir, mais ou menos demoliu os trabalhos anteriores dos juristas de Roma, como Ulpiano ou os Papinianos — os dois grandes libaneses que tinham valido a Beirute o sobrenome de *legum nutrix*, mãe das leis. Mas o certo é que, tal como está, este *Corpus juris civilis* é uma obra de fundamental importância histórica. O direito romano, livre das rotinas arcaicas que o embaraçavam, tornou-se um corpo de doutrinas definitivas. Foi através dele que sobreviveram a ideia do Estado, os princípios da organização social e os métodos da justiça que o gênio jurídico de Roma havia elaborado durante mil anos; e assim foi possível reensiná-los ao Ocidente no momento em que este, no limiar da Idade Média, emergiu da barbárie. Além disso, surgiram das suas páginas novas tendências que hoje denominaríamos "sociais" e humanitárias; insinuou-se também a noção do bem comum em alguns artigos, como aqueles em que se limitou a taxa de juros em nome de um princípio superior, mesmo que as partes estivessem de acordo; e, pela primeira vez na história jurídica, identificou-se e coibiu-se aquilo que se chama "abuso de direito", ponto em que já se nota a influência do cristianismo.

Esta influência, aliás, foi flagrante em todos os textos. Não somente o *Corpus juris* era publicado "em nome de Nosso Senhor Jesus Cristo", mas o próprio código estabelecia expressamente a fé católica como fundamento da ordem jurídica, isto é, da civilização. Já os predecessores de Justiniano, depois de convertidos, quer dizer, a partir de Constantino, tinham enveredado por esse caminho e haviam deixado o espírito evangélico penetrar em algumas das suas decisões, e esta tendência acentuou-se no grande monumento jurídico do século VI. O *Código* e os seus anexos devem ser legitimamente levados a crédito da glória de Justiniano[25].

Há ainda outro monumento que, por si só, resume todo o poder e a orgulhosa riqueza de Bizâncio, ao mesmo tempo que atesta o fervor um pouco clamoroso da sua fé. Esse monumento, que atrai todos os olhares quando, aproximando-nos por mar, o vemos dominar a capital com a sua massa gigantesca por entre a bruma pardacenta, ou, melhor, quando nos parece flutuar por cima do amontoado cinzento e confuso dos bairros da cidade, é a basílica de *Santa Sofia*, a versão cristã e ocidental daquela fulva obra-prima que os gregos de outrora haviam dedicado à deusa da sabedoria[26]. A igreja da Santa Sabedoria, com efeito, é profundamente diferente, na sua concepção, do delicado templo ateniense, mas ao mesmo tempo é uma herdeira direta da audácia tranquila e da segura técnica que, cerca de mil anos antes, haviam erigido o Partenon.

Por muito venerável que fosse pelo seu passado e pelas lembranças ligadas às suas paredes, a antiga basílica de Constantino, mandada edificar em 325, no esplendor da sua vitória, e que o seu filho Constâncio e depois Teodósio II haviam mandado ampliar, já não se adaptava ao fausto da corte do século VI, quando ali se realizavam, por exemplo, as majestosas cerimônias de uma coroação. Por ocasião da sedição de Nika, em 532, o velho santuário foi assolado pelo fogo e pelo saque, e Justiniano viu nisso uma ocasião providencial para erigir no próprio coração da cidade, no mais alto da colina, perto do Hipódromo e não longe do palácio, um monumento que eclipsasse todos os outros existentes no mundo e que fosse digno da glória de Deus — e da sua.

Deram-se as ordens e mobilizaram-se todos os depósitos de materiais. Dois arquitetos da Ásia, Isidoro de Mileto e Antêmio de Trales, foram encarregados de dirigir os trabalhos, tendo sido postos à sua disposição dez mil operários e cem mestres de obras. De todas as partes do Império chegaram materiais preciosos: mármores, colunas e esculturas dos templos mais conhecidos; a Diana de Éfeso, por exemplo, forneceu oito monolitos de brecha verde egípcia, e o *Sol invictus* de Baalbeck outros oito de mármore branco.

Tudo foi executado no meio de um esbanjamento de ouro e de suor humano, tanto mais que se assegurava que o basileu tinha recebido de um anjo o plano do edifício e o dinheiro necessário para construí-lo, e que os exércitos celestiais nele trabalhavam durante a noite. Em cinco anos tudo ficou concluído, e em 27 de dezembro de 537 o imperador e o patriarca de Constantinopla procederam à consagração solene. Ao transpor o limiar de pórfiro da sua obra-prima, Justiniano exclamou: "Eu te venci, Salomão!"

Em frente da basílica estendia-se um imenso átrio rodeado de pórticos; depois de atravessá-lo, penetrava-se por cinco portas no nártex, e dali se entrava na igreja propriamente dita por outras nove portas, a maior das quais, situada no centro, era reservada ao rei. Uma vez no interior, o visitante parava estupefato diante do volume e imensidão da igreja. O recinto, quase quadrado — setenta e um metros por setenta e seis —, com quatro gigantescos pilares ao centro que sustentavam a cúpula, dava a impressão estranha e perturbadora de um espaço por assim dizer domesticado, de uma massa suspensa no ar com desprezo por toda a física, ou de uma proliferação quase vegetal criada pelo espírito humano. O olhar ia do lugar misteriosamente vazio que ficava no centro, guardado pelos quatro pilares, até às complexas perspectivas oferecidas pelas cento e sete colunas laterais — cifra mística da Sabedoria — para, por fim, se deixar atrair, deter e fascinar pelo arcano luminoso da cúpula, que a dourada poeira que flutuava no edifício fazia confundir com um céu de poente.

Era na cúpula que residia o segredo último desta obra-prima. Em vez de ser coberta por um vigamento, como as velhas basílicas constantinianas, Santa Sofia apresentava no meio da nave, sobre um quadrado de trinta e um metros de lado, uma cúpula semiesférica de trinta e um metros de diâmetro, que no centro se elevava, na versão original, a mais de cinquenta metros do nível do chão. Para isso, dos quatro cantos do quadrado partiam quatro arcos iguais, assentados sobre gigantescos pilares, e, para sustentar a base da cúpula, tinham sido construídos, apoiados sobre esses arcos, uns triângulos esféricos chamados "pendentes", cuja linha superior se ajustava com facilidade ao primeiro anel da cúpula. A técnica era conhecida havia milhares de anos na Caldeia, na Síria e na Pérsia, mas nunca arquiteto algum tinha ousado aplicá-la em tais proporções.

Empregaram-se na sua construção os materiais mais leves que foi possível encontrar, principalmente tijolos esponjosos de Rodes, cinco vezes mais leves que os tijolos vulgares. Lembraram-se também de sustentá-la por meio de duas semicúpulas, mas mesmo assim ela acabou ruindo vinte anos depois do seu acabamento, em 5 de maio de 558. Como já tinham morrido os dois construtores, um sobrinho de Isidoro encarregou-se de tornar a erguê-la. Elevou-a ainda mais dez metros e fez os cálculos de forma tão perfeita que ainda hoje continua de pé, tão audaciosa e tão leve que, como diz Procópio, "mais parece estar suspensa do céu por uma corrente de ouro do que apoiada sobre alvenaria".

Esta prodigiosa obra da técnica foi decorada de maneira digna do seu plano e da sua magnificência. Foram buscar a sua beleza final ao estilo persa, à policromia dos mármores e dos pórfiros, ao brilho cálido e vaporoso dos mosaicos, ao ouro e à seda. Por toda parte, sobre as paredes da ábside, nos grandes arcos triunfais, nos pendentes e na cúpula, uma inesgotável iconografia alinhou centenas de cenas, de personagens nimbadas, príncipes, anjos, figuras simbólicas, Cristo em toda a sua majestade, virgens em oração, Espíritos Santos descendo sobre a terra — toda essa resplendente amálgama que até a rígida broxa dos turcos respeitaria para nossa admiração.

Por trás do Altar ondulava uma gigantesca cortina cujo assunto central eram Jesus e os apóstolos — Jesus vestido de ouro e púrpura e os apóstolos de branco —, e em cujas bordas se alinhavam episódios milagrosos narrados no Evangelho, tudo isso tecido em fio de metal e com sedas vivas sobre o mais pesado brocado do Oriente. Fantasmagoria da cor, festa da harmonia visual: de dia, quarenta janelas colocadas na base da cúpula deixavam passar todos os raios do sol, e à noite seis mil candelabros espalhavam uma claridade tão imensa que jorrava pelos vãos, de forma que um viajante que se dirigisse à cidade tinha a impressão de que um enorme incêndio consumia a capital.

Para a realização desta obra-prima, uniram-se, não somente a vontade dos autocratas e o gênio dos artistas, mas também as circunstâncias profundas que faziam de Bizâncio uma flor brotada do húmus da história. O cristianismo, o helenismo e o Oriente associaram-se numa alquimia perfeita, dotando a humanidade de uma forma nova de criar beleza. Inigualável e inigualada[27], a basílica de Santa Sofia permanecerá até os nossos dias como o apogeu da arte de Bizâncio, e ainda hoje — pelo equilíbrio da sua mole imensa, tão perfeita que parece talhada no próprio espaço, pelo deslumbramento que causam os seus mosaicos ressuscitados e os seus mármores ainda intactos — impõe ao espírito, mais que mil anos de história, a certeza tangível da glória de Bizâncio.

E um cristão não pode considerar sem emoção este monumento de fé e de esperança, que deixará rasto na arte cristã de todos os países e de todos os tempos, que chamará à vida as cúpulas de Veneza e as do Sacré-Coeur de Montmartre, e que, por mais imbuída de orgulho que estivesse nas suas intenções, nem por isso deixa de exaltar há quinze séculos a Sabedoria dAquele que governa o mundo e o homem.

Santa Sofia, título de glória de Justiniano, eleva-se como uma prova concreta da força da sua convicção cristã. Mas por que motivo o imperador que realizou essa síntese tão perfeita da arte entre o Oriente e o Ocidente, não foi capaz de fazer o mesmo no plano em que ela era bem mais premente — no plano da fé?

O grande desígnio de Justiniano

Foi a dupla intenção de trabalhar para Deus e de manifestar a sua própria glória que impeliu Justiniano para aquilo que foi o "grande desígnio" do seu reinado, no sentido em que se fala do "grande desígnio" de Carlos Magno, de Henrique IV da França ou de Napoleão: refazer o Império!, reconstituir, sob o seu cetro, esse mundo romano ao qual as invasões bárbaras haviam subtraído a metade ocidental no século anterior, realizar esse sonho de unidade que vivia na consciência de todos os civilizados! Apaixonante ambição!

A restauração econômica do Império do Oriente pretendida pelo imperador exigia em primeiro lugar que se desbaratasse o poder dos vândalos. E poderia ainda um rei cristão tolerar que os reizinhos arianos da África, da Espanha e mesmo da Itália, oprimissem sob o seu jugo as populações católicas? A restauração do Império exigia o esmagamento dos arianos. A empresa não parecia apresentar dificuldades insuperáveis, porque as dinastias germânicas encontravam-se minadas por querelas internas e teriam mais ou menos contra elas as populações romanas e católicas que lhes estavam submetidas. E Justiniano meteu ombros à tarefa.

O primeiro ataque foi contra a África, porque os vândalos eram os mais ferozes de todos os ocupantes germânicos e as populações e os bispos não cessavam de implorar o auxílio do imperador; porque era preciso aniquilar-lhes a marinha, e ainda porque eles eram os menos fortes. Sabe-se que, desde a chegada dos vândalos de Genserico à região que viria a ser a África do Norte francesa, esse povo se mostrara constantemente odioso. Abatera-se sobre os católicos romanos uma perseguição por longo tempo contínua e depois intermitente, e tinham-se multiplicado atos de uma crueldade inqualificável.

Em certo momento, organizou-se uma verdadeira resistência à opressão ariana, tendo como chefes os bispos Quodvultdeus, Fulgêncio de Ruspe e Vítor de Vita. Na altura, aquela África suave e indolente já havia desarmado as energias da fraca minoria dos ocupantes; onde estavam, passado um século, a coragem e a disciplina de ferro dos conquistadores? Tendo-se apercebido do perigo da situação, um novo rei, Hilderico, cuja mãe era uma princesa romana[28], tentou uma mudança de política; procurou um entendimento com o clero católico e pensou numa fusão dos seus vândalos com os romanos. Mas em 530 constituiu-se um partido nacionalista germânico que, apoiando o príncipe herdeiro Gelimer, derrubou Hilderico e retomou a antiga política de perseguição. Este foi o fato que decidiu Justiniano a agir.

Não era a primeira vez que Bizâncio pensava num ataque à África. Já o imperador Leão I, em 468, empreendera uma dupla ação contra o domínio vândalo, por mar e pela Tripolitânia; mas a armada comandada pelo almirante Basilisco fora arrasada por projéteis incendiários dos vândalos ao largo do cabo Bom. Por isso, quando Justiniano falou em retomar a ofensiva, todos os que o rodeavam, bem como o seu estado-maior, se mostraram reticentes. Nem por isso o imperador deixou de impor a sua vontade, provavelmente informado da extrema fraqueza de Gelimer por sacerdotes e comerciantes ricos que tinham fugido à perseguição e — segundo ele próprio afirmou — convocado à vitória pela própria sombra do grande mártir de Cartago, São Cipriano...

Efetivamente, a operação triunfou com uma rapidez e uma facilidade estonteantes. Em julho de 533, uma armada de quinhentos navios rumou para a África e desembarcou, entre Susa e Sfax, um pequeno exército de dez mil peões e cinco mil cavaleiros, comandado pelo mais célebre estratego do seu tempo, *Belisário*, já célebre pelas expedições contra os persas. As melhores tropas vândalas encontravam-se na Sardenha, ocupadas em sufocar uma revolta. Belisário marchou sobre Cartago, empurrou Gelimer para Decimum (perto da atual Túnis), apoderou-se da capital em 15 de setembro, desbaratou uma contra-ofensiva em 15 de dezembro e aprisionou o rei vândalo. A África germânica estava vencida para sempre. Belisário pôde voltar para Constantinopla, onde o seu triunfo foi celebrado à moda antiga, e Justiniano adornou-se com os títulos de *Vandalicus* e *Africanus*.

A sorte tinha-o ajudado — a sorte e também a cumplicidade da população romana da África, que acolheu os bizantinos como libertadores. Com efeito, Belisário tomara medidas muito hábeis nesse sentido, pois proibiu severamente toda a pilhagem e qualquer requisição que não fosse paga, e armou grupos de franco-atiradores africanos que provocaram verdadeiras sabotagens entre os vândalos; assim, por exemplo, o diretor dos correios entregou aos invasores todos os cavalos do seu serviço, paralisando totalmente as comunicações dos germanos. De uma forma ou de outra, o resultado foi animador, e Justiniano passou a lançar os olhos para outra parte do Império que estava sob o domínio dos bárbaros — a Itália, ocupada pelos ostrogodos.

A situação na península itálica lembrava bastante aquela que tinha levado à intervenção na África. A política de aproximação e colaboração amigável com os ocupados, que fora o grande ideal de Teodorico, chocava-se, como já vimos, com a hostilidade do clero; por muito moderado que o domínio ariano se tivesse mostrado, não fora bem recebido. Perto do fim do seu reinado, o próprio Teodorico havia renunciado à sua ideia[29]. Depois da sua morte, em 526, a Itália dividiu-se em duas facções: o partido "romano", agrupado em torno de Amalasonta, filha de Teodorico e regente em nome do pequeno Atalarico, favorável de modo geral a uma política de assimilação; e o partido nacionalista germânico, chefiado por um sobrinho de Teodorico chamado Teodato, avesso a qualquer entendimento com os romanos e à influência da civilização antiga. Em 533, Amalasonta tinha ajudado Belisário contra os vândalos, coisa que os nacionalistas germânicos não lhe perdoaram. No outono de 534, tendo morrido o pequeno Atalarico, um golpe de estado derrubou a regente e a expediu para uma ilha do lago de Bolsena. Mas antes de ser estrangulada, Amalasonta ainda teve tempo de enviar uma mensagem a Justiniano, implorando o seu auxílio.

Na Itália, como na África, a Providência a princípio pareceu estar ao lado das forças bizantinas. Uma dupla ofensiva lançada ao mesmo tempo através da Dalmácia e da Sicília foi bem sucedida: Belisário apoderou-se de Nápoles na primavera de 536, e o norte da Península foi ocupado; Teodato foi deposto pelas suas próprias tropas e Roma libertada em 10 de dezembro, de forma que tudo parecia andar às mil maravilhas. Mas, na realidade, a situação era muito menos clara e favorável do que na África, pois havia na Itália muitos elementos cujas convicções e interesses os ligavam aos ostrogodos. O grande protagonista da colaboração com os godos, o romano católico Cassiodoro, deixara as suas funções de ministro para se encerrar no silêncio do seu convento calabrês[30], mas muitos outros elementos desconfiavam dos bizantinos, principalmente entre o clero, que lançava sobre eles a suspeita de monofisismo; por outro lado, as tropas de Belisário, não tendo sido tão bem recebidas como na África, mostraram-se menos amáveis e menos disciplinadas.

Em breve, Justiniano teve de render-se à evidência: a guerra-relâmpago não seria suficiente. Diante da resistência ostrogoda, infinitamente mais firme do que a dos vândalos, foi-lhe necessário enviar reforços e proceder a uma lenta e paciente marcha sobre Ravena. Só no outono de 539 é que Belisário conseguiu bloquear a capital, mas não se apoderou dela senão por meio de um ardil indigno: segundo se diz, persuadiu os chefes bárbaros de que estava disposto a trair a causa imperial e a cingir a coroa goda. Poderá Justiniano intitular-se *Italicus* e *Ostrogothicus*? Seja como for, falará com uma satisfação sincera da *sua* cidade de Roma, da *sua* cidade de Ravena, tal como o teriam feito Teodósio ou Constantino.

Cedo demais! O partido godo não estava desarmado e conseguiu reagrupar-se em torno de um jovem rei que, por muito ignorado que seja da grande história, foi incontestavelmente um personagem extraordinário — *Tótila*. Inovador audacioso, Tótila libertou em massa os escravos dos grandes domínios, isentou os colonos das prestações e das corveias que eles deviam aos grandes latifundiários e criou assim interesses comuns entre os godos e o proletariado italiano. Toda a Península estava já cansada do esmagador fisco bizantino e da falta de tato dos orientais. Tótila retomou a luta, tendo-se revelado um emérito estratego, uma espécie de Napoleão godo. Com apenas cinco mil homens, bate o exército imperial, primeiro na Emília e depois ao norte de Florença; logo a seguir, varre a Úmbria e depois os Abruzzos. Engrossando as suas tropas com escravos libertados e com colonos italianos, acaba por bloquear Nápoles e, em dezembro de 546, toma Roma, já esfomeada.

Belisário nada pôde fazer. Serão precisos mais oito anos para vencer esse terrível herói. Roma, tomada e retomada sucessivamente pelos dois adversários, é agora um campo de ruínas. Todas as províncias da Península estão extenuadas e gritam de dor. Belisário, já velho, é sacrificado; seu sucessor, o idoso eunuco Narsés, cuja nomeação causou riso, desenvolve enfim a estratégia da reconquista. Vai desgastando pouco a pouco as tropas dos ostrogodos, apoia-se na população que está mais do que cansada da guerra, acaba por forçar o encontro com o próprio Tótila na planície da Úmbria, mata-o (552) e, no ano seguinte, esmaga a última resistência goda na batalha do Vesúvio. Estava tudo acabado; em 554, a *Pragmática Sanção* introduz na Itália o código de Justiniano, elimina os vestígios da administração ostrogoda, anula as reformas de Tótila, restitui as terras aos proprietários e reserva ao papa e aos bispos um lugar eminente na nova organização, para que eles possam resistir às ambições oligárquicas dos grandes funcionários. A terra maternal de Roma é novamente romana. Mas em que estado!

Era tudo? Estava satisfeita a ambição de Justiniano? Não; há duas regiões que ainda continuam bárbaras: a Gália e a Espanha. Na Gália, a questão é complexa, porque o domínio franco é sólido e conta com o apoio do episcopado católico; o assunto será deixado para mais tarde, e chegará mesmo a haver um entendimento com os francos, abandonando-se-lhes a Provença; Bizâncio limitar-se-á momentaneamente a reprimir as incursões que de tempos a tempos os seus chefes, muito empreendedores, lançavam através das planícies italianas. Na Espanha, porém, a anarquia é completa e a dinastia visigótica debate-se entre intrigas e assassinatos. Uma reação violenta, germânica e ariana, acaba de levantar uma grande parte da população contra os ocupantes. Senhores das Baleares desde o fim do reino vândalo, os bizantinos aproveitam a ocasião e desembarcam sob o comando de Libério, batem o rei visigodo, matam-no e instalam-se em toda a costa sudeste. E não irão mais longe. Nessa data — 555 —, Justiniano, já septuagenário, não tem o ardor de outrora. Basta-lhe o gigantesco amontoado de vitórias alcançadas até então.

Olhando-a no mapa, a obra militar de Justiniano parece imensa. Era uma verdadeira reconquista do Ocidente aos bárbaros, semelhante à que, muito mais tarde, Fernando e Isabel haviam de organizar contra os árabes na Espanha; ou ainda, usando de uma linguagem mais recente, era uma verdadeira "libertação" do Ocidente do domínio germânico. Às seis dioceses[31] do Leste (Trácia, Ponto, Ásia, Oriente, Ilírico e Egito), acrescentaram-se as quatro do Oeste (Dalmácia, Itália, África e Espanha). De todas as regiões da costa do Mediterrâneo, apenas a Provença ficava em poder dos francos que, aliás, se tinham tornado amigos. Gloriosas aparências!, que fizeram com que Justiniano, até os seus últimos dias, estivesse sinceramente convencido de que tinha restabelecido para sempre a unidade do Império e devolvido a Roma a sua antiga grandeza.

Tudo não passava de simples aparência. A lei das contradições, que se impunha e se imporá sempre à história de

Bizâncio, jogava contra essa política ambiciosa e a esterilizava antecipadamente. Na realidade, as suas conquistas eram frágeis. Na Espanha, havia uma tênue ocupação pendurada do flanco da Península, cujo núcleo continuava bárbaro. Na África, a autoridade era tão discutível que, de 544 a 548, os berberes se revoltaram, saquearam Cartago e massacraram os funcionários imperiais, tendo sido necessária uma nova expedição para os submeter. Na Itália, a situação era aterradora e a ruína universal. Roma fora abandonada pelos seus habitantes e ficou reduzida à condição de pequeno burgo durante séculos; a angústia e a irritação estavam tão generalizadas que, no meio da total destruição dos quadros ostrogodos e da incapacidade dos exarcas bizantinos de Ravena de se imporem e de governarem nesse vácuo e nessa desordem, os lombardos, chamados à Itália como federados pelos próprios bizantinos, ali se estabeleceram como senhores e constituíram um reino sólido por mais de duzentos e cinquenta anos.

E há ainda um elemento mais grave. O "grande desígnio" de Justiniano, ao lançar para o Ocidente todas as forças do Império, acabou por desequilibrá-lo. É certo que a leste se construíram linhas fortificadas, do Danúbio ao Eufrates, um duplo *limes* defendido por guarnições permanentes. Mas em vão! Os persas, que pareciam ter sido neutralizados por uma paz solene em 532 e deixado as mãos dos bizantinos livres para as campanhas no Ocidente, aproveitaram-se das dificuldades que Justiniano experimentou na Itália e, sob o comando de *Cosroés I, o Grande*, lançaram-se sobre o Eufrates numa marcha vertiginosa (540), apoderaram-se de Antioquia, reduziram-na a ruínas e incendiaram-na. Belisário, mandado às pressas para o Oriente, só a muito custo consegue deter o adversário, e no fim das contas Justiniano não se desembaraçará dos persas senão pagando-lhes um tributo.

Ao mesmo tempo, os selvagens búlgaros avançaram sobre a Grécia, tomaram Corinto e chegaram a saquear os subúrbios de Constantinopla. E por trás deles encontravam-se ainda os inesgotáveis eslavos...

Os "grandes desígnios" custam sempre caro. No fim do seu reinado, Justiniano vê exaurir-se o seu tesouro e tem de reduzir os efetivos. A opinião pública, embora domesticada, insurge-se contra o aumento dos impostos. A venalidade dos cargos, agora renovada, desagrega a administração. Surgem tensões sem fim nas províncias, principalmente na Síria e no Egito, onde a questão religiosa pende para o separatismo. A crise econômica causa estragos. A julgar, já não pelas aparências, mas pelos resultados, o "grande desígnio" de Justiniano está ferido de uma fraqueza mortal. E o pior sinal dessa fraqueza é simplesmente que tão vasta empresa, não só romana mas cristã — a "reconquista" —, dirigida por um homem de fé e disposta a arrancar o Ocidente aos hereges arianos, não poderia nunca realizar verdadeiramente a unidade do Império: impediam-no as incertezas da política religiosa de Justiniano e de Teodora.

Os complexos religiosos de Justiniano e Teodora

O casal imperial, a quem se devem esses três grandes fatos da história cristã que foram a cristianização das leis, a construção de Santa Sofia e o esmagamento dos bárbaros arianos, era indubitavelmente um casal impelido pela fé. Justiniano aparece-nos ao longo de toda a sua vida como um fiel de convicções sólidas e de sincera piedade, que dava o exemplo de uma conduta privada verdadeiramente cristã, que orava e jejuava regularmente e que desejou de todo o coração o bem da Igreja. Nada seria mais falso do que querer explicar toda a sua política religiosa através de simples razões de Estado. Quanto a Teodora, mais complicada, parece ter sido uma alma agitada por problemas metafísicos, dominada pelo atrativo da santidade e da ascese, mesmo no meio do luxo e da púrpura, e ao mesmo tempo mais preocupada — mais preocupada que o marido — em não permitir que as coisas da religião interferissem nos interesses políticos do trono.

Este cristianismo, porém, neles inteiramente autêntico, era um exemplo perfeito do cristianismo "à bizantina", isto é, violento até o extremo, excessivamente propenso a confundir o que de direito pertence a César com o que de direito pertence a Deus, e, como aliás o de todos os seus contemporâneos, inteiramente saturado de mania teológica. Em matéria de dogma, de espiritualidade, de disciplina eclesiástica e de liturgia, Justiniano possuía uma erudição espantosa e tratava desses obscuros assuntos com a agudeza de um teólogo profissional. Quanto a Teodora, não fora inutilmente que entrara no seio da Igreja pela mão desses mestres em discussões teológicas que eram os monges alexandrinos.

Por outro lado, a extraordinária confusão em que o cristianismo se encontrava quando eles subiram ao trono — abalado pelos grandes debates sobre a pessoa, una ou dupla, de Cristo, levado de cá para lá pelos monofisitas e pelos nestorianos, pelos origenistas e pelos últimos arianos, sem falar dos maniqueus e de mais uns vinte outros tipos de hereges —, essa confusão tinha a sua correspondência no próprio lar de Justiniano e Teodora. Ele, um honesto filho dessas montanhas ilíricas onde permanecia incólume o catolicismo mais sólido, mostrara-se sempre, à imitação do seu tio e pai adotivo Justino, perfeitamente ortodoxo, vigoroso defensor do Concílio de Calcedônia, que condenara as seitas monofisitas, e cheio de deferências para com o Papa de Roma. Ela, a quem as questões religiosas não haviam preocupado excessivamente quando, aos dezesseis anos, era a principal artista dos quadros vivos do Hipódromo, tinha experimentado uma comovente conversão aos vinte ou vinte e três anos, no Egito, num momento em que a sua carreira aventurosa a lançara no pior desespero; e como aconteceu que as boas almas que a levaram a chorar os seus pecados eram monofisitas, também ela se fez monofisita e monofisita permaneceu durante toda a vida. O casal imperial sofria, pois, nas suas bases religiosas, de um estranho complexo, que aliás não parece ter sido motivo de desentendimentos entre os dois esposos; mesmo Procópio, de língua sempre afiada, insinua que "a diferença das suas convicções era apenas ilusória" e que lhes servia de sutil instrumento de governo...

Mas Justiniano sofria — talvez sem o perceber — de um complexo muito mais grave. Por um lado, venerava o bispo de Roma e reconhecia o seu primado efetivo. Por isso mandara inserir no seu Código a fórmula do papa Hormisdas que, pondo termo ao cisma de Acácio, tinha proclamado esse primado. Chegara mesmo a escrever-lhe: "A unidade das santas igrejas depende do ensino e da autoridade da Igreja apostólica". Lê-se também nas *Novelas*: "Ninguém pode duvidar de que a sublimidade do soberano pontificado esteja em Roma". Mas, por outro lado, a própria concepção que o imperador tinha do seu poder, misturada com a paixão de dogmatizar em matéria de teologia, tinha de levá-lo por força a comportar-se como os seus predecessores, isto é, como um líder religioso, e a espezinhar os direitos da Igreja. Tudo isso, certamente, com as melhores intenções, pois considerava que a sua missão na terra era "conservar intacta e pura a fé cristã e defender contra toda a perturbação a Santa Igreja católica e apostólica".

Daqui provêm as suas frequentes intervenções na nomeação e deposição de bispos, as ordens autoritárias aos concílios — convocados e dissolvidos a seu bel-prazer —, e ainda os seus decretos com sabor de encíclicas, em que resolve as mais difíceis questões de fé... Entre os papas e o mais teológico autocrata do seu tempo, a oposição derivava necessariamente da própria essência das coisas; além disso, muitas ambições puxavam nessa direção, como evidentemente as do patriarca de Constantinopla, que Justiniano qualifica como "cabeça de todas as igrejas do Oriente", tendendo a colocá-lo no mesmo nível do bispo de Roma! Mais tarde, depois da "reconquista", virá juntar-se ainda a ambição do bispo de Ravena — convertida em capital imperial —, que se fará elevar a arcebispo em 565, à espera do patriarcado que lhe será concedido um pouco mais tarde[32]. Quando razões puramente doutrinais vierem sobrepor-se às deste antagonismo hierárquico, a oposição degenerará em conflito e assistir-se-á ao escândalo de um imperador, filho muito respeitoso da Igreja católica, que tentará impor com violência as suas opiniões ao Papa.

O assunto mais penoso deste reinado surgiu a propósito das questões das heresias. Logo que assumiu o poder, Justiniano anunciou que perseguiria os hereges e "os submeteria a uma justa correção". Multiplicou os decretos contra as diversas seitas anticalcedônias e, ao mesmo tempo, contra os maniqueus, judeus e pagãos; proibiu todos esses suspeitos de terem acesso ao ensino, e mandou fechar os templos arianos, bem como as sinagogas judaicas. Como o monofisismo continuasse a agitar a Igreja, fulminou-o com diversos documentos da sua autoria, principalmente com um *Tratado* em boa e devida forma, verdadeira epístola dogmática solidamente apoiada na Escritura, nos Padres e nos concílios, em que o autocrata teólogo esmagava as heresias cristológicas.

Por trás de tudo havia, certamente, excelentes intenções, mas estas se encontravam singularmente diminuídas no seu alcance prático pelo fato de que, no próprio palácio imperial, Teodora dava asilo a monofisitas ilustres como Severo de Antioquia, patriarca deposto; protegia Antimo, bispo de Constantinopla que o papa Agapito acabava de excomungar; e — sob o pretexto de que era preciso evitar a todo o custo que a Síria e o Egito, países muito inclinados para as doutrinas da única natureza de Cristo, se lançassem no caminho do separatismo —, apoiava à socapa Jacó Baradai, o bispo herege de Edessa, que organizara tão bem a hierarquia dissidente que até hoje a igreja síria monofisita se denomina jacobita. Era verdadeiramente o caso de não se compreender nada!

Surgiu então um novo incidente. Justiniano foi convidado por eminentes personalidades, como o venerável São Sabas, a tomar medidas contra os origenistas da Palestina — que apelavam, como se sabe, para as doutrinas do grande doutor de Alexandria, aliás deformando-as enormemente —, e não deixou que se perdesse uma ocasião tão magnífica de ceder à sua paixão teológica. Num *Tratado contra Orígenes*, liquidou da forma mais sumária e injusta o pensador alexandrino e todos aqueles que o seguiam. Mas os origenistas, quer declarados, quer secretos, não deixavam de ter as suas influências na corte e manobravam com habilidade. Desviaram astuciosamente a tempestade para cima de outros e persuadiram Justiniano — evidentemente com o apoio da imperatriz — de que ele desempenharia muito melhor o seu papel de servidor de Deus se reconciliasse todos os cristãos do seu Império, e especialmente se reconquistasse para a Igreja os monofisitas. Justiniano lançou-se, pois, no rasto dos seus predecessores, que já haviam tentado a mesma coisa por outros meios, mas que só tinham conseguido colher os maiores aborrecimentos.

O método que seguiu para reconciliar os monofisitas assemelhou-se àquele que seria usado na França de Luís XIV contra os jansenistas: procurou remover alguns escolhos da doutrina ortodoxa que os hereges atacavam, a fim de salvaguardar o conjunto. A refutação do monofisismo baseava-se sobretudo na obra de três doutores: Teodoro de Mopsuéstia, Teodoreto de Ciro e Ibas de Edessa, que representavam, evidentemente, os três inimigos mortais para os monofisitas. Fizeram notar a Justiniano que as doutrinas desses três mestres não eram talvez tão ortodoxas como pareciam; que, se a sua perspicácia as examinasse, encontraria nelas muitos traços heréticos, ou ao menos determinadas teses que poderiam servir de apoio a novas heresias; além disso, se esses inimigos dos monofisitas fossem condenados, estes se mostrariam muito mais dispostos a reentrar no redil. Justiniano enveredou por esse caminho. Nas obras dos "suspeitos" escolheu três partes ou, como então se dizia, *Três Capítulos*, que fez condenar pelo Sínodo de 531-534 e que ele mesmo anatematizou a seguir com um belo edito, muito bem fundamentado teologicamente. O episcopado do Oriente, sem entusiasmo, assinou o documento, e Justiniano dirigiu-se ao papa.

Quando a questão começou, o papa era um santo homem, velho mas firme: *São Silvério* (536-537). Instado a anular a condenação lançada pelo seu antecessor Santo Agapito contra o patriarca de Constantinopla Antimo, recusou-se a fazê-lo; e quando Belisário se apoderou de Roma, provavelmente devido a ordens secretas de Teodora, o infeliz papa viu-se implicado num inverossímil processo de alta traição, acusado de ter "pactuado" com os godos, e foi exilado para o Ponto, onde acabou os seus dias. Justiniano, príncipe católico, fizera de um papa um mártir!

Uma hábil maquinação, organizada pela imperatriz e pelo general, conduziu em seguida ao trono pontifício um prelado que passava por ter estado mais ou menos envolvido no caso contra Silvério: *Vigílio* (538-555). Mas, ou porque a simples graça da sagração tivesse esclarecido este homem, ou porque as dificuldades levantadas então na Itália pelo godo Tótila tivessem também contribuído para abrir-lhe os olhos, Vigílio, em vez de ser um dócil instrumento da política imperial, mostrou-se tão independente quanto pôde. No começo, recusou-se a condenar os *Três Capítulos*; trazido muito imperialmente a Bizâncio, acabou por ceder, mas quando voltou a Roma anulou a sua condenação, num momento em que Justiniano se agarrava ainda mais às suas ideias. Um concílio reunido em Constantinopla, sob a "proteção" das tropas bizantinas, preparava-se para homologar as doutrinas imperiais, ainda com a esperança — ilusória — de reconduzir os monofisitas à unidade, quando Vigílio, mais uma vez, se atravessou no caminho. Assistiu-se então ao espetáculo de um papa arrancado pelos soldados da igreja onde buscara refúgio, puxado pelos pés, pelos cabelos e pela barba — tão violentamente que o altar a que se abraçara desmoronou! —, obrigado a fugir e a refugiar-se em Calcedônia, torturado pelos emissários do imperador, que pretendia obter a sua submissão, e por fim, doente, já sem forças, acabando por ratificar a decisão do sínodo, que se realizara sem ele e apesar dele...

Caso doloroso, que deixou as suas sequelas na história da Igreja: muitos bispos se recusaram a acatar as decisões desse estranho concílio, e daí resultaram diversos cismas locais que se prolongaram durante muito tempo, enquanto os monofisitas, irônicos, declaravam insuficientes as concessões que lhes haviam sido feitas e se portavam com tal arrogância que Justiniano, exasperado, se viu obrigado a desencadear contra eles uma verdadeira perseguição. Tal foi a embrulhada que resultou do *cesaropapismo* bizantino.

Quando Justiniano morreu, em 565, já octogenário, estava exausto, cansado de tanta desordem, mas de forma alguma desgostoso com a teologia[33]. Não conseguiu compreender que a verdadeira causa dessas desordens residia nele próprio, no erro fundamental que viciava toda a sua política religiosa, e não esteve longe de pensar que a Providência era injusta, uma vez que recompensava tão mal os seus leais esforços para servir a fé. Quanto aos seus povos, estavam ainda mais cansados do que ele, e, como quase todos os "grandes reinados" — basta que pensemos em Luís XIV ou em Napoleão —, o grande reinado de Justiniano acabou com um suspiro de alívio.

Foi incontestavelmente um grande reinado. Durante trinta anos assistiu-se a um fenômeno admirável: em todos os terrenos — na política, na economia, nas artes e letras ou no direito —, o pensamento imperial tomou novamente posse do mundo. O último dos grandes imperadores *romanos* foi Justiniano. Mas este êxito não deixou de ser excepcional e paradoxal, e deveu-se à ação de personagens vigorosas e ao hábil aproveitamento de circunstâncias felizes. Não podia durar e não durou; desmoronar-se-ia depois dos seus protagonistas com uma rapidez espantosa. A Bizâncio autocrática, hierática e burocrática, não era capaz de recuperar verdadeiramente o Ocidente e de dotá-lo de um regime restaurador. Assim, não só não conseguiu retardar o seu afundamento na noite bárbara, mas em certo sentido até o acelerou, ao esmagar de vez a tentativa de assimilação feita pelos ostrogodos. Mais ainda que certos chefes germânicos — por exemplo

Tótila —, Bizâncio mostrou-se uma força do passado, muito pobre em ideias inovadoras. Foi sobretudo incapaz — e o exemplo de Justiniano assim o provou — de se erguer acima das rotinas orientais, do seus complexos "bizantinos", de todas essas influências contraditórias que a misteriosa e sutil Teodora havia encarnado para o basileu.

Tal como já se percebia claramente nesta metade do século VI e se confirmaria ao longo dos oitocentos anos seguintes, o destino de Bizâncio era salvar o Oriente da onda bárbara, mas não salvar a romanidade. Secretamente minada pelo cesaropapismo, pela confusão dogmática e pela tendência para o cisma, a sua igreja, por muito santa que fosse nos seus melhores representantes, deixava ver, no seu desafeto latente por Roma, os primeiros sinais do grande esfacelamento do Oriente e do Ocidente. Não era sobre Bizâncio que seria necessário estabelecer o apoio para reconstruir o mundo. E a Igreja bem o sabia.

Notas

[1] Algumas obras romanceadas vão buscar em Bizâncio o teatro da sua ação. Sem remontarmos ao *Héraclius* de Corneille ou ao *Bélisaire* de Rotrou e de la Calprenède, em que não existe a preocupação da veracidade histórica, podemos citar a *Théodora* de Sardou; o romance de Jean Lombard, *Byzance*; *Basile et Sophie* e *Irène et les Eunuques*, de Paul Adam; e *L'empereur de Carthage*, do historiador Alfred Rambaud (cf. Louis Bréhier, *Byzance das l'opinion et la littérature*, in *Revue de la Mediterrannée*, maio-julho de 1946).

[2] Cf. cap. VI deste volume.

[3] Cf. *A Igreja dos Apóstolos e dos Mártires*, cap. XI.

[4] Não devemos, no entanto, generalizar ou exagerar a importância destes casos surpreendentes. Os estilitas não demoraram a converter-se numa instituição legítima da Igreja. As preces a favor do seu reconhecimento figuram no ritual bizantino. A sua vida, realmente dura, não diferia da dos nossos guardas de faróis nas ilhas costeiras do Oceano. Seria errado mencionar apenas excentricidades, escolhidas propositadamente por alguns autores antigos para despertar a curiosidade, à maneira de alguns casos patológicos tratados pelos romancistas modernos, como se tais fatos constituíssem a normalidade da vida religiosa, pois se tratava apenas de uma ínfima minoria. A vida religiosa do Oriente não diferia da

nossa e era igualmente edificante. Talvez houvesse demasiados monges, mas, no Oriente, onde abundavam as crianças, os soldados não eram menos numerosos do que os monges. Acrescentemos ainda que nunca houve no Oriente nenhuma ordem ou instituto religioso no sentido restrito que atribuímos a esses termos, que aliás fomos nós que introduzimos lá. Apenas na Rutênia (Ucrânia) e no Líbano, nos séculos XVII e XVIII, é que se estabeleceram ordens de São Basílio (de rito grego).

[5] Oficialmente, o título de *basileu* somente passará a figurar no protocolo imperial a partir de Heráclio e da sua vitória sobre os persas (629). Mas, no uso corrente, já era comum muito antes.

[6] Cf. *A Igreja dos Apóstolos e dos Mártires*, cap. III, *Roma e a revolução da Cruz*

[7] É evidente que a intervenção dos imperadores em pormenores teológicos andou frequentemente ligada às variações da sua política para com a parte ocidental do Império e para com o papado. Quando um imperador queria reivindicar a independência da igreja do Oriente contra Roma, mostrava tendências para se entender com os hereges; se, pelo contrário, tinha necessidade de se aproximar do Papa para levar adiante a sua política ocidental, tornava-se um ortodoxo fiel.

[8] Sobre os princípios e o caráter de São João Crisóstomo, cf. *A Igreja dos Apóstolos e dos Mártires*, cap. XI, par. *Duas grandes figuras das letras cristãs: São João Crisóstomo e São Jerônimo*. Crisóstomo em grego significa "Boca de Ouro".

[9] Sobre Orígenes, cf. *A Igreja dos Apóstolos e dos Mártires*, cap. VII, par. *A escola alexandrina de Clemente e de Orígenes*.

[10] Alusão ao rapto de Sara pelo Faraó durante a permanência de Abraão no Egito. Cf. Gn 12, 10-20.

[11] Cf. *A Igreja dos Apóstolos e dos Mártires*, cap. X; e este volume, cap. I, par. sobre o maniqueísmo e o pelagianismo, veja-se o *O combatente da Verdade*.

[12] Cf. Draguet, *L'histoire du dogme catholique*.

[13] "Ao estudar a história do culto à Virgem, verifica-se que não lhe foi dedicada nenhuma igreja antes do Concílio de Éfeso (431), que condenou Nestório e decidiu que Nossa Senhora devia chamar-se *Theótokos*, mãe de Deus, e não *Christótokos*, mãe de Cristo". E. Mâle, *La fin du paganisme en Gaule*, Paris, 1950, pág. 226.

[14] Cf. cap. II, par. *Leão Magno e o papado*.

[15] É interessante comparar o quadro destas controvérsias com a evolução que a liturgia sofreu nas regiões por onde ecoou o seu ruído; por estranho que pareça, não se encontra em parte alguma na antiguidade cristã, a não ser em alguns casos muito raros, nada que prenuncie a emoção de um São Bernardo ou de um São Francisco perante o Presépio ou a Cruz. Toda a piedade estava voltada para Deus Pai. A devoção à humanidade de Jesus nasceu no Oriente, precisamente nesta época; é no Oriente que se comemoram pela primeira vez as diversas fases da vida de Jesus; as cerimônias da Sexta-Feira Santa celebraram-se em Jerusalém antes que em Roma, e a sua liturgia espalhou-se primeiro na igreja grega. Da mesma maneira, parece ter sido preponderante a influência do Oriente no que se refere às origens do Crucifixo, pois um dos exemplares mais antigos da Cruz de Altar que se conhecem provém de um mosteiro nestoriano do século VI (cf. E. Dumontet, *Le Christ selon la chair et la vie liturgique au moyen âge*, Paris, 1932, pág. 13).

[16] Foi sob a forma nestoriana que o cristianismo penetrou na Ásia central e até na China. Cf. cap. VI, par. *Irradiação cristã do Ocidente*.

[17] Devemos lançar a crédito deste bispo a reparação de uma grande injustiça. Foi ele que obteve do imperador o traslado do corpo de São João Crisóstomo para Constantinopla. As relíquias chegaram à capital em 21 de janeiro de 438, e milhares de barcos iluminados sulcaram o Bósforo para irem ao seu encontro. O próprio Teodósio II presidiu à deposição das relíquias na Basílica dos Santos Apóstolos, túmulo dos reis.

[18] Foi nesta ocasião que São Leão instituiu em Constantinopla uma legação permanente, que confiou ao bispo Juliano de Cós. Estava criada a primeira nunciatura.

[19] Cf. pág. 194. O monge responsável pela proeza foi devidamente executado.

[20] O que lhe valeu ser injustamente colocado por Dante no *Inferno* (canto XI, 6, 10).

[21] Quando, em 525, o rei ostrogodo Teodorico obrigou o papa São João I a ir a Constantinopla (cf. cap. II, final) para reclamar do imperador certas regalias para os godos arianos, o soberano pontífice foi recebido com extraordinárias atenções. Justino chegou ao ponto de pedir-lhe que o coroasse uma segunda vez, quando já tinha sido coroado pelo patriarca de Constantinopla. Quanto à missão de que o papa fora encarregado pelos godos, desempenhou-se dela — talvez voluntariamente — de tal forma que Teodorico teve muitas razões para ficar furioso com o resultado. Aliás, era absurdo esperar que um papa advogasse a causa da heresia. Sabe-se que João veio a ser preso e morreu na prisão.

[22] Procópio deu-nos duas versões diametralmente opostas do reinado de Justiniano. Por um lado, na *História das guerras* e no *Tratado dos edifícios*, exalta a sua glória; por outro, na *História Secreta*, relata-nos o lado negro, com um deleite nos aspectos sórdidos e um encarniçamento que mais denotam o servo infiel do que o historiador. É de lamentar que, talvez devido ao seu caráter picante, isto é, pornográfico, o que mais se tenha difundido da vida de Justiniano sejam as anedotas da última obra citada.

[23] É muito interessante sublinhar que Teodora inspirou a Justiniano os primeiros passos de uma política feminista, aliás muito moderna sob certos aspectos. Sendo uma "abolicionista", sugeriu ao basileu rigores contra os proprietários de casas de má fama e levou-o a lutar contra o tráfico de mulheres. E não se limitou a dar conselhos — por mais autorizados que fossem, partindo dela —, mas, sendo o dinheiro também neste terreno o nervo da guerra, fez grandes despesas para lutar contra a prostituição, resgatando as meretrizes e fundando uma casa para aquelas que se regenerassem (cf. Ernest Stein, *Histoire du Bas-Empire*, t. II, pág. 239).

[24] A ideia que presidiu à elaboração da coletânea é a dos *Digesta*, das coisas digeridas, isto é, classificadas segundo uma ordem intelectual, ordenadas segundo um plano lógico. Quando Boileau escreveu: "Do *Digesto* e do *Código* abre-nos o dédalo", mostrou que nunca o tinha aberto, porque o *Digesto* é, por definição, o contrário de um dédalo, de um labirinto. Diz-se também que no *Digesto* se encontra a jurisprudência, o que é falso, pelo menos se tomarmos a palavra no sentido restrito e hoje único de "precedente judiciário". O que se encontra nele — aliás medianamente retocadas e trituradas — são as obras da doutrina jurídica e, entre elas, as "respostas dos prudentes", isto é, as respostas dadas pelos jurisconsultos oficiais do imperador, as respostas dos ministros às perguntas escritas dos deputados... É a presença deste elemento que, por atração verbal, faz dizer que no *Digesto* se encontra "a jurisprudência".

[25] Para saber em que medida se deve a Justiniano o conceito de responsabilidade, cf. Mazeaud, *Traité de la responsabilité civile*, I, 33.

[26] Será preciso lembrar que a basílica de Santa Sofia não é consagrada a uma santa que usasse esse nome, mas sim à Sabedoria divina, exaltada pelo livro do mesmo nome do Antigo Testamento, um dos atributos mais essenciais do Todo-Poderoso? E que o Partenon era dedicado a Atena, deusa da sabedoria?

[27] Se Santa Sofia é a realização mais importante de Justiniano como construtor, está longe de ser a única. O livro *Dos Edifícios* de Procópio é um verdadeiro catálogo de igrejas, termas, pórticos, hospitais e cisternas que o casal imperial mandou construir não somente em Bizâncio mas em todo o Império (Teodora participou diretamente dessas iniciativas, principalmente no que se refere aos hospitais). Assim, Antioquia, que tinha sido destruída pelos persas, foi integralmente reconstruída, e com uma magnificência que nunca havia conhecido. O mesmo sucedeu em Ravena onde, para celebrar a vitória, se erigiram igrejas que continuam sendo admiradas.

[28] Era Eudócia, segunda filha do imperador do Ocidente Valentiniano IV e da imperatriz Eudóxia, que tinha sido raptada com sua mãe por Genserico, por ocasião do saque de Roma, em 455; cf. cap. II, par. *O fim do Ocidente romano*. Casada à força com Hunerico, nunca aceitou a sua sujeição nem tolerou as perseguições arianas, e dezesseis anos depois do seu casamento conseguiu enfim fugir e refugiar-se em Jerusalém, em 472.

[29] Cf. cap. II, par. *Dois malogros: a solução vândala e a solução ostrogoda.*

[30] Sobre Cassiodoro, cf. cap. II, par. *Dois malogros: a solução vândala e a solução ostrogoda*, e mais adiante o cap. V, o par. *São Bento*.

[31] Lembramos que a diocese era uma circunscrição administrativa civil.

[32] A partir de 555, data em que a Itália foi incorporada ao Império do Oriente, os papas foram obrigados a pedir a Bizâncio a ratificação da sua eleição. Antes que esta ratificação — pela qual era necessário pagar uma taxa! — chegasse a Roma, era proibido realizar a sagração. Em breve esta obrigação trouxe consigo tais problemas que os imperadores acabaram por delegar ao seu representante na Itália, o exarca de Ravena, o direito de ratificar a eleição. Desta forma, a política bizantina passou a contar com um meio de pesar gravemente sobre as decisões romanas, mesmo em questões dogmáticas. É certo que, em troca, a *Pragmática Sanção* de 554 confirmou e ampliou o poder temporal do papado. O soberano pontífice passou a intervir na nomeação dos governantes de província, a examinar as suas contas e a chamá-los a tribunal em caso de prevaricação; na própria Roma, passou a controlar os negócios municipais, incluída a "vigilância das pontes e das muralhas" e até "dos mercados e balneários". Assumiu, pois, o papel de "defensor da cidade", embora não tivesse o título; mas nem por isso era menor o perigo de que confundisse o espiritual e o temporal.

[33] Ainda no fim da sua vida, sempre obcecado pelos problemas teológicos, inclinou-se mais ou menos para a heresia dos *aftartodocetas*, que afirmavam que, na Cruz, o corpo de Jesus se tornara impassível; um dos seus últimos atos foi exilar o patriarca Eutíquio, que se recusava a aceitar essa tese.

IV. A IGREJA CONVERTE OS BÁRBAROS

Clóvis e os bispos gauleses

As frases rugosas de São Gregório de Tours evocam uma cena profundamente gravada no âmago das recordações do povo francês: pelas ruas da cidade[1], embandeiradas com panos pintados, avança um jovem rei por entre as aclamações de todo o povo. A igreja[2] está ornamentada com panos brancos; o incenso embalsama o ar, e os círios são tão numerosos que este dia cinzento de inverno parece estar iluminado por um sol rutilante de agosto. "Será já o Paraíso?", exclamam os bárbaros.

Um grupo cerrado de bispos acotovela-se no coro, em volta de Remígio, essa santidade encarnada, de quem se conta ter ressuscitado um morto. Atrás do chefe entram os seus homens: os belos oficiais francos, com o seu verde manto de peles e a túnica de seda vermelha; os soldados germânicos, de cabelos compridos caindo sobre a nuca rapada, com a acha de armas erguida no braço direito, e os aliados gauleses, de couraça e elmo, à maneira dos legionários romanos. Clóvis é o primeiro a despir-se e a descer para a pia batismal, a fim de lavar na água nova a antiga lepra das suas máculas. "Inclina devagar a cabeça!, ó sicâmbrio, exclama o bispo. Adora o que queimaste e queima o que adoraste!" Depois dele, em grupos de trezentos, três mil dos seus recebem assim o sacramento. "Natal! Natal!", grita a multidão espalhada pelos prados vizinhos. E há de contar-se mais tarde que, no momento em que São Remígio quis proceder à unção ritual do Crisma, se viu descer do alto do céu uma pomba que segurava com o bico um frasco cheio do santo unguento.

Se esta célebre cena do Batismo de Clóvis está rodeada de fantasia e de lenda, nem por isso deixa de assinalar na história uma data decisiva[3]; juntamente com a visão de Constantino e a coroação de Carlos Magno, constitui um dos três fatos que traçaram os destinos políticos do Ocidente cristão. Mas levantam-se a este propósito muitas interrogações. Se é verdade que o problema fundamental, desde que se tinham iniciado as invasões, era realizar uma síntese entre os bárbaros germânicos e a sociedade romana precedente, por que motivo foi a Gália o centro vital dessa evolução? E por que razão foi este obscuro grupo de tribos nórdicas, ainda muito pouco impregnado de civilização, que tomou a iniciativa dessa operação indispensável? Só se pode responder a estas questões regressando alguns anos e considerando a situação existente por volta do ano 481, em que Clóvis assumiu o poder real.

Ao longo de setenta e cinco anos de intermitente pressão germânica, o Ocidente fora sucumbindo lentamente, e nos cinco anos anteriores a 481, o Império desmoronou-se completamente. Foi varrido o último descendente de Rômulo e de Augusto; o esquiro Odoacro, senhor da milícia, tomou o seu lugar e dominou toda a Itália até que, sete anos mais tarde, teve de enfrentar uma nova vaga de assalto, a de Teodorico com os seus ostrogodos. A África cristã geme sob o peso dos vândalos. No sul da Espanha, e na Aquitânia até às proximidades de Bourges, instalam-se os visigodos. Nas regiões do Ródano e do Saône estão os burgúndios, e mais ao norte, na Alsácia e Lorena, os alamanos.

Do antigo domínio dos filhos da Loba não subsiste senão uma espécie de ilhota, entre o Sena e o Loire, um pequeno estado residual que se diz latino e é governado por um representante das grandes famílias galo-romanas, Siágrio, filho daquele Egídio que fora um dos vencedores de Átila, mas cuja autoridade se baseia unicamente no prestígio real, no seu ascendente sobre as cidades que o querem aceitar.

Que fator poderia restabelecer a ordem e uma aparência de unidade neste Ocidente partilhado entre diversos tipos de bárbaros? Não o Oriente, como é óbvio. Por esses anos reina ali o imperador Zenão, no meio de dificuldades sem conta e empenhado em lutas contra os seus rivais. Além disso, a paixão pelas discussões teológicas reacendeu a questão das duas naturezas de Cristo, que se julgava ter sido encerrada trinta anos antes, com o Concílio de Calcedônia. Um ano depois, em 482, Zenão, com a falaz esperança de restabelecer a calma, assina o seu famoso *decreto de união* ou *Henótico*, cujo único resultado foi o de desencadear um conflito com o Papa e provocar o cisma de Acácio. Para tentar sobreviver, o Ocidente não podia contar senão com as suas próprias forças, agora que Bizâncio dele estava separada e Roma era presa dos bárbaros.

Os homens que representavam as únicas muralhas capazes de resistir ao furacão bárbaro, isto é, os bispos, bem sabiam isso. Herdeiros desses grandes chefes cristãos que, na hora do ataque, se haviam constituído verdadeiramente em "defensores da cidade" — de um São Nicásio, de um Santo Aignan, de um São Lobo, de um São Sidônio Apolinário, de um São Germano de Auxerrois —, os bispos do fim do século compreendem que o seu papel, dali por diante, é provocar a fusão das raças no marco do catolicismo. Mas chocam com a grande dificuldade do *arianismo* e perguntam a si próprios como transpô-la. Lembremo-nos: o fato de a maioria dos invasores germânicos ter sido batizada segundo os ritos desse cristianismo barato, que o godo Úlfilas adaptara aos seus hábitos culturais mais arraigados, tem uma importância não apenas teológica. Não teria sido talvez tão grave, nas perspectivas da história, que esses recém-vindos negassem a divindade de Cristo, se essa doutrina simplificadora não se tivesse aliado nessas almas ainda primitivas a um nacionalismo intransigente, que os seus êxitos bélicos não cessavam de exaltar.

Como cristãos arianos, os bárbaros consideravam-se de uma espécie diferente da das populações que acabavam de dominar; o catolicismo, para eles, era a religião do vencido, do ocupado. Na prática, a sua atitude podia variar: bonacheirona entre os burgúndios, detalhista e policial entre os visigodos e terrivelmente perseguidora entre os vândalos; mas a oposição fundamental era semelhante em toda parte. Mesmo quando este ou aquele chefe bárbaro enxergava o problema que lhes estava posto — o estabelecimento de uma ordem definitiva nos seus domínios pela harmonização das relações entre os antigos habitantes e os ocupantes —, mesmo então deparavam com esse obstáculo intransponível; Teodorico iria experimentá-lo quando se tornasse senhor da Itália. Entre os católicos do Ocidente e os bárbaros arianos, a heresia duplicava o antagonismo das raças. Nem as violências sistemáticas dos vândalos nem a sutil política dos ostrogodos poderiam ser bem sucedidas perante uma resistência que, aberta ou encoberta, e sob a direção dos bispos, tinha o apoio de toda a população.

Foi nessas condições que os católicos da Gália se voltaram para os francos. Não há dúvida de que, por volta de 480, existia em todas as regiões que constituem hoje a França um partido "francófilo". Por quê? Afinal de contas, tratava-se de bárbaros germânicos como os outros, isto é, de uma parte dessas tribos errantes que, vindas das planícies do leste, se tinham lançado ao assalto da romanidade.

Quem eram eles exatamente? Donde vinham? Donde procedia o seu nome? De *wrang*, "errante"? De *frank*, "bravo"? Deram eles o nome às suas armas — as *francae*, como diziam os romanos —, ou foi ao contrário? Não se sabe. No século X, o *Liber Historiae*, no qual se inspiraram os monges de Suger, esses primeiros historiadores da França dos Capetos, chega ao ponto de ligá-los aos troianos por intermédio de um pretenso descendente de Eneias, um tal Faramundo!...

O que se sabe com certeza das origens dos francos mostra-os como um desses numerosos povos germanos que tinham visto no Império "uma carreira". Derrotados pelo imperador Aureliano, tornaram-se, no século IV, mais ou menos "federados", assentando-se entre o baixo Reno e o Meno. Um dos seus agrupamentos, o dos ripuários, teve por centro Colônia; outro, que parece ter sido o mais ativo, o dos sálios, aproveitou a grande arrancada de 406 para se instalar na Bélgica e junto ao Somme. O primeiro dos seus chefes tribais de quem se têm dados certos foi *Clódio*, que em 430 se instalou no Somme; no mesmo ano recebeu do imperador do Ocidente, Valentiniano III, o título de legado, e mandou educar o seu filho Meroveu na corte de Ravena, como semi-pajem ou semirrefém, segundo o uso da época. Este, feito chefe por sua vez, tomou parte em 451 na luta contra os hunos, e seu filho Quilderico ajudou as forças galo-romanas a salvar Angers dos piratas saxões. Se o domínio dos francos nas regiões que ocuparam foi inicialmente muito duro, pois queimaram e saquearam como os outros bárbaros, moderaram-se no fim do século, e os pacíficos galo-romanos não se queixavam muito do seu comportamento. Isto não explica, no entanto, a visível preferência que o episcopado gaulês lhes iria mostrar.

Para compreendermos a psicologia dos bispos, devemos ter em conta o que asseguram todos os missionários que hoje difundem o Evangelho em terras africanas: todos são unânimes em afirmar que é infinitamente mais fácil trazer para Cristo os negros ainda idólatras do que aqueles que se converteram à religião muçulmana. Ora, os francos eram ainda pagãos. Por quê? Não o sabemos, do mesmo modo que não conhecemos as suas origens, e os dois mistérios talvez estejam ligados entre si. Terríveis, muito independentes, extremamente impermeáveis à ideia de uma solidariedade germânica como aquela que existia entre os godos, estes homens não se tinham deixado aliciar pelo cristianismo ariano dos seus vizinhos. Constituíam, portanto, um terreno virgem para o catolicismo e ofereciam uma saída ao impasse herético. Os bispos souberam compreendê-lo em pouco tempo.

Ora, um dos chefes deste povo, desde que ascendera ao poder, pareceu adivinhar a secreta expectativa da Igreja católica e avaliar o apoio que uma política hábil podia conseguir dela. Chamava-se *Chlodovechus* — é o primeiro *Luís* das dinastias francesas —, nome que um hábito tão pedante quanto inveterado converteu em *Clóvis*. Era filho de Quilderico e de uma princesa turíngia, Basina. Em 481 tem quinze anos — a maioridade segundo o costume franco —, mas já goza de uma reputação de bom combatente. É certamente em Tournai, onde se encontrou o túmulo de seu pai com umas belas joias de esmaltes engastados em ouro, que Clóvis é reconhecido como chefe, não por todos os sálios, mas pelo seu grupo principal; assim começa um reinado que vai ser grande.

É neste momento que entra em ação a intenção secreta da Igreja. Remígio, que é bispo de Reims — observemos que esta sé se encontra em pleno "reino" de Siágrio —, escreve ao jovem chefe uma longa e bela carta. Não apenas para lhe dar os parabéns, pois as felicitações que a missiva contém parecem simples pretextos, nem mesmo para lhe ministrar os melhores conselhos sobre os princípios que deverá pôr em prática, mas sobretudo para, com uma clareza sem altivez, colocar o poder episcopal em frente do poder real, como se quisesse fazer ver a Clóvis que a glória do seu reinado estará subordinada à colaboração entre os dois poderes. "Mostrai-vos deferente para com os vossos bispos e recorrei sempre aos seus conselhos. E, se estiverdes de acordo com eles, o vosso país há de prosperar". Falando claramente, esta carta quer dizer que a Igreja católica, descobrindo nos francos e no seu jovem rei a força do futuro, decidiu contar com eles — subentendendo-se o corolário de que não vê em Siágrio uma autoridade maior do que a do próprio Clóvis.

Que responde o franco a esse convite? A sua resposta é célebre: é o episódio do vaso de Soissons[4]. Quando, depois de ter atacado o *rex Romanorum*, Siágrio, e de o ter vencido — isto é, depois de se ter afirmado como o chefe mais ativo e mais poderoso dos bárbaros —, Clóvis se encontra senhor da metade norte da Gália, é muito significativo que manifeste intenções da mais franca cortesia para com o alto clero católico, como nesse episódio. Pode-se ver nisso a prova de que o episcopado da Champagne tinha sido favorável aos francos no decurso da guerra; talvez Clóvis já lhe tivesse dado certas garantias, mas sobretudo tinha compreendido perfeitamente o sentido da política que lhe propunham. E dali em diante é todo o episcopado gaulês que o considerará como homem providencial.

É difícil avaliarmos hoje o imenso valor que semelhante apoio teve para a glória do chefe franco. O que era a autoridade de um bispo nessa época — numa sociedade em que o desmoronamento das estruturas não deixou verdadeiramente intacto senão o prestígio desses homens, numa sociedade em que a fé cristã era ainda nova e quase primitiva — não tem proporção alguma com a autoridade que pode ter nos nossos dias um prelado ou um grande funcionário.

Simultaneamente prefeito e pontífice, o bispo é a ordem viva, a viva consciência do seu povo; e quando tem a reputação de taumaturgo, como é o caso de São Remígio, tributam-lhe mais do que respeito: tributam-lhe veneração. Além disso, é quase sempre oriundo de uma grande família galo-romana, solidamente enraizada, que pelas suas relações está ligada a qualquer pessoa que tenha peso no país. É novamente o caso de São Remígio, filho dos *Aemilii*, aristocratas das Gálias. Por último, o bispo tem quase sempre irmãos, sobrinhos ou parentes próximos bem colocados na hierarquia eclesiástica; há verdadeiras "famílias mitradas", cuja influência se vê assim multiplicada. É mais uma vez o caso de São Remígio, em cuja parentela imediata não encontraremos menos do que outros cinco santos. Se pudéssemos aplicar a linguagem da nossa política eleitoral a esta época, diríamos sem hesitar destes bispos que o norte da França "lhes pertence".

Mas não é somente nas regiões em que as armas francas venceram que o ascendente dos bispos virá em ajuda de Clóvis. O exemplo de um Santo Avito, bispo de Vienne, assim o prova. Avito encontra-se instalado em pleno país burgúndio, onde a sua autoridade é enorme; é também filho da velha cepa galo-romana, também membro de uma família mitrada, grande letrado, fino político, alma santa profundamente dotada do sentido da Igreja. Como os outros, terá os olhos voltados para o jovem conquistador da Gália do Norte e, por ocasião do Batismo de Clóvis, escrever-lhe-á uma carta verdadeiramente profética. E mesmo aqueles que, entre os bispos, não tiverem ocasião de tomar abertamente partido por Clóvis, como aconteceu com São Cesário de Arles, criarão entre eles e o franco, pelo simples fato de se oporem em matéria de fé aos reis arianos, uma verdadeira aliança moral, que se tornará cada vez mais efetiva a partir do momento em que a água do Batismo fizer, do bem disposto pagão Clóvis, um dos seus irmãos em Cristo.

Clotilde e o Batismo

Aquela sobre quem iria recair a missão histórica de converter o seu esposo Clóvis, e que assim contribuiria para o triunfo da Igreja na Gália, é Clotilde, uma princesa burgúndia cuja sabedoria e beleza serão exaltadas por Gregório de Tours. Por ocasião do seu casamento, uns dez anos antes da subida ao poder de Clóvis, a Burgúndia estava dividida em dois reinos: Gundebaldo reinava em Vienne e Godegisilo em Genebra. Outro dos seus irmãos, Quilperico, tinha desaparecido em condições que a história não consegue esclarecer — assassinado por Gundebaldo, segundo São Gregório de Tours, ou de morte natural, segundo outros; mas o caráter ponderado do rei de Vienne e a estima que São Vito lhe dedicava tornam pouco verossímil a hipótese do crime[5]. A viúva de Quilperico, Caretena, vivia em Genebra com as suas duas filhas, Soedeleuba e Clotilde. As três eram católicas; na Burgúndia, se a maioria do povo e os reis professavam a fé ariana, a fé romana contava também com bastantes adeptos, mesmo entre os conquistadores. Mais ainda do que católicas, essas mulheres eram consideradas modelos de piedade, de fervor e de conduta. Foi Soedeleuba quem — sob o nome de Crona, que reteve nos altares — fundou em Genebra a célebre abadia de São Vítor.

É provável que o casamento de Clóvis e Clotilde tenha sido uma ideia episcopal, possivelmente devida a Santo Avito (sagrado em Vienne em 490) e posta em prática por São Remígio. Colocar uma mulher nova, cuja fé e sabedoria ofereciam todas as garantias, ao lado desse jovem rei de vinte e quatro anos, certamente cheio de boa vontade mas também de violência, estava dentro da lógica da política da Igreja. Era tempo de agir. Dado o ardor do seu sangue, Clóvis tinha já um filho de uma concubina qualquer, o que era ainda um mal menor; mas — coisa mais grave — acabava de dar a sua irmã Aldofleda ao rei ostrogodo Teodorico, cujo avanço na Itália se realizava paralelamente ao dos francos na Gália, e que começava a mostrar-se como o mais inteligente promotor de uma política ariana de fusão de raças.

Quanto a Clotilde, terá hesitado a princípio em unir-se a um pagão? Terão sido necessárias repetidas instâncias dos bispos para que desse o seu consentimento? Não se sabe bem a verdade, no meio de tantos traços edificantes com que a tradição carregou a sua personalidade. O certo é que o casamento se realizou, possivelmente no ano de 493, e possivelmente em Soissons.

Assim que se viu casada, Clotilde começou a trabalhar para a conversão do seu esposo. O resultado, porém, não foi imediato, pois Clóvis ainda se conservou pagão durante cinco ou seis anos, e essa obstinação representou um excelente augúrio quanto à sinceridade da sua futura adesão. Deixa que batizem o primeiro filho que lhes nasce, mas, quando este morre, exclama para a esposa: "Os meus deuses tê-lo-iam curado; o teu não o salvou!" Nasce-lhes um segundo filho, que é batizado e que adoece também; mas — diz o bom Gregório de Tours — "Clotilde orou tanto pela recuperação da criança que Deus lha concedeu". Assegura também o cronista que Clotilde não cessava de falar a Clóvis do Deus dos cristãos. Sem resultado? Quem pode calcular a sorte das sementes que a fé e o amor lançam no mais íntimo de uma alma, deixando a Deus o cuidado de fazê-las germinar?

A hora de Cristo havia de soar para Clóvis. Conhecemos a célebre cena: o voto feito no campo de batalha, a vitória inesperada... Clóvis enfrenta os alamanos, que são os mais germânicos de todos os povos germânicos, e que acabam de ser unificados pelo seu rei Guibulto. Saberá o franco que todo o porvir, o da futura França e o da futura Alemanha, está ligado ao destino das suas armas? Seja como for, tem a intuição de que, se esta nova vaga ultrapassar as regiões orientais da Gália, acabará por despedaçar a obra que ele iniciou.

Depois de terem penetrado na região de Lyon e na Sequânia, os alamanos atingem Besançon e Langres. Os francos ripuários, perto de Colônia, já tiveram de repelir os seus ataques em Tolbíaco[6]. Os enfrentamentos mais importantes travam-se por volta de 496-497, e é na batalha decisiva que Clóvis, quase desesperado[7], sentindo desanimar os seus homens, apela para a ajuda do Deus de Clotilde e se compromete a deixar-se batizar caso alcance a vitória. Trata-se de um episódio discutido, que alguns historiadores teimam em declarar apócrifo, mas que parece encontrar-se perfeitamente na linha psicológica deste bárbaro que, como todos os seus iguais, pedia frequentemente às potências invisíveis que interviessem e o favorecessem nos seus projetos. Terá sido um cálculo político? Numa alma humana, os canais da graça são quase sempre complexos, e até hoje nunca se pôde negar que Deus, para ganhar uma alma, a agarrasse tanto pelo seu lado pior quanto pelo melhor.

Enfim, há um fato definitivo: vencidos os alamanos, Clóvis pede para ser batizado. Como é que passou da descrença pagã para a fé cristã? Que sabemos ao certo sobre a psicologia deste homem, cuja ação seria tão decisiva? Quase nada. Guizot, numa célebre passagem dos seus *Essais sur l'histoire de France*, viu nele "como que um poder predestinado que avança, se espalha, conquista e subjuga para saciar a sua natureza e cumprir uma missão que não conhece". Mas não está provado que seja preciso reduzir a sua psicologia a essa espécie de impulso instintivo: se ele não podia, como é óbvio, avaliar as ilimitadas consequências do seu ato, é de crer no entanto — e é nisso que residiu o seu gênio — que ao menos as pressentiu. Seria o seu Batismo um gesto puramente político? Semelhante interpretação nos parece inteiramente inadaptada a uma época em que a crença no sobrenatural impregna toda a vida desses bárbaros, tão propensos a invocar as forças obscuras que regem o mundo.

A imagem de um Clóvis que, tal como os cronistas o hão de pintar, se encaminha séria e lealmente para o Batismo, é, sem dúvida, a mais verossímil: Clóvis que é instruído sobre os princípios cristãos pelo eremita São Vaasta, futuro bispo de Arras; Clóvis que, ao escutar a narrativa da Paixão, exclama excitado: "Ah! Se eu tivesse estado lá com os meus francos!..."; Clóvis que, antes de se decidir, ouve a opinião dos seus oficiais; Clóvis que, por uns instantes, hesita num dilema espiritual, entre o arianismo que lhe propõe a sua irmã e o catolicismo da sua esposa Clotilde; Clóvis, ainda, que, no momento da suprema opção, vai meditar em Tours sobre o túmulo do maior santo da Gália, São Martinho (aliás, este último episódio é muito discutido) — este Clóvis é pelo menos tão admissível como o hábil calculador político com que muitos historiadores se contentam. É infinitamente mais provável dizer que podiam ter coexistido nele o político e o homem de fé.

Seja como for, nesse dia de Natal em que o rei dos francos desceu à pia batismal, a Igreja alcançou uma vitória decisiva. E ela certamente soube compreendê-lo, graças à presciência admirável que sempre teve dos grandes acontecimentos da história. O papa Hormisdas, ao escrever pouco depois a São Remígio a fim de nomeá-lo seu legado universal nas Gálias, sublinhava perfeitamente a importância do passo que acabava de ser dado: "Convertestes esses povos — diz ele — por meio de milagres que se podem comparar aos dos apóstolos". Com efeito, acabava de se decidir o destino do Ocidente.

"A vossa fé é a nossa vitória"

Está na memória de todos aquela frase cadenciada com que, em *Le génie du christianisme*, Chateaubriand evoca a cena em que, "parado nas planícies de Lens ou de Fontenoy, no meio do estrondo e do sangue que ainda fumegava, ao som dos clarins e das trombetas, um exército francês, sulcado pelos fogos da guerra, põe os joelhos em terra e entoa um hino ao Deus das batalhas...". Não será exagerado afirmar que esta bela imagem do poeta tem todo o seu sentido histórico desde o momento em que Clóvis e os seus homens saem das águas do Batismo. Aquilo que, a partir de Lacordaire, se tem chamado muitas vezes "a vocação cristã da França", tem aqui a sua origem[8].

Assim o compreendeu, já então, Santo Avito, e afirmou-o num texto em que se nota uma extraordinária previsão do futuro. Se diversos bispos das Gálias se rejubilaram ao verem Clóvis abraçar a verdadeira fé, o de Vienne — na Burgúndia, repetimo-lo — fê-lo em termos proféticos, não se limitando a louvar o convertido: "Graças a vós, esta parte do mundo resplandece com um brilho próprio, e no nosso Ocidente cintila o clarão de um novo astro". Prevê também que esse gesto vai influenciar o destino de toda a Gália: "Com a vossa opção pessoal, optais por todos. A vossa fé é a nossa vitória". Mais precisamente ainda, evoca "todos esses povos que passarão a estar sob o vosso comando, em benefício da autoridade que a religião deve exercer", e como bom leitor de Agostinho e de Orósio imagina o futuro império de Clóvis como uma associação de nações "que conservarão a sua fisionomia própria", mas unidas pelo duplo laço da fé comum e da submissão ao mesmo rei. Primeiro arauto das *Gesta Dei per francos* — "eu sou uma sentinela, sou eu que empunho o clarim!", exclama ele ainda —, Santo Avito pressentiu não só o Império de Carlos Magno, mas a França da Idade Média, testemunha de Cristo e porta-estandarte do cristianismo, a França de São Bernardo e de São Luís, entrevista através do ato de um pequeno e audacioso chefe sicâmbrio.

Mas, mesmo numa perspectiva política mais imediata, o entusiasmo expresso pelos bispos tinha um significado profundo. "A vossa fé é a nossa vitória!"... Havia uma promessa subentendida nessas palavras. Conforme escreveu o historiador protestante Gibbon, o estabelecimento da monarquia francesa deveu-se "à aliança de cem prelados que mandavam nas cidades independentes ou revoltadas da Gália". Tomada ao pé da letra, esta afirmação quer dizer que, a partir do momento em que Clóvis foi batizado, os bispos cristãos instalados em países arianos adotaram uma atitude hostil aos seus reis e favorável ao franco, isto é, todos buscaram — por boas razões! — um "entendimento com o inimigo".

Mas, na verdade, tudo isto não é tão simples assim. Um Santo Avito conserva para com o seu rei, Gundebaldo, uma atitude de lealdade e mesmo uma verdadeira amizade; São Cesário de Arles, perante os seus reis visigodos, cujas ideias heréticas condena sem morder a língua, pede aos seus fiéis que se mostrem dóceis para com eles e "lhes obedeçam em tudo aquilo que for justo". É preciso, portanto, matizar a ideia de "cumplicidade moral" a que aludimos acima, pois esta não chegou a tomar a forma de uma traição. O que acontece simplesmente é que, devido ao fato de existir agora um chefe bárbaro católico, e de esse chefe ser, como todos sabem, amigo dos bispos, a oposição aos arianos se reforça e cristaliza em torno desses bispos.

A agitação cresce. Em Albi, onde residia como exilado o bispo Eugênio de Cartago, ilustre vítima dos arianos, a multidão organiza manifestações por ocasião da sua morte, ocorrida em odor de santidade. Em Narbonne, quando o rei visigodo manda deitar abaixo o campanário da catedral católica para desfrutar de uma vista mais ampla das janelas do seu palácio, eclode um motim. As autoridades arianas reagem duramente e, como costuma suceder neste gênero de operações, acabam por fazer dos bispos os símbolos da resistência. Dois bispos de Tours, Volusiano e Vero, são deportados; São Cesário de Arles e Rurício de Limoges, duas luminárias do seu tempo, voltam para o exílio em Bordeaux. Vãs medidas policialescas! Por trás dos bispos alvejados, apinha-se a quase totalidade da população, que vai aclamar Clóvis como um libertador.

Quanto a este, com a intuição verdadeiramente genial que tinha da conjuntura histórica, no dia em que quis empreender a sua grande obra — a unificação da Gália sob a sua égide —, soube colocar-se numa posição que lhe traria o apoio tão precioso das populações católicas. "Não posso continuar a admitir — teria ele exclamado segundo São Gregório de Tours — que os arianos ocupem uma parte da

Gália; marchemos, pois, contra eles, com a ajuda de Deus, e se os nossos inimigos forem vencidos, dominaremos todo o país". Propaganda hábil? Convicção sincera? Seja como for, a predição de Santo Avito ia realizar-se.

Os fatos são conhecidos, pelo menos segundo o esquema, talvez simplificador, do santo cronista de Tours. No ano 500, ao intervir numa guerra entre irmãos que dilacera a Burgúndia, Clóvis bate em Fleury-sur-Ouche, perto de Dijon, o rei Gundebaldo, que se torna seu aliado e, possivelmente, passa a pagar-lhe tributo[9]. Seis anos mais tarde, em combinação com os burgúndios e talvez apoiado pela diplomacia bizantina, que vem tramando a destruição dos godos, marcha contra Alarico II, rei dos visigodos. O céu parece estar decididamente a seu favor: o seu embaixador, enviado ao túmulo de São Martinho para colher um presságio sobre a vontade divina, entra na igreja precisamente no momento em que o celebrante entoa a antífona: "Tu me cingiste, ó Senhor, com a tua força para a guerra"; quando chega a Poitiers, o próprio Clóvis vê uma coluna de fogo elevar-se da basílica de Santo Hilário e inclinar-se para ele; e, na passagem do rio Vienne, uma corça milagrosa indica-lhe o vau... Em 507, bate e mata Alarico em *Vouillé*, apodera-se de toda a região situada entre o Loire e os Pireneus, mas tem de desistir de expulsar os visigodos da França devido a uma intervenção de Teodorico, que os ajuda a manter as suas posições no Maciço Central e que aproveita o ensejo para ocupar a Provença por sua conta. Clóvis não terá tempo de terminar a sua obra, e os seus filhos continuá-la-ão; mas preparou-lhes os pontos de apoio definitivos e indicou-lhes a direção que deveriam seguir.

Se, no dia seguinte ao de Vouillé, o território gaulês não estava ainda inteiramente desembaraçado do domínio ariano, pelo menos a maioria das populações católicas encontrava-se já em liberdade. Da Bélgica aos Pireneus e do Atlântico ao Limousin, a Igreja romana triunfa; na Búrgundia, a influência franca traduz-se numa ampla tolerância, e pouco falta para que a dinastia de Vienne se converta. Três fatos da vida de Clóvis mostram o significado profundo dos resultados obtidos, ou seja, a nova posição do rei franco como alicerce da futura restauração do Ocidente sob a égide da Igreja.

O primeiro foi ter-se instalado em Paris, escolhida por ele como capital — *cathedram regni sui*, diz Gregório de Tours — quando Lutécia ainda não passava de um lugarejo, muito exposta estrategicamente, mas antiga residência imperial e menina dos olhos do imperador Juliano. O segundo foi ter aceitado com alegria e agradecimento um belo título honorífico que o imperador de Bizâncio, Anastácio, lhe enviou logo após a sua vitória — as insígnias de *cônsul honorário*[10]; Clóvis quis mesmo adornar-se com elas numa cerimônia de grande fausto, na basílica de São Martinho de Tours. Daí por diante, aos olhos da população galo-romana, passa a estar acreditado pelo poder imperial como representante da romanidade. Por último — e principalmente —, o terceiro episódio significativo em que já se esboça o futuro é o *sínodo nacional* de Orleans, reunido em 511, com a participação de trinta e dois bispos, e no qual o rei, embora não tivesse a presidência (foi o bispo Cipriano de Bordeaux quem presidiu ao concílio), exerceu uma influência constante, propondo questões a serem resolvidas e mostrando-se tão respeitoso e tão filho da Igreja que os prelados, na moção final, exaltaram a sua alma "verdadeiramente sacerdotal". Bem, talvez fosse um pequeno exagero...

Uma outra consequência de peso, embora menos espetacular, ia também resultar das vitórias de Clóvis: a fusão dos elementos germânicos e dos elementos galo-romanos naquilo que haveria de tornar-se o povo francês. É fora de dúvida que Clóvis ambicionou essa fusão, proibindo, tanto quanto pôde, quaisquer violências contra as populações nativas, matando por sua própria mão os francos que se entregassem à pilhagem e mandando libertar homens e mulheres, sobretudo clérigos, que os visigodos tinham reduzido à escravidão. A aceitação dos novos invasores, além disso, foi favorecida pelo fato de os francos provavelmente terem sido pouco numerosos e não exigirem que se partilhassem terras, limitando-se a confiscar as dos visigodos ricos; e foi consagrada pela comunidade de fé religiosa. Operou-se, portanto, com uma rapidez, uma facilidade e uma harmonia como não há memória em parte alguma, o que impressionou o historiador bizantino Procópio. Os francos de Clóvis resolveram assim o problema da síntese que se fazia tão necessária, problema que não pudera ser resolvido nem pela brutalidade dos vândalos nem pela astúcia dos ostrogodos.

Clóvis morreu em Paris, a 7 de novembro de 511, em pleno vigor da vida — contava apenas quarenta e cinco anos. Morreu cedo demais para poder participar do grande *hallali*, da grande "caçada" aos godos, que o ataque de Justiniano contra a Itália iria permitir aos seus filhos. Mas os descendentes do rei batizado por São Remígio já não poderiam ficar estancados no caminho que ele indicara. Embora dividida entre os seus quatro filhos — o bastardo Thierry e os três filhos de Clotilde, Clotário, Clodomiro e Quildeberto — segundo o perigoso costume das partilhas, a monarquia franca prosseguirá a obra daquele que é o verdadeiro fundador da primeira dinastia real da França, a dos *Merovíngios*.

A Burgúndia, mal defendida por Sigismundo, filho de Gundebaldo, é anexada em 534, depois de uma dezena de campanhas vitoriosas. A Provença já o fora dois anos antes, por ocasião das lutas entre os ostrogodos e Bizâncio. Os francos intervêm até fora das suas fronteiras, seguindo o mesmo espírito, misto de cruzada e de intenções políticas, que se observava em Clóvis: na Espanha, contra o rei visigodo ariano que, segundo se dizia, perseguia a católica Clotilde, filha de Clóvis; na Itália, contra os ostrogodos, em combinação com os bizantinos; e na Germânia, sobretudo nos territórios da Francônia, da Suévia e da Bavária, que entram na esfera de ação merovíngia, e na Saxônia, que passa a pagar tributo...

"A vossa fé é a nossa vitória!" Esta política há de pesar gravemente nos destinos do cristianismo, e a frase profética de Santo Avito conservará todo o seu alcance no decorrer dos séculos. As armas dos francos, até Carlos Magno, serão nas suas vitórias os mensageiros da verdade católica. E, seja qual for o juízo que se possa formar sobre esta associação entre a doutrina do amor e a violência das armas, é evidente que, nestes tempos bárbaros, era só por meio dessa aliança que se podia estabelecer a nova ordem. E a glória de Clóvis reside no fato de ter compreendido esse sinal dos tempos.

Um esboço da psicologia religiosa dos bárbaros

O Batismo de Clóvis marca uma etapa decisiva na história do cristianismo ocidental, mas seria certamente exagerado considerar que esse evento foi o único fator preponderante. É excessivamente simplista a imagem que nos apresenta todos os bárbaros em desabalada carreira para as pias batismais, seguindo o exemplo do chefe franco. Entre o momento em que Clóvis recebeu o sacramento e aquele em que se poderá afirmar que o oeste europeu está batizado na sua quase totalidade, não decorrerão menos de quatro séculos. A evangelização exigirá ainda muito trabalho, muita dedicação e muito sacrifício[11]; requererá um constante esforço de adaptação a diferentes condições de meio, de raça e de clima político. Mas sabemos bem que, desde a sua origem, a característica mais notável da propaganda cristã foi mostrar-se sempre tão maleável e realista nos seus métodos quanto firme na proclamação do seu ideal.

Por mais variados que possam ser os terrenos em que os porta-vozes de Cristo vão semear a Boa-nova — os celtas, por exemplo, não serão evangelizados da mesma forma que os anglos ou os bávaros —, observam-se, no entanto, traços comuns em todos os bárbaros no que se refere à psicologia religiosa. Que pensam ou sentem esses homens a quem um bispo ou um missionário pede que abandonem a fé de seus pais, a fim de adotarem outra inteiramente nova? Que objeções tendem a opor? Que raciocínio ou que impulsos instintivos os farão tomar essa decisão? Eis um dos aspectos mais interessantes dessa grande história, tão interessante como os estudos feitos pelos nossos missionários na África sobre o sentido do divino entre os povos negros e sobre os meios que poderiam trazer para Cristo um iolofo ou um bambara.

Nada seria mais injusto do que imaginar que estas conversões resultaram apenas do interesse ou da superstição. Em muitos destes bárbaros, existia um sentido profundo e delicado do mistério, que se enraizava não se sabe em que experiência ancestral e que muitas vezes se exprimia em termos comoventes. Quando os missionários enviados pelo papa Gregório Magno chegaram ao reino inglês de Northumberland, e o rei Eduíno — marido da católica Ethelbúrgia — os convidou muito honestamente a discutir a nova doutrina com o seu *witenagemot*, o seu senado, um dos seus *ealdormen* — anciãos — exporá a sua opinião neste termos: "Ó rei, quando no inverno a tempestade uiva fora de casa, a chuva e a neve açoitam a terra, e tu estás sentado à mesa com os teus companheiros, junto do fogo, na sala quente e confortável, acontece que um pardal atravessa rapidamente o aposento. Entra por uma janela e sai por outra. Durante o curto instante em que está na sala, o vento e o frio deixam-no indene, mas, mal desapareceu da tua vista, está de novo a braços com o sombrio inverno. Não sucederá o mesmo na vida dos homens? Ignoramos o que a precedeu e o que a segue. Se a nova doutrina nos traz certezas sobre esses mistérios, devemos adotá-la". Que homem não sentirá a verdade eterna dessas cândidas palavras? Transparece nelas todo o mistério, esse mistério que é sempre o nosso; e será exagerado reconhecer na última frase o humano desejo, sincero e tocante, de possuir a verdade?

É evidente, no entanto, que estes sentimentos, por mais nobres que sejam, repousam sobre bases instintivas que a psicologia dos povos primitivos vem estudando. Este sentido do mistério, de que o *ealdorman* da história de Eduíno nos dá um testemunho tão poético, muitas vezes não passa do simples medo elementar do homem diante da morte e do além. Aliás, quando começam a difundir-se os primeiros conhecimentos da religião cristã, é justamente o medo do Inferno um dos fatores que mais contribuem para a conversão. Além disso, as populações bárbaras mostram-se extremamente sensíveis aos milagres que se atribuem aos santos cristãos, e mais ainda aos que eles mesmos presenciam. Por isso, todos os grandes missionários fazem milagres, como São Remígio, São Bonifácio, Santo Agostinho de Cantuária e São Columbano[12]. O milagre é a prova de que o Deus dos cristãos é o mais forte, e isso é o essencial, a *ultima ratio*.

As objeções que os germânicos fazem ao cristianismo resumem-se nesta questão: "Os nossos deuses têm-nos protegido; se nós os abandonarmos, não nos abandonarão eles por sua vez?" São Gregório de Tours conta que, nas discussões teológicas que Clóvis manteve com São Remígio ou com São Vaasta antes do seu Batismo, as suas duas maiores objeções eram que Cristo, deixando-se crucificar, demonstrara não possuir poder divino, e além disso "não pertencer à raça dos deuses", isto é, não descender nem de Wotan nem de Thor! Em consequência, um dos argumentos decisivos que os missionários cristãos terão de empregar será demonstrar a ineficácia dos deuses pagãos e a eficácia do Deus que eles pregam. Não será este o sentido do "voto de Clóvis"? Que o Deus de Clotilde lhe dê a vitória, isto é, que demonstre a sua força, e ele, Clóvis, se declarará convencido[13].

Escrevendo ao seu discípulo Bonifácio, encarregado de evangelizar as populações de Hesse, o sábio bispo Daniel de Winchester dirá: "Explica isto aos pagãos: se os vossos deuses fossem onipotentes, deveriam recompensar os seus adoradores e punir aqueles que os desprezam. Por que então não fazem eles nada contra os cristãos que destroem os ídolos? Como é que deixam aos cristãos as boas terras férteis, transbordantes de vinho e de azeite, e a vós só vos deixam as tristes regiões transidas de frio?" São argumentos peremptórios, sem dúvida, embora tenhamos de reconhecer que denotam um rebaixamento bastante assustador do nível dos cristãos... Mas, não recorreu o profeta Elias a esse mesmo argumento, na própria Sagrada Escritura, ao desafiar os sacerdotes de Baal? E a verdade é que esse método funciona bem. Na Inglaterra, veremos um sacerdote pagão, depois de uma "prova" em que as coisas não correram a seu favor, abandonar os seus deuses exclamando: "Se eles tivessem poder, ter-me-iam ajudado, a mim, fiel zeloso!" São Columbano, Santo Amando e São Bonifácio, com os seus punhos inspirados, erguerão o machado contra as árvores sagradas da Germânia e desafiarão todos os deuses a puni-los, no caso de existirem[14].

É dentro destas perspectivas que temos de julgar o gesto de Clóvis e medir a sua importância. Tanto entre os pagãos como entre os arianos, o seu Batismo terá uma repercussão considerável, visto que o chefe franco foi de triunfo em triunfo. A vitória de Vouillé constitui um verdadeiro argumento apologético, tanto maior quanto Clóvis esteve a ponto de perecer na batalha, mas escapou da morte, enquanto o seu adversário perdia a vida. Um pagão já não tem, portanto, nenhuma razão para recusar o Batismo, pois ficou provado que o Deus dos cristãos é mais eficaz que os deuses germânicos; por outro lado, já não há motivo para que esse pagão se incline para o arianismo, uma vez que Clóvis, o vencedor, é católico.

Para as tribos arianas, o raciocínio revestia-se ainda desta variante: visto que um católico é o senhor, o catolicismo já não é a religião dos vencidos, dos ocupados; desfez-se o complexo de inferioridade que o acompanhava. Bem sabemos quanto os homens — mesmo que já não sejam bárbaros — são sensíveis a semelhante argumento... Por outro lado, não há dúvida de que a apologética da vitória e da força podia aliar-se a intenções propriamente políticas, sobretudo nas regiões onde ainda reinavam dinastias arianas: se a ajuda da Igreja católica tinha sido tão decisiva para Clóvis, não conviria ganhar o seu favor? Assim, na véspera de Vouillé, Alarico II, o visigodo, tinha modificado a sua política e tentado uma aproximação com os bispos, autorizando um concílio católico nos seus domínios. Tarde demais, é verdade; mas a intenção era significativa.

Estes são os elementos psicológicos que vão influenciar os novos esforços da Igreja para a conversão dos bárbaros, e que em boa parte explicam os seus resultados[15].

O retorno dos arianos ao seio da Igreja

A que tática recorrerá, pois, a Igreja para obter a conversão? Quase sempre àquela que foi bem sucedida com Clóvis: conquistar o rei, que os súditos o seguirão. Aqui ainda podemos observar mais um traço da psicologia bárbara: vão para o Batismo como vão para a batalha, atrás do chefe. Numa carta a Gundebaldo, Santo Avito assim o diz expressamente. Não há dúvida de que os nossos modernos hábitos de pensamento, que veem na fé um assunto exclusivamente pessoal, se recusam a aprovar essas conversões em massa — cujo perigo é manifesto —, e nos fazem ter saudades dos tempos anteriores da Igreja, quando Deus ganhava as almas uma a uma, pelo esforço e pela meditação pessoais. Mas as conversões de massas não excluem, simultaneamente, as conversões dos indivíduos, de indivíduos tantas vezes obscuros, e disso não nos faltam exemplos[16]. Por outro lado, temos de reconhecer que o método da conversão "global" se enquadrava nas necessidades do tempo.

Depois dos francos, o primeiro povo bárbaro que a Igreja pôde inscrever no seu ativo foi o dos burgúndios arianos. A bem dizer, o seu arianismo não era lá muito autêntico. Quando ainda residiam na floresta Hercínia, já tinham sido católicos, mas haviam cedido depois ao prestígio da heresia ou, mais exatamente, à influência dos outros grandes invasores, os godos, embora os detestassem. Mas vimos anteriormente que havia entre eles muitos elementos que se tinham mantido fiéis, como as santas mulheres da família de Clotilde. Gundebaldo, que tinha visão política, um certo sentido da vida moral e espiritual, e mesmo alguma cultura teológica, parece ter tentado converter-se. Santo Avito, que mantinha com ele relações muito cordiais, não perdia ocasião de lhe mostrar a superioridade da fé ortodoxa e as felizes consequências que uma conversão acarretaria para o seu reino. Gundebaldo foi detido, porém, pelo medo de descontentar os seus súditos, e teria desejado converter-se secretamente, ao que o bispo se recusou. Se tivesse tido a envergadura e o espírito de decisão de Clóvis, talvez tivessem sido os burgúndios quem desempenhasse o papel que os francos acabaram por assumir.

À falta do pai, Avito ganhou para a fé o filho: *Sigismundo*, que se tornou católico pouco tempo depois de Clóvis, provavelmente no ano 500, e junto do qual o santo bispo de Vienne desempenhou o papel de conselheiro. Papel difícil, porque esse modelo de piedade explodia por vezes em violências espantosas, praticando crimes de que, por imposição de Avito, tinha depois de penitenciar-se e oferecer a devida reparação. Em todo o caso, esta conversão sincera, seguida de milhares de outras nas grandes famílias burgúndias, e ao mesmo tempo a ação profunda da Igreja, haviam de ter uma enorme influência sobre os destinos das populações germânicas. Com a maior prudência, Santo Avito proibiu qualquer represália contra os arianos e opôs-se a toda a violência para apressar as conversões; excelente leitor de Santo Agostinho, assim escrevia ele, seguindo verdadeiramente a linha do seu mestre: "Recorrer à força é coisa indigna da Pomba". Conseguiu que fosse assinado um verdadeiro "Edito de Nantes", que estabeleceu a igualdade entre os católicos antigos e os recém-convertidos, que puderam mesmo chegar a bispos.

Como nos países francos, a fusão das raças tornou-se possível de um momento para o outro, pois autorizaram-se os casamentos entre galo-romanos e burgúndios. A *Lei Gombeta*, reservada aos súditos germânicos, e a *Lei Romana dos Burgúndios*, estabelecida para os galo-romanos, embora permanecessem diferentes na sua redação, aproximaram-se na aplicação prática. Duzentos anos mais tarde, dos antigos conquistadores não subsistirá na Burgúndia senão um ou outro nome topográfico e um ou outro vestígio dos antigos costumes, o otimismo natural, uma afabilidade brincalhona e esse amor à vida e à vinha que conhecemos nos seus descendentes.

Uma outra conversão devia, um pouco mais tarde, fazer lembrar a dos burgúndios. Foi a dos suevos que, repelidos por Eurico para o noroeste da península hispânica, tinham conseguido fazer frente aos visigodos. Também eles haviam flutuado um pouco entre o catolicismo e o arianismo. O seu rei Riquiário fora batizado na fé romana por volta de 450, mas o seu sucessor fora desencaminhado por um apóstata e tornara-se ariano. Os reis suevos, porém, não eram perseguidores, e mantinham excelentes relações com o clero católico local. Quando apareceu à frente desse clero uma personalidade eminente, o panônio *São Martinho de Braga*— um sábio e um letrado, uma santa figura sacerdotal que, mesmo no exercício das suas funções de arcebispo, conservava os rigorosos costumes monásticos aprendidos durante uma peregrinação pelo Oriente —, a sua presença bastou para fazer pender a balança, por volta de 560. O bom Gregório, sempre inclinado a exaltar a glória do seu antecessor, São Martinho, afirma que o rei suevo Teodomiro, muito doente, teria enviado uma embaixada ao túmulo desse santo em Tours, para trazer uma relíquia que lhe restituísse a saúde, jurando converter-se. Mas é mais provável que tenha sido o sucessor de Teodomiro, o rei Miro, quem tomou a decisão definitiva, e que tenha sido São Martinho de Braga quem o trouxe à fé.

Se, entre os burgúndios e entre os suevos, a conversão se efetivou com serena facilidade, o mesmo não sucedeu entre os visigodos. Foi até ocasião de um drama impressionante, de uma autêntica guerra religiosa, em que se assistiu a um combate entre pai e filho de que resultou a morte do filho às mãos do pai. Arianos como todos os godos, os visigodos eram-no com um fanatismo desconhecido dos seus primos ostrogodos da Itália, e quase equivalente ao dos vândalos na África. O maior rei visigodo do século V, *Eurico* (466--484), dera exemplo de uma política insolente e espoliadora, que tinha atingido duramente a Igreja católica desde a Espanha até ao Loire, e à qual os bispos, a exemplo de São Sidônio Apolinário, nunca tinham deixado de se opor. Não é que os reis visigodos não tivessem tido a ideia do que deveria ser uma política construtiva; fora um dos seus príncipes — Ataulfo[17] — quem primeiro pensara numa fusão dos seus godos com a população dos países conquistados; e vimos também como Alarico II, quando se sentiu ameaçado pela coligação dos francos de Clóvis com os burgúndios, tentou uma pacificação, consentindo a pedido de São Cesário de Arles que os bispos reunissem um concílio. Foi ele ainda quem promulgou uma lei nova, essa que a Idade Média chamará o *Breviário de Alarico*, que representava um esforço para conseguir certa igualdade entre os dois elementos étnicos. Mas, apesar de tudo isso, o fanatismo ariano levou a melhor sobre a sabedoria, e a dinastia visigótica permaneceu aferrada à heresia.

Pouco faltou para que, no começo do século VI, o catolicismo se impusesse a todos os visigodos pelas armas. Da primeira vez, quando Alarico II caiu em Vouillé e os francos desceram numa investida até os Pireneus. Quem sabe se as montanhas teriam sido suficientes para sustar o impulso de Clóvis, não fosse a intervenção de Teodorico e dos seus ostrogodos? Pelo menos a Provença e a Septimânia ter-se-iam rendido ao catolicismo. E da segunda vez, quando, em

530, sob o pretexto — aliás justificado — de que Amalarico insultara a católica Clotilde, sua esposa, o "rei de Paris" Quildeberto se lançou em socorro da irmã, marchou sobre Barcelona, bateu o visigodo perto de Narbonne e mandou matá-lo por um oficial franco. A raça gloriosa, a santa raça dos Balthung, a raça do grande Alarico, o vencedor de Roma, extinguiu-se com ele.

Durante cerca de quarenta anos, de 530 a 567, a Espanha atravessou uma época de perturbações e dramas. Restaurada por uma nova dinastia, mas confinada de fato atrás dos Pireneus, a monarquia visigótica debatia-se no meio de terríveis crises. Os francos atacam-na sem cessar e chegam a sitiar Saragoça. Em 554, os bizantinos de Justiniano, atendendo ao apelo de um rebelde, desembarcam no sudeste da península e ali se instalam. A perseguição religiosa continua, e a população responde com a violência: rebentam sublevações um pouco por toda parte, em Tarragona, na Cantábria, mais tarde na Lusitânia e no sul, na Bética, onde as tropas reais sofrem os mais sérios reveses. Torna-se necessário ceder e chegar a um entendimento com os francos (datam desta época os casamentos das duas princesas Galswinthe e Brunehaut com os francos Quilperico e Siegeberto). E torna-se talvez necessário pensar numa aproximação com os católicos.

Neste momento (567), sobe ao trono de Toledo — pela primeira vez desde há muito tempo — um homem de grande categoria: *Leovigildo*. Nele se concentrava toda a energia dos antigos germanos, aliada a uns dotes políticos incontestáveis. Derrotando os bascos amotinados, expulsando os francos da Narbonense e anexando o reino dos suevos, este homem parecia destinado a prosseguir a obra de Eurico, tanto mais que os Merovíngios estavam em plena crise e Justiniano acabava de morrer em Bizâncio. Tratava-se, aliás, de um soberano faustoso, que se vestia à bizantina, que tinha um trono como o do basileu e que, como ele, cunhava moedas de ouro. Em matéria de religião, mantinha-se ariano fanático, como também — e mais ainda do que ele — a sua segunda mulher, uma goda chamada Goswinthe, uma megera furiosa. Em 580, Leovigildo, ingenuamente, convida os seus súditos católicos a aderir à fé ariana, e enfeita a sua proposta com tantas promessas vantajosas e aparentemente substanciais que alguns se deixam iludir, entre eles o próprio bispo Vicente de Saragoça. Mas esta política encontra pela frente a clarividência de um monge notável: *São Leandro*, o futuro arcebispo de Sevilha. Espírito eminente e personalidade dotada de um vigor igual ao do rei, denuncia a manobra, lança raios e trovões, e é então que explode o drama, a guerra de religião.

O herói desta guerra foi *Santo Hermenegildo*, chamado por vezes "o Clóvis da Espanha", e um Clóvis que assinou com sangue a sua fidelidade. Era filho do próprio rei e da sua primeira esposa, uma grega católica, e havia desposado uma mulher admirável, digna descendente de Santa Clotilde: a franca Ingonda, filha de Siegeberto e Brunehaut. Sob a influência de sua mulher e de São Leandro, Hermenegildo abjurara o arianismo, o que valeu ao jovem casal ser objeto das maiores violências por parte do rei e da fanática Goswinthe. Mas, num abrir e fechar de olhos, agrupou-se em torno de Hermenegildo um verdadeiro partido, constituído por todos os católicos que estavam cansados das perseguições arianas, pelos bispos e, sobretudo, pelo próprio Leandro. Não demorou a formar-se uma autêntica coligação contra Leovigildo, de que participaram os suevos do destronado rei Miro, os bascos, os hispano-romanos e os bizantinos do sul. O rei intimou o filho a regressar à fé ariana e, perante a sua recusa, rebentou a guerra.

Refugiado na Andaluzia, o jovem chefe católico organiza a resistência, enquanto São Leandro embarca para o Oriente a fim de pedir o auxílio do imperador. Mas Hermenegildo, embora plenamente consciente do direito que lhe assiste, sofre por ter de lutar contra o pai. A pedido de seu irmão Recaredo, aceita encontrar-se com o rei para entrar em negociações. Leovigildo abraça-o e declara que está tudo perdoado. Foi um estratagema ou houve alguma reviravolta súbita na sua decisão? De repente, a um sinal do rei, os guardas prendem o príncipe, despojam-no das suas vestes e lançam-no na masmorra. Começa então uma "paixão" digna dos antigos mártires. Em vão enviam ao príncipe bispos e teólogos arianos para convencê-lo a voltar ao credo de seu pai; nada o faz ceder. Durante longos meses sofre o cativeiro, os maus tratos e — mais ainda — a privação da Sagrada Eucaristia. Por fim, louco de cólera, Leovigildo dá a ordem fatal e o duque Sisberto decapita Hermenegildo na prisão. Era a véspera da Páscoa de 585 — bela data para se morrer como mártir.

Mas é verdadeiramente o caso de repetir a célebre frase de Tertuliano: "O sangue dos mártires é semente de cristãos". O Sábado Santo de 585 foi a alvorada sangrenta do catolicismo na Espanha. Não se passara ainda um ano, e já em maio de 586 Leovigildo morria no seu palácio de Toledo, sucedendo-lhe o seu filho *Recaredo*.

Foi uma clara visão dos seus interesses que o guiou? Ou foi a admirável quantidade de milagres que floresciam sobre a campa do seu irmão que lhe impressionou o ânimo? Fosse como fosse, o novo rei deu uma reviravolta completa em toda a política. O duque Sisberto foi executado, os bispos católicos foram chamados do exílio e São Leandro, nomeado arcebispo de Sevilha, foi recebido na corte com as mais delicadas atenções. Para salvaguardar a sua imagem, Recaredo inventou uma controvérsia religiosa pública na qual lhe explicariam a superioridade do catolicismo. A controvérsia realizou-se em Toledo, em 589, e acabou por tornar-se o primeiro concílio de Toledo. O rei, a rainha e muitos bispos arianos passaram para o lado de Roma. Começava a história católica da Espanha.

Como havia acontecido por toda parte, a conversão das autoridades bárbaras ao catolicismo terá consequências decisivas na Espanha. Pode fazer-se agora a fusão das raças, e de tal forma que, já no século VII, a aristocracia hispano-romana declarará com orgulho descender dos godos e surgirá um patriotismo espanhol, muito acentuado em Santo Isidoro de Sevilha. Serão autorizados os casamentos inter-raciais e, em 654, sob o reinado de Recesvindo, a lei tornar-se-á única para toda a população. Os *concílios nacionais de Toledo*, em princípio assembleias eclesiásticas, mas na realidade reuniões tanto religiosas como políticas, passarão a reunir-se com regularidade, e acabarão por tornar-se uma instituição fundamental do Estado visigótico, uma espécie de Senado que assegurará duravelmente a estabilidade da monarquia eletiva.

Diversas personalidades intelectuais ilustrarão esta igreja espanhola, como *Santo Isidoro de Sevilha* (566-636), que se esforçará tenazmente por salvar a cultura e cujo trabalho enciclopédico fará com que seja venerado como Doutor da Igreja. Batizados pelo sangue do mártir Hermenegildo, os reis da Espanha serão daqui por diante — numa época em que a Gália merovíngia se encontra mergulhada em crise — campeões da fé cristã, e orgulhar-se-ão de continuar a sê-lo ao longo dos séculos. A sagração de um desses reis em 672, *Wamba*, proporcionará a primeira ocasião na história em que um texto escrito alude nitidamente à unção real como distinta da unção do Batismo; e quem visitar o museu de

Cluny pode meditar ainda diante da magnífica coroa de ouro e de pedras preciosas que Recesvindo mandou suspender na catedral de Toledo, penhor da sua fidelidade, como *ex-voto*.

Santas e monges

No decorrer dos acontecimentos a que acabamos de assistir, quer se trate do Batismo dos francos ou do regresso dos arianos ao catolicismo, há um aspecto que chama a atenção: o notável papel das mulheres e dos monges. Basta o nome de Clotilde para pôr em foco essa longa série de rainhas santas que a história vai encontrar ao lado dos reis bárbaros. E todos os personagens cuja ação foi decisiva — São Remígio como São Vaasta, São Martinho de Braga como São Leandro — são ou foram monges, e continuam a sê-lo verdadeiramente, mesmo no meio das mais refulgentes honrarias dos seus cargos. Este fato tem de ser lançado no ativo dos tempos bárbaros: que a mulher, encarnação da delicadeza e do amor, tenha desempenhado um papel tão preponderante nestes dias de violência; e que o monge, testemunha viva do Espírito, tenha visto muitas vezes consagrar o seu prestígio — são prova de que subsistia uma certa hierarquia de valores, sobre a qual haveria de restabelecer-se um dia a ordem da civilização.

Assim, junto de muitos destes reis germânicos, cuja brutalidade instintiva nos causa medo, podemos discernir figuras comoventes, que a posterioridade há de venerar, cujo nimbo será agigantado por lendas, mas que verdadeiramente deram testemunho — por vezes heroico — da fé que as inflamava. As mulheres não tinham as mesmas razões que os homens para se vincularem a essa religião da força em que o arianismo de Úlfilas se convertera; além disso, a deficiência espiritual da heresia e a sua incapacidade para favorecer qualquer arrebatamento místico eram coisas contrárias aos aspectos profundos da alma feminina. Batizadas como católicas, essas jovens princesas, dadas em casamento a esta ou àquela dinastia germânica, de acordo com as necessidades da política, reivindicavam a liberdade de praticar a sua religião e faziam-se acompanhar de um capelão católico. Assim se tornavam, junto dos seus maridos, apóstolos extremamente eficazes, porque, estando sempre presentes, podiam aproveitar todas as ocasiões, todos esses momentos de desânimo em que o homem mais vigoroso se reconhece fraco, e também porque os laços mais humanos da vida conjugal podiam servir-lhes para prendê-los a Cristo. Mas, mesmo que não fossem bem sucedidas com o marido, ao menos os filhos haviam de seguir-lhes o exemplo, sendo batizados e educados por elas. "A mulher que crê — dissera São Paulo — santifica o marido descrente" (1 Cor 7, 14); nunca esta frase foi tão verdadeira como nesses tempos bárbaros.

Junto de Clóvis, jovem pagão de sangue selvagem, *Clotilde* encarna não somente a fé católica sempre vigilante, mas também a caridade e a civilização. No alvorecer da história da França, como é bela a imagem desta mulher culta, reservada, que vislumbramos entregue à meditação nos belos jardins do seu palácio, educando os filhos numerosos e visitando os pobres, mas cuja ação se fez sentir, tão precisa e tão enérgica, em todos os episódios decisivos do seu reinado! Mulher forte sob o manto da doçura, a mesma mulher que, uma vez viúva, irá encerrar-se num convento de Tours para ali viver vinte anos entregue a exemplares penitências, é aquela que, aos assassinos de seu filho Clodomiro, que lhe vêm propor matar ou "tosquiar" — isto é, destronar — os seus netos, responderá: "Antes mortos do que tosquiados!"

Mas há uma outra influência que parece uma réplica da sua: a da velha religiosa que vive no cume da mesma colina em cuja vertente para o Sena se situa o palácio real, a ilustre octogenária que é a consciência da capital: *Genoveva*, venerada por Clóvis como a própria imagem da santidade; ao seu lado, quererá ele dormir o seu último sono, na igreja que mandou edificar a pedido da sua venerável amiga[18].

Da cepa da primeira rainha da França, que é uma santa, outras rainhas sairão, também santas e algumas quase mártires da sua fé. Imaginemos a força de alma que a segunda *Clotilde*, filha da primeira e esposa de Amalarico, o visigodo, teve de ter para enfrentar esse louco furioso que lhe atirava imundícies ou a esbofeteava sempre que ela se dirigia a uma igreja católica. E essa comovente *Ingonda*, não foi ela também mártir, pelo menos na intenção, quase tanto como esse seu marido Hermenegildo de quem ela fez um herói de Cristo? Bisneta da grande Clotilde, intimada pela sua terrível madrastra Goswinthe a apostatar e a receber o batismo ariano, respondeu: "Confessei a Santa Trindade, igual a um só Deus, e nela creio de todo o meu coração; nunca renunciarei à minha fé", e quase pagou com a vida a sua coragem: lançada por terra, foi calcada aos pés pela megera, chicoteada até verter sangue e por fim atirada para dentro de uma piscina gelada.

Quantos outros capítulos da conquista dos bárbaros pelo Evangelho não nos mostrarão figuras igualmente admiráveis? Nem sempre as veremos tão dramaticamente expostas ao furor dos ímpios, mas sempre as veremos firmes na fé e habilidosas na ação. Na Inglaterra, vamos encontrar *Berta*, outra parisiense e igualmente bisneta de Clotilde, filha de Cariberto e esposa de Ethelberto, rei de Kent, que levará para o seu reino um bispo francês, consagrará uma capela ao santo das Gálias, Martinho, e acolherá com o maior entusiasmo o missionário pontifício Agostinho, convencendo o seu marido a deixá-lo pregar. Também ela será cepa de rainhas santas, pois a sua filha *Ethelbúrgia* desempenhará o mesmo papel junto de seu marido Eduíno, abrindo para Cristo o reino de Northumberland. Entre os terríveis lombardos, que se revelarão encarniçados inimigos da Igreja e da Santa Sé, a bávara católica *Teodelinda* será a Clotilde da Itália germânica, mais ainda do que uma Clotilde, porque o seu papel político será considerável; constituindo um laço afetuoso entre seu marido e o papa São Gregório Magno, tornar-se-á a mensageira da paz no meio de uma guerra tremenda. Ao batizar os seus filhos na Igreja, preparou o futuro, e é com justo motivo que a igreja de Monza evoca ainda hoje a sua glória. A sua filha *Gundebérgia*, duas vezes casada com reis arianos e também duas vezes metida na prisão por causa da sua fé, há de continuar a obra iniciada pela mãe, juntamente com o sobrinho que esta educara. Ao mesmo tempo, no ducado de Benevento, *Teodorata*, uma latina esposa do duque, conseguirá trazer o seu povo para a fé de Roma.

Estas mulheres heroicas foram, para usar a expressão da química moderna, os agentes catalisadores que provocaram a cristalização da obra da Igreja. No que se refere ao trabalho em profundidade, à lenta preparação e à impregnação dos povos com o espírito cristão — tudo isso foi essencialmente trabalho dos monges.

É fora de dúvida que, depois de o monaquismo vindo do Oriente ter lançado raízes nas terras ocidentais, o que havia de mais fervoroso e de mais vivo no catolicismo foi atraído para os conventos. Os pequenos agrupamentos, ainda muito modestos, que no decorrer do século IV surgiram em Tréveris, em Verceil e até em Roma, em breve deram lugar a comunidades muitas vezes consideráveis, como a de Marmoutier. Sabemos perfeitamente o que foi, desde o princípio do século V[19], a expansão de *Lérins*, a célebre fundação de Santo Honorato, e a dos conventos marselheses, que se identificavam como seguidores de Cassiano. No mesmo momento em que São Cesário de Arles promulga uma regra, já várias comunidades femininas a abraçam de corpo e alma; e os fortíssimos rigores com que São Columbano condimentará a sua fundação não impedirão que muitos monges a aceitem com alegria. Entre 520 e 530, no majestoso convento do Monte Cassino, São Bento[20] acaba de instalar a sua grande obra e promulga definitivamente a sua Regra, fundada tão solidamente, concebida com acentos tão humanos e dirigida para o ideal divino de forma tão sublime que substituirá todas as outras de um momento para o outro; dentro em breve, a história do monaquismo ocidental parecerá identificar-se com a da ordem beneditina.

Mas devemos compreender ainda o que há de estranho e quase paradoxal no fato de terem sido os monges quem constituiu o núcleo mais eficiente dos futuros propagandistas de Cristo. Que é um monge? Eremita, anacoreta ou cenobita, é por definição um homem que se retirou do mundo, onde julga não poder encontrar a paz do coração e os meios de salvação. Desde o primeiro solitário, Paulo, que se enterrara no deserto do Egito, o essencial da vocação monástica tinha-se resumido nisso. Meditar e orar — quer rigorosamente só, quer numa comunidade fraterna —, é a esta dupla obrigação que o verdadeiro destino do monge parece limitar-se, e é pela influência que a oração exerce sobre a Providência que ele quer ser útil à sociedade e à

Igreja. Esta imagem — devemos confessá-lo — dista muito da do monge missionário que conquista povos para a fé, desbrava florestas e funda cidades, tal como a história no-lo revela. Como se operou a passagem de uma para a outra, daquilo que São Bento chamava a *escola do serviço de Deus* para a missão?

Da maneira mais simples. O mais recluso dos eremitas, o mais firmemente agarrado à solidão e ao silêncio, não podia evitar que almas sofridas viessem consultá-lo. Não tinha já Santo Antão, quando se encontrava no deserto, tido que fugir por duas vezes ao entusiasmo dos seus penitentes? São Bento, na sua gruta, será assaltado do mesmo modo e finalmente obrigado a sair de lá. E quando a reputação de um monge atingir tais proporções que as multidões cristãs descobrirão nele um líder, como poderá o homem de Deus subtrair-se aos seus apelos? Lérins transformou-se assim em viveiro de bispos, e teve de fornecer pastores para inúmeras regiões da França e até da Irlanda, e um São Remígio — à semelhança de muitos outros — foi arrancado às suas meditações a fim de ocupar uma sede episcopal. Esta exigência do povo cristão era demasiado grande para que fosse possível resistir-lhe. Entre os celtas, as comunidades monásticas tiveram de assumir todo o ministério eclesiástico dirigido aos seus respectivos clãs. Em Arles, em torno de São Cesário — tal como acontecera em Tours, em torno de São Martinho, e em Hipona, em torno de Santo Agostinho —, a vida monástica e a obra episcopal constituíam um todo inseparável. "Ide e evangelizai todos os povos!" Os monges eram homens por demais santos para poderem furtar-se à ordem de Cristo: e assim a vida meditativa em Deus deu lugar à vida ativa por Deus, à "peregrinação por Deus", como dirá São Columbano.

O milagre da Irlanda e os monges missionários

Os primeiros exemplos desse vivo paradoxo que é o monge missionário — homem amigo de estar em casa e recluso por vocação, que sai do seu convento para correr o vasto mundo a fim de semear a Boa-nova — foram dados pelos cristãos da Bretanha insular, atual país de Gales, e da Irlanda; isto é, pelos celtas[21]. Como é surpreendente e pitoresca essa história das cristandades célticas, toda banhada de poesia e de mistério, batida por tempestades e vendavais, em que, sobre as brumas nórdicas que sobem dos mares frios, se edifica a lenda com uma espontaneidade de sonho, mas donde emergem, perfeitamente autênticas, muitas personalidades de estranha silhueta e de saboroso destino!

Alcançado pela sementeira cristã desde o século III (ao concílio de Arles, em 314, assistiram já três bispos bretões), possivelmente através de cristãos orientais, soldados ou negociantes que tinham seguido as pegadas das legiões, a grande ilha da Bretanha contava já um bom número de fiéis quando a retirada dos soldados romanos, em 428, entregou as igrejas célticas à invasão anglo-saxônica. São Gildas, autor de uma crônica tempestuosa, transmitiu-nos esses horrores num estilo comparável ao de Jeremias. Esses cristãos, acossados e perseguidos, conseguiram no entanto resistir e sobreviver, e dessas lutas heroicas haveria de surgir mais tarde, sobre uma base em geral bastante histórica, o ciclo das lendas do *Rei Artur*, tão do agrado da canção de gesta medieval e evocado até nas arquivoltas das catedrais. Refugiadas nas montanhas, essas comunidades cerraram fileiras em torno dos seus mosteiros, principalmente em torno desses doze conventos que *São David* (falecido em 544), sobrinho do rei Artur, havia fundado no país de Gales. Mas a vida não era fácil para os católicos bretões dessa época, e muitas vezes acontecia que o convento era tão pobre que os monges tinham de puxar a charrua. Mas a fé era viva, e mesmo apaixonada — tão apaixonada como naqueles dias em que o monge bretão Pelágio discutia a perder de vista sobre a graça, e em que as suas doutrinas atraíam tanto as almas dadas ao misticismo que fora necessário mandar à ilha, para combatê-las, o bispo São Lobo de Troyes, antigo monge de Lérins, bem como São Germano de Auxerrois.

Pouco depois do desastre da invasão anglo-saxônica (ocorrido por volta de 430), a Irlanda, que era ainda — no dizer do cronista Próspero de Aquitânia — "uma ilha bárbara", tinha sido objeto da solicitude do papa São Celestino[22]. Aos "escotos", que era como então se chamava aos irlandeses, enviara ele o bispo missionário Paládio. Mas o grande trabalho de conversão da Irlanda, a formação desse baluarte do catolicismo que se conservou até aos nossos dias, deve-se a *São Patrício*, e é com toda a justiça que o grande missionário é considerado um herói nacional.

Era um bretão, nascido por volta de 385 na cidade que hoje se chama Daventry. Um destacamento de piratas irlandeses, "atravessando loucamente o mar", como diz um contemporâneo, desembarcou na costa da Bretanha, arrebanhou um lote de cativos e levou-os para a ilha, onde certamente escasseava a mão-de-obra. Entre esses cativos, encontrava-se Patrício, ou Patrick, um jovem de dezesseis anos. Primeiro traço característico do milagre irlandês: são os próprios irlandeses que foram desentocar o seu apóstolo! Tendo conseguido fugir ao fim de seis anos, Patrício desembarcou no continente e esteve como monge na Abadia de Lérins, mas conservou uma certa ternura por aqueles bons pagãos que conhecera durante o seu cativeiro. "Ouço — exclamava às vezes —, ouço que me chama da Irlanda a voz das crianças que ainda não nasceram!" Em 432, coincidindo com a notícia da morte de Paládio, expôs a São Germano, que regressava da sua primeira missão na Bretanha, o seu desejo de ir evangelizar as ilhas. São Germano sagrou-o imediatamente e Patrício partiu. Durante trinta anos, até à sua morte (461), desenvolveu um esforço missionário de tal ordem que não sabemos se deveremos admirar mais a sua perseverança, a sua coragem ou a sua habilidade. Lutando a golpe de milagres contra as feitiçarias dos druidas, discutindo poesia e mística com as escolas dos bardos ou *filid*, cuja influência era considerável, ganhando para Cristo as princesas reais (mais uma vez encontramos aqui a influência das mulheres), Patrício conseguiu a proeza de batizar a Irlanda sem choques nem violências — não houve mártires na Irlanda —, servindo-se do jogo da livre concorrência com os antagonistas e da manifestação de um poder espiritual e miraculoso superior.

O fato foi de capital importância, não só para os destinos da ilha, mas para todo o cristianismo, pois mostrou de forma brilhante que, mesmo tendo nascido no marco da cultura greco-romana, a fé cristã podia adaptar-se a todas as outras formas de cultura e dar-lhes uma nova vitalidade. A implantação da Cruz numa terra que Roma não desbravara pode muito bem ser considerada o segundo aspecto do "milagre irlandês". A sé episcopal de *Armagh*, que iria tornar-se primacial da Irlanda, foi fundada já em 444. E, no momento em que Patrício morria, a Irlanda contava tantas cristandades florescentes e tantos mosteiros que podia legitimamente intitular-se "a ilha dos santos".

Ilha dos santos... Lá encontraremos ainda hoje, ao acaso das trilhas rurais, essas lembranças tão comoventes da mais antiga história: menires toscamente gravados com o Crisma cristão. Ilha dos Santos... O seu calendário litúrgico ostenta tantos nomes sonoros ignorados das nossas festas, como

Comgall, Brandão, Mochta, Killian, Benen, Fiace, Columba, Finnien... Ilha dos santos..., onde os conventos, literalmente, pulularam[23], como focos de intensa vida espiritual e de cultura — Killeany, o mais antigo, Clonard, Clonmacmois e Bangor, os mais notáveis —, e chegaram a contar literalmente milhares de monges.

Em nenhum outro país ocidental desta época o idealismo religioso atingiu o brilho que teve na Irlanda; algumas manifestações do ascetismo desses monges irlandeses poderão parecer-nos um tanto lendárias (recitar os salmos com o corpo mergulhado em água gelada, ou permanecer tanto tempo orando com os braços em cruz que... as aves tinham tempo de fazer os seus ninhos na cabeça do orante!), mas a sua aspiração mística não deixa de ser profundamente sublime. Centro da oração e da liturgia de um clã, e também sede da administração eclesiástica, cada mosteiro-bispado suscitava à sua volta um movimento de fervor espiritual. E, no momento em que a cultura geral mergulhava na noite no resto do Ocidente, cada um destes centros acendeu a sua tocha.

Talvez o caráter mais impressionante destes monges celtas seja o seu amor pelas viagens, pela "peregrinação" por Cristo. Diz-se que os celtas tinham tido desde sempre um temperamento errante; pensemos o que terá sido então quando lhes sobreveio a paixão do apostolado! Das comunidades bretãs couraçadas contra os germanos, das jovens igrejas surgidas sobre as pegadas de São Patrício, partem missionários em quantidades incríveis[24]. As crônicas encherão essas viagens de aventuras prodigiosas; há monges que fazem voto de não mais voltar ao seu país de origem, para irem levar o Evangelho a toda parte, e tripulações inteiras que se lançam ao mar sem remos para melhor se abandonarem à vontade de Deus; fala-se até de pias batismais de pedra que se transformavam por milagre em barcos e que levavam os monges aos lugares onde a Providência os queria. Toda a costa oeste da Grã-Bretanha e a atual Escócia veem surgir conventos de onde irradiará o Evangelho: entre eles, Bangor em Chester, fundado por São Comgall, e Kentigern, na Escócia, fundado por São Niniano.

Para longe, sempre para mais longe, rumo aos países mais desconhecidos e mais terríveis, sempre por Cristo! Não contente com ter criado as abadias de Darrow e de Londonderry na Irlanda setentrional, *São Columba*, antigo monge de Clonard, embarca por volta de 563 com doze companheiros[25], converte os selvagens pictos e funda, numa ilha minúscula da extrema ponta setentrional da Escócia, o convento de *Iona*, que será um viveiro de bispos, uma verdadeira metrópole escocesa, e de onde a Boa-nova irradiará para as ilhas Orkney, as Shetland, as Faeroer — a *Última Tule* dos antigos —, e até para a Islândia. A que aventuras perigosas ou divertidas estas audaciosas viagens conduziam os monges, é coisa que podemos vislumbrar na saborosa lenda de *São Brandão, o Navegador*, que até hoje se conta na Bretanha junto à lareira, história cheia de anedotas engraçadas ou aterradoras, em que se fala de missas celebradas por engano sobre o dorso de uma baleia, ou das portas do Inferno, das quais sai, entre os gelos, o fogo dos vulcões polares. Mas nem tudo é lenda. Quando os vikings descobriram a Islândia, no século VII, verificaram que os "papas" da Irlanda já se haviam instalado ali e que praticamente cada uma das ilhas do Mar do Norte possuía a sua colônia de monges.

Outras tripulações partiram em direções diferentes: a da "nova Bretanha", a Armórica, onde muitas tribos célticas se haviam refugiado por ocasião da invasão anglo-saxônica por volta de 442, e onde a sua raça havia de enraizar-se de tal forma que literalmente renovaria a sua população. As distâncias entre os celtas bretões e irlandeses, por um lado, e os da Armórica, por outro, reduziram-se em consequência desse contato íntimo e fraterno; chegou até a formar-se um povo único de ambos os lados do mar cinzento, uma cristandade única apinhada em torno dos seus mosteiros-bispados, particularista nos seus costumes mas, internamente, de características idênticas, seja pela sua tendência mística e poética, seja pela sua propensão para as viagens.

Os monges bretões realizaram, efetivamente, uma verdadeira epopeia armórica. Desembarcando do mar, esse exército de santos tão caro aos bretões da França, de colonos de um gênero tão particular, imprimiu o seu cunho à geografia e à onomástica armoricanas, e o seu folclore não deixou em todo esse tempo de ser fonte de inspiração. Temos *São Corentino*, que se diz ter sido o primeiro bispo de Quimper; *São Sansão*, fundador de Dol, durante muito tempo a sé episcopal mais importante da Bretanha; *São Paulo Aureliano*, que semeava conventos por onde passava; *São Brieuc*, *São Tudual* e quantos outros!... Não há cidade bretã que não tenha o seu santo. O mais célebre é talvez *São Gildas*, esse filho de um rei bretão que, tendo feito os seus estudos na Gália, se tornou monge na Irlanda, escreveu a crônica do seu povo e depois regressou à Armórica, desembarcando milagrosamente na península de Ruis. Mesmo envolvido a todo o instante com o movimento de resistência dos celtas aos reis merovíngios, o Bro-Werech, conseguiu manter-se em plena ação como um homem de vida verdadeiramente contemplativa.

É bem verdade que nem tudo quanto se relaciona com estas hagiografias está dentro da verdade histórica; no entanto, mesmo através de muitos traços lendários, distinguem-se bem as grandes linhas desses começos da cristandade da Armórica: primeiro, um tempo de instalação; a seguir, a tomada de toda a região, favorecida pelo fato de que a população originária era ainda pouco numerosa, flutuante e desorganizada; mais adiante, uma expansão progressiva extraordinariamente rápida, com as cristandades célticas das ilhas a servirem de reservatórios de homens para a conquista. Em dois séculos, os monges celtas forjaram a Bretanha francesa[26], que não perderá até aos nossos dias a marca dos seus rudes e fervorosos fundadores[27].

De todos esses peregrinos de Cristo, que tiveram os mais invulgares destinos, o mais extraordinário, e o que devia deixar o rasto mais profundo, foi esse monge de Bangor que desembarcou num dia do ano de 575 na pequena baía de Guimoraie, entre São Malo e Mont Saint-Michel, com doze companheiros: *São Columbano*. Nascido na Irlanda, em 540, tinha sido um jovem tão atrativo que se sentia inquieto com os constantes olhares femininos que se cravavam no seu rosto. "Há uma única salvação, meu jovem — disse-lhe certo dia uma monja reclusa — a fuga!" E fugiu para Bangor, onde, depois de ter passado alguns anos entregue às prodigiosas mortificações que conhecemos, e às quais acrescentava outras por gosto, o louro e róseo adolescente se transformou num gigante barbudo, com músculos de aço, que abatia uma árvore com uma só machadada e trabalhava quinze horas seguidas arando a terra sem aparentar o menor cansaço.

Era, com certeza, um homem bem rude esse que desembarcou em Guimoraie! Parecia uma espécie de profeta de Israel que tivesse ressuscitado naquele século VI, tão cortante nos seus discursos como um Isaías ou um Jeremias, e em cuja face — no dizer do seu biógrafo — "brilhava visivelmente a força de Deus". Andarilho, pregador, desbravador infatigável, curandeiro e, até certo ponto, taumaturgo e visionário, conservava ao mesmo tempo os vestígios de poesia e de mistério, de amor pela natureza e de sonho que caracterizavam a sua antiga ascendência irlandesa.

Atravessando a Gália de oeste para leste, Columbano peregrinou durante vários anos ao acaso, sem nenhum plano de conjunto; aliás, foi característico do seu modo de ser esse palmilhar os caminhos que a Providência lhe deparava. Certo dia, porém, na região dos Vosges, o rei dos burgúndios ofereceu-lhe um lugar para se estabelecer, um lugar onde a terra e as almas eram selvagens por igual. Surgiu ali a primeira fundação de Columbano, *Annegray*, que em breve se tornou célebre em toda a região e foi assaltada por milhares de doentes atraídos pelos dons milagrosos do taumaturgo, e em breve também se tornou pequena para abrigar todos os monges que ali se acotovelavam. Em 590, no mesmo lugar onde existira uma pequena cidade queimada por Átila, Columbano fundou *Luxeuil*, que se tornaria durante os séculos vindouros uma das mais pujantes e insignes sedes da civilização nas regiões do leste, uma espécie de Monte Cassino francês.

É difícil imaginar qual foi, durante vinte e cinco anos, o prestígio deste monge[28]. Vêm consultá-lo de toda parte, os reis veneram-no e temem-no, e os bispos galo-romanos ou francos olham-no com um olhar respeitosamente inquieto. Será preciso esperar por São Bernardo para encontrar na França um ascendente que se possa comparar ao seu. Quando deixa o seu mosteiro e visita uma província, as vocações brotam sob os seus passos. Nada detém este homem: nem a fadiga nem o respeito pelos poderosos. Depois de ter dito umas quantas verdades ao rei Thierry, personagem criminoso e de costumes ignóbeis, e de se ter recusado energicamente a abençoar os seus bastardos, Columbano foi finalmente expulso de Luxeuil e banido do reino, não podendo ali voltar senão dissimuladamente. Mas que importa? Por muito dolorosa que fosse a ruptura com os seus filhos, não havia noutras partes almas que salvar e trazer para Deus?

Serão, pois, as regiões renanas que o verão aparecer, essas mesmas regiões onde a passagem das invasões havia deixado muitas almas em estado bárbaro — Koblenz, Mainz, Basileia, onde se instala o seu discípulo Ursânio, Arbon no lago de Constança, e *Bregenz*, no sopé do Arlberg, onde cria um segundo Luxeuil. Depois, como o rei Thierry ameaçasse persegui-lo até ali, o santo atravessa o lago. Desce os Alpes e cria ainda um convento junto do Trébia, em Bobbio, quando a morte lhe permite finalmente repousar dos seus esforços, em 615.

Mas a influência deste monge irlandês durará pelos séculos afora; quantos santos não sairão das suas abadias, como São Filiberto, São Momelino de Noyon, Santo Ômero, São Bertino? E esse cunho tão particular que ele imprimiu à alma cristã, não o encontraremos em muitos discípulos, como São Vandrilo, fundador de Fontenele? Calcula-se que foram duzentas as abadias fundadas sob o seu impulso. Quantos nomes locais, em todo o Ocidente, trazem o seu nome ou alguma variante![29].

Durante séculos estas santas casas, que se entrelaçavam como os ramos de uma árvore, lembrarão à Europa cristã quanto deve aos monges celtas vindos das ilhas e à sua ação infatigável. Ainda o saberá o Ocidente de hoje? Compreenderá suficientemente a importância daquilo a que chamamos "o milagre da Irlanda"? Em última análise, o maior milagre irlandês foi esta "segunda arrancada" do cristianismo a partir de um país que acabava de ser batizado, e que já no instante seguinte se mostrava maravilhosamente fiel ao espírito de evangelização. A Irlanda foi, nos tempos obscuros do Ocidente, como que uma segunda Palestina, como que um novo berço da fé. Esta história, muito pouco conhecida, é rica em temas de meditação: um país de missão que, de um dia para o outro, foi capaz de tornar-se um foco missionário... Fénelon, num sermão profético pronunciado diante de missionários que iam partir para o estrangeiro, pressentirá aquilo que ele chama "o traslado do cristianismo". Quem sabe se nos dias de hoje não estará destinado um papel análogo às comunidades cristãs em formação no continente negro e no continente amarelo — voltarem a pregar o Evangelho a um Ocidente que o perdeu?...

Os lombardos e o desmembramento da Itália

Nesta expansão do cristianismo, a influência de Roma e do Papa pouco se manifestou, pelo menos até aqui... Pudemos ver o papa Celestino dando um primeiro impulso à evangelização dos bretões, e adivinhamos, no melhor dos casos, o apoio que São Leão terá dado a São Patrício. Mas não devemos deixar-nos arrastar pelas aparências desta discrição. Fosse porque os papas estivessem demasiado ocupados com o Oriente, fosse porque estivessem paralisados pelas perturbações da Itália, o fato é que os bispos empenhados na cristianização dos bárbaros e os missionários de Cristo tinham clara consciência de que os fundamentos da sua obra estavam ligados ao poder espiritual dos sucessores de Roma.

"Se se começar a duvidar da autoridade do Papa de Roma — exclama Santo Avito —, não será só um bispo, mas todo o episcopado que balançará!" E São Remígio pedia a Clóvis, logo após o Batismo do rei, que enviasse como presente ao papa uma coroa de ouro — laço tangível e visível homenagem. E o terrível São Columbano, embora não tivesse o menor constrangimento em repreender o papa quando lhe parecia que este andava em débito para com a sã doutrina, nem por isso deixa de escrever: "Todos somos discípulos de São Pedro e de São Paulo, e nós, os irlandeses do fim do mundo, nós estamos especialmente ligados à Sé Apostólica; por maior e mais gloriosa que seja a cidade de Roma, ela somente o é, aos nossos olhos, por causa dessa Sé!" Está próximo o tempo em que se vai tomar a peito a conversão dos bárbaros, organizada e levada a cabo por um grande papa, aliás no mesmo momento em que a crise de Roma parecia mais grave e a sede de Pedro parecia correr o risco de se transformar num simples bispado de um novo reino germânico: o dos *lombardos*.

Quem eram estes bárbaros desconhecidos, cujo papel ia ser — involuntariamente — tão decisivo nos destinos do cristianismo? Um grupo de tantos entre as massas germânicas que, desde começos do século V, não tinham cessado de fazer pressão sobre o Ocidente. Germanos da Escandinávia, marchavam rumo ao sul havia quatrocentos anos, e depois de algumas estadias nas embocaduras do Elba e na Morávia tinham finalmente chegado ao Danúbio por volta do ano 480. Que queria dizer o seu nome? O cronista Paulo Diácono o traduz por "aqueles cuja barba não sofreu a afronta do ferro"; outros, por "soldados da lança comprida"; outros ainda supõem que se tratava dos "langos" e dos "bardi" reunidos. Até hoje não se sabe. Altos e louros, tinham fama de extremamente ferozes; batizados no arianismo, eram tão pouco cristãos quanto possível.

Foi, como sempre, a fraqueza dos romanos que lhes abriu as portas do Império. Molestados nas suas aldeias do médio Danúbio pelos gépidas — que se viam atacados pelos ávaros, os quais por sua vez eram aguilhoados pelas costas pelos turcos —, os lombardos, por volta de 550, procuravam uma saída para o sul. A diplomacia de Bizâncio facilitou-lhes as coisas: sob o pretexto de lançar uns contra os outros os seus adversários, a fim de equilibrar o seu poderio, Justiniano forneceu armas a estes germanos terríveis, e, quando se lançou à reconquista da Itália, vários contigentes lombardos, comandados por Auduíno, bateram-se ao lado dos seus exércitos contra os ostrogodos, experimentando tão grande prazer nessa incursão que, uma vez retornados à pátria, não pensavam senão em regressar à doce península acompanhados dos seus clãs.

Ora, a situação da Itália favorecia sobremaneira a invasão. A prestigiosa aventura da "reconquista", na qual Justiniano pensara ver o coroamento da sua glória, havia sido na realidade uma catástrofe para a Itália[30], arruinada por uma guerra que se tinha alongado demasiadamente: não havia província, dos Alpes ao Vesúvio, que não sangrasse. A hábil organização e o domínio conciliador e comedido de Teodorico, que haviam permitido o "renascimento" de princípios do século VI, com Boécio e Cassiodoro como seus campeões, tinham-se esfacelado para sempre. Os bizantinos, burocratas, formalistas, mais ou menos corrompidos e impopulares, foram incapazes de dominar o país, tanto mais que as relações entre os representantes civis do imperador — o prefeito do Pretório residente em Ravena, os seus dois vigários de Roma e de Gênova — e os chefes militares — o exarca, na capital, e os duques e condes sob as suas ordens, na província — eram frequentemente tempestuosas. Esses governantes locais, seguindo uma tendência que se observava já no Oriente havia mais de um século, procuravam tornar-se potentados independentes; tão tiranos como indisciplinados, eram no entanto completamente incapazes de resistir a um ataque sério.

Instalados desde o ano 500 na atual Croácia, isto é, às portas da península, os lombardos tinham aprendido muitas coisas na sua luta contra os ostrogodos. Albuíno, filho de Auduíno, sabia por exemplo que as fortalezas bizantinas andavam desprovidas de guarnições; que o povo odiava os orientais; que Narsés, furioso por ter sido desgraçado por Justino II, esperava a sua hora em Nápoles; e que o seu sucessor, encerrado em Ravena, não tinha quase nenhum soldado... De tudo isso, tirou a conclusão óbvia, e a 2 de abril de 502 o povo lombardo pôs-se em marcha, num total de seiscentas mil almas, das quais cem mil guerreiros. Passando por Emona (Laybach), pelo vale do Sava, pela sela dos Alpes Julianos e pelo Friul, chegaram a Aquileia, abandonada pelos seus chefes, e em rápida sucessão a Treviso, Vicência e Verona, que lhes abriram as portas. Foi como se se tivesse retrocedido aos princípios do século V, quando um Radagásio, um Alarico ou um Átila varriam a Itália com a maior desenvoltura... No ano seguinte, foi a vez de Bréscia, de Bérgamo, de Trento e de Milão, que caíram sem resistência. E enquanto Pavia, a antiga capital de Teodorico, resistia três anos, Albuíno concluía a conquista da Itália do Norte até Parma e Bolonha, ao mesmo tempo que os outros chefes lombardos, julgando muito fácil o jogo, faziam expedições por sua conta e se autonomeavam duques de Spoleto e Benevento. Em 572, Albuíno instalou-se solenemente no palácio de Teodorico em Pavia: nascera o estado lombardo.

Pode-se então dizer que a Itália se tornou lombarda? Não. Já não se tratava nem da unidade romana, nem da ordem gótica, nem mesmo da sistemazição bizantina. Quando morreu o fundador, Albuíno, o estado lombardo, cuja monarquia era eletiva, desmembrou-se após dez anos de crise numa trintena de ducados e de condados praticamente independentes uns dos outros, isto é, numa espécie de feudalismo militar que prefigurava o da Idade Média. Por outro lado, os invasores não conseguiram ocupar toda a península, e os bizantinos conservaram, num emaranhado inverossímil, a posse de numerosos territórios, geralmente as regiões da costa e as ilhas, ao passo que os lombardos ocupavam o interior. Além disso, também o exarcado bizantino de Ravena separava quase totalmente o reino de Pavia dos ducados de Florença e de Spoleto. O que se consolidou, pois, foi uma Itália desmembrada, fato que será decisivo para a história do Ocidente até o século XIX.

Por mais penosa que parecesse esta situação, aos olhos de quem conservasse a recordação das antigas grandezas, ela acabaria por servir muitíssimo aos interesses do papado. Já as medidas de Justiniano, na *Pragmática Sanção* de 554, dando aos bispos e ao Papa verdadeiros direitos de controle sobre os funcionários civis, tinham de certo modo oficializado a autoridade política espontânea que a Igreja adquirira ao desempenhar o seu papel de "defensora da cidade". Durante esses vinte anos de confusão, em que os chefes lombardos se entredevoraram e os mercenários francos chamados e pagos por Bizâncio multiplicaram as suas incursões na Itália[31], o papado demonstrou cada vez mais constituir uma ilha de liberdade e um baluarte do Espírito, e o Papa, simples clérigo desarmado, o único adversário válido desses bárbaros sem escrúpulos. Uma Itália que se tivesse tornado totalmente lombarda teria procurado reduzir o bispo de Roma ao papel de primaz da Lombardia, da mesma forma que, nos anos anteriores, o autocratismo bizantino havia feito de tudo para submetê-lo, controlando a sua eleição e exercendo todo o tipo de pressões sobre as suas decisões. Uma Itália puxada para cá e para lá por forças antagônicas não permitia que surgisse uma grande personalidade no meio de toda essa confusão. No momento, pois, em que o trono de São Pedro fosse ocupado por um homem de excepcional estatura, o fio da história passaria para as suas mãos.

São Gregório Magno, Papa

É preciso confessar que, nos cento e trinta anos que decorreram entre a morte do grande papa São Leão (461) e o surgimento de outro grande papa, São Gregório (590), a cátedra de São Pedro não teve titulares que estivessem à altura dos acontecimentos. Não é que algum deles se tivesse mostrado indigno, pois, de dezoito, onze foram canonizados; aliás, mesmo aqueles que ascenderam a essa cátedra sublime em condições discutíveis, como Vigílio e Pelágio, uma vez investidos da responsabilidade pela Igreja de Cristo, não se mostraram inferiores aos seus colegas. Houve papas piedosos e caritativos, papas grandes construtores e papas bons administradores. Quase todos, e muitas vezes com a magnífica firmeza de um São Gelásio ou de um Santo Hormisdas, tiveram de defender a primazia da Sé Apostólica contra os autocratas de Bizâncio. No entanto, parece-nos hoje que ainda não soara a hora de que a tarefa exigida pelos tempos e já anteriormente pressentida por São Leão — a reconstrução do mundo pela Igreja, após os terríveis desmoronamentos do século V —, fosse reconhecida pelo papado como tarefa sua. Não lhe fora ainda possível libertar-se da noção de *Imperium Romanum*, que dominava quase todos os espíritos; ou seja, a todo o momento voltava ainda os olhos para Bizâncio, onde sobrevivia o Império e donde podiam partir ordens, ameaças, apoios ou dificuldades. Para dominar a sua época, compreender-lhe a verdadeira exigência e, por assim dizer, ultrapassá-la com o fim de modelar o futuro; para, sem perder de vista o Oriente, olhar de frente esse Ocidente onde germinava um mundo — era preciso nada menos que um gênio. E esse gênio foi o homem que passaria à história com o nome de *São Gregório Magno.*

Quando a voz fervilhante do povo o chamou ao pontificado, em 590, a situação era angustiante; se, nas perspectivas da história, as possibilidades do papado eram grandes, não é menos verdade que, de modo imediato, somente se descortinavam misérias e ameaças em demasia. Cercado pelos lombardos — ao norte, o duque de Spoleto; e ao sul, o de Benevento, Ariulfo, especialmente agressivo —, abandonado pelo exarca (mais perverso que os lombardos) de Bizâncio, onde as desordens haviam recomeçado após a morte de Justiniano, o papa tem diante de si um espetáculo desolador. A Itália está entregue à pilhagem e a uma violência de que os lombardos não são os únicos a dar exemplo; todos os anos há cidades em chamas; as estradas não oferecem segurança alguma, e rebanhos de cativos são reduzidos à escravidão e levados "de corda ao pescoço, como matilhas de cães". No norte, o arcebispo de Aquileia, sob o pretexto de que Roma tem sido muito indulgente para com os hereges monofisitas, rompe a comunhão com o papa e o seu cisma provoca inúmeros e penosos incidentes na Igreja. Três quartos da cidade de Roma estão vazios, o que é aflitivo para quem se lembra do passado; dir-se-ia até que a Providência se encarniça sobre o cadáver desta capital morta, pois desde novembro do ano anterior não se contam senão catástrofes — inundação do Tibre, celeiros destruídos, fome; ainda por cima, dos animais rebentados e impelidos pelas águas soltam-se fedores pútridos, e começa a grassar uma terrível peste, de que o papa Pelágio é uma das primeiras vítimas.

O próprio São Gregório evocou esses dias atrozes numa página patética. Aludindo ao capítulo XXIV de Ezequiel, escreve: "Não era precisamente esta a cidade a que se referia a profecia: 'A carne é cozida com os ossos que estão dentro?' Onde está o Senado? Onde está o povo? Tudo se dissolveu — ossos e carne, glórias e ordens do mundo. Que resta aos seus raros sobreviventes? Golpes de espada quotidianos e aflições sem número..." Perante tão grande angústia, bem se compreende que esse homem de ferro tivesse chegado a confessar "que sentia a alma sucumbir sob o seu próprio peso e cobrir-se de um suor de sangue".

Mas, para certos homens — os maiores —, a tomada de consciência profunda de uma situação aparentemente perdida, longe de fazê-los desanimar, é a alavanca que lhes determina a ação. Gregório, sustentado por uma admirável energia e pelo mais alto sentido da sua missão espiritual, faz face a esta dolorosa situação, e o seu pontificado, que não foi longo — vai de 590 a 604 —, foi certamente o mais notável de todo o período compreendido entre as invasões e a Idade Média, aquele em que o papado passou definitivamente a ocupar o primeiro lugar, um lugar a que nenhum outro se pode comparar, e que conservará ao longo da história.

Para levar a cabo essa imensa tarefa, cujas dificuldades lhe eram absolutamente claras, Gregório felizmente reunia em si os dois tipos de homem que, de maneiras diferentes, podiam conceber a salvação da humanidade em perigo: o romano de velha tradição e o monge. O primeiro podia haurir no passado tudo o que nele ainda havia de válido, e o segundo devotar-se exclusivamente à única força espiritual capaz de renovar o mundo — o cristianismo. Filho de uma grande família patrícia, a acreditar na tradição que o faz descender dos célebres Anícios, que tinham tido nas suas fileiras dois imperadores e o filósofo Boécio, recebeu uma educação esmerada, tão esmerada quanto era possível nessa época de decadência: São Gregório nunca escreverá tão bem como São Leão. Pretor urbano e prefeito de Roma, pertencia — como outrora Santo Ambrósio — a essa classe de grandes funcionários para quem o cumprimento do dever ainda estava acima de tudo. No exercício desse cargo, um misto de prefeito da polícia e juiz criminal, adquiriu um agudo sentido da disciplina e das exigências da ordem pública. Mas esse gênero de vida deixava-o insatisfeito. Durante muito tempo (é ele mesmo quem o confessa), protelou a resposta ao "apelo que ouvia dentro de si". No entanto, na sua família não faltavam exemplos de piedade cristã; sem falar do papa de quem descendia[32], basta dizer que a sua mãe Sílvia e as suas duas tias, as monjas Tarsila e Emiliana, eram santas que a Igreja canonizara. Mas o apelo de Deus prevaleceu, e Gregório escutou-o após a morte do pai.

Fez-se monge, e monge continuou a ser profundamente, por toda a vida. A sua própria casa — em plena Roma, sobre o Célio, onde hoje se ergue a igreja de São Gregório — foi transformada num mosteiro, à frente do qual colocou um abade, pois não quis para si mais que o lugar de um simples frade. Não sabemos ao certo se a regra que se seguia nesse mosteiro de Santo André era a de São Bento, mas, seja como for, a influência do patriarca de Monte Cassino era certamente considerável, pois São Gregório havia de ser mais tarde o biógrafo do santo.

Em todas as fases da sua vida, Gregório rodear-se-á de monges e deles lançará mão em todos os seus grandes empreendimentos. Gastará a imensa fortuna paterna na fundação de abadias e, mesmo depois de ter chegado ao cume da hierarquia eclesiástica, conservará até o fim as saudades da sua vida monástica de silêncio, de oração e de "leitura em Deus". Com efeito, aquela *dolce vita* não durou. Tendo-se destacado logo, como não podia deixar de ser, o antigo alto funcionário recebeu ordem do papa Pelágio II para assumir como "diácono regional" uma das sete circunscrições da cidade e, pouco depois, para ocupar o lugar mais delicado de todos, o de núncio — dizia-se então "apocrisiário" — em Bizâncio (onde o seu prestígio foi tão grande que o imperador Maurício quis que lhe batizasse um filho, mas onde Gregório aprendeu também a conhecer a fraqueza do Império). Finalmente, foi chamado para desempenhar as funções de secretário do pontífice. Quando Pelágio II morreu vítima da peste, a 15 de janeiro de 590, os romanos, aterrados, vendo chover sobre eles os dardos da cólera divina, puseram unanimemente a sua confiança em Gregório e, apesar da sua resistência, e até apesar de uma tentativa de fuga, o monge de Santo André teve que deixar-se sagrar.

Terá havido pontificado mais profícuo e mais decisivo para a Igreja? De saúde débil (o seu desgosto era não poder seguir as regras do jejum), era um desses homens que, por disciplina, tiram de um corpo fraco mais rendimento do que uma pessoa saudável. Audacioso na ideia, firme na aplicação, minuciosamente preciso quando se tratava de levar avante uma obra iniciada, bem mostrava ser filho daqueles grandes administradores que haviam feito o Império. Dotado de um temperamento vivo e pouco inclinado a transigências, irradiava, no entanto, uma generosidade tão evidente que, embora não procurasse agradar, fazia-se amar. Tinha uma inteligência correspondente ao caráter: lúcida, penetrante, pronta em captar as almas e em julgar as situações, sem perigo de confundir fraqueza com caridade ou ilusão com esperança. A arte de governar era nele um dom natural, amadurecido além disso por uma longa prática.

Trabalhador infatigável, sempre ocupado em ditar cartas (chegaram até nós quase novecentas, sobre os assuntos mais variados), em receber pessoas e em multiplicar iniciativas, encontra ainda tempo para escrever uma obra literária considerável: comentários sobre os Evangelhos e sobre Ezequiel, *Moralia*, *Pastoral* sobre os deveres do sacerdote, *Diálogos* — nos quais refulge esse gosto cristão pelo maravilhoso que fará as delícias da nossa Idade Média — e, por fim, esses grandes tratados de liturgia que tão profundamente hão de marcar os usos cristãos. O *canto gregoriano*, esse tesouro da Igreja sem o qual as nossas cerimônias perderiam tanto do seu misterioso feitiço, associa ainda hoje o seu nome ao grande desenvolvimento da salmodia sagrada e à organização definitiva da *Schola Cantorum*.

Tudo isto, toda essa atividade humana tão eficaz, estava alicerçada numa profunda vida interior e escorada por uma admirável experiência espiritual: a de uma alma autenticamente mística, possuída pelo desejo de "ultrapassar os limites da carne" e que, fiel nos seus atos ao menor dos seus princípios, não conhecia título mais elevado do que o de *servus servorum Dei*.

Assim era este papa, este grande papa que, no momento em que a cátedra de São Pedro parecia mais ameaçada, levou a cabo o seu restabelecimento definitivo. A concepção que teve do papel do cristianismo e do seu próprio não era nova; era a de Santo Agostinho. Gregório lia muito o gênio de Hipona e admirava-o profundamente. A um prefeito da África que lhe pedia conselhos, respondeu assim: "Estudai os escritos do bem-aventurado Agostinho, vosso compatriota, e, quando tiverdes saboreado a sua pura farinha, não peçais o meu farelo". Todos os grandes princípios agostinianos, e particularmente os da *Cidade de Deus*, encontram-se na obra gregoriana, não só no plano espiritual — em que se pôde dizer que ele constituiu um "reflexo" do seu mestre —, mas também no plano da ação. Trabalhar pela cidade terrena de olhos postos na cidade divina, servir a humanidade em função das promessas eternas que esta traz em si, modelar a história para adiantar a hora da manifestação do Reino de Deus — esses foram os fundamentos da sua atividade que, mesmo quando eficazmente aplicada à política e ao campo social, nunca deixou de ser norteada pela preocupação exclusiva com os interesses espirituais.

Esta atividade foi literalmente inesgotável. Bispo de Roma, Gregório dedicava boa parte do seu tempo ao povo, instruindo-o todos os domingos; ao mesmo tempo, organizava o abastecimento, atiçava o zelo dos funcionários, vigiava-os, velava pela justiça e pela política, e mandava construir, restaurar ou embelezar as basílicas. A Cidade Eterna viria a conservar a perpétua lembrança da luta por ele travada para debelar a peste e das sete procissões por ele organizadas que, partindo dos sete bairros da cidade, iam encontrar-se em Santa Maria Maior para arrancar o perdão ao Céu. Testemunha da caridade de Cristo, desdobrava-se na distribuição de roupas e de víveres, e organizava, como só ele o sabia fazer, o "socorro católico", com administração, controles e registros, mas de forma tão generosa que uma testemunha ocular pôde escrever que, no seu tempo, "a Igreja era como um grande celeiro aberto de par em par". Chefe político por força das circunstâncias, numa hora em que a desagregação dos poderes civis entregava a Itália à anarquia, enfrentava os invasores lombardos, negociava com eles passando por cima da débil cabeça do exarca, discutia com o imperador, tão consumido por todos esses trabalhos que exclamava com uma ironia extenuada: "Pergunto a mim mesmo se, nos tempos que correm, ser Papa é ser chefe espiritual ou rei temporal!"

Gregório foi, na verdade, Papa, e foi-o na plenitude do sentido dessa sua missão; exigiu para a Sé Apostólica o direito de intervir em toda a cristandade, correspondeu-se com os bispos da Gália e da Espanha (onde São Leandro era seu amigo), nomeou vigários pontifícios para Arles e para Cartago, chamou a si a administração da alta Itália apesar dos cismáticos da Aquileia, e fez ouvir em todo o Ocidente aquela voz que, havia cerca de um século, todos se tinham acostumado a achar tão fraca. E não só no Ocidente, mas também no Oriente, onde procurou impedir que o bispo de Constantinopla tomasse o título de "patriarca ecumênico". Este primado, que os seus predecessores haviam sabido defender, e que São Leão manifestara já tão energicamente, tornou-se uma realidade viva por mérito de São Gregório que, mantendo-se humilde a ponto de recusar o título de *bispo universal*, soube inseri-la na vida dos seus contemporâneos.

Foi imenso o resultado deste grande pontificado, ainda que se possam enxergar duas linhas-mestras centrais. A primeira é que, *morta a Roma imperial, esta ia ser substituída pela Roma dos papas*. No ano 603, o Senado, instituição já decadente e fossilizada, reúne-se pela última vez. Os funcionários bizantinos, cada vez mais desautorizados, deixam de exercer qualquer influência. Praticamente independente no ducado de Roma, o sucessor de São Pedro torna-se herdeiro da autoridade imperial, e o *domínio temporal* do Papa ganha o seu lugar na história, não por ambição política, mas como garantia da liberdade espiritual. E tudo isso foi obra daquele a quem o epitáfio, com uma expressão tão exata, denominou "cônsul de Deus".

O outro grande resultado da obra de Gregório foi que, percebendo com realismo a fraqueza do Império bizantino, compreendendo que o futuro do Ocidente estava nas mãos das massas germânicas, compreendeu ao mesmo tempo que a grande obra da sua evangelização não podia ser feita à margem do papado. Em vez de se realizar, como até então, localmente e por iniciativa individual de bispos ou de monges, *a conversão dos bárbaros passou agora a ser obra de toda a Igreja*; e este processo acabaria por desembocar, não em cristandades mais ou menos divergentes, mas numa organização internacional e numa cultura praticamente universal — a cultura cristã do Ocidente. São Leão Magno fora, no século V, o papa da resistência aos bárbaros, aquele que havia procurado salvar o que podia ser salvo; no século VI, São Gregório Magno será o papa da reconquista decisiva. A um como ao outro, muito ficou a dever a civilização europeia.

As primeiras missões pontifícias: o Batismo da Inglaterra

Os primeiros bárbaros que Gregório pensou em converter foram naturalmente os seus terríveis vizinhos lombardos. É maravilhoso observar como este homem de Deus, que vivia sob a ameaça daqueles aventureiros ferozes, se recusa a desesperar das suas almas, nunca pronuncia contra eles qualquer palavra de ódio nem concorda em participar de qualquer plano de destruição sistemática dos seus acampamentos. No entanto, havia passado por momentos bem penosos, como por exemplo no verão de 592, quando o duque Ariulfo de Spoleto marchara sobre Roma, "matando e decapitando", e o exarca de Ravena se esquivara de vir em auxílio da cidade. Fora necessário então que o papa se erigisse em diplomata e negociasse a retirada dos agressores, numa cena que os seus biógrafos aproximam daquela em que São Leão deteve Átila; e o assunto tinha-lhe valido, ainda por cima, o ser acusado de traidor pelos bizantinos! Pouco importava. Nesses inimigos da civilização, Gregório via acima de tudo almas que tinham de ser conquistadas e, por mais difícil que fosse a empresa, a ela se aplicou de corpo e alma.

Em *Teodolinda*, princesa bávara católica, encontrou uma aliada; esta era tão popular entre os lombardos por causa da sua bondade que, segundo o cronista Paulo Diácono, havia sido convidada pelo povo, após a morte do primeiro marido (590), a escolher um novo esposo que se tornaria rei: escolheu Agilulfo, duque de Turim. Esse reinado não foi tão decisivo para a conversão dos lombardos como o de Clóvis e Clotilde tinha sido para os francos; no entanto, permitiu fixar as primeiras balizas: os filhos do casal real foram batizados católicos, a rainha mandou construir muitas igrejas católicas — principalmente a de Monza, que conserva a sua memória —, manteve com Gregório uma intensa correspondência e recebeu dele ampolas cheias de azeite tirado das lâmpadas dos túmulos dos mártires; graças a ela, São Columbano poderá mais tarde fundar na Itália o seu último convento.

São Gregório possivelmente pensava fazer na Itália o que havia sido feito na Gália, isto é, constituir um reino lombardo-católico. Morreu antes de ter realizado esse projeto, mas pelo menos contribuiu muito para que este se efetivasse mais tarde. Depois da sua morte, em 604, a coroa de Pavia há de alternar-se sobre as cabeças de príncipes arianos e de príncipes católicos, mas o século VII, o grande século dos lombardos, em que a monarquia se organiza e submete a si os duques, será também o século da sua conversão. Em 653, com Ariperto, sobrinho de Teodolinda, e depois já definitivamente com Bertarido (671-

-688), o povo lombardo regressa ao seio da Igreja, e a Itália cobre-se de basílicas e conventos. Cuniberto (688-700), protetor das artes e das letras, modifica a estrutura do seu estado, para fundir ocupantes e ocupados num só povo, e a política de São Gregório haverá de encarnar-se com toda a exatidão no reinado de Liuteprando (712-744), que marca o apogeu do poder lombardo no século VIII. O trigo semeado pelo grande papa e por Teodolinda terá então dado os seus frutos.

Quer próximos, quer longínquos, todos os bárbaros foram objeto da solicitude pontifícia. Assim, no "Francies", que andava por aquela época profundamente agitado pelas terríveis desavenças entre Fredegunda e Brunehaut, São Gregório manteve correspondência ativa com Quildeberto II, filho de Brunehaut, encorajando-o a levar adiante a obra da penetração cristã no campo, e a sua influência foi certamente uma das causas do esforço — um pouco simplista — tentado na Austrásia para reavivar a cultura romana. Na Espanha, onde acabava de ocorrer a conversão de Recaredo (589), por ocasião da sua elevação ao poder sem que o papado tivesse contribuído para isso, São Gregório manifestou abertamente a sua intenção de marcar a presença da Santa Sé, no que foi ajudado pelo seu amigo São Leandro de Sevilha: enviaram-se legados, trocaram-se cartas e presentes. Também entre os visigodos e os bizantinos instalados na costa, o papa multiplicou os seus bons ofícios. E o trabalho jurídico realizado no tempo de Recaredo, a fim de preparar a união racial, mostra claramente que a influência da Igreja começava a ganhar corpo.

Mas a grande obra missionária a que São Gregório havia de deixar ligado o seu nome, aquela em que melhor se manifestam as suas intenções e o seu gênio, foi a da *conversão da Inglaterra*, que viria a ter considerável influência na história do cristianismo. "A Roma de São Pedro, escreve Ernest Lavisse, começa as suas conquistas onde a Roma de Augusto acabou as suas: na Bretanha e na Germânia". Ao que parece, o estopim de tudo foi um episódio encantador, que dá ao retrato desse grande papa um toque de delicadeza e de poesia. Quando era ainda monge no Célio, Gregório atravessara certo dia um dos mercados de Roma, onde os traficantes expunham escravos à venda. Entre a mercadoria humana, na sua maior parte de origem oriental, morena e de baixa estatura, chamaram-lhe a atenção três jovens de bom aspecto, brancos e louros, com os olhos azuis e tez rosada, como a raça inglesa os produz aos vinte anos. "Donde vêm estes homens?, perguntou o monge ao negociante. — Da Bretanha. — Cristãos ou pagãos? — Pagãos. — Que pena é que figuras tão cheias de luz estejam em poder do príncipe das trevas! E de que raça são? — Anglos — Anglos? Anjos (*Angli? Angeli*), deveríamos dizer, e herdeiros do Céu como os anjos! — E de onde vêm? — De Deira. — Pois bem, da ira (*de ira*) serão mandados para a misericórdia de Cristo. E quem é o seu rei? — Aella. — Cada vez melhor; cantarão, pois, Aleluia..." Verdadeiro ou falso, o episódio referido até nos seus trocadilhos proféticos pelo biógrafo do santo, João Diácono, anunciava uma grande intenção. Tendo acolhido os três anglos entre os monges do Célio, Gregório decidiu que os irmãos dos seus protegidos deveriam ser chamados a ter assento entre os anjos. E, mal eleito Papa, consagrou-se a essa tarefa.

Qual era, por volta do fim do século VI, a situação dessa grande ilha a que hoje chamamos Inglaterra? Tendo atravessado o mar em meados do século V, os invasores germânicos — jutos, anglos e saxões — tinham estabelecido núcleos isolados em todo o leste do país, reinos minúsculos cuja história é muito complicada. Cerca de cinquenta anos depois, essas formações estavam reduzidas a sete: do norte para o sul, Northumberland, Deira, Mércia, Ânglia do Leste, Essex, Wessex e Sussex — a *Heptarquia*. Regiam-se pelos velhos costumes germânicos, tinham como base da sociedade o agrupamento das famílias ou *hundred*, e a monarquia era fiscalizada pela assembleia dos sábios ou *witenagemot*.

A princípio, a ocupação fora feroz, e a Igreja céltica havia sido objeto de um extermínio que a crônica de São Gilda evoca em termos arrepiantes. No entanto, a Igreja tinha sobrevivido, embora de forma precária; conservava os seus bispos, os seus sacerdotes e os seus monges, e estava sempre a postos para reviver. Pouco a pouco, a perseguição foi-se acalmando e, em certos chefes e reis anglo-saxões, notava-se até uma certa curiosidade pelo cristianismo. Mas, evidentemente, a fim de ganhar para Cristo os ocupantes germânicos, não se podia contar com os vencidos, cujo coração estava ainda cheio de rancor, e tampouco com aqueles celtas que se tinham refugiado na Cornualha, nas Gálias ou na Armórica. À simples ideia de se disporem a batizar os anglos, os mais dedicados apóstolos celtas ficavam com os cabelos em pé.

Era necessário, portanto, enviar para o "Angland" — o país dos anglos — missionários que não tivessem qualquer ligação com os cristãos do país e que, para não se perderem no meio de um povo estranho e talvez hostil, não fossem enviados isoladamente, mas em grupos importantes que formassem um tronco central firme e que dessem a conhecer aos pagãos o esplendor da espiritualidade cristã. Esses grupos, perfeitamente constituídos e preparados para testemunharem o mais puro cristianismo, tinha-os São Gregório à mão — eram os monges. E foram, pois, monges os que ele para lá enviou.

Em 596, *Agostinho*, prior do convento de Célio, recebeu ordem de partir para a misteriosa Inglaterra com um grande contingente de irmãos. Partiu, mas — é forçoso reconhecê-lo — não sem uma certa inquietação. À força de ouvirem contar que os anglos comiam o coração dos seus inimigos, que falavam uma língua incompreensível, e que o país não era outra coisa senão a morada dos mortos — para onde todos os mortos se dirigiam em barcos, partindo da Armórica, para lá sofrerem todos os males do Inferno —, os missionários sentiram tremer-lhes as pernas, e foram necessárias ordens formais e santos incentivos do papa para que aceitassem deixar a Provença e embarcar para as brumas sinistras e maléficas do país anglo.

Ao fim e ao cabo, as coisas passaram-se infinitamente melhor do que se podia esperar graças a uma mulher, *Berta*, uma parisiense que, junto do seu marido Ethelberto, desempenhou o papel de uma segunda Clotilde. O encontro entre Agostinho e o rei foi pomposo: sentado debaixo de uma árvore, rodeado dos seus pares, o rei viu aproximarem-se em procissão quarenta monges romanos, que traziam uma grande cruz de prata e a figura de Cristo pintada sobre uma tela. Avançavam lentamente, entoando hinos gregorianos. "A história da Igreja — escreveu Bossuet, a propósito desta cena — não tem nenhum episódio mais belo".

A livre discussão que se seguiu, a evocação, feita por Agostinho, de Deus feito homem para salvar os homens, e a discreta influência da santa rainha Berta foram suficientes. Agostinho foi autorizado a pregar a sua religião e a instalar-se perto da residência real, e os filhos dos desbravadores dos mares, os anglos e os jutos de olhar pálido e grandes amigos da contemplação e do mistério, sentiram-se fascinados pela nova fé e logo começaram a entregar-se a ela. Em

1 de junho de 597, dia de Pentecostes, foram batizados o rei Ethelberto e muitos dos seus oficiais.

Toda a ilha parecia agora aberta ao Evangelho, e Agostinho, cheio de maravilhosos projetos, via já convertida a Heptarquia inteira. No mês de novembro do mesmo ano, seguindo as instruções do Santo Padre, fez-se sagrar arcebispo da igreja inglesa pelo arcebispo de Arles, legado pontifício. No dia de Natal, batizou dez mil ingleses de uma só vez (deve ter sido necessária a margem inteira de um rio!), e os milagres e prodígios jorravam inesgotavelmente das suas mãos. Entusiasmado, Ethelberto deu ao novo arcebispo o seu próprio palácio, na *Cantuária*, e assim se fundava a mais antiga sé episcopal da Inglaterra, ao mesmo tempo que, como é óbvio, se multiplicavam os mosteiros. E nesta Heptarquia, de que o cristianismo possuía ainda apenas uma parte tão pequena, o papa, maravilhado com os resultados, ao conceder a Agostinho o pálio, insígnia dos arcebispos, anunciava a intenção de assentar as bases das futuras circunscrições eclesiásticas em torno de duas metrópoles — Londres e York —, cada uma das quais exerceria a sua jurisdição sobre doze bispados!

É pela dimensão dos seus projetos que se avaliam os gênios: São Gregório antevia já, projetada no futuro, nada menos do que a cristianização de toda a Inglaterra. Homem de governo, psicólogo sutil, enviava a Agostinho, do seu leito de enfermo que já não abandonava, instruções sobre os métodos a seguir, instruções tão inteligentes, firmes e prudentes, que bem podemos ver resumida nelas a tática da Igreja para a conversão dos bárbaros. “Não se devem destruir os templos pagãos, mas batizá-los com água benta e neles erigir altares e colocar relíquias. Onde houver o costume de sacrificar aos ídolos, seja permitido celebrar na mesma data festividades cristãs sob outra forma. Assim, no dia da festa dos santos mártires, devem os fiéis erigir tendas de ramagens e organizar ágapes. Permitindo-lhes as alegrias exteriores, adquirirão mais facilmente as alegrias interiores. Desses corações temíveis não se pode eliminar de uma só vez todo o passado. Não se escala uma montanha aos saltos, mas a passos lentos!" Esta maneira de proceder, tão prudente, é a que a Igreja adotará por toda a parte, principalmente na Alemanha, convertida pelos monges ingleses. Daqui procede essa substituição, que depois se pôde observar em tantos lugares, das festas e costumes imemoriais do passado pelos costumes cristãos e pelas festas cristãs.

No entanto, a despeito destas aparências magníficas, o cristianismo da Inglaterra ainda teria de sofrer longas e severas provas antes de poder estabelecer-se definitivamente. A obra a que São Gregório deu impulso estava longe de concluir-se, quando ele morreu, a 12 de março de 604, e o seu corpo foi levado para a basílica de São Pedro; antes de segui-lo para o túmulo — o que ocorreu pouco depois —, Santo Agostinho pôde ainda antever as dificuldades que a sua obra havia de encontrar.

Essas dificuldades provinham de duas causas: no interior da Heptarquia anglo-saxônica, as rivalidades eram constantes e as guerras não tinham fim, e se um dos sete reinos se tornava cristão, podia-se apostar que o vizinho se declararia mais pagão do que nunca; por outro lado, seria possível fazer viver lado a lado duas cristandades tão diferentes como a céltica e a anglo-saxônica? A isso continuava a opor-se o rancor dos celtas; o abade de Bangor, por exemplo, respondia assim a Santo Agostinho, que o exortava à caridade para com os anglos: "Nunca iremos pregar a nossa fé a essa raça cruel de estrangeiros que, à traição, nos despojaram da nossa terra natal!" Além disso, os usos e costumes das igrejas celtas eram tão particulares, até nos menores detalhes, que parecia impossível a unificação do cristianismo em toda a ilha.

Será preciso, pois, lutar. Durante quase cem anos, assistir-se-á a uma curiosa sucessão de sombras e de luzes, de fracassos e de êxitos, de santas figuras e de homens violentos. Algumas regiões abrem-se a Cristo: Essex, onde Londres se torna a metrópole, com São Melito como primeiro bispo, e onde surge a abadia de *Westminster* em 610; a Northumberland, onde o monge Paulino de York é o herói desse belo episódio em que se viu o rei Edwin, devido à influência da sua esposa Ethelbúrgia e de um sábio pagão, interessar-se repentinamente pelo cristianismo e fazer-se batizar. Em 627, é consagrada ao Senhor a primeira catedral de York, uma humilde igreja de madeira. Oito anos mais tarde, Santo Aidan — o primeiro celta a compreender o seu verdadeiro dever —, bispo-monge da ilha de Lindisfarne, empreende a conversão de Deira, onde o rei Oswin se revela uma alma de cavaleiro.

Quantos dramas não há, porém, ao lado destes felizes resultados! Basta que suba ao trono um príncipe hostil ao cristianismo para que se renove a perseguição pagã, o que sucederá pelo menos duas vezes de forma terrível; Essex voltará ao paganismo durante trinta anos. Além disso, o cristianismo parece depender do desfecho das guerras entre os reis germânicos: é uma verdadeira guerra santa a que Oswin de Deira desencadeia contra os pagãos e na qual morre como um cruzado em 651. Aproveitando-se do esfacelamento da Heptarquia, os bretões intervêm e, lançando-se sobre a Northumberland numa sangrenta investida, mostram-se, embora batizados, ainda mais ferozes do que os seus aliados pagãos.

No meio de toda esta confusão, surgem algumas santas figuras: *Santo Aidan*, esse monge celta que ousa ultrapassar o antagonismo racial e envida todos os seus esforços para, de acordo com o rei Oswald, reconstruir a igreja dos anglos, arruinada por toda a tragédia; o pitoresco *São Wilfrid*, tipo do inglês teimoso, friamente apaixonado, indomável, que faz do seu bispado de York um verdadeiro baluarte do cristianismo puramente inglês e, juntamente com o seu amigo São Bento Biscop, inunda de mosteiros beneditinos o norte das ilhas; o santo boiadeiro *Caedmon* que, enquanto cuida dos animais, compõe sob a inspiração do Espírito hinos tão belos que toda a Inglaterra os repetirá; e, enfim, esse outro pastor *São Cuthbert*, que sabe ler o invisível e que fará a glória da abadia de Melrose.

No fim do século VII, depois de tantos abalos, a situação da Igreja na Inglaterra estabiliza-se. O papado, que continuava a acompanhar de perto a evolução destas comunidades tão caras ao coração de Gregório, envia por volta de 657 um novo contingente de missionários sob a direção de *São Teodoro*, um oriental nascido em Tarso que, apesar da sua idade avançada, não perdeu o ardor apostólico. Acalmam-se algumas turbulências, principalmente a que se tinha gerado em torno de São Wilfrid. Acabam por aplainar-se as relações entre bretões e anglo-saxões, e a igreja céltica submete-se à disciplina romana, mesmo no tocante a usos que lhe eram particulares e caros. Organiza-se a Inglaterra eclesiástica. Os mosteiros desenvolvem-se onsideravelmente, sobretudo Croyland, situado entre Mércia e Ânglia do Leste, e Wearmouth, na costa sul de Lindisfarne, fundado por São Bento Biscop. É no marco desta abadia que virá viver a sua vida de trabalho e de ciência a primeira grande testemunha da cultura cristã na Inglaterra — *São Beda, o Venerável.*

Coroou-se assim de êxito a obra empreendida por São Gregório, uma obra que viria a ter considerável importância histórica. Com o cristianismo penetram na Inglaterra o latim, os elementos do direito romano, as escolas episcopais e monásticas, isto é, a civilização. Christopher Dawson não exagera ao escrever que "o advento da nova cultura anglo-saxônica é talvez o acontecimento mais importante entre a época de Justiniano e a de Carlos Magno". Os mosteiros anglo-saxões serão, com efeito, em boa parte, os reservatórios a partir dos quais se espalharão mais tarde, sobre o continente, os valores da cultura. Ao conquistar esses povos radicalmente intocados por toda a formação latina, o catolicismo romano estendia para além dos antigos limites da Europa uma autoridade que já nada devia à do imperador, e em que o Papa aparecia como o único suserano. Libertada de qualquer ligação com os poderes civis, por ser fundação direta do papado, a Igreja inglesa conduzirá os seus destinos muito mais livremente do que as do continente, e manter-se-á apaixonadamente fiel à Sé de Pedro — até os dias negros da Reforma —; aliás, serão os princípios pontifícios que ela porá em prática quando mandar o mais notável dos seus filhos levar a Boa-nova aos seus irmãos da Germânia.

São Bonifácio, pai da Germânia cristã

O rápido êxito da iniciativa do papado na Inglaterra não nos deve animar a concluir que, a partir do século VII, o século de São Gregório Magno, somente o papado tenha impulsionado todas as missões. Levaram-se a cabo outros apostolados, originados de outras correntes, tais como a atividade missionária dos celtas e de São Columbano, ou de algumas iniciativas particulares. Precisamente no começo do século VIII, porém, a experiência da evangelização da Germânia ia demonstrar que, para ser durável, uma obra desse tipo tinha de apoiar-se sobre fundamentos mais sólidos, e que esses fundamentos só podiam ser oferecidos pelo papado.

O opaco mundo germânico já tinha sido tocado de leve pela luz do Evangelho havia pelo menos cento e cinquenta anos. Sem remontar aos dias em que, ainda instalados na região de Worms, os burgúndios haviam sido católicos durante algum tempo, sabe-se que missionários audaciosos tinham lá lançado as primeiras sementes nos séculos V e VI — São Severino no alto Danúbio e, mais tarde, São Columbano ao longo do Reno. Havia bispados em Basileia, Estrasburgo, Constança, Mogúncia, Colônia e Maestrich. Mas, na realidade, o paganismo continuava a ser extremamente vigoroso; as "árvores sagradas" continuavam a ser veneradas, e São Columbano chegou certo dia a um lugar onde tanto pagãos como batizados sacrificavam ao deus Wotan. No entanto, apesar das dificuldades, os missionários de Cristo não cessavam de se dirigir a essas regiões perigosas, onde a sua paciência e a sua coragem eram postas à mais rude prova.

Assim, de Bregenz, onde o seu mestre Columbano o havia deixado, e depois de Steinach, onde se fixou a seguir (e que devia tomar o seu nome), *São Galo*, entre 615 e 620, tinha prosseguido a caça aos ídolos dos alamanos. Outro monge, talvez irlandês, *São Fridolino*, fundara a abadia de Säckingen e projetara a sua influência até à região de Baden. Um dos mais curiosos missionários do século VII nessas paragens foi um monge da Aquitânia, *Santo Amando* (589-676), mais desbravador do que fundador. Transbordante do ardor dos países do Garonne, mas ainda mais louco por Deus, formara-se sucessivamente num mosteiro da ilha de Yeu, depois numa cela de solitário e, finalmente, no túmulo de São Martinho de Tours, tendo feito voto de se dedicar por inteiro à "peregrinação por Cristo". Manteve a palavra!

Bispo sem sede fixa, viram-no aparecer em diversas regiões, peregrinando como os irlandeses: na Bélgica, onde a abadia de Saint-Bavon-de-Gand lhe deve a existência; nas margens do Danúbio; entre os eslavos da Caríntia, depois de uma pequena estadia evangelizadora entre os bascos; depois, novamente junto dos francos pagãos, nas planícies do Escalda e do Mosa; em Estrasburgo, detendo-se algum tempo (não muito) no bispado de Maestrich, indo a seguir à Antuérpia para finalmente retornar a Beauvais, onde lançou por terra um carvalho sagrado. Com toda a razão foi chamado "campeão de corridas por amor do Senhor"[33]. A Bélgica reconhece nele o seu principal evangelizador.

Mais tarde, em princípios do século VIII, São Firmino trabalhará na Alsácia; na Baviera, onde muitos elementos eram católicos desde o século VI (lembremo-nos da bávara Teodolinda, rainha dos lombardos), observar-se-ão novas vagas missionárias revestidas de um certo êxito, principalmente as de *São Ruperto*, o apóstolo de Salzburg; ao mesmo tempo, na Turíngia, os mesmos esforços obterão apenas resultados medíocres, e o monge irlandês *São Kilian* será ali martirizado.

Todas estas tentativas apresentam características incontestáveis de heroísmo, mas deixam uma impressão de desordem, de falta de coordenação. É o estilo de São Columbano e das suas campanhas, tão vigorosas como espontâneas. Embora um Santo Amando, por exemplo, manifestasse grande deferência para com o Papa e lhe pedisse conselhos, nenhum destes empreendimentos evangelizadores revelava aquelas intenções infinitamente mais firmes e mais profundas que São Gregório havia colocado na base da política missionária da Santa Sé.

Por outro lado, se o cristianismo queria penetrar verdadeiramente na Germânia, tinha de ter em conta uma realidade política essencial: os propósitos dos francos a respeito daquelas regiões. A suspensão da investida germânica, devida à vitória de Clóvis sobre os alamanos, dera lugar, depois dele, a um ataque dos seus sucessores contra os povos germânicos. Pode-se dizer que a política de conquista da Germânia, a que Carlos Magno dará um brilho incomparável, foi durante três séculos a ideia central dos chefes francos. Poderia a Igreja ignorá-lo?

Esta política colocava-a numa situação complexa. Por um lado, os francos, ao conquistarem regiões germânicas, apoiariam certamente os missionários católicos; mas, por outro, se o cristianismo romano aparecesse ligado às armas francas, não converteria senão os oportunistas e seria detestado pela massa do povo; aliás, Santo Amando havia-o experimentado cruelmente[34]. Era preciso, pois, enviar aos países germânicos missionários que, mantendo boas relações com os francos, não fossem da sua estirpe: daí a importância das missões anglo-saxônicas. Não há a menor dúvida de que, neste método tão inteligente, estava gravada a marca do papado.

Os primeiros anglo-saxões que se dirigiram ao continente não tiveram senão um êxito parcial. É verdade que escolheram — porque estava em frente da Inglaterra — o lugar talvez mais difícil de todo o mundo germânico, a Frísia, o extremo norte da atual Holanda, para além do Zuiderzee, onde o paganismo era particularmente fanático. Tendo sacudido o jugo dos francos depois da morte de Dagoberto, os frisões haviam repelido as tentativas dos francos Santo Amando e Santo Elói, e não deram melhor acolhida aos ingleses: o grande *São Wilfrid de York* e, depois, o monge *Vietberto*. A corajosa paciência de *São Willibrord*, monge da Northumberland, já foi mais bem sucedida, pois graças a uma paz entre os francos e os frisões conseguiu instalar núcleos cristãos nessa região difícil, fundar o bispado de Utrecht e manter a sua autoridade espiritual durante vinte anos (695-714), o que até lhe permitiu tentar uma missão entre os dinamarqueses, na qual esteve prestes a ser martirizado. Bastou, porém, que, com a morte de Pepino em 714, os francos fossem varridos dos Países Baixos para que um rei frisão esmagasse a jovem cristandade, queimasse as igrejas e erguesse novamente os ídolos. É um exemplo marcante das dificuldades que o cristianismo encontrou nessas regiões; no entanto, longe de desanimar, os missionários de Cristo iam encarniçar-se na sua tarefa, sob o impulso de um homem extraordinário, talvez o maior do século VIII — *São Bonifácio*.

Não se pode falar sem simpatia desta personalidade radiante, desta alma profundamente humana cujo brilho os séculos não conseguiram embaciar, e cuja atração irresistível se pode ainda sentir através das linhas dos *Acta Sanctorum*, uma figura cheia de simplicidade e de nobreza, de doçura e de firmeza, da mesma força que, durante a sua vida, agrupou à sua volta tantas jovens vocações. Talvez nenhum santo nos impressione mais por esses aspectos em que a santidade se prende com a fraqueza humana, e em que as misérias, que são as nossas, se consomem no amor de Deus. Temperamento inquieto, fremente, complexo, ameaçado de vez em quando pelos negros ciclones do desânimo, pode-se afirmar que, se São Bonifácio realizou uma obra imensa, foi quase para defender-se de si mesmo e sem nunca manifestar o menor desejo de elevar-se a um plano superior. Guiam-no apenas os interesses superiores da Igreja, e quando esses interesses estão em jogo, o tímido exalta-se e a sua audácia já não tem limites: derruba os carvalhos sagrados, encurrala os hereges, obriga os bispos indignos a demitir-se, e chega mesmo a fazer observações ao Papa. Tipo magnífico do missionário, ao mesmo tempo prudente e empreendedor, organizador e apostólico, São Bonifácio não é apenas um grande desbravador, como São Columbano ou Santo Amando: é antes um fundador, um criador, um homem que lança as bases e cuja obra está chamada a permanecer. Acima de tudo, é uma alma maravilhosamente sacerdotal, penetrada até às raízes da água viva da Igreja, fiel sem reticências à Sé Apostólica, e em quem a caridade de Cristo é tão grande que chega a dominar os seus escrúpulos ou a distinguir um irmão no mais feroz dos bárbaros ou no mais decaído dos cristãos.

Aquele que a história venera com o nome de Bonifácio fora batizado com o nome de Winfrid; era um anglo de Wessex, nascido por volta de 615 no pequeno burgo de Crediton, e, como tantos jovens da sua época, fora atraído pela vida monástica. "Oblato" beneditino da abadia de Exeter desde os sete anos de idade, notável pelos seus dotes de alma e de espírito, transferido para o convento de Nursling, perto de Winchester, passou rapidamente de aluno brilhante a eminente professor e diretor da escola, e aos trinta anos parecia destinado a uma fecunda carreira de intelectual, no gênero da do seu contemporâneo, o grande Beda; foi então que ressoou dentro dele a voz de Deus que o chamava, também a ele, para a "peregrinação de Cristo". A primeira tentativa na Frísia teve resultados medíocres, mas isso não o fez desanimar. É em Roma que brilha a luz de Cristo, e é a Roma que irá, para pedir instruções àquele de quem estava dito que teria nas suas mãos as chaves da casa do Pai. Durante o inverno de 718-719, São Bonifácio reside, pois, na cidade de São Pedro, e dessa estadia decorrerá toda a sua ação.

O papa era então *São Gregório II* (715-732), espírito eminente, homem de vasta cultura, aberto aos problemas do seu tempo e muito consciente das suas necessidades; não fora em vão que, no momento da sua eleição, escolhera o nome do grande pontífice do século anterior[35]. De um Gregório ao outro, os papas, se não tinham deixado de lado o empreendimento missionário no Ocidente, pelo menos tinham-se deixado absorver pelos cuidados incessantemente renovados que lhes causavam as crises do Oriente, talvez porque vários deles fossem greco-sírios[36]. Gregório II, no entanto, era homem de outra talha, capaz de encarar todos os problemas de frente e simultaneamente de resistir a Leão III, o imperador iconoclasta, ocupando-se também ativamente da conversão dos povos germânicos.

O encontro entre o papa e Winfrid foi decisivo. O prestígio luminoso que dimanava do santo inglês impressionou de tal forma o pontífice que este imediatamente passou a depositar nele uma confiança que não lhe retirou até à morte. O privilégio de ser o missionário pontifício da Germânia, que Winfrid pedia, foi-lhe concedido com uma bondade por trás da qual se adivinha uma expansão da alma: "Não te chamarás mais Winfrid, mas Bonifácio, aquele que faz o bem!" Quando partiu de novo para as terras misteriosas onde as almas pagãs o esperavam, Bonifácio ia como representante do Papa, como bispo ambulante, sem sede determinada, tal como o fora Agostinho na Inglaterra: uma espécie de porta-voz direto de São Pedro. Durante toda a sua vida o grande missionário permanecerá fiel ao juramento de obediência que prestara sobre o túmulo de São Pedro, solicitando do papa, a toda a hora, instruções e diretrizes, recebendo dele um apoio constante e dando origem a uma correspondência que ainda hoje podemos ler, tão bela como a que tinham mantido entre si o primeiro Gregório e Santo Agostinho. Quando *São Gregório III* (732-741) suceder a Gregório II, o primeiro gesto do novo papa será enviar a Bonifácio o pálio de arcebispo, e o do missionário será solicitar ao papa diretrizes para a criação de novos bispados alemães.

A este caráter profundamente romano que São Bonifácio imprimiu às suas empresas e que lhe permitiu ao mesmo tempo organizar o terreno que ia desbravando e pôr remédio a abusos que ia observando na Igreja de então, teremos de acrescentar outro que se tornava indispensável. Com efeito, São Bonifácio soube medir exatamente a importância do apoio que as armas dos francos davam ao seu apostolado: "Sem o patrocínio do príncipe dos francos — escrevia ele ao seu amigo Daniel, bispo de Winchester —, não posso governar os fiéis da Igreja nem defender os sacerdotes; sem a ordem que ele mantém e sem o temor que inspira, não posso sequer impedir as práticas pagãs e a idolatria alemã". Por isso, desde o princípio da sua carreira, manteve relações constantes com Carlos Martel e, mais tarde, com Pepino e Carlos Magno, estabelecendo com eles uma verdadeira colaboração, mas sem deixar que o envolvessem nas intrigas políticas ou nas relações da corte, cujos costumes, aliás, o horrorizavam.

Tendo regressado à Germânia na primavera de 719, Bonifácio começou por passar quatro anos a refazer desde os alicerces a igreja dos Países Baixos, e depois lançou-se ao reduto germânico por excelência — o Hessen e a Turíngia —, onde a idolatria estava ainda muito viva. A sua firme doçura conseguiu triunfar onde o ardor arrebatado dos primeiros missionários nada tinha obtido. "Deixar os pagãos exporem os princípios da sua religião, fazê-los compreender calmamente as suas contradições, apresentar-lhes depois o cristianismo nas suas grandes linhas e mostrar-lhes os seus erros sem os exagerar" — esse foi o método que pôs em prática e que descreveu numa carta ao seu amigo Daniel. Sempre a caminho, escoltado por monges tão devotados como ele à causa de Cristo — a princípio ingleses, como Lulle, Deuchard e Burchard, e pouco depois alemães —, vivendo numa pobreza tão grande que lhe acontecia frequentemente não ter com que comprar roupa, aceitando alegremente todos os riscos, durante anos seguidos — trinta pelo menos —, nunca cessou de espalhar a mensagem divina. À medida que progredia, dedicava-se a estabilizar as suas conquistas, sobretudo fundando grandes mosteiros que seriam como que as cidadelas do Evangelho; e assim surgiram Fritzlar, Hildesheim, Kitzingen e, o mais célebre de todos, *Fulda*, esse Monte Cassino da Alemanha, para o qual obteve a *isenção*, isto é, a ligação direta com a Santa Sé, a fim de preservá-lo das ingerências do poder civil. Durante toda a Idade Média, Fulda será um verdadeiro baluarte espiritual.

Um dos traços mais comoventes deste apostolado é o laço que São Bonifácio sempre quis manter com a sua pátria inglesa. Durante toda a vida, habitou-lhe o coração a nostalgia da sua querida ilha, e sentiu sempre quanto havia sacrificado a Deus ao abandoná-la. Em correspondência incessante com o bispo de Winchester e com Aedburg, abadessa de inteligência viril, expunha aos amigos as suas dúvidas e inquietações, apoiava-se nas suas orações e recebia deles ajudas morais e materiais. Mais ainda: teve a ideia de chamar para essa Germânia recém-arrancada às trevas da idolatria algumas religiosas inglesas, para que o seu exemplo irradiasse e para que intercedessem junto ao Céu pela sua obra. E há ainda mais um belo toque de doçura e de delicadeza no retrato deste homem de ação: a amizade espiritual, pura e elevada, que o ligou a uma dessas religiosas — *Santa Lioba* —, nomeada por ele abadessa de Bischofsheim[37].

Em 753, São Bonifácio torna-se arcebispo de Mogúncia e, estabelecido nesta cidade, passa a dedicar-se à organização metódica, em plena comunhão com a Santa Sé, das regiões que conquistara para Cristo, do Hessen e da Turíngia à Francônia e à Baviera. Está então no apogeu da glória. A árvore sagrada de Wotan, abatida por suas próprias mãos em Geismar, não voltará a brotar nos bosques germânicos. Quatro papas se haviam sucedido no trono de São Pedro, e aos últimos — Zacarias e Estêvão II — o santo repetiu o mesmo que dissera aos primeiros: "Sou discípulo da Igreja romana e sempre vivi a serviço da Sé Apostólica". Todos eles, aliás, lhe deram provas da sua amizade.

Mas, para um verdadeiro fundador, o que conta não é o que foi feito, mas o que falta fazer. E lá nas terras baixas onde o Reno se lança lentamente no mar, há ainda tantas populações pagãs à espera de luz! A Igreja é ainda tão frágil na Frísia! Bonifácio conta já perto de oitenta anos, mas a santa loucura da Cruz palpita ainda tão vivamente no seu coração como nos dias da sua juventude. Torna a partir, com cinquenta monges, e desce o Reno, batizando de passagem numerosos pagãos. Na região do Zuiderzee, faz um alto para ministrar a Confirmação a algumas das suas novas ovelhas, quando um bando de bárbaros se precipita sobre ele e o assalta. Os missionários caem um após outro. Era o dia 5 de julho de 754, e em Fulda pode-se ver ainda o livro de piedade que o santo estava lendo no momento do assalto, e que instintivamente segurou sobre a cabeça; lá estão bem visíveis as marcas dos golpes que o ceifaram.

São Bonifácio completou com o seu próprio sangue a conversão das terras germânicas, e foi por seu intermédio que a Alemanha se abriu definitivamente ao cristianismo, e não somente ao cristianismo, mas também à civilização, porque cada uma das suas fundações será o núcleo de uma cidade e cada um dos seus mosteiros um cadinho onde se há de preparar — como aconteceu na Inglaterra — a elaboração de uma cultura autônoma e de um novo espírito.

A Germânia cristã assumia, daqui para a frente, a sua forma definitiva, e em pouco tempo surgiria a Europa carolíngia. Cinquenta anos mais tarde, a obra de São Bonifácio será concluída pelas armas do filho daquele Pepino que ele tinha sagrado rei em 751: Carlos Magno.

Resultados e problemas

Decorreram duzentos e cinquenta anos entre o Batismo de Clóvis e a morte de São Bonifácio, e nesse período — tão curto aos olhos da história — obtiveram-se resultados imensos. Basta confrontar o estado do Ocidente em fins do século V com a sua situação em meados do século VIII, para termos uma ideia exata da mudança que se realizou. Por volta de 490, estamos diante de um mosaico de reinos bárbaros, na sua maior parte arianos, e de uma Igreja preocupada consigo mesma, evidentemente convencida da vitória futura, mas ainda a braços com as perseguições em muitos lugares; quanto ao que se passa dentro do próprio Império, é um painel de confusas barbáries, paganismos e paixões desenfreadas. Por volta de 750, porém, a Europa ocidental acha-se inteiramente conquistada para o cristianismo; do caos de outrora surgiram duas grandes forças em pleno crescimento: uma espiritual — a Igreja, respeitada por toda parte —, e a outra temporal — o poder franco —; ao mesmo tempo, as barbáries são mantidas à distância, graças à conversão das ilhas e da média Alemanha. Tudo isso — é preciso sublinhá-lo — foi essencialmente obra da Igreja, foi o resultado dos seus esforços pacientes, tenazes e, por vezes, heroicos.

Num plano mais profundo, embora menos visível, outros dois resultados foram alcançados, ambos decisivos para o futuro do Ocidente. Um deles foi a fusão dos elementos étnicos que se produziu em toda parte, em todas as antigas terras romanas, a partir do momento em que desapareceu o obstáculo religioso, e que se nota particularmente na Gália e na Espanha; dessa fusão saiu uma população mais sã e mais vigorosa do que a da decadência romana, mais rural do que urbana, e que há de constituir a população do mundo medieval. E o outro foi a gestação, ainda confusa mas cheia de promessas, de novas formas de cultura, de novos rebentos enxertados sobre o velho tronco romano, e que virão a constituir as bases da civilização na Idade Média.

Estes resultados foram de fundamental importância para a Igreja. Constituíram uma compensação para as terríveis amputações que ela vinha sofrendo e de que não poderia ter-se curado sem as suas novas expansões. Com efeito, produziram-se neste período sérios acontecimentos nas margens do Mediterrâneo. Enquanto São Gregório Magno ocupava o trono de São Pedro, um almocreve árabe de vinte e cinco anos pensava na reforma religiosa do seu povo, com o fim de chamá-lo a um grande destino; e este homem, de nome *Maomé*, acabaria por triunfar vinte anos depois. No momento em que os mosteiros germinavam por toda parte no Ocidente cristão e em que os lombardos se convertiam, a Síria, a Pérsia e o Egito caíam em poder do islã. E, quando Gregório II envia São Bonifácio a semear o cristianismo nos bosques germânicos, já a África do Norte e a Espanha cristãs haviam ruído sob os golpes dos cavaleiros de Alá.

Pode-se ver nesta substituição simultânea uma intervenção providencial. Do ponto de vista histórico, as consequências seriam imensas. O cristianismo ocidental — o catolicismo — não teria evoluído da maneira como evoluiu se, ao invés de ter fixado o seu eixo no mundo anteriormente bárbaro, se tivesse apoiado no universo mediterrâneo, que no entanto permanecera inteiramente fiel. A Igreja passa a defrontar-se, portanto, com a necessidade de optar de certa maneira pelo Ocidente, de enfrentar o Oriente e de reconhecer aquela "luz de um astro novo" que Santo Avito soubera enxergar tão bem. E como Bizâncio, arrastada pelas suas fatalidades, retira ao mesmo tempo o tacão do Ocidente e começa lentamente a derivar para longe da Igreja romana, os chefes do cristianismo, no silêncio dos mosteiros e no segredo das meditações episcopais, irão lentamente amadurecendo a grande ideia que se imporá no fim do século VIII, e da qual brotará o primeiro renascimento da civilização depois dos tempos bárbaros — a ideia de reconstituir o Império em função de um rei germânico, tal como o abade Alcuíno a proporá em 799.

Mas, apesar de se terem obtido todas estas conquistas notáveis, nem por isso é menos verdade que, no momento em que vai nascer a grande aventura carolíngia, surgem problemas no Ocidente cristianizado, alguns dos quais não são nada cômodos e, aliás, são muito concretos. A vaga árabe, irresistível durante todo o século VII, acabará por submergir a Europa? Terá a civilização do Evangelho de ceder o lugar à do Alcorão? Os ataques vindos do sul serão os únicos que deverão ser temidos? Nos brumosos países onde ainda fervilham outros povos germânicos, não haverão eles de cobiçar, com uma fome devoradora, as belas terras do sol? Dentre os povos outrora bárbaros e agora batizados, qual será o que encabeçará a reconstrução, ou seja, na prática, sobre qual deles recairá a escolha da Igreja, que é quem detém a autoridade espiritual: sobre os lombardos ou sobre os francos?

Há ainda outros problemas, talvez menos precisos, mas não menos graves. O primeiro pode ser definido assim: os bárbaros constituíam federações justapostas, sem uma existência social comum; uma vez batizados, continuarão a ser tão individualistas como antes? Assistiremos à constituição de nações bárbaras católicas inimigas umas das outras? A Igreja, mãe universal, não poderá resignar-se a essa ideia, e, fiel às lições de Santo Agostinho, fará tudo o que puder para manter a unidade e a fraternidade entre os povos, como o fizera entre os bretões e os anglos. Mas a verdade é que ela se choca com uma corrente extremamente forte, uma vez que a ligação entre nacionalismo e cristianismo não data de ontem. Enquanto o preâmbulo da Lei Sálica proclama: "Viva Cristo que ama os francos, guarda o seu reino e protege o seu exército...", na Espanha Santo Isidoro de Sevilha exalta o patriotismo do seu povo, felicitando "a florescente nação dos godos" por ter vencido os bizantinos, e na Inglaterra o sapientíssimo Beda não mostra menos entusiasmo em instigar os seus compatriotas a sentirem-se orgulhosos por serem diferentes dos outros povos. Os futuros desmembramentos da Europa já estão aí, em germe, desde os primeiros alvores, e é a estes elementos de desagregação que a Igreja há de opor a ideia-força — de que só tomará consciência lentamente, pois não chegará a formulá-la senão por volta do ano mil —, a ideia da Cristandade.

De modo mais imediato, surge também o problema das relações entre o cristianismo e os poderes civis. A Igreja serviu-se da força dos bárbaros — pelo menos de alguns dentre eles — para fazer triunfar a sua causa; mas estará ela certa de ter nas mãos esses instrumentos? O perigo é enorme, e aliás é o mesmo que a fé corre no Oriente, sob o autocratismo bizantino, embora lá se manifeste de outra maneira. E se é verdade que os reis bárbaros reconhecerão a primazia espiritual da Igreja — a cerimônia da *sagração*, que vemos tanto entre os francos como entre os visigodos, entre os celtas como entre os anglos, mostra-nos os ferozes chefes bárbaros ajoelhados diante de um bispo para receberem a unção —, esse fato não impede que os mesmos reis cristãos tendam a intervir nos negócios eclesiásticos, sob o pretexto de que a Igreja não tem melhores amigos do que eles. Trememos ao ouvir o primeiro concílio franco, o de 511, assegurar tranquilamente a Clóvis que se reuniu "por sua ordem", e que, se vai estudar questões da fé católica, essas questões são exatamente as que o rei lhe apresentou. Da mesma forma, quando Santo Isidoro de Sevilha fizer votar, no quarto concílio de Toledo, um cânon em que se declara que "tocar no rei, o ungido do Senhor, é atentar contra o próprio Deus" — doutrina admissível, pois toda a autoridade é querida pelo Senhor —, vemos claramente até onde esses princípios podem levar, se o príncipe se aproveitar deles para reinar despoticamente. Está aberto o debate sobre a primazia dos poderes, tanto no Ocidente como em Bizâncio, e esse debate há de evoluir dolorosamente num sentido que desconhecerá cada vez mais os princípios agostinianos sobre as duas cidades.

Por fim — questão mais grave ainda —, num período que teremos de chamar os tempos obscuros da alta Idade Média, levanta-se o próprio problema da civilização. O fato de a Igreja do século VIII contar com um número considerável de batizados não significa que conte com o mesmo número de cristãos. É evidente que, desses batismos coletivos em que dez mil soldados seguiam o seu chefe nas águas do perdão, não saíam necessariamente convertidos de primeira linha.

A verdade é que se produziu em todo o Ocidente, não tanto um fenômeno de *germanização* — pouco numerosos, os germanos foram absorvidos muito rapidamente —, mas um fenômeno de *barbarização*. O fato é bem visível no século VIII: barbarização moral, que eleva a brutalidade e a superstição à categoria de princípios; e barbarização intelectual, que se manifesta em todos os domínios do espírito, nas línguas, nos estudos e na arte. Aliás, é a este fenômeno atroz que a Igreja se opõe da forma mais obstinada, e os seus esforços para dominar a barbárie também nestes planos não serão menos admiráveis do que os desenvolvidos na obra da conversão.

São problemas difíceis, problemas complexos, que a história demorará séculos a resolver; caberá à dinastia carolíngia, a partir de meados do século VIII, enquadrá-los todos, e a glória do maior dos seus membros será ter procurado encontrar para eles soluções aceitáveis, por mais efêmeras que o destino as tenha feito.

Notas

[1] Possivelmente Reims: é o que diz a tradição. Aliás, São Remígio, que converteu Clóvis à fé católica, era bispo dessa cidade.

[2] Alguns admitem que se tratava da catedral, a velha basílica destruída em 406 pelos vândalos e que tinha sido restaurada. Outros acham que era a igreja de São Martinho, na época situada fora da cidade; este lugar teria sido mais cômodo se, como é provável, o Batismo foi ministrado ao ar livre.

[3] Data que, aliás, se tem prestado a dúvidas. Segundo os historiadores, oscila entre 496 e 502; a mais provável seria a de 498 ou 499. Por outro lado, pode-se ter como certo que a cerimônia se realizou no dia de Natal, pois nessa época só se conferia o Batismo por ocasião das grandes festividades. O último trabalho sobre a cronologia de Clóvis é o de Levison, *Aus rheinisher und fränkisher Frühzeit*, Düsseldorf, 1948, págs. 202 a 228.

[4] Transcrevemos aqui o texto em que São Gregório de Tours narra o episódio. É interessante lê-lo, não só para observar as relações entre Clóvis e os bispos, mas também para avaliar as relações que o rei mantinha com os seus guerreiros.

"O inimigo tinha roubado de uma igreja um vaso de uma grandeza e de uma beleza maravilhosas, com todas as demais alfaias do ministério sagrado. O bispo daquela igreja mandou mensageiros ao rei, pedindo-lhe que, se não pudesse recuperar os outros vasos sagrados, ao menos lhe restituísse aquele. O rei respondeu às palavras do enviado: 'Segue-me até Soissons, porque é lá que será partilhada toda a presa; quando esse vaso entrar no meu quinhão, eu farei o que o padre pede'. Chegando a Soissons, o rei mandou amontoar o carregamento dos despojos no meio dos seus soldados e disse: 'Peço-vos, meus bravos guerreiros, que me concedais como quinhão aquele vaso que está ali' (e apontava para o vaso de que falamos). A estas palavras, os mais sensatos responderam: 'Glorioso rei, tudo o que vemos aqui é teu, e nós mesmos estamos submetidos ao teu poder'. Quando acabaram de assim falar, um dos soldados, leviano, invejoso e arrebatado, brandiu o seu machado de dois gumes e bateu no vaso exclamando em altos brados: 'Tu não terás senão o que realmente te couber em sorte'. Todos ficaram estupefatos. O rei sofreu o ultraje com paciente doçura e, como no sorteio lhe tivesse cabido o vaso, entregou-o ao emissário, ocultando a ferida no coração. Passado um ano, reuniu toda a sua tropa em parada militar no Campo de Marte, e cada um dos soldados devia mostrar as suas armas bem lustradas. Ao passar revista, aproximou-se do soldado que atingira o vaso e disse-lhe: 'Ninguém tem armas tão maltratadas como as tuas; nem a lança nem a espada nem o machado estão em condições'. E, agarrando no machado, atirou-o ao chão. O soldado abaixou-se para apanhá-lo, e então o rei, erguendo o seu com ambas as mãos, cravou-lho no crânio, dizendo: 'Foi o que fizeste ao vaso de Soissons'".

[5] Esta hipótese, a do assassínio, bem pode ter sido inventada no século seguinte, quando os francos puseram fim à independência da Burgúndia. Semelhantes recursos da propaganda são bem conhecidos, mesmo nos nossos dias...

[6] Nome que será dado erradamente à batalha travada por Clóvis.

[7] Gregório de Tours representa-o chorando, levantando os olhos para o céu e dirigindo-lhe esta prece: "Jesus Cristo, que Clotilde afirma ser o Filho do Deus da vida, tu que desejas vir em auxílio daqueles que desanimam e dar-lhes a vitória, desde que esperem em ti, eu invoco devotamente o teu glorioso socorro. Se te dignares conceder-me a vitória sobre os meus inimigos, e se eu experimentar esse poder de que as pessoas que usam o teu nome afirmam ter tantas provas, acreditarei em ti e far-me-ei batizar em teu nome. Invoquei os meus deuses e nenhum socorro recebi...", etc. Gregório acrescenta: "Nesse mesmo momento os alamanos voltaram as costas e debandaram. E, vendo que o seu rei havia sido morto, submeteram-se a Clóvis dizendo: 'Concedei-nos a vida, porque nós somos teus'. Assim terminou a guerra, depois de algumas conversações com o exército. Tendo regressado com a paz feita, contou à rainha que lhe fora dado alcançar a vitória por ter invocado o nome de Cristo".

[8] Discute-se ainda se a cerimônia do Natal de 498 (ou 499) foi uma sagração ao mesmo tempo que um Batismo, isto é, se foi a origem da sagração dos reis da França. Na Igreja primitiva, ungia-se com óleo santo a fronte do batizado, logo depois do Batismo propriamente dito. O papa São Silvestre, em 326, tornou obrigatória esta espécie de "confirmação", e é curioso verificar que vários dos textos contemporâneos que falam do Batismo de Clóvis aludem a esse papa. Clóvis terá sido, portanto, ungido como batizado, mas não necessariamente como rei. Foi mais tarde, possivelmente na época carolíngia, que se diferenciou a unção real da unção batismal, quando se impôs a ideia da "sagração" propriamente dita, colhida no Antigo Testamento e imitada dos imperadores de Bizâncio.

[9] Esta vitória foi contestada por alguns historiadores. Afirma-se que Gundebaldo não teria sido verdadeiramente vencido, que apenas teria havido uma dessas batalhas encarniçadas de que os dois adversários saem extenuados. Em seguida, Gundebaldo, depois de esmagar e de matar o seu irmão Godegisilo, teria realizado em seu proveito a unidade da Burgúndia; entre os burgúndios e os francos, teria havido depois uma aproximação em pé de igualdade, de acordo com uma manobra diplomática cujos fios se encontravam nas mãos de Bizâncio, ansiosa por isolar os ostrogodos. Em qualquer caso, não há dúvida de que houve uma aproximação burgúndio-franca a partir do ano 500, que serviu de prelúdio à guerra visigótica e que foi acompanhada por um resfriamento das relações entre Teodorico e Clóvis.

[10] Título que o bom Gregório de Tours e, depois dele, a maior parte dos historiadores confundiram com o de cônsul *epônimo*, atribuído a altas personalidades do Império. O cronista chega a afirmar que, daquele momento em diante, Clóvis foi tratado por "Augusto", o que teria feito dele um "colega" do imperador... Os historiadores do Direito, que têm por vezes

alguma coisa a dizer na história geral e, sobretudo, na história da Igreja, notam que Clóvis nunca mandou fazer para os seus vassalos romanos uma compilação das leis romanas análoga ao *Breviário de Alarico*. A sua obra foi a redação da *Lei Sálica*, uma lei consuetudinária germânica. A legislação de Justiniano não penetrou na Gália franca.

[11] Fustel de Coulanges exagera um pouco ao afirmar que a conversão dos francos foi, logo de início, generalizada. É verdade que o historiador cita uma constituição de Quildeberto I, que proíbe conservar ídolos em casa, mas escreve logo depois: "Enganar-se-á muito quem considerar este texto como um indício de paganismo". (*La Monarchie franque*, pág. 508). Esta última interpretação é, porém, corroborada por outros indícios, bastante convincentes. As *Vidas* de santos que exerceram o seu apostolado no país franco, muito tempo depois do Batismo de Reims, estão cheias de episódios que provam terem eles encontrado pagãos e lutado por convertê-los, tal como São Martinho antes das invasões. É o caso, por exemplo, de Santo Amando na Bélgica, cujo apostolado é uma luta contínua contra os ídolos, e isso em pleno século VII (cf. Moreau, *Histoire de l'Église en Belgique*, t. I, pág. 74). Vacandard escreveu um estudo muito elucidativo — *L'idolatrie en Gaule au VIe et VIIe siécles* — cujo título é suficiente para desmentir a tese demasiado otimista de Fustel. Cf. cap. V.

[12] Certo rei dos anglos terá tal medo das "bruxarias" dos missionários cristãos, que fará questão de só os receber fora do seu palácio, pois os sortilégios são menos eficazes ao ar livre...

[13] Gregório de Tours atribui-lhe estas palavras durante a batalha contra os alamanos: "Invoquei os meus deuses, mas nenhum socorro recebi. Se eles não ajudam os que os servem, é porque não têm qualquer poder. Deus de Clotilde, é a Ti que invoco e é em Ti que quero crer. Faz que eu escape aos meus inimigos".

[14] Gregório de Tours afirma que a religião dos germanos era pouco conhecida. Era uma religião naturalista: os germanos adoravam os deuses "que reinam sobre as florestas, sobre as águas e sobre os animais das selvas". Por outro lado, tinham os seus ídolos, que alguns consideram grosseiras adaptações das divindades romanas, e que deram muito trabalho aos evangelizadores. Os deuses germanos nunca aparecem representados como poderes destinados a governar o mundo nem como juízes que recompensam seres humanos; acima deles, há sempre o destino. No entanto, "o que os germanos mais apreciavam numa divindade era a sua eficácia" (Tonnelat). O além era uma das suas grandes preocupações, e isso constituía já, na sua alma, uma abertura para o cristianismo. Cf. E. Tonnelat, *La religion des Germains*, em *Mana*, Paris, 1948; Georges Dumezil, *Mythes et dieux des Germains*, Paris, 1949.

[15] Numa passagem célebre, Fustel de Coulanges tece considerações muito interessantes sobre a total ausência de preconceito racial na Igreja: atitude feliz, que deveria facilitar a fusão. Ainda assim, a fusão não seria levada a cabo sem alguns embates e dificuldades. Tenha-se em vista este pequeno fato, bem sintomático: a darmos crédito a João, o diácono, as rudes gargantas dos francos soltavam vozes de trovão que maltratavam as melodias cantadas nos ofícios; os seus berros exasperavam os melodiosos galo-romanos, que aliás retrucavam como podiam. Bem podemos imaginar a cena e as suas consequências... (cf. Gérold, *Histoire de la musique au moyen âge*, Paris, 1936, pág. 159).

[16] Assim, na *Vida* de São Bento, fala-se de um bom ostrogodo que se converteu sozinho ao catolicismo e se fez monge, e este caso não foi único. Inversamente, é de supor que alguns indivíduos ou famílias se conservaram fiéis aos deuses dos antepassados, apesar da conversão global.

[17] Cf. cap. II, par. *Dois reveses*.

[18] Trata-se da igreja dos Santos Apóstolos, que se elevava sobre o cimo do que nós chamamos a colina de Santa Genoveva, atrás do atual Panteão, exatamente no local da atual rua Clóvis, que separa o liceu Henrique IV da igreja de Santo Estêvão do Monte.

[19] Cf. cap. II, par. *As muralhas da Igreja.*

[20] Quanto a São Bento, fundador da ordem e Doutor da Igreja, cap. V, par. *São Bento.*

[21] Primeiros exemplos no Ocidente, porque no Oriente o fundador dos monges acemetas, Alexandre, fora já um missionário convicto, e os seus discípulos também o seguiram nesse caminho. Por outro lado, até o século V, o termo "Bretanha" só se aplica à Grã-Bretanha. Foi só depois da instalação dos bretões no continente que a península da Armórica tomou pouco a pouco esse nome.

[22] A Irlanda nunca se integrara no *Orbis romanus*; as legiões nunca pisaram o seu solo. A ilha era mal conhecida pelos antigos; um dos seus geógrafos, Avieno, que escrevia no século IV, chama-lhe "Ilha Sagrada", expressão que denota, possivelmente, mais ignorância do que admiração. São Jerônimo fala dos seus habitantes em termos pouco lisonjeiros, e refere uma história de antropofagia ridícula, limitada aos órgãos genitais... Há apenas uma observação correta na documentação dos antigos: tinham já reparado no encanto verdejante da ilha, o que lhe valeu ser chamada até hoje "a verde Erin". O mesmo Avieno nos diz "que ela estende as suas planícies verdejantes no seio das ondas", e com isso compôs um belo verso... porque nesses felizes tempos os geógrafos compunham os seus tratados em forma de poemas!

[23] Mal São Patrício a fundara, a igreja da Irlanda evoluiu tão rapidamente para as instituições monásticas que pouco se nota nela o elemento secular. Os historiadores têm tentado explicar este fenômeno, que certamente não é um milagre — não abusemos do termo —, mas que não deixa de ser extraordinário. Alexandre Bertrand afirma que o monaquismo irlandês saiu das comunidades druidas; os monges não passariam de druidas convertidos, e como os druidas viviam em comunidades... Isso está por provar, porém, porque o sistema imaginado por Bertrand é inteiramente hipotético. Outra hipótese — tão pouco sólida como a anterior — é a de que o monaquismo irlandês estaria ligado ao monaquismo egípcio. Diante de tudo isto, talvez seja melhor deixarmos de lado as explicações e contentarmo-nos com os fatos... Os irlandeses enxergavam tudo sob o ângulo monástico, a tal ponto que o Papa era para eles o "abade de Roma" e Cristo o "abade da cidade celeste". Os seus mosteiros constituíam verdadeiras cidades, cuja população atingia cifras como a de 3000 monges. Cada ocupante tinha a sua tenda, e o conjunto todo devia formar uma espécie de acampamento. Leclercq, que, sob a sua erudição, não deixa de ser malicioso, compara estes mosteiros a colônias de marmotas; mas aqueles que os habitam nem de longe são sedentários como as marmotas; antes poderíamos compará-los às aves migratórias.

[24] Georges Goyau afirma que o ponto mais original do espírito irlândes foi o fato de que o espírito de evangelização não partia simplesmente da vocação de alguma personalidade eminente, antes parecia ser suscitado e sustentado como que por um impulso coletivo da alma irlandesa. Os mosteiros fundados por São Patrício eram postos de missão, mas em breve abrigavam um escol de almas em que o *Credo* cristão se encarregava de queimar todas as etapas; recém-batizados, já os novos convertidos ardiam em desejos de se tornarem monges a fim de fazerem outros batizados e outros monges (Georges Goyau, *L'Eglise en marche*).

[25] Os cristãos desta época têm preferência pelo número *doze*, evidentemente por causa dos apóstolos. Paládio, diz o folclore, viera para a Irlanda com doze companheiros; Patrício, com vinte e quatro; Mochta leva doze para a Armórica; o grande São Columbano, doze ao partir para a Gália, e assim por diante. São David teria fundado na Gália doze mosteiros. Na grande abadia de Fulda, doze monges serão considerados privilegiados em virtude da sua santidade e saber, e o mesmo simbolismo se encontra por diversas vezes na vida de São Bento. O número de cônegos das catedrais será também de doze, segundo uma determinação de São Gregório Magno.

[26] A expansão dos bretões não se limitou à Armórica. Também Péronne tornou-se centro de uma colônia irlandesa tão importante que, durante muito tempo, foi chamada *Perrona Scotorum*; e igualmente Brie, cidade situada ao lado de Paris, deve muito aos monges irlandeses. O patrono dessa vila, *S. Fiacre*, era um deles, como já ressalta São Beda. Nicolas Vermulaens,

de Lovaina, publicou em 1639 um pequeno livro sobre a propagação da fé cristã na Bélgica pelos irlandeses, e cita os nomes de trinta e nove santos e de três santas, que vieram da Irlanda para acabar de evangelizar esse país! Tudo isto, sem falar dos Vosges e da Alsácia...

[27] Muitos nomes geográficos franceses estão ligados à conquista céltica e missionária: os *lann* são eremitérios, os *plou*, paróquias (de *plebs*, em latim ou de *plwyv* em gaélico), os *tré* são igrejas sucursais etc.

[28] A obra de São Columbano, embora vista aqui apenas sob o ângulo missionário, apresenta ainda muitos outros aspectos. Referimo-nos à sua Regra e à sua influência sobre alguns costumes da Igreja universal, como por exemplo a confissão pessoal, particular, e não pública dos pecados; e, sobretudo, o seu papel no que se refere aos esforços para reformar os costumes do tempo. Cf. cap. V, par. *A ideia da reforma.*

[29] Columbano chegou mesmo a exercer uma influência *a contrario*, porque foi em grande parte para contrabalançar a corrente de Luxeuil que se criaram outras abadias, como Santo Elói e São Dagoberto fizeram em Saint-Denis. Ainda nos nossos dias os "Missionários de São Columbano", sediados em Navan, perto de Dublin, na Irlanda, continuam a desempenhar um papel importante como missionários em todo o mundo. Na América, grandes centros missionários têm ainda o nome do santo, e o mesmo acontece na China, na Coreia, na Birmânia, na Austrália, nas Filipinas, etc.

[30] Cf. cap. III, par. *Os complexos religiosos de Justiniano e Teodora.*

[31] Entre os lombardos e os bizantinos houve apenas pequenos combates, pois tinham relações e influências mútuas. Basta visitar o famoso tesouro de Monza, a nordeste de Milão, onde se veem as maravilhas de uma arte ao mesmo tempo profundamente bárbara e supremamente civilizada, claramente marcada pelo cunho do Oriente. Algumas peças são célebres, como por exemplo "a galinha com os pintinhos", em prata dourada, que pertenceu à rainha Teodelinda, e sobretudo a famosa "coroa de ferro dos reis lombardos", feita de placas de ouro esmaltadas de verde e ornadas com enormes flores de pedras preciosas multicoloridas, montadas sobre um círculo de ferro que foi forjado, segundo se diz, de um prego da Cruz de Cristo. Foi esta a coroa que Carlos Magno cingiu em 774, Carlos V em 1530 e Napoleão I em 1805.

[32] O papa São Félix III (483-492), que fora casado e perdera a esposa quando era diácono, e que deixou filhos.

[33] Cf. Du Mesnil, *Les Missions*, Paris, 1948; cf. também E. de Moreau, *Saint Amand, le principal évangélisateur de la Belgique*, Bruxelas, 1942.

[34] Houve quem dissesse que os missionários deste tempo eram principalmente "mensageiros reais", "delegados do Estado", e "que menos pregaram do que organizaram". Da exiguidade das igrejas que construíram conclui-se, precipitadamente, que pouco lhes importava a massa popular. Esta maneira de ver tendenciosa foi refutada por Moreau, *Histoire de l'Église en Belgique*, t. I, pág. 111.

[35] Foi a partir da eleição de João II, em 532, que os papas começaram a mudar de nome após a sua elevação ao trono pontifício; a escolha do nome correspondia, evidentemente, a uma determinada intenção quanto à maneira como pretendiam exercer o pontificado.

[36] Cf. cap. VI.

[37] No verbete *Boniface* do *Dictionnaire d'histoire ecclésiastique* (t. IX), Moreau destaca o valor inovador dos métodos missionários de São Bonifácio. No seu apostolado, atribuía uma grande parte do trabalho às mulheres, e foi ele quem criou as primeiras religiosas missionárias, iniciativa que, aliás, não teve continuidade. Só no século XVII é que se pensou novamente em confiar às mulheres trabalhos em terras de missão. Cf. também F. Flaskamp, *Die Missionsmethode des heil. Bonifatius*, Hildesheim, 1920.

V. CRISTÃOS DOS TEMPOS OBSCUROS

O mundo mergulha na noite

O período histórico que se abre com o século V e que durará cerca de seis séculos — cortados apenas por uma bela clareira de cinquenta anos —, é certamente uma das etapas mais penosas que o cristianismo conheceu até os nossos dias. São bem verdadeiras as expressões tradicionais que designam esta época: tempos bárbaros, tempos sombrios, *dark ages*; a ela, somente a ela, se aplica a famosa fórmula de *noite da Idade Média*. É uma noite penetrada de luz, como veremos, atravessada pela esperança; mas nem por isso deixa de ser uma noite terrível, pior ainda na segunda parte do período do que na primeira, uma noite em que, no meio da confusão sangrenta e da angústia da espera pelo alvorecer, a humanidade parece avançar às apalpadelas. É só a Igreja, guiada por uma inspiração transcendente, que segue a sua rota e, trabalhando para fins sobrenaturais, se constitui no mais eficaz agente da salvaguarda da civilização. Mas os cristãos desta época, que são como todos nós uns pobres homens, no seu conjunto estão longe de dar essa impressão de retidão luminosa; pelo contrário, vemo-los, cambaleando, mergulhar pouco a pouco na noite.

A bem dizer, a sociedade batizada, que nos inícios do século V estava tão próxima da grande prova, já não tinha o vigor dos tempos heroicos. A rotina, que é a pior força de desagregação, tinha já corroído poderosamente a fé e relaxado os costumes. À medida que o cristianismo ia crescendo no meio de uma sociedade pagã, era-lhe mais difícil preservar-se da contaminação. O *Indiculus superstitionum et paganiarum*, um manuscristo do Vaticano, assim o diz sem rebuços, e os Padres deste tempo, que não mordem a língua, apontam muitas vezes o dedo para esses cristãos desbotados que vivem à maneira pagã, que no dizer de Santo Agostinho se entregam a comilanças e orgias sob o pretexto de festejarem um mártir, ou que, segundo São João Crisóstomo, deixam a igreja vazia para se lambuzarem com os espetáculos sangrentos do circo nos dias de jogos; ou denunciam ainda, como diz o veemente São Jerônimo, certos prelados de cabelos frisados, "que mais parecem galanteadores do que sacerdotes". O próprio Santo Agostinho não confessa que, no tempo da sua louca juventude, se servia da missa como ocasião para flertar? E não diz São João Crisóstomo que a grade que nas igrejas separava os homens das mulheres nunca era suficientemente alta? A decadência moral em que o Império se precipitara não deixara intocados os fiéis da nova fé. "Ouvi dizer aos nossos pais, clamava ainda o Crisóstomo, que era outrora, durante as perseguições, que se encontravam os verdadeiros cristãos!"

Os elementos fundamentais da fé estavam, certamente, acima de qualquer discussão, mas notavam-se estranhas infiltrações pagãs[1]. Em quantas famílias não se conservavam ainda, cuidadosamente ocultas, algumas imagens pagãs? Em Cartago, o bispo Aurélio via-se obrigado a lembrar que não se podia ao mesmo tempo adorar Cristo e "a deusa síria"; um concílio espanhol teve que dar-se ao trabalho de proibir aos cristãos que recebessem o "taurobolo", batismo sangrento de Mitra; e São Leão Magno, em pleno século V, indigna-se ao ver os fiéis, antes de entrarem na basílica de São Pedro, saudar com o gesto ritual o *Sol invictus*, o deus sol. Sob as aparências cristãs, não se festejam frequentemente antigas divindades pagãs? Assim, em Hipona, em 4 de maio, quem é que se venera? São Leôncio ou a antiga deusa Letícia? Tal como se fazia com os *Livros Sibilinos*, abre-se a Bíblia ao acaso e aponta-se uma frase que anunciará o futuro. Constroem-se basílicas semelhantes aos túmulos pagãos. Os amuletos continuam a estar na moda; quando muito, deram-lhes uma vaga significação cristã. Há já comerciantes sem escrúpulos que exploram a credulidade pública: organizam-se viagens coletivas para ir visitar a Arca de Noé ou o monte de lixo sobre o qual Jó esteve sentado!

Enfim — e em certo sentido é este o fato mais grave —, a sociedade cristã foi arrastada pelo irresistível turbilhão de decadência intelectual que se observa nos últimos séculos de Roma. É verdade que os últimos grandes escritores antigos são cristãos: os Padres da Igreja, um Santo Ambrósio, um Santo Agostinho; mas é preciso confessar que a sua cultura é nitidamente deficiente, se a compararmos com a dos mestres da idade de ouro do latim. Dos clássicos, mal conhecem a fundo um ou dois autores: Santo Ambrósio, por exemplo, domina Cícero e Virgílio, e é tudo. Santo Agostinho provavelmente não sabe grego e os seus conhecimentos filosóficos têm graves lacunas. Os métodos pedagógicos em uso dão a clara impressão de serem estereotipados, e a retórica é mais rica em receitas do que em verdadeira cultura. Os últimos representantes do espírito clássico no século VI, um Boécio, um Cassiodoro, terão a nítida impressão de se baterem sobre ruínas, de serem os defensores de um passado definitivamente acabado.

Assim, pois, há três perigos graves que, por volta do ano 400, pesam sobre a sociedade romana, em grande parte batizada, mas evidentemente ainda não arrancada por esse

Batismo às misérias humanas nem às fatalidades históricas. E esses perigos são: decadência moral, contaminação da fé e recuo da cultura — três características de um fenômeno que as invasões vão tornar ainda mais patente. Deve-se lembrar que o estado de "barbárie" não é exclusivo das hordas que esperam a hora de se precipitarem sobre o mundo "civilizado", e que entre os dois protagonistas do drama há uma espécie de relação necessária, de elo misterioso. No século IV, o mundo romano estava já preparado para se deixar barbarizar rapidamente — o mundo romano como um todo, incluída a maior parte dos batizados. Não é, portanto, de admirar que, tão pouco tempo depois da tempestade, a Europa ocidental apresente o doloroso espetáculo em que a vemos mergulhada.

A barbarização foi acelerada pelas próprias condições em que se processou a instalação dos germanos nas terras romanas. Talvez tivesse sido menos rápida se os invasores tivessem continuado a comportar-se como ocupantes ferozes, obstinados em conservar-se à margem dos vencidos. Mas não foi isso o que aconteceu. Mesmo em certas regiões, como na África vândala, onde esse esforço foi tentado — e de forma brutal! —, revelou-se completamente ineficaz. Nenhum dos novos reinos germânicos conseguiu fazer respeitar estritamente a interdição dos casamentos entre os dois povos. A partir de meados do século VI, a fusão entre vencedores e vencidos estava em pleno andamento por toda parte. E — aspecto paradoxal que convém sublinhar — a conversão serviu para acelerar esse processo, uma conversão, como sabemos, tantas vezes rápida e superficial, obtida *grosso modo* por meios mais políticos do que religiosos, e que não podia transformar as almas num abrir e fechar de olhos. Mais tarde — muito lentamente, porém — o cristianismo será o grande meio empregado pela história para civilizar os bárbaros; mas, de momento, abatendo definitivamente as barreiras entre os dois elementos étnicos, a sua influência contribuirá para a barbarização.

O grande fato que se constata ao considerar o Ocidente após as invasões é, portanto, o assustador recuo de tudo o que verdadeiramente constitui a civilização. Entre o mundo romano do tempo de Teodósio — já carcomido, certamente, e marcado pelos estigmas da decadência, mas ainda tão sólido, tão harmonioso, tão autenticamente civilizado —, e a espécie de caos sangrento que é a Europa ocidental no século VI, há um verdadeiro abismo. Dir-se-ia que uma nuvem opaca caiu sobre a humanidade.

Como se deu este afundamento nas trevas? Devemos ter em conta muitos fatores. Houve, evidentemente, a influência dos germanos que, sem serem selvagens, como muitos imaginam, e tendo sofrido já muitas influências romanas, nem por isso deixavam de estar sob todos os pontos de vista muito atrasados em relação ao estágio que a civilização do Ocidente tinha atingido; a sua vitória marca um recuo da sociedade urbana para a sociedade tribal, e esta influência direta é particularmente notável nas transformações que o direito sofreu nesta época.

Mas esta influência direta foi menos grave do que aquilo que poderíamos chamar a influência indireta das invasões. As incursões germânicas ou hunas através do Ocidente desorganizaram materialmente, por toda parte, as províncias do Império: tornaram as estradas pouco seguras, paralisaram a produção e o comércio, começaram a fazer declinar as cidades. Moralmente, gerações inteiras viveram na angústia e no temor pelo dia de amanhã; como em todas as épocas de grandes mudanças históricas, a violência e a crueldade ampliaram o seu raio de ação e a desordem social arrastou ao crime. O abandono dos estudos intelectuais acompanhava, como é óbvio, toda esta desagregação; sem serem na sua maior parte hostis à cultura, os rudes guerreiros germanos ignoravam-na. Mas há alguma coisa talvez ainda mais grave: a interpenetração dos dois elementos étnicos ocasionou uma assustadora queda do nível moral. Salviano, polemista cristão cujo temperamento talvez o arrastasse para excessos de retórica, assegura que, entre eles, os germanos praticavam virtudes elevadas: eram castos, respeitavam o casamento e mostravam-se honestos e fiéis à sua palavra. Mas, se realmente tinham possuído todas essas qualidades quando se encontravam nas margens do Elba ou na floresta Herciniana, não há dúvida de que as perderam logo que se estabeleceram no Garonne ou na África. Misturando-se com uma população mais refinada, mas também muito desmoralizada, esses recém-vindos não podiam deixar de assimilar o que ela tinha de pior: bárbaros e civilizados compartilharam os seus vícios mútuos[2].

Os contemporâneos notaram perfeitamente este declínio da civilização. Assim como viam desmoronar-se arco após arco, por falta de conservação, esses belos aquedutos romanos de que já só ficavam os suportes erguidos para o céu como um protesto, assim viam desmoronar-se a sociedade. Podemos afirmar que não há uma única testemunha cujos textos tenham chegado até nós — de Cassiodoro a Gregório de Tours ou de Columbano a Salviano e São Bonifácio — que não proteste contra a assustadora baixa do nível moral. Todos eles têm igual consciência do declínio intelectual do seu tempo. "Infeliz época a nossa, exclama Gregório de Tours, porque o estudo das letras morreu entre nós!" Os melhores homens destes tempos obscuros sofriam com semelhante situação, e mesmo quando trabalhavam eficazmente para promover um futuro mais luminoso — como um São Gregório Magno ou um São Bonifácio —, perseveravam nos seus heroicos esforços no meio de uma grande angústia e, muitas vezes, no meio do mais profundo desânimo. Nunca será demais sublinhar a verdade das palavras de Christopher Dawson: "A Europa foi fundada sobre o sofrimento, um sofrimento que hoje é quase impossível imaginar, mesmo depois das calamidades destes últimos anos".

A Europa foi fundada..., pois realmente foi desses tempos obscuros que ela saiu, depois de séculos de lentas transformações, de desenvolvimentos orgânicos, de avanços e recuos, de arrancadas para a luz e de recaídas na noite. Nada mais falso do que considerar iguais todos os séculos que se seguiram às invasões, mergulhados por igual numa profunda estagnação. Foram numerosos os homens desta época que, na medida em que dispunham de meios, tentaram sair da noite; e, entre esses pioneiros do futuro, a maior parte pertencia à Igreja. Se a fé em Cristo e o conhecimento da sua mensagem sublime não bastaram — e nunca bastam — para impedir os batizados de ceder às piores inclinações da natureza humana, pelo menos deram-lhes os princípios sem os quais é impossível qualquer reabilitação humana. É desta pobre humanidade dolorosa, barbarizada, que a Igreja, com a sua longa paciência, fará sair em primeiro lugar esse esboço de sociedade que é o mundo carolíngio e, mais tarde, a civilização da Idade Média. No entanto, aparentemente, durante os três séculos de grandes agitações, a sua ação parece bem superficial, e bem fraco o seu ascendente sobre as almas. Mas os seus monges oravam, os seus bispos agiam e os seus santos eram modelos vivos, e por isso ela pôde tornar-se a única força civilizadora da época, a única possibilidade que a luz teve de vencer as trevas da noite.

A idade das trevas

O quadro do Ocidente bárbaro tem sido traçado com muita frequência. Quem há que não tenha lido nos bancos de escola algumas páginas dos *Récits des temps mérovingiens*, em que Augustin Thierry tão bem evocou, num estilo empolgante, as comoventes imagens e as odiosas figuras dos protagonistas dessas tragédias? Certas cenas — a morte de Galsuinta , por exemplo — conservam na nossa memória todo o seu poder de emoção. Exata nas suas grandes linhas, essa pintura romântica não é, porém, absolutamente completa; insistindo muito sobre a violência da época, por exemplo, não destaca o papel preponderante do cristianismo e a sua ação, aparentemente modesta mas decisiva, bem como as perspectivas de futuro no meio deste caos sangrento.

O velho cronista a quem devemos o melhor dos nossos conhecimentos sobre esta época, *São Gregório de Tours*, mostra-nos muito mais. É bem verdade que está repleto de ingenuidade e de credulidade; nunca se sente tão satisfeito como quando pode relatar um belo prodígio bem incrível, em que o mau é punido e o justo miraculosamente salvo; os monstros, os demônios e as calamidades mais surpreendentes fazem parte do seu mundo. Mas o seu testemunho, embora às vezes influenciado por preconceitos ou sentimentos políticos, é verdadeiro quanto aos fatos. Este galo-romano — nascido em Clermont d'Auvergne (possivelmente em 538), educado por um tio bispo, tão instruído quanto se podia ser no seu tempo, e cuja eleição para a mais brilhante das sés episcopais da França em 573 o colocou em condições de se documentar durante vinte anos junto das mais altas personagens e de milhares de peregrinos que vinham ao túmulo de São Martinho — era um espírito inteligente e sagaz, e uma alma santa. Por isso, os dez volumes da sua *Histoire de France* são, no seu conjunto, uma fonte verídica, e a ternura que manifesta pela Igreja, bem como o respeito que tem pelos soberanos, autenticam o relato dos crimes que o vemos atribuir a este ou àquele bispo e a muitos reis. Mas, ao mesmo tempo, através de tantas páginas ensanguentadas, o que o velho cronista pressente claramente e o que pretende frisar é que este vendaval de violências não era um fim em si, mas que nele se podiam notar intenções divinas, incompreensíveis na aparência. Por isso — e porque cria na Providência — o cristão não tinha o direito de desesperar[3].

De todos os documentos desta época — abrangendo o período que vai desde as invasões até à subida ao trono dos Carolíngios —, a principal impressão que nos fica é a de horror. A violência está em toda parte e sempre prestes a estalar. Nada a refreia: nem as afeições familiares, nem a lealdade mais elementar, nem mesmo a fé cristã. Qualquer príncipe devoto será capaz de assassinar o irmão, a mulher ou os filhos, sem hesitar sequer por um instante! Os exemplos são tão numerosos que podemos extraí-los ao acaso daquelas páginas. Deixemos de lado os crimes que tantas vezes se têm atribuído a Clóvis; estudiosos profundos têm sustentado que as histórias sobre a maneira expeditiva com que se teria desembaraçado de parentes incômodos não passam de fábulas populares, embora não seja normal que, para exaltar a figura de um rei, o bom povo se empenhe em mostrá-lo pérfido e criminoso. Mas a verdade é que a sua descendência, como bem sabemos, alardeou durante cinco gerações um espetáculo sempre renovado de crimes inqualificáveis.

De 511 a 613, os países francos não foram senão um couto cerrado em que irmãos e primos se degolaram mutuamente. A unidade restabelecida por Clotário I (558-561) não durou mais de trinta meses, e, depois de um relativo período de renascimento, com Clotário II (613-628) e Dagoberto (628-638), recomeçou a cruel e abjeta anarquia dos *rois fainéants*, dos "reis mandriões". Algumas cenas destas inumeráveis tragédias estão gravadas a sangue na recordação de todos os franceses. Citemos, por exemplo, aquela em que Clotário, filho de Clóvis, degola por sua própria mão dois dos seus sobrinhos, crianças de dez e de sete anos, que lhe imploram misericórdia sob o olhar da avó Clotilde. O duelo entre Fredegunda e Brunehaut conservou o valor de um símbolo para caracterizar bem o horror dos tempos merovíngios. Nada falta nesse quadro: nem as perfídias mais covardes, nem as maquinações políticas, nem as intrigas amorosas, nem as crueldades mais espantosas; e, como paroxismo, a cena em que Brunehaut, octogenária, entregue ao filho do seu inimigo, é amarrada pelos cabelos, por um pé e por um braço à cauda de um cavalo selvagem que, num galope louco, a faz em pedaços contra as pedras da estrada. Alguns destes episódios são condimentados por um humor estranho, como por exemplo o da rainha Austrechild que, antes de expirar, fez o marido jurar que mataria todos os seus médicos, para castigá-los por não terem sido capazes de curá-la; e o bom rei Gontran cumpriu escrupulosamente o juramento, embora fosse um grande construtor de igrejas e tivesse chegado a ser venerado, durante algum tempo, como um santo!

Os reis francos, porém, não têm o monopólio destas selvagerias. Encontramos fatos semelhantes em todos os meios. Gregório de Tours narra o episódio, bastante sinistro, mas de excelente comicidade, de uma família que, em plena igreja e durante as exéquias do pai, se pôs a discutir a herança, e o fizeram com tanto entusiasmo que acabaram por matar-se uns aos outros ali mesmo. E em todas as regiões sucede exatamente o mesmo: na Borgonha, onde o piedoso Sigismundo — que será canonizado — chegou a assassinar o próprio filho; na Espanha visigótica, onde a história do mártir Hermenegildo, executado pelo pai, não é menos característica[4]; na Grã-Bretanha, onde as rivalidades dos reizinhos saxões ou as lutas entre celtas e anglos são um tecido de abominações.

Se ao menos esses horrores pudessem ser atribuídos unicamente à fraqueza humana! Mas temos de reconhecer que os princípios jurídicos, os fundamentos da moral coletiva, estão eivados de métodos que participam do mesmo estado de espírito. O fenômeno da barbarização do direito é, em certo sentido, mais inquietante do que as práticas criminosas individuais; a Espanha cristã, por exemplo, levará muito tempo até ver-se livre dele. O hábito romano da tortura foi conservado pelos novos senhores, mas com a agravante de que os tormentos passaram a ser infligidos não por um carrasco, mas pelo próprio queixoso. As práticas germânicas dos *ordálios*, do *juízo de Deus* e do *duelo judiciário*, a princípio violentamente repelidas pela Igreja, acabaram por impor-se; apenas se lhes acrescentou uma espécie de bênção, acompanhando-as de umas orações apropriadas. Chegou mesmo a haver bispos que delas se declararam partidários. Para reconhecer a culpabilidade de um homem, obrigavam-no, por exemplo, a mergulhar a mão num caldeirão de água fervente, e se três dias depois a queimadura estivesse em vias de sarar, declaravam-no inocente: Deus tinha falado! Em casos de litígio, para decidir qual dos adversários tinha razão, convidavam-nos a bater-se em duelo, pois o vencedor devia ter o Céu a seu favor.

A própria ideia de um direito, de um princípio moral que se impusesse a todos, caiu em desuso e foi substituída pela vingança privada, pela *vendetta*. O castigo da esposa adúltera, por exemplo, era deixado nas mãos do marido... ou (o que devia ser pior) da mulher do cúmplice; quem seduzisse uma virgem era entregue aos pais desta, e, se se tratava de um crime perpetrado contra um dos membros de uma família, toda a família procurava vingar o seu sangue.

Os governantes, conscientes das perturbações que essas práticas traziam consigo, fizeram esforços enérgicos para substituí-las por procedimentos regulares, mas é preciso reconhecer que o meio a que recorriam quase sempre não era muito melhor sob o aspecto moral: tratava-se da *composição* ou *wehrgeld*. Se alguém matasse um homem de quarenta anos, tinha de pagar à família trezentos soldos de ouro; se se tratasse de uma criança de três anos, pagaria apenas setenta. Aquele que "ferisse alguém no ventre com um golpe que penetrasse até às entranhas" devia pagar-lhe trinta soldos, e mais cinco para as despesas com o médico; se lhe arrancasse uma das mãos ou o nariz, a composição seria de cem soldos de ouro, reduzida a sessenta e três se a carne continuasse agarrada ao corpo e pendente!

O desencadeamento geral da brutalidade fazia-se acompanhar de uma libertinagem sexual quase inacreditável. Foi sobretudo neste campo que os bárbaros se deixaram contagiar pelos vícios da decadência romana, acrescentando-lhes mais alguns outros! Pululam pelas crônicas deste período os dramas passionais das famílias reinantes: quando Quilperico desposa a espanhola Galsuinda, Fredegunda, sua amante, exige que ele a mande estrangular; quando Deutéria, mulher do rei Teoberto, que reinava em Verdun, vê a própria filha tornar-se adulta, receando ser suplantada por ela junto do marido, manda precipitá-la no rio do alto de uma ponte. Há reis que mantêm verdadeiros haréns à vista da própria esposa. Cariberto tem duas servas e amantes, uma delas religiosa, e desposa as duas; Dagoberto — o sábio e piedoso

Dagoberto, amigo dos santos — tem nada menos que três rainhas, sem falar numa dúzia de concubinas; quanto às torpezas do seu filho Clóvis II, mal seria possível enumerá-las. Todos os últimos merovíngios têm já, aos quinze anos, dois ou três filhos de diferentes servas.

Semelhantes costumes encontram-se espalhados por toda parte e em todos os meios. São Cesário de Arles refere-se num dos seus sermões a esses fanfarrões repugnantes que se vangloriam nas tavernas do número de amantes que mantêm; a darmos crédito ao corajoso e incisivo pregador, esses homens tomam estranhas liberdades quanto ao respeito devido ao sacramento do matrimônio. Ainda neste terreno, é completa a decadência das práticas jurídicas; o divórcio por mútuo consentimento ou o repúdio da esposa, sem outro motivo que não o capricho do marido, são coisas tão corriqueiras que os bispos mal se atrevem a mostrar a sua indignação.

Outro traço característico destas sociedades barbarizadas é o papel assustador que nelas desempenha aquilo que, em termos gerais, costuma chamar-se *superstição*; podemos ver nisso a sobrevivência de elementos pagãos — legados da época precedente —, acrescida da credulidade própria dos primitivos. Há, assim, uma fusão dos resíduos do politeísmo greco-romano com elementos novos provenientes das crenças germânicas. Como arrancar dessas consciências elementares os velhos cultos ancestrais que celebravam na penumbra misteriosa das florestas? Existe para esses homens alguma diferença entre Wotan — Odin — e Deus? São inúmeros os episódios narrados pelos cronistas em que se manifesta a mais viva idolatria, como são inúmeros os templos pagãos que continuam a erguer-se em locais um pouco mais afastados. O concílio de Clichy, em 626, condenará "os pagãos que oferecem sacrifícios", e na própria Roma os papas terão de lutar contra a celebração mais ou menos oculta das Lupercais, antigas festas romanas em honra do deus Pã. Cento e cinquenta anos depois do Batismo de Clóvis, veremos ainda um exército franco fazer um sacrifício humano, matando mulheres e crianças para atrair as boas graças dos deuses da guerra. E serão necessários decretos e mais decretos reais para impedir o consumo de carne de cavalo, lembrança inextirpável dos banquetes rituais germânicos. Com muita frequência, o verniz cristão mal chegará a disfarçar o animismo e o totemismo da véspera.

Não é preciso dizer que esta acabrunhante barbarização se revela também na acelerada queda do nível intelectual do povo. Já a cultura do Império, no seu declínio, nos dera uma impressão de decadência; ao pé da dos tempos bárbaros, porém, parece-nos representar uma idade de ouro. O rebaixamento intelectual manifesta-se, em primeiro lugar, pela desagregação da língua; os invasores põem-se a falar latim, mas que latim! O das classes baixas, que por si só já nada tem que ver com o latim literário limitado no século VI a umas poucas famílias aristocráticas. Um latim vulgar que simplifica o vocabulário, substitui as palavras por termos de gíria, elimina os advérbios clássicos para substituí-los por outros formados por adjetivos a que se acrescenta *mente*, serve-se das preposições *de* e *ad* ao invés das desinências dos casos, transtorna a sintaxe (é a época em que prolifera o *quod*, antepassado do nosso *que*) e, por meio de elisões, esquematizações e construções defeituosas, modifica totalmente — e de formas diversas conforme as regiões — a antiga pronúncia latina. As nossas línguas modernas acabarão por surgir desses esboços, mas, por volta dos séculos VI e VII, tudo isso ainda não passa de calão. O bom Gregório de Tours bem o compreendia quando pedia desculpas pelas suas falhas de sintaxe e confessava não saber distinguir muito bem um acusativo de um ablativo.

Também é escusado dizer que os instrumentos do trabalho intelectual são cada vez mais pobres. A escola, exclusivamente eclesiástica, limita-se quase sempre a ensinar a ler e a escrever o latim, e a mandar aprender de cor alguns textos sagrados. As oficinas dos copistas consagram-se quase que unicamente aos Padres da Igreja, e se de vez em quando ainda se transcreve um clássico, raras vezes se dá ao pagão a honra do indestrutível pergaminho. Mas faz-se ainda pior: apagam-se os antigos textos literários para substituí-los por escritos religiosos, e essas piedosas intenções ocasionaram terríveis perdas para as letras. Conhece-se um pormenor que dá uma ideia precisa deste recuo: nos fins do século VII, a biblioteca episcopal de Toledo não conta senão um único autor clássico: Cícero!

Poderemos admirar-nos de que, nestas condições, o declínio intelectual seja constante, regular, descendo de degrau em degrau do século V ao século VI, e deste ao VII?[5] É fácil perceber este aspecto se percorrermos a literatura da época. Quando Gregório de Tours exclama que as letras estão em vias de morrer na Gália do seu tempo e que ele mesmo é bem inferior aos seus antecessores, essa confissão cheia de humildade é, por outro lado, uma comprovação totalmente honesta. Depois dele será pior. Esta decadência intelectual é um fato muito grave, não só para a civilização, mas também para o cristianismo. A partir do instante em que se fixou o Cânon das Escrituras, o cristianismo tem por fundamento *um livro* e, se os cristãos já não forem capazes de o ler, ou se, lendo-o, não o compreenderem, não haverá razão para temer que bem cedo o conteúdo dogmático seja alterado?

É, portanto, penoso o espetáculo que nos oferece esta sociedade dos tempos bárbaros — violenta, supersticiosa e ignorante. Mas devia-se perder a esperança? A brutalidade do primitivo tem talvez mais recursos morais do que a do robô padronizado. Subsistia na superstição bárbara, como já vimos[6], um apetite pelo sobrenatural, certamente de valor bem medíocre, mas incontestável, e aquelas almas simplistas não conheciam o que mais afasta o homem moderno de Deus — a recusa do divino. Essa foi a razão pela qual a Igreja não desesperou dessas almas e se aplicou tenazmente à sua educação.

Uma obra de longa paciência

Tenacidade: este é o termo exato que caracteriza o esforço levado a cabo pela *Ecclesia Mater* para fazer penetrar, pouco a pouco, os princípios cristãos nessa humanidade bárbara da qual, à primeira vista, teria sido natural desesperar.

"A Igreja tem a eternidade pela frente"; nunca este provérbio foi tão verdadeiro como nesses séculos em que os progressos morais e intelectuais parecem tão lentos e tão frágeis, e em que a todo o instante o ideal evangélico parece prestes a ser vencido pela tormenta das piores paixões. Em resumidas contas, serão necessários seiscentos ou setecentos anos para que o cristianismo consiga modificar as bases da sociedade nascida das invasões (porque o famoso "renascimento carolíngio" será apenas um breve parêntese luminoso e, aliás, de uma luz discutível). Ainda mais admirável que os grandes acontecimentos da expansão cristã é esta *penetração* do cristianismo, e a história mais profana não pode ignorar eventos como o Batismo dos francos, o regresso dos arianos ao aprisco de Roma, a conversão das ilhas britânicas e da Germânia. A verdadeira conversão do

Ocidente bárbaro, essa história das almas, foi obra deste paciente esforço.

As invasões — se não em toda parte, pelo menos em muitos lugares — tinham aberto brechas no monumento cristão, erigido pedra a pedra durante três séculos. A este respeito, são bem reveladoras as *listas episcopais*, um documento precioso para a história das origens cristãs. Essas listas eram elaboradas com o maior cuidado e religiosamente conservadas; como na missa se recordavam os bispos falecidos, a lista desses nomes fazia parte da liturgia, e assim se explica que tenha chegado até nós. (O Cânon romano incorpora, ainda hoje, um fragmento da lista dos papas: São Lino, São Cleto, etc.). Ora, em diversos lugares, observa-se nas listas episcopais uma interrupção que corresponde ao período da investida bárbara. Entre os bispados gauleses que desapareceram logo depois das invasões, citam-se Horbourg, perto de Colmar na Alsácia[7], Augst, Port-sur-Saône e Yverdun. Na Helvécia, verifica-se que os bispos de Avenches se mudaram para Windisch e, depois, para Lausanne. Em Tréveris e em Colônia, há uma solução de continuidade na respectiva lista episcopal, aliás muito bem elaborada no período anterior às invasões. Quando vemos o trabalho que São Columbano teve de realizar no vale do Reno, temos a nítida impressão de que a Igreja nessas regiões, florescente em fins do século IV, sofreu muito com a passagem reiterada dos bandos germânicos. A história de São Willibrod, de Santo Amando e de São Bonifácio leva-nos a pensar que nos Países Baixos aconteceu a mesma coisa. Lembremo-nos ainda de que Sidônio Apolinário evoca a ruína da Igreja galo-romana em tantas regiões, após a instalação dos visigodos no sudoeste da França; e provavelmente não será exagerado pensar que, embora não tivessem causado uma ruptura geral no desenvolvimento do cristianismo, as invasões provocaram localmente muitos retrocessos, tornando por vezes indispensável uma segunda evangelização. Pois bem, todas essas brechas foram preenchidas e a segunda evangelização foi levada a cabo com a mesma coragem e a mesma tenacidade com que se havia empreendido a primeira; nenhuma região foi considerada perdida, e o terreno abandonado foi reconquistado, ao mesmo tempo que se empreendeu a gigantesca tarefa de elevar para Deus as almas dos recém-chegados.

De que meio pôde servir-se a Igreja para realizar esse trabalho? Essencialmente da *pregação*. Conservam-se muitos dos sermões pronunciados nesta época, de São Cesário de Arles (que talvez seja o modelo mais acabado de pregador), de São Pedro Crisólogo, de São Máximo de Turim, de São Leão Magno e, mais tarde, de São Firmino, Santo Elói, São Columbano, São Gregório e São Bonifácio; e todos eles nos impressionam pelo seu estilo direto, pela sua simplicidade e pela sua rude franqueza. Ainda não chegou o tempo em que o pregador mais medíocre se julgará desonrado se não lançar mão de uma linguagem altamente metafísica e incompreensível para o seu auditório, e se não imitar os períodos de Bossuet e de Lacordaire... São Cesário de Arles declarou, certo dia, que, dirigindo-se a todo o rebanho e desejando fazer-se entender mesmo pelos mais humildes, pedia aos mais cultivados dos seus ouvintes que condescendessem em escutar uma linguagem muito simples e sem enfeites. São Germano de Paris chegará mesmo a aconselhar os seus sacerdotes que a evitarem todo o "patético empolado". Perfeitamente adaptados aos seus auditórios, despidos de qualquer presunção teológica, e desejando apenas atingir as almas, fazê-las vibrar ou tremer, esses grandes pregadores dos tempos bárbaros colocavam-se na mesma linha de Santo Agostinho, que falava dessa maneira à gente de Hipona:

os resultados obtidos provam suficientemente que o meio empregado era bom.

E que dizem esses pregadores? Essencialmente, combatem dois dos grandes vícios do seu tempo: a luxúria e a superstição; atacam muito menos a violência, e nisso podemos ver um sinal dos tempos... Contra a imoralidade espalhada por toda parte, não tapam a boca! Os nossos contemporâneos não saberiam onde esconder-se se algum pregador se lembrasse de ler no púlpito uma ou outra página de São Cesário de Arles sobre a castidade na vida conjugal ou sobre o pecado de adultério![8] Aos impúdicos e aos libidinosos, os pregadores predizem os castigos do Inferno; aliás, o Inferno ocupa um lugar importante nos sermões deste tempo. Aos que dão escândalo mantendo servas como amantes, anunciam-lhes que lhes recusarão a bênção no dia em que desejarem casar-se. E não há dúvida de que palavras tão sensatas, condimentadas com ameaças incisivas, haveriam de causar uma profunda impressão naquelas consciências rudes e acabariam por abalá-las.

O outro adversário combatido pela pregação cristã foi a superstição idólatra. Parece que as regiões onde a luta se mostrou mais acesa foram as ocupadas pelos francos. Alguns santos especializaram-se em caçar templos ocultos e ídolos: Santo Amândio em Flandres, São Valério no vale de Bresle, os santos Ouen e Wandrille nas regiões de Caux. São Géry, nas dioceses de Arras e Cambrai, e Santo Elói na de Noyon, tiveram de entregar-se a uma verdadeira re-evangelização do seu rebanho. E o biógrafo de São Galo mostra-o derrubando um *fanum* — uma espécie de capela pagã — nas proximidades de Colônia, mal conseguindo livrar-se das represálias dos habitantes da localidade. É também conhecida a história de Santa Radegunda, na época ainda esposa de Clótario I, que, tendo ido almoçar a casa de uma amiga perto de Athis-sur-Somme, soube pelo caminho que existia um santuário pagão nas vizinhanças e foi imediatamente atear-lhe fogo. As rainhas ajudavam oportunamente os pregadores, como se vê, e os reis também, porque há editos que ordenam aos proprietários que deixem agir os sacerdotes cristãos nas suas terras quando forem derrubar estátuas pagãs, ou que proíbem as danças e os festins rituais à moda antiga. Certos concílios, como o de Tours, em 567, visam expressamente condenar os vestígios ainda vivos de paganismo, sobretudo o culto secreto que se prestava às fontes, às árvores e às pedras.

Se é fácil demolir um templo ou derribar a estátua de um ídolo, é muito mais difícil desenraizar da alma humana as obscuras recordações que nela se encontram estagnadas, de mistura com os instintos elementares. Em muitos casos, a Igreja, ao verificar que este ou aquele uso ou prática estava muito arraigado na consciência popular, não procurou extirpá-lo, mas *cristianizá-lo*. Esse foi, aliás, o método recomendado por São Gregório Magno aos missionários que enviou às terras dos anglos: aconselhava-os a "aspergir os templos com água benta", a neles construir altares e colocar relíquias e, sempre que fosse possível, a fazer coincidir as cerimônias cristãs com as antigas festividades pagãs. O grande papa inspirava-se no método do seu homônimo do século III, São Gregório, o Taumaturgo, bispo de Neocesareia na Ásia Menor, e ainda hoje subsistem provas de que esse método foi utilizado com certa frequência. Assim, a palavra *Ostern*, que designa a Páscoa entre os alemães, provém, segundo São Beda, da antiga deusa da primavera, Eostra, cuja festa recaía nessa época; da mesma maneira, as ladainhas maiores e a procissão de 25 de abril parecem ter sido instituídas na Itália para eliminar as *rubigalia* pagãs, e a festa da *coleta* ou *oblatio* para substituir a da abertura dos jogos apolínicos. É absolutamente certo que as quatro *têmporas*, cujas magníficas liturgias estão repletas de alusões aos trabalhos da terra, são uma transposição para o terreno cristão dos símbolos empregados pela antiga religião da natureza. Todo aquele que conhece os camponeses europeus sabe muito bem qual foi o resultado de todo este esforço.

Se no futuro essa "aspersão com água benta" devia produzir os mais felizes resultados, tendo as festas cristãs acabado por apagar totalmente a memória das festas pagãs, não é menos verdade, porém, que a curto prazo esse fato se prestou a confusões e ambiguidades. Fica-se com a impressão de que os arautos de Cristo gastaram séculos para poderem atenuar — sem as suprimirem completamente — essas sobrevivências pagãs que estavam profundamente arraigadas na alma do povo simples. Não se pode garantir que o sinal da Cruz não tenha sido empregado, inúmeras vezes, como um gesto mágico, análogo àqueles que se desenhavam no ar durante as cerimônias noturnas dos velhos germanos. Nos "encantamentos" — antigas fórmulas destinadas a conjurar as doenças —, as Valquírias, deusas germânicas, foram substituídas por Cristo e pelos santos, mas as fórmulas não mudaram de sentido nem de intenção. Tal como outrora se colocava na língua dos mortos uma porção de qualquer alimento, colocava-se agora a Sagrada Eucaristia; semelhantes práticas eram universais, pois vemo-las denunciadas tanto na Espanha por São Martinho de Braga como em Flandres pelo concílio de Leptinnes (744); e pululam especialmente na Bretanha. Não há pregador que não as denuncie. Podemos ler os pitorescos sermões que São Cesário de Arles dedica a combater essas superstições, principalmente o costume dos banhos noturnos — "muito maus para a saúde" — e o uso de amuletos. As contínuas investidas provam até que ponto o mal era profundo.

A criação das *paróquias rurais*[9] encontra-se ligada justamente a esse lento esforço de penetração da Igreja na própria massa da sociedade bárbara. Nascido como religião citadina, o cristianismo começara por lançar raízes sólidas nos centros urbanos, que aliás constituíam as bases do Império Romano. Até meados do século IV, época em que São Martinho começou o seu trabalho de evangelização entre os camponeses da Gália, este caráter urbano manteve-se em termos mais ou menos exclusivos. Depois das invasões, a situação permaneceu a mesma; exceptuando-se as *civitates*, que eram sedes episcopais, não se encontrava clero com residência permanente senão em alguns burgos fortificados. Pastor da sua cidade-diocese, o bispo enviava de tempos a tempos um sacerdote ao campo a fim de ali celebrar o serviço divino, e nisso se resumia tudo. A situação mudou no decorrer do século V, e principalmente nos séculos seguintes, com a criação das paróquias rurais. Como?

Até há pouco tempo, julgava-se que as paróquias haviam sido implantadas unicamente por grandes proprietários rurais no território das suas *villae*. Essas fundações existiram realmente em grande número, e foi delas que derivou o "direito de patronagem", que subsistirá durante toda a Idade Média e até à Revolução Francesa; tratava-se de um direito que atribuía ao senhor feudal o poder de escolher os sacerdotes que deviam ser postos à frente das igrejas fundadas pelos seus antepassados. Mas alguns trabalhos recentes, realizados principalmente na Bélgica, na Alsácia e na Lorena, trouxeram à luz muitas outras origens. Houve, por exemplo, monges e eremitas que atraíram grupos de imitadores à sua volta, o que deu lugar à criação de centros religiosos fora das cidades. Muitas vezes, o túmulo de um santo produzia o mesmo efeito. Outras igrejas foram fundadas por comunidades de fiéis, por exemplo por clãs germânicos, que na Alsácia recebiam o nome de *marches*, "marcas". Essas igrejas "marcais" eram construídas na maior parte das vezes num lugar elevado, e geralmente em locais onde se administrava a justiça e existiam mercados. Inicialmente abrangiam várias aldeias, e foi assim que a igreja única da *civitas* começou a fracionar-se em igrejas cantonais, e depois em igrejas comunais. Essas igrejas cantonais desempenharam o papel de "igrejas-mãe" em relação às igrejas das aldeias, e isso deu origem à obrigação, que se manteve durante muito tempo, de os habitantes das aldeias assistirem à missa na igreja-mãe por ocasião das festas dos apóstolos. Na Alsácia, essas velhas paróquias podem muitas vezes ser identificadas nos nossos dias pela palavra *Kirch* (igreja) que figura no seu nome, como em *Altkirch*, "igreja velha"[10]. Pouco a pouco, à medida que o tempo ia correndo, a disseminação dos lugares de culto tornava-se um fenômeno geral, correspondendo à penetração da fé nas regiões batizadas.

Tendo começado por estar rigorosamente submetidas ao bispo diocesano ou ao pároco da igreja cantonal, as paróquias rurais conseguiram lentamente criar uma certa independência; ganharam os seus sacerdotes e, depois, o seu patrimônio; com exceção das cidades e, posteriormente, do castelo feudal, acabaram por tornar-se os únicos agrupamentos coerentes capazes de assegurar aos que neles residiam uma certa consciência coletiva. A fundação das paróquias rurais é, pois, um fato histórico de grande importância, que ultrapassa amplamente os quadros da história religiosa. Como observou Ferdinand Lot no seu sugestivo livro *Naissance de la France*, as paróquias serão, até à Revolução Francesa, as células basilares da nação; os registros civis serão inicialmente os registros das paróquias. Aqueles que, em todas essas comunidades rurais, não enxergam senão o campanário e o cemitério, isto é, a fidelidade à terra e a aspiração ao céu, deveriam meditar longamente sobre esse fato. Que seriam as nossas aldeias se não fossem também paróquias? Não passariam de lugares isolados ou de periferias perdidas em pleno campo, verdadeiros corpos sem alma. Para as gentes do campo, a fundação das paróquias foi um acontecimento tão importante como o seria a emancipação das comunas para as gentes da cidade. Aliás, dentro das próprias cidades, foram as paróquias que criaram os "bairros" com a sua fisionomia própria. Muito deve o Ocidente cristão aos remotos fundadores desses centros de culto.

Os bispos, encarnação do prestígio da Igreja

O fato de a Igreja ter podido exercer a sua ação sobre os novos povos que surgiram da grande amálgama das invasões é a prova mais incontestável do prestígio de que ela gozava. Nunca será excessivo repetir que este fato decidiu do futuro; a bem dizer, as futuras possibilidades de renascimento da civilização dependeram dele. Muitas são as razões que explicam este prestígio. Umas são psicológicas: não há dúvida de que, na maior parte dos casos, os chefes cristãos impressionaram profundamente os bárbaros. As nobres figuras de Santo Aignan ou do papa São Leão, fazendo frente aos invasores e conseguindo ser respeitados por eles, têm o valor de um símbolo. Ficamos com a impressão de que, para aquelas almas primitivas, a categoria religiosa de um sacerdote ou de um bispo era espontaneamente motivo de respeito. Talvez houvesse também o receio de que, sendo depositária de poderes sobrenaturais, a Igreja os usasse de um modo hostil. Seja como for, no seu conjunto (isto é, salvo exceções devidas à violência dos costumes), estes sentimentos manter-se-ão durante toda a alta Idade Média; os privilégios e prerrogativas da Igreja nunca serão contestados — antes pelo contrário —, e a reverência que lhe hão de tributar assegurará o seu ascendente.

Mas intervieram também outras causas mais concretas. No momento em que os chefes bárbaros tiveram de administrar verdadeiros estados, sentiram-se como peixes fora de água, pois estavam mais habituados aos campos de batalha do que às secretarias. Viam-se premidos pela falta de pessoal. Ora, a Igreja possuía esse pessoal, acostumada como estava, há mais de um século, a desempenhar verdadeiras funções administrativas e a substituir os funcionários civis em decadência. Mesmo quando se vir mais ou menos arrastada pelo declínio da sociedade, nem por isso a Igreja deixará de ser — e de longe — o elemento superior; a disciplina que se impunha a si própria salvou-a da anarquia universal. A despeito de tudo, continuava a celebrar os ofícios, a aliviar as misérias e a manter os seus serviços administrativos. E da mesma forma, por uma necessidade inerente ao seu ser, nunca deixou que desaparecesse entre os seus um mínimo de cultura; para celebrar a missa, era preciso pelo menos saber latim. É interessante notar que, em diversas línguas, a palavra que designa o homem que sabe escrever, o escrivão, é a mesma que se usa para designar o homem da Igreja: *clerc* em francês[11], *clerk* em inglês, *klerk* em flamengo e antigo alemão, e *diaca* em russo. Observemos também que, no dia em que Carlos Magno quiser reconstituir a estrutura administrativa, é entre o clero que irá buscar os recursos humanos. O prestígio da Igreja não se deveu, portanto, apenas ao seu caráter religioso, mas também à sua autoridade intelectual junto da massa ignorante e à circunstância de ter acabado por tornar-se um apoio indispensável para o poder civil.

Este prestígio encarnou-se em alguns homens: os *bispos*. Sempre eles! O lugar que os vimos ocupar na Igreja, o papel que os vimos desempenhar desde que passou a existir a sociedade cristã e que souberam manter por ocasião dos grandes desmoronamentos das invasões, tudo isso são coisas que os tempos bárbaros confirmam com um brilho talvez ainda maior. Mais uma vez, seria necessário citar as palavras de São Cipriano: *Ecclesia in episcopo*, a Igreja reside no bispo, a Igreja é o próprio bispo, sem bispo não há Igreja. Na alta Idade Média, poderemos até acrescentar: não há Igreja e também não há sociedade civil.

Na época das perseguições, o bispo tinha sido o chefe que, tanto no plano espiritual como no material, conduzia o seu povo ao combate de Deus; mais tarde, após o triunfo da revolução da Cruz, fora a pedra angular da futura reconstrução, a testemunha do mundo que procurava dolorosamente nascer; por fim, no decurso do século V, em face dos bárbaros, vimos o episcopado erguer-se como muralha da Igreja, tentando quebrar as vagas levantadas pelo furacão e salvando tudo o que se podia salvar. Na nova sociedade nascida das invasões, o bispo — lembremo-nos de São Remígio, que batizou Clóvis — é, na maior parte dos casos, o promotor da reconquista, o agente eficaz da conversão; e uma vez que esta se consumar, será natural que venha a assumir uma preponderância absoluta, uma preponderância a que os mais "laicos" dos historiadores hão de render muitas homenagens.

Representante de Deus sobre a terra numa época em que não há outra autoridade moral fora a da religião, delegado do rei cuja chancelaria assinou o documento que o confirma, chefe muitas vezes designado pela vontade popular ou ao menos por ela aceito[12], o bispo dos tempos bárbaros reúne em si as três fontes possíveis da autoridade. Muitas vezes — quase sempre, poderíamos dizer —, a sua figura acrescenta a tudo isso o brilho pessoal do nascimento. Por muito tempo, os bispos serão escolhidos entre os membros das velhas famílias locais, galo-romanas, ítalo-romanas ou hispano-romanas, que constituem uma verdadeira aristocracia episcopal unida pelos laços do sangue[13]; mais tarde, a partir do século VI, quando os bárbaros chegarem ao episcopado[14], passarão a ser escolhidos entre aqueles que cercam o rei, no "palácio", entre as grandes famílias germânicas; e se a influência do rei nestas nomeações há de mostrar-se com excessiva frequência indiscreta, veremos que nem sempre se exercerá no mau sentido e que as escolhas erradas não constituirão a regra, mas a exceção. A grande maioria destes bispos mostra-se à altura das esmagadoras tarefas que têm de enfrentar.

Pelo menos na maior parte dos casos, são moralmente dignos da sua função sagrada. Vivendo em público, sob o olhar dos fiéis, o bispo só pode ter costumes honestos, pois de outro modo perderia rapidamente a sua autoridade; se é casado, separa-se da mulher a partir da sua eleição e passa a viver em continência. A sua casa está aberta a todos, e ele se vê constantemente cercado, assediado e solicitado. Como costuma ser um grande proprietário rural, administra imensas extensões de terra e tem sob as suas ordens centenas ou milhares de trabalhadores. Tal riqueza aumenta ainda mais o seu prestígio. De resto, há um pormenor que permite avaliar com exatidão esse prestígio: o *preço do sangue* — o *wehrgeld* — pelo assassinato de um bispo equivale a nove vezes o de um homem livre, ao passo que o de um funcionário real é apenas três vezes maior!

Que se espera, então, do bispo? Mais ou menos tudo. Em primeiro lugar, como é óbvio, que ensine a palavra de Deus; aos domingos e dias de festa, deve pregar na catedral, e os concílios lembram-lhe esse dever. Deve dirigir o seu clero e cuidar da sua instrução e do seu zelo, sendo assim verdadeiramente o pai espiritual do povo fiel e o pastor das almas.

Mas este papel propriamente religioso não é senão o coroamento de um prodigioso conjunto de diversas funções. Exige-se dele, também, que supra a carência de administradores civis, que seja o primeiro organizador, que fiscalize o governador, e até que intervenha em questões realmente surpreendentes, tais como o abastecimento ou a limpeza das ruas! Toda a obra social levada a cabo pela Igreja — hospitais, escolas e prisões — recai praticamente sobre as suas costas. E tem de ocupar-se ainda dos inumeráveis mendigos, para os quais está prevista uma verba especial na *mensa* — "mesa" — episcopal. Não será São Melânio de Rennes apelidado por São Gregório Magno de "o pai e a pátria dos infelizes"? O bispo é também o tutor dos órfãos, sobretudo dos órfãos ricos, a fim de defendê-los da voracidade dos parentes adultos. É normal que lhe devamos a construção de igrejas, mas é pelo menos surpreendente que mande levantar diques à sua própria custa, como o fizeram alguns bispos do Loire ou do Reno, ou que empreenda trabalhos de condução de água, como São Félix de Nantes, ou ainda que mande levantar muralhas, como São Didier em Cahors, São Léger em Autun, ou como esse São Rigoberto de Reims que, para melhor garantir a defesa da cidade, dormia junto dos muros e tinha ordenado que lhe trouxessem todas as noites as chaves das portas.

Se acrescentarmos a tudo isso que, sobretudo depois de 614, o bispo é também o juiz principal, do qual dependem não só os clérigos, mas todos os assuntos que lhes digam respeito; que é ainda uma espécie de conselheiro fiscal, sempre pronto a defender os seus fiéis contra os excessos dos cobradores de impostos reais; que é, enfim, por causa da sua autoridade pessoal e da sua intangibilidade por todos admitida (não pode ser deposto senão por decisão de um concílio), a única personagem que pode fazer frente aos reis[15] —, compreenderemos perfeitamente a veneração que o cerca.

Durante a sua vida, afluem-lhe provas de afeição e dádivas generosas, e, depois de morto, o povo canoniza-o e presta-lhe um culto espontâneo, muito pouco preocupado com as precauções que a Igreja se viu obrigada a tomar de então para cá... Admirar-nos-emos de que, vivo ou morto, lhe peçam milagres e de que estes efetivamente germinem sobre o seu túmulo? A admiração chega às raias da idolatria. Conta-se que um parisiense, tendo conseguido um pergaminho em que o seu bispo, São Germano, havia traçado algumas linhas, o ferveu e depois guardou religiosamente a infusão como remédio soberano!...

O predomínio do bispo é, portanto, o grande fato social dos tempos bárbaros. "Foi o episcopado que prestou à sociedade humana os serviços mais brilhantes", escreveu Camille Jullian. E esse domínio observa-se em toda parte, tanto na França, na Espanha, na Itália como no Egito e no Oriente bizantino. É escusado citar os principais desses prelados: o calendário litúrgico está cheio desses santos bispos que viveram do século VI ao século VIII, e cujas figuras estão aureoladas por milhares de milagres surpreendentes. Na França, contam-se cinco vezes mais na época merovíngia do que na carolíngia. A bem dizer, de muitos deles a história nada sabe ao certo, nem mesmo a data e a custo o nome, mas é já significativo que se tenha retido, como evento central, que esses santos eram bispos. Mas há outros que conhecemos com maior precisão. Haverá alguma região da Europa que não retenha algum no seu memorial? Na Espanha, Santo Isidoro de Sevilha; na Renânia, o corajoso São Nizier de Tréveris; nos Países Baixos, São Lamberto de

Maestrich... E na França, que diocese não conserva, com mais ou menos brilho, a memória de um desses bispos dos tempos bárbaros? A enumeração seria fastidiosa.

Retenhamos ao menos três nomes, todos eles usados por homens de primeiro plano, e que Paris ainda hoje glorifica pelo seu onomástico ou por placas nas suas ruas. Em primeiro lugar, *São Germano de Paris* (que é preciso não confundir com São Germano de Auxerre, do século precedente, seu rival em santidade, assim como com São Germano da Escócia, afilhado do anterior), esse belo e santo sacerdote de cujas mãos o milagre brotava como coisa normal; essa alma de uma caridade maravilhosa, incapaz de permanecer indiferente diante de qualquer miséria social, e que distribuía pelos pobres os presentes dos reis; esse infatigável arauto do Evangelho, sempre na estrada, fizesse sol ou chuva, a fim de percorrer a cavalo uma diocese que então englobava Seine-et-Oise e Seine-et-Marne; esse homem de extraordinária coragem que soube impor-se ao pouco amável rei Quildeberto. São Germano foi bispo de Paris de 565 a 576, e a igreja de Saint-Germain-des-Prés perpetua a sua memória[16].

Depois, *Santo Ouen*, grande senhor franco, a quem um encontro com o santo missionário irlandês, São Columbano, encaminhara para Deus já desde a sua juventude. Educado no palácio real, ministro de Dagoberto por algum tempo, continuou no meio das honras a levar uma vida de santidade, trazendo um cilício por baixo da túnica de seda, verdadeiro monge sem hábito, que o rei fez bispo de Rouen. Morreu aos setenta e quatro anos de idade, quando regressava de uma missão de paz entre as regiões inimigas da Nêustria e da Austrásia, empreendida no ano de 683. O local do seu falecimento, uma vila dos arredores de Paris, traz hoje o seu nome.

Por último, *Santo Elói*, o "grande Santo Elói", cuja sabedoria é louvada com toda a razão numa canção popular, mas que na verdade não tem nada em comum com o personagem divertido e um tanto excêntrico que transparece nas vinte e quatro estrofes da canção. Nascido em 588, perto de Limoges, era filho de um modesto artífice e um aluno notável das oficinas da casa da moeda; depressa se tornou um hábil ourives, e foi chamado à corte de Clotário para cinzelar-lhe um trono de ouro. Assim começou a sua brilhante carreira de ministro das finanças e de conselheiro privado do rei Dagoberto e, mais tarde, de Clóvis II. Ao mesmo tempo, e tal como o seu amigo Ouen, mostrou-se caridoso para além de toda a medida e fundou diversos mosteiros, para onde gostava de retirar-se de tempos a tempos. Finalmente, em 641, obedecendo ao apelo do Senhor, fez-se sacerdote, e foi sagrado bispo de Noyon, onde levou a vida de apostolado e oração com que sonhara, e onde morreu no ano de 660.

Mentores de reis, grandes administradores, e ao mesmo tempo almas cheias do amor de Deus, estas figuras fazem-nos compreender o peso que os bispos tinham de ter nos acontecimentos da época, nesse tempo em que tudo devia ser recomeçado pela base e em que somente as bases cristãs permitiam a reconstrução.

Há uma frase famosa que descreve este eminente papel dos bispos: "Os bispos construíram a França como as abelhas constroem a sua colmeia". Esta frase já foi citada tantas vezes que facilmente nos enganamos quanto à identidade do seu autor, pois foi atribuída sucessivamente a todos os historiadores da primeira metade do século XIX. Na realidade, é de Joseph de Maistre. Frase profundamente verdadeira desde que levemos em conta aquilo que é preciso dizer agora sobre um outro papel de importância quase igual: o dos monges e dos seus abades.

São Bento

O episcopado não foi a única instituição cristã que serviu de marco à sociedade nos tempos bárbaros. Ao lado dos bispos (e muitas vezes intimamente ligados a eles pela unidade de origem, já que muitos bispos procediam dos mosteiros e todos tinham, em maior ou menor medida, uma formação conventual), os monges iriam realizar uma tarefa igualmente considerável, embora de um modo inteiramente diferente.

Já conhecemos bem o lugar que o monaquismo ocupou na Igreja desde a sua origem, não só como instituição espiritual a que muitas almas iam procurar os meios para viverem um cristianismo mais puro e mais elevado, livre dos fardos do mundo, mas também — paradoxalmente — como instrumento de ação e de desenvolvimento do cristianismo. Assim, a grande página da história que é a conversão dos bárbaros foi escrita, pelo menos em boa parte, pelos monges. Ao longo de toda a idade das trevas — e, mais além, ao longo de toda a Idade Média —, observamos em muitos domínios uma mesma eficácia admirável ligada ao monacato; é o que Montalembert mostrou admiravelmente, há já cem anos, numa obra célebre: o Ocidente não teria sido o que foi sem a fecunda obra das instituições monásticas.

A bem dizer, o monaquismo desenvolveu-se no Ocidente de forma um tanto anárquica, ao sabor das circunstâncias e das personalidades. Todos os promotores do movimento, a partir de meados do século IV, tiveram em comum a intenção maior de viverem e de fazerem viver mais profundamente a fé cristã; nas suas realizações, porém, as diferenças eram grandes. Os mosteiros gauleses da mais antiga tradição, aqueles que descendiam de São Martinho e das primeiras fundações — Ligugé e Marmoutier —, bem como os da tradição mediterrânea — à maneira de Lérins ou segundo o espírito de Cassiano —, consideravam-se sobretudo como reservatórios espirituais, lugares de meditação e ascese, donde poderiam mais tarde sair homens especialmente treinados para as batalhas de Cristo. Já um *Cassiodoro*, pelo contrário, esse grande senhor romano que havia servido nos mais altos cargos da monarquia ostrogoda e tentado realizar uma política de colaboração entre os vencedores e os vencidos, considerava o convento do *Vivarium* na Calábria — por ele fundado em 540, depois do desmoronamento dos seus sonhos humanitários — principalmente como um centro de refúgio para a cultura e para a inteligência, uma espécie de ilha feliz onde, sob o olhar de Deus, os monges deviam dedicar-se a salvar o espírito, num momento em que a cultura antiga parecia soçobrar de vez. Quase ao mesmo tempo, as instituições ligadas a São Cesário de Arles (sobretudo alguns conventos de mulheres) constituíam antes de mais nada supremos lugares de penitência, e a sua ação era exclusivamente sobrenatural, mais ou menos como os atuais conventos de clarissas, de carmelitas ou de beneditinos contemplativos. Por fim, São Columbano organizaria os seus conventos como verdadeiros baluartes avançados em terreno inimigo, guarnecidos por austeridades terríveis e nos quais, como convinha, a disciplina era verdadeiramente militar. Com elementos buscados aqui e acolá, multiplicavam-se — e continuariam a multiplicar-se até ao século VII — as formas mescladas de monaquismo, os monges de Saint Jean de Romé, de Santo Yrieix, de São Felisberto e de muitos outros.

Esta variedade de regras e de costumes não deixava de trazer inconvenientes, principalmente por haver monges que, ao sabor do seu gosto, mudavam constantemente de convento, criando um estado de perturbação e instabilidade. Chegou o momento em que se fez sentir a necessidade de uma regra fixa e única que, pelas suas características propriamente espirituais e ao mesmo tempo humanas, fosse adequada a todos aqueles que quisessem seguir a via do Senhor. Chegou também o momento em que se fazia gritantemente necessária a síntese entre as diversas espécies de conventos — reservatórios espirituais, centros de oração e de ascese, viveiros de missionários e de bispos, baluartes avançados da conquista cristã. Um mesmo homem teve a dupla glória de compreender esta necessidade de unificação e de propor as soluções adequadas: *São Bento.*

Aquele de quem devia provir, pelos séculos afora, uma inumerável descendência espiritual, aquele que ainda hoje é venerado por monges das mais variadas cores e observâncias como o pai que lhes ensinou o caminho do céu — *Bento de Núrsia* —, é quase um enigma para o historiador e, em todo o caso, uma dessas figuras tão luminosas que a sua própria luminosidade não permite fixar-lhe bem os traços. O papa São Gregório Magno, que cinquenta anos após a sua morte se propôs evocar a sua figura[17], não tinha — é preciso confessá-lo — excessiva precisão como biógrafo nem uma concepção da história semelhante à nossa. Convencido de que a verdadeira pedra de toque da santidade é o milagre, não nos poupa nenhum desses episódios prodigiosos com que se ornou a existência do seu modelo: curas inesperadas, leitura das consciências alheias, predições do futuro, expulsões de espíritos satânicos; não deixa de nos narrar nem mesmo episódios destinados mais a surpreender do que a persuadir, como o do ferro de uma enxada que caiu num lago e que, à simples palavra do santo, não só voltou à superfície mas até se uniu novamente ao cabo! Algumas datas, algumas genealogias, algumas indicações de períodos e de lugares ser-nos-iam muito mais úteis; mesmo os espíritos mais notáveis de uma época, porém, dificilmente escapam aos hábitos intelectuais do seu tempo.

No entanto, ainda se podem reconstituir as grandes linhas de uma biografia de Bento. Nasceu possivelmente perto do ano de 480, em Núrsia, no coração desse país sabino cujos habitantes Cícero qualifica de *severissimi homines*. A *nursina durities* era proverbial em Roma. A austeridade e a energia eram nele, portanto, quase que uma característica racial, assim como uma evidente tendência conservadora e um elevado sentimento da família. Mas dos seus familiares nada sabemos, a não ser que a sua irmã Escolástica, como ele, se consagrou ao Senhor, e que Bento manteve com ela, durante toda a vida, as mais comoventes relações, tendo mandado sepultá-la em Monte Cassino, no próprio túmulo que reservara para si. Pouco conhecemos também da sua juventude, mas podemos vislumbrá-la estudiosa e firmemente vigiada, como acontecia ainda nessas velhas famílias italianas cuja probidade e cujo aprumo moral ainda não haviam soçobrado na decadência geral da sociedade.

É quando vai a Roma, ainda adolescente, para ali completar os seus estudos, que Bento revela uma reação decisiva. Roma, nessa ocasião — por volta do fim do século V — já não era Roma. O Império desaparecera desde 476, e o bárbaro Odoacro reinava em toda a Itália. Para qualquer espírito lúcido, era manifesto que se encerrara toda uma era, e que todo o esforço dos homens devia orientar-se agora no sentido de prevenir a catástrofe total. Exatamente contemporâneo de Boécio e de Cassiodoro, Bento experimentou sentimentos exatamente análogos aos deles perante o desmoronamento do mundo; dentre os três, porém, foi ele o único que soube reagir e construir as bases do futuro.

A voz inefável que, no silêncio da sua alma, o chamava pelo nome, pareceu-lhe a princípio guiá-lo para a solidão.

Depois de uma breve permanência nas montanhas sabinas, em casa de um sacerdote de Enfida, foi esconder-se numa gruta perto de Subíaco, a dois passos das ruínas de um palácio de Nero, como se a sua penitência tivesse a intenção premeditada de resgatar a podridão da sua época. Durante três anos viveu nesse retiro absoluto, num isolamento cuja acentuada dureza era confessada por tantos anacoretas. Foi principalmente neste período que o demônio travou com ele as mais rudes batalhas, obrigando-o por vezes a rolar sobre espinheiros para submeter a carne. Por mais que tivesse dado as costas ao mundo, porém, a sua fama começou a espalhar-se. Os monges de um pequeno mosteiro vizinho, o de Vicovaro, vieram procurá-lo na sua caverna, para que aceitasse dirigi-los. Teria sido uma vã tentativa, talvez prematura? Exasperados com os esforços que o jovem abade fazia para os reconduzir à disciplina, esses monges dentro em breve alimentavam uma única ideia fixa: desembaraçarem-se dele por todos os meios. (É, pelo menos, o que conta São Gregório; é de crer que este projeto de assassinato não tenha passado de uma ficção destinada a engrandecer a figura do santo, que teria escapado milagrosamente...). Seja como for, Bento, esclarecido, voltou para a sua gruta...

Passaram vários anos e muitas almas se reuniram em torno da gruta do santo. Formou-se assim uma primeira comunidade, depois uma segunda, e assim por diante — até à décima segunda. Sem que nada tivesse sido estabelecido oficialmente, todos consideravam Bento como seu pai. A pequena república de anacoretas e de cenobitas começou a tornar-se célebre, e grandes famílias romanas vinham pedir a essas comunidades de santos que assumissem a educação dos seus filhos. Dentre esses alunos, Bento pôde recrutar alguns dos seus melhores discípulos, como São Mauro e São Plácido. Mas, uma vez mais, a malícia humana veio colocar-se involuntariamente ao serviço das incompreensíveis intenções de Deus. Invejoso dos seus êxitos, um sacerdote das vizinhanças começou a implicar com o santo e — pior ainda — a ameaçar a sua vida (sempre segundo São Gregório). Bento viu mais uma vez, nas manobras dos maliciosos, uma indicação da Providência: abandonou Subíaco e foi procurar fora dali um lugar onde a sua obra pudesse lançar raízes.

A meio do caminho entre Roma e Nápoles, o viajante avistou, dominando o vale seguido pela *Via Latina*, uma pequena cidade fortificada, Cassino, protegida por uma cidadela situada uns trezentos metros mais acima. O cimo da colina era uma espécie de pequeno planalto, sobre a qual se erguia um templo dedicado a Júpiter. Foi ali, no mesmo lugar onde se adorara o ídolo, que Bento veio instalar-se em 529 com os seus monges; era ali que ia nascer a ordem beneditina, nesse convento do *Monte Cassino* cujo nome e imagens se tornaram tristemente populares com as batalhas de 1944. Encostado ao poderoso maciço dos Apeninos, que o protegem a norte e a leste, dominando a planície que estende para oeste os seus vergéis e as suas aldeias, e que alonga indolentemente os seus prados para o sul, em direção às "deliciosas" colinas de Cápua, Cassino é um lugar a que só merecem ser comparados, talvez, o terrapleno do Templo de Jerusalém, a Acrópole de Atenas e certos cumes onde se erguem basílicas construídas mais ou menos à sua imitação.

Foi ali que, fortalecido pela experiência de uma vida já amadurecida, tendo podido estudar as tentativas feitas noutros lugares, bem como as vantagens e os inconvenientes das outras regras, e conhecendo melhor os homens e as exigências do seu tempo, Bento fundou aquilo que viria a ser a capital do monaquismo do Ocidente, o gigantesco convento de que haviam de nascer tantos outros. Ali escreveu a *Regra* que até hoje tem regido tantas vidas. Foi dali que exerceu, através dos seus escritos, da palavra e sobretudo do exemplo, uma influência que tantos episódios confirmam[18]. E foi ali que morreu, provavelmente em 21 de março de 547, depois de ter realizado em plenitude o seu destino[19].

Reduzida a este grau de esquematismo, a existência de São Bento parece-nos guiada unicamente por intenções providenciais para a realização do que Deus esperava dele. Nessas grandes figuras que contribuem para a renovação do espírito com elementos verdadeiramente fecundos, a vida tem menos importância do que a obra, e os traços do caráter interessam principalmente na medida em que vincam aquilo que foi feito. São Bento encontra-se de corpo inteiro na *Regra*, nesse pequeno livro de uma centena de páginas cujos parágrafos e palavras têm todos um peso surpreendente, e cuja influência foi inesgotável desde o primeiro instante em que o texto se propagou; se quisermos esboçar a figura moral do santo, é na *Regra* que poderemos buscar os seus traços mais característicos. Por outro lado, talvez o melhor retrato que dele foi traçado se encontre numa página puramente doutrinal e desprovida de quaisquer pormenores biográficos, escrita pelo homem que melhor devia projetar o pensamento beneditino — São Gregório Magno — ao sintetizar a imagem ideal do que deve ser o abade perfeito: "Os pensamentos do abade serão puros; as suas ações servirão de exemplo; saberá calar-se ou falar com palavras fecundas; estará repassado de compaixão pelos seus; entregar-se-á à meditação; tornar-se-á companheiro modesto de pessoas honestas, mas será homem de autoridade para vencer os vícios e os pecados; o cuidado dos assuntos exteriores não lhe prejudicará o ardor espiritual, mas o cuidado da vida interior não o fará negligenciar os deveres do seu cargo...". Não se pode pôr em dúvida que, ao traçar estas linhas, era ao genial fundador e ao perfeito modelo que o grande papa se referia.

A *Regra* de São Bento não é, para falar a verdade, uma obra original. O próprio São Bento se refere a Santo Agostinho, a Cassiano, a São Basílio e às *Vidas dos Padres*. Quase todas as prescrições que se leem nessas páginas encontram-se esparsas aqui e acolá nas regras monásticas anteriores, e chegou-se mesmo a afirmar que uma *Regra do Mestre*, já em uso no Ocidente, lhe teria servido de esboço[20]. O mérito de São Bento não reside, portanto, na originalidade das ideias, como afirmou admiravelmente o papa Pio XII na *Encíclica* de 1947 que comemorou o décimo quarto centenário da sua morte; o seu papel providencial "não foi configurar o ideal da vida monástica, mas harmonizá-la e adaptá-la com felicidade ao temperamento, às necessidades e aos hábitos dos povos do Ocidente".

Efetivamente, o que impressiona todo aquele que lê a *Regra* é a sua profundidade humana, no duplo sentido de que testemunha um maravilhoso conhecimento da natureza do homem e, ao mesmo tempo, se mostra para com as suas fraquezas tão misericordiosa quanto firme, tão generosa quanto prudente. Nenhum excesso místico: é incidentalmente que a *Regra* fala da contemplação, e como um grau espiritual reservado a um pequeno número. Nenhum desses excessos de penitência para que tendia a tradição de Cassiano, e sobretudo a dos monges celtas e de São Columbano, de uma forma — é preciso reconhecê-lo — bastante singular. Também nenhum vestígio dessa preferência quase exclusiva que Cassiodoro atribuía ao estudo e ao trabalho intelectual. O essencial da *Regra* de São Bento está na sua moderação, no seu equilíbrio, na sua *discrição*, como diz São Gregório Magno; equilíbrio e moderação que se manifestam tanto na justa repartição do dia entre a oração, o trabalho e o repouso, como na sã aliança entre o trabalho físico e o intelectual. É um guia de vida à altura do homem, e que pode ser proposto a todo aquele que quiser seguir o caminho de Deus sem forçar a natureza.

Dos preceitos da *Regra* sairá, por tudo isso, o tipo acabado — bem podemos dizer: completo — do monge que é simultaneamente homem de oração e de ascese, homem de meditação e de cultura, homem de ação e de eficácia. O espírito beneditino não cessará de lembrar àqueles que querem vivê-lo os dois grandes princípios de todo o esforço cristão: que estamos na terra e devemos agir no meio das impuras condições da nossa natureza, mas que tudo deve ser realizado tendo em vista o Céu. Obra-prima suprema do espírito romano, elevada expressão do gênio cristão, a *Regra* de São Bento haveria de tornar-se um dos meios essenciais da obra de salvaguarda e organização que a Igreja assumiu após o caos das invasões. Não seremos capazes de compreender o esforço desenvolvido pelo cristianismo para preparar o renascimento da civilização se não prestarmos homenagem àquele que tem sido denominado frequentemente "o patriarca dos monges do Ocidente".

A expansão monástica

A história do monaquismo no Ocidente bárbaro apresenta dois grandes traços característicos: por um lado, o prodigioso desenvolvimento dos conventos, a sua multiplicação, a sua expansão em vagas sucessivas; e, por outro, o predomínio quase exclusivo que a influência beneditina tende a assumir. Aliás, os dois fenômenos estão ligados entre si: se os princípios contidos na *Regra* de Monte Cassino suplantaram pouco a pouco as antigas tradições, foi porque a expansão monástica teve os resultados que conhecemos.

As razões que levaram a instituição beneditina a ocupar um lugar de primazia devem-se, em grande medida, à excelência da *Regra* e à sua sabedoria. São Bento exigia dos seus monges três votos: pobreza, obediência e estabilidade. O primeiro não era original, porque todos os cenobitas praticavam a virtude do desprendimento; mas, ao exigir uma submissão absoluta, e sobretudo ao impor aos monges a obrigação de permanecerem no convento que haviam escolhido, São Bento vinha pôr fim à liberdade dos *giróvagos* e às perturbações que esses irrequietos causavam.

Muito firme nestes princípios essenciais, São Bento deixava uma ampla liberdade aos diversos mosteiros em todos os pormenores, podendo os seus abades modificar conforme as condições locais muitas particularidades, como por exemplo o vestuário e a alimentação. Havia, assim, uma grande possibilidade de adaptação, que teria sido impossível se os regulamentos fossem excessivamente rigorosos. Esta organização, que dava a cada comunidade uma grande flexibilidade (o abade de Monte Cassino era sobretudo um superior espiritual, que velava com afetuosa solicitude pela conduta e pela fé de todos, sem intervir para nada na administração), foi também um elemento favorável ao crescimento da ordem, embora mais tarde esta viesse a parecer excessivamente anárquica. Enfim, em comparação com outras regras — como a de São Columbano —, a de São Bento, infinitamente mais humana, mais moderada e menos dada aos excessos, em breve tomou a dianteira e passou a atrair a maioria dos postulantes.

O desabrochar beneditino manifestou-se de duas formas. Em primeiro lugar, pela rápida multiplicação das fundações da nova ordem. Enquanto São Bento viveu, a sua obra contava apenas três conventos: o de Monte Cassino, o de Subíaco e o de Terracina; a catástrofe que esteve prestes a arruiná-la em 589 — a tomada de Cassino por um duque lombardo — teve, no fim das contas, o efeito contrário: conduzindo os beneditinos a Roma, deu à ordem novas possibilidades de expansão, e cem anos mais tarde havia já mais de cem comunidades ligadas a São Bento. Por outro lado, reconhecida como superior às outras, propagada pelo papa São Gregório Magno, pelos seus missionários na Grã-Bretanha, por Santo Isidoro de Sevilha na Espanha, a sua regra entrou em concorrência com as regras anteriores nos próprios conventos onde estas eram aplicadas e acabou por suplantá-las. Ao espírito de Bangor, dos irlandeses e do severo Columbano, preferiu-se o do sábio romano Bento: menos rigor na disciplina, mais ordem e mais oração do que penitência. Na França, a substituição ocorreu definitivamente no primeiro quartel do século VIII. E podemos perguntar-nos se, no Oriente, Justiniano não conhecia já o texto do santo e se não se inspirou nele ao redigir algumas das suas *Novelas*.

Há ainda um outro aspecto que deve ser sublinhado. Os monges, a princípio, eram leigos, e cada comunidade não possuía mais do que um sacerdote, uma espécie de capelão, como acontecia nos mosteiros bretões. Como a vida monástica girava em torno da penitência e da mortificação, não fazia muita diferença se o monge recebia ou não o sacramento da Ordem. Era o que acontecia ainda nos primeiros mosteiros beneditinos: um ou dois sacerdotes por comunidade, e nada mais. Mas, ao orientar a vida monástica principalmente no sentido da oração e do ofício divino, São Bento, embora não o dissesse expressamente, viria a impelir os monges para o sacerdócio, já que a mais alta oração, o ofício mais perfeito, é a celebração da Missa. Quando, sob o impulso do papa São Gregório, os monges passaram a empenhar-se na ação apostólica, tornou-se indispensável ordenar esses missionários para que pudessem celebrar o Santo Sacrifício.

E assim se operou uma mudança de perspectiva de capital importância. Constituiu-se um novo clero, o *regular*, isto é, submetido à Regra, ao lado do clero ordinário que vivia no mundo, ou seja, o clero *secular*. E como este novo clero estava mais bem qualificado para encarnar o ideal cristão, pela sua formação e pelos seus métodos de disciplina mais firmes, foi aos mosteiros que afluiu o escol dos cristãos.

É assim que a vida cristã, no que ela tem de melhor, tende a refugiar-se agora nos mosteiros, donde sai em seguida para novas conquistas e para empreendimentos decisivos. A proliferação dos conventos é o grande evento eclesial da alta Idade Média; a partir do século VI, e durante muitas gerações, reis, bispos, nobres e ricos rivalizarão no zelo por fundá-los. Haverá melhor maneira de assegurar a salvação da alma do que constituir, para depois da morte, uma guarda de orantes? Primeiro inspirados no modelo de Lérins, depois baseando-se nos princípios columbanianos, e mais tarde organizados segundo a *Regra* beneditina, os conventos brotam da terra em todos os países do Ocidente, e já não apenas nas regiões mediterrâneas, que os monopolizavam no século V. Clóvis fundou a abadia de São Pedro e São Paulo, que depois teve o nome mudado para Santa Genoveva; o rei borgonhês Sigismundo construiu São Maurício de Agaune, no Valais; Quildeberto edificou a abadia da Santa Cruz, e São Vicente a de Saint Germain des-Prés. As rainhas não ficaram atrás nesta piedosa emulação, e assim Santa Cruz de Poitiers ergue-se por vontade de Radegunda, e Chelas e Corbia por vontade de Matilde. E esse movimento continuará assim durante séculos!

Mas não são apenas edifícios que se constroem. Afluem as vocações. Estes conventos dos tempos bárbaros ostentam um recrutamento prodigioso. Comunidades de duzentos monges eram coisa corrente, e houve algumas que chegaram a mil.

De todas as classes da sociedade saem almas em busca de Deus, pedindo a essas santas casas que as ponham ao abrigo do universal espetáculo da violência. Surgem vocações das próprias famílias reais, e entre os anglo-saxões chegou-se a ver o rei Kentwin depor a coroa e revestir-se do hábito num mosteiro que ele mesmo fundara; entre os francos, o último filho de Clodomiro, o único sobrevivente da carnificina levada a cabo por seu tio Clotário, tornou-se *São Cloud* no mosteiro que fundara. O exemplo mais célebre destas vocações reais é o de *Santa Radegunda*, cujos traços comoventes, na célebre estátua que a representa, ainda parecem irradiar vida mística: essa cativa turíngia, levada para a corte de Clotário, desposada, amada, cem vezes traída por esse bruto, indignada com o assassinato do seu próprio irmão pelo marido, tomou o véu e foi fundar a abadia de Poitou, que converteu num modelo.

Efetivamente, as mulheres não ficavam atrás dos homens nesta santa emulação. Multiplicam-se também as abadias de monjas, ainda que em menor número[21]. Estritamente enclausuradas, conforme fora estabelecido por São Cesário e se observava por toda parte, as religiosas dedicavam-se sobretudo à oração e a trabalhos de tecelagem e bordados. Em todos os países cristãos, essas comunidades femininas tiveram um cunho de delicada piedade e caridade. Na Inglaterra, particularmente, conheceram um desenvolvimento excepcional a partir de 650, com figuras como *Santa Hilda*, *Santa Brígida* e como essa encantadora *Santa Lioba*, que foi a amiga espiritual de São Bonifácio. Aconteceu até que algumas dessas abadessas, como Santa Brígida, tiveram jurisdição sobre *mosteiros duplos*, um masculino e outro feminino, e foram perfeitamente obedecidas[22].

O desenvolvimento do monaquismo durante os tempos bárbaros é, pois, um fato histórico fundamental. Qual viria a ser a sua influência? Podem-se considerar três aspectos. Do ponto de vista especificamente cristão, os conventos foram sempre, conforme a ideia dos primeiros fundadores da instituição monástica, centros da mais pura e intensa vida espiritual, e por isso mesmo uma espécie de abrigos em que a fé e os costumes podiam defender-se melhor das contaminações da sociedade contemporânea. O verdadeiro fim de todas as comunidades, fosse qual fosse a regra a que estivessem sujeitas, era o serviço divino e a santificação das almas. A regra beneditina colocava em primeiro plano o ofício, e a de São Columbano a penitência, mas o que mudava eram só os meios, não a intenção. Estes conventos foram portanto, antes de mais nada, centros de oração, e em muitos deles se praticava o *laus perennis*, a recitação perpétua dos salmos instituída em Bizâncio pelos monges acemetas e espalhada por toda a Igreja. A salmodia ocupava, pois, um lugar importante; se São Bento limitava sabiamente a doze os que se deviam cantar nas matinas, São Columbano recomendava nada menos que setenta e cinco salmos seguidos em certos domingos! O dia estava todo balizado por esses momentos dedicados à piedade que ainda hoje conhecemos nos nossos conventos: *matinas*, *prima*, *terça*, *sexta*, *noa*, e assim até ao cair da noite, em que a oração das *completas* rematava esse esquema de santificação.

Mas esta ação propriamente espiritual dos conventos esteve longe de ser a única. Ninguém desconhece a imagem, tantas vezes posta em relevo, do mosteiro como abrigo da vida intelectual no momento em que as vagas negras da barbárie se encarniçavam em torno dos seus muros. "Os conventos, escreve Chateaubriand, converteram-se numa espécie de fortaleza em que a civilização se abrigava debaixo da bandeira de um santo; ali se conservou o cultivo da alta inteligência". Em que medida esta imagem é a expressão da verdade? É incontestável que, durante toda a idade das trevas, os monges estiveram muitíssimo mais preocupados com a vida intelectual, não somente do que os leigos, mas até mesmo do que o clero secular. Cassiodoro, no *Vivarium*, estimulava os seus discípulos a dedicar-se à vida do espírito e orgulhava-se da sua rica biblioteca; São Cesário estabelecia para as suas religiosas duas horas e meia de leitura por dia, e até o rude São Columbano não queria que os seus monges fossem "ignaros". Calcula-se que um beneditino dispunha, para a sua formação intelectual, de 1.265 horas por ano, o que permitia devorar uns 8.000 volumes ao longo de uma existência monástica de uns cinquenta anos! (O que é tanto mais admirável quanto a biblioteca de um mosteiro muito rico não devia possuir mais de algumas centenas de livros...). Sob a influência de São Mauro, discípulo querido do santo de Monte Cassino, os beneditinos consagraram-se cada vez mais a preservar e a aprofundar o cultivo do espírito. (É por isso que o ramo beneditino mais dedicado aos trabalhos intelectuais adotará em 1618 o nome de *mauristas*). O trabalho de copiar manuscritos passou a ocupar um tempo considerável do labor monástico, em primeiro lugar na Irlanda e na Grã-Bretanha, onde se multiplicaram as escolas de calígrafos, e depois no continente. Além disso, o único ensino razoavelmente sério, correspondente mais ou menos aos nossos primeiro e segundo graus, era ministrado nos mosteiros.

Não devemos, porém, exagerar esses méritos nem imaginar todos os mosteiros como uma espécie de pilares da ciência e da cultura e todos os monges como grandes sábios. A julgar pelo pouco nível das produções literárias oriundas destas comunidades, somos obrigados a concluir que a cultura nem sempre atingia grandes alturas, e que deviam ser numerosos os monges cujos conhecimentos não ultrapassariam muito o saber ler e escrever, com umas pinceladas de textos sagrados (os autores profanos continuavam a ser negligenciados). Só mais tarde, a partir da renascença carolíngia, é que o esforço intelectual se tornará uma preocupação generalizada nos conventos e terá em mira uma autêntica cultura. Em todo o caso, não é pouca coisa que, mesmo nas piores épocas, tenha havido algumas comunidades que preservaram o gosto pela sabedoria humana e os meios de salvá-la.

O verdadeiro mérito social dos monges nos tempos bárbaros foi, no entanto, de ordem muito diferente: consistiu no ingente trabalho de desbravar as terras e entregá-las à civilização. Sob este aspecto, não se pode deixar de louvá-los. As próprias condições da vida monástica os impeliram nesse sentido: a maioria das regras recomendava o trabalho manual como o meio mais sensato de equilibrar o esforço estritamente espiritual. Além disso, a fim de encontrarem o silêncio e o recolhimento, saindo das povoações — onde se localizava, por outro lado, a maioria dos conventos de religiosas, dada a insegurança dos tempos —, os religiosos estabeleciam-se muitas vezes em lugares afastados, em pleno campo ou em plena floresta. Limpar matorrais, arrancar árvores e drenar pântanos foram, portanto, necessidades inelutáveis para os monges, e assim se conquistaram novas terras ou se recuperaram as lavouras que as invasões tinham deixado abandonadas. Os Vosges, as Flandres e as zonas inabitadas da Champagne foram ocupados pelos monges columbanianos (nas Ardenas, por sinal, viveu Valfroy, o único estilita conhecido no Ocidente), e os filhos de São Bento levaram avante essa mesma obra em todos os lugares em que se instalaram. As cidades e os burgos da Europa ocidental que devem o seu nascimento aos monges desbravadores são, literalmente, inumeráveis, certamente algumas dezenas de milhar, e quase não há povoação rural que não se tenha originado de um convento. Certas cidades começaram por ser abadias; é o caso de Caen, ou de Saint-Omer, que procede de uma abadia fundada em 649, e o de muitas outras.

Ao redor da abadia, providência local e refúgio em caso de perigo, agruparam-se assim populações que ao mesmo tempo veneravam os seus monges e por eles nutriam profunda gratidão. As terras úmidas tornavam-se campos, os matorrais lavouras; em Pontigny, na Yonne, como notou o historiador Roupnel, o próprio aspecto da aldeia mudou quando os monges se transferiram para lá. Quando São Thiou, abade de Saint-Thierry, morreu, os camponeses penduraram na igreja, à guisa de relíquia, a charrua que nunca abandonara em vida. Assim, lançando fortes raízes por toda parte, os monges remataram a obra de conquista dos missionários, e foi graças a eles que o cristianismo ganhou solidez e pôde manter-se ao longo dos séculos.

Os quadros da Igreja ocidental

Se observarmos externamente o Ocidente europeu do século V ao VIII, aparece-nos como coberto por uma vasta rede de homens e de instituições que é a única a sustentar-lhe os elementos vitais. Essa rede, de malhas simultaneamente frágeis e sólidas, que tende a estender-se e a reforçar-se de década em década, e que, mesmo momentaneamente dilacerada aqui ou acolá, logo se recompõe, obstinadamente, para em seguida mostrar-se mais resistente — essa rede é a Igreja. Sem ela, sem os laços que soube estabelecer desde os papas e os bispos até aos mais humildes monges e ao clero rural, a anarquia teria sido irresistível. Se pensarmos no que foram os tempos bárbaros, apesar da presença da Igreja, é caso para nos perguntarmos em que espantosa anarquia não teria caído a Europa se a Igreja não tivesse subsistido.

A sobrevivência da organização da Igreja através da tormenta das invasões é, portanto, um evento de importância capital. A sua hierarquia manteve-se intacta, e intacta (ou rapidamente reconstituída) se manteve a geografia eclesiástica. Estabelecida sobre a base das antigas *civitates*, que correspondem ao que se começa a chamar "diocese", acima das quais se situa a "província", sede do "metropolita" (o nosso "arcebispo"), essa hierarquia reproduz e continua o antigo sistema administrativo romano: constatamos aqui como, na sua inspirada presciência, a Igreja acertara nas suas previsões ao moldar, desde as mais longínquas origens, os seus quadros e instituições pelos da administração imperial. Foi graças a isso que ela pôde substituí-la quando se fez necessário[23].

Abaixo do bispo, a organização é ainda rudimentar, mas tenderá a hierarquizar-se pouco a pouco. A diocese ir-se-á fracionando em *arcediagados*. Em muitas dioceses (Coutances e Meaux, por exemplo), o arcediagado em que se situa a sede episcopal tem o curioso nome de *cristandade*, talvez uma recordação dos tempos em que só ali é que havia cristãos. Isso remontava aos tempos em que a igreja da capital da diocese era, segundo o direito, a única; mas, à medida que os lugares de culto se multiplicaram e se foram criando as paróquias rurais, o clero organizou-se da maneira que nos é familiar: à frente da paróquia, o cura com os seus ajudantes, e, exercendo um direito de fiscalização, mais ou menos vago segundo a região, uma espécie de cura cantonal, um arcediago, arcipreste ou deão. O arcediago, no início sempre único, é denominado *oculus episcopi:* é, junto do bispo, uma espécie de "prefeito da disciplina", e algumas vezes exerce o cargo de "prefeito do palácio" do rei; houve ocasiões em que esses arcediagos entraram em conflito com os seus bispos, chegando a fazer-se temer por eles. Mas o seu poder decrescerá quando deixarem de ser apenas um por diocese. No fim do século X, a diocese tende a fragmentar-se, e à frente de cada um desses territórios menores, que tomam o nome de arcediagados, há um arcediago.

Acima do nível episcopal, e mesmo metropolitano, podemos observar em certas sés uma acentuada tendência para reivindicarem uma superioridade hierárquica. As razões dessas pretensões variam: importância histórica, prestígio de determinada personalidade, importância política ou econômica da cidade em que a sé está localizada; trata-se, muitas vezes, mais de uma *primazia* de prestígio e de influência do que de verdadeira autoridade hierárquica. Acontece, por vezes, que o papado a reconhece e a mantém. Assim, na França, esta primazia pertencera inicialmente à sé de Vienne, metrópole civil e religiosa da Gália meridional; em princípios do século VI, foi a sé de Arles que tomou o primeiro lugar, tanto pelo prestígio que lhe deu São Cesário, proclamado pelo Papa "vigário da Igreja", como por possuir nos seus arquivos algumas obras fundamentais, únicas, reunidas pelo próprio São Cesário e que foram utilizadas em todos os concílios da Gália. A partir de princípios do século VII, Arles começou a declinar em benefício do bispado de Lyon, cujo prelado reclamou o título de "Primaz das Gálias" e até de patriarca; aliás, devemos observar que Paris, embora fosse capital real, nunca tomou parte nesta competição, permanecendo sufragânea de Sens até o século XVII. Na Espanha, pelo contrário, foi Toledo, residência dos soberanos visigodos, que teve a preponderância após o declínio da antiga e venerável sé de Sevilha, e à primazia de fato do seu bispo acrescentou-se em 681 o direito de dar um sucessor aos bispos falecidos de qualquer outra província espanhola.

Na Itália, as metrópoles de Ravena, Aquileia e Milão, a última das quais sonhou durante algum tempo que poderia concorrer com Roma, viram o seu prestígio decrescer à medida que aumentava o do papado.

Esta tendência, observável em todos os países, de fazer emergir cabeças de fila, é contrabalançada por uma instituição que desempenha um grande papel nesta época: os *concílios nacionais*. Reunir regularmente os pastores do cristianismo para discutir interesses da Igreja era um hábito muito antigo, que datava dos primeiros tempos (lembremo-nos do Concílio de Jerusalém em 49)[24], e um cânon do Concílio de Niceia tornara-o obrigatório. A princípio, os bispos de cada província deviam reunir-se duas vezes por ano em volta do metropolita; mas a barafunda das invasões fez cair em desuso a norma, e as reuniões só recomeçaram em meados do século VI. Quanto aos concílios nacionais, que agrupavam todo o alto clero de um país e que tomavam decisões sobre as mais graves questões de fé, de moral e até de política — e cujos documentos, na sua maioria, se conservaram — vieram a tornar-se muito mais importantes ainda. Bem podemos dizer que foram eles que traçaram os rumos que a Igreja devia seguir.

Na Gália, entre o concílio de Agda em 506 o de Auxerre em 695, contam-se mais de cinquenta, quase todos convocados a pedido de um rei ou pelo menos de acordo com o poder real. Alguns, como o de Orange em 529, fixaram a doutrina católica perante certas tendências heréticas, principalmente a dos semipelagianos[25], e tiveram os seus decretos confirmados pelo Papa. Na Espanha, depois do famoso concílio de Toledo (589), que consagrou a conversão dos reis visigodos ao catolicismo, as assembleias episcopais eram em princípio anuais, e desempenharam um verdadeiro papel de Senado e de Supremo Tribunal. Houve também concílios na igreja irlandesa, na igreja anglo-saxônica e na igreja italiana, onde os concílios romanos se reuniam anualmente no aniversário da eleição do Papa. Importa notar, porém, que na França esta instituição sofreu um declínio no decurso do século VII, eclipsando-se entre 695 e 742, num período que coincide com o desenvolvimento da autoridade do Papa e com a derrocada do poder real, no tempo dos reis *fainéants* merovíngios.

Estes são os grandes traços que a Igreja apresenta no Ocidente; mas, se os dados gerais são por toda parte mais ou menos idênticos, há sensíveis diferenças de região para região no clima espiritual, nos costumes e nos ritos. A igreja da Gália, com os seus bispos conselheiros de reis, o seu rito "galicano", as suas festas especiais — como a de São Martinho (a 11 de novembro, princípio do jejum do Advento) —, não se identifica por inteiro nem com a da Grã-Bretanha, mística e romana, nem com a da Espanha, ardente e particularista, nem com a italiana, sacudida na ocasião pelas disputas de influências entre Bizâncio e os lombardos. Na Espanha, batizava-se com uma única imersão, ao passo que o costume romano era fazer três. Nos países célticos, Bretanha e Irlanda, os bispos eram praticamente independentes uns dos outros[26], e as respectivas igrejas estavam de tal forma apegadas a alguns dos seus costumes, principalmente à sua maneira de calcular a data da Páscoa, que essa foi uma das razões que retardaram a sua união com as igrejas anglo-saxônicas fundadas por Santo Agostinho e pelos missionários de Roma. É necessário sublinhar, porém, que, se neste caso chegou a haver um verdadeiro antagonismo por causa das tendências particularistas, tratou-se, no entanto, de um caso muito excepcional. De maneira geral, as diferenças de acentuação não impediram de forma alguma que a Igreja fosse verdadeiramente católica, isto é, universal.

Nos piores momentos das invasões ou das guerras cruéis que dilaceraram o Ocidente, impressiona verificar que os arautos de Cristo andam por toda parte e se deslocam com uma facilidade espantosa; basta pensarmos no trajeto feito por São Columbano! Aceitava-se com toda a naturalidade que estrangeiros viessem puxar as orelhas dos cristãos de outras terras: as duas grandes reformas da igreja franca, por exemplo, foram devidas a São Columbano, um irlandês, e a São Bonifácio, um inglês. Uma das características mais importantes da Igreja dos tempos bárbaros foi ter sabido salvaguardar o princípio do universalismo, num momento em que as dificuldades facilmente poderiam ter levado os povos a fecharem-se sobre si mesmos; e esse universalismo acabou por mostrar-se muito mais vasto do que o do *Imperium Romanum*, pois passou a abranger em pouco tempo todos os povos germânicos.

Para nós, hoje, o princípio universalista da Igreja encarna-se num homem que é como que a imagem viva da catolicidade: o *Papa*. Mas será que, na época agitada dos tempos bárbaros, ele possuía essa preeminência? Convém distinguir dois aspectos da questão. É incontestável que, no que se refere ao prestígio espiritual e ao ascendente moral, o Papa, como sucessor de São Pedro e bispo de Roma, é profundamente respeitado no Ocidente; o Ocidente cristão não conheceu essas tendências antirromanas e antipontifícias que são tão nítidas no Oriente bizantino. Os testemunhos deste prestígio são inumeráveis; na Gália, o concílio de Tours declarava: "Que bispo teria a pretensão de agir contra os decretos da Sé Apostólica?"; na Espanha, Santo Isidoro de Sevilha chama ao Papa "cabeça do ministério dos bispos" e proclama que "a Sé de Roma vela por todas as igrejas"; e ainda na Inglaterra, o episcopado vive em união íntima com Roma e veem-se com frequência fiéis leigos, sacerdotes e mesmo reis irem acabar os seus dias junto do túmulo do apóstolo Pedro, em peregrinação de penitência.

Se o ascendente espiritual era, pois, incontestável, o mesmo não sucedia, pelo menos a princípio, com a autoridade *de facto*. Obrigado a lutar contra o Império de Bizâncio, entravado na sua ação pelo caos em que se afundara a Itália e pela indiscreta presença dos orientais na península, o Papa não pôde impor de um só golpe a sua autoridade à Europa bárbara. Fê-lo gradativamente, e o primeiro grande degrau foi representado por São Leão Magno (440-461), o mesmo que afirmou alto e bom som a supremacia romana no Concílio de Calcedônia, em 451; São Leão esforçou-se por unificar a direção de todos os negócios eclesiásticos, na Itália como na África, na Gália como na Espanha. A desordem dos tempos pôs várias vezes em cheque os resultados obtidos, mas foram numerosos os papas que, do século VI ao século VIII, lembraram aos clérigos de todos os países que estes lhes deviam obediência; e foram igualmente numerosos aqueles que intervieram em casos difíceis. A imagem de uma Igreja centralizada e, a despeito do esfacelamento político, apinhada em torno do Pontífice de Roma foi progredindo aos poucos. Na virada do século VI para o VII, a vigorosa personalidade de São Gregório Magno (560-604), a sua infatigável atividade e a sua obra missionária fizeram dessa imagem uma ideia-força e a impuseram aos espíritos.

Podemos afirmar que é no século VII que o Papa aparece claramente como um verdadeiro líder do Ocidente. Embora eleito pelos bispos e prelados da província de Roma, e contando com o acordo mais ou menos tumultuado do povo daquela cidade, ninguém pensava em confundi-lo com um simples bispo local. Um pormenor da sua eleição sublinha o seu caráter excepcional: a partir de João II, em 532, o Papa passa a adotar sempre o nome de um apóstolo, de um santo ou de um dos seus predecessores mais gloriosos, o que assinala de maneira simbólica a sua filiação histórica e a sua projeção espiritual.

Por outro lado, o seu patrimônio — o *Patrimônio de São Pedro*, como se costuma dizer — veio aumentando consideravelmente desde os tempos do Edito de Milão, devido à liberalidade dos imperadores e das famílias poderosas. Constitui agora um domínio imenso, que conta terras um pouco por toda parte na Itália, bem como na Dalmácia, na Sicília, na Gália e na África. Estes bens, geridos pelos "reitores do patrimônio", permitem prover amplamente às necessidades do papado e — temos de acrescentar — não deixam de contribuir para o seu prestígio. Perante os reis bárbaros que, mesmo católicos, não querem permitir que a Igreja do seu reino escape ao seu despotismo, a autoridade pontifícia terá de afirmar-se cada vez com mais vigor, até o momento em que esse antagonismo se resolver na frutuosa colaboração estabelecida por Carlos Magno.

A fé no seio das trevas

Na aparência, portanto, o Ocidente bárbaro tornou-se cristão ou está em vias de sê-lo; a Igreja o tem em suas mãos[27]. Mas, se tentarmos penetrar no interior das almas, que encontraremos ali? É muito difícil mostrarmo-nos equitativos para com esses cristãos dos tempos bárbaros cuja psicologia difere tanto da nossa. A mediocridade moral que descrevemos anteriormente deixa-nos uma impressão acabrunhante, e a verdade é que o cristianismo parece não ter conseguido tomar logo as rédeas dessa humanidade sanguinária e luxuriosa. O mais abominável é que o crime era tão frequente que se tornou um hábito; a opinião pública não reagia e assim se embotava o próprio sentido da justiça e da compostura moral.

À exceção de algumas almas grandes, temos de reconhecer que as bases da fé desta época parecem ser a ignorância e o terror. Os homens deste tempo vivem num universo desconhecido, continuamente amedrontados diante de forças maléficas. O seu credo reduz-se quase que exclusivamente à afirmação da onipotência de Deus e ao receio do seu braço terrível. "Vemos os homens mais ousados — escreve Fustel de Coulanges —, quando colocados na presença de relíquias e não tendo a consciência absolutamente tranquila, ficarem perturbados, ajoelharem-se, confessarem todos os seus crimes e algumas vezes caírem para trás e expirarem!"

Daí provém a repercussão extremada que causam os castigos infligidos pela Igreja em casos graves: a *excomunhão* e a *interdição*. Ser excluído da comunidade cristã, do banquete eucarístico e da proteção do Mestre Supremo, e ser ao mesmo tempo eliminado da sociedade, apontado a dedo por todos os fiéis, repelido como um leproso, era uma pena horrível que ninguém encarava de ânimo leve. Não indicava o lúgubre cerimonial da excomunhão que o condenado passava a ser um morto-vivo? E se a interdição caía sobre uma aldeia, ou porque se cometera um crime na igreja ou porque a paróquia se havia revoltado contra a autoridade, a supressão dos ofícios consternava de tal forma os fiéis que estes se apressavam a penitenciar-se do seu ato. Estes sentimentos de medo parecem ter tido, ao fim e ao cabo, o seu lado bom...

Mas houve medos muito piores. Persistem os velhos temores pagãos na alma popular, e eles vêm à tona não poucas vezes. Santo Elói insurge-se "contra esses insensatos que vêm implorar às árvores empunhando archotes, ou pretendem curar as suas vacas fazendo-as passar pelas brechas que a velhice abriu naqueles troncos ocos que ninguém ousaria queimar". Essa pobre gente não vê qualquer diferença entre o que pertence ao domínio da religião e o que deriva da magia, como não vê distinção alguma entre os sacerdotes do "Senhor-Cristo" e os feiticeiros e pitonisas que pululam por toda parte. Bons reis, como Gontran, vivem rodeados por uma multidão de feiticeiras, ainda que de tempos a tempos as façam queimar vivas. Tudo o que parece forçar os segredos do desconhecido e agir sobre as forças ocultas encontra crédito imediato; aliás, é por isso que estes homens dos tempos obscuros são presa infalível dos impostores e dos fabricantes de milagres. Poder-se-ia escrever um livro muito divertido sobre os aventureiros que agitaram estes ou aqueles países cristãos entre o século VI e o X.

Por volta do ano 600, certo cidadão de Bourges faz-se passar por Cristo: acompanhado de sua irmã, a quem atribuiu o papel de Maria, vagabundeia por toda a França e faz de tolos até alguns sacerdotes; quando se aproxima de um vilarejo, destaca emissários para anunciar que é chegado o tempo do Senhor e que todos devem dançar nus em praça pública, como Adão e Eva no Paraíso... No século VII, outro visionário, mais modesto, contenta-se com proclamar-se apóstolo e santo; dedica igrejas ao seu próprio nome, Aldeberto, e exibe uma "carta do Céu" que os anjos lhe fizeram chegar e cuja eficácia é garantia contra todos os males; depois, consegue ser ordenado sacerdote por certo bispo e introduz uma forma muito expedita e agradável de perdoar os pecados, declarando aos fiéis que, sabendo ler no interior das almas, não tem necessidade de lhes ouvir a Confissão! Há impostores deste jaez por toda parte, na Alemanha como na Irlanda, na Gália como na Espanha.

É a esta primitiva psicologia religiosa que se ligam as práticas supersticiosas, essas que o homem moderno conserva ainda hoje, mesmo que não o queira confessar, e que constituem uma legião. Usar amuletos — agora bentos! —, fazer figa para esconjurar a sorte, pronunciar ou fugir de pronunciar certas palavras, são costumes universais. Transfere-se para o plano cristão o fetichismo mais elementar. Os menhires são cristianizados aqui e acolá, mas continuam a ser objeto de temores supersticiosos.

Assim se explicam igualmente os costumes quase incríveis que rodeiam o culto dos santos. A admiração e reverência para com os mártires, outrora prova de fidelidade ao seu exemplo insigne, assumem nos tempos bárbaros a feição de um verdadeiro culto, de uma latria: já que Deus é tão temível, serão necessários mediadores humanos para atingi-lo e para dobrá-lo, e os santos, que são os seus amigos e eleitos, são certamente as pessoas indicadas para tanto.

As ingênuas almas dos homens deste tempo têm necessidade de um sobrenatural que se possa apalpar, de um sobrenatural bem visível nos homens. Por motivos muitas vezes desconhecidos, há santos que gozam de uma celebridade gigantesca. Ainda se compreende que São Martinho de Tours seja tão glorioso que acabem por dedicar-lhe umas 700 paróquias; mas por que serão tão notáveis São Genésio, São Julião da Auvergne, São Privat de Gévaudan, São Ferreol de Vienne e tantos outros? O historiador Cristiani catalogou, numa lista dos santos da França que vai até 752, primeira alvorada dos tempos carolíngios, cerca de 1.300 nomes!, número que tem sido muito discutido — por modesto — por outros eruditos... Cada um destes santos tem a sua lenda, que engorda de geração para geração, acrescida de novos milagres. Pede-se a esses padroeiros, não só que sejam intercessores junto do Todo Poderoso, mas também que prestem os serviços mais concretos, desde uma chuva que regue campos até o feliz desenlace de partos difíceis.

E que o santo não se lembre de esquivar-se a tais pedidos! Cometeu-se um roubo na igreja de Santa Colomba, em Paris; o bom do Santo Elói entra às pressas no santuário e exclama em voz alta: "Ouve bem o que te vou dizer, ó grande Santa Colomba! Se não fizeres que seja restituído tudo o que foi roubado, mando fechar a porta da tua igreja com um montão de espinhos e não haverá mais culto para ti!" É escusado dizer que, vergada por tais argumentos, a santa fez com que os objetos fossem devolvidos...

A eficácia dos santos anda evidentemente ligada aos objetos que lhes pertenceram e, melhor ainda, aos seus ossos. O culto das relíquias, que vimos nascer no século III, acabou por tomar tal desenvolvimento e tal caráter que quase se converteu em fetichismo. Disputam-se os pedaços das vestes que o santo usou e até cabelos e aparas das suas unhas. As cordas do campanário de Tours têm de ser substituídas a toda a hora porque os peregrinos as cortam como relíquias! Colocam-se sobre os túmulos dos bem-aventurados cápsulas de chumbo ou pedaços de pano, para que se empapem das suas virtudes. O azeite das lâmpadas que ardem nos seus santuários, a cera das velas e até a poeira que lá se varre — tudo serve para fazer relíquias; e o comércio de todas essas coisas é rendoso. Costumes religiosos um tanto estranhos... Mas o cúmulo certamente foi atingido pelos proprietários de alguns santos cadáveres, na Síria, que tiveram a brilhante ideia de adaptar ao caixão um funil em cima e uma torneira em baixo, para passar por ali um óleo que, bem impregnado das "virtudes" do morto, se vendia magnificamente!

Nos séculos V e VI, os ocidentais recusam-se pelo menos a tocar os corpos dos santos — ao contrário dos orientais que, literalmente, os vendem —, e São Gregório Magno considera sacrilégio o traslado do corpo de um santo para fora do seu túmulo. Mas o costume oriental estende-se ao Ocidente a partir do século VII, e começa-se a disputar a tíbia de São Genésio, a cabeça de São Ferreol e outros ossos preciosos. Ao passar um dia por Bordeaux, um alto personagem merovíngio soube que determinado comerciante sírio possuía as relíquias de São Sérgio; corre à casa dele, assedia-o e obriga-o a cortar um dedo do glorioso esqueleto. "Não julgo — conclui filosoficamente São Gregório de Tours, ao contar a história — que o santo tenha ficado muito contente com isso"...

Todos estes fatos caracterizam um autêntico primitivismo que seria inútil negar. Mas devemos ater-nos somente a eles? Convém avaliar o nível de toda a vida espiritual por essas aparências decepcionantes? Sem cairmos no exagero de alguns apologetas — que veem até nas superstições a prova do "sentido do divino" que os homens desse tempo teriam tido... —, não deveremos equilibrar esses dados sombrios com cores mais atraentes?

A crédito desses cristãos, devemos lançar em primeiro lugar — e acima de tudo — uma humildade autêntica. Esses homens conheciam, é bem verdade, a vaidade humana, mas não o orgulho da inteligência, o satânico prazer de desafiar a Deus. Os heróis das narrativas de Gregório de Tours são homens apaixonados, cúpidos e criminosos, tanto quanto se pode ser; no entanto, mesmo sendo grandes pecadores, continuam a ser cristãos. Se são excomungados pela Igreja, só têm um único desejo: o de serem absolvidos quanto antes. Daí essas reviravoltas que nos espantam e essas conversões verdadeiramente prodigiosas. O exemplo mais pungente é o de Fredegunda, rainha criminosa em todos os sentidos, que, ameaçada de perder os filhos, brada o seu arrependimento com palavras lancinantes: "Sei bem o que faz morrer os meus filhos: são as lágrimas das viúvas e dos órfãos de que sou responsável". Durante séculos e mais séculos, poder-se--ão citar reviravoltas como essa.

Um sentido profundo da miséria do homem e da necessidade que sente de ser perdoado — esse é, sem dúvida, o caráter mais saliente destes cristãos, e não temos o direito de subestimá-lo. O sacramento da Penitência tem um lugar considerável na vida religiosa, e é nesta época que assume o aspecto que tem nos nossos dias. A confissão pública, seguida da *reconciliatio* concedida pelo bispo, que nos primeiros tempos do cristianismo dizia respeito apenas aos pecados mais graves, aos que causavam escândalo público, fora-se transformando pouco a pouco; estabelecera-se nos conventos o hábito de confessar todos os pecados, mesmo aqueles que se davam no mais recôndito da consciência, e São Bento aconselhava os monges a confessarem as suas faltas secretas ao superior. Os irlandeses, e sobretudo São Columbano, já haviam generalizado e sistematizado essa prática, que se tornou corrente entre os leigos; e assim a confissão pública passou a ser *auricular*, privada, e feita a um sacerdote. Foi para orientar os confessores que se redigiram nas cristandades célticas, sob a influência dos monges irlandeses, os *penitenciais*, verdadeiros manuais de direção espiritual e catálogos de pecados com as correspondentes penitências; e, se este automatismo da punição parece relegar para um plano secundário as disposições interiores do culpado e as circunstâncias da falta, não é menos verdade que a prática da confissão privada, repetida com frequência, tendia a afinar a consciência cristã e a atribuir uma grande responsabilidade aos diretores de consciência; mesmo medíocres, esses penitenciais desempenharam o importante papel de precisar as faltas que se deviam evitar e o ideal evangélico que se devia servir.

É necessário, pois, apreciar no seu justo valor o fato de esses cristãos bárbaros terem querido submeter-se à disciplina penitencial, tanto mais que as penitências estavam longe de ser leves: nada que se compare à simples recitação de uma dezena do terço com que se contentam os confessores de hoje! E nem falemos da regra de São Columbano, que prescrevia o chicote com uma prodigalidade inesgotável: seis chicotadas para o monge que se esquecesse de dizer "amém", dez para aquele que riscasse a mesa com a faca, seis para quem desafinasse no canto, e assim por diante, até duzentas chicotadas para os pecados sérios! Os jejuns, os castigos corporais e as multas eram moeda corrente na vida ordinária do povo cristão. Todos aceitavam as penitências, e alguns iam até mais longe, como aquele santo irlandês que cantou todos os salmos da Escritura com o corpo mergulhado em água gelada. Já falamos dos reis e príncipes que entravam para os conventos ou iam acabar os seus dias em Roma, literalmente como *pobres de Deus*. E que dizer desses *reclusos* que se emparedavam durante algum tempo, e até por toda a vida, numa estreita prisão, onde os alimentos lhes eram passados por uma fresta?

A este ideal de penitência está ligado um maior desenvolvimento do sacramento da Extrema Unção, recomendado por Beda, o Venerável, e, a par da devoção aos santos, o costume das *peregrinações*. Estas começaram a ser frequentes nos séculos III e IV[28], sobretudo após a invenção — a descoberta — da Santa Cruz por Santa Helena. A partir do século VI, tornam-se uma prática geral, e são inúmeros os cristãos que vão orar junto do túmulo de São Martinho em Tours ou venerar em Agaune, no Valais, a memória de São Maurício e dos seus companheiros, pelo menos uma vez na vida. Os mais ricos ou mais corajosos vão até Roma, levando cartas episcopais que lhes permitirão alojar-se em hospícios construídos para eles ao longo das estradas. Os peregrinos que chegam até Jerusalém são considerados uma espécie de santos, e, quando voltam, os seus concidadãos ouvem-nos descrever infatigavelmente as aventuras por que passaram e os monumentos que viram: a rotunda do Sepulcro, as basílicas de Jerusalém...; não visitaram em Éfeso a gruta dos Sete Dormentes, na Calcedônia a cela de Santa Tecla e em Mitilene a basílica revestida de ouro que guarda as ossadas de São Poliúto? Mas estas longas e piedosas viagens não transcorrem sem fadigas e perigos, porque os bandidos espreitam os peregrinos nos desfiladeiros, principalmente nos dos Alpes, embora também seja verdade que, em paga de tantos esforços e à parte os frutos espirituais, se colham também algumas pequenas satisfações menos elevadas, a acreditar num concílio de Châlon que lembra veementemente que uma peregrinação não é nenhuma ocasião para pândegas!...

Mas não é apenas no esforço penitencial dos cristãos dos tempos bárbaros que devemos reconhecer um verdadeiro valor espiritual. No meio das superstições que atravancam a fé, não se poderá notar uma piedade real? Não se vislumbram já sentimentos e motivos próximos daqueles que hoje consideramos necessários a toda a experiência efetivamente religiosa? Não é nesta época que se estabelece o costume das Missas votivas e também o das confrarias? Não há cristãos que sentem que o essencial está no exemplo dos santos, desses santos cuja intervenção temporal solicitam? Não é raro vermos um rei ou um poderoso senhor brutal converter-se e pedir perdão das suas faltas, quando se encontra diante de um santo autêntico. Além disso, foi ainda em plena idade das trevas que a devoção à *Santíssima Virgem*, que mais tarde teria tão ampla projeção, teve o seu primeiro grande impulso no Ocidente (ao mesmo tempo que no Oriente). Não é admirável que tenha sido nesta época de brutalidade que a mais doce figura de todo o cristianismo se impôs às almas? Se lermos as poesias marianas deste período —

o canto de André, o Orador, escrito em fins do século V, num dos piores tempos de desmoronamento do mundo antigo; ou, no século VI, a canção *O gloriosa Domina*, de São Venâncio Fortunato, o poeta instalado em Poitou, amigo de Santa Radegunda; ou ainda o hino escrito por Paulo Diácono perto do ano de 750 —, veremos ressoar nessas composições acentos que ainda hoje nos comovem. Foi a partir de 431 que se edificaram em grande escala igrejas dedicadas a Maria, após a construção de Santa Maria Maior; simultaneamente, as festas marianas começam a balizar o calendário — não só a da Purificação, muito antiga, mas a da Natividade de Maria e sobretudo a da Dormição, fixada para 15 de agosto. Homens que são capazes de sentir o que há de mais elevado na devoção a Nossa Senhora não podem ser apenas uns brutos supersticiosos.

É preciso observar ainda nestes povos aquilo que hoje chamaríamos o *sentido da Igreja*, esse sentido que os cristãos modernos deixaram decair tanto. Todos sentem em profundidade que pertencem à mesma família e que são coletivamente responsáveis por tudo o que lhe possa acontecer de feliz ou de infeliz. Um crime cometido por um deles parece-lhes atrair a cólera divina sobre todos — esse é o aspecto por vezes exagerado e supersticioso da ideia, que no entanto não deixa de ter o seu lado bom. "Os negócios da Igreja — exclama Santo Avito — não dizem respeito apenas aos sacerdotes; o seu cuidado é comum a todos os fiéis". Não parecem estas palavras um apelo ao laicato dos nossos dias?[29] Com efeito, os fiéis participam da liturgia: a assistência aos ofícios é numerosa, e a Missa atrai tanta gente, sobretudo nos dias de grande festa, que por vezes se torna necessário proibir (como o fez o concílio de Auxerre em 585) que os fiéis venham na véspera e durmam na igreja. As cerimônias relacionadas com os trabalhos da terra provocam movimentos de grande piedade, como acontecia principalmente com as *Rogações*, um tríduo de procissões celebrado na véspera de Pentecostes, que São Mamerto, bispo de Vienne, estabeleceu em 475 para implorar a proteção do Senhor para os trabalhos humanos; o mesmo acontecia também com as *Ladainhas Maiores*, que São Gregório Magno instituiu em fins do século VI a fim de "batizar" a velha festa pagã das *Robaglia*. Todos concordavam em escutar durante a Missa sermões de uma extensão que hoje nos pareceria insuportável, mas que eram ouvidos com gosto, e de que os fiéis até participavam de vez em quando, fazendo lá as suas intervenções.

Mais uma observação importante: é no decurso destes séculos bárbaros que a *liturgia* toma o desenvolvimento que hoje lhe conhecemos: a liturgia, isto é, o meio mais adequado de que os fiéis dispõem para participar do sacrifício divino. O uso das vestes litúrgicas, importado do Oriente, torna-se habitual no Ocidente. Os costumes litúrgicos variam mais ou menos segundo os países; há uma liturgia gaulesa ou galicana, uma hispânica, uma céltica e, sobretudo, uma liturgia romana, que tende a suplantar as outras[30]. É nesta época que se acrescentam aos elementos originais da missa o *Kyrie eleison* e o *Gloria in excelsis*, um e outro oriundos do Oriente, assim como o *Alleluia* do tempo pascal, por ordem de São Gregório Magno, e o *Agnus Dei*, introduzido pelo papa Sérgio I (678-701). E é também nesta época que o canto litúrgico, na admirável tradição gregoriana, esse canto sublime a que mais adiante nos voltaremos a referir, lança o seu grande voo para chegar até aos nossos dias, em que continua a ressoar nas abóbadas das nossas igrejas.

Em suma: por mais discutível que seja a fé dos cristãos destes tempos obscuros, impregnada de superstições, fraca demais para impor à sociedade os princípios da moral de

Cristo, trata-se de uma fé profunda e real, sobre a qual a Igreja pôde apoiar-se para prosseguir o seu paciente trabalho de penetração nas almas.

A reforma, princípio fundamental da Igreja

O grande perigo que a Igreja corria era o de se deixar contaminar por aquela mesma sociedade que devia tentar transformar. Esse perigo não datava, porém, da véspera: apareceu com o próprio cristianismo e há de durar tanto como ele; simplesmente manifesta-se de modos diferentes segundo os países e os tempos. A Igreja não é do mundo, mas está *no* mundo; é divina, mas composta de homens, isto é, de pecadores. Dolorosa contradição!

Nos tempos bárbaros, o grande perigo era que o cristianismo cedesse à "barbarização" geral e, ao invés de elevar os novos batizados, deslizasse com eles para a violência e para os vícios. Perigo temível, pois os leigos poderosos exerciam por vezes sobre a Igreja a mais desastrosa das influências, especialmente no que dizia respeito às nomeações de bispos. Verdadeiros "bispos do exterior", à maneira de Constantino, a quase totalidade dos soberanos desta época considerava o clero como um corpo de funcionários a seu serviço. Em 614, Siegeberto proíbe São Desidério de ir ao concílio da sua província, e em termos que lembram os de algumas cartas do absolutista Luís XIV.

Ao julgarmos semelhantes atitudes, não devemos esquecer que as províncias eclesiásticas ficavam muitas vezes cortadas pelas fronteiras flutuantes dos reinos bárbaros, e assim um bispo que se dirigia a um concílio podia muito bem estar-se metendo em território inimigo. De 511 a 650, há uma dúzia de concílios que declaram ter sido convocados ou autorizados por reis. Um súdito não pode ordenar-se sem permissão do soberano, pois a ordenação de um homem livre priva o rei de um guerreiro — fato de que resultou a promoção ao sacerdócio de muitos ex-escravos.

Menos ainda pode um sacerdote ser feito bispo sem o consentimento do seu rei. Em princípio, o bispo é eleito pelo clero da diocese e sagrado pelo metropolita, mas na prática faz-se caso omisso dos cânones que determinam essas eleições. É na realidade o rei quem ordena ao metropolita que sagre o homem da sua escolha, e é também ele quem faz por todos os meios pressão sobre o clero para que o eleja. Inicialmente (até o ano de 580, aproximadamente), os concílios limitam-se a reconhecer que o assentimento do rei é indispensável para a eleição episcopal, mas em 614 Clotário II promulga um edito em que reserva para si o direito de nomear bispo um funcionário palatino que seja do seu agrado, e a Igreja não ousa opor-se.

Numerosos bispos sairão da *scola palati*, essa escola de cadetes na qual, sob a vigilância do *mestre*, os filhos das famílias nobres se preparam para servir o rei. Acabar-se-á por disputar os bispados — frutuosas prebendas, diga-se de passagem — à base de influências, se não de dinheiro. A simonia — o pecado de Simão, o Mago, agora renovado (cf. At 8, 20) — apodrece o clero de todos os reinos bárbaros. E essas práticas abomináveis são tão usuais que os próprios santos não chegam a reagir contra o princípio que as origina: a ilícita ação real; São Bonifácio, por exemplo, dirá claramente numa carta a Pepino, o Breve que, segundo pensa, o rei tem todo o direito de nomear bispos[31].

O mais admirável é que tais usos nem sempre redundaram em catástrofes, pois, como vimos, os bispos desta época sombria foram, via de regra, de boa qualidade e até santos! Ao contrário, o que não é de admirar é que alguns desses prelados tenham sido indignos do seu caráter sagrado e que, partindo deles o exemplo, os piores costumes tenham contaminado boa parte do clero. Será preciso citar casos concretos? O honesto São Gregório de Tours não dissimula essas tristezas e torpezas, e quando lemos a vida dos santos autênticos, como a de um São Columbano ou a de um São Bonifácio, não demoramos a notar a sua repugnância em considerar como colegas determinados bispos íntimos dos reis, tantas vezes imorais, brutais e ignorantes. Alguns desses maus pastores ficaram célebres pelos seus excessos, como um certo Cautin de Clermont, que se embriagava a tal ponto nos banquetes que eram precisos quatro homens para levá-lo para casa. Foi esse mesmo bispo que, exasperado com um sacerdote que se recusava a ceder-lhe a sua propriedade, mandou fechá-lo juntamente com um cadáver num sarcófago, destino do qual o infeliz, por sorte, ainda conseguiu escapar. Citam-se ainda Salônio d'Embrum e Sagitário de Gap, dos quais São Gregório de Tours nos conta que levavam uma vida quotidiana de comilanças e devassidão, e que tinham organizado bandos armados para... obrigarem os seus colegas dos bispados vizinhos a pagar-lhes tributo! Tais costumes, ainda por cima, não eram privativos dos bispos: a história de alguns mosteiros deixa à mostra canalhices inteiramente análogas, mesmo entre as mulheres! É conhecida a história de uma revolta das monjas contra a abadessa da Santa Cruz de Poitiers, abadia fundada pela doce Santa Radegunda, e onde as orelhas e os narizes cortados não foram os piores incidentes! Estes costumes execráveis manter-se-ão durante muito tempo, pois no limiar da época carolíngia um certo Gewiliob, bispo de Mogúncia, organiza ainda tantas emboscadas e massacres que São Bonifácio, cara a cara, não hesitará em chamar-lhe assassino!

É quando pensamos em fatos tão penosos, sobre os quais preferiríamos lançar um véu, que avaliamos o heroísmo e a tenacidade que foram necessários à Igreja para lutar contra semelhantes desvarios. O instrumento desses esforços corretivos foi essencialmente o *concílio*, a assembleia de bispos, quer nacional, quer provincial, que vimos reunir-se frequentemente nos países do Ocidente cristão. Ali se estudavam, se condenavam e se procurava suprimir todos os abusos que se infiltravam na Igreja; e havia também uma preocupação minuciosa com a vida moral e religiosa do povo, pois com frequência ali se denunciava a simonia, e eram inúmeros os casos de antagonismo entre clérigos ou entre sacerdotes e leigos que os concílios tinham de resolver. "Nunca poderemos louvar suficientemente — disse Schnürer —, sobretudo se pensarmos na situação da época, o valor civilizador que tiveram as assembleias dos bispos, constituídas pelos homens mais cultos e pelas mais altas autoridades morais de um país".

Poder-se-ia elaborar um excelente manual de vida moral e espiritual do clero se se compendiassem apenas os principais artigos das decisões conciliares dos séculos VI e VII, e, se nos sentirmos tentados a formar um juízo severo sobre os costumes clericais dessa época, reportando-nos aos numerosos abusos que acabamos de ver, convém pensar também nessas assembleias tão sábias e tão fecundas, em que a palavra de Deus não constituía letra morta.

O principal objetivo dos concílios era justamente a conduta moral do clero. Para atenuar tanto quanto possível os graves inconvenientes das nomeações de bispos pelos reis, impôs-se aos recém-eleitos uma espécie de noviciado, um prazo de experiência que ia de um ano a dezoito meses. Foi também proibido sagrar bispo quem quer que não fosse sacerdote havia pelo menos um ano, e exigiu-se ainda (embora sem grande resultado) que o bispo residisse sempre na sua sé. Concitou-se inúmeras vezes o alto clero à dignidade e à simplicidade de vida, e censuraram-se aqueles que possuíam matilhas e falcões de caça ou os que andavam armados. Num escalão mais baixo, procurou-se impor aos sacerdotes e aos diáconos uma certa formação moral e intelectual, exigiu-se determinado prazo entre a conversão e a ordenação dos que não haviam nascido cristãos, recusou-se a tonsura aos ignorantes e estabeleceu-se uma idade mínima para a recepção de ordens (trinta anos, no caso do sacerdócio). O celibato eclesiástico não era ainda obrigatório, mas proibiam-se (em teoria...) as relações sexuais entre o sacerdote e a sua esposa, e até que coabitassem. Ainda que essas prescrições fossem observadas muito irregularmente, nem por isso é menos notável que a Igreja tivesse sabido mostrar-se tão firme na questão dos princípios.

Mas bastaria essa firmeza? Para que os melhores princípios se tornem verdadeiramente eficazes, é necessário que sejam proclamados por homens cuja voz saiba fazer-se ouvir e que ousem anunciar a palavra de Deus. Esse tinha sido o papel dos profetas em Israel. A natureza humana é o que é, e o hábito exerce sobre ela uma pressão tão forte que é necessário sacudi-la incessantemente para comunicar à alma um vigor que a rotina debilita. Uma das características da sabedoria da Igreja e do seu profundo conhecimento do homem foi ter compreendido esse aspecto. Foi por isso que, no plano pessoal, aconselhou a prática dos "retiros", para que a consciência ganhasse clareza e se emendasse; e, no paroquial, organizou as "missões", que desempenharam o mesmo papel de revivescência.

No plano superior da própria hierarquia, vê-se surgir, nos momentos mais sombrios da idade bárbara, a grande ideia que será fundamental durante toda a sua história — a ideia da *reforma*. Ao longo de toda a Idade Média, quando a verdade evangélica correr o risco de ser obliterada pela infâmia e pela mediocridade, hão de levantar-se homens empenhados em reconduzir os cristãos à lei divina: é a tarefa que veremos ser levada a cabo sucessivamente pelos monges de Cluny no século X, pelo papa Gregório VII no século XI, por São Bernardo no século XII e por Inocêncio III e pelas ordens mendicantes no século XIII. No coração da idade bárbara, duas poderosas figuras encarnam o espírito da reforma — isto é, por outras palavras, da "revolução permanente", pois nos lembramos de que o cristianismo é em essência a revolução da Cruz —: *São Columbano*, em fins do século VI, e *São Bonifácio*, no século VIII.

Não há melhor maneira de expressar a ação desse grande guerrilheiro de Cristo que foi São Columbano do que repetir, a seu respeito, a comparação com os profetas de Israel. É um Elias, é um Isaías, é o Batista que prega nas margens do Jordão. Surge de repente nalguma região — um gigante ossudo cujos punhos, diz-se, chegaram a pôr ursos em fuga —, seguido por um grupo de monges irlandeses, como ele apaixonados pela verdade, como ele trazendo os cabelos à moda celta, caídos atrás sobre as costas, mas rapados na frente em semicoroa. Brandiam o longo bastão de peregrinos, tiravam dos seus alforjes os livros litúrgicos e uns pequenos estojos com relíquias, e punham-se a pregar. Nenhuma glória humana os impressionava, nem reis nem bispos, nem mesmo os concílios, a que não se dignavam comparecer, embora convocados. Proclamavam a necessidade da penitência e denunciavam aos brados os crimes e os pecados.

Durante perto de meio século, em torno dos anos 600, a influência de São Columbano sacudiu as almas e a sua passagem suscitou verdadeiras epidemias de santidade. Um novo espírito soprou sobre o clero, e o próprio episcopado melhorou visivelmente. A sua primeira fundação, Luxeuil, tornou-se um viveiro de bispos, e o seu selo deixou marcadas muitas comunidades, como a de Santo Wandrille em Fontenelle e a de São Filiberto em Jumièges. Foi por meio dele que se impôs em todo o Ocidente a prática da Confissão auricular, bem como a penitência privada e tabelada. Como escreveu um contemporâneo, São Columbano "ateou o fogo de Cristo por toda parte onde pôde, sem se preocupar com o incêndio que daí adviria".

No meio do século VIII, a mesma tarefa foi retomada por São Bonifácio, mas de forma muito diferente: esse inglês calmo e comedido, quase tímido, não tinha os modos fulgurantes do irlandês, mas possuía uma tenacidade que faltara a Columbano; sobretudo — apoiado em Roma, estreitamente vinculado na sua ação à vontade do Papa, cujo prestígio entretanto crescera muito —, pôde conceber e empreender uma reforma mais profunda, que se tornara urgentemente indispensável.

Havia setenta anos — a cifra é do próprio Bonifácio — que as cristandades do Ocidente se debatiam numa crise, principalmente na Gália e na Germânia, onde as sórdidas guerras dos últimos merovíngios haviam provocado uma verdadeira anarquia. Sob a presidência do grande missionário, munido de poderes especiais na qualidade de legado da Santa Sé e de representante pessoal do Papa, realizou-se uma série de grandes concílios entre 742 e 747, na Alemanha, em Flandres e na França neustriana. Retomou-se com extremo vigor a luta contra os abusos. Eliminaram-se os falsos padres, os diáconos fornicadores e os bispos indignos. Organizou-se melhor a formação do clero, obrigando os futuros sacerdotes a prestar exames de Sagrada Escritura. E exigiu-se também que os bispos vigiassem mais estritamente as suas dioceses: foi então que se lhes impôs a obrigação das visitas pastorais. Pode-se dizer que, graças a esses grandes concílios de meados do século VIII — principalmente ao "concílio germânico" de 742 (o lugar é desconhecido), ao de Leptine ou de Estinne em 743, e aos de Soissons em 744 e 745 —, surgiu uma nova Igreja da decomposição merovíngia.

É certo que os resultados não foram todos aqueles que São Bonifácio sonhara; concretamente, o santo não conseguiu estabelecer uma hierarquia rigorosa que, do Papa aos metropolitas, destes aos bispos, e dos bispos ao último dos sacerdotes, teria mantido em toda a Igreja uma unidade absoluta de intenções e de comando. A grande ideia da unidade era prematura, tal como a da *cristandade*, da qual viria mais tarde a ser uma consequência. Mas era já muito importante que se tivesse dado um passo nessa direção, e se os reformadores do século VII nada puderam contra os excessos das intervenções reais, pelo menos entenderam-se com os primeiros carolíngios, principalmente com Carlos Martel, e prepararam as novas modalidades do acordo entre a Igreja e o Estado, do qual nasceria sob Carlos Magno um esplêndido florescimento do cristianismo[32].

O combate por Cristo

O esforço da Igreja por resistir à influência degradante da sociedade bárbara não é, na realidade, senão um dos aspectos da sua investida geral contra as inclinações e os vícios dessa sociedade. Sublinhamos anteriormente aquilo que, nos cristãos da idade das trevas, deixava ver de maneira muito clara certa cumplicidade com as piores tendências da época; mas as sombras do quadro não devem fazer-nos esquecer as suas pinceladas luminosas, isto é, a obra paciente e muitas vezes heroica, aparentemente pouco fecunda mas na realidade aberta ao futuro, que a Igreja levou a cabo ou pelo menos esboçou nesta época. Foi em condições extremamente difíceis que ela teve de travar, teimosamente, o combate por Cristo.

Aos bispos indignos cujos costumes causavam escândalo, é preciso contrapor aqueles que foram as verdadeiras testemunhas de Cristo, pela pureza da sua vida, pela nobreza do seu ideal e, muitas vezes, pela sua coragem — que em tantos casos chegou até ao martírio. Se os primeiros constituem exceções confrangedoras, os segundos formam uma legião. Quantos dentre eles não souberam, na frente dos reis de quem mais ou menos dependiam, recordar bem alto a lição do Evangelho, como os profetas de Israel recordavam aos soberanos criminosos a lei de Deus! Quantos, de uma forma ou de outra, não pronunciaram as admiráveis palavras certa vez proferidas por Santo Isidoro de Sevilha: "Serás rei quando fizeres o que é reto; e não serás rei se não fizeres o que é reto!" Quantos, no meio dos perigos em que a sua firmeza os colocava, não tiveram que dizer como São Nizier de Tréveris: "Morrerei com alegria pelo que é reto".

Inúmeras narrativas mostram-nos estes santos bispos empenhados na luta pela moral, pela justiça e pela caridade, com uma audácia que muitas vezes nos deixa estupefatos. E não se trata apenas de um São Columbano, cujo temperamento era por natureza briguento e cujas desavenças com os príncipes foram épicas[33], mas também de homens moderados e prudentes como um São Germano de Paris, por exemplo, que com veemente firmeza chamou Sigisberto e Quilperico, prestes a lançar-se numa luta fratricida, ao cumprimento do dever. Lembremo-nos também de São Cesário de Arles ou de São Nizier de Tréveris, que mais de uma vez interromperam a celebração da Missa e se recusaram a continuá-la porque acabavam de ver entrar na igreja algum príncipe ou rei cujo comportamento era excessivamente vil. Alguns destes combatentes de Cristo pagaram a sua coragem com a vida. Assim, *São Pretextato de Rouen*, cujo episcopado foi de ponta a ponta um ato de constante heroísmo. Tendo estigmatizado os crimes da terrível Fredegunda, foi preso uma primeira vez e logo a seguir posto em liberdade devido à intervenção de outros bispos, principalmente de São Gregório de Tours; mas logo recomeçou os seus protestos e, ameaçado com o exílio, respondeu serenamente à rainha: "No exílio ou fora dele, sou e serei sempre bispo; mas tu, tens tu a certeza de que hás de ser sempre rainha?" Por fim, foi assassinado por um emissário secreto de Fredegunda e morreu denunciando o nome da criminosa.

São Desidério de Vienne encontrou a morte em condições semelhantes, por ter censurado ao rei Thierry os seus costumes infames. E não nos podemos esquecer do mais célebre desses bispos mártires, *São Léger de Autun*; fosse por ter pregado a moral aos grandes, fosse por ter feito frente aos abusos do terrível Ebroim, mordomo-mor do rei, foi finalmente preso (em 680), teve os olhos vazados e, depois de um simulacro de processo, foi degradado e, posteriormente, decapitado. As últimas palavras desta grande testemunha de Cristo foram: "Deus guarde de todo o ódio o coração dos cristãos fiéis"[34].

No seu conjunto, o esforço central da Igreja resume-se em poucas palavras: tornar menos bárbaros os bárbaros. A sua influência foi pacificadora e civilizadora, ou pelo menos procurou sê-lo[35]. No plano teórico, foi ainda muito fraca; o *direito* continuou fortemente germanizado e a Igreja não pôde conter eficientemente as práticas bárbaras da vingança privada e do *wehrgeld* ou composição; podemos mesmo lamentar que, em nome de uma concepção religiosa bastante discutível, alguns dos seus membros tenham aceitado e até justificado os ordálios e o "juízo de Deus". Não foram poucas as ocasiões, porém, em que ela levantou a voz contra os excessos da tortura, e à medida que a sua influência se ia tornando maior, o direito passou a evoluir em direção a condições mais cristãs. Assim, o novo código alemânico, redigido por volta de 717, acolhe preceitos que marcam um progresso, como por exemplo a proibição de todo o trabalho servil aos domingos, o castigo do perjúrio, o reconhecimento legal do direito de asilo e mesmo a norma de que os juízes fossem sempre "homens justos e tementes a Deus".

Mas não foi no plano doutrinal ou legislativo que a Igreja fez incidir o seu principal esforço. Olhando a sociedade tal como era, os homens tais como eram, com os seus defeitos por vezes assustadores, o que a Igreja fez foi tentar limitar os excessos da sua violência e obrigá-los a respeitar pelo menos alguns princípios humanos básicos. O exemplo mais frisante desse esforço foi a verdadeira batalha que travou pelo *direito de asilo*. Esse direito, herdado do paganismo greco-romano e transferido para as igrejas durante o século IV, consistia em que os culpados, os endividados ou os criminosos que conseguissem refugiar-se junto dos altares não podiam ser presos no recinto sagrado. Não é que a Igreja quisesse assegurar-lhes a impunidade; queria apenas dar tempo a que os ânimos se apaziguassem, para depois intervir a fim de fazer respeitar os princípios da justiça. Os refugiados não podiam ser entregues sem um juramento sobre o Evangelho que os garantisse contra a tortura, a mutilação e a morte. Bem podemos imaginar a que dificuldades a Igreja se expunha ao proceder assim! Os reis que viam escapar-lhes dessa forma um inimigo usavam de todos os meios para que este lhes fosse entregue. E, pior ainda, os próprios refugiados se portavam de forma muitas vezes odiosa, bebendo e causando arruaças na igreja; um certo Evroul, refugiado no átrio da basílica de São Martinho de Tours, chegou a bater num clérigo que se recusara a dar-lhe de beber por vê-lo embriagado; outro se pôs a insultar São Gregório em pleno ofício, e assim por diante... É verdadeiramente prodigioso que, lidando com semelhantes energúmenos, a Igreja tenha conseguido salvaguardar o princípio da caridade. Ao menos parece que Deus interveio muitas vezes nesses casos — os cronistas no-lo dizem repetidamente —, e os violadores do direito de asilo foram quase sempre miraculosamente castigados...

Assim se foram introduzindo, na medida do possível, alguns elementos do cristianismo nessa sociedade dura e brutal. As obras de caridade, o que hoje chamaríamos previdência social e que era completamente desconhecido dos governantes desse tempo, corriam exclusivamente por conta da Igreja. Lutar contra a miséria, aliviar a situação aflitiva dos indigentes, era para ela uma obrigação absoluta, que os concílios lembravam com frequência. Nas proximidades da catedral viviam os "pobres benditos", também chamados "matriculados", pois constavam dos registros assistenciais da diocese. Os "fundos de socorro", para os quais os fiéis eram convidados a concorrer com os seus óbolos, estavam espalhados por toda parte; é preciso ressaltar, aliás, que esta filantropia não tinha sob nenhum aspecto o caráter anônimo, administrativo, que vemos hoje em dia nos órgãos de previdência.

Os bispos e os sacerdotes amavam esses pobres, conheciam-nos e visitavam-nos[36]; há frases de São Gregório de Tours a respeito de umas crianças órfãs que estavam a seu cargo que são dignas de um São Vicente de Paulo. Havia também hospícios — hospedarias — para estrangeiros e hospitais mantidos pela Igreja, e muitos desses edifícios deviam a sua existência aos monges irlandeses e celtas, grandes promotores de peregrinações, que os haviam construído para os seus penitentes. Em breve veremos surgirem os "hospitais de Lázaro" ou leprosários, quando as relações com o Império do Oriente de lá trouxerem a lepra.

Todos os que fossem fracos ou estivessem ameaçados encontravam-se, por princípio, sob a poderosa proteção da Igreja: antes de mais nada, as viúvas e os órfãos, para quem o bispo representava um verdadeiro tutor. Aos credores, a Igreja proibia que abusassem dos seus direitos ou explorassem os devedores; o empréstimo a juros estava proibido para todo o clero, e foram numerosas as decisões dos concílios que o condenaram como uma exploração do pobre.

De forma mais geral, pode-se dizer também que a influência da Igreja contribuiu para fazer respeitar os direitos da mulher, cuja fraqueza física a deixava muitas vezes indefesa diante da brutalidade masculina. A mudança de atitude para com a mulher, determinada pela vitória do cristianismo, passa agora a ser definitiva; numa sociedade cristã, nunca mais a mulher poderia ser tratada com o desprezo que lhe votava a Antiguidade[37]. O imenso êxito das ordens monásticas femininas bem prova quanto a pureza feminina era admirada. As donzelas e as viúvas gozavam de uma proteção especial contra a cobiça dos pretendentes, e aquele que raptasse uma jovem ficava proibido de desposá-la e era severamente punido; o repúdio das esposas por mero capricho do marido foi frequentemente condenado pelos concílios, e em certas dioceses chegaram a ser excomungados os juízes que praticassem injustiças contra as mulheres[38].

Desta proteção imensa que a Igreja procurava estender a todos os fracos, puderam também beneficiar-se as mais miseráveis criaturas dessa sociedade: *os escravos*. Aliás, a atitude cristã a este respeito deve ser bem precisada. Por um lado, depois que a Boa-nova fora anunciada ao mundo, já não havia, em essência, "nem escravo nem livre", como dissera São Paulo (Gl 3, 28). Aos olhos de Deus, todos os homens eram iguais, e dessa profunda convicção nasceu uma verdadeira revolução de fraternidade logo nos primeiros tempos da Igreja, associando senhores e escravos na mesma comunidade; bem se pôde avaliar a importância e o alcance dessa revolução no dia em que o ex-escravo Calisto se tornou Papa! Mas, por outro lado, a Igreja não condenava indiscriminadamente a escravidão; a supressão dessa instituição, dado o regime econômico do tempo, era tão inimaginável como hoje poderia parecer, a um burguês capitalista, a supressão do trabalho assalariado. A Igreja encarava a escravidão como uma das consequências do estado de pecado em que a humanidade se debate desde a culpa original, a tal ponto que chegava a admitir que o raptor de uma virgem fosse escravizado por aqueles a quem lesara. A sua atitude para com a escravidão explicava-se à luz desses dois princípios.

Mais do que lutar pela abolição da escravidão, a Igreja procurou, portanto, melhorar a situação dos escravos, e essa foi umas das suas preocupações mais constantes, a avaliar pelo grande número de concílios que estabeleceram disposições nesse sentido. O comércio da mão-de-obra escrava foi disciplinado; assim, por exemplo, proibiu-se que um escravo cristão fosse vendido fora das fronteiras ou a um judeu. Os casamentos entre escravos foram inteiramente reconhecidos e abençoados. Um homem que tomasse uma escrava por concubina devia (em princípio...) casar-se com ela; em qualquer caso, a diferença de condições não podia servir de impedimento para o casamento. Os concílios regionais de Orange (411), Arles (452), Agde (506), Orleans (541), Mâcon (585), Paris (615), e vários concílios de Toledo, sobretudo o de 633, bem como os de Reims (625) e Châlon-sur-Saône (650), todos promulgaram disposições desta natureza, enquanto muitos outros concediam privilégios especiais aos escravos que vivessem nos domínios eclesiásticos.

Esta evolução dirigida à melhoria da sorte dos escravos foi favorecida, por outro lado, pela profunda transformação a que a sociedade esteve sujeita nos tempos bárbaros. A decadência das cidades fez desaparecer os grandes plantéis de servos que rodeavam os poderosos do mundo antigo, e a fragmentação das propriedades rurais em áreas mais pequenas deu aos escravos do campo uma relativa independência ou, pelo menos, uma maior estabilidade na terra que cultivavam. A passagem da condição de *escravo* para a de *servo*, que se operou exatamente entre os séculos V e VIII, preparou as futuras alforrias em grande escala.

Embora não estabelecesse essas alforrias como um princípio, a Igreja era a primeira a aconselhá-las e a dar exemplo delas. Já nos séculos III e IV, muitos cristãos ricos tinham libertado os seus escravos, e os bispos e os mosteiros dos tempos bárbaros seguiram-nos com frequência nesse caminho: São Remígio em Reims, São Bertrand em Mans e Santo Elói em Noyon realizaram libertações em massa, principalmente por ocasião da festa da Páscoa. Um concílio da Borgonha aconselhou os cristãos que tivessem muitos escravos a oferecerem todos os anos um "dízimo a Deus", libertando boa parte deles.

Não havendo máquinas, a organização econômica da sociedade não permitia ir mais longe; mas, pelo menos, esboçava-se o caminho pelo qual veremos a Igreja enveredar a fundo a partir do século X.

Uma luz que se vislumbra

O que a Igreja fez no plano moral, fê-lo igualmente na ordem intelectual: no meio de uma atroz obscuridade, conseguiu manter também nesse campo alguns faróis que indicassem o caminho do futuro. É verdade que não podemos alimentar a esperança de ver surgir obras-primas, pois toda a época bárbara revela uma assustadora queda de nível nas letras e nas artes; mas o que conta mais que os resultados são os meios pelos quais a Igreja procurou salvaguardar os valores essenciais, e os esforços — mesmo hesitantes — que empreendeu para reanimar a vida intelectual, isto é, as possibilidades de renascimento da luz.

O grande fato que domina esta época no campo das letras e das artes — aliás o mesmo que dominou toda a Idade Média — é que a atividade do espírito brota exclusivamente da Igreja. Do século VI ao século XIII, não haverá obra alguma de valor que não esteja na sua dependência. Naquilo que agora se pode chamar atividade literária (e veremos o sentido particular que teremos de atribuir a esta expressão), não se poderá citar um só nome que não seja o de um eclesiástico — bispo, sacerdote ou monge. O último escritor "leigo" — e também o último escritor romano — foi *Boécio*, o ministro de Teodorico que teve tempo de repensar toda a filosofia antiga no célebre tratado *De consolatione*, na prisão onde o seu senhor ostrogodo o manteve durante muito tempo antes de mandar matá-lo por volta de 525. Neoplatônico e aristotélico na aparência, este escritor que não se refere uma única vez a Cristo, está no entanto impregnado de teologia cristã, e a sua obra terá uma profunda influência sobre a filosofia escolástica futura. Todos os seus contemporâneos, todos os seus predecessores imediatos e todos os seus sucessores são formalmente eclesiásticos.

O seu colega nos conselhos ostrogodos, *Cassiodoro*, o último grande erudito do seu tempo, terminou a vida no convento de Vivarium, no meio dos seus queridos livros. No século anterior, *São Paulino de Nola*, no seu bispado-mosteiro na Champagne, compusera poesias que anunciavam as fábulas de La Fontaine, e muitas delas foram inscritas nas paredes das igrejas. No fim do século V, o nobre senhor letrado da Alvérnia, *São Sidônio Apolinário*, autor de belas epístolas e por vezes poeta requintado, foi lançado pela sua eleição para o episcopado de Clermont na guerra intelectual a favor da cristandade; e ainda *São Venâncio Fortunato* (530-600), também sacerdote e mais tarde bispo, foi o primeiro dos trovadores — até hoje cantamos o seu admirável hino *Vexilla Regis* — e manteve com a rainha-monja Santa Radegunda a mais poética e mais santa das amizades. Nos piores momentos do furacão bárbaro, o veemente *Salviano*, sacerdote e "mestre de bispos", lançara ao mundo os seus apelos frementes. E não nos esqueçamos ainda do grande bispo e último retórico *Santo Enódio*, de Pavia; do grande bispo de Vienne, *Santo Avito*, que consagrou uma epopeia à criação do mundo; e do sacerdote *Carripio, o Africano*, autor de outra epopeia sobre a reconquista da África por Justiniano. E poderíamos continuar a enumeração por muito tempo...

Importa sublinhar que o fato de todos os homens capazes de escrever terem pertencido à hierarquia eclesiástica trouxe consigo uma radical transformação de atitude perante a atividade literária. Conhecemos hoje em dia escritores que são médicos ou engenheiros sem que por isso subordinem a sua arte aos interesses da medicina ou da ciência aplicada; mas, nos tempos bárbaros, e mais tarde em toda a Idade Média, a atividade criadora do espírito andará sempre estritamente subordinada aos interesses do cristianismo, à intenção apostólica. São Gregório Magno, por exemplo, censurará São Desidério de Vienne por ensinar gramática e "cantar o que não conviria sequer a leigos piedosos".

Este exclusivismo é compreensível, pelo menos na época heroica dos começos (pois não há de durar): a Igreja tinha de salvar um tesouro — o seu próprio —, e tinha de realizar uma tarefa fundamental — a da cristianização do mundo —, e assim não podia dispersar as suas forças num momento de tão grande esforço. A cultura superior centrou-se assim nas ciências sagradas, principalmente no estudo da Sagrada Escritura e da Teologia. Ao escrever a sua célebre *Regra*, São Bento não teve senão uma única intenção: a de dar aos monges preceitos eficazes; mas nem por isso deixou de criar uma obra-prima. Da mesma forma, *São Próspero de Aquitânia*, o melhor dos discípulos imediatos de Santo Agostinho, ao aprofundar e comentar a teologia do gênio de Hipona, construiu uma obra cujos fragmentos ainda hoje são de extremo valor. E *São Cesário de Arles*, dedicando-se unicamente a bem dirigir as almas que tinha a seu cargo, deixou um conjunto de instruções e de correspondência que é literariamente precioso. Pode-se dizer o mesmo de *São Gregório Magno*, cuja obra literária — homilias, *Moralia*, Pastoral, *Diálogos* — está exclusivamente ligada à sua ação apostólica e pontifícia, mas não deixa por isso de ter todas as qualidades que ainda podia possuir um verdadeiro escritor da sua época.

Não podemos deixar de reconhecer, porém, que à medida que se avança no tempo, o valor propriamente literário das obras baixa irresistivelmente[39]. O mais célebre dos escritores de fins do século VI, *São Gregório de Tours*, autor da *Histoire de France*, tão valiosa para o conhecimento de fatos e homens, é medíocre como escritor, denota um estilo mal amanhado e um vocabulário pobre, que se limita a alinhar os episódios uns após os outros, interminavelmente, sem a menor preocupação de compô-los. Pior ainda é o seu sucessor, conhecido como *o Pseudo-Fredegário*, cujo latim é de um barbarismo cômico. O erudito que, em princípios do século VII, usa o nome de Virgílio — *Virgilius Maro* —, e que foi chamado *Grammaticus* para distingui-lo do autor da *Eneida*, é um compilador, um fabricante de dicionários, que empanturra o seu latim com palavras hebraicas, gregas, celtas, e até com a gíria de Toulouse, a fim de fazer ostentação de cultura. A falta de verdadeira profundidade intelectual e o abandono da dialética trazem consigo a ruína do pensamento inovador e renovador, e assim a própria teologia cai de nível. Quando as disputas provocadas por Fausto de Riez, no século V, a propósito das doutrinas "semipelagianas" se tiverem extinguido, já não se procurará progredir na ciência teológica, e haverá apenas a preocupação de seguir as lições dos Padres, esquecendo ao mesmo tempo que a mais fundamental dessas lições era a de renovar continuamente e de meditar cada vez com mais profundidade a herança de Cristo.

No entanto, mesmo durante esta fase de obscurecimento progressivo, de tempos a tempos desponta uma luz aqui e além; não uma luz muito intensa, nem de longa duração, mas suficiente para provar que a chama não está extinta e que pode voltar a brilhar um dia. Um dos aspectos principais da imensa obra do grande papa *São Gregório* foi o de ter reanimado por algum tempo os estudos teológicos, com uma teologia menos profunda que a dos antigos Padres, mais agarrada aos artigos da fé — que, segundo se pensava nesta época, deviam ser cridos e não por demais esquadrinhados —, mas que pelo menos despertou o gosto de meditar sobre as coisas de Deus.

Deve-se prestar homenagem, além disso, por mais efêmeros que tenham sido os resultados dos seus esforços, a esses santos que rodearam o rei Dagoberto em meados do século VIII — *Santo Elói* e *Santo Ouen* —, que tentaram reavivar o gosto pelos estudos literários no país franco; e sobretudo ao seu contemporâneo *Santo Isidoro de Sevilha*, que tentou fazer o mesmo na Espanha. Este foi, pessoalmente, um enciclopédico à maneira de Plínio, extremamente inteligente e dono de um estilo claro e direto; e teve o mérito de transmitir às gerações futuras aquilo que havia haurido nos clássicos e nos Padres. E temos de evocar também, com gratidão, o nome de *São Beda, o Venerável* (673-737), o grande doutor da igreja inglesa, o erudito monge cuja imensa obra de historiador da sua nação, exegeta e moralista, não só iniciou os anglo-saxões nas riquezas da tradição patrística, mas também influenciou diretamente toda a cristandade ocidental do século VIII: "Beda, diz Christopher Dawson, representa no Ocidente o mais alto grau de cultura intelectual que se pôde atingir no período compreendido entre a queda do Império e o século IX". É graças a estas balizas que o caminho da inteligência não desaparece definitivamente nas trevas da noite[40].

No próprio coração da época bárbara, há um germe do futuro renascimento que merece particular atenção: o canto cristão. A música tem sido sempre uma consoladora de almas doloridas e de tempos angustiados, e é por isso que nos sentimos comovidos quando pensamos que foi no pior momento da idade das trevas que se elevou na noite a voz melodiosa da Igreja, como que para confortar os corações. Novamente o nome de São Gregório Magno está gloriosamente ligado a este desabrochar da música cristã. É verdade que, desde os primeiros tempos da Igreja, as reuniões cultuais incluíam cantos cuja letra era fornecida pelos salmos e cuja música provinha da cantilena judaica ou de alguns motivos greco-romanos — em geral melopeias com modulações simples, de tempos a tempos acompanhadas por um vocalista, e pontuadas com as aclamações, os aleluias e os responsos do povo —; era a *salmodia responsorial*. Mais tarde, no Oriente, criaram-se os cantos de dois coros alternados, que constituíram a *salmodia antifônica*, introduzida no Ocidente por Santo Ambrósio[41]. Por fim, no século V, acrescentou-se uma outra forma de canto, o *hino*, "canto em louvor de Deus", cuja letra já não era extraída da Sagrada Escritura, mas composta por poetas cristãos. Estes hinos compunham-se de uma série de estrofes, todas cantadas com a mesma música.

Mas o grande trabalho de São Gregório Magno consistiu essencialmente em ordenar todos esses elementos, em harmonizá-los, em adaptar ao velho fundo anterior ao século IV as novidades mais recentes e, além disso, em fazer os acréscimos necessários para as reformas que introduziu, imprimindo a todo o conjunto essa marca de suave gravidade, de naturalidade e de simplicidade que caracteriza o gênio deste grande papa. *O canto gregoriano* ou *cantochão* havia de atravessar os séculos, e a *Schola Cantorum*, desenvolvida também pelo papa nas suas linhas definitivas, foi como que o conservatório musical do Ocidente. Pouco tempo depois, no decorrer do século VII, espalhou-se também o uso do *órgão*, uma invenção helênica que entrou em Roma sob o pontificado de Vitalino, e logo depois passou para a Gália e a Inglaterra, onde se alude ao seu uso em 680. A atmosfera musical, tão bela e tão pungente, da Igreja católica de hoje, já estava mais ou menos formada há treze séculos.

E há, ainda, mais um terreno em que a Igreja imprimiu a sua marca e assumiu o mesmo papel. Como era necessário — a única coisa necessária — meditar sobre o conhecimento de Deus, a teologia salvou a atividade intelectual. Como era justo e doce louvar a Deus, o canto da Igreja manteve viva a música. Da mesma forma, como era indispensável abrigar e enriquecer o culto de Deus, a arquitetura e a arte das imagens conservaram, mesmo através das piores dificuldades, uma vitalidade que nunca desapareceu. Construir igrejas foi uma das preocupações maiores dos homens deste tempo, e os soberanos cristãos, seguindo o exemplo dado outrora por Constantino, tinham orgulho em ser grandes construtores de edifícios sacros; Clóvis, Dagoberto, os reis burgúndios ou os visigodos depois da sua conversão, os príncipes da Inglaterra, todos queriam imortalizar os seus nomes com edificações piedosas. Os bispos tinham a mesma preocupação — esses bispos aristocratas que haviam herdado dos antepassados, nobres galo-romanos, velhas tradições de magnificência; um Leôncio de Bordeaux, por exemplo, foi célebre no seu tempo pela sua generosidade em construir casas para o Senhor. Também os papas foram grandes construtores.

Conhecemos mal a arquitetura dos tempos bárbaros, apesar de as inúmeras construções eclesiásticas terem ocupado um lugar tão importante quanto o que haveriam de ter nos dias do mais belo estilo gótico; infelizmente, são poucos os monumentos que subsistem. Durante muito tempo, essa arquitetura foi considerada balbuciante, hesitante, ao mesmo tempo decadente e infantil, mas os trabalhos de Émile Mâle[42] provaram como era injusta essa opinião. Quanto ao começo do período, podemos fazer uma ideia do que devem ter sido as grandes basílicas se tivermos em conta monumentos como os de Santo Apolinário de Ravena, Santa Maria Maior, Santa Sabina e São Paulo Extramuros, em Roma, monumentos grandiosos apesar do seu aspecto um pouco frio. Mais tarde, esse tipo evoluiu; as influências orientais devidas às peregrinações ou aos monges — após a invasão árabe e a Querela das Imagens — acrescentaram às basílicas de tradição romana as igrejas com tribunas, de que o *Martyrion* de Jerusalém era o exemplar mais perfeito, e igrejas circulares inspiradas na rotunda do Santo Sepulcro. Ergueram-se conjuntos compostos em que se viam, lado a lado, duas igrejas dedicadas a dois santos diferentes e unidas a um batistério: o todo formava uma catedral. A partir da época merovíngia, fizeram-se interessantes tentativas para substituir a simples cobertura pela abóbada — essa genial invenção etrusca que Roma utilizara com tanta frequência — e pela cúpula, longínqua descoberta assíria que Bizâncio havia restabelecido tão gloriosamente. Tudo isso seria ainda pouco hábil, e os fragmentos da arquitetura merovíngia que chegaram até nós — como por exemplo a "cripta" de São Lourenço de Grenoble ou o batistério de São João em Poitiers — e os restos contemporâneos que subsistem na Itália e na Espanha — a igreja de Santa Eulália em Toledo e a de São João de Banos —, dão todos uma certa impressão de primitivismo, de falta de jeito e de rusticidade, que aliás não deixa de comover. Com as suas colunas inabilmente copiadas do antigo, com o seu perfil atarracado e as suas abóbadas trabalhadas sem leveza, essa arquitetura ainda procura visivelmente um caminho; mas já está lá, em potência, o estilo românico, com as suas audácias inabaláveis e as suas formas equilibradas.

O que mais impressionaria os contemporâneos seria a decoração dessas igrejas. O exterior era sóbrio — nada de parecido com a prodigalidade das fachadas góticas —, mas o interior era suntuoso. Para ornamentar a casa do Senhor, não se poupavam despesas, pois os bárbaros tinham uma inclinação inata para fazer certo alarde de riqueza. A escultura, é bem verdade, não era grande coisa; se ainda no século V — por exemplo, nas famosas portas de Santa Sabina, em Roma — conservava muito da grande tradição romana, mais tarde entrou em franca decadência. Assim, em São Lourenço de Grenoble, os capitéis inspirados na arte bizantina oferecem conjuntos de animais face a face, aves dando bicadas em uvas, folhagens saindo de vasos, tudo num estilo verdadeiramente bárbaro...

Não era a pedra esculpida o que mais apaixonava os artistas deste tempo. Era o mosaico, que os peregrinos tanto admiravam no Oriente e que mandavam reproduzir com mais ou menos habilidade, como por exemplo na Dourada de Toulouse. Era a pintura mural, com grandes cenas hagiográficas, como as que maravilhavam os visitantes da basílica de São Martinho de Tours, ou com decorações ornamentais fortemente influenciadas pela Ásia, onde os arabescos se misturavam com painéis em que se liam pequenos poemas piedosos escritos com letras de ouro. Eram os revestimentos de mármore — e grande será a desolação quando a invasão árabe puser termo à exploração das jazidas pirenaicas. Eram as tapeçarias que caíam por trás do coro e nos espaços entre as colunas, decoradas com pavões que bebiam no vaso sagrado, com leões erguidos sobre as patas traseiras e com águias que formavam círculos, gloriosas lembranças dos velhos motivos asiáticos. E eram as lâmpadas e os candelabros de ouro e prata, em tão grande número que um visitante da catedral de Nantes dizia: "Ao vê-los, fica-se com a impressão de que a Terra tem também as suas estrelas". Para as almas fiéis dos tempos bárbaros, toda essa beleza constituía como que um vislumbre do Céu. Nas palavras de Émile Mâle: "É, portanto, uma tolice falar de decadência a propósito das basílicas merovíngias; elas representavam uma arte completa e acabada, como a arte gótica o foi mais tarde".

Houve, portanto uma arte bárbara digna de admiração, em que se harmonizaram os mais diversos elementos: lembranças da Antiguidade romana, numerosos motivos de inspiração bizantina e, em certa medida, reminiscências das longínquas e confusas tradições ancestrais dos invasores: a suástica ou cruz gamada, o friso com SS abraçados e a roda. Na ornamentação pintada ou esculpida, estes elementos virão a ser, mesmo em plena arte românica ou gótica, traços de uma arte imemorial que os germanos foram colhendo ao longo das suas migrações, do outro lado dos Urais ou do Cáucaso, e oriunda talvez da Índia, da Pérsia e da China.

Esta influência manifestou-se ainda mais nitidamente numa arte ornamental que foi talvez a preferida dos homens dos tempos obscuros: a *ourivesaria*. Conservamos ainda muitas peças, como por exemplo as famosas coroas de *ex-voto* dos reis visigodos que estão no museu de Cluny, ou o cálice de ouro de Gourdon que se vê na Biblioteca Nacional; todas essas obras nos confundem ainda hoje pela sua misteriosa e "moderna" beleza. Conviria que se prestasse homenagem a essa arte dos tempos bárbaros, tão desconhecida e desprezada mas que, sob uma aparência díspar — ao mesmo tempo primitiva e decadente — está na verdade em gestação[43].

E esta é, definitivamente, a impressão mais justa que podemos reter da sociedade cristã dos tempos bárbaros. Decadente sob tantos aspectos, primitiva sob tantos outros, encontra-se no fundo repleta de pressentimentos, de efervescências violentas e obscuras e de promessas de futuro. Muito tempo terá de passar antes que essas promessas se concretizem; após um tempo de luz, durante o qual parecerá que a civilização encontrou de novo as suas bases, voltará a descer a noite, que se tornará ainda mais espessa. A impressão que a Europa ocidental dá no dia seguinte ao das invasões manter-se-á ainda por vários séculos; é a impressão de um mundo que busca o seu caminho através do sofrimento e do sangue. Mas o Guia a quem esse mundo se entregou é Aquele que nunca se engana e que, para além de todas as noites, conduz os homens em direção à verdadeira luz.

Notas

[1] Cf. cap. II, par. *Juventude da Igreja*.

[2] Basta lembrar o significativo exemplo dos vândalos que, apesar de todos os esforços dos seus cabecilhas para impedir contatos entre eles e as populações vencidas, no prazo de um século se deixaram literalmente apodrecer pela influência da voluptuosa África.

[3] Além da obra de Gregório de Tours, pouco mais se possui: algumas vidas de santos, com pormenores por vezes bastante suspeitos, e escritas frequentemente muito mais tarde (cf. Baedorf, *Étude sur les Vies des saints de la Normandie de l'ouest*, Bonn, 1913); e algumas poesias, cartas ou documentos oficiais. A *Histoire de France* foi compilada no século VII e depois continuada por um grupo de cronistas da Borgonha, que um erro de copista designou com o nome próprio, imaginário mas tradicional, de *Frédégaire*. A *Chronique de Frédégaire* está longe de possuir o valor da do bispo de Tours, e está escrita num estilo cansativo e de insigne estupidez. Os outros povos germânicos tiveram também os seus cronistas. Cassiodoro relatou a estreia dos ostrogodos; Paulo Diácono, a grande aventura lombarda; Isidoro, a dos visigodos na Espanha, e por Beda e Witikind conhecemos a história dos anglos e dos saxões.

[4] Cf. cap. IV, par. *Os arianos retornam ao seio da Igreja*

[5] É necessário ressaltar desde já, porém, que o fenômeno da decadência intelectual conheceu exceções no tempo e no espaço. Houve, em muitos momentos, esforços decididos para parar o declínio: basta citar os nomes de São Gregório Magno, Dagoberto, Santo Isidoro de Sevilha e São Beda. Cf. par. *Uma luz que se vislumbra*.

[6] Cf. cap. IV, par. *Um esboço da psicologia religiosa dos bárbaros*.

[7] Cf. M. Himly, in *Revue d'Alsace*, 1947, pág. 129.

[8] Citemos apenas este pequeno trecho pitoresco: "Gostaria de que aquele que usa da sua esposa com incontinência me dissesse que colheita esperaria fazer se resolvesse arar ou semear o seu campo tantas vezes por ano quantas cede à luxúria com a sua mulher..."

[9] O termo *paróquia* deriva do grego *paroikia*, de que os latinos fizeram *parochia*. Significava na sua origem "lugar de estadia em país estrangeiro". Não é o cristão, na terra, um viajante que está de passagem? Mas esse sentido místico modificou-se em pouco tempo. Por volta do século IV, a palavra era quase sinônima de *diocese*: designava uma circunscrição submetida a um bispo, a igreja estabelecida na *civitas*. Foi aplicada pela primeira vez ao que hoje conhecemos por paróquia rural pelo papa Zózimo, em 417, numa carta relativa à igreja de Arles (*Mon. Germ. Hist. Epist.*, t. III, pág. 6). Este novo sentido, de diocese, não se imporá no Ocidente (*Revue d'histoire de l'Église de France*, 1938, pág. 7). Mas ainda hoje a palavra árabe *abraschiya*, outro termo derivado do grego *paroikia*, designa no Líbano a *diocese*.

[10] Cf. Gain, *Histoire de Lorraine*, Nancy, 1939, e os trabalhos de L. Pfleger sobre a paróquia alsaciana.

[11] Convém recordar que a palavra grega *cléros* significa *escolhido*: o "clérigo" é um homem escolhido por Deus. Fustel de Coulanges faz observações interessantes, mas discutíveis,

acerca desta etimologia. Opõe a palavra *cléros* à palavra *presbíteroi*, que desde o início se aplicou aos sacerdotes e que significava "os mais velhos". Segundo ele, o clero seria a princípio constituído simplesmente pelos antigos da comunidade, e só mais tarde é que teria formado um corpo separado dos outros fiéis, uma espécie de aristocracia. É um ponto de vista convincente à primeira vista, tirado da ressonância das palavras, mas seria necessário provar que *presbíteroi* foi usado antes de *cléros*. Aliás, o mesmo autor observa, quase na mesma página, que "quase todos os termos da organização eclesiástica são gregos (igreja, bispo, corepíscopo, paróquia), ao passo que a própria organização é toda romana" (*La Monarquie franque*, págs. 512 e 513).

[12] "Que nenhum bispo seja dado a uma população contra vontade dela", escrevera o papa Celestino I, e São Leão declara igualmente: "Que aquele que deve estar acima de todos seja escolhido por todos". Trata-se, portanto, de um princípio formal: o metropolita e os bispos coprovinciais, antes de designarem um novo bispo, devem consultar os fiéis. Os próprios reis, aliás, quando intervierem nas nomeações, deverão ponderar se as futuras ovelhas do seu candidato estão de acordo com ele ou não, caso desejem evitar aborrecimentos e agitações.

[13] Estas famílias episcopais eram numerosas e frequentes; são comuns, por exemplo, os casos de sucessão. Assim, Santo Avito sucede a seu pai Hesíquio na sé de Vienne, enquanto o seu irmão Apolinário ocupa a de Valence. Os dois filhos de Euquério de Lyon foram também bispos, Salônio em Genebra e Verano em Vence. São Gregório de Tours diz que, com exceção de uns cinco, todos os bispos de Tours foram também seus parentes.

[14] Em Paris, o primeiro bispo franco foi o pouco conhecido Saffarac, eleito em 511 e deposto por um concílio. Seguiram-se, porém, diversos bispos galo-romanos, principalmente Eusébio e São Germano, seus sucessores imediatos.

[15] A partir do século VII, os bispos chegam a ser centros de resistência organizada contra os excessos do poder real, como se verá no drama de São Léger. No fim da época merovíngia, alguns deles, como Savary de Auxerre ou Euquério de Orleans, conquistam verdadeiros principados, e o seu poder político torna-se tão forte que Carlos Martel se verá obrigado a combatê-los. É o prenúncio dos bispos-condes do tempo dos Capetos. Uma excelente exposição desta matéria, apontando as fases da evolução que veio a terminar com a absorção do *comitatus* pelo *episcopatus*, encontra-se em F. Vercauteren, *Études sur les civitates de la Belgique seconde*, Bruxelas, 1934.

[16] Des-Prés — "dos prados" — porque a abadia de que esta igreja fazia parte ainda estava em pleno campo no século XVII.

[17] Segundo as informações fornecidas por irmãos da sua Ordem, e principalmente por monges do Monte Cassino refugiados em Roma depois de o convento ter sido tomado pelos lombardos, ninguém havia estudado São Bento antes de São Gregório.

[18] Um desses episódios é muito curioso. Tendo ouvido gabar a santidade de Bento, o rei ostrogodo Tótila (cf. cap. III, par. *O grande desígnio de Justiniano*), então em luta contra os bizantinos, resolveu visitá-lo para satisfazer a sua curiosidade. Mas, a fim de verificar se o famoso abade era mesmo um santo, mandou à frente um escudeiro, vestido de púrpura real, para que se apresentasse como se fosse o soberano. Logo que avistou o homem ao longe, Bento gritou-lhe: "Tira essas vestes que não são tuas!" O escudeiro apressou-se a ir comunicar ao rei o resultado da sua artimanha. Tótila, impressionado, correu a lançar-se aos pés do abade, que lhe disse: "Já fizeste muito mal e ainda farás mais. Põe termo à tua maldade! Entrarás em Roma, atravessarás o mar e reinarás ainda nove anos, mas morrerás no décimo". E foi exatamente o que sucedeu.

[19] Hoje, já não se aceita como correta a data "tradicional" de 543 para a morte do santo. Cf. o artigo de Schmitz, in *Revue liturgique et monastique*, 1929, pág. 123.

[20] Sustentou-se também que esta *Regra do Mestre* teria sido uma primeira versão da *Regra* de São Bento. A discussão sobre os antecedentes da regra beneditina tem sido acalorada e bastante confusa.

[21] Segundo Moreau, *Histoire de l'Église en Belgique*, t. 1, 2ª ed., 1946, na época merovíngia, as abadias de mulheres são menos numerosas que as de homens, e "nas altas esferas" parece haver pouco interesse por elas. Na Grã-Bretanha, pelo contrário, os mosteiros de mulheres eram mais numerosos nesta época. Na diocese de Coutances não se encontram antes de 677, data da fundação do "Partenon do Ham" (perto de Valognes) pelo bispo St-Fromond (cf. Laporte, *Les origines du monachisme daus la Province de Rouen*, in *Revue Mabillon*, 1941, pág. 25). É de notar que o aparecimento dos primeiros mosteiros de mulheres coincide praticamente com o desaparecimento das diaconisas, que tinham desempenhado certo papel na Igreja dos primeiros séculos (cf. Cabrol, *Dictionnaire d'Arquéologie*, t. IV, pág. 730).

[22] A importância de Santa Brígida foi tão grande que algumas lendas chegaram a afirmar que tinha recebido a investidura episcopal!

[23] Esta observação continua a ser válida nos nossos dias, mesmo tomando em consideração as restrições feitas pela crítica contemporânea à tese segundo a qual a diocese teria a mesma situação territorial que a *civitas*. Não se podem pôr de parte as observações de Chaume (*Recherches d'histoire chrétienne*, Dijon, 1949), que provam que a equação diocese-civitas nem sempre é correta; trata-se, no entanto, apenas de umas quantas exceções que, se não chegam a confirmar a regra, ao menos não a desmentem senão ocasionalmente. De qualquer modo, não se poderia traçar nesses tempos longínquos um mapa das circunscrições que tivesse a fixidez que o nosso apresenta desde há séculos. As primeiras dioceses eram comparáveis a essas prefeituras apostólicas que a Santa Sé estabelecia até recentemente nos países de missão; os seus limites são inicialmente muito fluidos e só se precisam depois de o cristianismo se ter estabilizado. Os primeiros bispos foram bispos *regionais*, que ampliavam os limites das suas dioceses à medida que se ia alargando o campo do seu apostolado.

Assim se explica a flutuação que se observa aqui e ali na organização eclesiástica, uma flutuação que se traduz por episcopados "aos pares". Na Bélgica, são frequentes os casos de duas cidades que têm o mesmo bispo: Reims e Soissons, Tournai e Nyon, Cambrai e Arras, Bolonha e Thérouanne estão ligadas duas a duas, e algumas dessas associações duram vários séculos. Nyon e Tournai estarão unidas até 1146; Arras e Cambrai até 1094 (cf. Jean Lestocquoy, *L'origine des évêchés de la Belgique seconde*, in *Revue d'histoire de l'Église de France*, jan. de 1946).

[24] Cf. *A Igreja dos Apóstolos e dos Mártires*, cap. I, par. *Os momentos do Espírito*.

[25] Os semipelagianos, descendentes intelectuais dos hereges da graça seguidores de Pelágio, atenuaram os erros dos seus antecessores, sem abandoná-los. Cf. cap I, par. O *combatente da verdade*.

[26] A igreja irlandesa caracteriza-se pela abadia-bispado; a diocese está centrada, não numa cidade episcopal, mas numa abadia. É o caso de Dol, na Bretanha francesa. Cf. Gougaud, *Les chrétientés celtiques*.

[27] O progresso do cristianismo está balizado pela fundação de igrejas, e, consequentemente, uma das grandes preocupações da historiografia atual consiste em situar a localização das igrejas primitivas. A arqueologia, a onomástica e a topografia dão-se as mãos para tentarem satisfazer a nossa curiosidade, e já se chegou a falar de uma "topografia religiosa". As designações das igrejas são admiráveis pontos de referência para os pesquisadores; na diocese de Estrasburgo, observou-se por exemplo que a maior parte das igrejas primitivas são dedicadas a São Pedro (São Pedro-o-Velho, Dompeter), e assim essa dedicação indica muito provavelmente a antiguidade das outras igrejas com o mesmo nome. A sua localização é igualmente um bom ponto de partida para numerosas deduções; verificou-se, por exemplo, que, nas cidades, as igrejas primitivas são muitas vezes construídas no exterior do *castellum*

(é o caso de São Pedro-o-Velho, em Estrasburgo). Supõe-se que datem de uma época em que a guarnição ainda era pagã, e as igrejas construídas no interior seriam posteriores à sua conversão. O exame dos objetos retirados do solo ornados com inscrições ou motivos cristãos fornecem também dados preciosos. A maior autoridade no assunto é Jean Hubert; cf. *Bulletin de l'Académie des Inscriptions*, sessão de 20-VI-1945.

[28] Cf. *A Igreja dos Apóstolos e dos Mártires*, cap. XI, par. *Grandes peregrinações e culto das relíquias*.

[29] Uma curiosa manifestação desse modo de pensar consiste no "direito de espólio" (*jus spolii*), que autorizava o povo a pilhar o mobiliário de um bispo após a morte deste, pois esses objetos eram considerados como pertencentes à comunidade cristã. Não podemos, como é óbvio, julgar os hábitos desse tempo por comparação com os nossos. Cf. F. de Saint-Palais d'Aussac, *Le droit de dépouille*, Paris, 1930.

[30] A liturgia romana dos séculos V e VII é muito bem conhecida graças aos *Sacramentários*, livros que contêm as partes da Missa e os ritos dos diversos sacramentos. Os três principais são os chamados *leonino* (do papa São Leão, 440-461), *gelasiano* (do papa Gelásio, 492-496) e *gregoriano* (de Gregório II, 715-731, ou de Gregório III, 731-741, não se sabe).

[31] Na prática, isto significa que, na maior parte do tempo, os bispos valeram o que valiam os seus reis. Dagoberto, por exemplo, rodeado de santos como Elói, escolheu bispos excelentes. Mas quando o rei não passava de um rude e grosseiro ex-soldado, os homens que colocava à frente das sés episcopais não podiam deixar de assemelhar-se a ele. Devemos notar com toda a justiça, porém, que ao invés desses "bispos do exterior" que foram os imperadores cristãos, os reis *fainéants* não se preocuparam nem com dogmas nem com a organização interna da Igreja (cf. Chénon, *Histoire du droit*, t. 1, pág. 33).

[32] Devemos ressaltar mais uma vez o sentido do futuro que a Igreja teve ao optar pelos carolíngios, força de amanhã, contra os reis merovíngios, que representavam a decadência. Veremos mais adiante o impressionante papel de São Bonifácio na substituição de uma dinastia por outra; cf. cap. VIII.

[33] Um episódio ilustra claramente as relações entre este rude profeta e os reis: chegado certo dia ao acampamento do rei Thierry II da Nêustria, com a intenção de recriminá-lo pela sua vida escandalosa, foi recebido por Brunehaut, avó de Thierry, que lhe pediu que abençoasse alguns dos seus bisnetos, todos bastardos e adulterinos. "São o fruto da prostituição!, exclamou o santo. Que nenhum deles viva! Que nenhum reine! Chamo sobre eles a maldição dos céus!"

[34] O drama de São Léger impressionou de tal forma os contemporâneos que inúmeros vilarejos tomaram o seu nome. Afirmou-se por vezes que ele foi morto, não como testemunha de Deus, mas como chefe político da aristocracia, que na época se encontrava em luta com a autoridade centralizadora de Ebroim; os bispos desse tempo, porém, tiveram todos um papel político, e ao fim e ao cabo é impossível separar o que, na sua ação, é especificamente cristão do que pode ser considerado político.

[35] Não foram os bispos os únicos promotores dessa influência. Houve muitas mulheres santas que trabalharam nesse sentido, que desempenharam um papel de relevo na obra da conversão e exerceram a sua influência dalcificadora sobre os seus contemporâneos. Algumas dessas figuras passaram à história: citemos *Santa Odília*, da Alsácia, cuja biografia se mistura com uma trama mais ou menos lendária, mas a respeito da qual se sabe que lutou com todas as suas jovens forças contra a brutalidade do próprio pai — ao que parece, um dos assassinos de São Léger; ou *Santa Radegunda*, que resistiu quanto pôde à brutalidade e selvajaria do marido, Clotário II, mas que acabou tendo de refugiar-se num convento; ou ainda *Santa Batilde*, jovem cativa inglesa que, devido à sua maravilhosa beleza, foi desposada por Clóvis II, e que projetou sobre Paris e sobre o reino — de que foi regente — toda a sua formosura e piedade, até se recolher no convento de Chelas, que ela mesma havia fundado.

[36] Um canôn do concílio de Mâcon, realizado em 585, sugere uma divertida forma de delicadeza para com os pobres: "As residências episcopais nunca deverão ter cães, a fim de que os pobres que ali se forem refugiar não sejam mordidos por eles".

[37] Nada é mais absurdo do que a pertinaz lenda — que ainda corre — segundo a qual a Igreja teria afirmado que "a mulher não tem alma humana". A origem desta fábula é, aliás, curiosa. Nesse mesmo concílio de Mâcon de 585 a que já nos referimos várias vezes, um bispo que se tinha na conta de purista levantou um problema de gramática, sustentando que o termo *homo* não se deveria aplicar à mulher, por questões gramaticais. A afirmação foi rapidamente posta em ridículo, porque, se é verdade que os termos *vir* e *mulier* se opõem entre si, por outro lado a palavra *homo* pode designar perfeitamente uma "criatura humana", seja ela homem ou mulher. E foi desta disputa estilística, relatada por São Gregório de Tours, que se concluiu que a Igreja dissera "que uma mulher não podia ser considerada criatura humana"... Cf. Vacandard, *Études de critique et d'histoire religieuse*, pág. 171.

[38] A delicadeza para com os seres fracos estendeu-se, até certo ponto, também aos animais. Conhecemos algumas disposições conciliares que proíbem maltratar os animais de carga, e determinados episódios relatados nas vidas de santos corroboram esta opinião, como o de Santo Humberto, detido por um veado milagroso nas suas sangrentas expedições de caça, e o de São Gilles, eremita do Gard, que tinha uma corça domesticada.

[39] O mesmo se pode dizer do seu valor científico. Os historiadores, como um São Gregório de Tours, não possuem quase nenhum espírito crítico; os geógrafos dão mostras de ignorar os dados mais elementares, como vemos na carta chamada de Santo Albano, que data de fins do século VII, na qual a terra está reduzida à forma de uma grande ferradura em cujo centro se encontra o Mediterrâneo; os juristas — mesmo os melhores, como o monge romano *Dinis, o Pequeno*, que no século VI lançou as bases do direito canônico —, nada oferecem de original, revelando apenas uma estrita dependência dos códigos bizantinos. Foi Dinis, o Pequeno quem teve a ideia imortal de fazer partir a contagem dos anos da nova era do nascimento de Cristo, mas enganou-se nos cálculos: pensa-se hoje que Jesus nasceu, na realidade, entre os anos 7 e 4 antes da "era cristã".

[40] Não se pode esquecer que é a estas épocas longínquas que remonta a origem do verso francês, para o qual a Igreja também contribuiu grandemente. O verso que permitirá ao gênio poético de um Racine ou de um Baudelaire dar-nos toda a medida do seu valor, "foi a Igreja quem o criou". Cf. George Lote, *Histoire du vers français*, Paris, 1949.

[41] Cf. *A Igreja dos Apóstolos e dos Mártires*, cap. XI, par. *Liturgia e festas*.

[42] Cf. notas bibliográficas.

[43] As miniaturas e a caligrafia usada nos manuscritos constituem também uma bela parte da arte cristã, e revelam-nos igualmente a disparidade dos elementos que lhes deram origem: renova-se nelas a tradição antiga, mais ou menos decadente; Bizâncio inscreve nelas muitas vezes o seu hieratismo, bem como a sua decoração suntuosa e enfática; e a marca propriamente bárbara está presente na exuberância de certos ornatos entrelaçados, na precisão de ourives de certos motivos ornamentais, e no emprego de certas formas semi-vegetais e semianimais, provenientes da arte cita. Os manuscritos ingleses são muito característicos a este propósito. Encontraram-se também marfins esculpidos que datam dos séculos V e VII e que serviam de capas de manuscritos: o de Saulieu e o de São Lupicino, na Biblioteca Nacional, são os mais conhecidos. Émile Mâle pôde demonstrar que se tratava de peças importadas, fabricadas numa oficina de Alexandria, no Egito.

VI. Dramas e dilacerações do Oriente cristão

Heráclio, "o primeiro cruzado"

Na primavera de 614, enquanto o Ocidente procurava às apalpadelas o seu equilíbrio entre a anarquia bárbara e a nova ordem que, a partir de São Gregório Magno, se encarnava no papado, o Oriente foi abalado por um choque terrível. Por todas as províncias de Bizâncio correu a notícia de um desastre espantoso. Jerusalém acabava de cair!

Os persas do rei Cósroes, continuando as ofensivas que havia dez anos lançavam contra todas as fronteiras orientais do Império, haviam invadido mais uma vez a Palestina. Sitiada durante vinte dias, a Cidade Santa não pudera resistir aos ataques dos aríetes inimigos e, uma vez forçada a muralha, a investida fora tremenda e o ódio religioso ateara fogo às paixões mais selvagens. Muitas igrejas haviam sido incendiadas, entre elas a venerável basílica da Ressurreição, construída por Constantino. Falava-se de sessenta mil mortos e de trinta e sete mil cristãos levados para o cativeiro, entre os quais se incluía o próprio patriarca.

Os persas nada tinham respeitado, a não ser a basílica da Natividade em Belém, segundo se dizia por causa do mosaico da "adoração dos magos", no qual haviam reconhecido os seus costumes nacionais. Inúmeros conventos tinham sido destruídos, os monges e monjas dispersados. Tesouros sagrados, tecidos raros, vasos de ouro e de prata — tudo fora enviado para as capitais iranianas. A Santa Cruz, tirada do Santo Sepulcro, fora levada, a título de troféu, para Ctesifonte. Era uma catástrofe da qual a Palestina nunca mais se havia de recuperar. Para toda a cristandade, era uma vergonha e uma dor sem limites. Quando, pouco depois, chegaram a Constantinopla duas relíquias que o prefeito do Egito conseguira salvar, o povo, ajoelhado no cais, recebeu-as em prantos.

Este dramático episódio marcava o termo de um desses períodos, frequentes na história do Império bizantino, em que a curva do destino, após atingir um cume glorioso, começa a declinar, como se tendesse fatalmente para a derrocada, para a anarquia e para a ruína. Desde que Justiniano morrera, havia cerca de meio século, o Império somente vira homens medíocres à sua testa: Justino II (565-578), que tivera o louvável desejo de reorganizar o exército e de restabelecer as finanças; Tibério Constantino (578-582), que combatera os inimigos de fora e procurara atrair as simpatias do povo; Maurício (582-602), que se revelara um general corajoso, bom diplomata e prudente administrador; apenas o último dos quatro imperadores desse período, o ex-centurião Focas (602-610), foi tão incapaz quanto cruel. Para manter o imenso Império no plano a que o tinham elevado Teodora e seu marido, para unir tantas populações heteróclitas, para impor respeito a classes sociais desprovidas de senso cívico, teriam sido necessários super-homens.

O grandioso despotismo de Justiniano imprimira à nau do Estado um impulso tão forte que, bem ou mal, ela seguia adiante. Nenhum dos problemas fundamentais, porém, fora devidamente resolvido. O regime carecia de bases, como foi possível constatar em duas ocasiões: quando o imperador

Maurício foi executado, depois de ter assistido à decapitação dos seus cinco filhos; e quando o tirano Focas foi literalmente retalhado pela multidão revoltada, e as partes menos nobres da sua pessoa passeadas no alto de uma lança. Além disso, e principalmente, nenhum desses soberanos havia sido capaz de tomar uma decisão lúcida quanto à grave questão que as desmedidas ambições de Justiniano tinham suscitado a Bizâncio: nenhum deles soubera escolher entre o sonho de um Império único — reconstituído na aparência, mas ingovernável de fato — e a realidade da defesa do Oriente contra os bárbaros.

A escolha ia impor-se agora, pois a situação agravava-se de ano para ano. A partir da morte de Justiniano, os bárbaros, até então contidos, preparavam um novo assalto. Por volta de 550, a súbita aparição e a contínua expansão de um novo império na Ásia Central, o dos turcos — cujo *Khagan*, instalado no Tien-Chan, reinava como um potentado faustoso, assentando-se sobre um trono sustentado por quatro pavões de ouro —, voltara a provocar uma enorme agitação entre as tribos dispersas da China aos Urais. Em 568, o efeito dominó lançara os lombardos sobre a Itália[1], e os ávaros, mongóis hostis ao domínio turco, tinham-se instalado no sul da Rússia, e depois no baixo Danúbio; eram cavaleiros tão ameaçadores como o tinham sido outrora os seus primos hunos, e traziam consigo a inesgotável infantaria dos eslavos, destemidos como eles, como eles ferozes: "queimavam os prisioneiros ou esmagavam-lhes o crânio a golpes de clava, como se faz aos cães e às serpentes". Fazer frente a essas hordas não era, para Bizâncio, assunto de pouca importância.

Simultaneamente, surgia também a ameaça dos persas, igualmente grave[2]. O duelo dos dois Impérios — o de Constantinopla e o dos sassânidas —, começado em 502, devia prolongar-se, não obstante algumas tréguas, durante cento e seis anos, e mantinha nas fronteiras do Oriente uma ferida sempre aberta. Justiniano, bem ou mal, e à custa de muitos sacrifícios em dinheiro, em terras e em amor-próprio, tinha conseguido atenuar em parte este perigo para melhor se consagrar ao seu "grande desígnio" relativo ao Ocidente. Depois dele, em 572, rebentou o primeiro alerta: os persas, inabilmente provocados por Justino II, atacaram a Mesopotâmia e a Síria. Pouco depois, porém, ameaçados por sua vez pelos turcos, contra-atacados por Maurício (o futuro imperador), tiveram de recuar e, a braços com revoluções palatinas, acabaram assinando uma paz desastrosa, que entregava ao Império romano quase toda a Armênia persa. Mas a situação logo se alteraria. Ao mesmo tempo que Maurício, agora imperador, se tornava impopular devido à sua dureza e ao seu estreito autoritarismo, e lhe sucedia o lamentável Focas, posto no trono por uma sedição militar, instalava-se em Ctesifonte aquele que ia ser o pior inimigo de Bizâncio, o rei Cósroes II (590-628).

Era prestigiosa a figura desse último "rei dos reis", desse longínquo rival em glória dos Xerxes e dos Ciros, que pretendia retomar as ambições dos Aquemênidas e restabelecer em proveito próprio a unidade do Oriente Médio. "O céu serve os meus desejos, os meus tesouros são ilimitados e todos os países trabalham somente para mim!", exclamava ele no ápice da sua glória. Havia mandado refazer o trono de Dario, ornado com os signos do zodíaco, e nele se sentava, rodeado no inverno por uma cortina de pele de castor e de zibelina e aquecido por esferas de ouro cheias de água fervente. As suas caçadas faziam-se no meio de um luxo prodigioso: cavaleiros vestidos com cetins deslumbrantes, falcoeiros sem conta, lacaios que seguravam pela trela guepardos domesticados... Quando acampava, estendia-se sobre o solo um tapete de uns 500 m^2, no qual estavam representadas todas as partes do Império sassânida. O seu exército contava novecentos elefantes e o harém doze mil mulheres.

Bizâncio erguia-se no caminho das suas ambições, e o choque era inevitável. Em vida do imperador Maurício, Cósroes II dedicara-lhe uma grata amizade, pois fora graças ao apoio do general bizantino que ele pudera triunfar, por ocasião da sangrenta guerra civil com que iniciara o seu reinado. Mas, quando Focas derrubou e executou Maurício, o sassânida, a pretexto de vingar o amigo, desfechou o ataque (602). Durante vinte anos, quase sem tréguas, lançou as suas tropas contra as fronteiras bizantinas; uma após outra, as províncias de Osroene, da Síria, da Anatólia e depois do Egito tiveram de assistir à invasão dos persas e das hordas mongóis que eles utilizavam como auxiliares. Em 609, preparavam-se para conquistar Calcedônia, no Mar de Mármara, em frente de Constantinopla. E a catástrofe da tomada de Jerusalém, em maio de 614, foi um dos episódios — o mais doloroso — desta longa e terrível provação.

Mas agora um novo chefe ocupava o trono de Justiniano, e com ele haveria de inverter-se a corrente do destino. Ao período de dissolução e de derrocada geral, suceder-se-ia mais uma vez uma época de vigorosa renovação e de grandioso poderio, encarnados na figura de *Heráclio* (610-641). Chegado ao poder ainda jovem — 36 anos —, com a insurreição popular e militar que pusera ponto final à tirania de Focas, era uma bela personalidade, uma alma pura e fiel, um carácter magnificamente forjado. Alto, robusto, cabeleira de ouro avermelhado, barba espessa, olhava de frente o inimigo com os seus olhos límpidos. A sua bravura era quase excessiva, pois não deixava a ninguém a honra de se encontrar no coração da batalha, chegando ao ponto de medir forças em combate singular com este ou aquele inimigo. Além disso, hábil estratego e diplomata experimentado em apanhar o inimigo de surpresa, tinha todos os dotes que caracterizam um grande general. Mas, sobretudo, era um cristão de fé ardente[3], entusiasta em servir a Cristo e ao Evangelho, o antepassado e o protótipo desses cavaleiros que, mais tarde, haveriam de desafiar todos os perigos para reconquistar o Santo Sepulcro. Não é sem razão que lhe tem sido dado o cognome de "primeiro cruzado".

O início do seu reinado foi terrível. Nada parecia poder quebrar o impulso dos persas, pois todos os anos as tropas de Cósroes assestavam novos golpes em pontos inesperados. No preciso momento em que Jerusalém caía, os inimigos apareciam novamente em Calcedônia. Quatro anos mais tarde, as hordas dos ávaros, saindo dos seus acampamentos na Hungria, invadiam a Trácia e vinham cercar Constantinopla. Com a Palestina e a Síria tomadas, Alexandria ocupada, Bizâncio espremida entre os mongóis em terra e os persas do lado da água..., Heráclio estava à beira do desespero e pensava em retirar-se para Cartago, mas o patriarca Sérgio conseguiu detê-lo.

É então que se dá uma reviravolta que parece um milagre e que devia tomar a forma de uma autêntica cruzada. "É exatamente a uma cruzada que assistimos aqui — escreve René Grousset —, uma cruzada como não houve outra, pois os exércitos cristãos respondem à voz do chefe da Igreja e resolvem libertar o Santo Sepulcro e reconquistar a verdadeira Cruz". Não, diz o patriarca, tu não tens o direito de deixar os magos ocuparem a Cidade Santa! Não, tu não tens o direito de deixar que a Santa Cruz seja um objeto de escárnio em Ctesifonte!

Todos os tesouros da igreja bizantina foram postos à disposição do imperador. Ao mesmo tempo, Cósroes, no cúmulo da arrogância, escrevia a Heráclio uma carta insultuosa para a sua honra e para a sua fé, e como reação todo o Império se levantou num esforço supremo. A missiva do persa foi lida do púlpito, para que todos sentissem o ultraje. "Pretendes pôr em Deus a tua confiança? Então, por que não salvou Ele Cesareia, Jerusalém e Alexandria das minhas mãos? Se me aprouvesse, teria destruído também Constantinopla. Quanto ao teu Cristo, não te deixes embalar por uma vã esperança: nem sequer foi capaz de salvar-se das mãos dos judeus que o crucificaram!"

A 5 de abril de 622 começou a guerra santa. Não devia durar menos de dez anos, e daria ocasião às peripécias mais assombrosas. Comprada por um alto preço a retirada dos ávaros, Heráclio lançou-se contra as tropas persas da Galácia e da Capadócia, repeliu-as para o Eufrates, atravessou de um salto a Armênia, não se deteve a reconquistar as províncias ocupadas, lançou-se pela Pérsia adentro, tomou Erivan e vingou o saque de Jerusalém, incendiando o templo masdeu de Tabriz; parecia que o Império sassânida estava ferido de morte.

Mas não: Cósroes reagiu; depois da embriaguez das vitórias, foram um, dois, três anos de dura e esgotante defensiva. Em junho de 626, os ávaros restabeleceram a aliança com os persas e lançaram-se de novo ao assalto. Houve uma verdadeira corrida para Bizâncio, em que mongóis, eslavos e búlgaros marchavam lado a lado com "medos" e persas. Diante do perigo, o patriarca Sérgio, defensor da cidade, lutou com uma terrível energia. A imagem da Mãe de Deus, salvaguarda sobrenatural, era constantemente passeada sobre as muralhas, na primeira fila dos combatentes. E deu-se o milagre: o inimigo afastou-se. Ao mesmo tempo, saindo do reduto em que se tinha refugiado, no Cáucaso, o incansável Heráclio retomou a ofensiva, após ter contratado, também ele, contingentes de mercenários amarelos. O ano de 627 viu a vitória mudar de campo: o imperador desceu das alturas, tomou Tíflis, atravessou a Armênia, invadiu a Síria e esmagou o melhor exército dos persas perto de Arbelos, no mesmo lugar em que o grande Alexandre tinha vencido outro rei dos reis.

Esgotada, a Pérsia pediu misericórdia. Era a vez de os bizantinos invadirem em incursões fulminantes os quatro cantos do Império sassânida. As cidades sagradas dos masdeus arderam por toda parte. Por fim, a 25 de fevereiro de 628, espalhou-se a notícia decisiva: "Caiu o ímpio, o orgulhoso Cósroes!", anunciou Heráclio ao seu povo. "Aquele que insultou Cristo e a Virgem está morto; escutai o fragor da sua queda. Já arde no Inferno com os seus iguais!" Destronado pelo próprio filho, o último rei dos reis[4] acabava de ser executado na "casa das trevas". A Pérsia masdeísta deixara de existir para sempre.

Quando Heráclio reconduziu a Santa Cruz para Jerusalém, a 23 de março de 630, carregando-a ele mesmo sobre os ombros, a "primeira cruzada" parecia coroada pela mais brilhante das vitórias. Mas que realidades estavam ocultas sob estas aparências? O Império de Bizâncio sairia menos enfraquecido da prova do que aquele que acabava de abater? Destruindo o poder persa, para quem trabalhara, ao fim e ao cabo, o soldado glorioso? Doze anos mais tarde, Jerusalém veria um novo conquistador surgir diante das suas muralhas, pois no mesmo momento em que o piedoso Heráclio, de pés descalços, subia o Calvário, quatrocentas léguas ao sul os cavaleiros de Alá começavam a ganhar impulso...

As dissensões religiosas e o despertar dos nacionalismos

O perigo das fronteiras não era o único que ameaçava o Império de Heráclio, e talvez nem mesmo fosse o mais grave. Num plano mais profundo, o problema central era que esta imensa amálgama de terras e de povos, com as mais diversas tradições e convicções, corria o risco permanente de se desmembrar. As querelas religiosas, que havia séculos agitavam o Império, revelam a existência de tendências centrífugas violentas nesta massa duramente espartilhada pelo estatismo. A fulminante rapidez das conquistas muçulmanas torna-se incompreensível para quem não tenha presente o quadro deste Oriente dividido e dilacerado, no qual as discussões teológicas sobre as duas naturezas de Cristo acabavam sempre trazendo à tona os mais exasperados nacionalismos.

Por toda parte onde se instalou, o domínio bizantino mostrou-se pesado, mesquinho e espoliador; na África, tinham bastado cinco anos depois da "libertação" de Belisário para que os rigores do governador bizantino fizessem lembrar com saudades o tempo dos vândalos; na Itália, o povo perguntava-se se o terror gótico ou o terror lombardo não seriam preferíveis ao fisco dos orientais... E as duas bases principais do Império, a Síria e o Egito, estavam também secretamente minadas; em ambas as regiões, vemos esboçar-se desde o século V um fenômeno de importância capital: o despertar dos nacionalismos, devido em grande parte à influência do cristianismo.

O bloco dos povos sírios, de língua aramaica, estendia-se do Mediterrâneo até às proximidades da Pérsia. Sempre estivera dividido entre impérios rivais, e a partir de Alexandre havia-se submetido à civilização helênica, mas só tinha encontrado um princípio de unidade e independência na fé cristã, cujo centro material era Edessa. O fechamento da célebre Escola de Edessa pelo imperador Zenão, em 489, não impedira o desenvolvimento de uma literatura siríaco-cristã original, de tendência cada vez mais nestoriana, e que se projetava em território persa através da Escola de Nísibis. Quanto ao Egito, o cristianismo, realizando a fusão entre o elemento grego das cidades e a massa dos felás, tendera involuntariamente a dissolver o helenismo nas velhas tradições autóctones, coisa que se traduzia por exemplo no emprego crescente do *copta*, isto é, da antiga língua egípcia escrita em caracteres gregos. Crescia, pois, nas duas províncias a tendência para as reivindicações nacionalistas.

Também no plano religioso se notavam claramente esses nacionalismos que em breve se refletiram na hierarquia da Igreja, concretamente através da organização dos *patriarcados*. Estas superdivisões eclesiásticas tinham origens diversas: Antioquia e Alexandria, por um lado, estavam ligadas às mais antigas glórias do cristianismo, e a sua importância derivava das grandes figuras que haviam ocupado as suas sedes; a importância de Constantinopla, porém, era antes o resultado da política imperial empenhada em dar à "nova Roma" todo o prestígio possível. Estabelecida no Concílio de Calcedônia, reconhecida oficialmente no Código de Justiniano como fundamento da constituição da Igreja, a divisão hierárquica dos cinco patriarcados — Constantinopla, Jerusalém, Antioquia, Alexandria e Roma — tinha acabado por contribuir para concretizar as tendências centrífugas das diversas partes do Império.

O fenômeno era particularmente nítido no Egito, onde o patriarca — durante muito tempo designado como "papa" —, à testa de dez metrópoles e de cento e uma sés episcopais, proprietário de inúmeros bens, armador naval que controlava o comércio do país, benfeitor faustoso a cuja custa viviam milhares de pobres, tinha literalmente tomado o lugar do sumo sacerdote de Amon-Rá como encarnação do nacionalismo; "divino senhor, décimo terceiro apóstolo, juiz do mundo", como diziam os seus títulos oficiais, constituiu-se num verdadeiro "faraó episcopal", segundo se escreveu certeiramente. O seu grande rival — o patriarca de Antioquia —, embora tivesse sob a sua alçada cento e cinquenta e três dioceses, estava longe de exercer uma autoridade semelhante; ainda que o território abrangido pela sua jurisdição fosse muito mais extenso, carecia de coesão e vinha sendo minado havia séculos por inumeráveis heresias. Mesmo assim, à medida que os sírios começavam a tomar consciência de si próprios, o chefe religioso de Antioquia via crescer o seu prestígio.

Por outro lado, as lutas teológicas que, já desde os começos, agitavam periodicamente o cristianismo oriental, tinham repercutido no plano dos nacionalismos. No tempo do arianismo, Alexandria — a Alexandria do grande Santo Atanásio — fora o baluarte da ortodoxia diante de uma Antioquia vendida aos hereges. Nos séculos V e VI, as graves controvérsias do nestorianismo e do monofisismo haviam acentuado ainda mais as divergências: opondo-se uma e outra à ortodoxia de Constantinopla, que muitas vezes só lhes aparecia sob a forma do gendarme bizantino, as cristandades do Egito e da Síria opunham-se ao mesmo tempo entre si. Todo o esforço desenvolvido pelo poder central para restabelecer a ortodoxia esbarrava com resistências políticas, cujas raízes mergulhavam muito fundo na alma desses povos; e, em sentido inverso, todo o esforço de centralização trabalhava a favor das heresias. O erro fundamental de Bizâncio — o de querer unir num mesmo poder a autoridade política e a autoridade religiosa — produzia enfim todos os seus frutos de amargura.

Diante desta situação complexa — cuja dificuldade, ao que parece, só foi compreendida por Teodora —, os imperadores bizantinos não foram capazes de encontrar uma solução efetiva senão para os problemas políticos. Em face da questão religiosa, uns, como Justino II e Tibério, encaravam as heresias com uma moderação que beirava a complacência; outros, como Maurício, hesitavam entre a tolerância e a brutalidade, ou ainda, como Focas, vangloriavam-se de uma feroz ortodoxia e aplicavam em defesa da fé os métodos violentos de que costumavam lançar mão. Além do mais, a mesma ambiguidade se fazia notar nas suas relações com os papas: uns pressentiam que só uma autoridade religiosa solidamente fundada poderia ser capaz de restituir a unidade e a harmonia aos povos cristãos dilacerados pela heresia, e percebiam, portanto, que o seu interesse devia impeli-los a trabalhar de mãos dadas com o Pontífice de Roma; outros agarravam-se cada vez mais ao sonho orgulhoso de uma Constantinopla que fosse a capital religiosa do Oriente e rival de Roma.

Daí as mudanças bruscas e contínuas de política. No tempo de Maurício, eclodiu um violento conflito entre o poder imperial e o do Papa — que era então Gregório Magno — porque este interveio nos assuntos dos patriarcados do Oriente e se impôs como guardião supremo da disciplina cristã; no tempo de Focas, pelo contrário, houve uma aproximação cordial com o papado, proibiu-se ao patriarca de Constantinopla que usasse o título de "ecumênico", e reconheceu-se oficialmente a Sé de São Pedro como "cabeça de todas as igrejas". É caso para perguntar como se devia comportar um leal vassalo do imperador no meio de todo esse caos, em que a fidelidade de hoje tinha todas as possibilidades de ser considerada um crime amanhã, e em que bastava mudar de província para que tudo o que dizia respeito aos princípios da fé, aos métodos administrativos e ao clima moral mudasse completamente.

Na grande tentativa de reconstrução que empreendeu, Heráclio não podia pôr de lado uma preocupação desta natureza, tanto mais que durante a guerra contra os persas teve ocasião de observar que muitos elementos monofisitas do Império, por ódio à ortodoxia imperial, tinham chegado bem perto da traição. Aconselhado pelo patriarca Sérgio, homem de Estado tanto quanto homem de Igreja, convenceu-se — como outrora Justiniano, ainda que noutro terreno — de que conseguiria reconduzir ao aprisco as ovelhas desgarradas por meio de novas fórmulas doutrinais. Apresentar a ortodoxia sob uma forma atenuada, e do mesmo modo mostrar as heresias em termos brandos, não seria esse o meio de pôr toda a gente de acordo? O resultado da ideia foi o nascimento de uma nova doutrina que, depois de algumas hesitações — pensou-se a princípio em falar de um *monenergismo* —, se concretizou naquilo que veio a chamar-se *monotelismo*, doutrina de uma vontade única em Cristo. Os católicos querem distinguir duas naturezas unidas em Cristo, e os monofisitas uma só; pois bem, se se descobrir o princípio único da união das duas naturezas, todos ficarão de acordo. Bastará dizer: "Um só e mesmo único Filho de Deus, Nosso Senhor Jesus Cristo, realiza as ações divinas e as ações humanas". Isto, em si, não é falso; mas a explicação que acompanhava esta prudente fórmula acabava por afirmar que o único querer em Jesus era o querer divino; como homem, Cristo não teria vontade, e portanto não passaria de um homem incompleto... E novamente se caía em cheio na heresia monofisita.

A princípio, o estratagema pareceu correr muito bem para Heráclio e para Sérgio. O Egito e a Armênia aderiram à nova doutrina pacificadora; o papa *Honório* (625-638), mal informado e mais ou menos convencido de que se tratava de mais uma dessas querelas de palavras de que os gregos tanto gostavam, aprovou as teses que lhe apresentaram, aliás sob uma forma atenuada. A *Ectese* ou *Exposição da fé*, que vinha a ser um verdadeiro manifesto monotelita, e que fora promulgada por Heráclio como lei do Império, num primeiro momento pareceu ser aceita. Pouco a pouco, porém, os olhos e os espíritos foram-se abrindo, e alguns teólogos, como São Sofrônio e São Máximo, o Confessor, começaram a denunciar o erro. Na África, os concílios provinciais condenaram-no, e em Roma o papa São Martinho I (649-655) organizou a resistência à nova heresia. Entretanto, Heráclio morrera, levando para o túmulo a sua boa — mas irrisória — vontade de conciliação.

Diante das oposições que se levantavam, Constante II, em 648, substituiu a *Ectese* por um novo documento, o *Tipo da fé*, que proibia toda a discussão sobre o número de vontades ou de energias contidas na pessoa de Cristo, o que, embora fosse prudente, estava formulado de tal maneira que os ortodoxos não podiam aceitá-lo. O papa São Martinho I lançou sobre o *Tipo* a mesma reprovação que lançara sobre a *Ectese*, e daí resultou uma crise terrível. Louco de cólera, o tirano bizantino mandou o exército de Ravena raptar o papa, já velho e doente, e trazê-lo para Constantinopla, onde o conservou em isolamento durante três meses, para depois submetê-lo a um abjeto simulacro de processo e destratá-lo como se fosse o último dos criminosos; depois, não se atrevendo a matá-lo, desterrou-o para a Crimeia, ao encontro de uma morte em tal miséria e solidão que acabou por transformar esse fim num verdadeiro martírio. Este foi o resultado dessa nova tentativa de apaziguamento fundada sobre a ambiguidade e o erro, que não contentou, como é lógico, nem os católicos nem os monofisitas.

Foram precisos nada menos de setenta anos para sair da crise monotelita; somente a diplomacia do papa *Santo Agatão* (678-681) conseguiu preparar o caminho da paz. Um longo Concílio, o terceiro de Constantinopla e sexto ecumênico, reunido de novembro de 680 a setembro de 681, proclamou a doutrina das duas naturezas segundo a fé católica e liquidou a heresia em todas as suas formas. Estava restabelecida a paz na Igreja; mas, nesse mesmo Concílio, manifestou-se um sintoma inquietante: os padres denegriram a memória do patriarca Sérgio, autor principal do erro, mas, ao mesmo tempo denegriram a do papa Honório, o que era injusto, pois embora o papa tivesse sido fraco, nunca professara a heresia. Foi mais uma manobra tipicamente oriental para depreciar a autoridade de Roma, e o papa Agatão não chegou a aperceber-se da astúcia.

O primeiro drama teológico deste período encerrou-se, pois, com um novo passo de Bizâncio no caminho que aos poucos ia conduzindo o Império para longe de Roma. Dez anos mais tarde, em 691, o concílio "da Cúpula" (*in trullo*) — também chamado *Quinisexto*, pois foi encarregado de completar com cânones disciplinares as decisões do quinto e do sexto concílios — acentuou ainda mais essa tendência ao afirmar que a sé de Constantinopla tinha "os mesmos direitos" que a de Roma, o que equivalia a reabrir o famigerado debate sobre o cânon 28 de Calcedônia. Além disso, ao inventariar os usos da igreja bizantina, este sínodo ignorou expressamente os costumes romanos; concretamente, permitiu aos clérigos que já estivessem casados antes da ordenação que continuassem a viver conjugalmente, a não ser que fossem bispos, ao passo que o Ocidente lhes impunha a continência; proibiu também o jejum aos sábados, quando na liturgia latina esse dia não tinha qualquer privilégio e ninguém desejava mitigar o jejum. Em resumo: pela primeira vez, este concílio estendia o desacordo com Roma às questões disciplinares. Devemos ver aqui uma tácita resposta dos orientais à firmeza com que os papas se tinham oposto aos seus erros? O fato é que daí resultou um conflito com o papa Sérgio I (687-701), que se recusou a ratificar as decisões do concílio. O debate só veio a apaziguar-se no tempo do papa Constantino (708-715), quando o pontífice conseguiu convencer o imperador Justiniano II das razões que o seu predecessor tivera para tomar essa atitude. O acordo provisório foi concluído em Bizâncio, para onde o papa Constantino se deslocou; aliás, até recentemente, foi ele o último pontífice romano a visitar aquela cidade.

Neste final do século VII, que via acumularem-se sobre o Oriente as nuvens da pior ameaça que até então sofrera, a situação do cristianismo era verdadeiramente aflitiva. Nenhuma das heresias que, havia já seiscentos anos, pululavam naquele terreno propício, passara sem deixar vestígios. Subsistiam ainda grupos de arianos, marcionitas, docetas, sabelianos e até gnósticos, espalhados pelas províncias. As duas grandes heresias da época precedente haviam marcado com o seu selo as cristandades orientais. Os diversos monofisismos tinham-se constituído em seitas, e a dos "jacobitas" — dos descendentes de Jacó Baradai — era a mais vigorosa; no Egito, na igreja copta, bem como na Etiópia, acabou por triunfar a doutrina da natureza única. E na grande região aramaica, que se estendia do norte da Síria até às proximidades do Irã, dominava ainda o nestorianismo, que também se organizou como verdadeira igreja.

Em todas estas províncias, em grande parte perdidas para a *Ecclesia Mater*, dava-se o nome de *melquitas* àqueles que se conservavam fiéis à fé ortodoxa e ao imperador.

Melquita vem de *melek*, "rei" em siríaco, e a palavra é reveladora de como andavam imbricadas a política nacionalista e a religião.

Um dos episódios mais curiosos, e que mostra bem o estado de decomposição em que se encontrava então o cristianismo, é a formação da igreja *maronita*. No momento em que o sexto Concílio ecumênico liquidava o monotelismo, alguns grupos de fiéis da região do Tauro recusavam-se a aceitar as suas decisões. Nutririam eles uma secreta simpatia pelas teses condenadas? Assim se tem sustentado, mas sem prova alguma. É mais provável que esses fiéis tivessem sido mal informados sobre os termos exatos dos cânones, pois foi um sentimento de nobre fidelidade às decisões dos concílios que os levou a tomar uma atitude de desconfiada recusa. Nas margens do Oronte, na planície de Apameia e de Ciro, tinha-se estabelecido uma comunidade monástica em volta do túmulo de *São Maron*, um grande anacoreta do século V. Foram os monges desta comunidade que, no mais aceso das lutas teológicas, ergueram o bastião da fé mais rigorosa. Defensores entusiastas das teses de Calcedônia, recusaram-se a aderir a posições que consideravam heréticas e estabeleceram um patriarcado independente, simultaneamente oposto aos monofisitas-jacobitas e desconfiado com relação à Igreja oficial. Enfrentaram corajosamente todas as pressões e, quando a invasão muçulmana os obrigou a abandonar as suas belas planícies, preferiram deixar tudo a submeter-se ou a pactuar com os infiéis. Refugiados nas montanhas do Líbano, e sempre sob a direção do seu patriarca, tornaram-se os defensores de um baluarte cristão que nem os séculos nem as investidas da força puderam derrubar. Mais tarde, por ocasião do cisma grego, recusaram-se a aderir aos erros de Cerulário e conservaram-se fiéis ao princípio *ubi Petrus, ibi Christus*. A passagem dos cruzados pelo seu país, no século XI, acabaria de soldar os elos de fidelidade que até hoje os ligam a Roma.

Foi um resultado feliz, mas uma rara exceção nesta penosa história de lutas que recomeçavam incessantemente sob qualquer pretexto e que, no fundo, revelavam graves esfacelamentos. O Império bizantino vai oferecer ao assalto do islã uma muralha inteiramente minada no interior e semiabandonada pelos combatentes.

Maomé e o islã

O grande acontecimento do século VII — aquele que mais havia de pesar sobre os destinos do mundo — não se produziu nem no Ocidente, em vias de, bem ou mal, absorver os seus bárbaros, nem no Oriente grego, que se debatia com as suas heresias e os seus cismas. Teve por cenário uma cidade da Arábia onde um homem, condutor de caravanas, foi pregar uma doutrina monoteísta. Da revolução religiosa que esse homem suscitou iria surgir um novo poder, destinado a arruinar de um só golpe todo o equilíbrio político da sua época. Nas regiões que até então só tinham visto desfilar cameleiros e reizinhos, iria tomar corpo agora uma força impetuosa, uma terrível ameaça, que acabaria por vibrar um golpe de morte no predomínio milenar da civilização greco-latina. "Maomé constituiu a resposta oriental às pretensões de Alexandre"[5].

Quem realmente podia imaginar que acontecimentos tão graves viessem a depender da península arábica e do Hedjaz? Com efeito, tudo começou, não nos pequenos principados árabes do norte, diretamente colocados sob a influência civilizadora de Bizâncio ou da Pérsia, nem no Iêmen do sul, país de cultura antiga e que mantinha relações comerciais com a Etiópia, mas na "região dos nômades, acidentada e montanhosa, onde se sucedem as estepes estéreis, exceto por um curto período após a estação das chuvas hibernais" (Lammens), e onde, ao lado de uma maioria de nômades beduínos, havia umas poucas populações sedentárias em alguns oásis e nos três únicos aglomerados propriamente urbanos: Meca, Iatrib e Taif. Entre os sedentários e os beduínos errantes, cuja língua e costumes eram relativamente comuns, havia uma completa oposição de interesses e de sentimentos. Era, pois, impensável que algum dia forças organizadas do Hedjaz pudessem vir a ameaçar todos os seus vizinhos[6].

Semitas, parentes próximos daqueles que, três mil anos antes, tinham fundado junto ao Tigre e ao Eufrates a glória do império de Acad, primos dos judeus — a quem os opunha um velho antagonismo que datava, segundo se dizia, do tempo em que o seu antepassado Ismael, filho primogênito de Abraão, se vira obrigado a refugiar-se no deserto com a sua mãe Agar —, os árabes tinham permanecido, na sua maioria, num fetichismo e num naturalismo bastante grosseiros. Cada região tinha os seus deuses, cada tribo venerava os temíveis espíritos dos seus domínios, os *djinns*. A cidade de Meca, no entanto, agrupava diversos ídolos em volta de uma pedra negra abrigada por uma construção cúbica, a *al-Kaaba*. Ali, durante os períodos anuais de tréguas que interrompiam a incessante série de razias e de vindictas entre as tribos nômades, tinham lugar simultaneamente os grandes negócios do mercado e as grandes peregrinações, ambos acrescidos daquilo que constituía uma das distrações favoritas dos árabes: as declamações dos poetas populares.

Na época de Maomé, vinham surgindo tendências novas no interior desse politeísmo tradicional: a influência das colônias judaicas e dos cristãos heréticos do mundo arameu, ao norte, e da Etiópia, ao sul, chamava os melhores espíritos para uma religião mais elevada. As divindades particulares continuavam a ser honradas, mas uma delas começava a predominar sobre as outras: Alá, reconhecido como "maior" — *Allah akbar*. Além disso, encontravam-se já alguns monoteístas — nem judeus nem cristãos — chamados *hanifs*.

Maomé — *Muhammad*, em árabe — seria o mais bem-sucedido e o mais eficaz desses *hanifs*. Nascido em Meca (possivelmente entre 570 e 580), isto é, nessa "república mercante" que constituía a única aglomeração capaz de aspirar ao papel de capital nessa Arábia e nesse Hedjaz divididos, pertencia — embora oriundo de família pobre — à poderosa tribo dos coraixitas, que dominava não só os interesses caravaneiros da cidade, mas também os da devoção, que eram drenados para a *Kaaba* mediante uma hábil propaganda. A sua aparência, que segundo parece era bastante normal — primeiro, um belo adolescente com olhos de gazela, porte nobre, cabelos negros encaracolados, e, mais tarde, um burguês gordo, com a barba ondulada e a pele cor de cera —, encobria uma alma fremente, tão pronta a exaltar-se como a duvidar, um temperamento sensual e ao mesmo tempo cheio de inquietação religiosa, e uma consciência frequentemente atravessada por estranhos clarões.

Tendo ficado órfão muito cedo, fora educado por um tio generoso mas sem fortuna, e vira-se obrigado a dedicar-se ao comércio das caravanas para sobreviver, como aliás o faziam geralmente os coraixitas. Entrou para o serviço de uma viúva rica, Khadidja, e tornou-se em breve o seu homem de confiança e o grande guia das suas caravanas. Assim pôde dispor de longas horas de reflexão e de sonho, ao ritmo cadenciado do passo dos camelos. Quando se detinha nos lugares de abastecimento de água e nas cidades longínquas — é provável que tenha ultrapassado as fronteiras meridionais da Arábia propriamente dita —, gostava de encontrar os "homens do livro", judeus e cristãos de diversas seitas heréticas; e, em consequência, na sua alma ainda incerta, entrechocavam-se mil ideias díspares. Tinha cerca de vinte e cinco anos quando desposou Khadidja, e, embora esta fosse quinze anos mais velha, a união foi feliz, cheia de recíproca confiança e de fidelidade, libertando-o ao mesmo tempo de todas as preocupações materiais.

Nos anos que se seguiram, Maomé foi aparentemente apenas o marido de Khadidja e o administrador da sua confortável fortuna. Mas a inquietação religiosa continuava a trabalhar este espírito sério e, aos trinta anos, era um homem obcecado com o mistério do além. Já não o satisfaziam as lendas absurdas e os ídolos, e o seu tormento interior manifestava-se em grandes crises de abatimento e em bruscas exaltações. Apoderava-se dele uma indefinida angústia, e a cabeça pesava-lhe tanto que escondia os olhos e o rosto com um véu. Sofria e gemia. Depois começaram a chegar-lhe ruídos estranhos, como o retinir de uns sinos, o bater de umas asas e o zumbido de um discurso confuso. Noutras ocasiões, julgava ver com os seus olhos de carne um ser de mistério e de luz. E sempre, desses momentos de terrível exaltação, saía com a convicção de uma revelação monoteísta única, que já tinha sido transmitida à nação judaica e à "nação" cristã, mas que Deus lhe fazia agora e que ele teria de comunicar à sua nação árabe, e em árabe. Doença nervosa? Autossugestão? Simples resultado das influências complexas, judaicas e cristãs heréticas, e das suas longas meditações? Possessão "diabólica"?[7] Quem poderá destrinçar estes dados tão emaranhados?

Inquieto a princípio, mas depois confirmado na sua missão pela tranquila confiança de Khadidja, pôs-se a pregar. Primeiro, aos parentes; a esposa, seu primo Ali, os seus amigos Abu-Bekr, Omar e Othman foram os seus primeiros discípulos. Mas quando começou a pregar publicamente em Meca, falando da ressurreição, do monoteísmo e da justiça para com os pobres, não foi tão bem acolhido. Escarnecido por uns, maltratado por outros e em breve amaldiçoado por todos os usurários da cidade, nem por isso deixou de continuar a acreditar firmemente na sua missão. Tendo-se posto em contato com árabes de Iatrib que estavam de passagem por Meca, encontrou-os mais abertos às suas ideias do que os seus concidadãos. Perante o sarcasmo e os vexames dos coraixitas, materialistas e céticos, resolveu, pois, trocar a sua cidade natal por Iatrib. Foi a *Hégira* (emigração), em 622, data capital que será para o islã o ponto de partida da sua era. Daí por diante, Iatrib passará a ser conhecida pelo novo nome de *Madinat an-Nabi* ou *al-Madina*, Medina — isto é, "a Cidade do Profeta" ou "a Cidade" —, e tornar-se-á o centro da propaganda religiosa e do governo islâmico.

Convertido em chefe da comunidade muçulmana, *al-Umma*, e perante a intransigência dos cristãos heréticos e sobretudo dos judeus que, mais belicosos, se recusavam a admitir a missão profética de um gentio, Maomé acabou por estabelecer a sua doutrina independente. Iria agora seguir um novo plano: a diplomacia e a guerra passariam a substituir a pregação, difícil e aventurosa. Por intermédio de Ismael, foi buscar a origem do islã no próprio Abraão — que, conforme diz o Alcorão, "não era nem judeu nem cristão" —, e a *Kaaba* passou a ser considerada como fundada por esse "Pai dos crentes" e consagrada ao culto de Alá. O muçulmano voltar-se-á, pois, para Meca durante a oração, e não mais para Jerusalém.

Enquanto ultimava a doutrina, Maomé começou a guerra. Sucessivamente vencedor em Badr e vencido em Ohod, em vão cercado em Medina, não cessava de ampliar o raio de ação da sua propaganda, favorecida pelos rancores que o povo humilde nutria contra os ricos coraixitas. Não sem diplomacia, acabou por desposar a filha de Abu-Sofian, o mais influente dos comerciantes de Meca, e após muitas negociações conseguiu enfim retornar — sem desferir um só golpe — à sua cidade natal, no ano de 629. Três anos mais tarde, voltou lá à frente da peregrinação da Kaaba e, tendo regressado a Medina, morreu nessa cidade a 8 de junho de 632.

Ao longo de todo o tempo que duraram estes acontecimentos, e desde o dia em que comunicara a Khadidja os estranhos fenômenos de que era protagonista, Maomé nunca cessou de falar e de pregar. Afirmava não ser em nome próprio que falava, mas como simples transmissor daquilo que lhe ensinavam "os poderes supremos". E pobre daquele que duvidasse da inspiração divina do "profeta"! Para os seus discípulos, o que Maomé ensinava era o conteúdo da "Mãe do Livro", protótipo de todos os livros revelados, misteriosamente conservado no Céu.

Quando doutrinava os seus adeptos, estes anotavam imediatamente as suas frases, fosse qual fosse o material que tivessem à mão: pequenas tábuas, pedras achatadas, cascas de palmeira, omoplatas de carneiro. E aquilo que não fora possível pôr por escrito ficava guardado "no peito", pois a composição rítmica e o "estilo oral" prestavam uma boa ajuda nesse sentido. Trinta anos depois da Hégira e vinte anos após a morte de Maomé, por ordem do califa Othman, fez-se uma edição oficial do conjunto dos seus ensinamentos, dividida em cento e dezesseis capítulos (ou *suras*), que por sua vez estavam subdivididos em versículos; os capítulos foram dispostos conforme o tamanho, com os mais extensos em primeiro lugar. Assim nasceu o Alcorão, a "recitação".

Maomé parece ter sido um espírito reflexivo, uma alma religiosa e inquieta. Prega a necessidade de os árabes, o seu povo, aderirem ao monoteísmo, de crerem num Deus único — *Alá* será dali por diante o nome de Deus em árabe —, o qual, "depois da série de profetas que vão desde Adão até Jesus", lhes enviou por fim um profeta da sua nação — o próprio Maomé. Ser muçulmano — *muslim*, em árabe — significa estar submetido a Deus e abandonar-se nEle. Crede em Alá, o Único — repete o Alcorão —, e na missão do seu enviado Maomé, e ireis depois da morte para o jardim do Paraíso, onde, deitados em leitos de brocado, bebereis a água viva da fonte al-Salsabil, e gozareis das *huris*, das "filhas do Céu", "perfeitas como um ovo fechado e que ninguém, anjo ou homem, terá jamais tocado". Se não crerdes, porém, ireis para o Inferno comer o execrável fruto da árvore Zakhum, no meio de chamas inextinguíveis.

A esta dogmática, forte e clara, o islã acrescentou práticas rigorosas e uma moral simplificada. As práticas eram fundamentalmente cinco — os cinco pilares: a profissão de fé ("não há deus além de Alá, e Maomé é o seu enviado"), a oração ritual, a esmola, o jejum no mês de Ramadã e a peregrinação a Meca. O culto muçulmano sempre se apoiou e se apoia nestas bases. Quanto à moral, perdida no meio de prescrições penais e rituais do Alcorão, continha quase só preceitos de lei natural: retoma o princípio do talião, não despreza os bens terrenos e insiste em que se deve fazer justiça aos pobres e aos órfãos, e em que todos os membros da comunidade muçulmana — a *al-Umma* — devem ajudar-se mutuamente, deixando de lado os não-muçulmanos; quanto ao matrimônio, continua a admitir a poligamia, embora limitada a quatro esposas — sem falar das concubinas...

Este simplismo e esta facilidade explicam em grande parte o êxito esmagador do islamismo. A condição suprema, quase única, era a crença em Deus e no seu "profeta". Sem ter de enfrentar dogmas que ultrapassam a inteligência humana, sem deixar de ser — se assim lhe aprouver — voluptuoso, ávido de ganhos ou vingativo, pode o homem julgar-se autenticamente religioso, estar em comunhão com Deus e alcançar a vida eterna. O profeta, aliás, já tinha dado o exemplo: após a morte de Khadidja, o demônio meridiano entregara-o às alegrias de um abundante harém, que os primeiros muçulmanos haviam de descrever em pormenor e não sem um certo orgulho...

Mas, apesar de todo este simplismo e de toda esta facilidade, o islamismo não demorou a fragmentar-se em seitas adversas. Algumas delas — alauitas, drusos, behaístas — nada conservam do islã a não ser o nome. Nos nossos dias, se o caridjismo domina em Omã e Zanzibar e o zaidismo no Iêmen, as duas seitas mais importantes são as dos sunitas e dos xiitas, estes maioritários no Iraque e no Irã, aqueles nos restantes países islâmicos. Ao todo, essas diversas seitas saídas do islamismo reúnem hoje cerca de novecentos e trinta milhões de adeptos.

A aparição do islamismo e o seu rápido desenvolvimento levantam alguns problemas aos católicos que meditam sobre o sentido da história e que sabem que nenhum acontecimento ocorre sem a permissão de Deus. Não há dúvida de que o judaísmo e alguns cristianismos heréticos deixaram profundamente gravados os seus traços no pensamento religioso de Maomé, e que os livros da Bíblia, os Evangelhos canônicos, os apócrifos e muitas narrativas lendárias, foram conhecidos de maneira mais ou menos superficial por Maomé e adotados por ele. A "morte aparente de Cristo", a que o Alcorão se refere, não reflete de algum modo a influência dos docetistas? Há passagens que falam com veneração de Maria e do seu filho, "o profeta *Issa*", sem no entanto reconhecerem nEle qualquer caráter divino. Tudo isso deriva da perspectiva "sincretista" adotada por Maomé, que considerava o islamismo como um regresso à revelação monoteísta *primitiva*, "falsificada" e "poluída" pelos judeus e pelos cristãos, e que ele tinha por missão depurar e transmitir à nação árabe.

É só mais tarde que o islamismo se tornará — até certo ponto — mais universalista. Os adeptos das diversas seitas muçulmanas falam algumas vezes de "religiões celestes", entre as quais classificam, além do islamismo, o judaísmo, o cristianismo e mesmo o zoroastrismo, não vendo nelas, em última análise, senão "diferenças de profetas". É uma pena que Maomé, essa alma religiosa e de boa fé — por que não admiti-lo? — não tenha conhecido, e mal, senão um cristianismo desnaturado. Não devemos esquecer qual era a situação do cristianismo nas regiões situadas ao redor da Arábia, neste começo do século VII: a Igreja já não estava ali representada senão por umas elites católicas — ainda numerosas e elevadas, é verdade —; principalmente nas cidades do mundo arameu, onde encontramos os *melquitas* fiéis à Igreja e ao basileu, que ainda darão, durante dois séculos, papas e santos à Igreja; mas a sua importância irá decrescendo gradativamente. Por toda parte há hereges e cismáticos, retalhados entre cinquenta seitas e esfacelados até ao sangue. Se, ao invés deste verniz de cristianismo herético, Maomé tivesse conhecido a Verdade que liberta e a ela tivesse aderido, que destinos a Igreja não poderia ter conhecido na Arábia, e talvez no Oriente e no mundo? Em todo o caso, tal como acontece com os outros sofrimentos que Deus permite, não está proibido pensar que a terrível prova do maometanismo se inscreve na perspectiva de um juízo sobrenatural e de uma expiação; perante as nossas infidelidades, os nossos cismas e as nossas heresias, o Senhor não se dedigna de entregar os cristãos a um falso profeta, e até ao "seu servo Nabucodonosor"...

Os cavaleiros de Alá

Para vencer os adversários, Maomé teve de lançar mão da guerra, e essa guerra, proclamada em nome de um ideal religioso, foi por ele apresentada — e de fato revestiu-se desse caráter — como uma guerra santa, como um ato religioso por excelência e como o sacrifício mais grato a Alá. Morrer na *jihad* era, para um muçulmano, "andar com certeza pelo caminho de Deus", pois "o paraíso — escreve o profeta — está à sombra das espadas".

Esta doutrina belicista, poderosa alavanca para chamar à ação esses homens que punham a serviço do fanatismo religioso as mais violentas paixões da alma árabe, não fora, na intenção original de Maomé, senão um meio para quebrar as resistências; nunca ele pensara que pudesse vir a constituir um instrumento de expansão imperialista e, muito menos, que pudesse servir para impor a fé. "Não deve haver coação em matéria religiosa — diz formalmente o Alcorão —; o verdadeiro caminho sabe distinguir-se sozinho do erro". Mas, ao dar unidade a esse mundo árabe até então esfacelado, o profeta, sem pretendê-lo, tinha gerado uma força nova, um temível nacionalismo. "O seu islamismo foi acima de tudo um pan-arabismo", escreveu dele o historiador Nau; o mundo oriental, que esperava confusamente por uma oportunidade de sacudir o jugo da civilização romano-helênica, ia encontrar nessa doutrina uma ponta-de-lança de primeira ordem.

Quando a burguesia comercial, posta em segundo plano por Maomé, retomou as rédeas após a sua morte, logo percebeu as frutuosas possibilidades de expansão que o puritanismo combativo do islã lhe oferecia. Em pouco tempo a *jihad* tornou-se uma guerra de conquista, e como a maior parte das terras a conquistar estava em poder dos cristãos, estes passaram a ser os principais inimigos. O califa Omar gritará: "A nós, cabe-nos devorar os cristãos, e aos nossos filhos devorar os seus descendentes enquanto os houver".

Uma outra razão tornava a guerra de expansão ainda mais necessária: a situação interna do novo Estado. Maomé morreu em Medina a 8 de junho de 632, e nada previu acerca da transmissão da sua autoridade, que era essencialmente pessoal. Durante trinta anos, o problema da sucessão esteve mais ou menos em aberto. O seu discípulo *Abu-Bekr* e o seu amigo *Omar* governaram um após o outro sob o título de *califas* — sucessores —, vendo-se já obrigados a reprimir uma tentativa de levante das tribos arábicas. Por ocasião da morte de Omar, o conflito ressurgiu, desta vez entre *Ali*, genro do profeta, e *Othman*, velho amigo de Maomé, que foi morto. O segundo sobrinho de Othman, *Moawiah*, reabriu a luta, uma luta implacável em que Ali acabou perdendo a vida. Moawiah regularizou então o problema sucessório, fundando em 662 a dinastia dos Omíadas, que devia durar até 750, ano em que uma revolução a derrubou.

A crise foi, pois, bastante delicada para o jovem Estado islamita e todos os dirigentes, todos os califas, compreenderam que o verdadeiro meio de manter a coesão do seu povo em semelhante conjuntura era lançá-lo em expedições que satisfizessem simultaneamente o seu fanatismo ainda recente, as suas paixões ancestrais e os seus interesses econômicos. Foi Omar, político profundo, quem marcou as direções para as quais se devia orientar a guerra santa: os pontos básicos dos quais dependia o comércio caravaneiro dos árabes, isto é, a

Mesopotâmia, a Síria e o Egito. E, a partir de 634, a conquista começou.

O instrumento era de primeira ordem: o exército árabe. Uma das coisas mais surpreendentes é a prontidão com que as hordas beduínas, estruturadas pelo ideal religioso, se transformaram em tropas fortemente organizadas. Composto sobretudo por uma maravilhosa cavalaria e por uma infantaria ligeira de arqueiros, e tendo sabido tomar de empréstimo ao Império bizantino e à Pérsia as suas máquinas de guerra, comandado além disso por homens que se mostraram chefes excelentes e que se faziam obedecer cegamente, em breve o exército árabe se tornou o mais terrível instrumento de guerra do mundo de então. À medida que alargava o seu raio de ação, as tropas iam-se reforçando com novos elementos oriundos das regiões conquistadas, das populações convertidas ao islã, mas o exército não perdeu em nada as suas características. Em pouco tempo, os árabes passam a constituir somente uma fraca minoria nas hostes de conquista, mas os princípios continuam os mesmos, os métodos mantêm-se idênticos e, durante cem anos, o ardor dos cavaleiros de Alá[8] conserva-se igualmente violento e impetuoso.

Lançada simultaneamente na direção da Europa e da Ásia, a conquista islâmica não tem precedentes na história. A prodigiosa rapidez dos seus êxitos só pode ser comparada à velocidade com que os grandes *Khans* das estepes edificaram os seus impérios; mas, ao passo que as vitórias de Átila ou, mais tarde, de Gengis Khan ou de Tamerlão se desfizeram nas areias asiáticas tão depressa como tinham surgido, a conquista do islã foi duradoura. A fé trazida nas suas armas lançou raízes tão profundas que devia transpor os séculos. A decrepitude dos impérios que os conquistadores encontraram pela frente — a Pérsia e Bizâncio —, bem como a cumplicidade parcial de algumas populações explicam, até certo ponto, a sucessão fulminante das vitórias, mas a duração do êxito alcançado é um enigma cujas raízes mergulham nos dados religiosos mais profundos da alma humana.

Dois anos após a morte de Maomé, em 634, as tropas muçulmanas puseram-se em movimento e transpuseram as fronteiras, de um lado em direção à Mesopotâmia, onde ocuparam o reino de Hira, vassalo árabe dos persas, e do outro para o sul da Palestina, onde o patriarca Sérgio foi morto a oeste do Mar Morto. Como as duas provas de força lhes tinham sido favoráveis, foram avante. Gaza, onde sessenta soldados cristãos preferiram o martírio à abjuração, caiu pouco depois. Um exército imperial comandado pelo irmão de Heráclio deixou-se encurralar por dois exércitos árabes a sudoeste de Jerusalém. A partir daí, os árabes puderam movimentar-se na Palestina e na Síria como em sua própria casa. A 20 de agosto de 635, Damasco capitulou.

A seguir, os invasores voltaram-se contra os persas, que se encontravam na ocasião a braços com as piores dissensões internas. Depois de algumas semanas de resistência, o jovem rei sassânida Sezdegerd foi batido na encarniçada batalha de Kadesiah, perdeu a capital, Ctesifonte, e teve de assistir, impotente, à capitulação sucessiva de todas as praças de armas principais da Susiana e da Média.

Garantidos por esse lado, os muçulmanos concentraram o esforço decisivo na Síria, onde Heráclio havia recuperado alguma influência. Envelhecido e doente, o imperador já não podia, porém, empregar contra os árabes o mesmo vigor de que se valera outrora para bater os iranianos; mesmo assim, conseguiu reunir um segundo exército, cujo comando confiou ao estratego Trithyrios. Foi um novo desastre. Junto do Iarmuk, cegado pelos turbilhões de areia levantados por um violento *sirocco*, precipitado no rio do alto das abruptas ribanceiras, o exército imperial foi completamente esmagado em 20 de agosto de 636. Além do mais, o inimigo fora ajudado por traidores. Desanimado, Heráclio voltou para a Ásia Menor, ordenando que a Vera Cruz de Jerusalém fosse levada para Constantinopla.

Foram necessários ainda alguns anos para que os muçulmanos terminassem de conquistar as praças fortes da região. Protegida pelas suas sólidas muralhas, Jerusalém resistiu muito tempo, comandada pelo patriarca Sofrônio, mas, sitiada e não vendo chegar nenhum auxílio, teve de capitular em fevereiro de 638, para evitar o horror de um assalto. Na antiga esplanada do Templo de Salomão, onde hoje se eleva a mesquita a ele dedicada, o califa Omar veio fazer as suas orações. Foi um golpe terrível, de que toda a cristandade se ressentiu. Na Gália, chegou-se a ter a impressão de que se assistia a uma catástrofe fora do comum, a um cataclismo apocalíptico.

Nesse momento, o impulso islâmico era tão impetuoso que força alguma no mundo parecia capaz de detê-lo. No planalto persa, as últimas tropas sassânidas eram esmagadas umas após outras, e o rei era morto. Os infatigáveis cavaleiros de Alá avançavam ao norte até o Cáucaso, o Cáspio e o Oxus; a leste, arremetiam em direção à bacia do Indo. O califa Omar, que prudentemente queria estabilizar as regiões adquiridas antes de passar a novas conquistas, não conseguia refrear a fogosidade dos seus guerreiros. Apesar das suas ordens, e aproveitando o estado de desorganização em que se encontrava o Egito, o general Amr lançou-se com quatro mil homens no delta, instalou-se em Pelúsia e, em julho de 640, derrotou as tropas imperiais perto de Heliópolis. O Cairo e, logo depois, Alexandria tiveram de render-se. E Amr preparava-se ainda para atacar, através da Tripolitânia, a província bizantina da África, quando foi detido por ordens formais de Omar. Em 643, nove anos após o começo da guerra santa, das vizinhanças do Indo e do Cáucaso até aos confins do Sudão, toda uma região com a extensão de metade da Europa era muçulmana.

Como já apontamos, esta subitaneidade nas conquistas, bem como diversos episódios das lutas, induzem-nos a pensar que os árabes encontraram cumplicidades internas nas populações invadidas, e os cronistas muçulmanos efetivamente insistiram muito nesse ponto. É incontestável que os invasores podiam encontrar aliados fáceis entre aqueles que Heráclio perseguia. Assim, os judeus — que acabavam de ser vítimas de odiosas medidas racistas — desempenharam de boa vontade o papel de "quintas-colunas" dos muçulmanos. Da mesma forma, os monofisitas desposaram quase por toda parte a opinião de um dos seus porta-vozes sírios: "É o Deus das vinganças que nos envia o árabe, a fim de nos livrar do romano!" Na batalha de Iarmuk, os muçulmanos puderam comprar traições. No Egito, o patriarca copta Benjamim, expulso pelo imperador, negociou com os árabes o apoio dos seus fiéis em troca da restituição dos bens da igreja monofisita confiscados pelos bizantinos.

Mesmo quando não havia cumplicidade formal, o islã encontrou por toda parte uma resignação que mais parecia conivência. Que disposição de lutar podia ter uma população como a egípcia que, no momento do ataque muçulmano, se encontrava numa semirrebelião contra o basileu que acabava de impor-lhe o patriarca Ciro, adepto das ideias da *Ectese* e rejeitado por todo o povo? Em Jerusalém, como é que o patriarca São Sofrônio, sozinho perante os exércitos de Omar, podia sentir-se animado a salvar o domínio de um imperador que não passava a seus olhos de um inimigo da fé? E que prazer haviam de ter as tropas imperiais, originárias dessas províncias já trabalhadas pelo nacionalismo, em sacrificar-se pelo tirano de Bizâncio?

Fosse qual fosse a atitude dessas populações por ocasião da invasão, um fato é patente: a "desbizantinização" processou-se com extrema rapidez tanto no Egito como na Síria. A civilização helênica, que desde havia um milênio — desde Alexandre — se espalhara por todo o Oriente Próximo e ali suscitara plêiades de sábios e de pensadores, foi simplesmente varrida, submergindo nas vagas mais profundas da consciência popular. Do ponto de vista da história da civilização, a queda da Alexandria às mãos dos árabes em 643 teve uma importância tão considerável como a de Constantinopla às mãos dos turcos, oito séculos depois. Nesse momento expirava uma civilização original e deixavam de existir para sempre as fecundas influências do Oriente helênico sobre o Ocidente; por exemplo, nunca mais chegariam à Europa os belos marfins ou os tecidos suntuosos.

A Síria, por sua vez, arabizou-se com verdadeira alegria. Os funcionários cristãos do imperador — mesmo os que eram *melquitas*, isto é, por princípio, fiéis — acederam em entrar a serviço dos califas. Aliás, é preciso reconhecer que, no seu conjunto, a ocupação árabe se fez de forma relativamente amena; os roubos e violências foram com certeza muito menos sérios do que os praticados pelos germanos no Ocidente. As grandes destruições de que se tem acusado os muçulmanos, como a da biblioteca de Alexandria, não têm qualquer base histórica. Parece mesmo provado que, em alguns lugares, os chefes islâmicos ajudaram a reconstruir as igrejas.

Os muçulmanos não foram, pois, dominadores cruéis. Na Síria e principalmente no Egito, limitaram-se a favorecer os monofisitas contra os católicos *melquitas*, o que se compreende se tivermos presente que estes últimos se mantinham fiéis a Bizâncio. Mas, mesmo nessas circunstâncias, a hierarquia *melquita* pôde reconstituir-se nos três patriarcados orientais, e em breve se fizeram eleições regulares — em Jerusalém depois de 706, em Antioquia em 740 e em Alexandria em 744 —; por vezes, não deixou de haver dificuldades, como é óbvio, e em diversas ocasiões os patriarcas viram-se obrigados a procurar apoio na corte dos califas, sobretudo por intermédio de alguns médicos cristãos. Puderam também reunir-se alguns sínodos, embora modestos, mas o mais importante foi que a vitalidade da Igreja nunca se quebrou. Em plena dominação muçulmana, vemos brilhar na cristandade ortodoxa de Damasco a mais resplendente luz da inteligência e da espiritualidade oriental com *São João Damasceno*, que tinha sido tesoureiro-pagador do califa. E foi também do Irã submetido ao domínio muçulmano que partiram as missões nestorianas — heréticas, mas sob muitos aspectos admiráveis — que levaram o Evangelho à India, à China, ao Turquestão e ao Tibete, exercendo um apostolado admirável.

Quanto à resistência propriamente dita aos ocupantes islamitas, pode-se dizer que só ganhou corpo entre os montanheses do Líbano e os armênios, povos de um temperamento briguento e indomável; serão eles, aliás, que ajudarão os imperadores bizantinos na reconstrução do século X e que, um pouco mais tarde, auxiliarão também os cruzados cortando as linhas de comunicação muçulmanas. Mas foram proezas excepcionais; no seu conjunto, a população cristã manifestou uma submissão resignada.

Tudo isto nos deixa inquietos. Temos a impressão de que o cristianismo oriental, encarnado no imperador de Bizâncio, mostrou não estar à altura dos acontecimentos em face do inesperado da ofensiva árabe. Espiritualmente, esse cristianismo confessou-se incapaz de lutar justamente num terreno que deveria ser o seu; os muitos séculos de discussões e de tumultos teológicos tinham-no esgotado. E no plano temporal, um dos espetáculos mais confrangedores é precisamente ver com que facilidade Heráclio, "o primeiro cruzado", o homem que tinha reconquistado a Vera Cruz, deixou esboroar-se tanto a obra política de Alexandre como aquela que as primeiras gerações cristãs, à custa do seu sangue, tinham erigido em todas essas regiões. É bem verdade que o antigo herói da guerra contra os persas já não passava de um velho hidrópico e atacado de estranhas fobias, que, para atravessar o Bósforo a fim de regressar a Constantinopla, exigiu que lhe armassem uma ponte de barcas fechada dos lados com verdadeiros muros de folhagem, tal era o medo que tinha da água. Quando morreu, em 641, deixou uma herança esmagadora: um Império que parecia ter satisfeito todas as condições para desabar.

Durante os setenta anos seguintes, a situação foi terrível. Os sucessores de Heráclio, quer fossem herdeiros diretos, quer usurpadores, tiveram quase todos de enfrentar revoltas, cisões e golpes palacianos. Alguns não deixaram de ter os seus méritos, como Constante II (641-668), Constantino VI (668-685) e mesmo Justiniano II; mas que super-homens não teriam sido necessários para devolver o Império à sua grandeza? Voltou-se a ver com alguma frequência um basileu ou uma Basilissa sofrerem no circo os piores suplícios; conheceram-se tempos de uma loucura quase neroniana, como no reinado de Justiniano II, "o imperador de nariz cortado" que, depois de reinar dez anos (685-695), foi derrubado, sofreu essa inestética amputação e depois retomou o poder (de 705 a 711), afogando em banhos de sangue todas as resistências.

Enquanto as classes dirigentes de Bizâncio se entregavam assim aos piores jogos políticos — e também à devassidão —, o Império recebia golpes sobre golpes e ia-se exaurindo. Nas fronteiras do norte, forjava-se um novo inimigo, os búlgaros, povo de origem turca que confederara à sua volta e organizara solidamente uma multidão de tribos eslavas; e como eram compridos os seus dentes!... Por outro lado, as investidas árabes não tinham fim. A Ásia Menor tornara-se um excelente campo de manobras e de pilhagem para os cavaleiros de Alá. Cada vez mais audaciosos, apareciam na Capadócia, na Frígia e até nos arrabaldes de Ancira. Ao cabo de vinte anos de esforços semiguerreiros e semidiplomáticos, instalaram-se na Armênia e, tendo construído uma frota com a ajuda dos libaneses do litoral, esses filhos dos antigos fenícios, começaram a saquear as ilhas e os portos gregos: Chipre em 648-649, Rodes em 653, depois Creta, por fim as Cíclades. Quando Constante II tentou fazer-lhes frente, aniquilaram-lhe as esquadras num piscar de olhos.

Foi uma prova dura, mas o Império do Oriente ainda não devia perecer. Bizâncio continuava a encerrar em si forças profundas, e muitos séculos estavam ainda prometidos ao seu futuro. Teve, porém, de submeter-se a uma cirurgia decisiva. Até à morte de Heráclio, todos os imperadores se tinham esforçado por manter a tradição romana do Império universal e haviam procurado, embora em vão, dar unidade a esse incomensurável poder cujo sonho Justiniano lhes legara. Mas a partir de 641 começa aquilo que por vezes se tem chamado "a Idade Média bizantina"; assaltado por todos os lados, o Império terá de resignar-se a abandonar as suas desmedidas pretensões para se reestruturar como uma simples potência greco-oriental, mais coerente e mais homogênea. O amor-próprio saiu ferido, sem dúvida, mas a decisão foi salutar.

Por duas vezes se chegou a pensar que tudo estava perdido. Por duas vezes Constantinopla foi assaltada tanto por terra quanto por mar. Em 673 e durante os cinco anos seguintes, exércitos e armadas árabes lançaram-se contra a cidade; mas as muralhas resistiram e o *fogo grego*, misteriosa substância então inventada, cujo segredo se perdeu e que ardia mesmo sobre a água, venceu a resistência dos navios muçulmanos. Em 717, o assalto recomeçou, e desta vez devia durar um ano, apesar do enorme poderio das forças islâmicas: falava-se de mil e oitocentos barcos. Era a hora em que o árabe não duvidava de nada, excitado pela prodigiosa amplidão dos seus triunfos. Não acabava de apoderar-se da Espanha num abrir e fechar de olhos? Não devastava já o sul da França? Julgava ter a Europa à sua mercê.

Mas um novo golpe de Estado acabava de elevar ao trono imperial um verdadeiro líder, um duro montanhês da Ásia, *Leão III, o Isáurico* (717-740), e com ele se iniciava a dinastia da reconstrução. Os muçulmanos foram batidos diante de Constantinopla (718), e a derrota foi tão fragorosa que, durante muito tempo, hesitaram em voltar àquelas paragens. No itinerário que conduzia o islã à conquista da Europa pelo leste, esta vitória levantava-lhe um obstáculo decisivo, tão importante quanto aquele que Carlos Martel e os seus francos lhe oporiam catorze anos mais tarde, em Poitiers. Mais uma vez Bizâncio provava que ainda era capaz de salvar-se a si própria.

Não foi, porém, capaz de salvar a civilização de que pretendera ser o guia. No mesmo momento em que o imperador sírio de Constantinopla detinha na sua marcha o califa de Damasco[9], consumava-se a catástrofe que iria acarretar durante séculos as mais pesadas consequências políticas, econômicas e religiosas: a ruptura do Mediterrâneo — o antigo *Mare nostrum* do grande Império de Roma —, causada pela ocupação muçulmana da África e da Espanha.

O fim da África cristã

Em toda a história da invasão muçulmana, tão dolorosa para a cristandade, não há capítulo mais aflitivo que o da ocupação da África. Quando pensamos no que havia sido a África cristã, no admirável testemunho que os seus mártires tinham dado na época de São Cipriano e dos humildes fiéis de Scili, quando pensamos no esplendor dos seus setecentos bispados em começos do século V e na incomparável influência de Santo Agostinho, sentimo-nos estupefatos e desolados diante da brutalidade da catástrofe em que esta igreja mergulhou — e por quanto tempo!... Aqui, mais do que em qualquer outra parte, há razões profundas que explicam a sua queda. Não basta observar que, no século VII, os pastores desta igreja estavam longe de ter o valor dos seus antecessores e que, no conjunto, eram medíocres, quando não simoníacos e prevaricadores; a cristandade da África, desde havia muito tempo, estava ferida no cerne das suas obras vivas. A fraca resistência que opôs aos cavaleiros de Alá foi a consequência de uma série de vícios já antigos, que se explicam em grande parte pelas características do temperamento local.

O cristianismo africano nunca teve o caráter especulativo de que se revestiu no Egito ou na Síria, mas nem por isso conheceu menos as crises das heresias. Lembramo-nos das lutas que Santo Agostinho teve de sustentar contra o maniqueísmo, o donatismo e outras formas do erro[10]. Além disso, na África, todas as convicções, quer se tratasse de doutrinas aberrantes ou da fé mais ortodoxa, assumiam as cores de um particularismo ferozmente nacionalista, que tendia a dar um caráter fechado e isolado às suas vivências religiosas. Esta característica manifestara-se particularmente por ocasião do cisma herético de Donato, que em grande parte traduzira as aspirações do separatismo africano, constituindo um fenômeno tão violento e tão profundamente ligado à alma popular que, em pleno século VIII — depois de mais de trezentos anos de luta —, os donatistas levantaram a cabeça, reabriram as suas igrejas e voltaram a fazer propaganda à sua maneira, isto é, implicando com os católicos.

O particularismo africano tinha um duplo caráter, político e religioso. Quanto ao aspecto político, lembramo-nos de que, uma vez reconquistadas aos vândalos pelos exércitos de Justiniano, as províncias africanas não tardaram a manifestar a sua impaciência diante da administração bizantina, pesada e detalhista como sempre, e de que as populações berberes, principalmente, deram muito trabalho aos funcionários imperiais. De alguma maneira, Bizâncio tinha reconhecido oficialmente essa tendência dos africanos em fins do século VI, erigindo a África em *exarcado*, isto é, numa entidade administrativa quase autônoma, em que o *exarca*, verdadeiro vice-imperador, embora estivesse encarregado de representar o poder central, tinha por outro lado liberdade mais do que suficiente para utilizar em benefício próprio as tendências separatistas dos seus súditos africanos. Foi da África que partiu a rebelião militar que pôs termo ao reinado do triste Focas, e Heráclio, o novo imperador, mostrou a sua gratidão para com essa província enriquecendo-a e cumulando-a de obséquios. E na véspera da invasão árabe, o exarca Gregório, aproveitando-se do descontentamento geral, proclamar-se-á basileu.

Ao lado desta tendência para o separatismo político, e alimentando-se dela, havia na África um sentimento análogo no plano religioso. Muito ciosa das suas tradições e muito ardente nas suas convicções e nos seus princípios morais, a cristandade africana dava mostras evidentes de tender a conservar-se um pouco à margem do conjunto da Igreja;

essa inclinação era notória mesmo nos grandes santos, como São Cipriano. Isto não significa que as igrejas da África desconfiassem sistematicamente de Roma; sempre houve homens no alto clero africano que compreenderam perfeitamente que só a união íntima com o papado poderia manter a sua igreja na verdadeira vida religiosa; poderíamos citar, a título de exemplo, o bispo Colombo, da Numídia, e Dominico, primaz de Cartago, que foram amigos de São Gregório Magno e que trabalharam de pleno acordo com ele. Mesmo assim, é fora de dúvida que, apesar da intensidade da sua vida espiritual e apesar do incessante trabalho desenvolvido pelos concílios provinciais, a igreja da África não comunicava como devia com o rio da Igreja, e isto explica certamente a fragilidade que demonstrou perante o inimigo.

Outra causa dessa fraqueza eram os próprios elementos que constituíam a igreja africana. As velhas populações romanas, ou romanizadas de longa data, eram solidamente ortodoxas, mas ao lado delas havia numerosas tribos bárbaras que tinham recebido o batismo em épocas diversas e cujas convicções eram superficiais e instáveis. Quando a vitória de Bizâncio lhes manifestou o poderio do Império cristão, os chefes berberes aderiram à nova fé, sem no entanto abandonarem as suas práticas idólatras. Podia-se apostar que, no momento em que esse poderio deixasse de ser evidente, as suas convicções cristãs baixariam de nível. Efetivamente, no decorrer dos anos em que a sua sorte se debateu entre "romanos" e árabes, os berberes oscilaram com desenvoltura entre a conversão e a abjuração. Um historiador muçulmano chega mesmo a escrever com certo humor: "Quando os berberes apostatam, é até doze vezes!"

Para evitar que esta parte do Império, que inspirava tantos cuidados, se desligasse ao primeiro choque, teria sido necessário tratar os seus habitantes com tanta firmeza quanta brandura, procurando não os contrariar, e sobretudo impedir que se desencadeassem entre eles as dissensões que tanto mal haviam causado no Egito e na Síria. Ora, os autocratas teólogos de Bizâncio seguiram exatamente a política contrária. Todos os conflitos religiosos que sacudiram o Império repercutiram na igreja da África, e todos eles contribuíram para tornar ingratas as relações com Bizâncio.

Assim, quando Justiniano, nutrindo a falaz esperança de reconduzir ao redil os monofisitas, se lançou na questão dos *Três Capítulos*[11] por volta de 534, a igreja da África rebelou-se com tanto vigor que o autoritário basileu, furioso, chegou ao ponto de mandar prender, deportar e depor diversos bispos, enquanto um certo Firmino de Tipasa, primaz da Numídia, que aderira por interesse à causa imperial, tentava inutilmente impor aos seus compatriotas os princípios teológicos do imperador. Cem anos mais tarde, quando Heráclio — sempre com o mesmo propósito — lançou a doutrina do *monotelismo*, a igreja africana adotou a mesma atitude de desconfiança perante as teses oficiais. Depois da ocupação do Egito pelos árabes, em 640, muitos egípcios vieram refugiar-se na África, trazendo com eles o seu sempiterno espírito de discórdia teológica. Em consequência, não demorou a explodir uma crise violenta, durante a qual os africanos, apoiados pelo campeão da ortodoxia, São Máximo, o Confessor, se ergueram como inimigos declarados da teologia imperial. Era óbvio que a lealdade dessas populações para com o Império tinha muito que sofrer com essas constantes querelas, e o exarca Gregório soube tirar partido desses mil rancores para proclamar a sua independência.

Era esta a situação da África cristã no momento em que iam lançar-se sobre ela os cavaleiros de Alá, uma situação especialmente perigosa, similar à que causara a queda do Egito e da Síria às mãos dos muçulmanos, ou talvez ainda pior. Como vimos, imediatamente após a ocupação do delta do Nilo, o general Amr havia lançado uma ponta do seu exército em direção à África, ocupando a Cirenaica em 642 e a Tripolitânia em 643; detido momentaneamente pelas ordens do califa Omar, retomou a ofensiva em 647, para vir saquear os ricos oásis do sul da Tunísia. O exarca Gregório, que acabava de erigir Sufétula (Sbeitla) como capital do seu "império", deixou-se matar mesmo ao lado, em Akuba, quando tentava deter a *razzia*. Era apenas um primeiro alarme, mas os cavaleiros de Alá agora conheciam o caminho.

Enquanto Constante II, com o edito do *Tipo*, retomava a política monotelita e voltava a irritar os africanos, os muçulmanos renovavam periodicamente as suas incursões. Em 665, uma nova *razzia* varreu toda a província de Bizacena (sul da Tunísia) sem encontrar maiores obstáculos: os bizantinos pareciam resignados a perder o sul, e os exércitos de socorro enviados pelo basileu voltaram a embarcar sem terem entrado em combate uma única vez. Diante dessa fraqueza, os chefes do islã decidiram empreender uma ação vigorosa, e em 669 o califa Moawiah lançou as suas tropas sobre a *Ifrikia*, apoderou-se de Gafsa e de toda a Bizacena e, para sublinhar a sua resolução de não mais sair dali, estabeleceu uma fortaleza, um *Kairuan*, que deu origem à prestigiosa cidade do mesmo nome, na atual Tunísia.

Tudo parecia encaminhar-se para um fim rápido, e o Império, decididamente muito distante e muito fraco, mostrava-se incapaz de defender a África. A luta suprema, que os bizantinos já não podiam comandar, passou a ser obra dessas tribos berberes que outrora haviam resistido aos romanos, mais tarde aos bizantinos e que, no século XIX, haveriam de fazer frente à França. Um dos seus grandes chefes, *Koçeila*, cristão um tanto desbotado e que apostatou duas ou três vezes, conseguiu durante algum tempo repelir os cavaleiros de Alá, chegando mesmo a tomar-lhes Kairuan e a fazer viver em paz no seu "reino" aquilo que restava da África cristã. Outro episódio muito curioso foi o da terrível luta travada no Aurés por uma mulher, a *Kahena* — "sacerdotisa" —, que encabeçava uma coligação de berberes, judeus e cristãos, luta que só havia de cessar no momento em que a lendária rainha tombou em pleno combate.

Mas as resistências locais, bem como as tímidas e escassas intervenções bizantinas, não puderam impedir o inevitável. Em 698, Cartago estava tomada. Pouco a pouco, os muçulmanos conquistavam cidade após cidade, distrito após distrito, em toda a África e no Maghreb. Por volta de 704, o *Africanus exercitus* — como dizia orgulhosamente a nomenclatura imperial — não ocupava senão a ponta extrema de Ceuta e algumas montanhas vizinhas. O último exarca, Juliano, acossado também pelos reis visigodos cristãos que tinha às costas, pensou ter feito um grande negócio quando conseguiu conquistar as boas graças do berbere islamizado Tarik, lugar-tenente de Muça, delegado do califa e comandante das tropas muçulmanas: entregou-lhe o forte inexpugnável que tinha a seu cargo, e assim abriu-lhe as portas da Espanha; de lá, Tarik saltou para o continente, através do estreito de Gibraltar, que ainda conserva o seu nome (Djebel-al-Tarik). Esta traição constituiu o último golpe vibrado na África de Cristo.

A igreja da África ia morrer. Não imediatamente, porque ainda sobreviveriam por bastante tempo alguns agrupamentos mais ou menos importantes, embora cada vez mais fracos e mais ameaçados. Os berberes depressa se converteram à fé dos vencedores. Os cristãos de convicções mais firmes foram inicialmente autorizados a conservar a sua religião, mediante o pagamento de um tributo especial que abrangia um quinto dos seus rendimentos, mas também essa tolerância logo terminou, e a partir de meados do século VIII tiveram de se decidir entre a apostasia e o exílio. Muitas igrejas foram convertidas em mesquitas; os bispados desapareceram, subsistindo apenas uns títulos puramente honoríficos — semelhantes aos que ainda hoje usam os nossos bispos *in partibus infidelium* —, tão desprovidos de jurisdição verdadeira como, no plano político, esse cargo que em Bizâncio continuou a chamar-se cerimoniosamente "o ilustríssimo prefeito da África".

Por volta de 1050, restarão na *Ifikria*, ao todo, cinco bispos católicos residentes, e as suas ovelhas serão mercadores cristãos instalados nos portos, mercenários a serviço dos sultões, prisioneiros e crianças, aos quais os religiosos das Mercês ou de São João da Mata, devotados ao resgate dos cativos, prestarão a sua maravilhosa assistência. Pobres e miseráveis restos daquilo que havia sido a África cristã! Será necessário esperar oito séculos para que o Evangelho volte a ser semeado no velho continente e para que o cardeal Lavigerie lance ali as bases de uma nova cristandade.

A Espanha cristã submerge por sete séculos

A queda da Espanha seguiu-se à da África, e também constituiu a consequência lógica do estado de desunião em que se encontravam os cristãos. Entre os bizantinos, que ainda ocupavam Ceuta, e os reis visigodos da península vizinha, as relações eram bastante ásperas. O exarca Juliano oferecera um asilo complacente a Opas, bispo de Sevilha e irmão do rei destronado Vitiza, bem como a uma caterva de oposicionistas e descontentes. Quanto ao rei da Espanha, *Rodrigo* (em godo, *Roderic*), procurava por todos os meios criar problemas ao seu vizinho, o funcionário imperial. Em vez de se unirem contra o perigo evidente, os cristãos não pensavam senão em dilacerar-se uns aos outros.

Uma história romanesca pretende que o rastilho foi ateado pelas manobras de uma mulher, a bela Florinda, filha do conde Juliano e conhecida como a "má égua", que, depois de várias aventuras, se teria deixado raptar por Rodrigo; assim, a guerra de Espanha teria começado como a guerra de Troia. Na verdade, há razões para crer que a guerra tenha sido, acima de tudo, o resultado de uma infinidade de intrigas que os refugiados godos e judeus expulsos da Espanha urdiram junto do exarca e dos chefes muçulmanos, informando-os do estado de desagregação em que se encontrava o reino e estimulando-os a intervir. Muça, o representante do califa em Tânger, depois de se ter documentado cuidadosamente e de ter mesmo tentado uma operação de reconhecimento coroada de êxito, enviou um relatório a Damasco e, tendo finalmente negociado a aliança com os bizantinos de Ceuta, decidiu atacar em julho de 711.

Por mais habituados que estejamos aos rápidos êxitos do islamismo, aquele que os cavaleiros de Alá alcançaram na Espanha deixa-nos perplexos. Os sete mil berberes comandados por Tarik desembarcaram sem maiores dificuldades ao pé do "Jebel-al-Tarik" e marcharam imediatamente sobre Algeciras, onde se reuniram com os contingentes bizantinos de Juliano e com os exilados godos chefiados por Opas — uns e outros nas fileiras dos muçulmanos! As tropas reunidas por Rodrigo esperavam-nos nas margens do Guadalete. De pé no seu carro revestido de placas de marfim, coroado de ouro, envolto num manto de púrpura e calçado com brodequins de prata, o rei dirigia pessoalmente o combate. O calor era terrível e os corpulentos visigodos louros sofriam horrivelmente. Debaixo de um sol de fogo, no meio do alarido e dos redemoinhos dos cavaleiros númidas e sob o fulgor das cimitarras desembainhadas e dos alvos albornozes, a batalha desencadeou-se, rápida, como uma fantasia trágica. Desorientados pelo espetáculo insólito, os godos desagregaram-se em dois tempos. Rodrigo, montado sobre um cavalo branco, bateu-se como um leão. Quando a noite desceu, do exército visigodo só restavam uns poucos bandos de fugitivos perseguidos a flechadas. O rei havia desaparecido e o seu cavalo foi encontrado atolado num lamaçal; a poucos metros dali, encontrou-se também um dos brodequins reais. Era o dia 19 de julho de 711.

Bastou este único embate. A Espanha visigótica desabou como um castelo de cartas. Tomada Sevilha, os berberes de Tarik precipitaram-se sobre Córdova, varrendo de passagem em Ecija um pequeno núcleo de resistência, e depois, aconselhados por Juliano, marcharam sobre Toledo, onde o traidor Opas lhes apontou as cabeças que deviam cair. Ao mesmo tempo, Muça desembarcava por sua vez, apoderava-se de Medina e de Carmona, sufocava uma revolta em Sevilha e, sempre guiado pelos cristãos traidores, corria para Toledo, a fim de disputar asperamente ao seu lugar-tenente Tarik a valiosa presa de guerra. Nove décimos da Espanha estavam submersos pelo islã. Subitamente inquietos com os resultados dos seus atos, Juliano e Opas começaram a perceber que os muçulmanos não consideravam o assunto um simples passeio militar, como tinham imaginado a princípio, e que eles próprios tampouco haviam conseguido montar uma operação maquiavélica, em que lhes bastaria puxar de uns cordéis para substituir um rei godo por outro, como tinham pensado ingenuamente. O estandarte verde do profeta flutuava agora em terras de Espanha, e seriam precisos nada menos que sete séculos para lançá-lo por terra.

Uma derrocada desta natureza, como a das outras regiões cristãs conquistadas pelo islã, revela evidentemente uma situação deplorável. Se a Síria e o Egito tinha sido minados pelos antagonismos religiosos e pelos nacionalismos, se a África, em grande parte, devera a sua desgraça às tendências separatistas que alimentava, a Espanha, por ocasião do ataque muçulmano, encontrava-se a braços com uma decadência que a desagregava de mil maneiras. Vicejavam em estado permanente os mais violentos antagonismos: os bizantinos, reduzidos a umas poucas posições costeiras depois de um tratado assinado por Heráclio, suspiravam pela época em que os exércitos de Justiniano ocupavam o sul da Península; os asturianos e os bascos, em perpétua agitação, tinham de ser periodicamente encostados à parede; e as províncias visigóticas do sul da França eram de uma fidelidade duvidosa, e de tempos a tempos os reis de Toledo tinham de sufocar a revolta de um dos seus subordinados do Languedoc. Pior ainda: a própria coroa estava pouco firme, pois o rei governava quase sempre sob a ameaça de conjuras, e as sucessões costumavam ser conturbadas por revoltas e assassinatos. Nos cem anos que se seguiram à morte de Recaredo, tinha-se visto um rei executado, outro tonsurado e encerrado à força num convento, outro — o velho Wamba — entorpecido com narcótico para que subscrevesse a abdicação, e outro ainda expulso do trono e obrigado a fugir para Roma. Diante de tal situação, alguns destes soberanos tinham reagido implantando um regime de terror, ao passo que outros praticamente davam rédea solta aos seus vassalos.

Outra causa de grave mal-estar era a questão judaica. Por razões que não são claras e em que o zelo intransigente pela pureza da fé não explica tudo, vários reis visigodos promoveram verdadeiras perseguições antissemitas, chegando mesmo a forçar os judeus a batizar-se, a raptar-lhes as crianças e a obrigar os esposos a separar-se, no caso de um deles ser israelita. Muitos bispos da Igreja espanhola, como Santo Isidoro de Sevilha, protestaram contra medidas tão odiosas, mas não foram escutados, e o concílio de Toledo de 698 acabou por ratificar essas medidas. Desesperados, os judeus nunca esqueceriam tais sevícias, e quer junto dos bizantinos de Ceuta e dos muçulmanos, quer no interior do próprio país, como uma "quinta coluna", trabalharam com todas as suas forças contra o domínio visigodo; quando se der a invasão de 711, estarão constantemente ao lado dos assaltantes.

A estas razões políticas de decomposição parecem ter-se acrescentado outras de ordem moral. Mesmo que não tomemos à letra alguns dos cronistas desta época, que nos apresentam estes ou aqueles reis visigodos rodeados de um harém e fomentando ao seu redor a poligamia, a verdade é que a doçura do clima e o hábito das riquezas — Toledo tornara-se uma capital faustosa — tinham desagregado os costumes dos germanos. Sucedeu com os visigodos da Espanha o mesmo que acontecera, no século anterior, com os vândalos da África. Parece que as terras do sol não são propícias aos grandes arianos louros.

Diante do desmoronamento tão rápido desse belo sonho que fora a cristandade gótica da Espanha, batizada com o sangue do mártir Hermenegildo e integrada no orbe católico por Recaredo, levanta-se uma pergunta: teve a Igreja alguma responsabilidade nesta catástrofe? Temos de responder honestamente que sim. Estamos lembrados de que, nos anos que se seguiram à conversão dos arianos, o acordo entre a monarquia visigótica e a Igreja parecera tão completo que os concílios nacionais da Espanha tinham passado a conduzir-se como verdadeiros senados: legislavam sobre os mais graves interesses do Estado, e houve reis que pediram que esses concílios corrigissem as leis[12].

Constituindo-se em Conselho de Estado ou em Supremo Tribunal, julgavam e destituíam funcionários públicos. A Igreja, que após a sagração de Wamba fizera da coroação uma cerimônia sacramental, encontrava-se assim verdadeiramente ligada à coroa.

Esta união foi, sem dúvida, positiva. É incontestável que a influência cristã teve resultados felizes na ordem legislativa, e que os "códigos visigóticos" foram, graças a ela, as menos bárbaras das legislações germânicas. Os concílios-parlamentos utilizaram os seus poderes oficiais para organizar bem o clero, para vigiar a sua formação e para mantê-lo num nível elevado. Parece também que uma certa austeridade moral que subsistiu no cristianismo espanhol foi consequência da reação da Igreja contra as tendências dissolutas de alguns reis.

Mas, se a cara é bastante satisfatória, a coroa não o é tanto. Tal como aconteceu em Bizâncio, tal como aconteceu com os merovíngios — embora sob formas diferentes e num grau muito pior —, esta aliança muito estreita entre a Igreja e o Estado tinha graves defeitos. A Igreja tinha amplos poderes dentro do Estado, mas, na realidade, não seria o Estado quem controlava a Igreja? Na aparência, o rei era o mais humilde servo da *Mater Ecclesia*: prostrava-se quando entrava na sala dos concílios e retirava-se para permitir que as santas assembleias deliberassem livremente. Mas era ele quem as reunia ou deixava de reunir. Era ele quem fixava a pauta das discussões e quem garantia que as decisões tomadas fossem executadas. Era ele quem, aos bispos e aos prelados indicados pelas vias normais, acrescentava altas personalidades leigas. Era ele, enfim, quem muitas vezes impunha aos concílios que sancionassem as suas ações de guerra ou as suas usurpações. E, se acrescentarmos que, aqui como na Gália, a intervenção do rei nas nomeações dos bispos levava por vezes a designações escandalosas, compreenderemos mais uma vez o perigo da aliança muito íntima entre os dois poderes.

Mas havia ainda outro mal. À força de se ocupar dos negócios políticos, a igreja da Espanha tinha uma certa tendência a julgar politicamente os assuntos religiosos. Os seus chefes consideravam-se dignitários temporais, pelo menos tanto como pastores do rebanho, e acabavam por "pensar espanhol" antes de "pensarem católico". E isso observava-se na sua atitude para com Roma, a quem dirigem periodicamente enfáticas declarações de respeito e de fidelidade, mas a quem fazem notar também a sua surpresa quando algum papa se permite intervir nos negócios do glorioso reino católico de Toledo. Esta aliança muito estreita com o Estado limitou, portanto, os horizontes da igreja espanhola, e ao mesmo tempo entravou a sua ação. Parece, pois, estar dentro da lógica das coisas que tivesse sido arrastada na queda da realeza visigótica.

Mas se a Igreja, como instituição, sofreu muito com a catástrofe, o cristianismo estava muito profundamente arraigado na alma espanhola para que os invasores pudessem arrancá-lo. Os muçulmanos não constituíam senão uma minoria, e além disso não procuraram fazer proselitismo. Em muitos lugares confiaram postos de controle a judeus, e em outros a espanhóis superficialmente islamizados — convertidos ao Alcorão por interesse —, que eram chamados *maulas* e que, de uma maneira geral, se mostravam benevolentes para com os seus irmãos da véspera. A situação dos cristãos no Estado muçulmano da Espanha — dessa igreja que conservou o nome de "moçárabe" — certamente variou de província para província e de século para século, mas nunca foi tão penosa como a dos cristãos na África islâmica. Além disso, restou-lhe sempre no coração aquilo que permite suportar as maiores provações: a esperança de um amanhã de libertação.

Com efeito, no preciso momento em que se operava a invasão muçulmana, muitos grupos cristãos, reprimindo no seu íntimo a amargura e o desconcerto da derrocada, pensaram imediatamente na resistência. Refugiados nas montanhas, onde o inimigo não os podia alcançar, foram-se juntando pouco a pouco, começaram a organizar-se e, por fim, conseguiram armar-se. Ainda não tinham passado cinco anos após a catástrofe, e já uma verdadeira guerrilha cristã trabalhava contra os ocupantes, não hesitando até em levar a cabo operações de reabastecimento nas regiões em poder dos muçulmanos.

Um dos primeiros chefes desta resistência cristã foi *Pelágio*, que, refugiado nas serras galegas, restabeleceu em 718 o título real da dinastia visigótica, com a qual aliás era aparentado. Capturado numa incursão pelas planícies e evadido da prisão, o audacioso líder guerrilheiro causava tantas inquietações aos muçulmanos que estes organizaram uma expedição contra ele. A expedição não foi bem sucedida. Pelágio e os seus montanheses armaram uma cilada num desfiladeiro selvagem, bloquearam a coluna dos assaltantes — berberes, árabes e cristãos traidores, entre os quais o triste Opas de Sevilha — entre avalanches de rochas que fizeram cair sobre ela, crivaram-na de flechas e esmagaram-na debaixo de pedregulhos, ao mesmo tempo que uma terrível tempestade, engrossando as torrentes de montanha, completava a derrota. Essa foi a vitória de *Covadonga*, que os poetas espanhóis amplificaram generosamente, mas que foi, de fato, o primeiro repicar de sinos libertador e a promessa de um futuro melhor.

Assim, pouco a pouco, foram-se organizando focos de resistência no norte da Península. Houve-os em Navarra, em

Aragão e na Galiza. Fundado por Garcia Jiménez, o pequeno principado de Sobrarbe constituiu o germe do reino de Aragão. *Afonso I, o Católico*, genro de Pelágio, fez de Oviedo a capital do reino das Astúrias. Uma série de fortalezas balizou em menos de vinte e cinco anos a linha do Douro: Leão, Zamora, Ávila, Miranda, Segóvia e Salamanca. Mais adiante, até às terras verdadeiramente ocupadas pelos muçulmanos, estabeleceu-se uma espécie de terra de ninguém, onde os combatentes se limitavam a observar-se mutuamente. Este frágil baluarte que foi o norte da Espanha será, ainda por muito tempo, o ponto de partida da contra-ofensiva vitoriosa, ou seja, da *Reconquista*.

Por que motivo, porém, os muçulmanos não liquidaram estes modestos adversários? Muito provavelmente porque a situação interna do seu Estado não lhes permitiu fazê-lo. O seu domínio na Espanha, que viria a ser faustoso, teve sempre algo de inquietante e de frágil. Entre os califas de Damasco e os seus representantes na Espanha, as relações estavam longe de ser boas: um emir chegou a ser assassinado, por ordem superior, por ter desposado a viúva de Rodrigo, o que o tornava suspeito de complacência para com os vencidos. Além disso, os berberes invejavam os árabes, e este antagonismo ia com frequência até à revolta. Por último, uma revolução ocorrida no império árabe viria a ter consequências desastrosas para a Espanha. Em 750, os omíadas de Damasco, que os outros crentes acusavam de desrespeitar os preceitos do Alcorão, foram derrubados e substituídos pelos abássidas, que instalaram o seu governo na Mesopotâmia, onde Abu Djafar fundou a nova capital, Bagdá. Um dos omíadas, Abd-er-Rhaman, escapado ao massacre da sua família, refugiou-se na Espanha e apoderou-se de Córdova, surgindo assim um califado independente, rival do de Bagdá. Todos estes acontecimentos permitiram que os pequenos reinos cristãos fossem ganhando raízes.

Além disso, aquela prodigiosa força que há mais de cem anos insuflava o ânimo do mundo islamita encontrava-se agora em declínio; no século VIII, o islã já não progredia senão a passos lentos, não mais pelas gigantescas arrancadas dos primeiros tempos. Dos dois enormes tentáculos que estendera sobre a Europa, um pelo leste e outro pelo oeste, o primeiro foi detido sob os muros de Bizâncio, em 718, e o segundo sê-lo-ia em Poitiers pelos francos, no ano de 732. A conquista da Espanha foi o último episódio do grande ataque organizado pelo islã contra a Europa. Como o mundo muçulmano se mostrou incapaz de compreender que mais vale ensinar e persuadir do que combater, não conseguiu fazer da sua civilização uma civilização mundial, verdadeiramente capaz de rivalizar com a civilização cristã, e assim preparou os tempos em que teria de se colocar na defensiva perante um Ocidente organizado pela Sé de Roma. A *Reconquista* da Península ibérica será um episódio desta nova fase da luta, pois a Providência prometia ainda um glorioso porvir às cristandades da Espanha.

Bizâncio, os seus costumes e a sua fé

A perda de algumas das mais belas partes da cristandade não foi o único resultado desse terrível e doloroso século VII em que os cavaleiros de Alá pareciam ser os lebréis de um Deus vingador. As épocas das grandes agitações políticas costumam ser, ao mesmo tempo, períodos de desordem moral. As duras lutas que Bizâncio teve de sustentar, o predomínio do regime militar, as novas invasões dos búlgaros e dos eslavos, a imigração de numerosos elementos sírios e armênios originários para dentro do Império — todos estes acontecimentos contribuíram para uma verdadeira barbarização da sociedade, semelhante à que o Ocidente tinha sofrido por ocasião das grandes invasões. Compondo-se com as tendências decadentes que já existiam, estes fatores de brutalidade e de violência produziram resultados bastante desastrosos.

Para formar uma ideia dos costumes bizantinos desta época, é suficiente consultar os cânones disciplinares do famoso concílio "da Cúpula", também chamado *Quinisexto*. São assustadoras as interdições que esta assembleia se viu obrigada a lançar e os erros que teve que denunciar. Foi necessário, por exemplo, lembrar aos clérigos que não lhes era permitido ser proprietários de casas de prostituição, e, aos fiéis, que as igrejas ficariam profanadas se dentro delas houvesse comércio carnal... A desmoralização parecia universal: o concílio teve de excomungar as religiosas que violavam os seus votos, os negociantes de pinturas licenciosas, os médicos e parteiros especializados em abortos...

Outra característica desta sociedade fora dos eixos era a crueldade dos suplícios infligidos não só aos criminosos comuns, mas aos inimigos políticos e até aos adversários nas lutas teológicas. Cortar o nariz, as orelhas ou a língua, vazar os olhos ou realizar todo o tipo de mutilações, eram práticas que se tornaram moeda corrente. As execuções capitais eram divertimentos populares, frequentemente repetidos; sob o reinado de um Justiniano II, "o imperador do nariz cortado", os basbaques puderam mesmo deleitar-se com as decapitações às centenas. E sabe-se que verdadeiros santos, como o papa São Martinho ou São Máximo, o Confessor, foram tratados dessa maneira abominável.

Se acrescentarmos ainda que tinham reaparecido as velhas práticas pagãs, particularmente as que melhor se prestavam a sessões libertinas, como as saturnais, a bromália em honra de Baco e a festa da primavera, e que a magia, a bruxaria e a exploração da crendice popular estavam mais espalhadas do que no tempo do paganismo, podemos muito bem avaliar como era superficial a camada de cristianismo que seis séculos de fé haviam depositado na sociedade bizantina. Em 717, na cidade de Pérgamo sitiada pelos árabes, a populaça procedia ao assassinato ritual de uma mulher grávida e os circunstantes untavam-se com o sangue da vítima: estranhas aberrações num mundo que se dizia cristão.

Mas, como esta sociedade continua a ser regida pela lei dos contrastes, ao mesmo tempo que se nota um rebaixamento do seu nível moral, notam-se também tendências inteiramente opostas. É incontestável que a influência do cristianismo, medíocre em relação aos costumes, é muito maior em relação aos princípios. Se essa influência já era palpável na obra jurídica de Justiniano, mostrar-se-á ainda mais nítida na regulamentação do direito feita por Leão III, o Isáurico sob o nome de *Écloga*, onde encontramos uma jurisprudência de inspiração nitidamente cristã. Além disso, por mais pecadora que fosse, a sociedade bizantina tinha profundas convicções cristãs, e o próprio zelo com que se embrenhava nas lutas teológicas é prova disso. Os jejuns eram muito observados e os ofícios, de uma maneira geral, muito concorridos. O último cânon do concílio *in trullo*, consagrado à direção de almas ou à luta do fiel contra o pecado, é de uma flagrante beleza e reflete perfeitamente a grande tradição dos Padres gregos. A fé à bizantina dos séculos VII e VIII pode parecer-nos hoje bastante formalista, inclinada a substituir a pureza do coração pelas genuflexões e pelo desfiar de orações intermináveis, mas não é possível negar que existia e que, em certas almas, foi muito elevada.

Aliás, essa fé revela inúmeros aspectos que nos comovem e nos fazem esquecer a parte sombria do quadro que essa sociedade nos oferece. Foi nesta época que o culto de Nossa Senhora ganhou todo o seu impulso e se expandiu de forma admirável. Como que por reação contra os erros blasfemos dos nestorianos, a alma bizantina voltou-se para Maria e reconheceu os seus privilégios únicos. Além da festa da Natividade da Virgem, celebrada a partir do século VI, o imperador Maurício fixou definitivamente no dia 15 de agosto a festa da "Dormição de Nossa Senhora"; e, um pouco mais tarde, em honra de Santa Maria das Blachernas em Constantinopla, instituiu a *panegiria*, em que durante uma semana se entoavam hinos e se representavam peças sacras nas quais a Mãe de Cristo desempenhava o papel principal. Enfim, no século VIII, instituir-se-á a festa da Conceição. É esta, também, a época em que os cantos marianos de *Romano, o Melódio*, que datam de começos do século VI, são entoados por toda parte, e em que o imenso *hino acatista* — *acatista* significa "que se deve cantar de pé" — desenvolve em conjunto os mistérios de Maria, mais ou menos da mesma maneira como o nosso Rosário há de descrevê-los mais tarde (ainda que de modo diferente). Cantam-se também os versículos de uma variegada ladainha. É a época em que São Sofrônio de Jerusalém mostra o lugar de Maria no plano da Redenção, com uma profundidade que não foi ultrapassada pelos teólogos atuais de Maria "corredentora". É, finalmente, a época em que Santo André de Creta, melodioso cantor da "Filha de Deus", põe ao alcance do povo os primeiros elementos de uma teologia mariana repleta de intuições penetrantes e de fórmulas de uma beleza requintada.

Outra manifestação gloriosa desta fé bizantina foi o desenvolvimento da liturgia, pois os séculos VII e VIII são os grandes séculos litúrgicos do Oriente. A antiga liturgia de

Antioquia, que se organizara no século IV — num período em que os costumes, que durante muito tempo tinham evoluído de maneira bastante livre em cada região, se haviam por fim fixado —, assumiu a partir do século VI uma grande beleza, amplitude e riqueza de símbolos, e as cerimônias das igrejas orientais, tanto católicas como dissidentes, souberam conservar essas características. A majestade dos ofícios, o seu minucioso ritualismo, o uso de ornamentos rebrilhantes de ouro e de vestes litúrgicas cujo emprego se irá estendendo pouco a pouco a toda a Igreja, o patético gemido dos órgãos — tudo isso corresponderá a qualquer coisa de profundamente enraizado na alma bizantina, a que aliás a etiqueta imperial já habituara as pessoas. A forma chamada *liturgia de São Basílio*, em uso durante muito tempo, foi suplantada por outra que passou a ser denominada *liturgia de São João Crisóstomo*, e a esta se acrescentou, para a Semana Santa e para alguns dias da Quaresma, uma liturgia particular, inspirada na tradição de Jerusalém e que não é senão a nossa *liturgia dos pré-santificados*.

Com efeito, uma Missa em Constantinopla era, nos séculos VII e VIII, uma cerimônia cheia de magnificência e nobreza. Era muito longa — durava mais de duas horas —, e a sucessão de gestos e orações não tinha esse caráter apressado e esquemático de que as nossas missas modernas se revestem por vezes. Começava por uma "preparação", rica em símbolos. Sobre a *próthesis*, uma credência colocada lateralmente, os celebrantes apresentavam as oblatas: o pão fermentado, o vinho e a água que haviam de servir para o sacrifício; dispunham-nas conforme ritos minuciosos, e, para frisar bem que era toda a comunidade dos fiéis que fazia essas oferendas, lia-se simultaneamente o memorial dos vivos e dos mortos. Seguia-se a segunda parte da Missa: a *pequena entrada*. Enquanto o diácono, colocado fora do *iconóstase*[13], dialogava com o povo os versículos e as orações do *Kyrie eleison*, o celebrante ia buscar o Evangelho e trazia em procissão o livro sagrado, ouvindo-se então o canto do *Trisagion*, hino em honra da Trindade; depois tinha lugar a leitura das epístolas e dos Evangelhos, bem como a homilia, seguindo-se longas orações pela conversão dos pecadores e dos catecúmenos.

Começava então a parte mais secreta do sacrifício. A *grande entrada* era feita com toda a pompa: todos os celebrantes conduziam em volta da igreja o pão e o vinho destinados à consagração, enquanto retiniam os magníficos responsos do *Cherubikon*, os diáconos agitavam leques sacros "semelhantes às asas dos anjos", e as aclamações cadenciadas do povo exaltavam Cristo Rei, que entrava no seu reino. Com o pão e o vinho já dispostos sobre o altar, ouvia-se o *Credo*, rezado segundo a fórmula niceno-constantinopolitana, e a seguir fechavam-se as portas da *iconóstase*, celebrando-se o mistério central no meio do maior recolhimento.

Não se pode negar que tudo isso era belo, com essa beleza que só os ritos do culto divino conseguem atingir, porque fazem o homem participar das realidades mais inefáveis. Eram numerosos os pormenores ricamente simbólicos, como o costume de acrescentar um fragmento de pão ao vinho do cálice e juntar-lhe uma gota de água quente, porque a carne de Cristo é o único calor da vida; ou ainda o de receber o pão consagrado, na comunhão, com as mãos sobrepostas em Cruz. Não devemos, portanto, subestimar nem tratar de ânimo leve a realidade, sob tantos aspectos grandiosa, da fé cristã nessa Bizâncio abalada, atormentada, a cujas fraquezas e misérias nos acabamos de referir.

Outra prova da intensidade desta fé é a expansão do *monaquismo*. Sendo já extremamente importante na época anterior, como tivemos ocasião de ver, a instituição monástica não deixou por isso de se desenvolver ainda mais nos séculos VI, VII e VIII. Se em Constantinopla as novas fundações foram raras, por falta de lugar, surgiram em grande número nos arredores da cidade, na costa da Ásia e perto de Calcedônia. Fundaram-se nas montanhas isoladas verdadeiras repúblicas de monges, que prefiguravam a do monte Athos. Alguns desses conventos constituíram indubitavelmente centros de fervor cristão dignos de admiração, e a prática da "oração perpétua", desenvolvida pelos *acemetas* fundados no século V pelo monge Alexandre, espalhara-se agora por muitas comunidades. O mosteiro do *Stoudion*, fundado em 463 por João Stoudios, convertera-se já nesse viveiro de santos, sábios e dignitários de que sairá, por volta do ano 800, o glorioso São Teodoro Estudita.

Mas se é verdade que no monaquismo oriental se contam elementos verdadeiramente sublimes, nem por isso deixamos de notar nele alguns defeitos e perigos. Como algumas comunidades eram extremamente ricas, por serem isentas de impostos e os seus membros estarem livres de todo o serviço público, exerciam uma influência por vezes deplorável sobre a arraia-miúda, a cujo nível acabaram por rebaixar-se. No fim do século VII, passou mesmo a haver o perigo de que estes ou aqueles grupos de monges se tornassem uns agitadores demagogos. Aliás, os religiosos eram tão numerosos e tão populares que os poderes do Império, bem como os da Igreja, tinham toda a razão para desconfiar deles.

Por outro lado, certos costumes monásticos tinham degenerado em excessos contra os quais se tornara necessário reagir. Assim, por exemplo, as moças eram encerradas no convento à força ou sem serem consultadas, e, pior ainda, rapazes de seis anos e mesmo crianças ainda não nascidas já eram votados à vida monástica. Foi preciso pôr um freio à epidemia da reclusão, porque alguns "reclusos", em breve cansados da sua gruta, voltavam para o mundo de uma maneira que nem sempre era edificante. E também se fez necessário que a polícia perseguisse os eremitas de cabelos compridos que apareciam frequentemente pelas cidades, fazendo-se passar por profetas e entregando-se a mil excentricidades. Prendiam-nos, tosquiavam-nos e fechavam-nos num mosteiro.

O excesso é sempre, portanto, o traço lamentável deste cristianismo bizantino que, sob tantos outros aspectos, se nos mostra tão admirável. Vimos já os resultados desse excesso na ordem teológica, pois a menor divergência em breve se convertia em heresia. E notava-se também a mesma tendência na extrema riqueza das igrejas e dos ornamentos, bem como nas honras excessivas prestadas aos dignitários eclesiásticos.

Não havia, porém, nenhum domínio em que o excesso fosse tão manifesto como no *culto das imagens*. A arte cristã de Bizâncio, que tivera um desenvolvimento tão prodigioso no tempo de Justiniano e de Teodora, havia definhado devido, em parte, às desgraças do Império, e pouco a pouco renunciara às grandes iniciativas[14]; no entanto, tinha multiplicado as pinturas sobre madeira, os afrescos, os mosaicos e os baixos-relevos que representavam Cristo, a Virgem e os santos. Abandonando o antigo simbolismo, esta arte procurava agora, cada vez mais, figurar, contar e evocar concretamente as santas realidades e os mais altos modelos. A Igreja, tanto no Oriente como no Ocidente, pensava que aí se encontrava um excelente meio apologético, e que, como dizia Nicéforo, "a vista conduz à fé".

Mas, a partir do século VI, surgiu um verdadeiro pulular de imagens sagradas — *eikónes*, em grego. Colocavam-nas em toda parte, não só nas igrejas e nos conventos, mas também nas casas particulares e em cima dos mais diversos objetos, como cofres, móveis, frontispícios de lojas, roupas, pedras de anéis e brincos. A respeito de algumas, contava-se que não haviam sido fabricadas pela mão do homem, mas miraculosamente, pela vontade de Deus. Foi assim que começaram a fazer carreira o sudário de Edessa e o véu da Verônica, onde — segundo se dizia — estavam impressos os traços do Senhor.

A devoção às imagens tomou tal incremento que nos deixa surpreendidos. Fazia-se um juramento? Era sobre um ícone. Comungava-se? As santas espécies deviam tocar primeiro um ícone. Batizava-se uma criança? A cerimônia realizava-se diante de um ícone, suntuosamente vestido e adornado de joias, e que às vezes chegava a fazer de padrinho. Produziam-se verdadeiras aberrações: havia doentes que, para se curarem, ingeriam raspas das tintas de um ícone. De maneira geral, a plebe distinguia cada vez menos entre o ícone diante do qual queimava incenso e acendia velas, e o santo que essa imagem representava. "Muitos pareciam acreditar que, para honrar o Batismo, era suficiente entrar na igreja e beijar repetidas vezes a Cruz e as imagens". O baixo clero e a quase totalidade dos monges estimulavam esta iconolatria, cujos aspectos mercantis não eram, aliás, desprezíveis.

É este traço tão curioso da piedade bizantina — certamente legítimo nos seus princípios, mas deformado pelo excesso — que, no momento em que o Império, agora em mãos de Leão III e da dinastia isáurica, punha um freio à maré muçulmana e operava uma notável obra de reconstrução, ia provocar a crise mais grave com que se debateu a cristandade oriental, uma crise que durou cento e vinte anos e que viria a ter os resultados mais dolorosos para o futuro de todo o cristianismo.

A "querela das imagens"

Mais do que qualquer outro dos conflitos religiosos que dilaceraram o Oriente cristão desde as suas origens, a *querela das imagens* tem sido considerada pelos historiadores ocidentais como uma disputa absurda em que padres e monges se digladiaram a propósito de pormenores insignificantes, verdadeiro modelo da discussão "bizantina". Pensar assim é condenar-se a não compreender a importância do que esteve em jogo neste longo drama, a não entender nada das forças que abalaram as próprias bases da sociedade e do Estado bizantino. O *iconoclasmo* — "doutrina que manda quebrar as imagens" — foi na realidade o pretexto para um conflito em que o Império do Oriente esteve prestes a soçobrar, e em que se opuseram, de um lado, os soberanos, o exército, os povos do leste, e, do outro, os monges e o Ocidente apoiados pelos papas. Talvez menos grave, no plano doutrinal, do que os grandes erros do arianismo, do nestorianismo e do monofisismo, o iconoclasmo conjurou tantos elementos passionais e manifestou-se em circunstâncias tão anormais que viria a ser mais pernicioso do que as piores heresias.

Como é que Leão III, o Isáurico — o grande imperador que, em 718, detivera o islã diante de Constantinopla e dez anos depois o expulsara da Ásia Menor, Leão III, o Restaurador — conseguiu meter-se em tal vespeiro? As razões da sua atitude são complexas. Umas de natureza religiosa, pois tudo aquilo que no cristianismo se tinha oposto violentamente ao nestorianismo preferia simbolismos animais e vegetais, em entrelaçamentos decorativos, às imagens de Cristo e dos santos. Representar Cristo não seria insistir demasiado sobre o lado humano do seu ser e separar nEle as duas naturezas? Esta tendência hostil contra as imagens via-se, aliás, reforçada por influências judaicas e muçulmanas.

A isso os ortodoxos fiéis ripostavam que sempre existira na Igreja o culto das imagens e que o próprio Cristo era chamado por São Paulo "a *imagem* de Deus", o que autorizava a representar os traços do Deus encarnado. Além disso, era fácil discernir vestígios do erro monofisita nessa hostilidade contra as imagens, pois esse erro sempre se mostrara adverso a tudo o que pudesse exaltar a encarnação do espiritual. A discussão, como se vê, ia longe.

Natural dos confins da Síria, onde o monofisismo dos "jacobitas" contava inúmeros adeptos e onde eram frequentes os contatos com o mundo muçulmano, hostil às imagens, Leão III estava convencido em consciência do perigo da iconolatria. E é preciso acrescentar ainda que, como representante das províncias orientais do Império, o basileu devia nutrir uma profunda desconfiança em relação aos gregos da Grécia e de Bizâncio, massas agitadas e turbulentas, grandes defensores das imagens. Por outro lado, era perfeitamente admissível que um soberano quisesse chamar à ordem a hirsuta tropa dos monges, resultado que esperava poder alcançar se desencadeasse uma ofensiva contra a iconolatria, cujos baluartes eram justamente os mosteiros. Isso lhe pouparia, além do mais, o trabalho de atacar de frente o poder tão briguento quanto temível que detinham.

Foi por volta de 726 que Leão III deu início à ofensiva contra as imagens: não as proibiu oficialmente, mas mandou retirar aquelas que eram objeto de um culto exagerado. Um incidente sangrento mostrou logo de entrada que as coisas não caminhariam por si, pois os lacaios do palácio, ao arriarem a grande imagem de Cristo colocada por cima da porta, foram atacados por uma multidão ululante e houve derramamento de sangue. A efervescência espalhou-se num instante: a armada da Grécia e das ilhas revoltou-se e só pôde ser detida diante de Bizâncio pelo fogo grego. Estalou a revolta em Roma, em Veneza, em Ravena e nas marcas. O papa Gregório II condenou as medidas iconoclastas, e o patriarca de Constantinopla, São Germano, um ancião de noventa anos, opôs-se de tal forma ao imperador que este o destituiu e o substituiu por um dos seus títeres, Anastásio. Apesar disso, enquanto Leão III foi vivo, a questão não foi levada ao extremo; proclamara-se o iconoclasmo, mas aplicava-se frouxamente. E o movimento ter-se-ia talvez acalmado se, por trás dos doutrinários, não houvesse por um lado a ambição do imperador quanto à sua preeminência religiosa, e, pelo outro, o desejo da Igreja — sobretudo dos monges — de sacudir o jugo imperial. Nessas condições, a querela levava caminho de envenenar-se.

Efetivamente, o enfrentamento chegou ao paroxismo no reinado do filho de Leão III, *Constantino V* (740-775), a quem o povo pouco lisonjeiramente chamava *Coprônimo*, alcunha que lhe ficou. Dotado de uma grande cultura teológica, perfeitamente a par do que estava em jogo, o novo imperador, um enérgico chefe valentemente empenhado no combate aos muçulmanos e aos búlgaros, estava firmemente decidido a impor pela força os seus pontos de vista religiosos. Logo no princípio do seu reinado, exasperou-se com a revolta do seu cunhado que, somente para aumentar-lhe a irritação, se declarou ardoroso partidário das imagens. Em plena guerra contra o islã, essa revolta esteve a ponto de fazer soçobrar o Império. De um momento para o outro, a luta religiosa adquiriu um caráter decisivo. Depois de se ter feito apoiar por um *concílio iconoclasta*, reunido em Hiéria em 754, Constantino V lançou-se numa verdadeira perseguição. As esculturas foram arrancadas à força, os mosaicos cobertos de cal, os afrescos raspados, e os livros dos partidários das imagens queimados. Multiplicaram-se as prisões, destituições de cargos e deportações. Uma segunda conspiração pôs ao rubro o déspota, que começou a desferir golpes a torto e a direito. Quando o *Coprônimo* morreu, em 775, o Império estava a braços com uma agitação desvairada, com uma guerra civil e religiosa prodigiosamente complexa, que parecia estar a ponto de despedaçá-lo.

É difícil imaginar o grau de violência que as paixões atingiram durante esta crise. Nos dois campos cometeram-se os mesmos excessos. Incontáveis tumultos explodiram entre as mulheres que defendiam as suas imagens e os soldados encarregados de esmigalhá-las, e ai do militar isolado que se deixasse surpreender de noite por algumas megeras adoradoras dos santos ícones: de manhã, encontravam-no feito em pedaços. E que alegria para a soldadesca quando se desencadeava em algum bairro uma dessas operações e se podiam cortar braços ou cabeças a grandes cuteladas! Houve no Hipódromo verdadeiras cenas de martírio, que fazem lembrar os piores tempos das perseguições pagãs. O suplício do patriarca Constantino em 767, em plena arena, foi um horror. Nos dias em que a polícia se mostrava menos dura, o populacho divertia-se fazendo desfilar centenas de monges por entre as graçolas da multidão, levando cada um deles uma mulher pela mão. No meio destes horrores, o episódio mais cômico foi a exibição do patriarca Anastásio, servil pelego dos iconoclastas, que atraiçoou o "clã" e foi passeado pelas ruas e pelo circo montado sobre um jumento e com a cara voltada para a cauda do animal.

Para podermos avaliar a sinistra loucura que esta crise representou para o Império, devemos lembrar-nos de que nessa mesma ocasião os búlgaros, instalados às portas do mundo grego, davam início à grande ofensiva que em pouco tempo faria deles o mais ameaçador dos vizinhos; e de que as forças muçulmanas, recentemente reorganizadas sob o comando dos califas abássidas de Bagdá (750), continuavam a oprimir a Ásia Menor e instalavam-se em Creta e na Sicília, ao mesmo tempo que os seus corsários faziam reinar o terror no Mediterrâneo. Num momento desses, a guerra civil era um verdadeiro suicídio.

Houve uma mulher que o compreendeu: *Irene* (780-802). Estranha personalidade a desta encantadora ateniense que, pela sua beleza, foi desposada pelo imperador Leão IV (775-780), e que, tendo enviuvado e assumido o papel de regente em nome de seu filho Constantino VI, foi tomada de tal paixão pelo poder que nunca mais o quis abandonar. Os biógrafos fizeram dela uma espécie de santa, uma mulher superior, casta e cheia de grandeza, legítima herdeira de Constantino e de Justiniano. Mas, vistas as coisas com mais exatidão, surge como uma mulher orgulhosa, apaixonada e, ao mesmo tempo, sutil e astuta. Conseguiu eliminar todos os seus adversários e afastar o próprio filho, começando por envolvê-lo numa bizarra história de bigamia a fim de desacreditá-lo; depois, mandou que o prendessem e lhe vazassem os olhos. Proclamada "imperatriz *autocrator*", passou a governar num clima de semiterror, rodeada pelos seus eunucos.

Foi Irene quem restabeleceu o culto das imagens. O segundo *Concílio de Niceia*, reunido em 787, proclamou que, se era ilegítimo *adorar* as imagens, era necessário *venerá-las*. Os monges exilados foram chamados de volta, e o papa deu o seu acordo à "Cristófora". Dominada pelo sonho de devolver Bizâncio à antiga grandeza, Irene pensava em oferecer a sua mão a Carlos Magno a fim de unir novamente o Oriente e o Ocidente, quando uma sedição militar a derrubou. Um pouco mais tarde, foi morta no seu solitário exílio em Lesbos, e os seus restos mortais, trazidos pelo povo para Constantinopla, foram recebidos como uma relíquia.

A questão das imagens só estava encerrada provisoriamente: disciplinada no plano religioso, pelo menos na aparência, deixava pendente a oposição política entre o Estado teocrático e a Igreja. Não faltaria ocasião para que o conflito voltasse à tona nos quarenta anos que se seguiram à morte de Irene, período em que o trono imperial mudou oito vezes de mãos, em que os golpes de Estado e as usurpações abalaram profundamente a autoridade. Ao mesmo tempo que estes soberanos transitórios, com uma coragem surpreendente, encontravam maneira de deter o islã na sua guerra de desgaste, de deter os búlgaros, que em 813 chegaram até os muros de Constantinopla, e de sufocar uma gigantesca revolta dos eslavos, que durante um tempo chegaram a dominar toda a Ásia Menor, envolviam-se de novo no tumulto iconoclasta, sem esconderem a sua intenção de arruinar definitivamente o monaquismo. No tempo de *Leão V, o Armênio* (813-820) e do seu sucessor *Miguel II, o Gago* (820-829), renovaram-se as perseguições contra os defensores das imagens, as flagelações, os olhos vazados e as frontes marcadas com ferro em brasa. Mas a tormenta não abalou os fiéis: dirigidos pelo vigoroso São Teodoro Estudita e pelos ferozes monges do Stoudion, os defensores das imagens aguentaram-se firmes.

Quando morreu o imperador *Teófilo* (829-842), em 842, a sua viúva *Teodora*, mulher cheia de encantos, enérgica e doce, piedosa e artista, proclamou alto e bom som a sua fidelidade às imagens. Regente em nome de seu filho Miguel III — aquele que a história conhece sob o nome de Miguel, o Ébrio —, agrupou à sua volta os defensores dos ícones. Apoiada pelos monges e muito bem vista pela plebe, conseguiu desembaraçar-se do patriarca iconoclasta e reuniu um novo concílio, que devolveu ao culto das imagens o seu antigo esplendor. No dia 11 de março de 843, numa basílica de Santa Sofia gloriosamente engalanada, a corte e o povo assistiram a um ofício em honra dessa restauração, e a data ficou incorporada ao calendário da igreja oriental como uma das grandes festas, a *festa da ortodoxia*.

Terminava assim, ao cabo de cento e vinte anos de violentas perturbações para o Império, esta triste querela. Mas ainda devia ter consequências extremamente graves, algumas das quais só se fariam sentir muito mais tarde. A primeira foi de natureza política. Aparentemente, a querela encerrara-se com a derrota do poder imperial, uma vez que tantos imperadores tinham tentado em vão impor a sua vontade ao povo e desenraizar o antigo costume. Mas, na realidade, a Igreja não conseguira fazer triunfar a sua vontade senão com o auxílio do soberano: solicitara a intervenção de Irene e depois de Teodora; colocara-se, pois, na dependência daqueles que haviam restaurado as imagens, e o cesaropapismo bizantino acabou por sair reforçado do drama. Não deveriam agora os patriarcas, os prelados e os bispos prestar maior obediência a esses imperadores infalíveis que haviam restaurado a verdadeira doutrina? Aliados do poder para o restabelecimento do culto das imagens, tornar-se-ão cada vez mais os seus agentes. No mesmo momento em que Teodora restituía à cristandade a unidade e a paz, o Império oriental via-se reforçado nas suas tendências fundamentais: a excessiva concentração da autoridade já não voltaria a ser refreada, a influência do poder da Igreja já nunca mais neutralizaria os ilimitados poderes do basileu, e o diálogo entre o espiritual e o temporal — que, mesmo quando degenerava em crises graves, devia constituir para o Ocidente uma fonte constante de enriquecimento — já não seria possível no Oriente. Esta é — juntamente com o fato de o Império, como já vimos, se ter encerrado dentro do seu quadro greco-oriental — a principal razão que explica por que Bizâncio não pôde conservar-se à testa da civilização europeia, lugar que lhe pertencera no tempo de Justiniano.

Também a arte viria a sofrer com esta crise, pois o seu desenvolvimento viu-se bruscamente paralisado durante mais de um século. Antes da querela, manifestava uma acentuada tendência para um realismo novo e saboroso, mas saiu dela congelada, imutável e cristalizada num tímido hieratismo. As imagens pareciam tão santas que ninguém mais se atreveu a fazê-las diferentes das do passado. Por isso, de século em século, continuaremos a ver esses ícones bizantinos idênticos a si mesmos, rígidos, estilizados, rutilantes de ouro e de pedrarias. Nunca veremos surgir nas representações dos Cristos e das *Madonnas* a ingênua espontaneidade e o fresco realismo dos primitivos italianos ou dos flamengos. Neste sentido, o iconoclasmo pesou até os nossos dias sobre o desenvolvimento espiritual do Oriente cristão.

Mas a crise pesou ainda de outra maneira, porque preparou a grande cisão do período seguinte: a ruptura entre Roma e Bizâncio, o cisma grego. Ao longo de toda a querela, a atitude dos papas havia sido muito firme. Sem aceitarem os excessos em que caía o culto oriental das imagens, tinham-se recusado ao mesmo tempo a dar a sua aprovação a uma tese que pretendia suprimi-las todas. A doutrina do meio-termo foi definida pelo papa Gregório II, logo no começo da questão: "Não se devem adorar as imagens, mas também não se deve destruí-las". Esta sabedoria valeu ao papado a hostilidade dos imperadores iconoclastas, que se aproveitaram do antagonismo para amputar as bases eclesiásticas de Roma no Ilírico, na Sicília e na Calábria, tentando limitar à Itália média a autoridade pontifícia. Ao mesmo tempo, porém, verificou-se que os papas, defensores das imagens, se tornaram neste período mais populares em Constantinopla do que jamais o tinham sido. No Concílio de Niceia, os representantes do papa Adriano I foram delirantemente aclamados — era o primado da Santa Sé Apostólica. Mas é claro que esta popularidade não deixou de inquietar os chefes da igreja bizantina, com o patriarca à cabeça, que se sentiram enciumados e não haveriam de esquecê-lo. A questão de Fócio[15] surgirá exatamente quatro anos depois do fim da querela — e não por acaso.

Por sua vez, o Ocidente também tirou as suas lições da crise. O hesitante lealismo das províncias italianas do Império acabou por soçobrar de vez, pois quem podia conservar-se fiel a esse basileu herético, que perseguia os defensores da fé e ainda por cima era incapaz de impedir que os muçulmanos infestassem os mares e tomassem pé no sul da Itália? Os papas, perfeitamente conscientes da futura evolução de Bizâncio, não demoraram a compreender que era necessário mudar os planos, e voltaram-se para os Carolíngios.

A sagração de Carlos Magno no ano de 800 constituiu, portanto, uma das consequências das loucuras iconoclastas. Bizâncio compreendeu o alcance dessa medida, e a sua cólera chegou ao rubro. "O papa Leão III pode esfregar Carlos com óleo dos pés à cabeça, que este nunca deixará de ser um bárbaro e um rebelde diante do verdadeiro basileu". Foram necessários nove anos de negociações e um ataque "de advertência" contra Veneza para que Constantinopla aceitasse o fato consumado. Assim, de uma crise de aparências quase absurdas, devia sair um mundo novo: de um lado, Bizâncio, a *România*, como ainda se dizia, mas reduzida a um quadro exclusivamente helênico, obrigada a fechar-se para se defender do islã, dos búlgaros e dos eslavos; e do outro, a dinastia carolíngia, estreitamente aliada ao papado, que vai dar ao Ocidente a consciência da sua unidade. A ruptura política, em meados do século IX, era já coisa feita; não tardaria a surgir o cisma religioso.

Os últimos Padres gregos

Um esboço da igreja do Oriente durante estes tempos de perturbações e dilaceramentos seria incompleto e pouco equitativo se, em face de um débito tão pesado, não lançássemos a crédito destes cristãos dois dados de grande peso. Em primeiro lugar, o brilho e a riqueza do pensamento espiritual: última chama despedida pelo grande braseiro dos Padres gregos, a literatura cristã reúne no Império, e mesmo nas províncias ocupadas pelo islã, alguns mestres cuja obra e influência haveriam de ser perenes e profundas. É comovente verificar como estas flores de alta espiritualidade desabrocham numa época que parece ser-lhes tão pouco propícia. Nos piores momentos das guerras religiosas e civis, havia almas que elevavam a Deus os mais válidos protestos orando--lhe, invocando-o e meditando os seus mistérios. "Crede-me, meus filhos — dizia um monge a João Moschus, que cita estas palavras no *Pré spirituel*, o 'Prado espiritual' —, crede--me: nenhuma outra coisa na Igreja tem causado os cismas e as heresias senão o fato de que nós não amamos plenamente a Deus e ao nosso próximo".

Todos estes grandes homens espirituais pertencem de uma forma ou de outra ao monaquismo. Muitos passam a vida indo de um convento para outro, permanecendo cinco anos aqui, doze acolá, detendo-se por longos meses na solidão de um retiro selvagem e enriquecendo a alma com as lições de pobreza e desprendimento que colhem nessas experiências tão diversas. De todos eles se relatam as asceses mais prodigiosas; o seu clima habitual é a austeridade mais extrema: "Quanto mais sofre o homem exterior, mais floresce o homem interior" — esta é a sua divisa. Descendem dos primeiros Padres do deserto, que pensavam não poder encontrar a Deus senão renunciando a tudo. Libertados assim daquilo que embrutece o homem e o retém nas emaranhadas sarças da terra, caminham para o Espírito com um desembaraço e uma simplicidade sublimes, até chegarem à morte, que acolhem como a suprema realização.

O retrato mais exato e mais saboroso da espiritualidade que brota da vida monástica, encontramo-lo no já citado *Pré spirituel* de João Moschus; mais que a *História lausíaca* de Paládio ou a *História dos monges* de Rufino, esse livro tão espontâneo e tão pitoresco ainda toca as almas modernas[16]. Nascido por volta de 550, provavelmente em Damasco, e falecido por volta de 619, talvez em Roma, João Moschus, durante toda a vida, nunca deixou de enriquecer a sua experiência espiritual através de inúmeros encontros com santas personagens e mediante os muitos ensinamentos que recebia e anotava. Quando reuniu, no fim da vida, a pedido do seu amigo São Sofrônio, os 219 pequenos capítulos em que resumia o seu saber, nunca pensou em redigir um tratado dogmático ou um livro de alta especulação: não; relatando esses fatos e episódios salpicados de maravilhoso, apenas pretendia mostrar como brotam das almas o desejo de Deus e o seu amor. "Lamentavam certo monge que, à força de ascese, se tornara hidrópico. — Meus irmãos, respondeu ele, orai apenas para que em mim não se torne hidrópico o homem interior". Toda a personalidade de João Moschus está contida em palavras desse estilo, sóbrias e profundas.

De todos os autores espirituais que, de fins do século VI a meados do século IX, representaram o último grande marco da igreja grega, o mais popular foi *São João Clímaco*, isto é, "João da escada" — pois em grego *climax* significa escada —, por causa da sua grande obra *A escada do Paraíso*, que foi cronologicamente o primeiro dos tratados sobre ascética e mística que, até à Idade Média, haviam de aparecer sob esse nome. No fundo do agreste desfiladeiro do Sinai em que havia construído o mosteiro do qual acabou por tornar-se abade, nada o desviava da meditação das coisas sagradas. Dirigindo-se sobretudo aos cenobitas, explica-lhes em trinta "degraus" como é que se sobe ao céu, tal como o faziam os anjos na escada do sonho de Jacó: esmagando os vícios e praticando as virtudes; e explica-lhes também como, no repouso da alma libertada das paixões, as graças místicas superiores podem espraiar-se livremente. Pelos seus dons de estilo, pela sua originalidade e por um realismo sadio que ainda hoje nos encanta, *A escada* de Clímaco teve uma enorme repercussão: um Guigues, o Cartuxo, um São Bernardo e, mais tarde, até um Santo Inácio de Loyola irão aproveitar-se das suas lições.

Mas as obras espirituais não nasceram apenas da meditação solitária. Estamos lembrados de que as lutas teológicas sempre constituíram no Oriente uma ocasião para que o pensamento dos grandes homens de fé se expandisse; aguilhoa-os o desejo de defender a ortodoxia e sentem-se compelidos a manifestar-se. Assim, o arianismo suscitara de algum modo Santo Atanásio; o nestorianismo, São Cirilo de Alexandria; o monofisismo, Leôncio de Bizâncio. As iniciativas imperiais que se traduziram na tentativa monotelita provocaram, no plano das ideias, diversas reações que se exprimiram em muitas obras. O primeiro a pôr a nu o erro habilmente dissimulado do patriarca Sérgio foi *São Sofrônio*, contemporâneo, amigo e discípulo de João Moschus, aquele mesmo que, tendo sido eleito em 634 patriarca de Jerusalém, foi obrigado pouco depois a assumir a defesa da Cidade Santa contra os árabes e, por fim, a negociar a rendição com Omar, vindo a morrer em 638, alquebrado por todos esses acontecimentos dolorosos. Alma mística, devoto da Virgem Maria, São Sofrônio, nos seus sermões, na sua poesia repassada de encanto clássico e sobretudo na sua *Carta de entronização*, que é um documento teológico de grande valor, soube expor com firmeza a verdadeira doutrina ortodoxa sobre Cristo contra as minuciosas teorias dos monotelitas, enunciando-a em termos que o VI° Concílio ecumênico de 680 haveria de adotar tal como ele os formulou.

Mais rica, mais extensa, e filosoficamente mais bem escorada, uma outra obra chegou a ultrapassar a de São Sofrônio: a de *São Máximo*, que, pelo seu comportamento heroico, viria a merecer o glorioso sobrenome de *o Confessor*. Antigo primeiro secretário imperial, desencantado com todas as honrarias, entrou num mosteiro e encontrava-se providencialmente no Egito, em 633, quando São Sofrônio, que estava para ser chamado para a sé de Jerusalém, ainda ali residia e acabava de insurgir-se contra as doutrinas monotelitas. Tinha então cinquenta e três anos e, pela sua cultura, pelas suas relações nas altas esferas e pela posição da sua família, sobressaía como personalidade de excepcional envergadura. Em poucos meses tornou-se o chefe da oposição católica ao erro imperial e o inspirador de todos aqueles que consideravam intolerável o cesaropapismo do basileu. A partir desse momento, toda a sua vida esteve empenhada nessa luta. Chegado à África com os refugiados do Egito que fugiam da invasão do islã, convidam-no imediatamente a discutir em público com o antigo patriarca de Constantinopla Pirro, que professava a heresia de uma única vontade em Cristo. Aceita o convite e, em Cartago, pulveriza o adversário com tais argumentos que este acaba por abjurar o erro. Em Roma, toma parte ativa no concílio de 649, fazendo finca-pé nos argumentos filosóficos que se opõem ao monotelismo. Sai-se tão bem que a polícia de Constante II o sequestra e o leva para Constantinopla, onde se recusa a aceitar o *Tipo da fé* que o papa já declarara eivado de erros, e é enviado para o exílio. Mesmo assim não cede, e é de novo arrastado perante um pretenso tribunal, condenado à flagelação e à amputação da mão e da língua, e finalmente mandado para uma aldeia perdida no Cáucaso, onde vem a falecer, devido aos tormentos sofridos, como um verdadeiro mártir, no ano de 662.

Foi das próprias circunstâncias desta vida agitada que nasceu uma obra considerável, que sob muitos aspectos serviria de elo de ligação entre os Padres gregos e a Idade Média escolástica. Discípulo espiritual de São Gregório Nazianzeno, entusiasta do Pseudo-Dionísio Areopagita[17], sobre o qual elaborou diversos comentários, São Máximo foi simultaneamente um exegeta e um teórico da ascese e da mística. Quanto mais se estuda a sua obra, mais se percebe a influência que veio a ter, principalmente sobre a igreja oriental. Empenhado em cheio na luta contra a heresia, teve ocasião de aprofundar no conhecimento da pessoa de Cristo e foi um dos primeiros que tentaram escrever a sua biografia; mas sobretudo mostrou maravilhosamente que Cristo é não só a causa meritória da salvação dos homens, pelo seu sacrifício, mas também a causa exemplar dessa salvação, devido à irradiação das suas virtudes e à sua união pessoal com Deus. São Máximo, o Confessor soube falar à perfeição desse Jesus que está presente nas nossas almas pela fé e que é a nossa melhor esperança, contribuindo assim para aproximá-Lo de nós.

Quando rebentou o drama das imagens, a grande crise do século seguinte, reproduziu-se o mesmo fenômeno. Para fazer face às investidas do basileu no plano dogmático, foram muitos os pensadores cristãos que se consagraram a estabelecer bases jurídicas para a veneração dos ícones, ao mesmo tempo que denunciavam as intenções e os desvios doutrinários que o iconoclasmo popular dissimulava. Patriarcas como *São Germano de Constantinopla*, o primeiro a levantar-se contra a política de Leão III, o Isáurico, e que foi deposto por ele, ou como *São Nicéforo, o Confessor*, que veio a morrer em consequência dos sofrimentos que padeceu pela fé, ou ainda como *São Metódio*, que elaborou a *festa da ortodoxia* por ocasião do restabelecimento das imagens por Teodora — todos nos legaram obras doutrinais de inegável valor. Mas há um nome que domina todos os outros neste período, o último dos grandes Padres gregos, em cuja atividade criadora a defesa das imagens não representa senão uma mínima parte: *São João Damasceno*.

Também este, como São Máximo, iniciou a vida como alto funcionário, não a serviço dos imperadores, mas dos novos senhores que acabavam de se impor à sua Síria natal: os árabes. Seu pai tinha sido o *logoteta* encarregado pelos califas de Damasco de cobrar o tributo devido pelos cristãos, e ele sucedeu-lhe nessas funções; mas, entediado com as honrarias, tal como São Máximo, experimentou o desejo ardente de renunciar a elas e, segundo as palavras do VII° Concílio, "preferiu o opróbrio de Cristo aos tesouros da Arábia". Convertendo-se em apóstolo na *laura* de São Sabas — esse convento-fortaleza que ainda hoje domina o desfiladeiro em que o Cédron corre para o Mar Morto —, foi convidado pelos seus superiores, e sem que o desejasse, a lançar-se na luta. Com uma intrepidez sem desfalecimentos, tornou-se defensor das imagens, fundamentando teologicamente o seu culto e precisando-lhe os limites. Excomungado pelo concílio iconoclasta, foi reabilitado *post mortem* pelo VII° Concílio ecumênico. Não houve inimigo de Cristo que não atacasse, mesmo o islã, cuja doutrina refutou — aliás com uma firmeza heroica, porque o seu amigo Teófanes, neófito de Damasco, teve a língua amputada por ter falado contra o Alcorão. Humilde e obediente, extremamente caridoso, viveu até uma idade muito avançada num grau de santidade tão visível que, quando morreu em 749, o povo já quase o tinha canonizado.

Além das obras de controvérsia, escritas para refutar os erros, São João Damasceno deixou grandes tratados de teologia, o mais notável dos quais é a *Fonte do conhecimento*, bem como ensaios sobre exegese, manuais de ascética — como os *Paralelos sagrados* —, inúmeros sermões e poesias religiosas, entre elas diversos hinos que a igreja de rito grego canta ainda hoje. O futuro verá nele sobretudo o teólogo da Encarnação, o comentarista profundo da pessoa de Cristo, o teólogo da Providência e da predestinação — assunto em que a sua doutrina difere bastante da de Santo Agostinho —, e o teólogo da Igreja, cuja unidade e ecumenismo exaltou profundamente. No momento em que ia produzir-se a dolorosa ruptura entre o Oriente e o Ocidente, o santo de Damasco é a última figura oriental cujo pensamento iluminou a cristandade inteira, e o papa Leão XIII reconheceu esse fato ao proclamá-lo Doutor da Igreja.

Depois dele, apenas uma personalidade se fará notar, trazida ao primeiro plano pelas lutas do novo iconoclasmo: *São Teodoro Estudita* (759-826). Tendo-se tornado em 798 *higoumene* da célebre abadia do Stoudion, foco radiante da vida cenobítica, cujo recinto não abrigava menos de mil "calouros", fez dela um baluarte inexpugnável de resistência ao erro. Sempre pronto a bater-se, a partir para o exílio, a sofrer quaisquer maus tratos e misérias pela verdade, enfrentou sem desfalecimento todos os Nicéforos e Leões do mundo. Do fundo da sua cela ou da sua prisão, nunca cessou de exercer uma influência profunda. Reformou a vida monástica e instituiu no seu convento uma espécie de academia, mais ou menos inspirada na carolíngia, que trabalhou por um verdadeiro renascimento intelectual. Em volta "deste homem celeste, deste anjo terrestre", como diz o seu primeiro biógrafo, agruparam-se copistas especialmente dedicados à transcrição de livros, bem como pintores e miniaturistas cujos trabalhos viriam a ser procurados em todo o Império. A sua obra escrita — que ocupa todo um volume da *Patrologia* de Migne — deveu-se mais a motivos de ordem circunstancial, mas não deixou por isso de ter uma extrema importância. Apaixonado pela liberdade da Igreja com relação aos poderes civis, São Teodoro foi levado a compreender e a dizer, com uma clareza admirável, que esta independência tinha por condição a autoridade suprema e universal de um pastor único, o Papa. Nas suas numerosas cartas aos soberanos pontífices, reuniu, como num feixe, os argumentos a favor da Sé Apostólica: o primado de São Pedro, afirmado no Evangelho, a jurisdição romana, a tradição da Igreja, a autoridade dogmática, a necessidade de um princípio de comunhão. Chegou mesmo a afirmar, em termos formais, a infalibilidade pontifícia. Vinte anos depois da sua morte, Fócio fará a cristandade oriental enveredar pelo caminho do cisma. São Teodoro foi a última testemunha oriental de uma Igreja verdadeiramente católica, dentro da qual as duas partes do mundo se sentiam ligadas pelas mesmas exigências e pelas mesmas fidelidades. Por este título, o seu nome merece não ser esquecido jamais[18].

A irradiação cristã do Oriente

A riqueza da espiritualidade bizantina não constitui o único dado que temos de lançar a crédito do cristianismo oriental. Nem os despedaçamentos que sofreu devido às heresias, nem as crises políticas que atravessou, nem as dolorosas perdas que lhe infligiu o islã o impediram de se conservar fiel ao grande mandamento de Jesus aos seus apóstolos: "Ide e evangelizai todos os povos!" Esta expansão ininterrupta é um dos títulos de glória do Oriente.

Os meios postos em prática foram variados. Houve numerosas iniciativas missionárias, muitas das quais continuam desconhecidas, especialmente as de monges e eremitas que partiam, isolados, para as regiões pagãs. Essas tentativas teriam dado pouco fruto se o poder do Império não as tivesse apoiado; mas não houve nenhum basileu, por mais cruel que fosse e por mais que perseguisse a verdadeira Igreja, que não experimentasse um sincero desejo de espalhar a fé entre os povos que ainda não haviam recebido a sua luz. É verdade que todos eles encaravam a evangelização como um excelente meio de alargarem a influência bizantina, mas seria injusto ver na sua boa vontade uma mera intenção política. Por outro lado, a expansão cristã foi extremamente favorecida pelo volume das relações diplomáticas e comerciais centradas em Bizâncio: prisioneiros libertados, príncipes estrangeiros convidados a visitar a corte, soldados das tropas auxiliares acantonadas em regiões não-cristãs, comerciantes instalados nas mais longínquas feitorias, todos foram muitas vezes admiráveis agentes de propagação do Evangelho.

Os resultados foram inumeráveis. São os povos do centro da Ásia Menor, cuja evangelização é levada a cabo pelos sucessores imediatos de Justiniano, muitas vezes — infelizmente — pela força; é um chefe dos ávaros que Heráclio converte durante uma estadia no palácio imperial, e que introduz momentaneamente no meio dos seus os germes evangélicos; são as tribos instaladas no Danúbio, entre as quais começam a aparecer elementos cristãos a partir do século VII; é o sul da Arábia, pelo menos antes de Maomé; é o Cáucaso, bem como as montanhas berberes, mais ou menos profundamente tocadas pela palavra divina. A sementeira será em boa parte destruída pela catástrofe muçulmana, é verdade, mas nem todos os grãos se perderão.

As crises das heresias, como dissemos, não detêm a propaganda cristã; antes pelo contrário, a atividade missionária alimenta-se, em muitos casos, da concorrência entre hereges e ortodoxos, uns e outros ardendo no desejo de expandir a sua fé. Ameaçados pela repressão, os hereges tinham necessidade de conseguir novos adeptos para se poderem manter; além disso, como sempre acontece, a perseguição exaltava os ânimos, tornava os homens mais ardentes e empreendedores. Foi assim que, a exemplo do seu maior chefe, o infatigável Baradai, os monofisitas levaram a cabo um apostolado imenso. Ao longo de todo o século VI, a igreja monofisita experimentou uma incontestável expansão em todo o Oriente Médio, e os seus missionários espalharam até muito longe o pensamento dos seus teólogos e sábios, tais como Severo de Antioquia, Juliano de Halicarnasso, Filoxeno de Mabug e Sérgio de Rechaina. Este último foi um médico emérito, verdadeiro marco entre a ciência grega e a civilização do islã.

A página mais surpreendente desta história da expansão cristã é a que escreveram, em condições que têm muito de um romance de aventuras, as *missões nestorianas*. Quando estes sectários começaram a ser perseguido pelas autoridades bizantinas, em 457, e sobretudo quando se fechou a sua célebre Escola de Edessa, em 489, grande número deles foi juntar-se em território persa aos seus irmãos de crença que já se encontravam naquelas paragens. *Narsés*, o grande teórico da seita, chamado pelos seus a "harpa do Espírito Santo", transferiu-se para Nísibis, cuja escola se tornou, graças a ele e aos seus discípulos, um importante centro intelectual e espiritual. Os últimos reis sassânidas, embora se conservassem perfeitamente fiéis à religião nacional do masdeísmo, viam com prazer estes cristãos manifestarem um ódio implacável contra Bizâncio, e diversas vezes lhes deram mostras da sua benevolência. Apesar de algumas graves crises, de que mais ou menos a tirou o patriarca reformador *Maraba*, por volta de 540, a igreja nestoriana foi-se desenvolvendo sem parar no decorrer do século VI, chegando mesmo a desempenhar um papel de relevo no Estado iraniano. Já então enviava missões para fora dos seus limites, e foi assim que, antes do ano 600, tinha convertido os curdos do alto vale do Tigre.

Em 633, os muçulmanos apoderaram-se da Mesopotâmia e os cristãos nestorianos não lhes fizeram oposição. Afinal de contas, os recém-chegados não eram irmãos de raça, semitas como eles? Arameus e árabes não eram primos entre si? Por outro lado, o último grande rei sassânida, Cósroes II, em parte por uma questão de política nacionalista, em parte porque sofrera influências cristãs monofisitas, havia perseguido os nestorianos até ao sangue. Integrados portanto no domínio do islã, os cristãos partidários das "duas naturezas" continuaram a progredir. Quando os califas escolheram Bagdá como capital, em 762, o *Catholicós* — bispo — nestoriano também se mudou para lá, e esses cristãos passaram a prestar a sua ajuda aos novos senhores; como negociantes, escribas, intelectuais, médicos e sábios, associaram a sua atividade à dos muçulmanos, e foi por intermédio deles que o islã descobriu Aristóteles e traduziu a sua obra — que, levada mais tarde para a Espanha, havia de servir para se fazerem na Idade Média ocidental as primeiras versões latinas do filósofo. Esta colaboração, porém, não estava isenta de alguns vexames: impostos muito pesados e a obrigação de trazerem sobre o vestuário uma insígnia cristã como marca distintiva. Mas isso não importava. A verdade é que, no século VIII, a igreja nestoriana, em pleno país muçulmano, desde o norte da Síria até à Mesopotâmia, e desde a Armênia até o Irã, estava em plena vitalidade.

Foi então que se lançou num apostolado cuja vastidão nos deixa estupefatos. Qual foi a causa? Temos de reconhecer que, embora se tratasse de um ramo separado do tronco vivo da Igreja, com uma doutrina obliterada por uma defeituosa concepção da Encarnação, muitos desses nestorianos eram almas de fogo, devoradas pelo desejo de espalhar o Evangelho. Os seus mosteiros foram verdadeiros seminários, onde se formou um número inacreditável de propagandistas da fé. Vários textos da *Patrologia Oriental* nos dão uma ideia precisa dos seus métodos. Os seus missionários partiam com as caravanas que sulcavam a Ásia, e por vezes eles mesmos se faziam comerciantes e caravaneiros. Falavam as línguas dos povos para o meio dos quais eram enviados, e assim, em cada etapa, podiam misturar-se com a multidão e agrupavam à sua volta numerosos ouvintes, aos quais explicavam as suas doutrinas. Se os primeiros contatos lhes pareciam bons, instalavam postos fixos de apostolado, com hospitais e escolas onde, segundo parece, se cantavam excelentemente os hinos cristãos. Pensemos nos nossos missionários na África, e veremos que a "técnica" do apostolado pouco mudou.

Os resultados foram prodigiosos. Os nestorianos penetraram na Índia, onde o escritor bizantino Cosmas Indicopleustes, autor de uma *Topografia cristã*, os assinala em grande número no Ceilão, no Estado de Cochim e no de Travancore, misturados com os restos dos antigos "cristãos de São Tomé"[19]; e ali sobreviverão até o século XVI, pois os portugueses lá irão encontrar vestígios seus. Pela Ásia central, seguindo a rota de seda, chegaram à China, onde iniciaram uma campanha de evangelização sob a dinastia dos Tang, a partir de 635. Em Si-ngan-fu, a antiga capital dos Tang, foi encontrada uma estela datada de 781, em cujo texto se conta como estes cristãos, "portadores dos livros da verdade", se instalaram na China e tiveram de lutar contra o clero budista, mas foram energicamente apoiados pelos imperadores. A verdade é que estes monges, que traziam como bagagem "apenas um bordão e um alforje", como diz um dos seus textos, eram fiéis ao ideal apostólico e, graças a eles, as almas chinesas puderam conhecer o cristianismo, que depois se expandiu pelo exemplo.

Mais ainda que na direção da Índia e da China, a atividade missionária dos nestorianos encaminhou-se para a Ásia central, isto é, para toda a região que vai do Turquestão até à Mongólia e ao Tibet. A semente cristã foi por eles espalhada nessas imensas extensões, e lá deitou raízes. Houve tribos de hunos que se converteram e traduziram o Evangelho para a sua língua. No século VIII, sob o vigoroso impulso do patriarca Timóteo de Bagdá, os turcos instalados no Turquestão foram de tal modo conquistados para o cristianismo que, em 782, pediram que lhes fosse enviado um metropolita, o que lhes foi concedido. Um pouco mais tarde, os missionários eram recebidos pelos queraítas do lago Baical, e pelos ongutos da grande curva do alto rio Amarelo, e os mais inacessíveis planaltos do Tibet viam-nos chegar, pobres e infatigáveis, para darem testemunho de Cristo diante dos lamas.

Os resultados de toda esta propaganda acabaram por desagregar-se com o correr do tempo. A não ser no Irã e na Armênia, onde as raízes eram sólidas, o cristianismo nestoriano foi desaparecendo pouco a pouco ou foi sendo substituído por novas formas missionárias. No entanto, em pleno século XIII, era ainda tão vigoroso na Ásia central que os mongóis cristãos, unindo os seus esforços aos dos cruzados, vieram em 1258 atacar a Síria e por pouco não desferiram um golpe mortal no islã. Ainda hoje se notam no Tibet vestígios do nestorianismo em diversas seitas de lamas, nas quais existe uma cerimônia secreta que parece proceder da Eucaristia. Misterioso vigor do grão de mostarda...

E enquanto o cristianismo herético vivia essa bela aventura asiática, a propaganda missionária começava a plantar balizas noutra direção. Privada pela invasão muçulmana das vias marítimas que tinham feito a sua riqueza, Bizâncio procurou encontrar outros eixos comerciais e, para isso, voltou-se resolutamente para o norte, isto é, para as cidades gregas da Crimeia, para o sul da Rússia e para as regiões próximas do Mar Cáspio. Nas primeiras décadas do século IX, em pleno segundo ato da querela das imagens, os imperadores nem por isso perdiam de vista esses espaços gigantescos, ao norte dos seus domínios, onde se acumulavam tantas ameaças, mas onde havia possibilidades de expansão. Nessa época, aquilo que é hoje a Rússia encontrava-se nesse estado de agitação confusa que precede as grandes cristalizações da história. Os turcos khazares instalavam-se solidamente junto do Volga e do Don; os búlgaros, em pleno desenvolvimento, ocupavam o norte da península balcânica; os eslavos, ainda em estado fluido, começavam a fixar-se por grandes grupos, principalmente os morávios, que tomavam pé no Elba e na Boêmia até às imediações do Adriático, onde os sérvios e os croatas os separavam do mar; e por fim esses aventureiros semieslavos, semiescandinavos, ainda nômades, prestes a dominar a região entre o Báltico e o Mar Negro, que se chamavam russos e que iam, pouco depois, criar o Estado de Kiev.

Hoje sabe-se ao certo que o cristianismo oriental exerceu a sua influência sobre todas essas populações desde o ano 800. Para os khazares, Bizâncio enviou algumas missões diplomáticas que obtiveram certo resultado. Entre os búlgaros, muito antes de que o rei Bóris se tivesse tornado cristão em 863, haviam-se já realizado algumas conversões individuais. E na Rússia, se é certo que os passos decisivos começaram com o Batismo do príncipe Vladimir, em 987, precedeu-os uma evangelização esporádica, devida a iniciativas particulares, ao sabor das relações comerciais, ou mesmo a verdadeiras missões oficiais. Esta evangelização não tardará a chocar-se — por vezes violentamente — com outra iniciativa missionária: a que partiu do Ocidente, patrocinada pela igreja latina e pelos imperadores carolíngios. E será o insucesso da penetração ocidental nas regiões eslavas, sob Luís,l o Germânico, em 835, que decidirá os morávios a voltar-se para Bizâncio e a reclamar de Miguel III missionários orientais, que serão os santos Cirilo e Metódio. Assim, no momento em que o Império de Constantinopla se fechava politicamente sobre si mesmo e se isolava nos seus limites gregos, novos destinos se preparavam tanto para a igreja oriental como para a civilização bizantina, que iriam conhecer uma segunda expansão nos países eslavos.

Notas

[1] Cf. cap. IV, par. *Os lombardos e o desmembramento da Itália*

[2] Cf. cap. III, par. *O grande desígnio de Justiniano.*

[3] Mais homem de fé, efetivamente, que de vida perfeita. À semelhança da maior parte dos bizantinos, as paixões carnais eram nele muito vivas. Não pôde refrear os sentimentos que sentia pela própria sobrinha, e respondeu ao patriarca, que lhe suplicava que renunciasse ao casamento incestuoso: "O que me escreves é perfeitamente correto. Cumpres o teu dever de arcebispo e de amigo. Quanto a mim, pretendo fazer o que me agrada". O cronista acrescenta que o soberano foi punido por esse pecado, pois dos nove filhos que a jovem Martinha lhe deu, um nasceu surdo e outro defeituoso e paralítico. — Assim eram os contrastes nesse cristianismo bizantino, em que a fé mais viva andava a par da mais duvidosa moral.

[4] Foi a partir desta vitória que Heráclio e os seus sucessores começaram a usar oficialmente o título de *basileu*, equivalente ao de *rei dos reis*, que anteriormente só lhes era dado no uso corrente e nunca figurava nos protocolos oficiais.

[5] Christopher Dawson.

[6] A península arábica, com 2.000.000 de km2, nunca chegou a unificar-se política ou religiosamente, quer antes quer depois do advento do islã, e ainda hoje continua dividida entre diversos países e diversas seitas muçulmanas: sunitas, wahabitas do Negeb-Hedjaz, zaiditas do Iêmen, caridjitas do território de Oman. Além disso, subsistem árabes pagãos.

[7] Maomé teve que defender-se constantemente — mesmo no Alcorão — da acusação dos seus concidadãos de Meca de ser *madjnún*, isto é, de estar possuído por um *djinn*.

[8] Este termo foi empregado por Tharaud como título do primeiro volume da sua história romanceada sobre os começos do islã. Caracteriza muito melhor esse período do que expressões como "conquista árabe", porque o caráter propriamente árabe não tardou a ser absorvido pelo império muçulmano e pela guerra desencadeada em nome de Alá por povos os mais heterogêneos.

[9] É curioso observar que, neste princípio do século VIII em que a antiga civilização grega mediterrânea agoniza, torna-se fundamental o papel desempenhado pelos libaneses e pelos sírios, isto é, pelos orientais. A dinastia isáurica era originária do norte da Síria, região conhecida como Comagena; os califas árabes que reinavam em Damasco estavam rodeados de funcionários sírios; o maior pensador da época é São João Damasceno, também sírio. Entre 685 e 741, chegou a haver cinco papas libaneses ou sírios; João V, Sérgio I, Sisínio, Constantino I e Gregório III.

[10] Cf. *A Igreja dos Apóstolos e dos Mártires*, cap. V, e o cap. I, par. *O combatente da verdade* deste volume.

[11] Cf. cap. III, par. *Os complexos religiosos de Justiniano e de Teodora*

[12] Cf. cap. IV, par. *O retorno dos arianos ao seio da Igreja*.

[13] Grade de madeira ou de mármore, às vezes bastante alta, que separava o presbitério da nave, ricamente ornamentada com imagens da Santíssima Virgem e dos santos. Havia três portas que davam passagem do santuário para a nave.

[14] Que, no entanto, prosseguiram indiretamente através da influência que exerceram sobre a arte muçulmana. As primeiras grandes mesquitas serão construídas por arquitetos sírios, formados segundo a escola bizantina.

[15] Cf. cap. IX, par. *Fócio*.

[16] Cf. a edição traduzida e comentada por Rouët de Journel, col. *Sources chrétiennes*, Cerf, 1949.

[17] Cf. cap. III, par. *O cristianismo "à bizantina"*.

[18] São Teodoro teve mesmo a coragem de opor a firmeza e a segurança doutrinais de Roma às incertezas de Bizâncio, que, como ele escrevia, "é um feudo de heresia habituada a viver muitas vezes em ruptura aberta com o resto da cristandade".

1[9] Sobre os cristãos de São Tomé ou "tomasistas", cf. *A Igreja dos Apóstolos e dos Mártires*, cap. II, par. *A sementeira cristã*, n. 2.

VII. O PAPADO E O NOVO IMPÉRIO DO OCIDENTE

Novas diretrizes de ação

Nesse ininterrupto entramado de acontecimentos que constitui a história da humanidade, há certos períodos em que ela parece esforçar-se coletivamente por assentar em bases novas o seu futuro, por extrair dos dados intelectuais e morais acumulados pelo passado as novas diretrizes que, quer sejam boas, quer más, hão de impeli-la em direção a novos destinos. A época do Renascimento, com as suas profissões de fé humanista, mais tarde a era dos nacionalismos, e hoje em dia aquilo que Ortega y Gasset chama "a rebelião das massas", oferecem outros tantos exemplos dessas cristalizações. Embora a expressão já tenha sido atacada, é plenamente correto dizer que há "pontos de inflexão da história", a partir dos quais a "caravana" passa a marchar numa nova direção. O século VIII constituiu um desses pontos de inflexão, e embora os acontecimentos que nele se desenrolaram não tenham tido o caráter brusco que se observa nos séculos anteriores, é o século mais importante em todo este período que estamos estudando. Com efeito, as ideias-força que suscitou modelaram toda a Idade Média, condicionaram os seus êxitos e fizeram surgir o mais grave dos seus problemas. E a Igreja esteve implicada em todos os acontecimentos que levaram a esta nova tomada de consciência.

A primeira dessas diretrizes foi a descoberta de que *era preciso dar novas bases ao sistema político* em que vivia o Ocidente. A noção romana de Estado, talhada por mil anos de direito e de prática, encontrava-se em ruínas. O direito dos punhos, o *faustrecht*, que se impusera por ocasião das invasões, já não parecia bastar como fundamento da ordem social. Onde encontrar então novos silhares? A corrente de pensamento determinante da época responderá: na Igreja. E a ideia de cristandade tenderá, em consequência, a absorver a noção de Estado.

Por quê? Porque praticamente todos os homens que nesta época eram capazes de pensar o mundo eram clérigos, homens da Igreja, e todos recorriam às doutrinas políticas de Santo Agostinho. É bem verdade que, na realidade, acabaram por deformar e por sistematizar até ao extremo as teses da *Cidade de Deus*, pois, como nos lembramos, o gênio de Hipona[1] havia formulado o seu pensamento em matéria política em termos complexos e muito matizados, principalmente ao estudar as relações entre a Igreja e o Estado, o dever de obediência ao poder, a proteção que os soberanos cristãos deviam dar à religião e o emprego do "braço secular". Tomado no seu conjunto, o seu pensamento político revelara-se infinitamente sólido e construtivo, e os erros de perspectiva que uma ou outra passagem podia acusar encontravam-se sempre devidamente corrigidos noutros trechos da sua imensa obra.

Mas, não tendo herdado a viva flexibilidade do seu gênio, os seus discípulos não se debruçaram sobre os matizes e, daquilo que o seu mestre escrevera, retiveram somente o que mais combinava com as naturais idiossincrasias do seu estado clerical. Como Santo Agostinho dissera que assiste à Igreja o direito de julgar se os princípios do Estado estão conformes ou não com o espírito de Cristo, e que além disso tem o direito de exigir a proteção e o apoio desse mesmo Estado, acabaram por concluir que a melhor maneira de realizar ao mesmo tempo essa vigilância e essa colaboração seria mesclar as instituições do Estado e as da Igreja[2].

Um dos teóricos mais consequentes desta doutrina fora, no século VII, o grande erudito e compilador espanhol *Santo Isidoro de Sevilha*, cujos trabalhos enciclopédicos o tinham transformado no educador dos seus contemporâneos e das gerações que se lhe seguiram. Saídas da sua pena, podiam-se ler frases como esta: "Os príncipes do século ocupam por vezes o cume do poder na Igreja a fim de poderem proteger com a sua força a disciplina eclesiástica. Aliás, esses poderes não seriam necessários na Igreja se não impusessem pelo terror aquilo que os padres são incapazes de fazer prevalecer por meio da palavra". Santo Isidoro achava absolutamente natural que a autoridade espiritual e o poder temporal estivessem misturados, e também que se lançasse mão do terror para impor os princípios cristãos... Vê-se imediatamente que imenso potencial dramático não se escondia no interior dessas doutrinas: a "utopia teocrática" estava ali formalmente em germe, com todas as suas consequências — as dilacerações entre a Igreja e o Estado, os excessos do "braço secular". Fecunda na medida em que afirmava a primazia do espiritual, perigosa na medida em que o confundia com o temporal, esta ideia-força trazia dentro de si aquilo que faria simultaneamente a grandeza da Europa medieval e a sua miséria.

Menos explícita, mas infinitamente mais fecunda, foi uma segunda diretriz que poderíamos formular assim: *é tempo de construir uma civilização cristã*. Não há dúvida de que o cristianismo havia levado a cabo uma renovação dos valores do homem, como também não há dúvida de que as instituições e o direito tinham sofrido a influência dos princípios cristãos já havia bastante tempo[3]. Não existira, porém, um esforço sistemático. O clero, por exemplo, empenhara-se mais em obter privilégios jurisdicionais do que em estabelecer um direito cristão. Em matéria de pedagogia, a Igreja interessava-se principalmente pela formação religiosa e moral, e só de maneira subsidiária e lenta, ao criar as suas próprias escolas, é que percebera que era possível uma cultura cristã. Mesmo onde a ação da Igreja tinha sido mais notável no sentido de promover a civilização, essa ação não fora conduzida com esse propósito. Assim, os monges tinham desempenhado um papel imenso como desbravadores de terras e como pontas-de-lança nas regiões bárbaras, mas nunca se tinham proposto ganhar terras com o arado ou abrir novas vias econômicas. Tinham-se limitado a obedecer à sua Regra, que via no trabalho um meio de aperfeiçoamento espiritual.

Mas as coisas passarão agora a correr de outro modo. Como consequência — até certo ponto — das novas ideias "teocráticas", a Igreja pensa que tende a absorver o Estado e sente-se investida da responsabilidade pela civilização. Daí o desenvolvimento das escolas cristãs, daí o novo papel assumido pelos conventos como baluartes da Cristandade em regiões ainda mal submetidas, daí o esforço por fazer surgir uma nova arte cristã. Trata-se de um aspecto de importância primordial, que a "Renascença carolíngia" manifestará de maneira brilhante; a fusão entre invasores e autóctones é já um fato consumado, e agora importa caminhar para a síntese intelectual e moral entre os diversos elementos da futura Europa; e é a Igreja quem vai realizar essa tarefa.

Há, por fim, uma terceira diretriz que podemos discernir nas consciências desta época. Corresponde a uma tendência profunda da alma humana, que Carlyle, Nietzsche e Keyserling haviam já observado, e que foi trazida à plena luz por René Grousset[4]. Nos momentos em que surgem os novos conceitos dos quais o mundo passará a viver, nesses "pontos de inflexão da história", dir-se-ia que a humanidade sente a necessidade de ver as noções abstratas encarnarem-se em homens, homens que nesses momentos parecem assumir a responsabilidade pelos destinos dos seus contemporâneos. São as "figuras de proa" de que fala Grousset. Assim, para realizar a síntese do Estado e da ideia cristã, para promover uma civilização cristã, os contemporâneos pensavam, mais ou menos, que *era necessário um homem providencial*.

A Igreja, cuja presciência histórica mais uma vez se mostra admirável, compreendeu essa necessidade, e neste ponto desviou-se do agostinismo político. Ao passo que o autor da *Cidade de Deus*, e depois dele os seus discípulos, como São Gregório Magno e Santo Isidoro de Sevilha, tinham admitido que toda a autoridade vem de Deus — porque ninguém, dizia Santo Agostinho, tem o poder de mandar se esse poder não lhe for dado pela Providência —, a Igreja, remontando para além desta doutrina até às lições da Bíblia, afirmou que certos homens e certas famílias, beneficiários de uma escolha específica por parte de Deus, eram investidos por Ele na missão de governar segundo a lei; assim o velho Samuel havia sagrado Saul e depois Davi, e assim Salomão fora o "ungido do Senhor". A profunda aspiração desse tempo — a do "homem providencial" — ia ter a resposta cristã.

São estas as três ideias-força que, em conjunto, vão fazer do século VIII uma das épocas mais fundamentais da história do Ocidente. O século V tinha sido o dos grandes desmoronamentos, o da liquidação das fórmulas superadas; o século VI, o de uma tentativa grandiosa, mas arcaica e votada ao malogro, de reconstituir e revivificar o passado: a tentativa de Justiniano; o século VII, o da ruptura — pelo islã — do molde em que Roma e o seu gênio haviam feito viver a Europa antiga; o século VIII será o século em que, separada do Oriente, tendo como eixo não já o Mediterrâneo, mas o continente, se forjará a Europa cristã e medieval.

O fato de estas três diretrizes terem podido tornar-se eficazes deve-se a um certo número de acontecimentos e de circunstâncias coincidentes, em que o historiador cristão não reconhece apenas o acaso. E o fato de elas terem podido harmonizar-se pelo menos momentaneamente — quando duas dentre elas eram antagônicas entre si —, acabando por produzir um desabrochar da civilização deveras surpreendente, foi o mérito de um homem, do seu gênio, do seu espírito de moderação e sabedoria. Nestes dois sentidos, bem podemos dizê-lo, houve realmente um milagre carolíngio.

A Itália e o papado

Entre as circunstâncias determinantes do êxito carolíngio, é preciso colocar no primeiro plano a situação da Itália, pois esta devia condicionar a atitude do papado, e sem a ação do papado os descendentes de Pepino nunca teriam chegado aonde chegaram.

Em princípios do século VIII, a península estava dividida em duas partes de importância muito desigual[5]. Depois da invasão lombarda, não subsistiam senão retalhos do domínio bizantino instalado outrora pelos exércitos de Justiniano: a Itália do sul, o Ducado de Roma e a cabeça-de-ponte de Ravena-Aquileia-Veneza na Itália do norte. O exarca, representante do basileu, residia em Ravena, onde ainda era bem obedecido, mas já não sucedia o mesmo em Roma, onde as vexações do fisco de Bizâncio causavam profunda irritação. Fora da Itália imperial, e com os seus territórios curiosamente imbricados com os de Bizâncio, erguiam-se, vigorosos e empreendedores, os novos senhores germânicos, os lombardos: o reino de Pavia ao norte, os ducados de Spoleto e de Benevento ao centro. Essa disposição de terras favorecia sobremaneira os bárbaros, que renovavam com frequência os seus ataques; Ravena e Roma eram especialmente visadas devido a este dispositivo estratégico: Ravena acabou por ser tomada em 751-752, e Roma permaneceu sob ameaça constante mais ou menos até o ano 800.

Às duas potências rivais acrescentava-se uma terceira, que não aparecia no mapa, mas cuja influência era considerável: *o Papa*. Já vimos como a autoridade do bispo de Roma fora crescendo pouco a pouco[6]. Em primeiro lugar, a autoridade moral e espiritual: o sucessor de São Pedro beneficiava de todo o brilho que emanava da figura do príncipe dos apóstolos, e, em tempos mais próximos, o prestígio de uma personalidade tão admirável como a de São Gregório Magno (590-604) continuava um século mais tarde a aureolar o pontífice. Pelas suas obras de caridade, o papa constituía a única autoridade social numa Itália esgotada, devastada e dolorida; mais ainda, em muitos casos chegava a ser chamado a desempenhar o papel de árbitro em território bizantino, onde era ele o único que podia defender os pequenos das exações do poder e dos grandes, ou até em território lombardo, onde era profundamente respeitado. Numa época entenebrecida, o Papa era o único portador da luz da esperança.

À autoridade espiritual acrescentava-se, em segundo lugar, um verdadeiro poder temporal. Se o papa não estava ainda à testa de um Estado, possuía no entanto imensos domínios em toda a Itália, domínios nos quais era praticamente o senhor. Já sabemos que, a partir da *Pragmática Sanção* de 554*, tinham-lhe sido reconhecidos verdadeiros direitos políticos: podia intervir na nomeação dos funcionários superiores bizantinos, podia fiscalizar-lhes as contas e chamá-los ao seu tribunal em caso de malversação dos fundos públicos. Como administrador, cuidava em Roma e no ducado anexo de todo o tipo de assuntos inteiramente materiais, tais como o abastecimento da cidade, pontes, muralhas e até... estabelecimentos balneários. Como chefe militar, tinha um pequeno exército que foi crescendo à medida que as tropas bizantinas se iam retirando da cidade, e por diversas vezes combateu vitoriosamente nas muralhas. Construtor paciente e restaurador de igrejas, garantia com as suas "obras públicas" o ganha-pão de um sem-número de operários. Firmando-se, pois, como uma força em plena expansão, estava dentro da lógica das coisas que o papado se aproveitasse do antagonismo entre lombardos e bizantinos e caminhasse na direção de um grande destino histórico.

Para isso, era necessário que se desembaraçasse de uns e de outros. Em relação a Bizâncio, a atitude dos papas mudou completamente no decorrer dos séculos VII e VIII. As facilidades concedidas ao pontífice por Justiniano tinham tido por contrapartida uma verdadeira tutela do papado pelo Império. A partir de 555, os papas tinham de pedir ao imperador que ratificasse a sua eleição, circunstância de que — como é óbvio — o fisco se servia para obrigá-los a pagar uma taxa. E enquanto o decreto de ratificação não chegasse a Roma, não podiam fazer-se sagrar, coisa que, dada a lentidão — voluntária — da administração

---

* Cap. III, nota 26.

bizantina, podia causar longas vacâncias no trono pontifício. Quando o basileu delegou ao exarca de Ravena esse direito de ratificação, no século VII, os inconvenientes multiplicaram-se, porque este alto funcionário costumava manter relações muito frias com Roma, e além disso sofria a influência dos arcebispos de Ravena, que tinham sido elevados à categoria de patriarcas em 668 e se mostravam tão invejosos do papa que um deles tentaria fazer da sua sé uma rival de Roma. Os papas tinham-se submetido a essa tutela, e causa-nos surpresa que um homem da estatura de São Gregório Magno escrevesse ao imperador quase em tom de súplica...

As coisas não deviam ficar nesse pé, e é preciso dizer que o papado foi muito ajudado no seu desejo de se libertar dessa tutela pelas próprias faltas do basileu. Tem-se a impressão de que a maior parte dos imperadores bizantinos se empenhou deliberadamente em irritar os seus súditos italianos. A inépcia dos seus funcionários ultrapassou os limites daquilo que um bom povo consegue suportar: assim, o fisco inventou um ano financeiro limitado a oito meses, o que permitia que periodicamente houvesse dois anos financeiros num mesmo ano legal... Quando a estas inumeráveis causas de mau humor se acrescentaram os motivos de indignação fornecidos pela política religiosa de Bizâncio, o fogo não tardou a chegar ao paiol.

No decurso do século VIII, dois fatos evidenciam que a tutela do Oriente sobre o papado estava prestes a terminar. Em 710, o papa Constantino ainda chegou a visitar Constantinopla, como era costume entre os seus predecessores, mas foi o último pontífice romano a fazer essa viagem. Por outro lado, se examinarmos a lista dos papas no decorrer deste século, observaremos uma mudança significativa. Os sete predecessores do romano Gregório II (715-731) tinham sido orientais: gregos, libaneses ou sírios; os dois sucessores, Gregório III e Zacarias, também foram orientais, o primeiro sírio e o segundo grego; mas, a partir daí, isso não voltou a acontecer. Zacarias é o último nome helênico das listas pontifícias. Depois da sua morte, e até os nossos dias, não voltou a haver qualquer papa grego.

Mas a principal causa do distanciamento entre Roma e Bizâncio foi a atitude doutrinal dos imperadores. Já vimos com que firmeza os papas — com uma única exceção, a do pobre Honório — se opuseram às teses heréticas do basileu. Houve pontífices que, sem terem deixado um grande nome na história, se conduziram no entanto com um heroísmo admirável, como por exemplo *Severino* (638-640), que passou quase todo o seu pontificado sem ser sagrado, para não aceder às exigências do imperador e aceitar o monotelismo. Lembremo-nos também da nobre figura do papa São Martinho[8] (649-658), deportado para Bizâncio e depois para a Crimeia, e que morreu mártir por se ter oposto a Constante II, também na questão do monotelismo.

No princípio do século VIII, as coisas pioraram muito; em 712-713, a Itália, sob o impulso do papa Constantino, recusou-se a aceitar os editos, as moedas e até o nome de um efêmero imperador herético, Philippicus, e pegou em armas contra o seu exarca. Doze anos mais tarde, quando Leão III, o Isáurico se lançou à destruição das imagens, a Itália, já exasperada por causa da duplicação do ano fiscal, revoltou-se. Todos os súditos bizantinos da península, vênetos, romanos, aquileianos e campânios, fizeram causa comum, e o *Liber pontificalis* assevera que "a Itália inteira, convencida da maldade do basileu, resolveu escolher outro e levá-lo para Constantinopla". Ao terror bizantino respondeu o terror dos rebeldes: o exarca de Ravena foi morto, e o duque bizantino de Roma foi feito prisioneiro e teve os olhos vazados. Mas o papa Gregório II não se aproveitou da ocasião e "impediu os italianos de executarem o seu projeto, esperando que o imperador se convertesse". A sua bondade, porém, foi mal recompensada porque, quatro anos mais, o basileu tentava fazê-lo assassinar e subtraía à sua jurisdição eclesiástica o Ilírico e o sul da Itália. Mas à medida que a querela das imagens se prolongava, e sobretudo depois da breve trégua proporcionada pelo reinado de Irene, ficou patente que os imperadores de Bizâncio recaíam incessantemente nos mesmos erros, e os papas fizeram as suas opções. Pode-se dizer que, a partir de meados do século VIII, a escolha pontifícia estava feita, e que, em princípios do século IX, passaria a ser um fato consumado: Roma optaria pelo Ocidente.

Aliás, somente o Ocidente podia permitir aos pontífices resolver os outros problemas que tinham pela frente, o mais sério dos quais era o dos lombardos. Desde o tempo de São Gregório Magno, Roma vivia sob a obsessão da ameaça lombarda, uma obsessão ainda por cima alimentada pelos refugiados que, espoliados e maltratados pelos germanos, vinham buscar asilo na Cidade Eterna. Em princípios do século VIII, à medida que o domínio bizantino se ia esvaziando cada vez mais na Itália, o poderio lombardo mostrava-se cada vez mais terrível. Um rei enérgico e inteligente, *Liutprando* (712-744), parecia decidido a levar adiante, em seu proveito, a unidade da Itália, precisamente como os francos vinham fazendo em relação à Gália. Havia aqui um perigo político evidente para o papado, uma vez que Roma constituía o principal obstáculo à unidade italiana — exatamente como viria a acontecer onze séculos mais tarde, no tempo de Garibaldi —, um perigo que não seria fácil conjurar por meio de um entendimento entre o ducado romano e os duques de Spoleto e Benevento, senhores feudais mais ou menos rebelados contra o rei de Pavia, mas que eram tudo menos aliados seguros.

Este perigo político conjugava-se com outro muito mais insidioso, e que resultava das próprias exigências que a fé cristã impunha ao papa. Como era seu dever, o papado tinha feito tudo para converter os lombardos[9]. São Gregório Magno lançara as primeiras sementes, e em fins do século VII, ao tempo de Bertarido (671-688) e de Cuniberto (688--700), a entrada destes germanos no seio da Igreja era já um fato consumado. A Itália, devido aos cuidados desses reis, cobriu-se de basílicas católicas. Muitos destes lombardos, como dignos descendentes de Teodelinda, eram homens de fé sincera: não se verá o sucessor de Liutprando, Ratchis, deixar a coroa para entrar num convento? Todos, depois da conversão, tinham o maior respeito pela pessoa do papa, e mesmo o incômodo Liutprando sempre fazia ressoar nos atos oficiais os seus títulos de "príncipe cristão e católico", de rei "da muito ditosa e católica nação lombarda, querida de Deus", e, antes de promulgar uma lei sobre o matrimônio, pedia com toda a deferência o parecer do "Papa de Roma, venerado no mundo inteiro como chefe da Igreja". Polido demais para ser honesto... O plano dos reis lombardos católicos era claro: tomar o lugar do basileu na Itália e substituí-lo no papel de protetor declarado da Igreja. Se esse plano viesse a ser bem sucedido, Roma ficaria submetida a uma intolerável tirania, e o papa, convertido num bispo lombardo, perderia em breve todo o seu prestígio universal. Semelhante submissão do sucessor de São Pedro era simplesmente impensável.

Em pouco tempo, Liutprando, levado pela impaciência, desfez quaisquer dúvidas que ainda pudesse haver. Enquanto os seus exércitos ocupavam uma grande parte da Úmbria e da Marca, ameaçou lançar-se sobre Roma por duas vezes, em 728 e 742, chegando a avançar da primeira vez até à margem direita do Tibre, os "campos de Nero", isto é, até aos arredores de São Pedro. No último momento, não se atreveu a dar o passo final, mas o papa sabia agora que já não podia ficar à mercê de um novo ataque lombardo.

Por último, além destes motivos de grave preocupação — desentendimentos com Bizâncio e ameaça lombarda —, o papa tinha ainda um terceiro. Nos começos do século VIII, a própria situação interna de Roma não era satisfatória. À influência do papado e do clero opunha-se a do *exercitus romanus*, isto é, da aristocracia local, que abrangia o duque de Roma — já praticamente independente do imperador —, os comandantes de praças fortes, os prefeitos da cidade, e a alta administração. Depois da queda do exarcado de Ravena nas mãos dos lombardos, em 751-752, é esta aristocracia autoritária e violenta quem elege o duque de Roma, e nada mais natural que sonhasse também com designar o papa. De qualquer forma, era sempre de temer a sua intervenção nas eleições pontifícias, e será precisamente um drama provocado por essa intervenção o que há de determinar a ação decisiva de Carlos Magno.

Essas três razões vão, pois, forçar o papa a apelar para uma potência política que lhe dê apoio. Sozinho, mesmo que usasse da mais hábil diplomacia, não poderia simultaneamente fazer frente a Bizâncio, repelir os lombardos e fortalecer o seu poder independente dentro da própria Roma. Assim, pôs-se a procurar essa potência, e voltou-se para os francos. Por que estes? Por haver precedentes históricos? O do papa Vigílio, ao reclamar contra os godos a proteção de Quildeberto I, "porque convém a um rei católico defender a Igreja em que foi batizado"? Ou o do papa Pelágio II, ao apelar para Quildeberto II contra os lombardos?[10]. Não tinha Gregório Magno exaltado a realeza franca, nascida do Batismo de Clóvis, como a "realeza por excelência"? Sem dúvida... Mas a verdadeira razão da escolha é mais simples: é que, em meados do século VIII, o poder franco era o único que verdadeiramente contava na Europa ocidental. Era a hora em que o punho vigoroso de Pepino, o Breve lhe tomava as rédeas.

Os filhos de Pepino e o nascimento do Estado pontifício

A história da monarquia francesa foi cortada no decorrer dos séculos por duas rupturas que se produziram em condições mais ou menos semelhantes. Os carolíngios substituíram os merovíngios de uma forma análoga àquela pela qual os capetos suplantariam mais tarde os carolíngios. Em ambas essas substituições a Igreja desempenhou um papel, aliás decisivo, o que mais uma vez vem provar a sua clara consciência dos interesses superiores da sociedade cristã e o espírito decidido de que dá mostras nos momentos em que se impõe uma escolha.

Bastaram dois séculos para que os descendentes de Clóvis soçobrassem na decadência[11]. Ao mesmo tempo que o seu domínio se alargava, até atingir no reinado de Dagoberto (629-639) — o período da sua maior extensão — quase toda a Gália, uma parte das regiões do Reno, a Alemanha e a Turíngia, e ao mesmo tempo que o seu prestígio começava a impor-se na Frísia, na Saxônia e na Baviera, atraindo os olhares dos papas, nesse mesmo momento a sua monarquia já sofria dos males incuráveis que haviam de causar-lhe a morte. Reino bárbaro fundado sobre a conquista, tinha-se mostrado incapaz de se elevar à condição de Estado, e, considerando as terras conquistadas como propriedades pessoais do soberano, aplicara a elas o costume das partilhas; o resultado foram guerras civis endêmicas e a impossibilidade de alcançar uma verdadeira unidade política. Depois de um período de renovação, balizado pelos reinados de Clotário II e de Dagoberto, o desmoronamento foi rápido. A própria dinastia parecia estar fisiologicamente esgotada em todos os reinos. A tradicional imagem dos "reis *fainéants*", que se deslocavam de cidade em cidade estendidos nos seus pesados carros de bois e que passavam a vida na ociosidade e na devassidão, corresponde à mais estrita realidade. A partir de meados do século VII, a autoridade já não pertence aos descendentes de Clóvis, que apenas se mostravam capazes de se dilacerarem ferozmente uns aos outros.

A progressiva omissão dos reis arrastava consigo, como é óbvio, a anarquia, uma anarquia que ameaçava mortalmente o reino dos francos. Haviam-se constituído cinco grandes regiões[12]: a *Austrásia*, do Somme até aos confins da Turíngia, a reserva das forças francas; a Nova Austrásia ou *Nêustria*, expansão franca do Somme ao Loire; a *Borgonha*, que conservava o nome do povo borgonhês submetido; a *Aquitânia* e a *Provença*, antigas províncias romanas que os merovíngios controlavam, mas com muita dificuldade. Nestas cinco regiões produzira-se o mesmo fenômeno, consequência normal do enfraquecimento do poder: a anarquia crescente beneficiara os grandes proprietários de terras, que, numa época em que as cidades tinham desaparecido ou minguado, constituíam o esqueleto da sociedade. Esta aristocracia em pleno crescimento procurava, naturalmente, manter a realeza nesse estado tão lamentável — mas tão proveitoso para ela — em que a dinastia merovíngia se encontrava.

Mas uma coletividade humana não pode viver por muito tempo na anarquia; se o poder legítimo falha, outro o substitui. Ao lado dos reis *fainéants* aparecera uma figura que exercia o verdadeiro poder: o antigo *mordomo* — o *maior domus*, principal da casa —, que administrava os domínios pessoais do soberano em seu nome e acabara por converter-se no *maire du palais*, no "prefeito do palácio", uma espécie de primeiro ministro. Este personagem, originário geralmente da aristocracia, ganhara ao longo do século VII uma influência enorme, e a omissão dos reis fez dele um verdadeiro ditador, tal como acontecerá no Japão antes da era *meiji*, quando os *xoguns* vierem a exercer todos os poderes ao invés do *mikado*, o imperador. E como há uma espécie de finalidade superior do poder que se impõe aos homens, em parte por ambição, em parte por sentimento do dever, os prefeitos do palácio constituíram-se, quase em toda parte e quase sempre, em defensores da ordem e da unidade contra os grandes clãs dos proprietários rurais — isto é, mostraram-se legítimos depositários da autoridade, legítimos servidores dos interesses nacionais, dali por diante identificados com os seus próprios interesses. Assim, na Nêustria e na Borgonha, o prefeito do palácio dos dois reinos, Ebroim, esmaga em 678 a coligação dos aristocratas rurais e dos grandes eclesiásticos (entre os quais se encontrava o bispo São Léger de Autun), que acham excessiva a sua autoridade. Assim, primeiro na Austrásia e pouco depois em toda a França, os interesses da monarquia são defendidos por uma família de prefeitos do palácio que passam a conservar hereditariamente o título e o poder. O futuro pertence-lhe.

Nimbada de lendas na sua origem, como toda a linhagem bafejada pela grandeza, a casa dos "pepinidas" não teve aqueles começos gloriosos que as genealogias oficiais viriam a atribuir-lhe mais tarde. Nasceu da aliança entre dois ricos proprietários de terras, cujos domínios se estendiam pela Lorena e pela Bélgica, e que nos começos do século VII casaram entre si os respectivos filhos. Um deles era Arnulfo, que seria bispo de Metz, e o outro Pepino de Landen, que fora o chefe da resistência à rainha Brunehaut e que, sob Clóvis II e Dagoberto, assumiu mais ou menos o papel de uma espécie de vizir, que conservou até 639. Convém sublinhar aqui que estes dois antepassados dos futuros carolíngios eram austrasianos, isto é, germanos instalados numa região situada a cavalo sobre aquilo que hoje constitui a fronteira entre a França e a Alemanha, homens para quem os termos *Frância* e *Germânia* não significavam mais que meros topônimos. Assim podemos compreender por que Carlos Magno colocará o centro do seu Império no Reno, e também avaliar até que ponto é inútil discutir se o grande imperador era francês ou alemão. Desta aliança saiu uma família vigorosa, bem estabelecida na região, e que devia ascender ao primeiro plano em três etapas.

A primeira esteve prestes a terminar mal: Grimoaldo, filho de Pepino de Landen, nomeado prefeito do palácio em 639, quis ir muito depressa e, em 656, época de plena decadência dos seus soberanos, ousou dispor da coroa da Austrásia a favor do seu próprio filho, a quem — certamente já com segundas intenções — dera o nome merovíngio de Quildeberto. Mas a usurpação era prematura; o golpe fracassou e Grimoaldo morreu. Foi substituído por *Pepino d'Héristal*, neto de Arnulfo por parte do pai e de Pepino de Landen por parte da mãe, que mediante hábeis maquinações conseguiu retomar o cargo de prefeito do palácio na Austrásia, acrescentando-lhe ainda o título de duque, e acabou por tornar-se assim o verdadeiro iniciador da grandeza carolíngia.

Numa segunda etapa, Pepino d'Héristal procurou unificar as prefeituras da Austrásia e da Nêustria; empenhando-se a fundo em derrotar Ebroim — ao lado do bispo São Léger, isto é, no campo da Igreja —, foi severamente derrotado por ele em 680, mas continuou a luta. Em 687, esmagava o sucessor de Ebroim em *Testry*, o que lhe assegurou, até à sua morte em 714, o domínio da Nêustria e da Borgonha, ou seja, a soberania de fato sobre todo o reino.

A terceira etapa foi a de *Carlos Martel*, que também começou mal. Os descendentes legítimos de Pepino d'Héristal ainda eram menores quando uma vasta e complexa associação de interesses lançou contra eles os neustrianos, os saxões e até mesmo os frisões pagãos. Foi neste momento que um bastardo, Carlos, embarcou na aventura, conseguindo em dez anos levar a bom termo os seus propósitos. Guerreiro infatigável, a quem os seus contemporâneos haviam dado o sobrenome de *Martel* por causa da enorme maça de armas que manejava alegremente em combate, Carlos enfrentou os adversários com tanta sorte que o diziam conduzido por Deus. Neustrianos, partidários dos pepinidas legítimos, frisões e saxões repelidos até aos seus territórios, aquitanos indomáveis, ninguém pôde escapar a esse homem terrível. E a sua glória tornou-se incomparável quando, em 732, quebrou definitivamente o assalto dos cavaleiros de Alá sobre o Ocidente.

Com efeito, aproveitando-se das perturbações e da anarquia franca, os muçulmanos da Espanha tinham avançado pela Gália adentro. Em 719 atravessaram em massa os Pireneus, invadiram o Roussillon e o baixo Languedoc até perto de Nîmes e de Toulouse; detidos no Garonne pelo duque da Aquitânia, lançaram-se com toda a facilidade ao longo do Rhône e do Saône, e em 725 ousaram atacar Autun sem que ninguém conseguisse impedi-los de levar o produto do saque. A situação era trágica: o centro da França estava literalmente exposto ao terror islâmico.

Vaison-la-Romaine é abandonada, e a exploração das suas belas jazidas de mármore cessa de repente; em Guéret, São Pardoux ordena aos seus monges que partam e fica sozinho para defender o mosteiro contra os infiéis. Parecia que se tinha voltado ao tempo das grandes invasões; aliás, na fronteira norte da Baviera, alamanos, saxões e frisões agitam-se perigosamente. Mas Carlos Martel tinha energia para dar e vender. Em 732, repelidos os bávaros, reduzidos os alamanos à obediência e mantidos em respeito os bárbaros da Saxônia e da Frísia, prepara-se para enfrentar o islã.

Nesse ano, o emir Abd-er-Rahman acabara de lançar outra vez sobre a Gália a onda dos seus cavaleiros. Da primavera ao outono, já tinha conseguido, sem esforço algum, saquear e espoliar Bordeaux e todo o sudoeste. Mas Tours, a cidade mais rica do Loire, despertava-lhe a cobiça, e em começos de outubro dirigiu-se para lá, cheio de apetite. Carlos foi-lhe ao encontro. Os exércitos, bem diferentes um do outro — os francos, pesadamente equipados, usavam cotas de malha e capacetes de metal; os muçulmanos, montados em pequenos e fogosos cavalos, conduziam o ataque como um turbilhão —, enfrentaram-se nas colinas do Poitou. Durante sete dias, Ocidente e Oriente estudaram-se mutuamente. Os muçulmanos, inquietos, não ousavam abordar aquela ilha blindada de ferro, mas por fim lançaram-se. As suas cargas loucas, em pleno galope, chocaram-se contra os batalhões quadrados dos francos. Apoiados uns nos outros, como um mar solidificado, os soldados de Carlos aguentaram estoicamente a saraivada de flechas, e todo o muçulmano que passasse ao alcance das suas alabardas, dos seus gládios, das suas maças de armas, estava perdido. Ao cair da noite, o combate se desfez. Abd-er-Rahman caíra, morto numa carga cerrada.

As perdas do islã foram pesadas, e o avanço em direção ao Poitou estava barrado. Quando rompeu o novo dia, os espias de Carlos informaram que o campo muçulmano, com as suas tendas alinhadas, continuava no mesmo lugar, e pensou-se que a batalha ia recomeçar. Mas não: na calada da noite, a grande velocidade, o Oriente tinha fugido...

Poitiers, 732! Vitória criadora, que detinha de vez a prodigiosa aventura da guerra do islã a oeste, tal como a vitória de Leão, o Isáurico a detivera a leste, em 718. Envolvendo numa incomparável glória a alcunha de Carlos, a quem desde então toda a Gália passou a render homenagem, essa vitória arrematou a preparação dos pepinidas para a missão que a história lhes destinava.

A Igreja não perdera de vista essa magnífica progressão da nova linhagem, tanto mais que os descendentes do bispo Arnulfo nunca tinham cessado de lhe testemunhar o maior respeito nem de lhe conceder o seu apoio. Se há um fato incontestável, é por certo a constante ajuda que a proteção franca representou para os missionários na sua obra de evangelização[13]. Foi somente depois que Pepino d'Héristal bateu os frisões que São Willibrod pôde estabelecer as primeiras missões nas terras conquistadas, e quando uma derrota obrigou os francos a ceder terreno, em 716, o santo foi expulso e teve de refugiar-se na Austrásia. Em 722, o papa Gregório II escreveu a Carlos Martel, e dizia-lhe que, "sabendo muito bem que espírito religioso anima o glorioso duque dos francos", lhe solicitava ajuda e apoio para São Bonifácio, que estava prestes a ir semear o Evangelho em terras germânicas; o prefeito do palácio respondeu com uma carta de proteção em boa e devida forma, colocando o missionário sob a sua garantia pessoal. Dezessete anos mais tarde, Gregório III renderá a esta proteção uma bela homenagem ao escrever a São Bonifácio: "Foi graças aos teus esforços e ao apoio de Carlos Martel, príncipe dos francos, que Deus se dignou trazer para o reino da Igreja cem mil pagãos".

As relações entre a Igreja e os pepinidas eram, portanto, excelentes. Houve, sem dúvida, incidentes sérios, que puseram em perigo essas relações. Assim, para equipar as suas tropas, Carlos requisitou uma parte dos bens eclesiásticos e — o que é ainda mais grave —, para retribuir os serviços dos seus generais, arrogou-se o direito de lhes dar abadias ou bispados, procedimento deplorável que introduzia elementos perigosos no alto clero. Mas se os clérigos da França ficaram pouco contentes, o papado absteve-se de manifestar qualquer desagrado para com o protetor dos seus missionários, o vencedor do islã — e talvez, no dia de amanhã, o inimigo dos lombardos.

Com efeito, este era o plano que os pontífices romanos tinham forjado e cuja realização deviam prosseguir pacientemente, mesmo que os futuros carolíngios ainda não compreendessem a importância capital dessa política: servir-se dos francos para cancelar a hipoteca lombarda. Em 739, Gregório III, inquieto com as incursões de Liutprando em direção a Roma, apelou para Carlos Martel: "Em nome de Deus e do seu terrível juízo, não rejeiteis a minha prece, não fecheis os ouvidos ao meu pedido, e o príncipe dos apóstolos não vos recusará a entrada no Reino dos Céus". Estas palavras, que o papa julgava adequadas para impressionarem um bárbaro cristão, deixaram frio o vencedor de Poitiers. Entre lombardos e francos reinava então um entendimento cordial, tanto mais sólido quanto, na tarefa da unificação que levavam avante em paralelo, uns na Itália e outros na França, não se estorvavam mutuamente; os soldados de Liutprando acabavam até de ajudar os de Carlos Martel a dispersar na Provença os corsários árabes. O papa, portanto, não conseguiu nada, a não ser alguns belos presentes e muitas mostras de deferência... Aliás, Carlos, simples guerreiro e bom manejador da maça, não era capaz de pressentir as imensas consequências políticas da aliança com Roma: estava longe de prever a sagração de 800.

Mas seu filho foi mais perspicaz. Diversas imagens muito conhecidas, já populares na Idade Média, gravaram na nossa memória os traços desse homem atarracado, de arcabouço possante, que, em virtude de uma aposta, se divertiu certa vez separando na arena um touro e um leão prestes a entrarem em luta. Com efeito, *Pepino, o Breve* (741-767) era não só dotado de um notável vigor físico e de uma inteligência realista, como o seu pai, mas possuía também esse instinto dos homens e das circunstâncias que faz os diplomatas, instinto que legará a seu filho Carlos; e possuía ainda esse misterioso privilégio que a Providência concede a alguns homens — para bem ou para mal — e que se chama sorte. Desde os primeiros dias do seu reinado, Pepino foi bafejado por ela: uma tentativa de rebelião tramada por um dos seus irmãos bastardos foi esmagada; o seu irmão legítimo, Carlomano, com quem tivera de partilhar o cargo, sentiu-se atraído pela vida contemplativa e fez-se monge em Monte Cassino, o que lhe permitiu reassumir o controle dos cinco reinos. Sem ser tão piedoso como o irmão, Pepino era bom cristão — à moda da época, é bem verdade —, respeitador do papa e muito interessado nos problemas da Igreja. Fustel de Coulanges faz notar que, nesses meados do século VIII, houve uma retomada do fervor religioso; aliás, é este o momento em que São Bonifácio reforma a igreja da França[14], reforma com a qual o prefeito do palácio colaborou de todo o coração, reunindo concílios, fazendo restaurar a disciplina e velando pelos costumes do clero. Foi deste sólido acordo entre a Igreja e Pepino que pôde surgir um acontecimento capital: a supressão da dinastia merovíngia e a sua substituição pelo novo clã.

Nos últimos anos da sua vida, Carlos Martel já se tinha comportado como rei, a tal ponto que o trono real, ao lado do qual se sentava, tinha permanecido vazio. Seu filho Pepino, comparado com o qual o último merovíngio Quilderico III não passava de um vão fantasma, datava os atos de governo do "*seu* palácio", falava dos "*seus* grandes que rodeavam a *sua* sede" e afirmava exercer o poder "pela confiança de Deus". Era uma situação equívoca que não podia prolongar-se. Em 751, Pepino arriscou o golpe de estado: Quilderico III foi encerrado num convento e Pepino assumiu o título de rei. Esta operação, que Grimoaldo tinha planejado cerca de cem anos antes, mas que falhara naquela ocasião, Pepino pôde agora levá-la a cabo com pleno êxito. Por outro lado, se o golpe de estado obedecia à lógica da situação, não deixava de ir contra a tradição germânica, segundo a qual unicamente uma raça proveniente dos deuses podia exercer o poder real em virtude do *Geblütsrecht*, ou seja, do privilégio do sangue. Para legitimar o acontecido, havia apenas um meio: apelar para uma autoridade superior à da tradição pagã, isto é, para o cristianismo, para a Igreja.

Legados do prefeito do palácio foram enviados a Roma para tatear o terreno e, segundo os cronistas do tempo, o próprio São Bonifácio se prontificou a apresentar a questão ao papa: "Convém chamar rei àquele que tem o título do poder, ou àquele que o possui na realidade?" O papa era Zacarias, um grego sutil, e a sua resposta satisfez os desejos de Pepino. O papado deixava, pois, de lado os merovíngios, não porque tivesse motivos de queixa contra eles, mas porque nada podia esperar deles para a grande obra que vinha preparando; no verão de 751, São Bonifácio procedeu à sagração de Pepino em Soissons.

Já utilizada na Espanha visigoda depois do advento de Wamba[15], a sagração constituía muito mais do que um simples sinal de aproximação entre as duas potências; a unção real — absolutamente distinta, dessa ocasião em diante, da unção do Batismo — significava marcar a realeza com o selo da Igreja. A instituição monárquica encontrava-se dali por diante incorporada à organização cristã do mundo. O papa concedia aos carolíngios uma investidura que nenhum merovíngio tinha tido; mas, ao mesmo tempo, não ganhava com isso certos direitos sobre eles?

Zacarias morreu sem cobrar esses direitos, mas o seu sucessor, *Estêvão II* (752-757), decidiu-se a fazê-lo. Crescia o perigo lombardo. Aistulfo, o novo rei de Pavia, acabava de tomar Ravena e ameaçava Roma, e Bizâncio limitara-se a responder a essas usurpações com uma simples nota diplomática. O papa voltou-se para Pepino. Enviaram-se mensageiros pontifícios à Austrásia e delegados francos a Roma. No outono de 753, Estêvão II deixa o palácio do Latrão, atravessa os Alpes pela passagem do Grande São Bernardo e dirige-se a Ponthion, onde se encontrava o rei. Previamente informado, Pepino manda Fulrado, abade de São Dinis, saudar o pontífice quando este chega a Saint-Maurice-en-Valais, e em seguida envia o seu próprio filho Carlos — o futuro Carlos Magno — para recebê-lo em Langres. Por fim, quando o cortejo pontifício não estava a mais de uma ou duas léguas, ele mesmo vai ao seu encontro, desce do cavalo à vista do Santo Padre, prostra-se humildemente diante dele e, segurando a rédea da sua montada como um simples escudeiro, conduz ao palácio o venerando hóspede. Admirável e comovente acolhida..., a que não faltou habilidade política!

O papa e o rei pepinida são agora aliados: em 28 de julho de 754, em São Dinis, o próprio Estêvão II confere a unção a Pepino e aos seus dois filhos, declarando "anatematizado todo aquele que não se submeter a eles e à sua descendência". A reviravolta da "política italiana" dos francos e o envio das tropas de Pepino contra os lombardos eram questão de tempo. Se ainda subsistisse alguma dúvida, um título que o papa concedeu ao seu amigo acabaria de esclarecer os espíritos: *Patrício dos romanos*. Esta dignidade, que havia sido a dos exarcas de Ravena, não trazia consigo a obrigação de defender a Cidade Santa?

O assunto foi resolvido rapidamente. Sem qualquer combate sério, Aistulfo aceitou as condições de Pepino, cujas tropas haviam cercado Pavia: abandonou Ravena e o exarcado ao seu vencedor, que os transferiu imediatamente para a "república romana". Mas assim que os soldados francos cruzaram os Alpes rumo a casa, Aistulfo, sentindo-se já mais aliviado, esqueceu os seus compromissos: não só não entregou Ravena ao papa, como em 1º de janeiro de 756 voltou a pôr cerco a Roma. Novas queixas de Estêvão II. Nova incursão franca. Nova rendição rápida dos lombardos. Mas, desta vez, tomaram-se as devidas precauções. Para que o papa ficasse ao abrigo de outras investidas hostis, não seria conveniente proporcionar-lhe meios materiais de agir, tornando-o verdadeiramente um chefe de Estado? É assim que vai surgir, devido à pressão lombarda, o *Estado pontifício*.

É aqui que convém referir um episódio singular, cujo papel histórico é inegável: a história da *falsa doação de Constantino*. É provável que, havia muito tempo, circulasse por Roma uma lenda — enxertada sobre o fato autêntico da doação do palácio de Latrão ao papa Silvestre I, feita por Constantino —, segundo a qual o primeiro imperador cristão teria cedido ao sucessor de São Pedro vastas extensões de terra, bem como o primado sobre todas as sés patriarcais e até... o poder e dignidade imperiais, e mesmo a clâmide de púrpura e o cetro. Como que por acaso, veio a descobrir-se em 753, no preciso instante em que Estêvão II tinha ido pedir ao rei franco que salvasse Roma, um documento de dez páginas que relatava a famosa doação, um belo documento cheio de pormenores bem ao gosto dos contemporâneos, como por exemplo o de que Constantino era leproso e tinha sido miraculosamente curado no dia da sua conversão. Acreditaria Pepino na autenticidade desse documento, como acreditavam os homens da Idade Média e como, mais tarde, acreditaria Dante? Seja como for, para quebrar o poder lombardo na Itália e para assegurar a aliança com o papa, era de boa política fazer fé nesse papel, isto é, manter as promessas de "Constantino" dando terras ao papado.

Roma, Perúsia e Ravena, a que depois se juntou Commachio, foram pois atribuídas a Estêvão II, não como um simples domínio, mas como um Estado. Fulrado, abade de São Dinis, depôs solenemente sobre o túmulo de São Pedro os documentos de doação e as chaves das cidades cedidas. Constantino V, o imperador bizantino, tentou inutilmente levantar objeções. Tinha nascido o Estado pontifício, que devia durar onze séculos (786-1870), e o papa era agora independente do basileu[16]... ainda que já não fosse inteiramente independente do rei dos francos. Geograficamente, com a sua curiosa forma em halteres — duas massas territoriais, Roma e Ravena, ligadas pelo pedúnculo de Perúsia —, o Estado pontifício ainda parecia frágil, e certamente despertava nos lombardos uma enorme tentação de questioná-lo, logo que o pudessem fazer. De qualquer modo, tal como era, a instituição do novo Estado já tinha um alcance considerável: envolvia o papado em novos destinos, selava a sua aliança com a dinastia carolíngia e fixava de forma definitiva a política franca para com os lombardos. E, para o filho daquele que acabava de tomar essa frutuosa opção sobre o futuro, iria criar em breve uma contrapartida de excepcional valor.

Perfil de Carlos Magno

Tinha soado a hora do homem providencial que o Ocidente esperava, daquele para quem haviam trabalhado quatro gerações dos seus e tantas circunstâncias concordantes, daquele que daria à Europa bases novas nos quarenta e cinco anos do mais glorioso dos reinados, que poria um ponto final na crise aberta pelas invasões bárbaras e devolveria à civilização possibilidades esquecidas, marcando a história com um selo que ainda hoje trazemos gravado nas instituições. *Carlos Magno!* Este nome, consagrado pelo uso, em que o qualificativo honorífico de "grande" se funde com o velho prenome pepinida[17], tem na sua própria consonância um elevado valor simbólico: a grandeza está ligada a esta personalidade como a casca à árvore, e não podemos esboçar esta "figura de proa" sem nos lembrarmos de que é de uma estatura que poucos igualam.

Quando Pepino morreu, em 768, seu filho mais velho Carlos tinha vinte e seis anos. Que fizera este rapaz desde aquele dia de 742 em que, nalguma das vilas reais da Austrásia, a filha do conde de Laon, Berta — a "Berta do pé grande" das canções de gesta — o tinha dado à luz? Ninguém o sabe, e muito menos Eginhard, o fiel cronista do seu reinado, que se mostra misteriosamente discreto sobre a infância do seu herói. Devemos ver nesta reserva a prova de que Carlos teria experimentado uma certa vergonha por ter nascido fora dos sagrados laços do matrimônio, uma vez que o seu pai somente se decidira a desposar Berta em 749? A sua situação de bastardo — bastardo legitimado, mas bastardo — permitiria assim explicar ao mesmo tempo, por um complexo de inferioridade, um certo ressentimento e uma espécie de animosidade ciumenta — sentimento que Carlos não ocultava — para com Carlomano, seu irmão mais novo, que nascera após o matrimônio.

Aliás, não é somente no campo psicológico que o irmão mais novo deixa Carlos embaraçado: a partilha do Estado franco, ordenada por Pepino segundo os mesmos princípios que haviam sido tão prejudiciais aos merovíngios, imbrica as terras dos dois irmãos de uma forma bizarra, impede a grande obra da unidade, separa o mais velho da zona de influência na Itália — porque só os domínios do mais novo chegavam até aos Alpes — e prepara, evidentemente, a rivalidade entre as duas capitais vizinhas, Noyon e depois Laon no caso de Carlos, e Soissons no caso de Carlomano. Mas três anos apenas tinham passado quando a inesperada morte do mais novo veio pôr termo a esse entrave. Agarrando pelos cabelos essa primeira oportunidade que o acaso lhe oferecia, e tendo sido afastados da sucessão os dois filhos do falecido, ainda crianças, Carlos reivindica a herança do seu irmão e refaz em seu proveito a unidade do reino paterno.

Esta rapidez em tirar partido dos acontecimentos, este sentido exato da decisão a tomar ou do gesto a realizar — mesmo que, como neste caso, a moral estrita sofra algum desacato —, constituem já uma primeira prova da sua grandeza. Durante toda a sua vida, Carlos será assim: rápido, clarividente, enérgico. O segredo da sua obra incomparavelmente fecunda reside nessas qualidades instintivas, a serviço das quais um vigor irredutível desenvolve uma prodigiosa atividade. Homens deste tipo costumam confiar excessivamente na força que sentem dentro de si e passam a agir por agir, ultrapassando os seus limites; mas não foi assim com o filho do prudente Pepino. Nunca — pensemos na sua política espanhola — ele se deixará levar para além das suas possibilidades imediatas, nunca cederá àquilo que os gregos chamavam a *hybris*, esse narcótico oferecido ao triunfador pelos deuses ciumentos. E há nele outras qualidades complementares que definem a sua grandeza: prudência, moderação, sentido realista das possibilidades e desconfiança dos gestos irrefletidos. Mais do que César ou Alexandre, Carlos Magno lembra o imperador Augusto.

Estes dados psicológicos, que se extraem facilmente do texto de Eginhard, como também dos fatos políticos do seu reinado, ler-se-iam nos traços fisionômicos do homem? Geralmente, gostamos de que a grandeza resplandeça no rosto daqueles que têm o privilégio de possuí-la. Era este o caso do maior dos carolíngios? A bem da verdade, não podemos dizer muita coisa a esse respeito. O que parece certo é que Carlos Magno não foi o colosso "de barba florida" que a *Chanson de Roland* imortalizou: a estatura gigantesca é um exagero do poeta, e a barba um anacronismo devido à moda bizantino-árabe que, no século X, pintará barbaças abundantes em todos os ocidentais notáveis. A célebre estatueta equestre, hoje no Louvre, que muito provavelmente representa Carlos e que certamente data do século IX, e o mosaico contemporâneo do Latrão que mostra o imperador e o papa ajoelhados diante de São Pedro, deixam ver um homem entroncado, baixo e gordo, com um bigode comprido e farto. Esta é, aliás, a impressão com que se fica ao ler o cronista Eginhard. Com um corpo robusto, o andar seguro, o aspecto viril e a voz enérgica, Carlos é fisicamente o que a sua ação traduz. Saúde excelente, que não decairá senão nos últimos quatro anos — fato para o qual os medicastros da época e as suas excessivas dietas não terão deixado de contribuir... Um gosto acentuado pelos exercícios físicos, pela natação, pela caça e pelos jogos violentos. Às vezes, agarra com uma só mão um dos seus mastins, segura-o no ar com o braço estendido, e joga-o para o alto como se fosse um filhote. Um apetite que uma lebre inteira, com um cortejo de quatro ou cinco pratos, mal podia contentar. E um temperamento que o sexto e o nono mandamentos não conseguirão conter dentro dos devidos limites.

Inteligente? Com certeza, e de uma inteligência superior, se pensarmos no conhecimento profundo que tinha dos homens, na facilidade com que sabia aproveitar-se dos acontecimentos, na imensidade das tarefas que concebia e das empresas que imaginava. É óbvio que não era um intelectual; a cada um o seu papel. Falava normalmente o germânico, tinha aprendido um pouco de latim e arranhava o grego. Gostava de ler ou de que lhe lessem certos livros, embora nos custe reprimir o pensamento de que, se a *Cidade de Deus* era o seu livro de cabeceira —como assegura Eginhard —, devia por vezes sentir uma certa falta de ar... Mais do que uma verdadeira cultura pessoal, o que Carlos Magno possui é, junto com a sede de saber, o sentimento exato das hierarquias da inteligência, o respeito pela instrução e por aqueles que a distribuem, e o desejo de utilizar os resultados políticos para bem do espírito. Tem incontestavelmente, em alto grau, o sentido dessa necessidade do momento que é a instauração de uma cultura nova, e este é um dos pontos em que o seu gênio brilha com maior fulgor.

Esteve ele qualificado também para realizar o esforço moral que o renascimento de uma civilização pressupõe, ao menos em certa medida? A resposta não é simples. Não há maior absurdo do que julgar um homem do século VIII pelos padrões que o século XX proclama — aliás, violando-os da mesma maneira, mas com menos franqueza e simplicidade.

A sua moral continua a ser em larga escala a de um bárbaro, e, quando a política se mete de permeio, o resultado não costuma ser dos mais conformes com a lei de Deus. Poder-se-á acaso justificar o afastamento dos seus sobrinhos do trono de Soissons, ou o massacre sistemático de cinco mil prisioneiros saxões que ordenou? De qualquer forma, o que estava em jogo nos dois casos era de tal importância que, pelo menos aparentemente, a rigorosa obediência ao Decálogo poderia ter ocasionado tristes resultados. Quanto ao comportamento privado, é também o da sua época: o homem vigoroso que se casou quatro vezes, e que possivelmente não teve menos de dez ou doze amantes, certamente dá mostras, neste aspecto, de costumes mais bíblicos do que evangélicos. A corte de Aix-la-Chapelle, onde os escândalos das filhas do imperador se misturam com as libertinagens do pai, não constitui propriamente um lugar de edificação...

Para um soberano, porém, mais do que a moral pessoal — pelo menos quando não repercute na política, e neste sentido Carlos não permitiu qualquer ingerência às mulheres —, o que importa sobretudo são os princípios morais que ele acha dever pôr em prática no seu comportamento oficial. Neste ponto, o grande soberano tinha conceitos claros. Humilde em certo sentido — cristãmente humilde —, nunca cede à tentação do fausto, das riquezas excessivas, das gloríolas; não vestirá "senão uma vez" a púrpura romana que lhe deram, conforme assegura — talvez com um pouco de exagero — o seu biógrafo, e detestará todo o cerimonial; Luís XIV não será seu descendente neste aspecto. Outra virtude cristã: Carlos dá mostras de um grande espírito de equidade. Um pormenor, possivelmente tingido de lenda, mas belo e significativo, diz que mandou colocar à porta do seu palácio um sino que todo aquele que viesse reclamar justiça poderia tocar; e que certo dia um velho cavalo que tinha sido abandonado puxou da corda, e Carlos Magno mandou punir o seu antigo dono por se ter portado tão mal para com um bom e fiel servidor. Este homem violento, terrível nas suas cóleras, combate tanto quanto pode as violências, reprime os tumultos e impede as guerras privadas: necessita da ordem pública para a sua grande obra. Os seus escorregões no campo da moral privada não influem, pois, nas rigorosas leis que põe em prática no campo da moral pública.

Tudo isto constitui o retrato de um cristão? Certamente não, pelos nossos critérios, mesmo levando em conta o farisaísmo e a hipocrisia de uma civilização "mais avançada"; mas, nas perspectivas do seu tempo, até certo ponto sim. Homem de fé, rigoroso nas suas orações e nos seus jejuns (que muito custavam ao seu formidável apetite), Carlos é bem aquele que os cronistas mostram assistindo com gosto a uns ofícios intermináveis e misturando a sua voz forte com a do coro. Os clérigos que o cercavam lembravam-lhe com frequência a necessidade de viver segundo os preceitos de Cristo; um deles, chamado Catulfo, numa carta muitas vezes citada, ensinou-lhe perfeitamente que devia referir tudo a Deus e amar sobre todas as coisas Aquele que o tirara do nada, que lhe confiara o encargo de governar e que lhe havia de pedir contas na hora suprema. Foi com este excelente mestre que Carlos aprendeu a ter sempre ao alcance da mão uma Bíblia e a ler todos os dias uma passagem do texto sagrado. Aliás, o imperador chega a afirmar que a fidelidade cristã é o eixo da sua política, e uma das suas capitulares mais famosas, a *Admoestação geral* de 789, constitui uma exposição perfeita dos elementos sobre os quais deve assentar uma sociedade cristã. Fazer viver os seus súditos em perfeito acordo, estabelecer entre os homens a *concordia pacis*, lutar acima de tudo contra os males que assolam a terra, a fome, a crueldade e a injustiça — este é o ideal desse soberano terrível, cujo reinado talvez não tenha tido um ano sem guerra. O ideal, pelo menos, corresponde bem a uma vocação cristã, e a certeza, profundamente arraigada na alma deste homem, "de ocupar o lugar de Deus sobre a terra e de ter como tarefa a exaltação da sua Lei", converte esse ideal numa suprema exigência. Um cristão por aproximação no plano pessoal, talhado a golpes de machado na rugosa madeira germânica, Carlos é, no plano da história, uma testemunha de Deus como Salomão, como Constantino, como Justiniano, e terá como ponto de mira uma política autenticamente cristã, apesar dos seus defeitos.

A coroa de ferro e o Estado pontifício

O primeiro problema que teve de enfrentar ao cingir a coroa franca foi o da Itália, de Roma e dos lombardos. Nesse preciso momento, a questão estava bastante embrulhada por culpa de sua mãe, a rainha Berta. Esta mulher de boa cabeça, justa mas excessivamente preocupada com a situação criada na Nêustria[18] devido ao precário entendimento entre os seus dois filhos, tinha posto em prática uma diplomacia de paz a todo o custo com os lombardos, a que, aliás, a incitava o astucioso *Desidério*, rei de Pavia. Desde que sucedera a Aistulfo em 756, com o apoio do abade Fulrado e a bênção do papa Estêvão II, o antigo duque da Toscana havia proclamado bem alto a pureza das suas intenções, ao mesmo tempo que manobrava para cercar Roma e estabelecia em todos os países vizinhos uma rede de alianças familiares que — segundo pensava — faria dele o mentor do mundo germânico. Uma das suas filhas era duquesa da Baviera, a outra duquesa de Benevento, e o seu filho Adalgiso tinha desposado Gisela, irmã dos dois reis francos. O remate de todas essas manobras parecia ter sido atingido no momento em que a rainha Berta casou o seu filho mais velho, Carlos, com Desirée, filha de Desidério. O papa *Estêvão III*, mais clarividente neste ponto do que os seus predecessores Estêvão II e Paulo I, protestou em vão, alegando como impedimento que o jovem príncipe já vivia em estado de concubinato público, o que, na época, era considerado um "casamento consensual"; na verdade, porém, o papa apercebera-se perfeitamente de que essa união consagrava o abandono da política franca na Itália e punha em risco a salvaguarda de Roma. Carlos, apesar dos seus vinte e cinco anos, parecia dobrar-se à vontade da sua enérgica mãe; mas, em surdina, estava a roer a corda.

Quando a morte inesperada de seu irmão em 771 lhe deixou as mãos livres na sua própria casa, Carlos Magno decidiu mudar de atitude. A sua jovem cunhada refugiara-se com os dois filhos em Pavia e depois em Verona, de onde levantava protestos contra a espoliação de que as crianças haviam sido vítimas: prova — se Carlos precisasse disso — da existência de intrigas italianas contra o rei franco. Por outro lado, a pressão dos lombardos contra Roma e contra o jovem Estado pontifício tornava-se cada vez mais intensa. Um episódio extremamente penoso acabava de mostrar até que ponto o poder temporal do papa estava ameaçado. Em 768, após a morte de Paulo I, o duque romano Toto de Népi instalara à força no trono pontifício o seu próprio irmão Constantino, um leigo, e Desidério interviera para liquidar esse intruso; mas o partido lombardo também tentou impor o seu candidato, um certo diácono Filipe, e foram necessárias carradas de diplomacia romana para que, por fim, uma eleição regular elevasse ao pontificado o papa Estêvão III[19]. Quase ao mesmo tempo, em

Ravena, um patriarca chamado Leão tentava formar por sua conta um Estado pontifício nesse exarcado, manobra em que também andava implicada a diplomacia lombarda. Quando *Adriano I*, um patrício romano enérgico, rico e douto, plenamente imbuído dos direitos e deveres da sua sé, sucedeu a Estêvão III em 772, a desconfiança do papa e a do rei franco contra os lombardos puderam fazer causa comum. É então que ocorrem dois gestos significativos: o papa negou-se a apoiar as reivindicações da viúva de Carlomano quanto ao trono de Soissons, e Carlos Magno repudiou Désirée, sua esposa lombarda, enviando-a de volta para Pavia. Abandonava-se assim, brutalmente, a política de Berta, e voltava-se à de Pepino.

Desidério não alimentou ilusões. Ripostou declarando nula e sem valor a "doação de Constantino", e, na primavera de 773, ocupou Commachio e Faenza, depois Gubbio e Urbino, marchando sobre Roma pelo corredor do Tibre. Como estavam cortadas as vias de comunicação por terra, Adriano enviou por mar uma embaixada a Carlos, pedindo-lhe que entrasse em ação. Em julho de 773, depois de se concentrar em Genebra, o exército franco atravessou os Alpes pelo Mont-Cenis e pelo São Bernardo, lançou-se sobre a retaguarda de Desidério, saqueou Verona — onde os filhos de Carlomano foram presos — e bloqueou Pavia, onde o rei lombardo, cercado, resistiu durante seis meses.

Em Roma, na Páscoa de 774, uma grandiosa cerimônia recebeu triunfalmente o franco vitorioso na basílica de São Pedro: abertos em sua honra os três portais, Carlos aproximou-se e beijou piedosamente um a um os degraus do átrio, prostrando-se depois diante do altar da Confissão do Apóstolo, enquanto os coros cantavam: "Bendito aquele que vem em nome do Senhor"! A seguir, Adriano confirmou o rei no título de patrício dos Romanos, e o rei confirmou ao papa a doação de Pepino, ampliando-a. A aliança do papado e do pepinida estava novamente selada; retomara-se a política que havia levado o pai à coroa real e que ia conduzir o filho à do Império.

Dois meses mais tarde, a resistência lombarda desabou. Em junho de 774, Carlos fez a sua entrada numa Pavia completamente exausta, levando a seu lado a sua jovem "esposa" Hildegunda, enquanto Desidério partia para o exílio em Córbia. É então que Carlos Magno realiza o primeiro grande ato político da sua carreira: em vez de deixar um rei em Pavia, avoca a si a coroa de ferro dos lombardos[20], ao que parece com o apoio de alguns dos clãs lombardos e do clero. Estava assim lançada a primeira pedra do grande edifício de um mundo germânico unificado. Dali por diante, Carlos usará o título de "rei dos francos e dos lombardos e patrício dos romanos por graça de Deus", que figura já num documento datado de 16 de julho de 774 em Pavia.

Deixa-nos atônitos a facilidade com que Carlos conseguiu impor-se à Itália. É verdade que, dois anos mais tarde, teve de voltar à península para aniquilar a rebelião dos duques lombardos: o de Benevento, genro de Desidério, e o de Spoleto, ambos aliados a Adalgiso, filho do destronado que, bem visto por Bizâncio, tentava recuperar o trono. Bastaram, no entanto, duas breves campanhas para encerrar o assunto. A Itália do norte ficou solidamente dominada, e o ducado de Benevento foi deixado independente, submetido apenas a um controle moderado, porque o atilado político Carlos logo compreendeu a utilidade desse estado-tampão, que lhe poupava ter de entrar em contato direto com as possessões bizantinas do sul. Em 780, seu filho Pepino era nomeado rei da Itália. Rodeado de sólidos conselheiros escolhidos pelo pai, o jovem soberano não passava de um administrador de alto nível; mas, de qualquer forma, estava dado o primeiro passo para o sistema de um Império federativo com que Carlos Magno sonhava.

Com efeito, o vencedor de Desidério era o verdadeiro senhor da Itália. Que pensaria disso o papa? No plano prático, via confirmados os seus poderes. Ampliada a doação de Pepino, estabeleceram-se linhas de demarcação entre a zona de expansão pontifícia e a do franco. A fronteira dos países "prometidos", conforme o *Liber Pontificalis*, era a seguinte: partindo de Spezia, atravessava os Apeninos, englobava Parma e Mântua, todo o exarcado de Ravena "nos seus antigos limites" — isto é, antes das anexações de Liutprando —, Veneza e a Ístria. Em termos um pouco mais vagos, prometiam-se igualmente à Santa Sé, por um lado, a Córsega e, por outro, os ducados de Spoleto e de Benevento. Em direção à Itália do sul, a fronteira continuava imprecisa. Este reconhecimento do Estado pontifício, por parte do homem que agora dominava a Europa, constituía um fato capital. Mas, por mais contente que estivesse, poderia um papa da envergadura de Adriano I considerar suficiente esse resultado?

A sua posição era certamente muito delicada. Estava em conflito aberto com o Império do Oriente por causa da querela das imagens, e além disso sabia muito bem que dependia dos exércitos francos, pois sem a proteção destes o seu pequeno Estado não pesaria muito em face dos apetites sempre renovados dos lombardos, apoiados por baixo do pano por Bizâncio. Mas também não queria que esta proteção degenerasse em sujeição e, como político sagaz, media perfeitamente o perigo. Quando Carlos Magno desceu de novo à Itália em 786, para chamar à razão o duque de Benevento, e celebrou o Natal em Florença para depois visitar Roma, a Itália inteira teve a impressão de que o papa contava bem menos do que este robusto soldado, que passeava pela península como se fosse propriedade sua. Além disso, dos territórios prometidos em 774, alguns evitavam cuidadosamente integrar-se de fato no Estado pontifício: Módena, Mântua, Vicência e Verona nunca chegaram a fazer parte dele, e mesmo na Sabina os funcionários do Latrão encontravam menos receptividade do que os dos francos. E a correspondência de Adriano reflete claramente a decepção, a mágoa e uma mal dissimulada irritação.

Adriano I morreu em 795 e Carlos nunca deixou de prestar homenagem à sua memória; mas as circunstâncias logo haveriam de mostrar até que ponto o papado agora dependia, quer quisesse, quer não, do rei franco. *Leão III*, o novo papa, era também romano, mas não descendia de uma linhagem ilustre como o seu predecessor. Homem do povo, honesto e santo sacerdote, tinha contra si a camarilha do *exercitus romanus*, comandada pelos próprios sobrinhos do papa falecido. Logo que foi eleito, Leão III apressou-se a comunicar a Carlos a sua elevação ao pontificado, prometendo-lhe fidelidade e enviando-lhe as chaves da Confissão de São Pedro e um pendão com as armas da cidade de Roma. O rei franco respondeu-lhe nada menos que com uma carta em tom grave, exortando-o a comportar-se honestamente, a observar os cânones e a governar a Igreja piedosamente!... Mas as precauções que tomou não impediram — e talvez tenham até apressado — um golpe de Estado contra o papa Leão. No dia das Ladainhas maiores de 799[21], quando cavalgava à frente da procissão conforme o antigo costume, Leão III foi assaltado, derrubado da sua montaria, moído a pancadas e despojado das vestes pontifícias; por um milagre, não lhe cortaram a língua nem lhe vazaram os olhos, à maneira bizantina. Acusado de toda a espécie de vícios e crimes, foi preso num convento à espera de ser "julgado". Felizmente para ele, conseguiu evadir-se com a ajuda de uma corda e chegou até Spoleto, onde pôde tratar as feridas, e em seguida correu a Paderborn, ao encontro do rei Carlos, para pedir-lhe que o recolocasse no trono pontifício. O rei abraçou-o chorando e designou-lhe uma escolta de soldados e de altos funcionários que o acompanhariam a Roma e o ajudariam a reinstalar-se no trono pontifício.

É então que ocorre um episódio de importância capital, que ilumina com uma luz meridiana o fato muito mais célebre da coroação que se vai seguir. Em que condições se reinstalaria o papa na Sé pontifícia? Visto que fora vítima de um atentado odioso, teria sido suficiente restituir-lhe os poderes e castigar os autores do atentado contra a sua pessoa. Mas não sucedeu assim. Tendo voltado à Cidade Eterna no outono de 799, Leão III foi seguido pelo próprio Carlos Magno um ano mais tarde. Esperado a vinte quilômetros de Roma pelo papa e por um gigantesco cortejo, e recebido a 24 de novembro com grande pompa nos degraus de São Pedro, o rei franco parecia celebrar um triunfo. Que vinha ele fazer em Roma? Um cronista di-lo sem rodeios: "proceder ao exame dos crimes de que o pontífice era acusado". Ou seja: o soberano leigo erigia-se, se não em juiz, pelo menos em crítico do comportamento do soberano pontífice.

Não há nada que mostre mais claramente em que grau de dependência do poder franco se encontrava agora o sucessor do altivo Adriano I. Fosse como fosse, não se ousou fazer um verdadeiro julgamento do papa, mesmo que fosse apenas com a intenção de o ilibar; Alcuíno havia lembrado ao seu senhor o célebre axioma que vinha do tempo dos desatinos do papa Símaco e do antipapa Laurêncio: "A Santa Sé não pode ser julgada por ninguém". Mesmo assim, no dia 1º de dezembro reuniu-se na basílica de São Pedro, sob a presidência do próprio Carlos Magno, uma assembleia de prelados, de simples clérigos e de dignitários leigos, e em 23 do mesmo mês Leão III teve que submeter-se à rude obrigação imposta pelo seu protetor e jurar que "não tinha perpetrado nem ordenado os fatos criminosos e celerados de que o recriminavam". Era o que, segundo os costumes do tempo, se chamava um "juramento purgatório". Por uma penosa ironia, a fórmula continha estas palavras: "Sem ser julgado nem constrangido por ninguém, e num ato de espontânea vontade, juro..."

Essa era, pois, a situação. Como escreveu Alcuíno, num poema de ocasião, o rei franco aparecia como guia do chefe da Igreja, sendo ele mesmo "guiado pela mão poderosa do Senhor". Era verdadeiramente pôr as coisas de cabeça para baixo. Para realçar ainda mais o esplendor do franco, no mesmo dia do juramento purgatório chegaram a Roma, como que por acaso, dois monges de Jerusalém para entregar a Carlos as chaves do Santo Sepulcro e da própria cidade. Ao mesmo tempo, Leão III proclamava que, "cônscio dos benefícios recebidos, nada, a não ser a morte, poderia separá-lo do amor que dedicava a Carlos"...

O Natal de 800 e o novo Império do Ocidente

Esse "amor" não tardaria a manifestar-se de uma maneira aparatosa. No dia 25 de dezembro, Carlos voltou a São Pedro para assistir à Missa de Natal. No meio de uma enorme assistência, em que se misturavam francos e romanos, entrou na basílica por entre clamores de triunfo. Ajoelhou-se sobre a Confissão do Apóstolo e orou. No momento em que ia levantar-se, o papa aproximou-se dele e colocou-lhe sobre a fronte uma coroa, enquanto a multidão gritava por três vezes a aclamação: "Ao muito piedoso Carlos, Augusto, coroado por Deus, grande e pacífico imperador dos romanos, vida e vitória!" Depois, o pontífice ungiu com óleo santo a fronte do "novo Davi" e, misturando o cerimonial imposto desde Diocleciano pelo protocolo dos imperadores de Roma com o rito bíblico, prostrou-se diante dele e "o adorou". No descendente dos prefeitos do palácio da Austrásia, o Ocidente tinha agora um novo imperador.

Este golpe de teatro, não é preciso dizê-lo, fora cuidadosamente preparado. O povo não teria podido gritar a tríplice aclamação sem que algum animador a tivesse preparado. Mas também é verdade que, já havia bastante tempo, um enorme movimento no qual confluíam complexas e numerosas correntes de opinião empurrava os acontecimentos no sentido da investidura que acabava de realizar-se. No ano de 800, ao cabo de trinta e dois anos de reinado, Carlos Magno surgia como titular de uma glória que nenhum homem havia igualado em muitos séculos. Repelira o islã para além dos Pireneus e estabelecera o seu domínio em quase todo o mundo germânico, ou pelo menos em todo o Ocidente civilizado; e fora não só o grande conquistador, mas também o grande promotor de conversões. Os seus domínios, que se estendiam até ao Elba e ao médio Danúbio, até Bruxelas e às proximidades de Roma, pareciam demasiado grandes para que lhes conviesse o simples nome de reino. O argumento realista de Zacarias em favor de Pepino podia encontrar agora um novo emprego em favor de Carlos: quem devia usar o título de imperador, senão aquele que, efetivamente, detinha o poder correspondente?

Além disso, na mesma época, o trono de Bizâncio estava ocupado por uma mulher, Irene, que acabava de se desembaraçar do seu filho e de se proclamar basilissa. E também era preciso levar em conta o sentimento das multidões, essa expectativa pelo homem providencial que evocamos antes, pelo homem que estaria preparado, nos pontos de inflexão da história, para tomar nas mãos os destinos do mundo. E quem podia representar melhor esse papel do que o prestigioso personagem que inflamava as imaginações e parecia maior que a natureza? O fanatismo incontrolável das massas, que tanto tinha beneficiado um Augusto ou um Constantino, que tanto beneficiaria um Napoleão (será preciso acrescentar: um Hitler?), trabalhou em cheio a favor de Carlos. Desde a desaparição do Império do Ocidente, nos desastrosos dias de Rômulo Augusto, a ideia imperial sobrevivera, na alma popular, subterrânea, como uma nostalgia, como uma imagem de unidade e de concórdia, de força e de paz. Entre os germanos — pelo menos, é o que certos historiadores alemães afirmaram —, encontravam-se também confusas aspirações pangermanistas. E o clero, para quem o verdadeiro imperador fora sempre, não Augusto, mas Constantino, fundador do império cristão, via no protetor do papado, segundo as próprias palavras de Adriano I, "o novo Constantino ressuscitado". Com efeito, não teria sido necessária sequer essa unanimidade para que já se pudesse realizar a espantosa promoção do rei franco.

Como é que se cristalizaram na alma popular esses desejos ainda tão confusos? Como é que se projetou, no presente de então, essa ideia do passado que era o Império? É provável que o golpe de teatro do Natal de 800 tenha tido uma tríplice origem. Por um lado, parece ter nascido no pensamento daqueles letrados que Carlos Magno atraíra à sua corte em Aix-la-Chapelle, e que, à força de falarem entre si o latim e não mais as línguas germânicas, voltavam a encarnar as concepções dos pensadores antigos, de um Claudiano ou mesmo de um Virgílio; muito especialmente, o golpe terá tomado forma no pensamento de *Alcuíno*, o grande prelado, amigo e conselheiro de Carlos. Numa carta ao rei, este abade do mosteiro de São Martinho de Tours explicava que, como a dignidade apostólica tinha sido humilhada na pessoa de Leão III, e como a dignidade imperial estava vaga, era necessário que a dignidade real, tão bem encarnada em Carlos, fosse elevada ao máximo a fim de substituir uma e garantir a outra.

O papa não somente não se opôs a essas intenções, mas endossou-as e, mais ainda, colocou-se à frente do movimento que reclamava a ressurreição do Império. À primeira vista, é um fato surpreendente, pois trazia consigo uma sujeição excessivamente real do papado ao poder franco, e fica patente aos nossos olhos que é a partir deste momento que começa a germinar o drama medieval das relações entre a Igreja e o Império. Mas não podemos transportar para o século IX os terríveis debates de ideias que hão de preocupar o século XI. Nem o papa nem o imperador tinham então em mente as intenções de autonomia e de supremacia que haveremos de encontrar num Inocêncio III ou num Henrique IV da Alemanha. Tanto Carlos como Leão estavam muito mais imbuídos do sentimento — muito agostiniano — de serem os agentes da vontade divina, e a fórmula de aclamação "coroado por Deus" assim o afirmava explicitamente. É, portanto, tão falso imaginar Leão III ressuscitando o Império para servir os interesses do papado, como ver nele apenas um instrumento subserviente de Carlos, totalmente maleável à sua vontade.

A verdade é que, mesmo governada por um pontífice que já não dispunha de liberdade de movimentos, a Igreja passava a ter diante de si um horizonte mais vasto. O Império do Ocidente ressuscitado constituía para ela a certeza da sua liberdade em relação a Bizâncio; era o domínio temporal — o Estado pontifício —, penhor de independência, confirmado e garantido; era um novo estatuto jurídico, segundo o qual o rei bárbaro, até então estranho à tradição romana, se encontrava agora, como imperador, em relações bem definidas com o papa. Por fim — e não há qualquer dúvida de que tanto os clérigos de Roma como os que rodeavam Carlos Magno assim o compreendiam —, era uma nova oportunidade de expansão e de desenvolvimento que se oferecia à civilização cristã e ao universalismo romano. Leão III não foi o único a querer a ressurreição do Império; mas não há dúvida de que a desejou.

E falta ainda comentar o terceiro elemento que esteve na origem do grande acontecimento do Natal de 800: a vontade de Carlos. É justamente a este respeito que estamos mais mal informados. Foi a coroação imperial a concretização de um plano longamente amadurecido pelo chefe franco, um patamar a que há muito se propusera subir? É absolutamente impossível dizê-lo. Em qualquer vida humana, ocorrem episódios de que depois nos regozijamos e gloriamos, mas que não queríamos verdadeiramente e que talvez, na ocasião, tivéssemos olhado com desconfiança. É claro que a coroação não se fez ao arrepio das intenções de Carlos. Os projetos do clero que o rodeava não lhe eram desconhecidos: havia muitos anos que os seus incensadores aplicavam a cada um dos seus atos o termo *imperialis*; seria ele tão obtuso que não o compreendesse? Eginhard afirma que, se todos os corações transbordavam de alegria na iluminada basílica de São Pedro, esse entusiasmo não se encontrava presente na alma do principal interessado, "a ponto de dizer que não teria entrado na igreja nesse dia, embora se tratasse de uma festa solene, se tivesse adivinhado os desígnios do pontífice". Mas quem acreditará por um só instante que o pobre Leão III — tão fraco que quarenta e oito horas antes sofrera sem protestar o vexame do "juramento purgatório" — teria podido tratar como um garotinho o vencedor do mundo?

É incontestável, portanto, que Carlos Magno quis ser imperador. Mas por que manifestou ele esse mau humor de que se faz eco o seu fiel biógrafo? Não faltam hipóteses para explicar o mistério. Supôs-se que, sendo profundamente germânico, teria preferido receber o Império dos seus companheiros de armas, o que explicaria o fato de sempre lhe ter repugnado usar a púrpura; mas, nesse caso, por que esperou tanto tempo para se fazer proclamar imperador pelos seus? Pensou-se também que, embora no fundo estivesse contente com a coroação, ficou irritado com a forma como decorreu a cerimônia: a imposição da coroa pelo papa[22] e a proclamação pela multidão teriam sido para ele a afirmação de um poder universal superior ao seu; mas admitir esta hipótese é considerar Carlos Magno, não um agostiniano — como já vimos que era —, mas um galicano antes de tempo... Eginhard dá a entender que o descontentamento do seu senhor foi uma atitude meramente diplomática; teria tido por fim apresentar a coroação como uma iniciativa pessoal do papa, a fim de acalmar as suscetibilidades de Bizâncio. Esta hipótese, a que se apegam alguns historiadores recentes, supõe em Carlos Magno uma ingenuidade bastante surpreendente, porque quem é que esperaria enganar com tão grosseira astúcia os mais finos diplomatas do seu tempo?

Seja como for, se houve alguma manobra, não teve muito êxito. Os bizantinos ficaram furiosos e não pouparam sarcasmos a esse bárbaro que se fazia imperador, nem a esse papa que o ungia. Até então, o imperador do Oriente tinha podido viver na reconfortante ficção de que os bárbaros ocupavam pelo dolo e pela violência as terras romanas, isto é, as *suas* terras, e que um dia, com as vitórias de um novo Justiniano ou de um outro Heráclio, essas terras voltariam para eles; esta convicção era, aliás, tão forte que os altos funcionários continuavam a usar os títulos das antigas funções que os seus predecessores tinham exercido *in partibus*, nessas províncias agora perdidas. Mas a usurpação de Carlos Magno era bem mais grave: era uma espécie de sacrilégio que nem Teodorico nem Clóvis tinham ousado cometer, uma verdadeira monstruosidade jurídica. Por isso, a corte de Bizâncio recusou-se a reconhecer o novo Império. A imperatriz Irene, que forjara o projeto um pouco tolo de desposar Carlos, então viúvo, a fim de reunir dessa maneira galante as duas metades do *Imperium Romanum*, foi dissuadida de fazê-lo pelos que a cercavam. Depois da sua queda, a diplomacia bizantina travou com o rei franco uma guerra de esquivanças, de silêncios ofensivos e de intrigas, em combinação com os chefes lombardos exilados.

Carlos Magno teve a paciência de suportar tudo isso por muito tempo, ainda que estivesse nas suas mãos resolver a questão de um só golpe. O Império do Oriente, a braços com a nova querela das imagens, com as *razzias* árabes e com a ameaça búlgara, podia facilmente ser abatido; por outro lado, Harun-al-Raschid, califa de Bagdá, aliado dos francos, não queria outra coisa senão entrar em ação. No entanto, ou por respeito ao velho Império, ou por não querer lançar-se — cristãmente — numa guerra fratricida entre povos de uma mesma fé, ou ainda por desconfiar — graças ao notável sentido que tinha dos seus próprios limites — da aventura que uma expedição ao Oriente representaria, a verdade é que Carlos Magno preferiu esperar nove anos, e foi só depois desse tempo que uma demonstração de força de limitado alcance contra Veneza, em pleno território bizantino, fez saber aos diplomatas orientais que a sua paciência tinha limites. Três anos mais tarde — dois anos antes de morrer —, o resultado estava conseguido: o "basileu Miguel", na primavera de 812, mandou a Aix-la-Chapelle uma embaixada para saudar o seu "irmão", o "basileu Carlos". Estavam agora legalmente estabelecidos os dois impérios: o do Oriente e o do Ocidente.

Resta-nos uma questão: como é que o próprio Carlos Magno e os ocidentais do seu tempo compreenderam o título imperial? Para nós, é evidente que o ato do Natal de 800 continha em germe as instituições da Europa ocidental que queria nascer. Mas o homem de gênio que dele se beneficiara pressentiria esse futuro? Sem dúvida, não. O argumento que o prova é que em 806, prevendo a sua herança, Carlos Magno dividiu as suas terras segundo o antigo costume bárbaro, retalhando o Império em três pedaços. A noção de *Imperium romanum*, para ele, nada significava como instituição. Que era pois, a seus olhos, o título imperial? Talvez pouco mais que uma espécie de recompensa gloriosa, uma "condecoração", uma "citação" em face do mundo; tal como Clóvis ficara feliz quando se adornara com o título honorífico de Cônsul. Isso explicaria, talvez, por que Carlos Magno não gostava de usar a púrpura, como hoje um verdadeiro chefe se abstém de exibir as suas condecorações em qualquer circunstância.

Tinha recebido essa recompensa do papa, coisa que contava a seus olhos. Cristão convicto como era, sentia-se feliz por assim se encontrar ligado à obra da Igreja; se a tutela que fez recair sobre ela foi por vezes pesada, as suas intenções permaneceram sempre bastante puras, na linha da *Cidade de Deus*. E à sua volta, os protagonistas da ideia imperial, incapazes de compreender que a verdadeira ressurreição da noção imperial teria exigido uma verdadeira refundição do Estado, um retorno às formas de governo de Constantino ou de César Augusto, esses clãs cultos e idealistas viam no Império, mais que um regime, uma aspiração moral, um admirável ideal, ou seja o do Ocidente unificado sob um chefe forte e pacífico que exercesse a plenitude do poder com intenções exclusivamente cristãs. É um ideal que surge com grande nitidez nas famosas *Capitulares* de 802, com as quais, depois do seu regresso de Roma, Carlos Magno inaugurou a sua legislação imperial. E, na verdade, foi esse o ideal que, desde o princípio do seu reinado, norteou bem ou mal a sua política, tanto exterior como interior. Em todos os sentidos do termo, o grande evento do Natal de 800 foi bem uma *coroação*.

A Europa cristã defendida e ampliada

"Quanto a mim, cabe-me, com a ajuda da divina misericórdia, defender pelas armas, em todos os lugares, a santa Igreja de Deus". Durante toda a sua vida, Carlos Magno foi magnificamente fiel à missão que assim formulou. Sempre de espada em punho, cavalgando e atacando, este chefe infatigável levou a cabo nada menos que cinquenta e cinco expedições em quarenta e cinco anos de reinado e, seis meses antes de morrer, ainda combatia. Guerras curtas, geralmente empreendidas na primavera, depois da revista solene das tropas ou *Campo de Maio*, e encerradas quando apareciam os primeiros frios. Guerras em todas as direções, não só em território italiano, mas também na Alemanha, no Reno, no Danúbio, na Frísia do norte e na Espanha islâmica. Originaram-se todas elas dessa intenção cristã de que Carlos se vangloriava? Ou não revelavam algumas, pelo contrário, um plano de expansão e de autêntico imperialismo? Formular a questão nestes termos não tem qualquer sentido; para Carlos, os interesses do cristianismo e os do seu próprio poder identificavam-se com toda a boa fé.

De qualquer modo, esta identificação nunca se justificou tanto como no momento em que Carlos Magno enfrentou o problema saxão. Em meados do século VIII, havia duas Germânias justapostas: uma renana — alemânica, turíngia e bávara —, assentada sobre o velho substrato romano das antigas províncias, já civilizada e conquistada para o cristianismo devido aos esforços seculares dos missionários[23], e a outra, ainda pagã, feroz guardiã dos costumes bárbaros, reserva de forças e de violência — a Saxônia[24]. Qual foi a razão por que Carlos Magno se dispôs a despedaçar o baluarte saxônico? Sem dúvida porque, sendo cristão, não admitia que houvesse nas suas fronteiras um povo que chacinava os missionários e recusava o Evangelho; e também porque — como político clarividente e decidido a não cometer a falta que trouxera a morte ao Império de Roma — sabia que não podia haver composição alguma com os bárbaros e que, se não destruísse a Saxônia, seria a Saxônia que um dia destruiria a sua obra.

Sabemos o que foi a grande guerra saxônica, sustentada durante trinta e um anos sucessivos com igual energia de parte a parte. Conhecemos os empolgantes episódios dessas campanhas no interior das mais espessas florestas, a destruição do santuário pagão de Irminsul, a revolta sempre renovada sob o comando do Vercingetórix saxão, *Witikind*, os terríveis episódios do duplo "desastre de Varrão" sofrido pelos exércitos francos, a primeira vez no monte Süntel em 782, e a segunda no vau do Weser em 793, e a sangrenta resposta de Carlos, a chacina, em Verden, de quatro mil e quinhentos prisioneiros saxões decapitados a machadadas. Esmagada, saqueada e arquejante, com a população em parte transplantada para a França e substituída por elementos mais dóceis, a Saxônia acabou finalmente por ceder. E então — com Witikind à frente —

aceitou o Batismo. Um terço de século de assassínios impusera a esse tronco germânico pagão o duplo enxerto da civilização ocidental e do cristianismo. Fica em aberto a questão de saber se foi válido o método empregado.

O ideal cristão podia servir para justificar a campanha de Carlos Magno contra a Saxônia, mas na Baviera, pelo menos à primeira vista, o argumento não parecia poder aplicar-se. Tratava-se de um país católico, cujo arcebispo, o de Salzburg, estava rodeado de respeito, de uma terra de civilização já antiga e cheia de recordações romanas. O duque Tassilon, neto de Carlos Martel, primo de Carlos Magno, instalado no trono bávaro, desde 748, por Pepino, o Breve, e vassalo dos francos, não tinha nada de um Witikind. Mas, como era genro do rei lombardo Desidério e alimentava o desejo — bastante compreensível — de conquistar a independência, conspirava com os lombardos, namorava Bizâncio e chegava a entender-se com os ávaros, os bandidos asiáticos instalados no Danúbio. Ratisbona era um centro de intrigas contra Carlos, isto é, contra a sua política italiana ou, em última análise, contra o papado. Por isso, quando, já cansado de tropeçar constantemente no pequeno duque bávaro, o rei franco decidiu liquidá-lo, a Igreja deu-lhe sinal verde e, em 788, a Baviera foi anexada ao Estado franco.

A unificação da Germânia[25] pela ação de Carlos Magno teve como consequência uma série de medidas e de campanhas que — devemos reconhecê-lo — viriam a revelar-se singularmente úteis para o futuro da cristandade. É a Frísia, esse temível baluarte do paganismo, onde São Willibrod fracassara quase por completo nos seus esforços e onde São Bonifácio morrera mártir, que é submetida e reduzida a província, para a seguir o bispo Liudger retomar o trabalho de conversão. É a terra dinamarquesa, ainda inteiramente idólatra, de onde hão de partir, logo após a morte de Carlos Magno, os terríveis piratas normandos, cuja ameaça o rei adivinhara e que, por isso, transformara numa *marca* franca, apesar de dez anos de resistência e de luta heroica por parte do chefe dinamarquês Godofredo. E são, finalmente, os ávaros, esses salteadores mongóis que, no século VII, haviam substituído os hunos no médio Danúbio e cujas hordas atacavam constantemente os postos avançados dos francos.

Carlos Magno chamou os ávaros à razão em três campanhas extremamente duras, travadas longe do Reno, para além das espessas florestas alemãs, numa região em que as comunicações eram tão difíceis que o rei, para assegurá-las, mandou abrir um canal que ia do Meno ao Danúbio e cujos vestígios se encontraram em épocas recentes. O reduto dessas tribos — uma estranha fortaleza em forma de anel com dez cercaduras concêntricas — acabou por cair em 796, e o seu *khagan* teve de entregar os fabulosos tesouros que havia rapinado em todo o Oriente. Carlos Magno realizou, assim, aquilo que o mais lúcido dos imperadores, Trajano, tinha julgado necessário, mas que não tinha podido levar a cabo senão muito parcialmente. A sujeição desta "Mongólia europeia", indispensável à salvaguarda do Ocidente, era um prelúdio para a cristianização da Hungria, que seria empreendida mais tarde por Santo Estêvão.

A norte, a nordeste e a leste, a Europa cristã ficou portanto a dever imensos benefícios aos exércitos de Carlos Magno. Mas subsistia ainda um problema, uma ferida aberta no sul desde a época da batalha de Poitiers. Não era concebível que o organizador do Ocidente se desinteressasse do islã, e mais uma vez razões políticas e religiosas concorriam para incitá-lo a agir. Não lhe era necessário promover a segurança do jovem reino da Aquitânia, criado em 780 para o seu filho Luís? Podia permanecer surdo à voz dos cristãos da Espanha, desses que viviam submetidos à tutela muçulmana, desses que, pendurados dos montes da Astúria, continuavam a resistir? Deve ter sido com certeza uma grande tentação para Carlos Magno lançar-se numa guerra santa e abrir, com dois séculos de antecipação, a era das cruzadas. Em 777, pareceu ter cedido a essa tentação; ao apelo do *wali* de Barcelona, revoltado contra o emir de Córdova, as tropas francas lançaram-se através de Aragão, Navarra e Catalunha, mas, abandonadas pelos seus aliados muçulmanos, foram rechaçadas e retornaram à França; foi então — em 778 — que se deu a famosa cilada de *Roncesvales*, essa sangrenta batalha da retaguarda contra os montanheses bascos, essa derrota de que o gênio dos poetas havia de extrair uma epopeia, a *Chanson de Roland*. Daí por diante, Carlos retomou a sua prudência habitual e o sentido dos próprios limites. Para impedir que os cavaleiros de Alá transpusessem os Pireneus, devastando tudo até Narbonne, como tinham feito em 793, o imperador, em dez anos de campanhas curtas e de limitado alcance, de 801 a 811, estabeleceu uma sólida linha de praças-fortes: Lérida, Barcelona, Pamplona, Tarragona e Tortosa. Estava criada a *marca* da Espanha, baluarte francês ao sul das montanhas, primeira etapa do que seria mais tarde a *Reconquista*; foi dali, bem como do reino asturiano, que mais tarde partiram as ofensivas da Cruz contra o islã. Ainda deste ponto de vista, Carlos lançou as bases do futuro cristão.

Uma grande obra, essa que foi realizada pela espada do chefe franco: graças a ele, a cristandade ocidental encontrava-se agora ampliada e em segurança; encontrava uma unidade que desconhecera desde as invasões, porque, além dos países que administrava diretamente, Carlos Magno controlava mais ou menos todos os outros, mesmo a Escócia e a

Irlanda, cujos reis se declaravam seus vassalos, a Inglaterra, onde dispunha da coroa de Northumberland, e até os principados eslavos nos confins do mundo germânico. Mas, mais ainda que a glória temporal, possuía um prestígio moral impressionante; desde a época de Constantino, nenhum soberano reunira tantas terras sob o seu cetro, e, tal como Constantino, o imperador franco se apresentava sob a forma de testemunha e de arauto de Cristo.

No entanto, neste magnífico quadro não faltavam sombras que se iriam adensando após a sua morte. Os métodos empregados para edificar esse monumento podem parecer-nos tudo menos cristãos: chacinas e deportações, como as que foram a contrapartida da conquista da Saxônia, não causam senão horror. É certo que não devemos cair em anacronismos, e é possível que Carlos não pudesse empregar outros métodos; no seu tempo, eram os únicos eficazes, e aliás serão os mesmos que os saxões, convertidos ao cristianismo, utilizarão mais tarde para "civilizarem" os povos situados mais a leste: os vênetos, os baltos, os fineses e os eslavos. O que nos entristece é que esses procedimentos tenham sido empregados para estabelecer o cristianismo; os soldados de Carlos Magno implantaram o Evangelho na Saxônia ou na Hungria exatamente como os cavaleiros de Alá tinham implantado o Alcorão na Espanha, e exatamente como o farão os marqueses de Brandenburgo e os cavaleiros teutônicos na Prússia.

Pior ainda, Carlos Magno praticou uma verdadeira política de cristianização pelo terror: mesmo já tendo passado o momento das inevitáveis violências iniciais, estabeleceu um sistema de coerção em matéria religiosa que causa pesadelos. Basta ler a *Capitular* promulgada logo após a primeira conquista da Saxônia para avaliar até que ponto se justifica a palavra "terror". Praticamente existia uma só pena: a pena capital. Mereciam-na, não só os assassinos de um padre ou os "renitentes" do paganismo e os ladrões de coisas sagradas, mas todo aquele que se recusasse a jejuar na Quaresma, que comesse carne às sextas-feiras, que incinerasse um cadáver segundo o antigo rito germânico, ou mesmo quem se recusasse a receber o Batismo! Em tempo algum, ao que parece, se aplicou um sistema mais completo para impor a um povo uma nova fé e uma nova "civilização". Resta saber se, queimando etapas, Carlos Magno não preparava terríveis contragolpes de selvageria e, integrando enormes massas bárbaras num Ocidente ainda pouco firme nas suas bases, não trabalhava em favor de uma próxima barbarização. O futuro diria.

Importa ressaltar, no entanto, que a Igreja, pela voz de vários dos seus chefes — os mais clarividentes —, fez ouvir as suas advertências. Podem-se ler na correspondência de Alcuíno conselhos que refletem um cristianismo autêntico. "Pregar antes de batizar", repetia ele; não é com o gládio que se devem levar à pia batismal pagãos que ignoram tudo sobre o Evangelho: é preciso, em primeiro lugar, fazê-los sentir o "jugo suave de Cristo". Persuasão, doçura, caridade — eis o verdadeiro meio de ganhar as almas. Não se devem exasperar os vencidos com obrigações de ordem material, nem com dízimos excessivos. Um programa excelente, que reencontramos na pena de muitos outros bispos, igualmente judiciosos e igualmente cristãos.

Aliás, a Igreja não se limitou a recordar princípios: pô-los em prática. Evidentemente, os triunfos de Carlos Magno simplificaram a tarefa dos missionários, e a propaganda já não teve de revestir o caráter heroico dos tempos de São Columbano, de Santo Amando, de São Willibrod ou mesmo de São Bonifácio. Mas um trabalho profundo, silencioso, cujos detalhes são pouco conhecidos, embora os resultados sejam bem visíveis, foi levado a cabo por centenas de missionários e de monges em todas as regiões onde a "cristianização a grandes golpes" de Carlos deixara feridas abertas. É maravilhoso que a Saxônia, depois de ter sofrido tanto dos cristãos, se tenha tornado tão depressa um baluarte de Cristo, com os bispados de Bremen, Werden, Minden, Paderborn e Münster; mas a luta contra o paganismo, encarnação de uma secreta resistência nacional, viria a ser difícil. A Frísia, a região do Meno, os Alpes orientais — onde os metropolitas de Salzburg, Virgílio e Arno multiplicaram as missões —, os próprios países ávaros — trabalhados pelos mensageiros de Paulino de Aquileia —, e até tribos eslavas — onde os missionários católicos do Ocidente entravam em concorrência com os que Bizâncio começava a enviar —: eis o imenso trabalho que se empreendeu a fim de fazer arraigar a semente do cristianismo onde o gládio de Carlos abrira os primeiros sulcos.

Rumo a Jerusalém por Bagdá

Há outro aspecto da "política cristã" de Carlos Magno que impressionou muito os seus contemporâneos, um aspecto que se presta à fantasia e que põe, nesta carreira em que não abunda a poesia, uma nota de um encanto exótico, semelhante à que a visita da rainha de Sabá imprimiu ao reinado de Salomão: as relações com o califa de Bagdá, Harun-al-Rachid.

Depois da revolução de 750, que elevara os abássidas ao califado e que deslocara para a Mesopotâmia o núcleo do islã, o império muçulmano assumira as características de um Estado centralizado e autoritário, em que a religião servia de apoio à monarquia absoluta. "Comendador dos crentes", o califa de Bagdá exigia de todos os povos dos seus domínios — o Iraque, a Pérsia, a Síria e o Egito — uma plena adesão à doutrina do Alcorão e uma submissão sem desfalecimentos. A secessão da África do norte, do Marrocos e da Espanha, se por acaso o irritava, certamente não lhe causava senão uma preocupação mínima. Era um soberano temido e faustoso, que, por intermédio dos seus vizires e das diversas secções do *divan* — administração copiada dos reis persas —, exercia uma autoridade minuciosa. Bagdá, a capital, era o mercado do Oriente, um centro financeiro de primeira ordem, uma cidade de artes e de letras. Ia longe o tempo em que o sucessor do cameleiro da Arábia vivia como qualquer simples fiel numa pequena casa dos arredores de Medina.

Na época de Carlos Magno, reinava em Bagdá *Harun-al--Rachid* (786-809), homem inteligente, culto e relativamente simpático — no sentido de que, para ele, o carrasco ainda não era o principal ministro do governo, nem o tapete de couro — sobre o qual se procedia às execuções capitais — o sinal máximo do poder, como acontecerá com muitos dos seus sucessores. Talvez nenhum príncipe do Oriente tenha igualado o esplendor deste grande califa; vivendo no palácio da "Porta de Ouro", cuja famosa cúpula verde se elevava cento e vinte pés acima da planície mesopotâmica, entre tapetes e colgaduras sem preço, no meio de uma gigantesca corte de servidores, parentes, concubinas e eunucos, bem merecia ser considerado protagonista das *Mil e uma noites*; mas era também um hábil diplomata e um bom soldado.

Entre ele e Carlos, entabularam-se relações que a princípio se deveram somente a razões políticas. Inimigo do emir omíada de Córdova, em quem via "um miserável rebelde, bom apenas para decapitar", o califa de Bagdá não podia deixar de oferecer o seu apoio ao guerreiro franco que combatia esse inimigo comum. Por outro lado, como ambos desconfiavam bastante de Bizâncio, o carolíngio e o abássida não precisavam senão deitar um olhar sobre o mapa para se aperceberem da manobra mais óbvia a executar contra o basileu: o cerco. A estas razões, de ordem prática, Carlos Magno acrescentava uma outra, pois também neste caso política e religião se associavam nos seus planos de ação. Jerusalém e os lugares santos, para onde as peregrinações se tornavam cada vez mais frequentes e numerosas, encontravam-se sob o domínio do califa, e as comunidades cristãs que lá residiam imploravam com todas as suas forças a proteção do imperador franco: basta lembrarmo-nos das chaves do Santo Sepulcro e da cidade de Jerusalém que lhe enviaram solenemente na véspera da sua coroação. Poderia Carlos Magno ficar surdo a tais súplicas?

As relações entre os dois soberanos caracterizaram-se pelas trocas de presentes, a respeito dos quais os cronistas carolíngios se estendem com encantadora complacência. Foi grande o pasmo, em Aix-la-Chapelle, quando se viram chegar jogos de xadrez artisticamente esculpidos em marfim, perfumes desconhecidos, um relógio acionado por um intrincado mecanismo hidráulico, e até elefantes e outros animais estranhos! Aliás, é provável que essas oferendas tenham influenciado a arte carolíngia. Mas os embaixadores que vinham trazer essas maravilhas certamente se ocupavam também de questões mais sérias. É de suspeitar que o califa teve alguma coisa a ver com a política que Carlos seguiu na Espanha e com a tenacidade de que deu provas para se firmar na Península; e é possível que certos rumores sobre movimentações de tropas que, de Bagdá, se faziam ouvir muito oportunamente em Constantinopla, tivessem contribuído para o reconhecimento do imperador do Ocidente pelo basileu, em 813.

Foi neste clima de amizade que Carlos Magno obteve do seu "colega" do Oriente que todas as comunidades cristãs da Palestina, bem como os peregrinos que se dirigiam aos lugares santos, se beneficiassem da proteção franca. Não se tratava, é óbvio, de um "protetorado" no sentido político do termo; os direitos concedidos aos representantes de Carlos Magno deviam parecer-se com os que o direito internacional hoje reconhece aos cônsules. Mas, mesmo tal como era, esse ato revestia-se de uma importância enorme. Marcava-se a rota das futuras cruzadas, e o Ocidente francês punha o pé no Oriente, de tal forma que a palavra *franco* designará no Levante, até aos nossos dias, qualquer ocidental, como sinônimo de *rumi*, adepto de Roma. Neste ponto, como em tantos outros, a civilização cristã ficou em dívida por muitos séculos com o filho de Pepino.

"O piedoso guardião dos bispos"

Será necessário mencionar a contrapartida da admiração que a sua obra suscitou e que é inegável? O futuro cristão, para o qual Carlos Magno trabalhou tão bem, não continuou a ser desfigurado por ele com feridas que demorarão um longo tempo a cicatrizar?

Todas as críticas que se possam fazer ao grande imperador, pelo menos do ponto de vista do cristianismo, estão resumidas no termo com que o monge Saint-Gall, um dos seus melhores cronistas, o designa sem má intenção: "o piedoso guardião dos bispos". Cumprimento assaz impensado... Toda a questão reside em saber até que ponto convém que um soberano se autonomeie e seja reconhecido como "guardião" da Igreja.

É na psicologia religiosa do próprio Carlos, no mais profundo da sua personalidade, que devemos procurar a origem dessa atitude. O descendente do velho Pepino e do bispo Arnulfo — em quem se uniam os dois elementos fundamentais do Ocidente de então, o sangue dos guerreiros germânicos e o dos santos prelados galo-romanos —, o leitor de Santo Agostinho, o cristão profundamente compenetrado dos seus deveres, não podia conceber o seu cargo de outro modo que não "governar em todas as igrejas de Deus e protegê-las contra a maldade". Não lera ele no capítulo V da *Cidade de Deus* que só merecem ser considerados felizes, não os reinados dos soberanos que venceram os seus inimigos e mantiveram os seus súditos na ordem, mas sim os "daqueles que usaram do seu poder para a propagação do culto divino e que assim temeram e adoraram a Deus"? Toda a ambição de Carlos Magno foi, certamente, traduzir em atos esses princípios, mesmo que não o tenha conseguido senão em parte. Por isso, da mesma forma que o vimos preocupar-se na sua política externa de proteger e engrandecer a Igreja, encontramo-lo igualmente preocupado — como ele próprio diz — em "robustecer interiormente a Igreja no conhecimento da fé católica" e em "velar para que cada um, conforme os seus dotes, as suas forças e a sua situação, se aplique ao santo serviço de Deus". No estado de dependência do seu poder em que a Igreja se encontrava de fato, essas intenções não podiam senão levar à mais completa confusão do espiritual com o temporal. E foi o que aconteceu.

A confusão do espiritual com o temporal é a noção básica a que temos de voltar uma e outra vez quando procuramos compreender a política religiosa de Carlos Magno. Aliás, ela mesma se apresenta assim aos olhos de todos, com a maior ingenuidade. A fórmula de notificação dos atos imperiais, por exemplo, começa sempre por estas palavras: "Saibam os espíritos dos fiéis da Santa Igreja de Deus e de nós mesmos..." Quem diz *fiel* diz, portanto, ao mesmo tempo, cristão e súdito do imperador... Há até uma espécie de ministério que transmite essa confusão aos fatos: é a *Capela Imperial*, dirigida pelo *esmoler-mor* e composta por toda uma plêiade de clérigos que, entre as suas atribuições, têm a de cuidar do serviço divino no oratório imperial, mas que ao mesmo tempo estão encarregados da chancelaria-mor, isto é, fiscalizam todos os assuntos em andamento, tanto as nomeações de bispos como as decisões da justiça, as relações diplomáticas como o ensino.

Toda a hierarquia da Igreja é vigiada pelo soberano. É ele, praticamente, quem nomeia os bispos e os abades das grandes abadias, com uma liberdade que nenhum merovíngio, e talvez mesmo nenhum basileu, jamais chegou a ter. Os bispos são, literalmente, funcionários colocados sob a *Mainburg* do príncipe, a quem prestam o seguinte juramento: "Ser-vos-ei fiel e obediente, como homem vassalo do seu senhor", e alguns recebem ordem de deixar a sua diocese e mudar-se para a corte, onde têm necessidade deles. Outras vezes, é um abade que tem de executar uma verdadeira ordem de mobilização, e dirigir-se com um contingente previamente fixado a este ou àquele lugar. Os *missi dominici*, enviados do rei, que andam por toda parte inspecionando tudo, contam sempre bispos entre eles — são, geralmente, um bispo e um alto funcionário —, e esses inspetores políticos decretam verdadeiras sentenças judiciais. Temos de confessar que os nossos costumes dificilmente se acomodariam a semelhante utilização da Igreja como organismo superior de polícia.

Nas grandes assembleias do Império, constatamos a mesma confusão do temporal com o espiritual. Nos Campos de Maio, herança germânica, acotovelam-se bispos e guerreiros nobres, e ali se debatem questões militares e coisas religiosas à mistura. Aliás, é frequente que, nesse mesmo lugar e ao mesmo tempo, se reúnam os concílios nacionais. Durante o reinado de Carlos Magno, houve dezesseis assembleias capitulares e dezesseis concílios nacionais, e o soberano presidiu a umas e a outros. Mais ainda: as capitulares que, em princípio, são leis civis, completam e corrigem as decisões dos concílios. Ficamos estupefatos com as questões sobre as quais o governo imperial pensa dever legislar: descanso dominical, assiduidade nos ofícios, maneira de administrar o Batismo, obrigação da esmola, disciplina monástica, recitação quotidiana do *Pater noster*, e até a necessidade de acreditar no Espírito Santo... E tudo isso sancionado com penas severas! Em matéria penal, a confusão é completa; as infrações aos mandamentos de Deus e da Igreja são punidas com prisão e outras penas corporais; por outro lado, ao castigo de um crime ou à repressão de um delito, a lei acrescenta uma "penitência" em boa e devida forma.

Desta maneira, o Império carolíngio aparece-nos como uma enorme administração clerical, em que tudo está organizado com vistas simultaneamente à glória do monarca e à exaltação da religião — coisas que, no pensamento de Carlos, significam exatamente o mesmo. E em tudo isso, o papa é uma figura bastante apagada. Há aí, sem sombra de dúvida, uma subversão de valores, não teórica mas prática, contra a qual a Igreja, por enquanto, nada pode fazer.

Mas não terá a Igreja tirado algum benefício dessa situação? Sem dúvida. Os quarenta e cinco anos do reinado de Carlos Magno foram, sob alguns pontos de vista, uma época de esplendor para o cristianismo. As sobrevivências pagãs e as superstições, as práticas heterodoxas ou duvidosas, os encantamentos e o uso dos amuletos, tudo isso foi severamente reprimido, e os soberanos pontífices, bem como os concílios, felicitaram diversas vezes o imperador por esse motivo. A implantação definitiva da fé cristã em todas as velhas regiões galo-romanas deu-se certamente nesta época.

Outro benefício que a Igreja tirou da proteção real foi o enorme desenvolvimento dos mosteiros; a época carolíngia viu-os surgir em grande número, favorecidos por imunidades, doações e privilégios, e os que já existiam progrediram consideravelmente. Deixando de ser, antes de tudo, colônias de ascetas que se entregavam ao trabalho por razões espirituais, as grandes abadias tornaram-se cada vez mais focos de uma intensa vida espiritual e econômica. Mosteiros enormes, como Saint-Gall, Fulda, Reichenau, Saint-Wandrille, Fernières e Corbia, desempenharam um papel-piloto em vastas regiões. Fulda explorava mais de quinze mil parcelas de terras de cultivo. Em Corbia e em Saint-Gall, cujos planos possuímos, veem-se em volta das abadias verdadeiras cidades, com as suas igrejas, as suas escolas, as suas oficinas, os seus hospitais, os seus moinhos e as suas herdades. Tal desenvolvimento só se tornou possível porque a administração imperial o fomentou: um mosteiro implantado em qualquer região era um pilar em que o Império se podia apoiar.

É certo que havia para os monges contrapartidas um tanto desagradáveis: a obrigação de fazerem "presentes" ao soberano num sem-número de circunstâncias, dever de hospitalidade não somente em relação ao príncipe e ao seu séquito, mas também à nuvem de mensageiros — funcionários ou outros — que, para isso, recebiam autorização real; nomeações políticas e diplomáticas que não se podiam declinar, bem como o apelo às armas. Conscientes dos serviços que o Estado lhes prestava, os abades só elevavam os seus protestos em voz muito moderada.

Além disso, entre o clero, quem se atreveria a censurar os atos de um soberano tão excelente, tão poderoso e tão bem intencionado, desse soberano que acabava de assegurar a prosperidade de todas as paróquias ao converter o *dízimo* numa instituição estatal? O costume, estabelecido aos poucos, de pagar à paróquia uma taxa em espécie no montante de um décimo dos rendimentos, costume que até então se punha em prática de forma mais ou menos arbitrária, foi codificado pelas capitulares de 779 e 794, que o tornaram obrigatório: o "costume sagrado" transformou-se em imposto. O clero passou a receber dez por cento de todas as colheitas, de todos os lucros do artesanato ou do comércio, e essa receita era dividida em quatro partes: uma para o cura-ecônomo da paróquia, a segunda para a sustentação do culto, a terceira para o bispo e a quarta para os pobres e obras sociais. Bem se podia perdoar que Carlos Magno, em caso de necessidade, confundisse os bens da Igreja com os do Estado, ou requisitasse os tesouros de um bispado ou a cavalaria de um mosteiro.

Os contemporâneos também não lhe levaram a mal outro tipo de intervenções, que nos parecem ainda mais surpreendentes: intromissões na própria vida da Igreja, na sua disciplina, nos seus dogmas e, até, nas consciências dos fiéis. Passemos por alto que o rei controlasse a organização administrativa eclesiástica, confirmando a existência das antigas metrópoles e criando, por razões políticas, os arcebispados de Mainz e de Salzburg, sem no entanto deixar que se estabelecesse o sistema estritamente hierárquico que muitos clérigos teriam desejado[26]. Passemos por alto ainda que era ele quem escolhia os arcebispos, nomeava os bispos e exigia que todos recorressem a ele antes de recorrer ao papa, uma vez que o episcopado se tinha deixado transformar num corpo de altos funcionários e o próprio pontífice concordara em conservar somente o direito de conferir aos arcebispos o *pallium* — a faixa de lã branca que era o símbolo dos seus poderes —; tudo isso ainda podia passar por normal: eram coisas da política e da administração. O que é anormal, porém, é que se tenha visto o imperador imiscuir-se na reforma do clero! Os seus predecessores, principalmente o seu pai, tinham ajudado os reformadores nessa tarefa, mas Carlos Magno quis assumi-la pessoalmente por inteiro.

Apesar de tudo, porém, os resultados dessa ação imperial estiveram longe de ser maus na prática. Muito consciente de estar representando a vontade divina — que, evidentemente, coincidia com a sua —, o "piedoso guardião" empenhou-se em escolher para os bispados homens de fé qualificados e sábios, que na maior parte das vezes vira com os seus próprios olhos trabalhando na Capela. Foi uma reação completa contra os escandalosos procedimentos do tempo de Carlos Martel, e o episcopado de Carlos Magno fez boa figura, com personagens como São Chrodogan de Metz, Arn de Salzburg, Lull de Mainz, Teodulfo de Orleans, Hincmar de Reims: homens de caráter enérgico e vigoroso, que não teriam talvez a doçura e a moderação como virtudes mais evidentes, mas que eram consciências retas, doutrinal e moralmente sólidas, cheias de um espírito de conquista para a fé.

Carlos Magno aplicou a todos os elementos da Igreja esses princípios de reforma. O clero secular foi objeto de cuidados de que até então nunca se beneficiara: foram-lhe exigidos não só costumes puros, como também um mínimo de conhecimentos. O bispo ou o seu delegado tinha obrigação de investigar periodicamente, por meio de exames orais, se os padres tinham noções suficientes de latim, de dogma e de liturgia. Uma lei obrigou os curas a pregar em língua vernácula todos os domingos. Da mesma maneira, Carlos Magno quis impor ordem e unidade aos mosteiros. Foram promulgados regulamentos estritos para a admissão de monges, e acabou-se com os *giróvagos*, que mudavam constantemente de casa. O imperador mandara vir de Monte Cassino o texto autêntico da *Regra* de São Bento, que lhe pareceu a melhor, e como na mesma ocasião um grande monge, *São Bento de Aniana*, trabalhava com todo o entusiasmo a favor da unidade na observância monástica, Carlos e seu filho Luís de Aquitânia (o futuro Luís, o Piedoso) apoiaram-no em tudo. Grandes abades, como Esmaragdo de Saint-Mihiel, seguiram as suas pegadas, e o triunfo definitivo da regra beneditina data desta época.

Nem mesmo os simples leigos escaparam à minuciosa e autoritária solicitude do rei. "Cada um deve saber recitar o *Credo* e o *Pater noster* — dizia uma capitular —, e, se for necessário, será forçado a isso por meio do jejum e da penitência". A piedade torna-se, pois, um dever social, e aquele que pratica mal o seu cristianismo é um rebelde e um anarquista! Tais foram os princípios que um policiamento vigilante levou à prática. Tudo estava condimentado com aquele gênero de regulamentação minuciosa que é tão do agrado dos ditadores; era obrigatória a assistência às *Rogações*, sob pena de multa, assim como às preces públicas de agradecimento após uma vitória (e havia tantas!), sob pena de prisão; e aquele a quem nascesse um filho não precisava ser avisado de que devia arranjar um padrinho e uma madrinha que tivessem um mínimo de conhecimentos da doutrina cristã, pois, caso contrário, os três podiam passar um mau bocado...

Se a moral foi objeto dos mais minuciosos cuidados, a liturgia também não foi desprezada, pois acontecia que o imperador se deliciava com ela. E também aqui mostrou o seu desejo de unidade. Na Gália, a liturgia, os sacramentários e os missais eram ainda locais, imitados dos antigos modelos bizantinos. Por ocasião da viagem a Roma, em 781, Carlos Magno ficara impressionado com a beleza e a simplicidade da liturgia que ali vira, e pediu então ao papa Adriano que lhe fornecesse os sacramentários e o missal romano, a fim de introduzir no seu Império essa maneira de celebrar os ofícios. Assim a liturgia romana e o canto gregoriano se espalharam pelos domínios submetidos aos francos, completados com elementos extraídos dos usos galicanos (raras foram as dioceses, como Lyon e Milão, que resistiram a esse furor planificador). E as obras litúrgicas de um certo Amalário de Metz, discípulo de Alcuíno, imporiam a sua autoridade em toda a Idade Média.

Pouco a pouco, vemos o infatigável imperador imiscuir-se em todos os assuntos que diziam respeito à Igreja, mesmo nos mais essenciais: as próprias bases da fé. Nesta ordem de ideias, nada há de mais curioso do que a história do *Filioque*. Um cânon do Concílio de Toledo de 589 tinha definido, contra as teses arianas, que o Espírito Santo procede do Pai e do Filho ao mesmo tempo: *Filioque procedit*. Tendo-se entusiasmado com esta fórmula, Carlos Magno mandou adotá-la no *Credo* que se cantava na sua capela. Quando a inovação foi conhecida no Oriente, rangeram os dentes; o Espírito Santo — afirmavam os orientais — procede do Pai *pelo* Filho, mas não do Pai *e* do Filho. Tratava-se de um *distinguo* sutil, que o teólogo Carlos provavelmente não compreendeu. No entanto, manteve a sua inovação, mesmo contra o papa Adriano, que fizera as suas reservas sobre a oportunidade dessa precisão. Em 808, alguns monges latinos do Monte das Oliveiras de Jerusalém, acusados de heresia pelos seus vizinhos gregos pelo fato de cantarem o *Filioque procedit*, pediram a Leão III que pusesse termo ao debate.

O papa, preocupado em evitar um conflito, sugeriu a Carlos que renunciasse à fórmula, mas o imperador teimou, chamou em seu auxílio excelentes teólogos como o bispo Teodulfo e o abade de Saint-Mihiel Esmaragdo, e a verdade é que o uso de Aix acabou prevalecendo mesmo em Roma; ainda hoje, por vontade do imperador, continuamos a recitar o Credo com esse acréscimo.

Outros incidentes mostram ainda a interferência do soberano nas questões dogmáticas mais difíceis, e sempre com o mesmo vigor categórico. Assim, quando o *culto das imagens* foi legitimado em 787 pelo segundo Concílio de Niceia, Carlos Magno e o seu clero franco saíram a campo simultaneamente contra Bizâncio e contra Roma. A tradução latina das decisões conciliares parecia-lhes equívoca, e além disso os germanos sempre tinham manifestado uma certa desconfiança quanto à representação da figura humana, acentuada pela profunda influência do Antigo Testamento. Carlos convidou os seus teólogos a compilarem tratados contra o Concílio — que foram publicados sob o seu nome: *Livros carolinos* —, e chegou mesmo a mandar um embaixador ao papa, especialmente incumbido de lhe transmitir oitenta e cinco *repreensões*, e a reunir em Frankfurt, em 794, um concílio antiniceano... Foi só em fins do século IX — e depois de alguns excessos iconoclastas, principalmente na Turíngia — que a doutrina ortodoxa sobre esta questão triunfou totalmente no Império franco.

Em contrapartida, o mesmo concílio de Frankfurt de 794 deu o seu total apoio ao papa na questão do *adopcionismo*, heresia criada na Espanha por dois bispos que, julgando resolver assim as dificuldades sobre a natureza de Cristo, sustentavam que Ele era "filho adotivo" de Deus. Como um desses bispos vivia na zona dominada pelos mouros, não foi possível levá-lo a submeter-se, e a sua pequena igreja herética conseguiu sobreviver; mas em todas as regiões dominadas pelos francos, o erro foi impiedosamente perseguido[27].

Devemos confessar que esta constante intervenção do poder em assuntos religiosos nos causa um certo constrangimento. A confusão era ainda pior, de certo modo, do que em Bizâncio, onde a religião constituía apenas um setor dos serviços do Estado, ao passo que no Império franco andava misturada com todos os serviços. Mas deve-se fazer uma reserva, uma reserva que viria a revelar-se essencial: devido ao próprio fato de o imperador ser sagrado pelo papa, a Igreja mantinha a sua supremacia, embora esta supremacia não pudesse deixar de ser meramente teórica enquanto o soberano fosse um homem da envergadura do grande Carlos; mas a situação mudaria com os seus fracos sucessores. Enquanto em Bizâncio a coroação só tinha lugar muito depois de o novo basileu se ter instalado no poder, mais como um cerimonial do que como ato decisivo, no Ocidente era a essência do acontecimento. O fato de a Igreja conservar o privilégio de "fazer o imperador" era, pois, da maior importância.

Por outro lado, a própria confusão do espiritual e do temporal não deixou de ter algum resultado feliz. A Igreja viu-se obrigada a intervir, mais sistematicamente do que nas épocas precedentes, em tudo o que constituía as bases da civilização. É verdade que, muito antes de Carlos Magno, já ela se interessara — sozinha — pelos problemas sociais e pelo ensino. Mas agora passou a haver uma compenetração oficial, uma aliança íntima entre as autoridades eclesiásticas e as civis. Foi à Igreja que o governo imperial confiou a obrigação cristã — que Carlos Magno levava muito a sério — de socorrer os miseráveis, os enfermos e as crianças abandonadas; como a quarta parte dos dízimos era aplicada nestas obras, o consequente enriquecimento dos institutos religiosos com abundantes donativos alimentou, na prática, um verdadeiro e poderoso fundo de assistência social.

Da mesma maneira, o ensino foi literalmente deixado a cargo da Igreja. Se Carlos Magno realizou uma reforma escolar que devia assumir uma importância decisiva, foi porque não queria que o seu clero continuasse ignorante, e foi também aos próprios padres e monges que confiou essa reforma. A partir daí, o clero tornou-se sistematicamente pedagogo. Os simples curas de aldeia receberam ordem de dar aulas às crianças. As grandes abadias e as catedrais tiveram todas, ao seu lado, escolas que nós chamaríamos "secundárias" e "superiores"; nas primeiras, ensinavam-se os três conhecimentos primordiais: a gramática, a retórica e a dialética, o chamado *trivium*; nas outras, ministrava-se o *quadrivium*, a alta cultura: aritmética, geometria, música e astronomia. Algumas destas escolas alcançaram um renome verdadeiramente europeu, como as de Corbia, de Saint-Wandrille, de Aniana, de Fulda e, acima de todas, a de São Martinho de Tours, bem como a *Escola palatina* de Aix-la-Chapelle, viveiro de altos prelados e de grandes funcionários, cujos cursos Carlos Magno e os filhos gostavam de seguir, e onde lecionavam os melhores espíritos do tempo.

É desnecessário dizer que, neste domínio, como aliás em todos os outros, a confusão do político com o eclesiástico era total: os bispos ou os abades que o imperador enviava como *missi dominici* deviam também desempenhar o papel de inspetores-gerais do ensino, e, em sentido contrário, havia fiscais do soberano que examinavam os sacerdotes para avaliar os seus conhecimentos. Uma história célebre, referida pelo monge de Saint-Gall, mostra-nos Carlos Magno inspecionando pessoalmente a Escola Palatina, interrogando os alunos, felicitando os melhores, censurando os outros, e sobretudo repreendendo severamente os jovens nobres preguiçosos, com a ameaça de que daria as altas funções, abadias e bispados, aos seus companheiros mais modestos, se eles não trabalhassem mais. Foi a esta reforma escolar de Carlos Magno que a Igreja ficou devendo o privilégio de ser a grande mestra da cultura, um privilégio que ela conservaria até à época moderna e que viria a ser decisivo na elaboração da civilização no Ocidente. A Universidade de Paris, ao fazer de "São Carlos Magno" o seu patrono por volta do século XVIII, talvez não tivesse razão ao canonizar o grande homem, mas o testemunho de gratidão que lhe rendeu não foi imerecido[28].

A Renascença carolíngia

Em parte alguma a compenetração do cristianismo e do poder imperial deu origem a resultados mais felizes do que nesse grande evento intelectual que se chama "a Renascença carolíngia". É-nos difícil imaginar como era baixo o nível cultural no momento em que Carlos Magno subiu ao poder. A decadência política dos merovíngios fora paralela a um verdadeiro desmoronamento das coisas do espírito: o latim escrito tornara-se horrível, a poesia e a própria teologia estavam quase abandonadas, e a arte agonizava, separada das suas fontes orientais pela invasão árabe e esterilizada pela anarquia. Desse ponto de vista, a Europa central mostrava-se atrasada não só em relação a Bizâncio, ao califado de Bagdá ou à Espanha, mas até à Grã-Bretanha anglo-saxônica e à Itália lombarda. Já não se construía, e nem mesmo se dispunha dos meios necessários para continuar com a suntuosa ornamentação que fizera a glória das basílicas merovíngias. Era uma verdadeira derrocada...

O meio século durante o qual reinou o imperador veio romper este desmoronamento mortal. Os contemporâneos tiveram nitidamente o sentimento de encontrarem uma nova esperança. Se Eginhard via em Carlos um novo Augusto, e se o bispo Modoin de Auxerre descrevia o seu tempo como o de uma ressurreição, ambos tinham razão. O gênio deste homem e a grandeza do seu caráter mostram-se com mais clareza exatamente no fato de este guerreiro quase inculto ter compreendido a importância da obra civilizacional, e de se ter consagrado a ela pessoalmente. Ainda que viesse a ser efêmera — como efetivamente foi —, a Renascença carolíngia havia de estabelecer um novo patamar e, com o correr dos tempos, ergueria uma espécie de baluarte em que a inteligência se poderia apoiar para travar a dura luta contra a barbárie do espírito. Em certo sentido, foi mais importante que o Renascimento infinitamente mais brilhante do século XV. Por vontade de Carlos e pelas próprias condições em que se realizou, esta Renascença ia, durante séculos, tornar o cristianismo inseparável de toda a atividade intelectual do Ocidente.

O centro vivo dessa Renascença foi *Aix-la-Chapelle*, antiga *villa* do tempo de Pepino, o Breve, afastada das principais estradas romanas, da qual — devido ao seu recolhimento e à beleza da sua situação — Carlos Magno fez a partir de 794 uma Versalhes carolíngia. A situação geográfica da nova capital provocou muitas discussões: por que se escolheu esta região renana, de preferência a qualquer cidade da Gália ou até a Roma? Teria sido pela sua posição central no Império, tal como Carlos Magno o concebia? Ou porque era vizinha da ameaçadora Saxônia? Ou seria porque o descendente de Pepino de Landen queria manter-se fiel à tradição austrasiana, ao contrário dos merovíngios, que se haviam tornado cada vez mais neustrianos? Ou ainda, porque, uma vez quebrado o eixo mediterrâneo pela invasão islâmica, já não convinha dominar o mar, mas sim o continente? Todas estas razões devem ter pesado juntas. Seja como for, a verdade é que, na última década do seu reinado, ali se erguia uma magnífica cidade, agrupada em torno do palácio imperial — residência de Carlos Magno e centro dos serviços do Estado —, com uma população de aproximadamente quarenta ou cinquenta mil almas, e cujos monumentos, infelizmente destruídos pelo fogo no século XIII, suscitavam a admiração dos contemporâneos.

Aix foi o centro do renascimento intelectual; mais particularmente, a *Escola palatina*, no centro de Aix, uma espécie de quartel-general do espírito, cuja luz banhava todo o Império por intermédio de institutos similares ligados às abadias e aos bispados. Como um legítimo espírito europeu, Carlos Magno ali reuniu à sua volta tudo o que havia de valor no domínio da cultura, sábios, letrados e teólogos: do sul da Gália, Agobardo e Teodulfo, um refugiado godo da Espanha; das ilhas anglo-saxônicas, Alcuíno; da Itália, Paulo Diácono, Pedro de Pisa e Paulino de Aquileia; da Irlanda, Clemente e Dungal, e dos países francos, Angilberto e Eginhard. Mandou procurar por toda parte o que sobrevivera da civilização intelectual, quer entre os lombardos, longínquos herdeiros de Boécio e de Cassiodoro, quer entre os espanhóis, filhos espirituais do enciclopedista Isidoro de Sevilha, quer sobretudo nas ilhas da Bretanha, onde importantes personalidades, como Beda, o Venerável[29], haviam provocado já um século antes um verdadeiro *pré-renascimento* anglo-saxônico. As provas de confiança e de amizade que o imperador deu a estes intelectuais foram inumeráveis: de um deles — Angilberto —, fez seu genro, e a outros, como Alcuíno e Teodulfo, cumulou-os de ricas doações de bispados e de mosteiros.

Vários destes homens foram, certamente, personalidades de primeira magnitude, a começar por *Alcuíno* (735-804), antigo aluno dos mosteiros beneditinos ingleses e diretor da escola episcopal de York, com quem Carlos simpatizara por ocasião de um encontro na Itália, e de quem fez "seu primeiro-ministro intelectual" — no dizer de Guizot —, nomeando-o superior da Escola palatina, seu auxiliar e seu inspirador na obra escolar. Sábio de gabinete, sem contato com o exterior, um pouco pedante mas benevolente e cheio de curiosidade intelectual, Alcuíno exerceu uma enorme influência, não só pelos seus tratados teológicos, pelos seus panfletos contra o adocionismo, e pelos manuais de piedade, que incluíam um catecismo, mas mais ainda pelo seu ensino: discípulos tais como Rábano Mauro testemunham o valor deste mestre. Também foi seu aluno o lombardo Warnefrid, chamado *Paulo Diácono*, o historiador do povo lombardo que Carlos encontrou em circunstâncias comoventes: Paulo viera pedir-lhe que perdoasse um irmão seu, condenado por rebelião. Era um homem culto, bom helenista, poeta, historiador infatigável, a quem o imperador pedia que lhe explicasse tanto a topografia de Roma como os rudimentos da gramática latina ou da epigrafia; era, acima de tudo, um homem santo, que comentou com amor a *Regra* de São Bento e que quis acabar os seus dias no mosteiro de Monte Cassino. Por fim, *Eginhard*, um dos raros leigos cultos da corte, tão artista quanto letrado, que foi ao mesmo tempo arquiteto-chefe dos monumentos reais e sucessor de Alcuíno à frente da Escola palatina, e a quem devemos a biografia mais completa e mais documentada do imperador, muito viva apesar do recurso exageradamente frequente a Suetônio.

Os expoentes desta plêiade de eruditos e de letrados constituíam um cenáculo, um pequeno grupo fechado, que os historiadores se acostumaram a chamar "Academia palatina". Cada um dos membros atribuía a si próprio um epíteto que ia buscar à Antiguidade. O próprio Carlos Magno, que não desdenhava presidir a esta douta assembleia, era identificado com Davi — um nome que, se por um lado sobre-estimava o poder do cantor dos Salmos, por outro abusava dos dons poéticos do filho de Pepino... Da mesma maneira, Alcuíno chamava-se Horácio e Angilberto Homero. Nas sessões desta Academia, se ainda não se pensava em organizar uma enciclopédia, pelo menos já se discutiam elevadas questões de literatura e de teologia, e se debatiam os assuntos relativos à instrução pública.

Quais foram os resultados de esforços tão meritórios? Não devemos procurá-los no plano da criação: os autores deste período foram quase todos impessoais, limitando as suas ambições a refletir fielmente o passado. A compilação foi o grande e quase único método que empregaram, tanto nas puras letras, como em exegese, teologia e ascética. Pululavam — e haviam de pulular por muito tempo — as coleções de *Flores*, *Sententiae* e *Excerpta*, ou seja, as antologias. A obra mais original foi talvez a de Esmaragdo de Saint-Mihiel, autor místico nada desprezível, que dedicou ao imperador a sua *Voie royale*. No entanto, de uma maneira ainda modesta, a Renascença carolíngia foi fecunda, fornecendo instrumentos de trabalho à cultura intelectual. A *escrita* foi transformada: ao invés das ilegíveis cursivas merovíngias, apareceu — talvez inicialmente em Corbia — a *minúscula carolíngia*, bela e nítida, que Alcuíno e os monges de Tours aperfeiçoaram e popularizaram por toda parte. A *língua latina* — muito abastardada na França e na Itália, onde, continuando a ser língua viva, fora contaminada pelo linguajar bárbaro — foi muito melhorada pelos monges anglo-saxões, notadamente por Alcuíno, entre os quais se conservava como língua culta. As *obras literárias* clássicas, negligenciadas durante muito tempo, recuperaram o seu lugar de honra, mesmo entre aqueles para quem só contava a "divina sapiência": voltaram-se a estudar Virgílio e os grandes autores, passou a haver certa familiaridade — embora num estreito espírito escolástico — com Boécio, Cassiodoro e Beda, o Venerável, e a obra em que Marciano Capella compilara o *Sonho de Cipião* e as *Metamorfoses* de Ovídio desempenhou o papel de um verdadeiro manual pedagógico.

A cultura latina não foi a única a beneficiar-se com todos esses esforços; Carlos Magno, que amava a sua língua materna, trabalhou pessoalmente para o desenvolvimento daquilo que viria a ser, muito mais tarde, o *alto alemão*, eliminando as palavras de origem estrangeira, dando aos meses as denominações germânicas que ainda hoje conservam, redigindo uma espécie de gramática e mandando compilar as epopeias em que se cantavam as proezas dos heróis germânicos de outrora. Em tudo isso, encontram-se incluídos muitos dos elementos que hão de ser fundamentais na Idade Média.

Igualmente importante e decisiva para o futuro foi a obra realizada pela Renascença carolíngia no plano artístico, e também aqui foi preponderante a influência da Igreja. Devido ao fato de a liturgia ter adquirido nesta época o grau de desenvolvimento a que já nos referimos, a *música* foi objeto de numerosos cuidados: não houve catedral nem grande convento que não tivesse os seus chantres e as suas escolas de jovens cantores. E, como a construção, a decoração e o embelezamento da casa de Deus eram uma das maiores preocupações do imperador, a *arquitetura* e as *artes plásticas* conheceram tal desenvolvimento que Christopher Dawson bem pôde escrever: "Carlos Magno fundou uma sacra arquitetura romana, tanto quanto fundou um Sacro Império Romano". A bem dizer, a sua arquitetura não foi unicamente romana, mas, conforme as tendências que já se tinham manifestado na época merovíngia, misturava influências orientais e longinquamente asiáticas com a ressurreição de elementos clássicos. Tal como fizera com os escritores, Carlos Magno chamou para junto de si arquitetos e decoradores de todos os países; assim, Odon, um dos construtores da Capela Palatina de Aix, era armênio. Os artistas da Renascença carolíngia inspiraram-se em tudo: nas ruínas latinas de Tréveris, na Ravena de Teodorico, na Santa Sofia de Justiniano, nas construções célebres de Jerusalém, no estilo original dos edifícios armênios, e até no islã dos califas de Bagdá e dos emires de Córdova, rematando tudo com a arte compósita dos anglos e dos celtas, muito amigos de figuras geométricas, de animais estilizados e de belos ornatos entrelaçados. Tal como ocorrera no âmbito literário, o resultado mais importante deste esforço foi restituir ao Ocidente a técnica: depois da brita grosseira e do cascalho que compunham as paredes merovíngias, voltou-se à arte do acabamento fino; depois da desastrada quadratura dos capitéis, regressou-se a uma verdadeira escultura. No entanto, ao apoiar-se no estilo "clássico" e ao deixar de lado muitos daqueles elementos "bárbaros" que haviam feito a selvagem beleza das basílicas merovíngias, esta renascença deixou que se perdessem muitas forças vivas da arte arquitetônica.

Não possuímos muitos testemunhos da arquitetura do reinado carolíngio. Depois que a capela de Sankt Gherion de Colônia foi destruída em 1940, e depois que a aviação aliada danificou muito gravemente a encantadora capela de São Miguel de Fulda em 1945, restam apenas duas grandes obras carolíngias. Uma é a célebre capela palatina de Aix, transformada no coro da atual catedral, um poderoso conjunto octogonal coberto por uma cúpula sob a qual a luz difusa brinca nobremente com as formas atarracadas das esculturas e com os arcos solidamente calculados. A outra é Germigny-des-Prés, essa delicada obra-prima cujas massas perfeitas, de equilíbrio seguro, escoram com absidíolos e capelas uma bela torre central, que ergue a sua silhueta estranhamente exótica sob o céu francês de Orleans.

Parece que as mais belas obras arquitetônicas deste tempo tiveram o traçado de base em forma de cruz grega, ao passo que outras maiores comportavam uma nave longa, naves laterais, dois transeptos — um à entrada da nave e outro diante do coro —, conforme o modelo da igreja abacial de Steinbach, construída por Eginhard, e que as igrejas renanas copiarão. Nesta arquitetura do Império já se anuncia o estilo românico, pressentido na época merovíngia, mas que se encontra agora em pleno desabrochar. E se a rusticidade das formas ainda é pesada, embora comovente, já se preparam futuras audácias: é nos dias de Carlos Magno e dos seus fiéis que se impõe a ideia da abóbada em lugar do vigamento, uma ideia que os arquitetos merovíngios tinham ido buscar a Roma, mas que agora se vai tornar lei, sobrepujando todas as dificuldades técnicas e abrindo um futuro infinito à arte de construir.

A esta arquitetura, cuja nova nobreza impressionava os contemporâneos, o mosaico continuava a acrescentar o seu brilho maravilhoso. Como já se fizera anteriormente repetidas vezes, foi tomado de empréstimo a Bizâncio e a Ravena; literalmente "tomado de empréstimo", pois sabe-se que, com autorização do papa Adriano I, Carlos Magno mandou extrair da capital do exarcado mármores, esmaltes e outros materiais para ornamentar as suas construções. Com a sua técnica rígida, a sua fixidez e a sua diversidade de cores, a arte do mosaico afagava os olhos e exaltava as almas. Temos a sorte de conhecer o mosaico carolíngio, quando o dos merovíngios nos é praticamente desconhecido. No coro de Germigny, à luz dourada que sobe das pequenas fendas a que uma mão hábil restituiu os vitrais de alabastro, esta arte brilha em mil chamas, em que dominam o azul, o sinople e o púrpura, juncados de lágrimas de prata e de ouro; anjos, cujos corpos desposam a curva da ábside, pendem sobre a Arca da Aliança das antigas fidelidades bíblicas, ao mesmo tempo que as suas grandes asas se entrecruzam em pleno céu. Somente o mausoléu de Gala Placídia, em Ravena, nos pode dar uma impressão similar de discreto esplendor e de fulgor religioso.

O florescimento do mosaico devia ser breve, mas ao mesmo tempo a *escultura* começava a dar os seus primeiros passos, principalmente em belos trabalhos de marfim. E continuaria a crescer e a desenvolver-se na mesma linha em que se lançou nesta época: o hieratismo romano do século XI será um legado carolíngio.

Há uma outra arte medieval que ficou a dever muito à Renascença de Aix: a da *iluminura* e da *miniatura*. Importada, ao menos em grande parte, dos mosteiros anglo-saxônicos, onde já florescia há cento e cinquenta anos, incorporou diversos elementos decorativos novos, que foi buscar na Antiguidade ou no Oriente. Os famosos evangeliários de Viena mostram até que grau de perfeição chegaram os pintores desta época, e conhecem-se poucas páginas mais encantadoras em toda a arte religiosa que essa miniatura do breviário de Carlos Magno em que se vê a Igreja, sob a forma de uma fonte, acolher todos os seres da terra que lhe vêm pedir a "água viva". Os miniaturistas e os iluminadores carolíngios foram os antepassados diretos das notáveis escolas de pintura que a Renânia possuirá a partir do século X; por meio delas, a sua influência sobre o estilo artístico da Idade Média foi capital. Neste aspecto, como em tantos outros, o grande imperador modelou profundamente o futuro.

Lenda e verdade

A 28 de janeiro de 814, às 9 horas da manhã, em consequência de uma pleuresia fulminante, Carlos Magno entregou a alma a Deus. Ainda na madrugada desse dia, com um braço já quase imobilizado pela agonia, tentou fazer o sinal da Cruz. "E quando Carlos morreu — escreve Eginhard —, o mundo perdeu o seu pai". Foi certamente esta a opinião de todos os contemporâneos.

Por isso, mal o corpo do Senhor do Ocidente foi confiado ao mármore de um sarcófago antigo, sob a cúpula da capela palatina, a glória que tanto o iluminara em vida acabou de nimbar a sua fronte com traços de fogo. Teceu-se uma dupla conjuração espontânea para colocar Carlos Magno em plena lenda: a de todos esses milhares de homens que lhe ficaram devendo meio século de estabilidade, de ordem e de prosperidade, massa anônima aos olhos da qual o homem providencial é sempre maior do que a natureza; e a dos intelectuais, dos escritores e dos artistas, que lhe ficaram devendo as melhores das suas oportunidades e que estavam dispostos a amplificar em obras duradouras a lenda popular que acabava de nascer. Assim, mesmo antes de que a *Chanson de Roland* e as outras "gestas" viessem consagrar definitivamente o poderoso imperador como personagem de epopeia, três séculos mais tarde surgiam do fundo da consciência coletiva do Ocidente os dados da sua transfiguração poética.

Aureus Carolus!, dirá o bispo Jonas de Orleans: "Ele tinha o fulgor do ouro". Tudo o que fez, tudo o que tocou iluminou-se maravilhosamente. Os traços da sua vida passaram a ser acompanhados de milagres, copiados daqueles que se leem nos livros santos. Em breve se transformou no "imperador da barba florida", que sobreviveria em todas as memórias. Evocar-se-á a sua voz forte como o trovão, os sessenta mil clarins que precediam o seu cavalo, os milhares de cadáveres amontoados sob a sua espada, conhecida por *Joyeuse*, "a alegre"; citar-se-ão como exemplo o seu espírito de equidade, as suas justas cóleras, os seus ditos espirituosos e os seus gestos de cavalheirismo. Tudo isso se ordenará num conjunto de dados complexos, donde algum artista de grande talento extrairá mais tarde a *Chanson de geste* imortal.

A história, evidentemente, sofreu graças a esta transposição para a lenda. A verdadeira personagem eclipsou-se por detrás da imagem poética. O casto, sábio e razoável herói da gesta não tem muitos traços comuns com o verdadeiro chefe franco e com a realidade. Uma escaramuça de retaguarda, como Roncesvalles, transforma-se num admirável exemplo de sacrifício; um oficial obscuro, Rolando, proclamado o "belo sobrinho" do rei, passa a ser considerado uma espécie de santo. No entanto, no meio de toda esta fabulação, há uma verdade que subsiste: o testemunho cristão dado por este grande reinado impressionará de tal forma os contemporâneos que será o próprio eixo da lenda. Melhor ainda: desta transposição poética da realidade carolíngia, nascerá um determinado estilo de vida cristã, um estilo que se há de impor aos homens da cruzada e que fará de um Godofredo de Bulhões o herdeiro direto dos bravos do grande imperador.

Eis um milagre da poesia, cuja exigência profunda sobrevive no coração do homem, apesar das lições dos fatos e das desilusões. Maior ainda e mais admirável pareceu o imperador Carlos Magno àqueles que, meditando a sua figura no recuo dos séculos, erigiram a sua estátua sobre o triste pedestal dos seus indignos sucessores. A Europa cristã da Idade Média venerará uma espécie de modelo nesta sociedade ideal que, segundo se pensava, o poderoso chefe conduzira para a luz durante meio século. A realidade, no entanto, era menos brilhante e mais modesta, e o futuro imediato haveria de mostrar até que ponto esta tentativa de estabelecer uma cristandade ocidental se revelaria efêmera, e como a grandiosa construção do genial imperador ocultava uma secreta fragilidade.

Notas

[1] Cf. cap. I, par. *A bases do futuro.*

[2] Deu-se o nome de *agostinismo político* a essas teorias extraídas de maneira arrevezada do pensamento de Santo Agostinho. Cf. as notas bibliográficas ao presente capítulo.

[3] Cf. *A Igreja dos Apóstolos e dos Mártires*, cap. XII.

[4] Cf. as notas bibliográficas deste capítulo.

[5] Cf. o mapa da Itália no tempo de São Gregório, cap. IV.

[6] Cf. cap. IV, par. *São Gregório Magno.*

[8] Cf. cap. VI, par. *As dissensões religiosas e o despertar dos nacionalismos.*

[9] Cf. cap. IV, pars. *Os lombardos e o desmembramento da Itália* e *As primeiras missões pontifícias: o Batismo da Inglaterra.*

[10] Pelágio II (579-589) foi, aliás, profético neste assunto. Numa carta dirigida em 580 ao bispo Aunachar de Auxerre, declarava que a Divina Providência destinava os reis francos católicos a serem a salvaguarda de Roma e da Itália, dada a sua situação geográfica. A observação, como se vê, foi certeira.

[11] Cf. cap. IV, par. *"A vossa fé é a nossa vitória"*, fim, e cap. V, par. *A idade das trevas.*

[12] Cf. o mapa da Gália por ocasião da morte de Clóvis, cap. IV.

[13] Cf. cap. IV, par. *São Bonifácio, pai da Germânia cristã.*

[14] Cf. cap. V, par. *A reforma, princípio fundamental da Igreja*, fim.

[15] Cf. cap. IV, par. *O retorno dos arianos ao seio da Igreja*, fim.

[16] Até essa data, os papas costumavam datar os seus atos oficiais segundo os reinados dos imperadores bizantinos. A partir de 737, as datas imperiais passaram a ser negligenciadas, e em 775 o papa Adriano datará um ato ao mesmo tempo pelos anos do imperador do Oriente e pelos do "patriciado" de Carlos Magno.

[17] Pelo menos em alemão, em francês e nas línguas latinas. O termo *Carolus Magnus*, possivelmente usual já em vida de Carlos, parece ter sido escrito pela primeira vez em 841, por seu neto Nithard, na *Histoire des fils de Louis le Pieux*.

[18] É provável que a influência da rainha Berta tenha também levado os seus filhos a escolher como capitais Laon e de Soissons, situadas na Nêustria e já não na Austrásia, fato que revela uma tendência da política a avançar para o oeste, abandonando a política germano-romana de Pepino, que seria mais tarde retomada por Carlos Magno.

[19] Foi depois destes graves incidentes que o Concílio de Latrão de 769 proibiu que qualquer leigo apresentasse a sua candidatura ao trono pontifício, decisão aliás mais teórica do que exequível. A usurpação de Constantino terminou de forma brutal: uma vez deposto, foram--lhe vazados os olhos, e alguns dos seus fiéis tiveram arrancados os olhos e a língua. Passado pouco tempo, porém, os responsáveis por esses horrores foram por sua vez vítimas dos mesmos...

[20] Lembremo-nos de que esta era feita de ouro, como todas as coroas reais, mas estava montada sobre um aro de ferro no qual, segundo se dizia, tinha sido fundido um cravo da verdadeira Cruz.

[21] Lembremo-nos de que as Ladainhas maiores são uma festa que se celebra em Roma no dia 25 de abril. Nessa data, organizava-se na Antiguidade a solenidade pagã das Robaglia: saía--se em procissão da cidade, e ia-se bastante longe, ao campo, imolar um cordeiro em honra da velha deusa itálica Robi. O papa São Gregório Magno, no fim do século VI, "batizou" esta festa pagã e ordenou que se realizasse todos os anos uma grande procissão para pedir a Deus que evitasse à terra as calamidades públicas (cf. cap. V, par. *A fé no seio das trevas*).

[22] Foi certamente por isso que Napoleão, que estudara de perto a história de Carlos Magno, se coroou a si próprio e coroou Josefina, sem deixar que o papa tivesse tempo de intervir.

[23] Cf. cap. IV, par. *São Bonifácio, pai da Germânia cristã*.

[24] Este termo não corresponde inteiramente à atual região do mesmo nome. Os saxões de então ocupavam toda parte norte-ocidental da Germânia, do Elba ao Reno e do Mar do norte ao Ruhr, além do Weser superior e do vale do Meno. Formavam uma confederação de quatro povos: os ostfálios entre o Elba e o Weser, os vestfálios entre o Weser e o Reno, os ângrios no baixo Weser e os nordalcíngios no território original de toda a tribo, o Holstein. Periodicamente realizavam em Marklo, no Weser, uma assembleia federal. A sua religião continuava a ser o velho paganismo germânico, e as tentativas de penetração cristã não tinham sido bem sucedidas.

[25] René Grousset insistiu com razão no fato de que a política de Carlos Magno teve como duplo resultado preparar pelos séculos afora o esfacelamento da Itália e, ao mesmo tempo, trabalhar para a unidade da Alemanha. Quando Napoleão se referir a Carlos Magno como "nosso ilustre predecessor", não imaginará o acerto com que falava; o imperador do século IX foi efetivamente, neste ponto, o predecessor do século XIX, como também dos seus erros políticos.

[26] Já vimos (cf. cap. V, par. *A reforma, princípio fundamental da Igreja*) que alguns reformadores, como São Bonifácio, tinham pensado numa rede de metrópoles arquiepiscopais a que

estivessem submetidos os simples bispados, a fim de sistematizar a hierarquia. Não parece que Carlos Magno tenha enveredado por esse caminho, porque semelhante centralização provavelmente teria feito sombra à sua autoridade. As metrópoles, portanto, continuaram a ser o que eram, com exceção da de Narbonne, criada em 813, e com a qual se elevou a vinte e duas o número das sés arquiepiscopais. Todos os titulares dessas sés recebiam o *pallium* do papa.

[27] Estas foram praticamente as últimas querelas teológicas do Ocidente por muito tempo. Depois da morte de Carlos Magno, haverá ainda a querela do *predestinacionismo*, levantada por um certo *Gottschalk*, monge saxão da abadia de Orbais em Brie, calvinista prematuro que admitia duas predestinações, a dos bons para a vida e a dos maus para a morte. Foi condenado pelo bispo Hincmar de Reims. Na mesma ocasião, foram também discutidas as teses de *Pascásio Radberto*, monge de Corbia, que sustentava que a presença de Cristo na Eucaristia é apenas espiritual, e o que aparece exteriormente é uma figura da realidade percebida pela inteligência, mas, por outro lado, essa realidade é exatamente o corpo histórico de Cristo, tal como Ele viveu. Semelhantes discussões não têm para nós outro interesse que o de anunciar os grandes problemas do tempo da Reforma protestante; como eram muito confusas, não fizeram avançar os conhecimentos teológicos.

[28] A condecoração francesa das "Palmas acadêmicas" conserva nos nossos tempos laicos a lembrança desta íntima aliança entre o ensino e a Igreja: a cor da sua fita é o violeta episcopal.

A propósito da "canonização" de Carlos Magno, é preciso acrescentar que o imperador germânico Frederico II Barba-Roxa, empenhado numa luta violenta contra o papa Alexandre III, conseguiu que o antipapa Pascoal III canonizasse o imperador franco; essa canonização, celebrada com grande fausto a 29 de dezembro de 1165, não passou, porém, de um gesto político, destinado a exaltar o poder imperial, e a Igreja não a reconheceu. No entanto, alguns autores fazem notar que houve certa tolerância neste ponto, e que a Santa Sé não chamou à ordem as igrejas que tinham o hábito de celebrar o culto de "São Carlos Magno"; aliás, o papa Bento XIV foi desse parecer. A festa universitária parisiense de "São Carlos Magno" procede, portanto, daqui. Em Aix-la-Chapelle, o seu culto ainda sobrevive, e a festa é de primeira classe com oitava; é também célebre em Poitou.

[29] Cf. cap. IV, par. *As primeiras missões pontifícias: o batismo da Inglaterra*, e cap. V, par. *Uma luz que se vislumbra.*

VIII. A IGREJA DIANTE DE NOVOS PERIGOS

Um triste amanhecer após a glória

A morte de Carlos Magno abriu na história do Ocidente um período extremamente doloroso de violências, desordens e degradação. Ao meio século de luz que o vigoroso gênio do grande imperador soubera dar à Europa, sucederam-se duzentos anos de imersão na noite. Talvez o espetáculo mais estremecedor dos tempos bárbaros seja este desabamento vertical, este desmoronamento total de uma iniciativa que a cultura, a coragem e a fé pareciam ter consagrado para durar. Quatro séculos antes, no momento em que o Império Romano cedia sob os golpes das hordas, essa ruína teria podido parecer lógica e representar uma justa sanção de carências demasiado evidentes; a derrocada do século IX, porém, deixa-nos desconcertados, pelo menos à primeira vista. No entanto, as razões que a explicam apontam-se sem dificuldades, e identificam-se facilmente através da aura de glória que envolvia o prestigioso reinado.

O problema que se levantaria da forma mais trágica diante dos descendentes de Carlos podia parecer resolvido, mas, de fato, não o estava senão na aparência: era o da ameaça bárbara, o do recomeço das invasões. Os golpes desferidos para o norte, para leste e para o sul tinham tido, evidentemente, o resultado de manter em respeito os eventuais agressores. Mas nem por isso tanto estes como as suas ambições deixavam de estar presentes. "Uma espécie de halo envolve o próprio corpo das terras imperiais, um cinturão de países protegidos rodeia a sua fronteira, e os limites imperiais descobrem ou tornam a cobrir, conforme as datas, o todo ou parte dessas zonas com uma profundidade essencialmente instável"[1]. A vaga que o punho do chefe pudera repelir e imobilizar para além do "halo" não iria agora avançar de novo? Os *eslavos* ou *wendos*, uma das grandes vagas da inesgotável maré ariana, que acabavam de instalar-se no Elba e na bacia morávio-danubiana, haviam sido contidos e mesmo utilizados contra o saxão Witikind, pois Carlos Magno não pudera ou não quisera esmagar totalmente as suas ávidas energias. Mas no dia de amanhã, não irá o seu Estado da *Grande Morávia*, estendido do Báltico ao Adriático, dominar o istmo central da Europa? E a Saxônia, a Turíngia e a própria Renânia não serão para eles um objetivo muito tentador?

No Mediterrâneo, os que agora são conhecidos por *sarracenos* — termo derivado de uma palavra que, aproximadamente, significa o mesmo que muçulmano —, essa amálgama de piratas em que o elemento árabe se juntou a todos os resíduos dos antigos povos marinheiros, são doravante senhores do *Mare Nostrum*, cuja vida econômica hão de desconjuntar durante séculos. Contra o perigo das suas investidas, as torres de vigia e de resistência — as famosas "torres sarracenas" da Córsega e da Ligúria — podem parecer eficazes, porque uma frota apoiada nas Baleares está pronta a ripostar, e porque os muçulmanos, conhecedores do poder do Império, não estão muito inclinados a atacar. No entanto, nada se fez contra as suas bases, principalmente as da África, e bastará um debilitamento na defesa para que as costas da Europa vejam abater-se sobre elas as suas grandes arremetidas devastadoras.

A situação é exatamente a mesma no Atlântico, onde o perigo é ainda pior. Os *normandos*, arianos da Dinamarca e da Escandinávia, que durante muito tempo se tinham mantido imóveis dentro dos limites dos seus territórios, manifestam agora uma energia agressiva, uma febre de conquista cujas razões nunca foram bem elucidadas, e inauguram esse período de expansão épica que os levará da América do Norte aos arredores do Mar Cáspio, do Círculo Polar à Sicília e a Bizâncio. Carlos Magno lançara as suas frotas contra eles por mar, e por terra ameaçara as suas aldeias de origem, mas novamente não pudera chegar até ao fim, isto é, não conseguira aniquilar na Dinamarca e na Noruega as próprias bases de partida desses piratas. Numa célebre página, o cronista de Saint-Gall conta como o imperador, no decurso de uma viagem pelas bordas do Oceano, ao ver desfilar as velas dos Wikings como aves negras no horizonte, começou repentinamente a chorar, com uma clara consciência do perigo que haveria de pesar sobre os seus sucessores. Esta profecia ao estilo de uma bomba-relógio exprimia uma verdade terrível.

O perigo bárbaro, tal como está visivelmente inscrito no mapa político, faz-se acompanhar de um outro mais insidioso. Carlos Magno reunira e unificara tanto quanto possível a raça germânica e procurara também unir o germanismo e a romanidade, tendo sido, aparentemente bem sucedido: realizara uma síntese que apresentava sob muitos aspectos um alto grau de civilização. Mas essa introdução de massas ainda quase selvagens num quadro imperial, esse esforço por nivelar elementos situados em diferentes patamares de cultura, trazia no seu bojo temíveis ameaças. Nunca se escapa a algumas leis profundas da história. Quando um povo relativamente primitivo conquista outro mais educado, o vencido ensina ao vencedor os elementos essenciais da civilização; assim aconteceu com Roma, que venceu a Grécia e, em seguida, foi "espiritualmente vencida" por ela. Mas quando uma massa humana já civilizada pretende incorporar a si outra massa ainda primitiva, a influência do vencido sobre o vencedor só pode ser desastrosa. A síntese carolíngia era prematura; as forças brutas eram ainda excessivamente vigorosas para que um humanismo de intelectuais e de clérigos, mesmo contando com a graça do Batismo, pudesse contê-las. Assim, a política do grande adversário dos bárbaros trouxe consigo as causas determinantes de uma nova barbarização do Ocidente.

Para fazer frente a esses perigos, teria sido necessário que o Império continuasse a ser essa realidade poderosa, essa vontade de unidade e disciplina que fora no tempo do grande Carlos. Caso contrário, os salteadores atacariam, os homens voltariam à brutalidade ainda recente, as nacionalidades — mais justapostas do que fundidas — puxariam cada uma para o seu lado, e tudo se desconjuntaria. E efetivamente a obra do imperador não lhe sobreviveu, em parte por culpa própria, em parte sem que ele tivesse contribuído para isso.

O seu erro foi não ter regulado o problema da sua sucessão no sentido que toda a sua política estava a exigir. Tendo de escolher entre o princípio universalista romano-cristão e o tradicional particularismo das tribos germânicas, decidiu-se pelo segundo. Em 806, dividiu os seus domínios pelos três filhos, dando ao mais velho a Frância e a Saxônia, ao outro a Gália do sul, e ao terceiro a Itália e a Alemanha, com o propósito evidente de colocá-los, de acordo com os usos do direito franco, no mesmo pé de igualdade. Quanto ao título imperial, o ato não o menciona senão de forma alusiva e sem atribuí-lo a nenhum deles. Pouco importa que, por força das circunstâncias, esse ato se tenha tornado letra morta e que a unidade se tenha reconstituído por acaso; estava estabelecido o princípio da partilha, que os descendentes de Carlos Magno continuariam a pôr em prática e que levaria fatalmente ao desmembramento do Ocidente. Foi esse o ponto fraco, a falta deste homem de gênio e a prova de que ele não se elevara verdadeiramente à concepção romana do Estado. Que, além disso, nenhum dos seus sucessores se lhe possa equiparar, e que a sua descendência tenha sido constituída por medíocres, quando eram necessários homens da sua envergadura, é algo de que não cabe nenhuma responsabilidade ao grande imperador.

Em contrapartida, a sua responsabilidade está comprometida em algumas decisões que tomou, e cuja consequência foi nada menos do que o futuro desabrochar do *regime feudal*, essa chaga mortal do Estado centralizado. O feudalismo, que ia constituir a base do mundo medieval, estava desde havia muito tempo em vias de nascer, devido às circunstâncias em curso. A desordem que se seguira às grandes invasões levava os fracos a cerrar fileiras em volta de alguns homens fortes, mais capazes de protegê-los do que os representantes da autoridade oficial; é o princípio da *recomendação*. Dada a inexistência de um poder central eficaz, os chefes locais tendiam a tornar-se autônomos, como já se havia verificado um pouco por toda parte, na Itália bizantina e lombarda, bem como na Gália merovíngia. O esfacelamento da civilização urbana, que transferira para a agricultura todo o peso da atividade econômica, fizera da unidade de exploração agrícola, a *villa*, um centro econômico independente, e do grande proprietário de terras uma espécie de pequeno soberano.

A estes dados, nascidos da evolução histórica, acrescentar-se-ão mais dois: a *imunidade* e a *vassalagem*, que foram desejadas pelos próprios governantes. Como tinham pouca confiança nos seus subordinados diretos, os soberanos fracos autorizavam os grandes proprietários a libertar-se do controle dos funcionários reais e a substituir-se a eles no interior dos seus domínios para administrar a justiça, cobrar os impostos e mobilizar os homens de guerra. Um laço direto entre o potentado local e o príncipe devia permitir a este exercer a sua autoridade sobre aquele sem qualquer intromissão dos funcionários. Percebe-se bem a vantagem que o soberano, pelo menos em princípio, esperava tirar dessa combinação: teria na mão uma rede de fidelidades que não dependeriam senão dele, e que seriam mais seguras do que as dos duques e condes, subordinados excessivamente poderosos. Os reis tinham, assim, o sentimento de que a sua autoridade pessoal crescia e de que as suas decisões eram mais bem observadas. Com efeito, quando se tratava de um soberano poderoso e enérgico, assim sucedia; mas se era fraco, o laço de vassalagem afrouxava e corria-se o risco de cair na anarquia. Foi o que aconteceu.

Ora, segundo todas as aparências, Carlos Magno tinha enveredado por este caminho. Não só aceitara a *recomendação*, mas, por meio de muitas capitulares, fomentara a imunidade e a vassalagem. Desejara que todo o homem livre tivesse o seu senhor, a quem obedeceria, o qual se submeteria a outro mais elevado, e assim sucessivamente até ao próprio imperador, que seguraria nas suas mãos fortes esta prodigiosa pirâmide. Fustel de Coulanges, que descreve notavelmente o mecanismo deste sistema incipiente, afirma formalmente que "o Império de Carlos Magno é já um Estado feudal". Aberração? Ilusão acerca das suas verdadeiras forças? Mas não sabemos por acaso de outros Estados que deram espetáculos análogos?[2].

Ameaça ao mesmo tempo externa e interna da barbárie, ameaça de um desmembramento da Europa, ameaça de uma generalização da anarquia..., estes são os perigos que pesam sobre a herança de Carlos Magno e que pesarão cada vez mais. A decadência começará, portanto, a partir da elevação do seu filho Luís ao poder, para continuar em ritmo acelerado e provocar consequências cada vez mais dolorosas. Um Ocidente varrido por novas hordas, agitado por perturbações sociais, dilacerado pelas querelas dinásticas, uma autoridade que se dissolve numa espécie de atomização e uma força bruta que se sobrepõe aos princípios da civilização, este é o espetáculo que teremos diante dos olhos durante mais de dois séculos. É confrangedor, e sê-lo-ia muito mais se no meio deste caos sangrento não se entrevissem promessas de salvação e possibilidades de ressurgimento. Assim, mesmo que o desespero pareça esmagar os homens, esta época desenha-se como um formidável período de gestação, e o mesmo acontecerá no século seguinte, com muito maior nitidez.

Nessas circunstâncias, que podia fazer a Igreja, cujo destino estava agora intimamente atrelado ao da sociedade civil? O mesmo que sempre fizera desde que, nos dias de Constantino, havia começado a tomar nas mãos a responsabilidade do mundo. Paciente e heroicamente, enfrentando ao mesmo tempo as forças hostis que ameaçam a civilização e os mais escondidos perigos de contaminação interna, vai prosseguir o seu esforço secular com os olhos postos nAquele que a guia e a respeito do qual ela sabe e repete que nada se faz sem que Ele o tenha querido. Aos homens oprimidos pela angústia, volta a dizer, como já se tinha podido ler na *Cidade de Deus* por ocasião das invasões bárbaras, que os sofrimentos não têm outras causas profundas que os pecados dos homens e a cólera divina. É graças à Igreja que o tempo da grande confusão tem um objetivo e um significado. E por isso mesmo, e também porque encarna o único elemento de estabilidade num Ocidente desorientado, ela verá crescer a sua autoridade — pelo menos momentaneamente — e, por uma espantosa reviravolta, transformará a sua submissão de fato à autoridade imperial numa vigorosa afirmação de superioridade. Nestas perspectivas, o século que se seguiu à morte de Carlos Magno — esse século IX tão pouco conhecido — é de uma importância capital. Também sob este ponto de vista, o grande debate agostiniano continua em aberto.

A Igreja retoma o ascendente sobre o imperador

Durante o meio século que se seguiu à morte de Carlos Magno, operou-se uma "prodigiosa transferência de autoridade", segundo a perfeita expressão de Arquillière[3]: "No alvorecer do século IX, a direção do Ocidente cristão estava nas mãos do imperador, e, menos de cinquenta anos após a morte de Carlos Magno (814), tinha passado para as mãos do papa Nicolau I (858-867)". A que se deveu esta evolução? Às próprias condições em que Carlos Magno havia concebido e realizado o Império.

Com efeito, que elemento de ligação quisera ele estabelecer entre todos os povos que as suas armas tinham submetido? O Batismo. Não estava, pois, dentro da lógica das coisas que a Igreja, dispensadora da graça batismal, passasse a ser a primeira autoridade entre todos esses povos? O imperador que assumia o comando não era essencialmente senão uma espécie de substituto da Igreja, de mandatário provisório que presidia à unidade espiritual da Europa. A absorção da noção romana de Estado pelas funções religiosas do imperador trazia no seu bojo esta reviravolta; enquanto a Igreja fosse fraca e o imperador forte, este devia dominar aquela no próprio interesse do cristianismo, pelo menos tal como se compreendia agora esse interesse. Mas se o equilíbrio de forças mudasse, a situação teria também de mudar.

Aliás, como já vimos, o próprio imperador considerava que "zelar pelo serviço de Deus" devia ser o principal dos seus deveres, e que o ideal cristão constituía a finalidade e a força propulsora da sua política. Aos seus próprios olhos, o seu poder tinha bases muito mais morais, religiosas e eclesiásticas do que jurídicas, ao contrário do que acontecia com os antigos imperadores de Roma e com o basileu bizantino. O Império, estava, em suma, fundado sobre a Igreja. Os escritores cristãos, quase todos clérigos, como Esmaragdo de Saint-Mihiel, Sedúlio Escoto, Hincmar, Agobardo, Jonas de Orleans, etc, não deixarão de repeti-lo à saciedade. Este último chega mesmo a escrever: "O rei tem como primeiro dever ser o defensor das Igrejas e dos servos de Deus. O seu ofício consiste em velar com cuidado pela salvaguarda dos sacerdotes e pelo exercício do seu ministério, bem como em proteger pelas armas a Igreja de Deus". Vê-se aqui a escorregadela, a confusão dos dois poderes, contrária aos verdadeiros princípios agostinianos. Nunca Santo Agostinho teria escrito que "o primeiro dever" do Estado consistia em defender a Igreja. Mas, segundo estes doutrinários, são a autoridade da Igreja e o poder sacerdotal que fundamentam os do Estado, e a realeza, ao fim e ao cabo, não passa de um ofício. Estamos aqui na própria origem da teocracia.

No entanto, a princípio, os acontecimentos não pareciam orientar-se nesse sentido. *Luís* — que a história conhece pelos cognomes de *o Piedoso* ou *o Bonacheirão* — teve a sorte inesperada de ver restabelecer-se a unidade em seu proveito. Depois da morte de seus irmãos, Pepino e

Carlos, mortos em 810 e 811, seu pai consultou os súditos e o coroou rei em 813. A Igreja, como autoridade, ficou à margem deste ato, pois foi o velho imperador quem transmitiu a coroa ao filho. "Foi com consentimento dos francos — escreveu Eginhard — que Luís sucedeu a seu pai". Iria então o Império desvincular-se da tutela eclesiástica? O problema estava em aberto. Numa visita a Reims, em 816, o papa Estêvão IV impôs a coroa a Luís, a título de verdadeira sagração, declarando-lhe: "Pedro gloria-se de te fazer este presente, a fim de que tu lhe garantas os seus justos direitos"; mas tudo não passou de uma cerimônia praticamente inútil, pois no ano seguinte Luís, renovando o gesto de seu pai, coroava pessoalmente o mais velho dos seus filhos, Lotário, numa grande assembleia realizada em Aix[4]. Simultaneamente, como para marcar bem a orgulhosa preeminência do seu trono, Luís só assinava os seus atos oficiais com o título de *Imperador Augusto*, pondo de parte os títulos reais da França e da Lombardia que, mais modestamente, Carlos Magno acrescentava em pé de igualdade com o título imperial. Não era possível duvidar: o conflito estava latente.

Não se tratava de uma simples concorrência, bastante sórdida, na busca do domínio do mundo: estavam em jogo valores mais altos, os dados fundamentais da sociedade. Em torno do imperador Luís movimentava-se um grupo de homens esclarecidos, inteligentes, desinteressados, que eram os continuadores dessa elite que tinha trabalhado ao lado de Carlos Magno. Constituíam um verdadeiro partido político muito unido, um estado-maior de prelados, diplomatas e altos funcionários, que se consideravam depositários da doutrina agostiniana segundo o qual o imperador, eleito de Deus e mandatário de Cristo, devia assegurar à cristandade inteira a paz na unidade da fé. Os principais chefes deste partido eram o abade Wala de Corbia e o arcebispo Agobardo de Lyon, e em todos eles resplandecia o ideal de um império cristão unificado, tal como o haviam concebido os mais notáveis amigos de Carlos Magno, e tal como o grande imperador o tinha mais ou menos encarnado.

A importância histórica destes unitaristas foi enorme. Contra os condes e os grandes senhores, que representavam interesses locais e tendiam para a anarquia feudal, defendiam os direitos do Estado; contra os abusos da intervenção laica nas nomeações de bispos e em outros assuntos da Igreja, faziam ouvir os seus legítimos protestos, reclamando a reforma; contra a tradição franca das partilhas, sustentavam a tese da herança única. No princípio do reinado de Luís, estes homens dominaram: conseguiram que se tomassem decisões felizes quanto à designação de dignitários eclesiásticos e às secularizações; também a coroação de Lotário, em 817, foi obra deles, e fez-se acompanhar de cláusulas testamentárias que reservavam a herança imperial ao mais velho dos filhos, deixando aos outros apenas pequenas dotações de terras. O próprio Luís chegou a identificar-se de tal modo com a ideia da centralização absoluta que esmagou impiedosamente o seu sobrinho Bernardo, vice-rei da Itália, um rapaz de vinte anos que, manobrado por um clã político de descontentes, tinha manifestado insolentes desejos de independência.

De repente, tudo mudou. Sob um exterior simpático, que revelava uma coragem, uma caridade e uma equidade incontestáveis, Luís era um fraco e um nervoso. Capaz de endurecer em certos momentos, mostrava-se normalmente instável até o extremo. Os seus acessos de cólera eram terríveis — e o pobre Bernardo experimentou-o na pele —, mas saía deles humilhado, arrasado e disposto a todo o arrependimento e a todo o perdão. *Luís, o Bonacheirão...*

Ao repetirmos este qualificativo, ocorrem-nos as mordazes palavras de Napoleão: "Quando se diz que o rei é bom, é que o reinado falhou". *Luís, o Piedoso*... É realmente muito bonito que um homem altamente colocado sinta a sua miséria, que mergulhe na meditação, nas leituras religiosas e na oração — desde que, como aconteceria com São Luís, essas virtudes cristãs sustentem e exaltem as virtudes necessárias ao seu estado; não é a um monge falhado que cabe o governo do mundo. Em 822, desolado pelos terríveis maus tratos a que submetera o seu sobrinho Bernardo, que veio a falecer em virtude de lhe terem arrancado os olhos, resolveu impor a si próprio uma penitência pública e declarou perante a corte que se sentia culpado "em inumeráveis circunstâncias, quanto à sua fé, à sua vida e às suas funções". Esta humilhante manifestação de arrependimento, que seria bela num simples particular, não degradava na sua pessoa a dignidade de um chefe de Estado?

Mas o picante da história é que este pseudo-monge coroado estava dotado de um temperamento deveras amoroso. Tendo voltado a casar-se, aos quarenta anos, agora com uma estonteante bávara, Judit — que escolhera num concurso de beleza —, e loucamente apaixonado por ela, quis assegurar ao filho que tiveram — o futuro Carlos, o Calvo — um domínio equivalente àquele que a partilha de 817 havia assegurado aos três mais velhos. Esta medida desencadeou a tempestade. O imperador viu levantarem-se contra ele não só os partidários da unidade, com Wala e Agobardo à testa, mas também os defensores dos três príncipes cujos territórios estava cerceando. Uma campanha de reivindicações e de calúnias — em que a virtude da imperatriz Judit ficou bastante mal-parada — foi o prelúdio da rebelião pura e simples. Durante dez anos, sucederam-se revoluções palacianas e guerras civis.

Vencido pela primeira vez e forçado a voltar às decisões de 817, o imperador não tardou a retomar a sua política de novas partilhas, já de novo sob a influência de Judit. Atacado pelos filhos mais velhos coligados, abandonado por todos na planície da Alsácia, em Rothfeld, mergulhou numa depressão tão grande que não lhe restou outra solução senão abdicar, e a isso se decidiu em Compiègne, em 833, com a mais cristã humildade. Retornando ao trono alguns meses mais tarde — graças aos erros dos seus adversários, que se haviam lançado sobre a carniça de uma forma escandalosa —, aproveitou a morte do seu filho Pepino para aumentar o quinhão do seu pequeno e muito querido Carlos, e com isso desencadeou uma nova guerra. Morreu enfim em 840, no momento em que o seu filho Luís marchava outra vez contra ele.

Qual foi a atitude da Igreja durante todo este penoso período? É neste momento, em que a autoridade imperial começa a declinar, que é interessante ver como a autoridade eclesiástica consegue retomar as rédeas da situação. É absolutamente certo que o papel dos bispos francos foi decisivo, mais decisivo do que o dos papas, que mantiveram suma reserva. Foram homens como Agobardo e Wala, Pascásio Radberto, Bernardo de Vienne e Ebbon de Reims que mexeram os pauzinhos destas complexas intrigas, aliás com uma isenção e uma sinceridade incontestáveis, encaminhando para a glória de Deus as ambições e os desejos dos leigos. Um homem como Agobardo de Lyon, talvez o mais culto do seu tempo, excelente conhecedor de Tertuliano e de Santo Agostinho, perfilhou certamente, e com pleno conhecimento de causa, o ideal unitário do Império cristão dominado pelo poder espiritual. Quando Gregório IV foi arrastado por Lotário, filho revoltado, a acompanhá-lo na sua campanha da Alsácia-Lorena contra o pai, e o papa se mostrou hesitante em assumir o papel de adversário da autoridade imperial, foram os abades Wala e Radberto que, invocando uma grande quantidade de textos, lhe provaram que era ele o detentor da autoridade suprema, e que, "não sendo ele julgado por ninguém, devia julgar todos os fiéis", incluindo os imperadores. Também foram eles que lhe sopraram a resposta a dar aos partidários de Luís, que o acusavam de praticar um ato político. E quando o infeliz imperador teve de reconhecer as suas faltas em Compiègne, foram os príncipes da Igreja franca que redigiram o auto dessa penitência, depois da qual — dizia-se nesse escrito — "nunca mais se voltará à milícia secular".

Por que esta atitude? Os bispos diziam-no formalmente: "Porque eles são os vigários de Cristo e os detentores das chaves do reino dos céus". A tese desses homens é clara: é sempre a tese agostiniana, tal como a julgam encontrar no texto da *Cidade de Deus*. O imperador reina legitimamente na medida em que assegura a *paz* e a *justiça* em toda a cristandade, mas exatamente nessa mesma medida é a autoridade da Igreja que sustenta a sua. Sendo espiritual, a autoridade da Igreja é superior à do Príncipe: a Igreja reserva-se o direito de apreciar-lhe as atitudes. Se o Príncipe falta aos seus deveres, a Igreja abandona-o e condena-o. O papa Gregório IV chegou a dizer: "Eu exerço uma missão de paz e de justiça, e esta missão é um dom de Cristo e o seu próprio ministério". Juiz oficial dos pecados, a Igreja começa a reivindicar o direito de julgar os dos próprios príncipes.

Que reviravolta desde esse tempo, ainda tão próximo, em que os papas pesavam tão pouco diante de Carlos Magno! Evidentemente, não chegamos ainda à Igreja que "depõe" um imperador por causa das suas faltas, como Gregório VII fará, no século XI, com Henrique IV da Germânia. A assembleia de Compiègne, ainda que inundada de clérigos, não se considerava um concílio, e não foi a Igreja que derrubou Luís: foi Lotário quem se encarregou disso, e o papa e os bispos nada mais fizeram do que encorajá-lo. Mas nem por isso deixava de abrir-se na história uma nova perspectiva, em que se percebiam ao mesmo tempo a futura glória da Igreja e os perigos que correria.

A vã fraternidade

Por ocasião da morte de Luís, em 840, fez-se uma nova tentativa para restabelecer o princípio da unidade. Lotário, a quem o imperador moribundo enviara a espada e a coroa, exigiu dos seus irmãos uma obediência completa. A Igreja deu-lhe apoio, na pessoa dos seus altos dignitários, e viu-se então fervilhar no palácio de Ingelheim uma multidão de prelados, arcebispos e abades, entre os quais verdadeiros expoentes da Igreja latina, como um Drógon de Metz, um Rábano Mauro de Fulda, e muitos outros. Mas a grande ideia do Império cristão unido tendia já a apagar-se dos espíritos. Sustentada ainda por alguns idealistas, mas mais por interesses, era atacada por gente de interesses contrários, que apoiavam as tendências separatistas encarnadas em Luís e em Carlos, os irmãos mais novos do imperador. Associados contra ele, começaram estes a guerra pela independência dos seus reinos a partir do outono de 840, e no ano seguinte derrotaram-no fragorosamente em Fontanet-en-Puisaye, nas proximidades de Auxerre. A derrota foi interpretada como um juízo de Deus. No próprio campo de batalha, enquanto se enterravam os mortos, os bispos proclamaram justa a guerra contra Lotário. A ideia da unidade desfazia-se, e a Igreja, realista como sempre, tomava consciência disso.

Mas não desesperava. Fazia-se necessário substituir por qualquer outra coisa o princípio unitário arruinado, tanto mais que a situação do Ocidente piorava de mês para mês: os normandos, aproveitando-se das lutas fratricidas, acabavam de aparecer na foz do Sena e de saquear Rouen; os eslavos ameaçavam no Elba e o Mediterrâneo estava infestado de corsários sarracenos. Foi então que os homens da Igreja imaginaram uma nova ideia, a de uma espécie de *entente cordiale* entre os três soberanos, uma fraternidade dos reis, uma "Santa Aliança", como se diria mil anos mais tarde; "unidos na caridade de Cristo", os três senhores do Ocidente salvaguardariam em comum a unidade espiritual da cristandade.

No dia seguinte ao da batalha de Fontanet, os dois vencedores estreitaram os seus laços pelos famosos *juramentos de Estrasburgo*, onde se dizia que, "como se deve, segundo a equidade, defender um irmão", cada um deles se comprometia a ajudar o outro, "desde que o outro fizesse o mesmo com ele"[5]. Era uma fraternidade bastante singular, que não visava senão abater o irmão mais velho, o incômodo terceiro. O processo contra ele foi instaurado na sua própria sede, em Aix, mas, após alguns meses de hesitações, de negociações e de barganhas, chegou-se a uma solução: o famoso *tratado de Verdun* de 843.

O Império ficava cortado em três pedaços[6]: Carlos, o Calvo recebia como reino a Frância ocidental, que viria a ser a França; Luís o Germânico, a Frância oriental, futura Alemanha; e, entre as duas, Lotário via-se na posse de uma faixa heteróclita que se estendia da Holanda até a Itália e que, lisonjeiramente, abrangia as duas capitais do Ocidente — Roma e Aix —, mas que não permitia nenhuma grande política e constituía uma base excessivamente frágil para a vaga autoridade imperial que os irmãos lhe reconheciam.

A partir daí, a França e a Alemanha seguiriam caminhos separados, tornando-se duas entidades diferenciadas pelas línguas e, dentro em breve, pelos costumes e tradições; e a "Lotaríngia" serviria de couto cerrado e de presa para as rivalidades daqueles dois reinos. Estavam em germe as futuras dissensões da Europa, nesta nefasta solução que mil anos de história ainda não conseguiram reparar.

Mas pelo menos a ideia da fraternidade podia aplicar-se a esse estado de coisas, e a Igreja assim o lembrou obstinadamente aos interessados. O sínodo de Yutz dizia-lhes em 844: "Cuidai de preservar a caridade entre vós. Ajudai-vos uns aos outros com bons conselhos e prontos socorros. Em vez da discórdia espalhada entre os vossos povos por maquinação do diabo, servi a paz, essa paz que Cristo, ao subir ao Céu, deixou aos seus discípulos como o maior dos dons". E a Igreja fez mais do que lembrar princípios tão excelentes: incitou os reis a reunirem assembleias fraternais, como as que se realizaram em Thionville em 844, em Meersen em 847 e 851, em Valenciennes em 853, em Liège e Attigny em 854. Foi um esforço admirável, que durante algum tempo deu efetivamente a impressão de produzir algum fruto. Promulgaram-se leis aplicáveis aos três reinos, aos "vassalos comuns", e editaram-se capitulares "sob o reinado comum". A instituição dos *missi dominici* adquiriu um novo brilho, e a Igreja contribuiu para isso confiando esses postos a homens de valor.

Não há a menor dúvida de que, obedecendo estritamente ao espírito do Evangelho, a Igreja reforçou o seu poder neste período de inquietação. Como escreveria Hincmar, "se o Império, constituído por mão dos nossos pais como uma unidade poderosa, se dividiu, alguma coisa permanece intacta, apesar das divisões internas: a Igreja". Os agentes eficazes desta ação foram, mais uma vez, os bispos; os papas pareciam conservar-se sempre em segundo plano. Bem é verdade que as circunstâncias não lhes facilitavam a ação: sucediam-se muito rapidamente na Sé de Pedro (uma dezena em cinquenta anos); estavam mais ou menos ameaçados nos seus domínios pelos árabes da África, senhores de Palermo desde 831, pelos sérvios da Dalmácia, instalados em Aquileia, pelos muçulmanos da Espanha, que se agitavam sem cessar ao largo das costas tirrenas; por outro lado, eram incomodados por intrigas romanas que chegaram ao ponto de suscitar antipapas; e, enfim, a experiência de 833 ensinara a Gregório IV que o prestígio do papado nada tinha a ganhar envolvendo-se nessas complexas algazarras entre pais, filhos e irmãos inimigos. No entanto, souberam associar-se discreta mas firmemente à política da concórdia fraterna, e por várias vezes fizeram ouvir claramente a sua voz. Assim, Sérgio II (844-847) escreveu aos três irmãos, depois da partilha de Verdun, dizendo-lhes que, "se não se conservassem unidos na paz católica", interviria contra eles; e o vigoroso Leão IV repetiria a mesma ideia quase nos mesmos termos, reivindicando a tarefa de ser o promotor da paz e o defensor da justiça.

Se os papas não falaram mais alto, foi talvez porque perceberam que essa política da fraternidade, por mais bela que fosse a princípio, não passava de um sonho. De resto, diversos espíritos lúcidos mostravam-se absolutamente céticos, e viam na partilha do Império o prenúncio do seu futuro desmoronamento; assim aconteceu com Floro, o célebre professor lionês cujos lamentos são tão comoventes, e com Walfredo, abade de Reichenau, que com admirável clarividência anunciou a Lotário exatamente o que se ia passar: a inevitável decomposição da herança carolíngia.

O que faltava ao sistema da fraternidade era justamente o que falta às nossas Nações Unidas: uma autoridade capaz de se sobrepor aos conflitos de interesses e de impor a aplicação de alguns princípios. O imperador, reconhecido pelos dois reis, não passava de um fantasma. Procurava em vão aumentar a sua autoridade inclinando-se para cá e para lá, mais ou menos apoiado pela Santa Sé, e conseguiu que alguns homens seus, como Drógon, fossem nomeados "vigários para as Gálias e para a Germânia", o que até certo ponto lhe permitiria controlar os irmãos. Mas as posições estavam já demasiado definidas para que essas manobras não desembocassem no fracasso. À medida que os anos passavam, crescia a desconfiança entre os três. Luís, o Germânico, com os seus filhos de dentes compridos, escondia a custo a sua intenção de restabelecer pela força a unidade em proveito próprio, e Lotário e Carlos procuravam reforçar contra ele o seu acordo. Esse acordo, porém, era só aparente, pois o menor incidente — uma simples nomeação de bispos — bastava para que se "dilacerassem como cães", no dizer de um cronista. Era uma fraternidade que, quando Lotário morreu, completamente desacreditado, em 855, estava já bem longe do pactuado em 844.

Não havia dúvida de que, para os três signatários, o tratado de Verdun não passava de um mal necessário, e de que cada um deles só pensava em reconstituir a herança em proveito próprio. O equilíbrio, penosamente mantido enquanto houve três competidores, desfez-se no momento em que a zona intermédia se desconjuntou por morte de Lotário, deixando frente a frente a futura França e a futura Alemanha. Fiel ao costume das partilhas, o falecido imperador dividira os seus estados em três: o filho mais velho, Luís II, recebeu a Itália e a coroa imperial, que já detinha por antecipação; Lotário II as regiões do norte, desde o mar até ao planalto de Langres e à baixada da Alsácia — "o reino lotaríngio", que daria origem à palavra

Lotaríngia, de onde provém Lorena —; e Carlos o restante, isto é, o Jura, os Alpes e a Provença. Sem perda de tempo, Luís lançou olhares de inveja sobre a Frância do Ocidente, e, aproveitando-se das perturbações internas do reino de Carlos, o Calvo, das guerras civis e das invasões normandas, os germânicos invadiram a França. Por um momento pareceu que a operação ia ser bem sucedida, que os grandes do reino se iriam juntar a Luís e que as duas Frâncias se uniriam sob o cetro germânico.

O clero das Gálias salvou então a monarquia francesa: indignados com as lutas fratricidas, os bispos protestaram com magnífica firmeza contra o procedimento de Luís, chegando ao ponto de lembrar-lhe que, tal como recebera a coroa da Igreja, esta podia tirá-la da sua cabeça, da mesma forma como Samuel abandonara Saul para sagrar Davi. Esta crise dramática marcou, pois, um novo progresso da autoridade da Igreja, que não se considera agora como mera vigilante dos reis, mas começa a afirmar que, pela santa unção, é ela quem os faz.

A resistência do clero franco às usurpações de Luís permitiu a Carlos, o Calvo refazer o seu exército, marchar contra o irmão e batê-lo. Mas o verdadeiro vencedor foi Hincmar, o grande bispo de Reims, que tinha sido a alma da resistência aos germanos; foi ele um dos primeiros a pressentir a realidade daquilo, que na Idade Média, deveria chamar-se "a Cristandade", isto é, a solidariedade entre todos os batizados, e foi ele quem tomou a iniciativa de uma reconciliação geral. Uma assembleia realizada em Metz sob a sua direção mostrou-se extremamente severa para com Luís, acusado de ter "dividido a Igreja que é una". Após dois anos de negociações, lançaram-se enfim, em 860, as bases de uma paz que parecia bastante sólida: a Igreja, bem ou mal, salvara a unidade do Ocidente.

E não era sem tempo, porque a situação era terrível. A anarquia espreitava por toda parte. Arrasados pelas guerras civis e pelas invasões, todos os países europeus, e principalmente a França, eram presa das mais incríveis rapinas. Haviam-se formado bandos que, sob o pretexto de ajudarem este ou aquele rei, assolavam os campos, atacavam os mosteiros e raptavam comunidades inteiras de religiosas. Nem mesmo no tempo das grandes invasões se tinha visto coisa semelhante. Chamava-se a isso "viver à normanda", porque esses bandidos não hesitavam em aliar-se e mesmo em confundir-se nas suas investidas com os piratas marítimos, com os homens do Norte[7], cuja ameaça se tornava dia a dia mais angustiante, e contra os quais as forças da ordem se encontravam quase desarmadas.

Os homens do Norte

Os normandos! É difícil imaginar o terror que esta palavra gutural da língua germânica, espalhada por toda a Europa, despertava no século IX. Quando os postos de vigia, nas embocaduras dos rios, assinalavam a chegada dos terríveis piratas do mar, logo o sino tocava a rebate; as cidades fechavam-se, as muralhas de defesa cobriam-se de defensores angustiados, e as propriedades e mosteiros que não tinham condições de travar batalhas sérias viam fugir longas filas de infelizes, mais provavelmente destinadas à chacina do que à salvação. Envolvidos no mistério de que os nimbava a opaca bruma donde surgiam, escoltados por uma merecida reputação de selvajaria, os homens do Norte assombravam a Europa como símbolos viventes do castigo que os seus pecados reclamavam, e em breve a liturgia cantará: *A furore normannorum, libera nos, Domine!*

O termo *nordman* designava-os globalmente. Na realidade, dividiam-se em três grupos: os dinamarqueses, instalados inicialmente na península escandinava, depois no arquipélago báltico e finalmente na península que conserva o seu nome; os noruegueses, agarrados aos fiordes da Escandinávia e, a partir do século VII, disseminados pelo Mar do Norte, nas Shetlands, nas Órcades, nas Faeroer, talvez os mais ousados de todos estes audaciosos; e por fim os suecos, a princípio amontoados na região de Upsala e depois atraídos para o sul, como os dinamarqueses, empenhados em arruinar os principados góticos de Gotlândia e, simultaneamente, em atingir a Finlândia e as costas lituanas, em direção ao Dniepr.

Todos tinham, a traços largos, as mesmas características: belo tipo de ariano louro, conservado mais puro na Noruega, estatura avantajada, energia, vigor e intrepidez. Em todos esses povos, a sociedade parece ter sido constituída por duas classes: a dos sedentários — camponeses, criadores de animais, lenhadores e escultores em madeira —, e a dos errantes, para os quais a guerra não era apenas fonte de riqueza, de poder e de prestígio, mas uma espécie de moral prática, glorificada pela religião, pela literatura e pela arte. Os reis, cuja autoridade não tinha outra base que a força e o êxito, eram essencialmente os chefes de uma *hird* de guerreiros e dominavam um grupo de tribos. Os seus túmulos, numerosos em toda a Escandinávia e que se contam entre os monumentos mais imponentes da Europa, testemunham ainda hoje como esses homens foram poderosos e venerados.

Por mais afastados que se tivessem mantido, durante longo tempo, do resto do continente, os clãs dinamarqueses-escandinavos não tinham deixado de estar em contato com as outras massas germânicas; prova-o a sua arte, que nos mostra as mesmas fíbulas, os mesmos braceletes pesados, as mesmas pedras engastadas, os mesmos esmaltes emoldurados, as mesmas decorações de plantas e cabeças estilizadas que admiramos nos túmulos germânicos. E eles sabiam perfeitamente que, para além dos vastos desertos marítimos, se estendiam ao sol belas regiões doces e ricas, que a fraqueza e a desunião dos seus possuidores entregariam facilmente aos seus apetites. E, para as suas empresas de conquista, dispunham da mais eficaz de todas as ferramentas: uma frota que naquele tempo não tinha igual.

Encontraram-se nos túmulos dos chefes esses "cruzadores", esses *drakkars* — navios-dragão — em que eles quiseram dormir a sua eternidade. Nos museus da Dinamarca e da Escandinávia, podem-se ver esses longos barcos de 25 metros, sem ponte, cuja forma afilada, proporções perfeitas e popa e proa elevadas nos dão uma instintiva impressão de obra-prima. Movidos a remo ou a vela, atingiam facilmente os seus dez nós, e o seu calado, nunca superior a um metro, permitia-lhes passar sobre todos os fundos e entrar em todos os rios. Quanto ao seu raio de ação, podemos avaliá-lo pela travessia que uma cópia exata de um desses barcos fez na década de vinte, da Noruega até Nova York. Montados em grupos de cinquenta sobre esses maravilhosos monstros marinhos — sob o comando de uns chefes especiais, os *vikings*, cuja glória é celebrada nas estrofes das sagas —, os normandos lançaram-se à aventura com uma audácia invencível. "A tempestade ajuda os nossos remadores, proclama o seu canto de guerra; o furacão está ao nosso serviço e leva-nos aonde queremos ir".

As *razzias* marítimas, núcleo da sua estratégia, era completado por uma tática em terra não menos apurada. Dotados de uma ciência inata dos rios, os normandos conseguiam transpor qualquer curso de água desconhecido, puxando os seus barcos quando o remo e a vela não bastavam, e mesmo levando-os às costas quando era preciso evitar um ponto fortificado ou um desfiladeiro inquietante. Uma vez em terra, não hesitavam em fazer longas caminhadas em perseguição das suas vítimas e, passando de marinheiros a cavaleiros, sabiam também utilizar para os seus deslocamentos os cavalos que roubavam nas regiões vencidas ou os que transportavam consigo nos barcos. Por último, contrariamente aos hunos ou, mais tarde, aos húngaros, que nada valiam quando desmontados, os normandos, especialistas em operações anfíbias, eram perfeitamente capazes de levantar trincheiras para se defenderem, ou de atacar as praças mais bem fortificadas. O seu equipamento de guerra era verdadeiramente perfeito.

O seu campo de ação não parou de crescer. Durante trinta anos — exatamente de 793, data da primeira pilhagem de um mosteiro, Lindisfarne em Northumberland, até perto de 830 —, limitaram a sua avidez a algumas incursões frutuosas porém desordenadas, mas depois que tomaram bases nas ilhas — Shetlands, Órcades, Hébridas —, na Irlanda e na Escócia, passaram a aperfeiçoar os seus métodos e a instalar na foz dos grandes rios postos fixos fortificados, depósitos de armas e de guerreiros, reservas de espólios, para dali poderem partir mais facilmente para o assalto às terras ricas. O Escalda, o Sena e o Loire ficaram assim sob seu controle, e a incrível fraqueza da administração carolíngia não lhe permitiu fazer quase nada para os expulsar.

Os noruegueses escolheram como alvos a Inglaterra e a Irlanda, sobre as quais caíram como moscas de verão. Escreve um cronista: "Não havia uma ponta de terra que não tivesse a sua frota" — a sua frota de piratas; por volta de 840, o *viking* Turgeis chegou a instalar com toda a facilidade um reino normando pagão na ilha de São Patrício, reino que subsistiu até o século XII. No continente, os ataques foram dirigidos principalmente pelos dinamarqueses. Não houve cidade importante que não tivesse recebido por aqueles anos as suas incômodas visitas: nas embocaduras do Reno e do Escalda, em Saintonge, hoje em Hamburgo, amanhã na Gironde, depois em Lisboa e Sevilha, enquanto a Itália ligúrica esperava a sua vez. Na França, mal se podem enumerar os seus pontos de ataque: Beauvais, Chartres — atacada em plena noite —, Noyon, Melun, Orleans, Blois... A lista das desgraças aumentava de semana para semana; Paris foi sitiada quatro vezes, saqueada três e incendiada duas.

Que podia fazer contra estes ataques sem fim um Império a braços com a discórdia, e que os seus próprios senhores já não defendiam? Aqui e acolá, organizaram-se resistências corajosas: um rei, como Carlos, o Calvo, nos seus bons dias, ou um senhor local, como Roberto, o Forte, em Paris, recusavam-se a ceder ao medo. Com muita frequência, os soberanos "resgatavam-se", isto é, concordavam em pagar um resgate aos saqueadores para persuadi-los a retirar-se; Carlos, o Calvo, Lotário II e muitos outros lançaram mão deste sistema, que era muito bom... para convidar os normandos a reincidir. Em muitos lugares, as autoridades não faziam nada: não combatiam e nem mesmo negociavam. Do Sena ao Loire, as devastações foram horríveis por volta do ano de 850, e os camponeses já não se atreviam a trabalhar a terra.

A fuga parecia ser a única solução. Seria cômico, se não fosse sinistro e assustador, acompanhar no mapa os deslocamentos das relíquias — ou, melhor, dos preciosos relicários, tão ambicionados pelos saqueadores — que as comunidades religiosas levavam consigo. São Martinho vagueou de Marmoutier para Cormméry, depois para Orleans e, após um breve regresso ao convento original, para Leré no Berry, Marsat na Auvergne e, por fim, para Chablis na Borgonha. Os restos de São Filiberto, afugentados de Noirmoutier, depois de uma passagem por Déas — que a partir daí passou a chamar-se São Filiberto de Grandlieu — migraram cada vez para mais longe, rumo ao coração da Gália, sempre ziguezagueando sob a pressão do perigo. Aliás, estas migrações de relíquias terão uma consequência curiosa: irão despertar cultos de santos muito longe da sua região de origem, como o de São Filiberto em Tournus, de São Lô em Angers e de São Floxel em Autun.

Compreende-se que, diante de semelhantes calamidades, a Igreja não tivesse muita dificuldade em apontá-las como prova da cólera de Deus. De acordo com a mais pura doutrina agostiniana, os sínodos proclamaram várias vezes que os pecados dos cristãos eram as verdadeiras causas dessas desgraças. A opinião era unânime a esse respeito, o que não quer dizer que se estivesse decidido a mudar de comportamento. O rei Carlomano, por exemplo, clamava numa assembleia: "Nós mesmos somos homens de rapina. Como podemos lutar com segurança contra os inimigos da Igreja e contra os nossos, se partimos para a campanha com o ventre cheio das nossas gatunagens? Como ousamos aspirar à vitória, se a nossa boca está cheia do sangue dos nossos irmãos e os nossos braços carregados de injustiças? Eis aí a explicação das nossas derrotas". De certa maneira, era um consolo...

Qual foi a atitude da Igreja perante o novo invasor? Em geral, os historiadores são severos nas suas apreciações sobre o clero e sobre os fiéis desta época. São raros os chefes, os verdadeiros chefes. Não há nenhuma Santa Genoveva que se oponha ao novo Átila, nenhum bispo que se erga como *defensor Civitatis*. Os padres só sabem gemer: "É por causa dos vossos pecados — dizem eles aos fiéis — que Deus nos castiga", e pregam a resignação e o abandono. Esta falta de energia por parte dos bispos e do clero é um fato. Mas a comparação entre a atitude do clero em face das invasões normandas e a sua atitude perante os bárbaros do século V pode falsear os dados do problema ao invés de esclarecê-los, se não se tiverem presentes algumas circunstâncias que haviam mudado nesse meio tempo.

É preciso inverter a pergunta inicial e formulá-la desta maneira: Qual foi a atitude dos normandos perante a Igreja? "Os normandos — diz Lavisse — atacavam sobretudo os mosteiros, os verdadeiros focos da civilização carolíngia, onde encontravam ricos tesouros — os relicários de santos —, celeiros bem providos, oficinas bem apetrechadas, e que na sua maioria não eram fortificados". Nada que se assemelhe ao século V, pois não parece que os bárbaros de então tivessem visado a Igreja e o clero, como o fariam os normandos quatrocentos anos mais tarde. É que ao longo destes quatro séculos a situação da Igreja tinha-se modificado muito: o clero tinha-se tornado um grande proprietário, e haviam-se fundado numerosos mosteiros cujas riquezas bem podiam excitar a cobiça dos piratas.

Por outro lado, a crueldade dos normandos ultrapassava de longe a dos germanos. Estes últimos eram um povo em marcha, em parte invasor, em parte imigrante. Os normandos, pelo contrário, vinham em bandos pouco numerosos, compostos apenas de combatentes: eram "comandos" que realizavam incursões, e só bem mais tarde é que lhes ocorrerá a ideia de se fixarem. Como a Igreja era especialmente visada por esses piratas que operavam de surpresa, explica-se que se visse impossibilitada de desempenhar no século IX o magnífico papel que fora o dos bispos no século V. Era mais fácil a um bispo do tempo de São Lobo e de Santo Aignan parlamentar com o chefe de um povo em marcha, do que a um prelado do século IX fazer-se ouvir pelo capitão de um bando de ladrões decididos a lançar um ataque de improviso à cidade episcopal. Que podia o bispo Gunhard dizer aos bandidos que se lançaram inesperadamente sobre Nantes em 24 de junho de 843, e que o massacraram diante do altar de São Ferreol, na igreja de São Pedro e São Paulo? Em vez de serem "para-raios", os santos padroeiros das igrejas e dos mosteiros atraíam os raios, não por eles mesmos, mas por causa dos preciosos relicários em que os seus corpos estavam guardados.

Mas houve nobres exceções. Viu-se, por exemplo, no norte da França, os monges de Saint-Bertin recolherem por trás dos seus muros todos os refugiados da região e baterem-se de tal maneira que os piratas foram obrigados a recuar; e os de Saint-Vaast d'Arras, os de Saint-Quentin e os de Tournus no Saône fizeram outro tanto. Langres será defendida pelo bispo Ganteaume, e Reims fortificada às pressas por Foulques que, segundo se conta, dormia pessoalmente junto às portas da cidade.

O episódio mais célebre da resistência clerical aos novos perigos será o cerco de Paris pelos normandos em 885; a pequena vila da Île de la Cité e os seus dois bairros às margens do Sena aguentar-se-ão um ano inteiro contra todos os assaltos, desafiando a fome e as escaladas; ao lado do conde Eudes, filho de Roberto, o Forte, e antepassado dos Capetos, os parisienses verão o seu bispo Gozlin e o seu sobrinho Ebles, abade de Saint-Germain-des-Prés, saírem para a luta, e quando o chefe normando Siegfried vier parlamentar, será ainda o bispo quem, recebendo-o no palácio episcopal, se recusará a qualquer compromisso e falará ao pirata na linguagem severa de um profeta bíblico. Comparada com a das autoridades imperiais, essa atitude deve ter causado profunda impressão, pois enquanto o seu exército acampava na colina de Montmartre, Carlos, o Gordo, descendente de Carlos Magno, não encontrava melhor solução do que entregar a Borgonha aos normandos para que levantassem o cerco. E os parisienses, indignados ao saberem disso, recusarão aos *drakkars* a passagem sob as suas pontes, obrigando-os a contornar a cidade com os barcos a seco.

À ação de resistência, a Igreja acrescentou outra, dentro da linha de comportamento que sempre seguira. Longe de se desesperar com esses bandidos que tanto mal lhe faziam, procurou convertê-los. Os "homens do Norte" eram pagãos; tinham ficado agarrados aos velhos cultos germânicos, às suas divindades quer guerreiras — como Odin, o soldado Tor, o violento Aesir —, quer rurais como Frey, Freia e Niordr. Os verdadeiros cristãos tiraram partido de todas as circunstâncias a fim de tentarem trazer para a fé esses belos animais carniceiros. Quando Luís, o Piedoso, após as revoluções palacianas na Dinamarca, estabeleceu contatos quase amigáveis com o rei fugitivo Harald II, o bispo de Mainz aproveitou a passagem do bárbaro pela cidade para convencê-lo a batizar-se.

Esta primeira conquista facilitou o envio de missionários ao coração das regiões nórdicas. Ebbon, bispo de Reims, lançou-se pessoalmente a essa aventura, mas depois, como os deveres do seu cargo o retinham na França, fez-se substituir por um dos dirigentes da abadia de Corvey na Saxônia, que meteu ombros a esse trabalho hercúleo com uma tenacidade admirável. Chamava-se *Santo Anscário*, o que quer dizer "dardo de Deus". Mais audacioso ainda do que São Bonifácio, que tinha trabalhado sob a proteção das armas francas, mergulhou em plena região pagã, como o fariam no século XVII os missionários entre os peles-vermelhas. Várias vezes repelido, voltou à carga uma vez e outra, e, tomando Hamburgo por centro apostólico e ponto de partida, lançou a semente na Dinamarca e na Suécia. Em 845, viu a sua obra subitamente arruinada por um assalto feroz dos *vikings* noruegueses à sua sede, mas recomeçou imediatamente a evangelização, ora tolerada, ora rejeitada pelos reis nórdicos, e acabou por criar dois centros cristãos, Birca e Riba. Foram resultados aparentemente insignificantes, mas supuseram uma obra de imensa importância para o futuro e para o prelúdio da evangelização da Escandinávia, que atingirá o seu auge por volta do ano 1000[8].

A expectativa de um papado forte

Através das circunstâncias mais hostis, no meio dos dramas que perturbam este doloroso século IX, a Igreja aumenta a sua influência. Depurado nos seus efetivos, melhorado na sua instrução depois dos esforços de Carlos Magno e do seu piedoso herdeiro, o clero do Ocidente prepara-se para assumir o primeiro lugar na cristandade. Até este momento, a luz vinha do Oriente, e eram os teólogos da Igreja grega que pareciam dominar, mas a importância dogmática do Ocidente começa já a crescer: anuncia-se o desabrochar medieval.

Encerrada em 843 a querela das imagens, a igreja oriental entra pouco a pouco em hibernação, enquanto a sua irmã do oeste desperta. As controvérsias teológicas começam a apaixoná-la. Vimos a questão do *Filioque*, no tempo de Carlos Magno; levanta-se agora, no tempo de Luís, o Piedoso, a da presença de Cristo na Eucaristia, em que Floro, o diácono de Lyon, combate Amalário, e Rábano Mauro, abade de Fulda, quebra lanças contra Pascásio Radberto, abade de Corbia. Mais tarde, o mistério da predestinação, já bem analisado por Santo Agostinho, provocará uma crise extremamente violenta, em que o grande e terrível Hincmar, bispo de Reims, derriba de alto a baixo o monge saxão Gottschalk, e é ele mesmo acusado de heresia, logo depois, por Prudêncio de Troyes e por Lobo de Ferrières, numa crise que três concílios não conseguirão apaziguar e que somente o papa conseguirá resolver. O fato de estes homens se terem apaixonado por debates dessa natureza num momento em que o Ocidente se rasgava em pedaços, em que as cidades e conventos eram pasto das chamas normandas, em que a fome e o desespero assolavam os campos despovoados, é a prova mais clara de uma excepcional vitalidade, rica de promessas para o futuro.

Prossegue também o desenvolvimento político da Igreja. A supremacia do poder espiritual, que ela tinha começado por afirmar modestamente, em breve é proclamada pelos seus chefes mais enérgicos, que repreendem os próprios reis com audácia e firmeza. No caos em que a Europa dividida vai mergulhando, a sagração torna-se a única realidade firme, a rocha inabalável, e a sua importância aumenta de dia para dia, o que permite à Igreja ter nas mãos as rédeas do poder leigo. "Recebe o cetro, insígnia do poder real — diz a fórmula da coroação —, para bem regeres a Igreja e o povo cristão que te está confiado". Em outras palavras, o rei já não é rei senão para servir a Igreja e a sua causa. Mais ainda, os próprios soberanos são os primeiros a aceitar esta doutrina: em 859, ameaçado de ser deposto, Carlos, o Calvo invoca este argumento surpreendente: "Depois da minha sagração, não posso ser deposto por ninguém, pelo menos sem ter sido julgado pelos bispos que me sagraram" — o que é, ao fim e ao cabo, reconhecer formalmente aos chefes da Igreja o direito de deporem os reis... Aliás, era uma afirmação lógica, uma vez admitido como ponto de doutrina que "os pontífices podem sagrar os reis, mas os reis não podem sagrar os pontífices".

Esta última expressão é de Hincmar, o poderoso bispo que desempenhou um papel tão decisivo tanto nas lutas políticas como nos conflitos doutrinais. É ele o grande teórico do primado do espiritual, ou melhor, na realidade, da confusão do espiritual e do temporal em benefício do primeiro. Hincmar tem como ideal um Império glorioso, poderoso, perfeitamente organizado segundo os princípios da justiça, mas um Império ordenado pela Igreja e sustentado por uma oligarquia de poderosos metropolitas, que lembrariam à humanidade os seus deveres e a dirigiriam com mão firme rumo à cidade de Deus. É o ideal de Carlos Magno, restabelecido ponto por ponto. Num tempo dramático, em que a civilização se sente novamente à beira do abismo, talvez seja este o único programa válido, mas não deixa de suscitar problemas.

A primeira dificuldade nasce da situação geral: para que a Igreja sirva de dique contra a tormenta, é necessário que as próprias pedras de que é feita não se esboroem nem abram fendas. Ora, é evidente que se divisam no horizonte linhas de menor resistência, que não farão mais do que alargar-se. O feudalismo, que se instala por toda parte, tende a incorporar a Igreja, numa operação que se realiza de três maneiras simultâneas, e não se sabe qual delas é a mais prejudicial. A princípio, exatamente como nos piores tempos merovíngios ou nos começos da dinastia pepinida, os soberanos, sempre envolvidos em guerras, sempre faltos de recursos, secularizam as terras da Igreja para presenteá-las aos seus asseclas, ou confiscam-nas para suprir as suas necessidades; é ainda uma mera perda material, um mal pela metade. Depois — questão já bastante mais séria —, no meio da terrível desordem da sociedade, numerosos sacerdotes, abades e mesmo bispos "recomendam-se" — enfeudam-se, prestam juramento de fidelidade — a um senhor; o laço político substitui o laço canônico. "Não só os bens eclesiásticos — escreve com indignação Agobardo —, mas as próprias igrejas se tornam propriedade dos seculares". Por último — e é o cúmulo —, os soberanos julgam-se autorizados a distribuir títulos eclesiásticos como se fossem dignidades civis; nomeiam um bom servidor abade de algum rico mosteiro, como o nomeariam conde numa província e, muitas vezes, as duas coisas ao mesmo tempo. Aliás, todas as circunstâncias acabam por concorrer para este resultado; nos conventos e bispados, por exemplo, criou-se o hábito de distinguir a *mensa* do abade ou do bispo, isto é, os seus proventos, da da coletividade, o que simplifica muito a atribuição da primeira a algum senhor; bispados e abadias tornam-se, assim, benefícios ligados aos reis.

Quais foram os resultados? Adivinham-se sem dificuldade. É o cura que abandona as suas ovelhas para se tornar capelão do seu senhor e, por vezes, intendente dos seus domínios. É o abade que parte para a guerra com um contingente de homens de armas, por força do juramento de fidelidade feudal. É a paróquia — os bens paroquiais — tratada como um capital que tem de produzir rendas. São os dízimos usurpados e as dádivas dos cristãos vergonhosamente roubadas. É, nas abadias e bispados em poder de leigos, o aviltamento dos verdadeiros clérigos, reduzidos a ter de viver com a "porção côngrua" e obrigados, pelo que dizem os concílios, à mendicidade. É sobretudo o escândalo das designações de pessoas indignas para títulos outrora tão venerados, escândalo de que poderemos fazer uma ideia se pensarmos nessa Waldrada, concubina de Lotário II, que recebeu dele... um mosteiro de homens.

Evidentemente, os elementos sadios da Igreja reagirão contra esses abusos. Eis, por exemplo, a censura que Wala, abade de Corbia, dirige a Luís, o Piedoso: "Como ousas distribuir as dignidades ou, mais exatamente, os cargos eclesiásticos? Sabe, em primeiro lugar, que qualquer bem legalmente consagrado ao Senhor sob a forma de esmolas só pode pertencer às igrejas. E se tu pretendes transmitir por decreto divino as bênçãos e o Espírito Santo que os eleitos recebem do Senhor por meio dos bispos consagrados, fica sabendo que ultrapassas muito além da conta o ofício que te pertence". Protestos análogos rebentam por toda parte; aqui contra Pepino da Aquitânia, acolá contra Carlos, o Calvo. No sínodo de Yutz, em 836, perante os três reis reunidos, os bispos reclamam energicamente que se ponha fim a esses desvarios. Três meses depois, em Vers, ousam até falar de "atitudes sacrílegas". Em Paris, em 846, as suas queixas e os seus pedidos de reforma são tão instantes que Carlos, o Calvo cede e promete não nomear mais abades leigos, não fazer mais secularizações e mesmo restituir os bens indevidamente tomados...

Promessas vãs. Quando, vinte semanas mais tarde, realiza em Épernay o *plaid* anual dos seus homens, é rudemente chamado à razão. Os senhores não querem de maneira nenhuma renunciar a tantas e tão frutuosas prebendas, e o belo programa parisiense continua por aplicar. "Nunca se faltou tão impudentemente com o respeito devido aos pontífices", disse indignado o bispo Prudêncio de Troyes. O perigo desenha-se, pois, com matizes extremamente graves; é o perigo que no século seguinte colocará uma Igreja contaminada pelo sistema feudal a dois passos da sua perda. Mas há já uma lição a tirar: a de que, para resistir a essas forças de desagregação, não se deve contar com as hierarquias locais, demasiado próximas dos reis, demasiado ligadas a eles; e a de que a verdadeira reforma contra o perigo feudal só poderá ser empreendida por uma autoridade superior, isto é, pelo Papa. A partir de meados do século IX, os tempos passam a esperar por Gregório VII.

Outro problema que se levanta diante desta corajosa Igreja da decadência carolíngia, que tentava impor a sua autoridade à sociedade dos homens a fim de protegê-los contra a sorte e contra si próprios, é o de saber em que nível se deve situar essa autoridade ou, por outras palavras, quem deve exercê-la efetivamente. Nos conflitos políticos, quem desempenha o papel central são os arcebispos, os metropolitas. Personagens de peso, aparentados com tudo aquilo que conta, com livre trânsito na corte, frequentes vezes embaixadores e ministros, constituem a aristocracia do episcopado. Muitos deles afagam o ideal de Hincmar, o de um controle tanto sobre a Igreja como sobre o Estado — aliás, misturados graças aos seus esforços —, exercido por um punhado de chefes, com os simples bispos como subalternos e os reis como executores. Como nos lembramos, São Bonifácio quisera imprimir um papel mais decisivo à figura dos metropolitas[9], mas não pudera prever que alcançaria semelhantes pretensões, e Carlos Magno talvez tivesse farejado o perigo, porque não mostrou nenhum entusiasmo pelas ideias do grande reformador inglês[10]. Os metropolitas aproveitam-se, pois, da derrocada do poder imperial, e assim se configura um duplo conflito: com os bispos, que veem diminuir a sua autoridade de maneira intolerável, e com o papado, que não suportará indefinidamente aquilo que é, literalmente, uma usurpação de poderes.

Espoliado pelos senhores, despojado da sua autoridade pelos de cima, o episcopado vê-se também atacado pelos de baixo. O inimigo é, neste caso, o *corepíscopo*, esse "bispo rural" que, em princípio, ajuda o bispo titular a administrar os sacramentos. A instituição viera do Oriente[11], tinha penetrado em quase toda a cristandade ao longo dos séculos IV e V, e depois fora reabsorvida em muitos lugares, principalmente na Itália, pela multiplicação das dioceses; mas subsistia na Gália. Muito próximo dos camponeses, o corepíscopo tinha uma influência enorme, e praticamente só se deixava guiar pela sua própria cabeça, sem se importar para nada com o bispo, que com muita frequência estava longe. Não lhe era difícil exercer o seu poder no meio da desordem universal, em que a autoridade imediata era a única que tinha possibilidades de se impor. A solução era clara: substituir esses subordinados indóceis por uma peça mais modesta, e essa será a origem dos arcediagos. Mas, para que essa solução se traduzisse em fatos, era necessário que interviesse a autoridade superior, e então manifestar-se-á mais uma vez a necessidade de um papado forte.

Surge, pois, em consequência de tudo isso, uma corrente muito nítida, proveniente de diversas fontes, que procura reerguer o papado. Nota-se uma expectativa comovente, uma esperança repassada de amor; todos os olhos estão postos em Roma, onde o sucessor de São Pedro se mostra ainda pouco enérgico, muito pouco firme, mas onde se pressente o núcleo de um poder inabalável. Esta corrente irriga do começo ao fim esses curiosos documentos — publicados nesta época — que a história conhece sob o nome de *Falsas Decretais*. Trata-se de um conjunto de peças apócrifas, certamente produzidas com uma finalidade bem determinada por um porta-voz desse episcopado reformador que representa as mais antigas tradições da Igreja. Este falsário de gênio é conhecido sob o pseudônimo de *Isidorus Mercator*, e nada mais se sabe dele. Não vale a pena, porém, apressarmo-nos a denegrir a sua memória, porque as pessoas do seu tempo não tinham pela verdade histórica o respeito que nós professamos hoje, e nem sequer suspeitavam das suas exigências.

A manobra era simples. Existiam duas compilações de decretais dos papas e das atas conciliares, compostas uma na Itália do século VI pelo célebre Dionísio, o Pequeno, e a outra na Espanha do século VII. "Isidoro" toma-as como elementos do seu trabalho, e depois interpola, altera e trunca os textos, *ad majorem Dei gloriam*! Como não existiam textos anteriores ao século IV, fabrica sessenta, que situa num período que vai desde a morte de São Pedro até São Melquíades. A seguir, introduz, entre as autênticas, trinta e cinco decretais da sua lavra. Publica tudo, e os contemporâneos caem no engodo; serão precisos oito séculos para que se descubra a trapaça!

Mas quais são as intenções do genial falsário? Excelentes. O que ele quer é a reforma da Igreja, e assim forja armas das quais poderá lançar mão contra todas as ameaças que pesam sobre ela. Contra os corepíscopos, por exemplo, os seus textos mostram que os poderes desses membros da Igreja são muito limitados, e principalmente que não devem conferir os sacramentos; graças à sua influência, efetivamente, a instituição não tardará a desaparecer na França. Contra os metropolitas, afirma que nos tempos antigos era o primaz, representante direto do Papa, quem detinha todos os poderes. Contra os senhores feudais, os secularizadores, multiplica as ameaças, tanto mais eficazes quanto as faz desabar sobre eles do alto dos séculos. E, sobretudo, bate sem cessar na tecla do recurso a Roma, do apelo à Santa Sé. Afirma o primado incontestável do descendente de São Pedro, e assim faz passar para as consciências, como uma certeza que ninguém poderá discutir, a admirável tendência da Igreja inglesa[12] de reconhecer no Papa não só um grande prestígio, mas uma autoridade respeitada em toda a Igreja.

É evidente que o papado não tinha necessidade desta fraude para firmar a sua autoridade, mas por outro lado não podia permanecer insensível a essa corrente que corria em sua direção. Podemos mesmo notar certa influência dos textos de "Isidoro" nos documentos emanados da Cúria romana. Aliás, não é verdade que estes apócrifos iam ao encontro de uma doutrina que vimos expandir-se tão logicamente desde as origens da Igreja, a doutrina do primado de Roma? Essas peças interessam, pois, como documento, um documento sobre a profunda psicologia da cristandade ocidental que, de um modo geral, aspirava a um papado forte. Basta que um homem enérgico suba à Santa Sé para que muitas coisas mudem de feição.

São Nicolau I, o primeiro grande papa medieval

Está para soar a hora do papado. Teria podido acontecer dez anos mais cedo, quando a cátedra de São Pedro foi ocupada por *Leão IV* (847-855); o *Liber Pontificalis*, editado por Duchesne, diz a respeito dele que «no seu coração residiam ao mesmo tempo a prudência da serpente e a simplicidade da pomba», e Voltaire, no seu *Essai sur les Moeurs*, prestou-lhe esta bela homenagem: «Nasceu romano. A coragem das primeiras eras da República revivia nele num tempo de covardia e corrupção, como um desses belos monumentos da Roma antiga que se elevam às vezes entre as ruínas da nova».

Mas as circunstâncias não permitiram que este homem notável desse tudo de si. Preocupado em defender Roma dos sarracenos[13], não pôde impor a sua autoridade aos príncipes como teria desejado e como teria sido necessário; mas, pelo menos, sagrou em 850 o jovem herdeiro da Itália,

Luís II, filho de Lotário, e em diversas ocasiões soube falar a linguagem da intrepidez. Infelizmente, depois dele[14], a Igreja sofreu uma violenta crise: o antipapa Anastásio esteve prestes a destronar o papa legítimo, Bento III, homem santo mas fraco, que chegou a ser insultado até nos seus aposentos, e que só foi reposto no trono devido à cólera do povo de Roma, hostil ao usurpador. Impressionado com tantas violências, Bento III mostrou-se temeroso, e os três anos do seu reinado acusam um recuo da autoridade da Santa Sé, que os metropolitas da Gália aproveitaram para aumentar a sua autonomia. Pelo menos, teve o mérito de descobrir na Cúria um jovem diácono de grande valor, *Nicolau*, que nomeou seu secretário e em quem procurou insuflar um certo espírito de decisão. Quando morreu, em 858, Nicolau sucedeu-lhe no trono papal (858-867).

Sucedeu-lhe com o apoio das autoridades carolíngias, e mais precisamente de Luís II de Itália, que o impôs ao clero romano. Julgou-se a princípio que este clérigo apagado, que se vira circular modestamente pelos bastidores do Latrão, não passaria de mera criatura do poder. Quando se viu o imperador prestar-lhe as mesmas honras que outrora os chefes temporais haviam prestado ao chefe espiritual, e que se tinham deixado de observar desde o tempo de Adriano I — a prosternação, o cavalo do pontífice conduzido pela mão do príncipe —, todos se mostraram convencidos de que se tratava de uma comédia e que, dos dois, o verdadeiro suserano era aquele que caminhava humildemente a pé.

Enganavam-se. Aquele sacerdote, "de belo rosto, costumes severos e hábitos generosos", estava na linha dos antigos romanos que outrora, no trono pontifício, tinham sabido transpor as antigas virtudes latinas para o marco do ideal cristão. Digno sucessor de um São Leão Magno ou de um São Gregório Magno, era uma personalidade que ocultava um extremo vigor sob aparências as mais modestas, uma lâmina de aço que evitava brilhar inutilmente, mas que nunca se dobrava. Tinha a mais elevada ideia da dignidade pontifícia de que o seu Senhor o quisera investir, e, para além de toda a ambição pessoal, o que queria era afirmar uma grandeza de que se sabia responsável. Enérgico e intrépido, possuía ao mesmo tempo uma sabedoria admirável; basta ler a carta que dirigiu ao rei dos búlgaros, Bóris, que se tornara cristão e que lhe pedia sacerdotes e conselhos, para avaliar até que ponto este homem ultrapassava o seu tempo, esse tempo da mais profunda violência[15].

Quanto ao comportamento da Santa Sé, iria ele inaugurar uma política nova? De maneira nenhuma: não era necessário. O seu programa será o mesmo dos seus antecessores mais lúcidos, mas ele lhe insuflará nova energia. Não se descobrirá nos seus nove anos de pontificado nenhuma fórmula que não proceda diretamente da tradição de São Pedro, mas graças à sua energia, saberá tornar essas fórmulas mais eficazes e ampliará o seu campo de aplicação. O fim é claro: elevar a autoridade pontifícia acima de todos os poderes da terra, e exigir que lhe seja reconhecido o direito de conduzir o mundo a uma ordem cristã.

A situação era favorável à entrada do papado na cena política. Foi precisamente durante o pontificado de Nicolau I que se deu a falência definitiva da famosa "fraternidade" que, por mais ilusória que tivesse sido, conseguira manter entre os descendentes de Carlos Magno as aparências da concórdia; o seu desmoronamento inaugurou uma era de crises, de intrigas sórdidas, de traições entre irmãos e de guerras, em que os interesses se emaranhavam de forma inextricável, e cujo único resultado evidente foi a decadência definitiva daquilo que fora o glorioso Império do Ocidente.

Cedendo às forças de ruptura que a trabalhavam, a famosa zona intermédia, a Lotaríngia, criada pela partilha de Verdun, tendia cada vez mais a desconjuntar-se, o que abria campo a todos os apetites. Bastou morrer um dos três reis — Carlos da Provença e da Borgonha, em 883 — para que um dos seus primos próximos procurasse roubar-lhe a herança; a operação foi tentada por Carlos, o Calvo. Era um perpétuo jogo de alianças que se atavam e desatavam, de intervenções de um no território do outro, e de entendimentos com os inimigos internos do adversário. O título imperial, que depois da morte de Lotário I passara para o seu filho Luís II da Itália — personagem aliás vigorosa e inteligente, como veremos, mas que praticamente só podia apoiar-se na Lombardia —, tinha perdido muito da sua importância.

Tudo isto, obviamente, favorecia muito o papa, por menos energia que tivesse. Havia apenas uma nuvem negra no horizonte: a ameaça sarracena que, obrigando o pontífice a apelar para as tropas carolíngias, lhe deixava as mãos menos livres; mas por outro lado verificou-se que, após o terrível *raid* de 846, em que os muçulmanos chegaram a saquear São Pedro, durante o pontificado de Sérgio II, a sua pressão começou a afrouxar e o perigo deixou de ser imediato. Nicolau pôde, portanto, agir.

E foi o que fez em todas as ocasiões. A questão mais característica do seu pontificado, aquela em que mais claramente se viu como a simples afirmação dos princípios cristãos podia levar o papado a intervir no terreno propriamente político, foi a do divórcio de Lotário II. No plano religioso, o caso era simples. Lotário, o soberano dos territórios entre o Meuse e o Reno, jovem príncipe violento e pouco inteligente, vivera durante anos em concubinato com Waldrada, uma aristocrata lorena da qual tivera filhos. Por motivos políticos, desposou Theutbérgia, irmã do conde borgonhês Hugoberto, abade leigo do mosteiro de Saint-Maurice-Valais, que aliás convertera num lugar inqualificável.

Ao cabo de uns poucos meses, Waldrada, consumida de ciúmes da esposa legítima, persuadiu o amante a repudiá-la, e — sinal aflitivo do desregramento dos costumes — Lotário encontrou bispos dispostos a transigir com essa triste operação. Por razões que parecem tão negras como as que, em alguns países do século XX, levam determinados acusados a reconhecer-se inteiramente culpados de crimes que não cometeram, Theutbérgia confessou faltas inomináveis que teria cometido com o seu celerado irmão, e o casamento foi anulado. Mas depois, recuperando-se, a rainha legítima apelou para o papa, apoiada por Hincmar de Reims. Sem hesitar, Nicolau I pôs-se do lado da destronada, proclamou a indissolubilidade do casamento e intimou Lotário a receber de volta a esposa.

Ao mesmo tempo, porém, verificou-se que o problema estava no centro da política ocidental: se Lotário, não tendo filhos de Theutbérgia, morresse sem herdeiro legítimo, o seu reino muito provavelmente seria partilhado entre os vizinhos. Daí surgiu um emaranhado de acontecimentos e intrigas em que os tios do rei da Lorena desempenhavam o papel de bons apóstolos, e o próprio papa, mantendo sempre a intangibilidade dos princípios cristãos, não perdia de vista o interesse superior da paz na cristandade. Foi no meio dessa confusão que Nicolau I demonstrou toda a medida do seu valor; as piores violências não conseguiram intimidar este homem de Deus, que uma noite atravessou sozinho o Tibre, numa barca, para escapar aos seus adversários e refugiar-se em São Pedro. Ameaçado, insultado, manteve-se firme, e os próprios fracassos que colheu não o desanimaram.

Por fim, Lotário teve de receber de volta a esposa e, apesar das suas astúcias para burlar a sentença, já nunca mais ousou exibir Waldrada no trono. Ao mesmo tempo, o papa conseguiu impedir que eclodisse uma guerra irremissível entre os irmãos, tios e sobrinhos inimigos. No concílio de Roma, em 865 — num momento em que as invasões normandas punham em xeque a autoridade dos reis —, o desarmado soberano da Igreja aparecia verdadeiramente como o árbitro da Europa, aquele cujas sentenças e admoestações era necessário aceitar de boa ou de má vontade. Nicolau I triunfava unicamente pela força espiritual que encarnava.

O grande papa desenvolveu a mesma energia sem desfalecimentos em todos os casos em que lhe pareceu estarem em jogo os interesses superiores da Igreja. Mesmo empenhado na batalha contra as investidas dos príncipes do Ocidente, durante todo o seu pontificado fez frente também à corte bizantina, como se verá[16], recusando-se a ratificar a deposição do patriarca Inácio e a sua substituição por Fócio, porque não podia tolerar a insolente ingerência do poder imperial numa questão estritamente interna da Igreja.

E no próprio seio dessa Igreja, empenhou-se com todas as suas forças em fazer respeitar a autoridade pontifícia, penhor de ordem e de unidade. O próprio Hincmar, esse poderoso arcebispo orgulhoso das prerrogativas da sua sé e grande defensor da semi-independência dos metropolitas, teve de curvar-se diante dele. Nicolau I fez-lhe sentir sempre que também ele tinha de compreender que, se o poder espiritual devia dominar, esse poder cabia unicamente ao Papa; o metropolita teria de comportar-se como filho submisso da Igreja, ou então esperar pelo pior. Neste confronto, o episódio mais importante foi o da deposição do bispo Rothade de Soissons, que Hincmar fizera decretar por um concílio provincial — não sem algumas boas razões —, mas que o papa considerou irregular. Intimado a libertar o bispo e ameaçado de ser suspenso *a divinis*, Hincmar teve de conformar-se e Rothade, em Roma, recebeu de novo as suas insígnias. Contra a tese — prenunciadora da tese galicana — que afirmava a autoridade do concílio provincial e do metropolita, Nicolau I impunha a do primado da Sé Apostólica. E o seu exemplo viria a ser seguido.

Questão análoga se produziu na Itália, mas muito mais misturada com elementos políticos: o arcebispo João de Ravena, ajudado por seu irmão Gregório, reivindicava a autonomia da sua gloriosa sé; confiscou todas as dioceses dos arredores e, de passagem, oprimia e explorava os súditos dos estados pontifícios. Intimado a comparecer em Roma, tentou esquivar-se, mas Nicolau fê-lo condenar. Luís II tentou inutilmente demover o papa inflexível: "Ousais defender um excomungado?", gritou Nicolau I aos enviados do imperador. Depois, foi pessoalmente a Ravena, de onde mandou expulsar João e fez reparar as suas injustiças, de uma forma tão corajosa que o arcebispo acabou por ceder.

Assim, nesses nove anos, breves mas extraordinariamente densos, o grande papa elevou a Sé de São Pedro a uma situação que ela jamais conhecera. Resgatada totalmente a hipoteca do domínio bizantino, afastada a ameaça de vassalagem que o Império carolíngio fizera pesar sobre ele, o papado encontrava-se verdadeiramente no topo do mundo cristão. Prevalecia o princípio que Nicolau gostava de repetir: "As coisas espirituais estão acima das coisas terrenas tanto quanto o espírito está acima da carne". Os contemporâneos perceberam perfeitamente a importância do fato, como aliás o provou a cólera dos adversários; dois arcebispos do partido de Lotário definiam Nicolau como "aquele que se diz papa, que pretende ser apóstolo entre os apóstolos, e que adota ares de imperador do mundo". Mas eram protestos vãos. A lógica da história, ajudada pelas circunstâncias que provocariam o desmoronamento do Império carolíngio, exigia que o chefe da cristandade, no meio do perigo, assumisse as responsabilidades levantadas por esse perigo.

Nicolau I foi, portanto, o primeiro papa em que a civilização do Ocidente reconheceu absolutamente o seu guia; foi o primeiro papa medieval, o predecessor imediato de Gregório VII e de Inocêncio III. O seu pontificado pressagiou as futuras conquistas do papado. É certo que este êxito tinha um caráter excepcional, e que se deveu sobretudo ao vigor da sua personalidade; tanto é assim que, depois dele, a anarquia feudal logo passaria para o primeiro plano e a Igreja se deixaria arrastar por ela. Mas era já importante que o exemplo tivesse sido dado, mesmo que não viesse a ser seguido. "Desde o bem-aventurado Gregório — escreveu o cronista Réginon —, nenhum papa pode ser comparado a Nicolau; ele reinou sobre os reis e sobre os tiranos, e submeteu-os à sua autoridade como se fosse o senhor do mundo".

Restos de antiga grandeza e promessas de futuro

Este tomar a seu cargo o Ocidente que, como acabamos de ver, a Igreja operou no plano político, operou-se também no plano da vida intelectual. Na situação em que a Europa se encontrava, havia duas graves questões a ter em conta: por um lado, era muito de recear que a decadência geral provocasse rapidamente a completa ruína dos brilhantes resultados atingidos pela "renascença carolíngia"; por outro, era de temer que o desmembramento do Império em estados rivais destruísse para sempre a unidade cultural do Ocidente. Ambos os perigos foram afastados. No meio dos piores episódios deste período de crescente obscuridade, permaneceram suficientes elementos luminosos para que mais tarde a chama voltasse a brotar das brasas ainda incandescentes, e, apesar do incremento dos antagonismos nacionais, subsistiram os dados fundamentais que permitiriam edificar com o correr do tempo o universalismo medieval.

Nos dois casos, o papel da Igreja foi decisivo e até, por assim dizer, único. Foi ela quem mediu e proclamou a importância dos valores da inteligência, numa época em que o recrudescimento da violência tornava desculpável que os leigos só se preocupassem com a força. Nada mais impressionante do que a súplica, dirigida em 829 a Luís, o Piedoso pelos prelados reunidos em Worms, para que continuasse a interessar-se pelas escolas e pelos trabalhos do espírito, "a fim de que os esforços de seu pai não tenham sido vãos". Foi também a Igreja quem salvaguardou a unidade, ao impor não somente a adesão aos mesmos dogmas e às mesmas leis morais, mas a adoção do latim como língua litúrgica e pedagógica, num momento em que a especialização dos idiomas regionais, coincidindo com o ainda pouco nítido nascimento das consciências nacionais, se arriscava a desmantelar o espírito europeu. Se as diferenças entre as nações autônomas, apesar dos sofrimentos a que deram lugar, acabaram conduzindo a um maior desenvolvimento da civilização devido à emulação entre os povos, foi em primeiro lugar porque tinham sido preservadas as bases comuns. E isso foi obra da Igreja.

Por outro lado, é impressionante observar como se acentuou o caráter clerical da cultura. Em breve desapareceram os leigos que, como Eginhard, tinham pertencido à academia de intelectuais de Aix-le-Chapelle; o único escritor leigo de certa importância neste período foi *Nithard*, neto de Carlos Magno por parte de sua mãe Berta, o historiador das guerras fratricidas a quem devemos o texto dos famosos *Juramentos de Estrasburgo*. Aliás, compreende-se facilmente por que isso aconteceu: absorvidos pela administração e defesa dos seus domínios, pela guerra e pela política, os leigos acabaram cada vez mais por renunciar às coisas do espírito. A arte de escrever tornou-se arte de monges e de padres, e a palavra *clerc*, "membro da clerezia", passará definitivamente a significar também "homem culto" nas línguas francesa e inglesa. O diácono Amalário chega a afirmar que "só pode ser livre para o estudo, e ter o seu verdadeiro sentido, aquele que não se casa nem possui terras ou animais". As próprias escolas tenderão a especializar-se na formação dos jovens clérigos: serão as escolas dos conventos, para os futuros noviços, e as escolas das catedrais, para os futuros cônegos. Não há dúvida de que surgiram resistências a esta corrente; alguns reformadores, com São Bento de Aniana à testa, manifestam certa desconfiança em relação aos trabalhos do espírito, suspeitos de encorajarem o orgulho; mas essas resistências estiveram longe de ser determinantes, e em todo o Ocidente o convento voltou a ser, cada vez com mais intensidade, aquilo que fora mais modestamente no tempo das grandes invasões: o refúgio do espírito, a cidadela em que se albergavam as esperanças do futuro.

Talvez o que mais tenha impressionado os historiadores, e que efetivamente sobrevive em todas as memórias, é a imagem desses monges copistas que, ao longo de toda a sua vida, cobrem o branco pergaminho com as belas linhas da minúscula letra carolina, ornamentando as capitulares com entrelaçados e desenhos e intercalando por vezes admiráveis ilustrações. Este trabalho paciente e monótono constituiu verdadeiramente a base de todo o desenvolvimento intelectual, mantendo o que havia sido recuperado nos dias de Carlos Magno. Assim, foi graças à sua reprodução nos conventos do século IX que chegou até nós um bom número de autores clássicos: as cópias anteriores são muitos raras.

Era um trabalho que se cercava dos maiores cuidados. Da Itália, isto é, geralmente de Ravena, de Monte Cassino ou de Bobbio, abadia columbana cujas bibliotecas eram ricas, um precioso manuscrito chegava a Fleury, a Tours, a Saint-Gall ou a Fulda, por empréstimo ou por compra; por vezes, tratava-se de uma dessas obras sem preço, saída outrora das oficinas de copistas de Antioquia ou de Alexandria, ou ainda de uma dessas surpreendentes obras-primas de que a Irlanda detinha o segredo. Semelhante aquisição era um acontecimento, um título de glória a mais para a casa, e logo equipes de calígrafos punham mãos à obra, repetindo as cópias que as célebres oficinas espalhavam imediatamente por todo o país.

É, pois, quase exclusivamente às grandes abadias que se devem associar os nomes dos grandes mestres do espírito deste tempo. Houve alguns bispos escritores, mas eram quase todos monges — Hincmar, por exemplo, saíra de São Dinis —, e por outro lado as suas obras foram sobretudo escritos de ocasião: tratados de moral política ou cartas pastorais e administrativas; o caso do mesmo Hincmar, também historiador, que escreveu os *Anais* do Império, é excepcional. Por outro lado, não houve nenhuma abadia de renome que não tivesse produzido pelo menos um ou dois homens que, tendo em conta as circunstâncias, não se possam dizer importantes.

Na região germânica, tanto a leste como a oeste do Reno, as grandes abadias são fortalezas do espírito: Fulda, guardiã do túmulo de São Bonifácio, irradia a sua influência sobre o Hessen e a Francônia; Corvey, a nova Corbia, domina moralmente a Saxônia; perto do lago de Constança, a fundação columbana Saint-Gall, bem como Reichenau, são baluartes tão sólidos que é dentro das suas muralhas que os últimos elementos de cultura carolíngia sobreviverão aos desastres do século X. Em Fulda, o grande nome é *Rábano* (784-856), que seu mestre Alcuíno alcunhara de *Mauro*, em memória do discípulo preferido de São Bento. Professor do mosteiro, bibliotecário e depois abade, viu-se envolvido em todos os grandes acontecimentos do século e nas querelas teológicas, o que não o impediu de deixar uma obra enorme, sobretudo de comentários da Sagrada Escritura e de pedagogia monástica, como a *Instituição dos clérigos*. Em Reichenau, é *Walafredo Estrabão*, fascinante e misteriosa inteligência cuja *Visio Wettini* — a «Visão de Walafredo» — é como que uma antecipação do *Inferno* de Dante; a sua *Glosa ordinária* será o manual de Sagrada Escritura da escolástica. Em Saint-Gall, onde se redige a célebre crônica dos fastos, das glórias e também das lendas de Carlos Magno, a atividade intelectual não para de progredir, ampliando-se sem cessar ao longo dos séculos, e produzindo um homem que foi certamente um dos redatores da famosa crônica de Saint-Gall e a respeito do qual se tem afirmado que foi o maior poeta alemão da Idade Média: *Notker*.

Saint-Gall e Reichenau encontram-se nos domínios de Lotário, e aí mesmo têm como concorrente outro centro intelectual de extraordinário brilho: Lyon. Resplandecem três nomes: o bispo *Agobardo*, cujo entusiasmo, embora barulhento, é comunicativo; *Amalário*, um apaixonado comentador da Escritura e da liturgia, cujo simbolismo atinge por vezes o delírio; e *Floro*, um grande letrado, uma inteligência minuciosa e um dialético temível.

No oeste da França, são numerosas as abadias ilustres: São Dinis, Ferrières, São Martinho de Tours e Saint-Benoît-sur-Loire; Jumièges e Saint-Wandrille na Normandia, Saint-Riquier, Saint-Bertain e sobretudo Corbia. Em Ferrières, o grande nome é *Servat Loup*, cuja personalidade, quanto mais é estudada, mais se revela como a de um grande humanista do século IX. Em Corbia, é *Pascásio Radberto*, cujos estudos sobre o *Corpo e Sangue de Cristo* foram um elemento essencial dos debates teológicos sobre a Eucaristia. E o maior nome, talvez até o espírito mais penetrante e mais original da época, é certamente *João Escoto*, denominado *Erígena* por ter nascido no Eyre, na Irlanda, e que provavelmente viveu entre 800 e 865. A sua imensa obra escrita, em que tanto se ocupa da Eucaristia como da predestinação, em que traduz o Pseudo-Dionísio Areopagita e em que expõe um sistema completo do mundo — a sua *Divisão da natureza* —, retoma as velhas ideias neoplatônicas e está tingida de uma espécie de panteísmo, o que no século XI levará a Igreja a condenar o autor na pessoa dos seus herdeiros intelectuais. Mas isso não nos deve levar a esquecer que Escoto foi indubitavelmente um dos espíritos propulsores do seu tempo.

Por mais paradoxal que pareça, pode-se pois afirmar que a "renascença" intelectual do tempo de Carlos Magno não só lhe sobreviveu ainda por uns setenta anos, mas chegou a desenvolver-se muito mais, antes de se eclipsar no fim do século. Se tomarmos em conjunto essa atividade intelectual, surpreende-nos a curiosidade universal e a variedade de inclinações e talentos que denota. Dominam, como é óbvio, os estudos religiosos, principalmente a teologia, que mal se distingue da filosofia, mas que já encontra em homens como Pascásio Radberto um nítido sentido da direção que será necessário dar-lhe. Temos também a moral, principalmente a moral política: os *Espelhos dos príncipes*, opúsculos dirigidos por diversos personagens aos reis, expõem judiciosamente os princípios éticos que deveriam seguir. A *Via real* do abade Esmaragdo, de Saint-Mihiel, é um deles. Vem depois a exegese, área em que *Cristiano de Stavelot*, antecipando-se muito ao seu tempo, expõe a notável ideia de que a explicação alegórica da Escritura não é a única que se deve procurar, sendo necessário apoiá-la sobre uma explicação histórica tão exata quanto possível. Como é natural, abunda a hagiografia e refundem-se as vidas dos santos, muitas vezes alterando-as segundo o gosto da época; ganham assim em elegância de estilo o que perdem em fidelidade.

Mas, ao lado das ciências religiosas, cultivam-se todos os outros gêneros e disciplinas. A poesia, principalmente em língua germânica, destaca-se por três grandes obras — o *Heliand*, o *Muspilli ou Fim do mundo* e o *Livro do Evangelho* —, que hoje se consideram os primeiros marcos da literatura alemã. Nas matemáticas, estuda-se sobretudo a astronomia para efeitos do cômputo eclesiástico dos tempos litúrgicos, mas também se traduzem e se comentam a geometria de Euclides e a aritmética de Nicômaco. Nas ciências naturais, se por um lado a zoologia está cheia de uma poética fantasia e o unicórnio é estudado com tanta seriedade como o leão ou o cavalo, a botânica está, pelo contrário, muito avançada, principalmente no que diz respeito aos legumes, bem conhecidos dos monges vegetarianos[17]. Na geografia, não se poupam esforços para alargar o campo dos conhecimentos, e sabe-se de um tratado que fala das ilhas Faeroer e da *ultima Thule*, talvez a Islândia. Haveria alguma coisa que não despertasse interesse neste século? Um monge chamado Hubaldo chegou a compor um poema sobre a... calvície, cuja tese essencial é que todos os gênios são calvos; e o seu fervor neste sentido é tão grande que cada um dos substantivos do seu poema começa pela letra C, inicial de *calvus*...

Simples brincadeiras com as letras? Literatura de clérigos e de mandarins? De maneira nenhuma. Todos os grandes conventos possuem em alto grau o sentido da sua tarefa civilizadora, e esforçam-se por implantar o dogma e a moral evangélica na alma do povo. A irradiação de abadias como Corbia, Jumièges ou Saint-Benoît-sur-Loire, antes da catástrofe das invasões normandas, era imensa. Nos países germânicos, o hábito que os monges tinham de traduzir em língua popular as fórmulas do Batismo, as principais orações e as bênçãos, contribuiu muito para o desenvolvimento e a fixação da *língua theodisca*, o *thiot*, futuro *Deutsch*[18].

Se a atividade literária resistiu ao desmoronamento da sociedade carolíngia, também as artes não foram deixadas de lado. Vemo-las até fazer novos progressos. A *música*, que o desenvolvimento do canto gregoriano tinha lançado numa via de expansão magnífica, enriqueceu-se com novas fórmulas. Notker, o monge poeta de Saint-Gall, também excelente músico, desenvolve a *sequência*, série de notas que exprimem a alegria dos *aleluias* e às quais se adaptam as palavras dos versículos; algumas dessas sequências — como a da Páscoa, cantada ainda hoje, em que a natureza primaveril dá graças ao Senhor ressuscitado — são de um encanto requintado; a liturgia da Idade Média terá em grande apreço este gênero. Um pouco mais tarde, no mesmo mosteiro de Saint-Gall, *Tutilo* terá a ideia de aclimatar no Ocidente os *tropos* bizantinos, fragmentos de amplificações intercaladas nos cantos litúrgicos; assim, o *Introito*, o *Kyrie* e o *Ofertório* da Missa terão as suas frases desenvolvidas, repetidas, multiplicadas e arrebatadas nas asas poderosas da melodia. Sobre as antigas tradições ergue-se, pois, um novo estilo, e muitos dos seus elementos sobreviverão até os nossos dias.

Na arquitetura, o século IX apresenta o mesmo painel de pressentimentos, de pesquisas e de tentativas que já tínhamos visto no reinado de Carlos Magno. O plano de base da igreja grega — o da capela palatina de Aix-la-Chapelle ou o de Germigny-des-Prés — tende a desaparecer; a não ser que se chegasse às audácias de uma Santa Sofia, não caberiam nessas igrejas as enormes comunidades monásticas, que aliás são os grandes construtores. Por isso, o que vai prevalecer agora é o antigo plano basilical alongado, ao qual o transepto, que se passa a adotar a partir desta época, confere a forma de cruz; por vezes, como em Aniana, em Saint-Riquier e em Saint-Gall, a afluência de monges é tão grande que um único coro é insuficiente, e ao do nascente se acrescenta um outro orientado para o poente, o que, pelo gosto da simetria, obriga a construir um segundo transepto. Esta forma em ábside dupla, vinda do Oriente, já havia feito uma breve aparição por volta do século VI, e depois desaparecera; ressurge agora, no tempo da decadência carolíngia. O coro ou os coros são muito elevados, como ainda se vê, por exemplo, em Saint-Benoît-sur-Loire, para evitar aos monges a distração do público. As igrejas de cidades não monásticas têm na frente um átrio que isola a nave dos ruídos da rua.

Para cobrir estes edifícios, continua-se a lançar mão da cúpula nas igrejas de traçado em cruz grega, mas ainda se encontra a cumeeira de madeira; e a abóbada, que há três séculos voltara ao Ocidente, começa a ganhar um grande desenvolvimento. A torre no cruzamento do transepto, de efeito tão nobre, volta a erguer-se um pouco por toda parte, e muitas vezes — sem que façam parte do edifício —

veem-se também torres de vigia, consagradas a São Miguel e a São Gabriel, os arcanjos dos bons combates.

Todas estas igrejas são decoradas, não já com mosaicos, mas com pinturas murais, painéis coloridos e vitrais. Os dramas desta época e das posteriores não permitiram que essas frágeis obras chegassem até nós, mas poderemos ter uma ideia de como eram se observarmos as miniaturas que enriquecem os manuscritos. Esta arte maravilhosa, que durante o reinado de Carlos Magno já atingira tão belos resultados, chegou neste período a autênticas obras-primas. Amplia-se a temática e multiplicam-se as técnicas, diferentes em São Martinho de Tours — onde a inspiração é clássica ou buscada aos primeiros séculos cristãos —, em Saint-Gall — onde se entrecruzam influências lombardas e anglo-saxônicas —, em São Dinis — onde os mestres são irlandeses, fiéis ao entrelaçamento e ao desenho abstrato. Algumas obras deste tempo, como a Bíblia de Carlos, o Calvo, em Paris, o Saltério de Saint-Gall ou o *Manuscrito de Ada* em Tréveris são algo de admirável. E o mais impressionante, o que muitas vezes dá a estas miniaturas um estranho encanto, é que os artistas se libertam totalmente da natureza, usando cores ao seu gosto e não segundo a realidade — cavalos de cor violeta, vermelhos ou verdes, rostos ou cabeleiras de púrpura ou de esmeralda —, tudo com uma determinada intenção simbólica. Quanto à escultura, continua a concentrar-se nos trabalhos de marfim, principalmente para as capas dos livros litúrgicos; este gênero, porém, atinge uma beleza ainda um tanto inábil, embora comovente.

Tudo isto projeta — temos de reconhecê-lo — um clarão de otimismo sobre uma época em que o pessimismo parecia legítimo. É evidente que não podemos julgar a vida intelectual do século IX pelos padrões atuais, pois se trata do pensamento e da arte de uma sociedade adolescente, ainda ingênua, que tateia entre a imitação servil do passado e as audácias excessivas; mas há já muitas criações que nos permitem pressentir a grandeza do seu futuro. O grande historiador Gustav Schnürer, que captou em profundidade o interesse destes tempos desconhecidos, escreve: "O que o século IX legava era uma das bases do futuro desenvolvimento da civilização intelectual e artística". Mas acrescenta a seguir que "ao progresso nestes dois terrenos não corresponde necessariamente um progresso de igual pujança nos outros, sobretudo no campo da moral, e uma decadência moral pode facilmente trazer consigo uma decadência intelectual e artística". Com efeito, o futuro próximo encarregar-se-ia de prová-lo.

Roma e o perigo sarraceno

Os sintomas de uma mudança na situação da Igreja e os sinais precursores do desmoronamento que se avizinhava não tardaram a manifestar-se quando o grande papa Nicolau I fechou os olhos, em 867. Na verdade, no majestoso quadro da cristandade durante o seu pontificado, divisavam-se já as sombras. Prescindindo da inquietante situação criada ao norte e ao oeste dos Alpes pelo antagonismo das duas "Frâncias", e fazendo caso omisso também da ameaça normanda que certamente não estava em vias de diminuir, o papado tinha, ainda mais próximas, outras graves preocupações.

A Itália, que Carlos Magno e depois Luís, o Piedoso tinham sido obrigados a vigiar de perto, deslizava claramente para a anarquia. Sacudida entre o sul, que dependia de Bizâncio, e o norte submetido à autoridade dos francos (com exceção de Veneza, que se conservava bizantina), governada na parte central pela administração pontifícia — cujos poderes estavam longe de ser incontestáveis — e pelo duque lombardo de Benevento, que sonhava reencontrar a antiga autonomia, via-se também a braços com a febre feudal, como aliás todo o continente; senhores locais, cidades e até bispos políticos procuravam conduzir livremente os seus barquinhos. Esta anarquia podia ir até à traição, e assim veremos os napolitanos, atacados pelos lombardos, chamarem os árabes à península.

Por outro lado, a situação continuava delicada na própria cidade de Roma. As facções familiares e políticas, amordaçadas pelo punho de Carlos Magno, agitavam-se em confusas intrigas. Toda a eleição pontifícia era para elas um prato forte; se ao enérgico papa Nicolau I sucedesse outro mais fraco, as perturbações voltariam certamente. Além disso, subsistia uma ampla ambiguidade no próprio estatuto dos estados pontifícios: o papa exercia de fato a soberania absoluta, isto é, podia mandar prender os nobres indisciplinados, ou devia recorrer aos reis carolíngios, concretamente ao de Pavia? Vários pactos e constituições, em 816 e 824, tinham tentado regular a delicada questão, mas haviam ficado a meio do caminho; também neste ponto, tudo dependia da autoridade pessoal, isto é, da energia do papa.

Por fim — e sobretudo —, havia o perigo sarraceno. O Império muçulmano estava em decomposição, mas nem por isso os seus fragmentos eram menos temíveis. Enquanto os emires omíadas de Córdova mantinham o Mediterrâneo ocidental sob o terror dos seus corsários, que tinham feito das embocaduras do Rhône, da Camargue, a sua base inviolável, já na Tunísia, na cidade santa de Kairuan, reinava uma dinastia nova, a dos aglabitas, filhos de Ibrahim-Aglab, que se revoltara contra Harun-al-Rachid e fora bem sucedido. Em breve os novos regentes tunisinos passaram a considerar a Sicília e a Itália do sul como seu terreno de caça predileto. Desde 826, as suas incursões devastavam a ilha e, se fracassaram diante de Siracusa, faziam muitos estragos por toda parte. Em 831, tinham tomado Palermo; em 839, Messina; depois, em 859, ocuparam o centro da Sicília, incluída a mais forte praça bizantina, Castrogiovanni. Com exceção de Taormina, que só virá a cair em princípios do século X, toda a Sicília estava em vias de passar para o jugo do islã, que lhe imprimirá profundamente a sua marca.

O estreito de Messina, evidentemente, não bastou para deter o avanço dos conquistadores, tanto mais que a desunião entre os cristãos lhes facilitava a tarefa. Chamados a prestar auxílio aos napolitanos contra os lombardos em 836, os muçulmanos efetivamente "libertaram" o belo porto, mas aproveitaram a ocasião para se instalarem em Tarento, e quando os bizantinos de Veneza tentaram socorrer a praça, ripostaram com um *raid* fulminante ao longo do Adriático, que os levou até à foz do Pó, passando por Ancona destruída.

Em 840, uma nova traição cristã entregou-lhes Bari; dali por diante, transpondo os Apeninos, começaram a empreender uma série de incursões em plena Itália central, ao mesmo tempo que os seus corsários, instalados no arquipélago de Ponza, exerciam a pirataria ao longo de todas as costas da península. Em 846, o drama tomou um aspecto patético, e não houve quem não se sentisse transtornado. Desembarcando na embocadura do Tibre, os infiéis apoderaram-se de Porto e de Óstia, subiram a margem direita do rio e pilharam a basílica de São Pedro, que na época estava situada fora dos muros da cidade. Um contra-ataque romano foi mal sucedido, e o rei Luís II também se deixou derrotar. Foi somente a solidez das velhas muralhas da cidade que obrigou os assaltantes a retirar-se, não sem levarem com eles a sacrílega presa; a única consolação que sobrou foi a notícia de que, como outrora sucedera ao exército do Faraó, a expedição tinha sido engolida por uma tempestade furiosa, sinal evidente de uma intervenção providencial...

O drama de 846 aterrorizou os contemporâneos, e a sua lembrança sobreviveria na canção de gesta intitulada a *Destruição de Roma*. Viu-se nesse episódio um aviso do Céu. O imperador Lotário mandou lançar impostos especiais para a restauração da basílica apostólica, e a partir de 848 o papa Leão IV fez construir enormes muralhas destinadas a proteger São Pedro e que se prolongaram até o castelo de Sant'Angelo, ligando este arrabalde à cidade. É a *Cidade leonina*, cujos magníficos restos ainda hoje se veem, principalmente a célebre *torre leonina*, cuja massa domina os jardins do Vaticano. Mas tudo isso de pouco valia: apesar das precauções, o pesadelo dos sarracenos pairava sobre Roma. Um papa como Nicolau I não era homem para deixar que esta ameaça hipotecasse a sua política; mas, se um sucessor mais fraco se deixasse impressionar por ela, muitas coisas iriam mudar.

Adriano II (867-872) certamente não tinha os méritos do seu predecessor. Talvez não seja correto afirmar que se colocou "a reboque do imperador", como já se escreveu[19], mas é incontestável que estava longe de possuir a inflexível intransigência do grande Nicolau. Vesgo e coxo, sem nenhum prestígio físico nem social, esse homem apagado, caridoso e benevolente, quis "completar pela doçura o que Nicolau tinha começado pela severidade". E era esta justamente a atitude que menos convinha adotar perante as grandes feras que então ocupavam os tronos. Além disso, embora pessoalmente irrepreensível, Adriano deixou-se enlamear por um escândalo particular. Sendo já padre há vinte e cinco anos quando foi eleito, casara-se antes da ordenação e — coisa inesperada — deixou a mulher e a filha viverem no palácio pontifício. Mas a filha deixou-se raptar por um galanteador de nome Eleutério, e Adriano viu-se obrigado a pedir a Luís II que interviesse contra o raptor: situação assaz penosa para um papa! E, para cúmulo de desgraça, o escândalo acabou tragicamente: Eleutério assassinou a amante e a quase-sogra — a filha e a mulher do papa! Não é necessário dizer que o prestígio de Adriano não saiu engrandecido do drama.

Compreende-se que todos os que, na Igreja, queriam que se levasse avante a obra e a política de Nicolau se sentissem inquietos. "Neste momento — escrevia o bibliotecário Anastácio a seguir à morte do papa —, todos aqueles que ele castigou por adultério e outros crimes trabalham afanosamente para destruir a sua obra, para revogar tudo o que ele ordenou". Este Anastácio, personagem irrequieto e uma espécie de Talleyrand do Latrão, tinha pelo menos o mérito de ver claro. A atitude de Adriano não se prestou a críticas, pelo menos no sentido de que tivesse renegado a obra do seu predecessor; Lotário II, por exemplo, foi obrigado a jurar que já não mantinha relações ilícitas com a sua concubina, e foi só depois disso que o papa lhe indicou gentilmente que estava perdoado. Mas é evidente que a prestigiosa autoridade que Nicolau I soubera impor à Sé Apostólica não se sustinha.

Viu-se isso quando, após a morte de Lotário II, os seus sobrinhos, Carlos, o Calvo e Luís, o Germânico quiseram apoderar-se da herança. O carolíngio da França mexeu-se mais depressa e em quatro semanas fez-se coroar rei da Lotaríngia em Metz, com o que passou a haver o grande perigo de que tentasse também tirar o trono imperial a Luís II, rei da Itália, o único capaz de defender a península contra os sarracenos. De qualquer modo, os dois irmãos — o germânico e o francês — puseram-se de acordo em Meersen, em 870, e literalmente esfacelaram os bens do defunto, sem qualquer preocupação de equidade ou de interesse social. Quando o papa ergueu corajosamente a voz para salvaguardar os direitos territoriais de Luís II, o violento Hincmar foi encarregado pelo seu rei de responder-lhe, e fê-lo em termos da mais incrível insolência. Dizia-lhe, entre outras coisas, que a política se faz a golpes de espada e não de excomunhões, e que, "se os negócios eclesiásticos são da competência do papa, os negócios políticos são da competência dos reis". Em três anos, os espíritos haviam mudado muito.

O que caracteriza o pontificado de Adriano II é, portanto, uma contra-ofensiva do poder laical contra o poder espiritual. A situação não permitia que as coisas corressem de outra maneira. Contra o perigo sarraceno, que crescia em toda a Itália central e do sul, era indispensável uma força militar, e Adriano percebia-o melhor do que ninguém. Essa força indispensável encontrava-se encarnada em *Luís II*.

É uma bela e simpática figura a deste carolíngio tão pouco conhecido que, durante trinta anos, enfrentou os perigos com uma energia sem brechas, e no qual admiramos antecipadamente uma alma de cruzado. Nascido em 822, era o filho mais velho de Lotário I, que lhe confiou por ocasião dos seus vinte e dois anos um verdadeiro vice-reinado sobre a Itália, com o título de "rei dos lombardos", e em 850 o associou ao trono imperial. Luís ligou-se apaixonadamente à velha península que tanto merecia ser amada, e, até à sua morte em 875, pode-se dizer que nunca a deixou. Quando as exigências estratégicas não o chamavam para os lados de Benevento, residia em Pavia, a gloriosa capital lombarda, e, quando era obrigado a partir para a guerra, deixava as rédeas do governo nas mãos da bela e enérgica Engelberga, sua esposa, que as empunhava com firmeza, esmagando as agitações internas, negociando com os seus inquietantes parentes carolíngios. Aquele que Hincmar denominava com desdém "imperador da Itália" foi, na realidade, o último grande rei da península, e a história teria de esperar mil anos para encontrar-lhe um par.

Os seus trinta anos de reinado foram uma longa batalha contra inumeráveis inimigos, e os mais temíveis nem sempre foram aqueles que combatiam de rosto descoberto. Foi-lhe incessantemente necessário montar a cavalo, dominar revoltas, castigar criminosos e expulsar da península os invasores, constantemente ameaçado pelo risco de ser atacado pelas costas por algum duque lombardo de Benevento, se não por um bispo, um tio ou um irmão. Foi-lhe contestado o próprio título de imperador, esse título que em 850 — isto é, quatro anos depois do saque de Roma — lhe fora conferido pelo papa Leão IV porque só ele se mostrara capaz de combater o islã. O outro trono imperial, o de Bizâncio, ocupado nesta época por um homem enérgico, Basílio I, fundador da dinastia macedônia, recusou-se a reconhecer o trono de Pavia como seu igual, e foi preciso que Luís II replicasse — com uma energia digna de Carlos Magno — que, consagrado pela Roma de São Pedro, herdeiro da antiga Roma, era bem mais legitimamente imperador do que o basileu da "nova Roma", esse suspeito oriental que não sabia sequer falar corretamente o latim.

Homem de fé profunda e compenetrado das suas responsabilidades para com a cristandade, Luís certamente pensava — ao contrário do seu avô — que a cruzada era indispensável, que se impunha expulsar o islã da Europa.

Depois de ter detido os árabes perto de Benevento em 847, e de lhes ter quebrado a ofensiva no Sul em 852, de 866 a 871 não deixou mais a Itália meridional, dirigindo pessoalmente as operações difíceis, ora vitorioso, ora acuado, mas encarniçando-se sempre em atacar o muçulmano onde quer que fosse. O seu principal objetivo foi a retomada da grande base sarracena de Bari. Empenhou-se nisso durante quatro anos, chegando ao ponto de negociar o apoio da frota bizantina e neutralizando o duque de Benevento; por fim, à frente das suas tropas, tomou de assalto a praça forte. Poucos homens deste aflitivo século IX tiveram tão nítida consciência dos seus deveres de Estado.

Perante essa personalidade, qual poderia ser a atitude do papa? Desde que fora coroado rei, Luís II sempre exercera em Roma as prerrogativas que lhe advinham do pacto de 824, e por ocasião da morte de Leão IV, em 855, exercera sobre as eleições pontifícias o seu direito de controle com extremo vigor, chegando a exigir que se repetisse o escrutínio que elegera o papa Bento III, por não lhe ter sido solicitado o assentimento prévio. Três anos mais tarde, o diácono Nicolau fora abertamente o seu candidato, e as relações entre ele e o novo papa tinham sido a princípio de uma grande afeição; essa afeição subsistiu, mas sabemos como Nicolau se opôs aos empreendimentos imperiais e como foram numerosos os atritos entre estes dois homens fortes. Não aconteceu o mesmo com Adriano. Embora eleito na ausência de Luís II e sem a sua aprovação, o bom papa estava de tal modo angustiado com o perigo sarraceno que o príncipe capaz de conjurá-lo só podia receber todos os seus favores. Não perdia ocasião de louvar aquele que, "longe de desperdiçar as suas forças em guerras fratricidas contra os cristãos, se bate em defesa da Igreja, pela segurança da Sé Apostólica e pela libertação dos fiéis". Assim, a situação neste terceiro quartel do século parecia reproduzir mais ou menos a que existira nos tempos de Carlos Magno; voltaria a direção efetiva da cristandade às mãos dos imperadores? Entre os dois poderes, a escolha parecia incerta; dependia da personalidade daqueles que ocupavam a Sé de São Pedro e o trono de Carlos Magno.

Na realidade, todas estas construções se revelaram frágeis. A tentativa de hegemonia espiritual levada a cabo por Nicolau I só fora possível porque se tratava de um homem excepcional: modelo exemplar para o futuro, não podia ter seguidores imediatos, e o pontificado de Adriano II o demonstrou. Quanto ao imperador, apesar da sua firmeza, apesar das suas pretensões de exercer sobre os reinos dos seus tios uma autêntica suserania, como poderia ele ignorar que a sua autoridade estava circunscrita à Itália e nada mais? Quando Carlos, o Calvo e Luís, o Germânico despedaçaram os domínios do seu irmão Lotário II, após a morte deste, Luís não pôde senão fazer ouvir o mais platônico dos protestos. E o pior estava para vir. Tendo sido feito prisioneiro, em agosto de 871, durante um motim que eclodiu em Benevento, e vindo depois a ser libertado, o infeliz rei pôde verificar que, julgando-o morto, os seus tios se tinham preparado imediatamente para precipitar-se sobre os seus estados, e a sua corajosa esposa Engelberga não tivera outro recurso senão opor um ao outro os dois eventuais agressores. Adriano morreu por essa época, e em 875 Luís II seguiu-o para o túmulo, em pleno vigor da vida, mas desesperado de um mundo em que só lhe pareciam existir ódios, apetites sórdidos e traições. As forças de desagregação que, desde a morte de Carlos Magno, minavam a sua herança, estavam prestes a triunfar.

Os supremos esforços de um velho papa

É então que, mais uma vez, o papa — um papa já velho, *João VIII* (872-882) — tenta enfrentar a situação. Havia pelo menos quarenta anos que exercia importantes funções na Cúria romana; além disso, fora conselheiro secreto de Nicolau I, e a fraqueza de Adriano II tinha-o afligido muito. Apesar da sua idade, que devia aproximar-se dos setenta, desde o momento da sua eleição deu provas de uma energia pouco comum. Quando os sarracenos desembarcaram em Terracina, a menos de quarenta quilômetros de Roma, foi fazer-lhes frente em pessoa, capturou dezoito dos navios inimigos e fez seiscentos prisioneiros, esmagando sangrentamente a atrevida incursão.

Mas uma proeza destas não podia transformar-se em procedimento habitual. A Itália precisava de um novo protetor, depois que a morte de Luís II a privara daquele que a tinha defendido tão bem. A questão sucessória revestia-se de aspectos particularmente graves, pois da escolha do imperador e da política geral que ele viesse a adotar dependia a salvação da península. E essa escolha — é importante sublinhá-lo — cabia ao papa. As circunstâncias impunham o primado do poder espiritual sobre o temporal. Além disso, os precedentes, principalmente o da coroação de Luís II, tinham acabado por fixar definitivamente uma tradição. Como não havia lei sucessória para o Império, Carlos, o Calvo e Luís, o Germânico podiam igualmente aspirar à coroa de Carlos Magno, e o Ocidente admitia unanimemente que a decisão pertencia ao papa.

João VIII escolheu o soberano da França, Carlos, o Calvo. Terá sido porque esse homem culto, piedoso e bom cristão, familiarizado com as questões teológicas, podia seduzir o coração de um sacerdote? Certamente, não foi só por isso. Carlos mostrara possuir também energia e coragem, e em muitas circunstâncias quase desesperadas dera provas de força de alma e de espírito de iniciativa. Convidado pelo papa a dirigir-se prontamente a Roma, foi ali coroado no Natal de 875, exatamente setenta e cinco anos após a coroação do seu avô.

Primeiro passo de uma política maduramente refletida. O outro veio logo a seguir. Demonstrando estar dotado de verdadeiros tesouros de habilidade diplomática, e manobrando entre os escolhos da nobreza italiana, da forte Engelberga, viúva de Luís II, e de Carlomano, filho do germânico Luís, o papa conseguiu que a coroa de Pavia fosse atribuída a Carlos, o Calvo. Esboçava-se uma nova concepção do Império, em que a Itália e a França entrariam com igual peso. O imperador teria assim um interesse imediato em defender a península, e o Império seria cada vez mais romano.

O plano era notável; infelizmente, os acontecimentos não permitiriam que esquema tão belo se convertesse em realidade. A cavalo sobre os Alpes, poderia o domínio de Carlos, o Calvo ser sustido com a firmeza que as circunstâncias exigiam? Na França, o novo imperador estava a braços com enormes dificuldades: os normandos multiplicavam os seus assaltos, e, desistindo de combatê-los, Carlos optara por comprar-lhes a retirada a peso de ouro, o ouro do *tributum normannicum*, com toda a razão impopular; por outro lado, os grandes senhores, descontentes por se verem obrigados a mandar expedições à Itália, mostravam-se furiosamente agitados, e apesar de o imperador ter tido o cuidado de lhes expor a nova concepção do Império na assembleia de Quierzy (877), em breve a agitação se converteu em rebelião, à frente da qual estavam os maiores nomes do reino; e por último, como a ideia de um Império unitário desagradava — compreensivelmente — a Luís, o Germânico e aos seus filhos, surgiram guerras, a principal das quais terminou com a derrota de Carlos, o Calvo diante de Koblenz. Na própria Itália, a sua autoridade era muito contestada. Os grandes senhores feudais, como o duque de Spoleto, conduziam-se como bem entendiam, e os do sul — o duque de Nápoles e o duque de Amalfi —, ocupados unicamente em ganhar dinheiro com o comércio ou com a pirataria, ignoravam categoricamente o rei franco. Pobre apoio, esse com que João VIII julgara poder contar!

Mas o papa não desesperava. Homem tenaz, esforçava-se por promover a união contra os sarracenos, e em tom patético suplicava a Carlos que viesse à Itália, onde as incursões se multiplicavam desde 877. Era admirável a energia deste ancião. Cresciam as traições à sua volta: o duque de Spoleto, em princípio "protetor" de Roma, levava adiante uma política pessoal que visava o domínio da cidade; o bispo de Porto, Formoso, misto de asceta fervoroso e de intrigante retorcido, que se celebrizara pela missão de que Nicolau I o encarregara junto do rei dos búlgaros, mas também furioso por não ter sido designado patriarca desse povo nem... eleito papa, multiplicava as conspirações com Engelberga, a imperatriz viúva; e os príncipes do sul da Itália entregavam-se de corpo e alma à traição, zombando de todas as excomunhões e entrando em constantes conluios com os muçulmanos, a ponto de que Nápoles passou a ser chamada habitualmente "outra Palermo, outra África". Enfim, à força de habilidade, de conversações e de promessas, João VIII acabara de organizar, bem ou mal, uma coligação contra os sarracenos, quando tudo veio abaixo. No outono de 877, Carlos, o Calvo atravessou os Alpes, mas a doença o prostrou, e acabou por morrer miseravelmente numa aldeia perdida da Saboia.

A própria Providência parecia encarniçar-se contra o velho papa, mas ele não se deixou abater. Um imperador! Era preciso um imperador, ou — melhor — um defensor. Mas quem? A situação era aflitiva. Em Roma, o duque de Spoleto, apoiado pelo marquês da Toscana, fazia reinar o terror, e João VIII, encerrado em São Pedro, estava praticamente isolado da cristandade. Conseguiu escapar e, por mar — o trajeto por terra era impossível — chegou a França, decidido a achar ali um rei. Mas esperavam-no decepções e mais decepções: dois dos quatro carolíngios com quem contava — Carlomano, filho do Germânico, e Luís, o Gago — estavam doentes. Este último, uma vez restabelecido, esquivou-se: o filho de Carlos, o Calvo e bisneto de Carlos Magno era "simples e doce, e só amava a paz". O conde Boson, aparentado com a família real por casamento, declinou também a inquietante honra de empunhar o cetro do Ocidente e foi ocupar a Provença e a Borgonha, constituindo ali um pequeno reino praticamente independente[20]. Por fim, sobrou apenas um candidato: Carlos, o Gordo, filho do Germânico, fraco de espírito e epilético. Na falta de outro melhor, João VIII resignou-se a sagrá-lo em 881.

Por momentos, julgou-se que a simples presença deste homem desprovido do menor impulso bastaria para refazer a indispensável união em torno da ideia imperial. Efetivamente, por um curioso acaso, foi justamente essa nulidade quem conseguiu reconstruir em seu proveito a unidade imperial, porque, tendo morrido os seus dois irmãos e tendo desaparecido na França dois dos filhos de Luís, o Gago, os grandes senhores que dispunham da coroa preferiram o longínquo rei germânico a um francês. Por ironia da história, o Império de Carlos Magno pareceu ressuscitar no exato momento em que se desmoronava definitivamente.

Portanto, coragem! O velho papa empenhava-se cada vez mais. Os sarracenos recomeçavam as suas investidas, e desta vez as traições eram patentes. O duque-bispo Anastácio de Amalfi, curiosa personagem que anuncia os refinados e ferozes aventureiros do Renascimento, instalou os árabes nas proximidades do Vesúvio. A cidade de Gaeta fez coisa pior: chamou também os sarracenos e lançou-os através dos domínios do papa. Decepcionante — como era de prever —, Carlos, o Gordo não fazia nada, nada contra ninguém, nada contra o duque de Spoleto, sempre ameaçador, nada contra os sarracenos. O único inimigo que se dignou combater foi Boson, o rei da Provença, que aliás resistiu muito bem às forças carolíngias. Em vão o velho Hincmar multiplicava os seus apelos para reavivar o antigo ideal do Império. Os normandos, bem informados, lançavam incursões sobre incursões através de todo o Ocidente. A anarquia feudal crescia de ano para ano. Digno de lástima perante os normandos, que não ousava combater às próprias portas de Paris, heroicamente defendida pelos seus habitantes, Carlos, o Gordo estava a caminho de abandonar toda e qualquer ideia de levar auxílio à Itália quando a doença o derrubou.

Compreende-se que, nessas circunstâncias, o infeliz papa gritasse amargurado: "Procuramos a luz — escrevia ele —, e somente encontramos trevas. Reclamamos socorro, porque não ousamos sequer sair das muralhas da cidade, tal o horror que nos causam os estragos que aqui se veem. Nenhuma ajuda nos vem, quer do imperador, nosso filho espiritual, quer de qualquer homem de qualquer país"...

E foi então, no meio de uma situação tão angustiante, que João VIII pensou numa solução. Descobriu-a no próprio coração da sua fé, inspirado por ninguém menos que o Espírito Santo. E esta ideia é a prova de que o velho papa albergava em si uma centelha de gênio. Resolveu apelar para a consciência da *Cristandade*.

Esta palavra, que até então não passara de um sinônimo de cristianismo, de doutrina cristã, foi por ele compreendida e utilizada como sinônimo de "comunidade cristã", de sociedade temporal dos cristãos, vivificada pela sociedade espiritual dos cristãos. Descobriu e formulou, assim, a necessidade de uma responsabilidade coletiva dos batizados, que se tornaria uma das bases morais da Idade Média. *Cristandade!* Grito de união e grito de aliança; e as alianças fazem-se sempre contra alguém e contra alguma coisa. Antecipando-se pelo menos cento e cinquenta anos ao seu tempo, João VIII pressentiu a cristandade mais ou menos como nós a sentimos.

Em nome da "defesa da Cristandade", decidiu apelar para o único Estado cristão que ainda contava: Bizâncio. Foi uma decisão de extrema gravidade para a Igreja: era o momento em que, dominada pelo ambicioso Fócio, contra o qual o papado batalhava desde Nicolau I, a igreja do Oriente acabava de proclamar a 13 de março de 880 o princípio da soberania de Bizâncio sobre Roma. O cisma estava em germe, ameaçador[21]. Apesar disso, João VIII caiu na conta de que só o poder bizantino, na época tão fortemente restaurado pelos macedônios e tão solidamente instalado em Bari, podia deter o avanço sarraceno. A operação diplomática foi bem sucedida — e, se prolongada, talvez tivesse até evitado a ruptura entre as duas igrejas. Sob o comando de Nicéforo Focas, eminente estrategista, as tropas bizantinas desferiram golpes mortais contra os sarracenos, e os pequenos principados do sul, todos mais ou menos traidores, submeteram-se ao basileu. Com a sua energia, com a extraordinária fertilidade das suas manobras diplomáticas e com a sua presciência do futuro, o velho papa salvara a Itália do jugo sarraceno.

Mas as consequências desta política só vieram à tona depois dele. Nos seus últimos dias, o papa mostrava-se convencido de que não havia nenhuma solução: numa carta à imperatriz Ricarda, anunciava que os infiéis iam levá-lo para o cativeiro ou talvez massacrá-lo... Hincmar, o infatigável arauto da glória carolíngia, morrera na véspera do Natal de 882, em Épernay, para onde fora obrigado a fugir depois de Reims ter caído nas mãos dos normandos. Mesmo que a Itália do sul fosse libertada da ameaça sarracena pelos bizantinos, o Ocidente estava em estado de gangrena, e a intuição do velho papa o pressentia.

Nas primeiras semanas de 883, correu pela Europa uma notícia tremenda. Nos últimos dias do ano, tramara-se contra João VIII uma conjura fomentada por aqueles que o pontífice pensava expurgar. Os conjurados tinham conseguido ministrar-lhe veneno, mas, vendo que tardava em produzir efeito, acabaram com o velho a golpes de marreta. Assim terminou a sua vida dolorosa e heroica o último papa do século IX que teve o sentido do Ocidente, o primeiro papa da história que teve o sentido da Cristandade. Não seria justo prestarmos homenagem a esta figura tão pouco conhecida?

Cai a noite sobre o Ocidente

Os últimos quinze anos do século IX assistirão daqui por diante ao definitivo desmoronamento do sonho carolíngio e ao triunfo da noite. Dir-se-ia que todas as forças de desagregação se coligaram para fazer ruir o edifício ainda tão frágil da civilização ocidental, em especial os dois pilares sobre os quais ela procurava firmar-se: o papado e o Império. Dissolve-se a sociedade, desagregam-se ainda mais os costumes. É uma decadência, mas uma decadência que não se produz no suave apodrecimento dos últimos tempos de Roma, mas mediante uma agonia cheia de violentos sobressaltos, sangrenta e brutal, e que por isso mesmo permite esperar uma ressurreição.

Desencadeiam-se todas as tormentas acumuladas sobre esse século desde a morte de Carlos Magno, e outros ainda se lhes vêm acrescentar. A barbárie ameaça por todos os lados: os normandos, que começam a encontrar resistências aqui e acolá, parecem redobrar de ferocidade. Em 881, ocupam Aix-la-Chapelle, devastam o palácio e utilizam como estrebaria a célebre capela. Alguns chefes ocidentais ganham fama só por ousarem fazer frente a esses saqueadores, como o príncipe franco Luís III, de vinte anos, filho de Luís, o Gago, que os detém momentaneamente no Somme, e como Eudes de Paris que, com o bispo Gozlin, salva a capital. Mas tais derrotas parciais não detêm os homens do Norte, cuja audácia não conhece limites.

Os sarracenos, contidos na Itália do sul, nem por isso deixam de multiplicar as suas rapinas pelo outro lado. Instalados na serrania dos *Mouros* em 890, onde se conserva a sua memória, constroem lá cidadelas como a de Garde-Freinet, e passam a devastar os vales alpinos num raio de centenas de quilômetros, deixando a sua marca em muitas regiões — por exemplo, na Maurienne (Saboia), onde se encontram inscrições do Alcorão. Os vênetos ou eslavos da Grande Morávia, que por várias vezes saquearam a Saxônia e a Turíngia, estão mais calmos agora, mas unicamente porque acaba de lhes surgir pelas costas um novo inimigo: os *húngaros*, que se autodenominam *magiares* — nova vaga amarela, aparentada com os hunos e proveniente das estepes dos Urais, que sob o comando do ilustre Árpad começa a sua grande investida sobre o Ocidente.

Esta situação trágica contribui enormemente para o progresso do regime feudal, que vimos nascer das próprias dificuldades do tempo. Numa época de salve-se-quem-puder, somente será reconhecida a autoridade que seja capaz de assumir as responsabilidades da defesa. Toda a grande família cujos filhos saibam combater impõe assim a sua supremacia sobre uma região, e aparecem as dinastias locais, como a de Roberto, o Forte, antepassado dos capetos e corajoso adversário dos vikings no Loire e no Sena, ou a de Bruno, duque da Saxônia, que enfrentou ao mesmo tempo os vênetos e os dinamarqueses. Também o êxito de Boson na Provença e na Borgonha não tem outra explicação.

À medida que a autoridade dos reis se debilita, o sistema de vassalagem vai ganhando terreno. Cada vez mais os funcionários e agentes do governo se consideram senhores das regiões que administram, e cada vez mais as honras e os cargos públicos se confundem com "benefícios", isto é, com os bens que o rei concede aos seus servidores em recompensa pelos serviços prestados. Chega-se a tal grau de anarquia que certos condes, convocados pelos seus senhores, resistem de armas na mão e não se movem do seu lugar. Assim, embora sem revestir ainda o caráter de organização sistemática que lhe veremos no século XI, o feudalismo está já em vias de se instalar definitivamente na decomposição do mundo carolíngio, entregando o Ocidente às ávidas mãos de uma miríade de autoridades.

Não é necessário dizer que a Igreja sofre dolorosamente as consequências deste processo. As secularizações multiplicam-se de um modo incrível; cita-se o caso de uma abadia alemã, Tegernsee, a que os "protetores" leigos roubaram 11.746 trabalhadores rurais, dos 11.860 que lá estavam instalados... Na Baviera, Arnul seculariza praticamente a totalidade dos bens da Igreja. Na França, os senhores feudais apoderam-se de inúmeros mosteiros, arruinados ou simplesmente ameaçados pelos normandos. Ao mesmo tempo, prolifera a "laicização" dos títulos eclesiásticos e vão-se multiplicando os abades e bispos guerreiros. Teremos ocasião de ver a que ponto de decadência moral podia chegar este pretenso clero[22], mas o fim do século IX constitui verdadeiramente o prefácio das tristezas do século X. E o mais grave é que a Igreja já não encontra nem apoio nem direção moral nas duas autoridades que a haviam dirigido até então: a coroa imperial e a tiara papal rolaram por igual encosta abaixo.

Em 888, uma congestão cerebral põe fim à insignificante vida de Carlos, o Gordo. Quem lhe sucederia? Qual desses reizinhos locais que, mais ou menos diretamente, eram aparentados com o grande antepassado? Bérenger, marquês de Friul e neto de Luís, o Piedoso por sua mãe Gisela, ou Luís, rei da Provença, neto de Luís II por sua mãe Ermengarda? Na Alemanha, Carlomano, filho mais velho de Luís, o Germânico, deixou um bastardo, Arnulfo, duque de Caríntia, que também aspira ao título. E, embora não fosse de raça carolíngia, o exageradamente famoso Guy de Spoleto, apoiado por uma força de mercenários sarracenos, pretende tirar a sua desforra definitiva dos francos e tornar-se imperador.

Que há de fazer o papa no meio desta confusão, ou, melhor, que hão de fazer os papas? É que, por infelicidade, os pontificados sucedem-se com uma rapidez que impede qualquer ação duradoura: Marino I disporá de menos de três anos, Adriano III de dezessete meses; mais tarde, haverá um pontificado de quatro meses, outro de um mês e outro de dezessete dias. Ainda por cima, tecem-se estranhas combinações ao redor das eleições da Sé Apostólica: Formoso, bispo de Porto, mais ativo e temível do que nunca, trabalha no meio de uma vastíssima rede de intrigas e prepara diligentemente uma reforma da Igreja, mas está talvez pouco qualificado para empreendê-la, tantos são os compromissos que lançam sombras duvidosas sobre a sua figura.

Esta meada de interesses não se deslindará por doze anos ainda. No que se refere à coroa imperial, vemo-la passar da cabeça de Guy de Spoleto, que o papa Estêvão V fora obrigado a reconhecer, com medo dos sarracenos, para a de Arnulfo, que o mesmo papa chamara secretamente em auxílio contra o anterior; *Formoso*, finalmente eleito papa (891-896), julgou ver nesse Arnulfo o salvador do mundo e acabou por coroá-lo. Depois da sua morte prematura, a coroa passou para verdadeiros fantoches — Lamberto de Spoleto, Luís de Provença e Bérenger de Friul, que mostraram tão pouca consideração pelo título que nem mesmo se fizeram coroar em Roma. E tudo isso, evidentemente, passou-se no meio de um furacão de incidentes violentos, entre os quais o mais terrível foi a captura do pobre Luís de Provença por seu primo Bérenger, que mandou vazar-lhe os olhos na sua presença.

Mas estes dramas não foram nada ao pé daquele que desonra a tiara. No momento em que o papa Formoso morreu, todos os seus adversários — Lamberto de Spoleto, a velha imperatriz sua mãe, os clérigos que esse rude asceta tentara reconduzir ao respeito que deviam ao seu estado, e todos aqueles que haviam sido exasperados por esse homem que não admitia matizes —, todos eles se puseram de acordo e conceberam uma vingança horrível. O cadáver do velho papa foi tirado do túmulo, sentado sobre uma cadeira e julgado por uma assembleia sinodal presidida pelo novo papa, Estêvão VI, que o odiava. Desenterrou-se com ele todo o seu passado: evocaram-se as suas aventuras e intrigas, denunciaram-se os seus atropelos ao direito canônico. Um clérigo aterrorizado respondia pelo defunto, confessando-se culpado de todos os "crimes". Seguiu-se uma abominável cerimônia em que o morto foi privado da sua dignidade e despojado das vestes pontifícias a que as carnes pútridas aderiam, bem como ao cilício que usava; depois cortaram-lhe os dedos da mão direita, os dedos indignos que tinham abençoado o povo. E, para terminar, o cadáver foi entregue à canalha, que o lançou ao rio. Este ignóbil carnaval não podia deixar de produzir os efeitos que produziu: a cólera divina fez desabar a basílica de Latrão, e o mesmo Estêvão VI foi derrubado pela indignação pública, aprisionado e estrangulado. A memória de Formoso foi reabilitada e os atos do "concílio cadavérico" anulados. Uma cheia do Tibre depositou os restos do papa na margem, e, segundo se conta, as próprias estátuas dos santos o saudaram ao longo da procissão expiatória que o reconduziu a São Pedro.

O duplo resultado de todas estas desordens e ignomínias resume-se numa frase: após a morte de Bérenger, o trono imperial ficará vago durante quarenta anos, e, durante sessenta, a Sé Apostólica estará literalmente à mercê de um clã de mulheres que dela disporão a seu bel-prazer. O Ocidente tivera duas cabeças; agora não tem nenhuma.

Estaria tudo perdido? Não. Aqui e acolá, no meio de todo este caos, notam-se pequenos focos de resistência em torno dos quais poderá fazer-se mais tarde a cristalização. Há a resistência desses chefes locais que, como os robertianos de França, fazem frente às hordas normandas; há a resistência desse Alfredo o Grande, rei sábio e rei soldado, que de 871 a 899 salvou a Inglaterra da destruição e preservou a herança dos monges de outrora; há a resistência da Alemanha, onde a armadura da alta nobreza se manterá mais sólida do que em qualquer outra parte e impedirá o avanço da anarquia; e há ainda a resistência das cidades italianas, que perante a ameaça universal se organizam de maneira quase autônoma e conservam as tradições da cultura.

Começam a articular-se, assim, as grandes linhas do Ocidente medieval. E se a decadência atinge também as doutrinas políticas, observam-se no entanto dois fatos animadores: a sobrevivência da ideia imperial, que não desaparecerá tão cedo, e a respeito da qual um bom monge de Montier-en-Der, na Champagne, assegurará em 950 que só está abolida na *aparência*, mas não na sua *potência*, razão pela que virá a ser aproveitada em 962 por Otão, o fundador do Sacro Império Romano Germânico; e por outro lado o aparecimento das realezas eletivas, que a princípio parecerão não passar de dóceis emanações dos senhores feudais, mas que não tardarão a sacudir-lhes a tutela e que finalmente acabarão por submeter o próprio feudalismo.

Ainda assim, não é menos verdade que o século IX terminava numa espantosa regressão da moral e da civilização, numa desordem que mal podemos imaginar. Materialmente, a ininterrupta repetição das invasões desde havia setenta e cinco anos levava a devastações inauditas: aldeias de trezentas famílias caíam para cinco ou seis, cidades inteiras eram abandonadas, e os dois portos principais deste tempo — Dursted no delta do Reno e Quentovic na foz do Canche — reduziram-se a miseráveis aldeias de pescadores. É impossível calcular o número de mosteiros destruídos — e, neste caso, a perda intelectual acrescentava-se à material, pois os tesouros das bibliotecas ardiam junto com os mosteiros. Que comércio podia restar numa época em que a pilhagem nas estradas era coisa tão comum que os contratos de venda ou de arrendamento tinham de prever expressamente esse risco?

Imagina-se facilmente o que deviam ser os costumes num ambiente deste tipo. Basta citar uma das atas do sínodo de

Trosly, em 909, para se ter uma ideia do desespero que se apossara da Europa cristã: "As cidades estão despovoadas, os mosteiros arruinados e queimados, os campos convertidos num deserto. Tal como os homens primitivos viviam sem regra e sem temor de Deus, abandonados às suas paixões, assim hoje todos os homens fazem o que bem lhes parece, com desprezo das leis divinas e humanas e dos mandamentos da Igreja. Os fortes oprimem os fracos, o mundo está cheio de violência contra os pequenos, e os bens eclesiásticos são saqueados. Os homens devoram-se uns aos outros como os peixes do mar".

No meio desta voragem, restaria alguma escapatória ao Ocidente? Os melhores recursos, tinha-os em depósito a Igreja. Terrivelmente enfraquecida pelos desastres da época, momentaneamente decapitada pela derrocada do papado, nem por isso deixava de ser a luz suprema. Só ela encarnava os valores do espírito e da inteligência, só ela ainda elevava a voz da caridade e do amor. Um dos fatos mais comoventes que devemos notar são os apelos dos clérigos em favor dos mais deserdados e dos mais miseráveis: podemos ler ainda hoje as súplicas que dirigiram a reis e a príncipes para que suprimissem a servidão, em nome da igualdade dos filhos de Deus. Não é um sintoma reconfortante o fato de, nesta época de injustiças e de violência, se encontrarem homens muito adiantados ao seu tempo, a ponto de empreenderem uma campanha dessa natureza?

O problema que se punha no limiar do século X era simples, mas de uma gravidade trágica: conseguiria a pacífica sociedade encarnada pela Igreja, e concentrada nos mosteiros e nas cidades episcopais, sobreviver às investidas da barbárie e impor a sua autoridade a essa sociedade da força bruta que o feudalismo estabelecia na Europa como uma necessidade? Durante mais de cento e cinquenta anos, assistir-se-á à batalha do frágil dique contra as vagas em fúria; mas, embora muitas vezes galgado, o dique acabará por aguentar o embate.

Notas

[1] J. Calmette, *Charlemagne, sa vie, son oeuvre*, Paris, 1945.

[2] "Bem próximos de nós, os herdeiros do antigo Estado napoleônico compuseram-se com as novas forças sociais, ou, melhor, deixaram-se levar por elas a fim de governarem mais comodamente. Beneficiaram-se assim (pelo menos temporariamente) não só da autoridade tradicional do velho Estado burguês, mas também das facilidades que lhes concedia a sua aquiescência àquilo que eles julgavam ser o mundo de amanhã. E mostravam-se tão seguros do assentimento dessas forças que se deixaram arrastar por elas. Tiveram a impressão de dirigir o movimento na medida em que simplesmente lhe obedeciam. Ora, guardadas as devidas proporções, tal foi a atitude de Carlos Magno com respeito ao movimento social do seu tempo". René Grousset, *Figures de proue*, Paris, 1949, pág. 115

[3] Cf. a bibliografia: obras de caráter geral.

[4] Quando Lotário for a Roma, em 823, o papa Pascoal I apressar-se-á a sagrá-lo: reedição de um gesto sem grande alcance.

[5] Os *juramentos de Estrasburgo* constituem um documento fundamental para a história das línguas ocidentais. Como Carlos prestou o juramento em germânico, e Luís em língua romana, os textos escritos são os primeiros documentos que possuímos sobre as origens do alemão e do francês. O juramento de Carlos começava assim: "*Pro deo amor et por christian poblo et nostre commum salvament...*"

[6] Cf. o mapa anexo.

[7] Assim Hasting, o célebre chefe normando tão temido no Mediterrâneo, foi durante muito tempo considerado um camponês da Champagne, perfeitamente francês de origem, nascido perto de Troyes e tornado "normando". Esta história, que os historiadores hoje consideram lendária, ao menos mostra que a alegação era verossímil, e que se produziram outros fatos da mesma natureza.

[8] Os primeiros contatos entre o cristianismo e os normandos, anteriores às grandes invasões ou concomitantes com elas, explicam o famoso episódio, contado pelo cronista de Saint-Gall, sobre um velho dinamarquês que, por ignorância ou por astúcia, era um incansável participante das cerimônias do batismo. Como certa vez, à saída da pia batismal, lhe apresentassem uma alva um pouco gasta, exclamou: "Guardai a vossa casaca para um vaqueiro. É a vigésima vez que me batizo, e nunca me ofereceram semelhantes trapos"...

[9] Cf. cap. V, n. 26.

[10] Cf. cap. VII, n. 26.

[11] Cf. *A Igreja dos Apóstolos e dos Mártires*, cap. VII, par. *O desenvolvimento das instituições*, e cap. XI, par. *Uma organização de futuro*. A instituição dos corepíscopos foi utilizada pelos missionários anglo-saxões no seu apostolado, e diz-se mesmo que foram eles que a

inventaram. No século IX, o partido da reforma começa a opor-lhe resistência, até que acabará por desaparecer. Foi na Alemanha e sobretudo na Irlanda que se manteve por mais tempo, neste último país até ao século XIII. Era uma instituição desconhecida na Itália por causa do grande número de dioceses, todas de pequena extensão, bem como na Espanha; na Inglaterra, há um único exemplo. Cf. Theodor Gottlob, *Der abendländische Chorepiskopat.*

[12] Sobre a Igreja da Inglaterra e as suas estreitas relações com Roma, cf. o cap. IV, par. *São Bonifácio, pai da Germânia cristã.*

[13] Cf. adiante o par. *Roma e o perigo sarraceno.*

[14] Uma lenda dessa época, que a Idade Média repetiu e que, mais tarde, os protestantes e os voltairianos cacarejariam, situa entre os reinados de Leão IV e de Bento III os dois anos de pontificado da "papisa Joana". Sabe-se hoje que não decorreu senão um intervalo de algumas semanas entre os dois papas. Sobre esta questão, cf. Vacandard, *Études de critique et histoire religieuse*, que aliás elucida muitos assuntos controvertidos.

[15] Eis uma passagem desse impressionante documento: "Quanto aos que recusam o benefício da fé cristã, que sacrificam aos ídolos e se prostram diante deles, não vos podemos dizer senão que procureis trazê-los para a verdadeira fé por meio de exortações, estímulos e argumentos plausíveis, mais do que pela força, coisa que eles não compreenderiam".

[16] Cap. IX, par. *A glória dos macedônios.*

[17] Aliás, é interessante observar que, por influência dos monges, a maior parte dos nomes alemães dos frutos e dos legumes procede do latim: *Frucht (fructus), Pflanze (planta), Rübe (rapa), Kohl (carilis), Lattich (lactuca), Kürbis (cucurbita)*, etc.

[18] Este movimento intelectual adquiriu na Itália do século IX um caráter bastante particular. Os bispos, muito numerosos e poderosos, administravam o país de forma diferente da que se observava para além dos Alpes; muito ligados à política, dedicavam-se pouco a coisas de cultura. Os grandes centros intelectuais foram os conventos — Bobbio e Monte Cassino — e a corte pontifícia, onde o bibliotecário *Anastácio* desempenharia, sob vários papas, um papel importante (mas nem sempre feliz), ou ainda Ravena que, orgulhosa do seu passado, queria continuar a ser um núcleo cultural. Via de regra, não se encontra na península a animação entusiasta da Germânia, da Lotaríngia e da França. À parte o *Liber Pontificalis*, compilação de biografias dos papas terminada em 891, não há nenhuma obra que mereça ser destacada.

[19] Halphen.

[20] A este Boson, pelos vistos, não faltava bom humor, pois começava os seus decretos com a inesperada fórmula: "Eu, Boson, que sou o que sou por graça de Deus"...

[21] Cf. cap. IX, par. *A glória dos macedônios.*

[21] Cf. cap. X, par. *Cristãos do ano mil: o lamaçal.*

IX. Bizâncio recompõe-se, mas separa-se de Roma

A glória dos macedônios

Não se pode imaginar maior contraste do que aquele que se observava, no último terço do século IX, entre os dois Impérios: o do Ocidente e o do Oriente. Ao passo que o primeiro, a braços com irresistíveis forças de destruição, se afundava numa decadência de onde parecia nunca mais poder sair, o outro atravessava um desses momentos de plenitude e de magnífica reabilitação que várias vezes encontraremos na sua história, como se as incertezas e os dilaceramentos da época precedente tivessem preparado o solo para novas colheitas. Esta retomada dos destinos bizantinos foi obra de uma nova dinastia, que a tradição chama dos *macedônios*.

Fundada em 867 por um soldado improvisado — *Basílio I*, filho de uma dessas famílias armênias que se encontravam espalhadas um pouco por toda parte no Império; a sua, trabalhando como lavradores na Macedônia —, essa dinastia manteve-se no poder durante dois séculos, apesar dos golpes de Estado e das revoluções palacianas, e cada imperador teve o cuidado de fazer coroar o filho na sua presença, para que o laço de sangue ficasse ao abrigo dos acasos sucessórios. Foi, portanto, durante duzentos anos que os "porfirogenetas"[1], descendentes do camponês macedônio, se impuseram com tal autoridade e prestígio que, quando os usurpadores se apoderavam do trono — o que aconteceu três vezes —, não só não tratavam de expulsar de lá a família reinante, mas tinham uma única ideia fixa: unir o seu sangue ao dela.

Esta dinastia teve a mesma sorte que tivera a descendência de César Augusto, a mesma que teria a casa dos capetos e a mesma que brilharia muito mais tarde, sobre a família dos Hohenzollern: possuiu, quase sem interrupção, personalidades notáveis cujos talentos, embora diversos, puderam aplicar-se por igual à glória da coroa e aos interesses do Estado. Houve muito poucos *macedônios* medíocres, e alguns foram até de uma envergadura excepcional. Assim, temos o fundador da linhagem, Basílio I (867-886), um brutamontes analfabeto, um atleta inculto que, tendo entrado para a corte a fim de tratar dos cavalos, acabou por impor-se ao último basileu isauriano, o indolente e ébrio Miguel III — e mais ternamente à irmã deste —, e eliminou pelo assassinato todos aqueles que se interpuseram no seu caminho, incluído o próprio imperador. Uma vez senhor, mostrou-se porém um soberano notável, reto nos seus desígnios, justo na sua política, heroico nas suas batalhas contra o islã. De assassino fez-se cruzado.

Temos depois Constantino VII (913-957), um intelectual refinado, bom escritor e artista de gosto muito sólido, cujas inclinações para os trabalhos do intelecto não o impediram de se mostrar terrível quando se tratava de fazer sentir o peso da sua autoridade, e cujo reinado marca um dos apogeus da civilização bizantina. Ou ainda o usurpador *Nicéforo Focas* (963-969), que os cronistas descrevem como "um pigmeu de cabeça enorme", negro de pelo, de pele e de caráter, um soldado sem encanto que, no entanto, chegou ao trono por vontade de uma linda mulher, e que, uma vez cingido o diadema, se revelou o mais basileu de todos os basileus, o mais decidido a fazer respeitar os seus direitos e o mais encarniçado no combate aos inimigos. Lembremos também Basílio II (976-1025), conhecido pelo sobrenome de "matador de búlgaros", que, tornando-se imperador aos dezoito anos, manifestou logo um sentido das suas responsabilidades, uma energia para enfrentá-las e um conhecimento dos homens e dos acontecimentos que o equiparam a Luís XIV, e que manteve essas qualidades durante todo o seu longo reinado. Graças a ele, Bizâncio impôs-se a todo o Oriente e até à longínqua Rússia. Foram certamente personagens que merecem mais o nosso respeito do que o nosso amor, e que, para o nosso gosto, estão excessivamente manchados de sangue. Mas, se quisermos fazer-lhes justiça, não teremos de levar em conta as terríveis condições em que esses homens se encontraram situados?

Com efeito, se a dinastia macedônia se mostrou grande, não foi porque as circunstâncias lhe tivessem facilitado a tarefa. As velhas ameaças que os imperadores de Bizâncio tinham de enfrentar desde havia séculos, continuavam todas vivas — e bem agudas —, além de andarem de mistura com novos perigos que se lhes acrescentaram. Evoquemos as ameaças do interior, já conhecidas: é a revolta popular ou a conjura sempre iminente que, quando bem sucedida, faz do senhor de ontem um decapitado esvaindo-se em sangue, cuja cabeça é oferecida à irrisão das multidões, ou, na melhor das hipóteses, um mutilado ou um cego com as órbitas vazias; são as perpétuas tendências separatistas das províncias, sempre prontas a ressurgir, sempre trabalhadas pelo fermento de novas heresias, como a dos paulicianos; são as usurpações dos grandes proprietários de terras e dos funcionários que, no Oriente tanto quanto no Ocidente, mais lentamente mas de forma não menos acentuada, pretendem substituir a autoridade centralizadora do senhor pela anarquia feudal; são ainda os muçulmanos que, embora detidos em 863 na sua arrancada através da Anatólia e a braços com crises internas, nem por isso deixam de ser temíveis, que são senhores do Mediterrâneo e controlam as suas ilhas, e que assim desferiram um golpe terrível no comércio de Bizâncio. Ao norte, encontra-se agora um novo inimigo, o búlgaro, povo asiático eslavizado que se aproveitou do enfraquecimento bizantino nos começos do século IX para espalhar-se pelo baixo Danúbio, e que, ao tempo de Bóris I, por volta de 865, forjou a ideia de uma "Pan-Eslávia" balcânica e procura agora pô-la em prática, sob o governo do czar Simeão (893-927), com grande perigo para Constantinopla. Só os confrontos ininterruptos e as campanhas de extermínio de Basílio II conseguirão abater esse inimigo.

Mas o que é admirável é que a obrigação de lutar constantemente contra estes perigos não impediu os imperadores macedônios de levarem a cabo uma política interna de uma firmeza e de uma inteligência que os igualam a um Justiniano. Depois de um século e meio de interrupção, retomaram a grande tarefa bizantina por excelência: a de elaborar o direito, aperfeiçoar as leis e melhorar os códigos. A organização do governo, durante o seu tempo, atingiu uma perfeição que nunca se tinha conhecido. As finanças, geridas de acordo com regras sábias, permitiram-lhes dispor, segundo se diz, de receitas anuais que hoje equivaleriam a uns 180 milhões de dólares e ter uma reserva de uns 80 milhões; só o Império de Bagdá possuía uma riqueza semelhante. A cobrança das receitas, sob a responsabilidade conjunta dos funcionários e do clero, e o controle da economia foram levados quase tão longe como nos modernos estados totalitários. Em comparação com a anarquia e a deliquescência do poder exibidas no Ocidente, esta ordem e este rigor são impressionantes.

Bizâncio tornou, pois, a encontrar a sua glória no tempo dos macedônios. O seu comércio, agora independente da Síria, do Egito, da Etiópia e da Ásia marítima, volta-se para o norte. O Egeu e o Mar Negro pertencem-lhe incontestavelmente; por Trebizonda, tem aberto o caminho para a Ásia central e para as Índias; pelos rios russos, chegam-lhe madeiras, peles e escravos; o Adriático, sob seu controle, está em plena prosperidade, e Veneza começa agora a sua magnífica carreira. Os seus exércitos são sólidos, e o sistema de recrutamento dos *themes*, que fornece soldados-agricultores estabelecidos nas fronteiras, garante um excelente resultado. A armada, reconstituída, permitirá em breve uma contra-ofensiva que expulsará os árabes do sul da Itália, de uma parte da Sicília e sobretudo de Creta. Esta renovada autoridade de Bizâncio, que se faz sentir material e politicamente desde as costas da Itália até os planaltos da Armênia, do Danúbio até os confins da Síria, caminha de mãos dadas com uma irradiação moral, intelectual e espiritual paralela à de todas as grandes épocas da humanidade. Há uma verdadeira renascença durante os dois séculos macedônios, de que se beneficiam as artes e as letras. Mais do que nunca, é sob esta dinastia que Constantinopla pode nutrir o sentimento de ser a capital do mundo, a própria cabeça da civilização.

E também o baluarte da fé cristã... porque — ela está profundamente convencida disso — toda essa glória assenta sobre o cristianismo e trabalha para ele, ou, melhor, os interesses de Cristo e os de Bizâncio se identificam. Perante os pagãos e os muçulmanos, não defendem os seus soldados a causa do Evangelho? Não concorrem todos os trabalhos dos seus sábios, dos seus arquitetos e dos seus artistas para a glória do Todo-Poderoso? O cristianismo parece ter feito causa comum tanto com a consciência popular como com a política dos imperadores — ou, pelo menos, é fácil persuadir-se disso. Defrontamo-nos mais uma vez com esse cristianismo, tão desconcertante para nós, cujas características, nascidas no decorrer das épocas anteriores, não tendem senão a acentuar-se: uma inextrincável mistura de piedade viva e de formalismo, de exigências morais muito altas e de arrebatamentos passionais, uma fé sempre propensa aos excessos tanto no sentido do bem quanto no do mal, um cristianismo de ascetas sublimes, de multidões fanáticas e de prelados políticos. As discussões teológicas, tão violentas nos séculos anteriores, já não agitam tanto as consciências, agora que a autoridade imperial impõe a submissão aos dogmas; mas, depois que se voltou ao culto das imagens, a devoção que o povo lhes presta tornou-se mais viva e mais avassaladora, e não se está longe de tornar a cair nos excessos que determinaram a crise iconoclasta.

Não é necessário dizer que os próprios imperadores se consideram as melhores testemunhas do cristianismo ou, melhor dizendo, a sua encarnação. Mas o cristianismo, tal como o praticam, tem tudo para ser desconcertante. Dificilmente se poderá imaginar uma mistura tão completa de elementos contraditórios. Um Basílio I, por exemplo, que chegou ao trono por uma série de assassinatos e que reina com uma dureza implacável, usa para com os pobres e os humildes de uma doçura e de uma caridade inesgotáveis, verdadeiramente evangélicas. Um Nicéforo Focas hesita entre o convento e o trono, levando durante anos a vida de um monge soldado; depois, subitamente apaixonado por aquela que lhe permitiu cingir a coroa, entrega-se já quinquagenário aos prazeres da carne com o ardor de um adolescente.

Algumas destas figuras imperiais encontram-se à beira da neurose mística, como por exemplo Teófana, a formosa esposa de Leão VI que praticava a ascese com um tal frenesi que, à parte as cerimônias oficiais em que tinha de usar vestidos de gala, só se apresentava diante do marido coberta de andrajos e só lhe oferecia por cama uma esteira no chão e por alimento legumes e água. Não é necessário dizer que esse cristianismo cheio de contrastes anda acompanhado dos desbragamentos sexuais e das crueldades de que Bizâncio sempre foi palco. Será um representante de Cristo esse basileu que, via de regra, se casa três ou quatro vezes, divorcia-se outras tantas e torna a casar, e que traz as amantes ao próprio palácio? Será um representante de Cristo esse vencedor terrível, Basílio II, que, depois de ter capturado quinze mil búlgaros mandou cegá-los a todos, com exceção de cem privilegiados — aos quais foi vazado apenas um dos olhos para que pudessem conduzir os outros infelizes para a sua terra?

E no entanto estes imperadores macedônios, em cuja conduta tanto haveria a criticar do ponto de vista cristão, foram verdadeiramente defensores da fé e arautos do Evangelho, empenhando-se numa ação que foi decisiva. O iconoclasmo, vencido no tempo da imperatriz Teodora, em 843, não voltou a manifestar-se à luz do dia; subsistiu apenas em círculos clandestinos, sobretudo nas províncias longínquas, onde coincidia com ambientes hostis ao autoritarismo imperial. Quando apareceu na Ásia Menor uma nova heresia — ou antes, um ressurgimento do antigo dualismo iraniano encarnado no maniqueísmo —, a heresia *pauliciana*, os imperadores, principalmente Basílio I, esmagaram-na com tal energia que a suprimiram radicalmente[2]. Ao mesmo tempo, com a ajuda que prestaram aos missionários e com as lutas que travaram contra os muçulmanos, estes basileus ajudaram poderosamente a Igreja, essa Igreja vigorosa e empreendedora que eles serviam ao mesmo tempo que dela se serviam.

A conversão dos eslavos

Um dos fatos principais que se devem à influência de Bizâncio é a conversão dos eslavos e dos povos a eles assimilados, e esta conversão é tanto mais considerável quanto vai coincidir com a saída destes grupos étnicos da nebulosa bárbara original e a sua entrada na civilização.

A massa eslava, que a partir do século III inundara a grande planície russa, havia esboçado durante quinhentos anos um gigantesco movimento duplo de invasão: para o oeste, chegara até ao Elba e ocupara a Boêmia, e para o sul, tinha impregnado as etnias asiáticas da Bulgária, quase chegando a absorvê-las, e penetrara nos Bálcãs; para leste, o núcleo compacto do eslavismo estendia-se do Valdai até ao Dniepr e do Volga até ao Duína. No último terço do século IX, havia três Estados eslavos importantes: a Bulgária, rival de Bizâncio; a Morávia, que a invasão húngara começava a dividir em dois grupos, o da Boêmia e o da Iugoslávia; e por fim — principalmente — a Rússia, que estava destinada a crescer consideravelmente. Este último Estado, ao que parece, resultara da conquista das grandes povoações eslavas por um bando de escandinavos varegos — os *russ* —, que se tinham instalado solidamente em duas capitais: Novgorod ao norte e Kiev ao sul. No decurso do século X, enriquecidos com o hábil comércio que tinham sabido estabelecer do Báltico até ao Oriente bizantino, os príncipes de Kiev adquiriram notável importância e fizeram dos seus domínios um dos grandes centros de civilização do continente.

Era, pois, natural que a Igreja se interessasse por estes povos ainda bárbaros. Vimos que havia muito tempo começara já um trabalho esporádico de evangelização com base nas relações comerciais e no regresso às suas terras das tropas auxiliares eslavas[3]. Mas foi sobretudo a partir de Carlos Magno e dos seus sucessores que a penetração nessas zonas passou verdadeiramente a fazer parte do programa da Igreja, e tanto o Ocidente como o Oriente se interessaram por isso simultaneamente. Carlos Magno, que conquistara a Panônia e a Croácia, não perdera tempo em enviar missionários para lá, e encorajara também o envio de evangelizadores aos confins da região que viria a ser a Polônia. Por outro lado, Bizâncio, cujas relações militares, diplomáticas e bem cedo comerciais com os países eslavos iam sempre em aumento, mandou para lá os seus padres e os seus monges. Houve regiões em que esta rivalidade entre o Oriente e o Ocidente cristãos deu lugar a resultados nefastos que ainda hoje permanecem, como por exemplo entre os eslavos do sul, onde a metade croato-dálmata se ligou a Roma e a metade sérbio-montenegrina entrou na esfera de Bizâncio. Mas, se, por vezes, as consequências foram danosas, é preciso também reconhecer que essa rivalidade despertou santas emulações.

O primeiro país eslavo ganho para Cristo foi a Morávia, a atual Checoslováquia, que em começos do século IX estava em pleno desenvolvimento. Comerciantes gregos e venezianos, bem como missionários francos vindos de Ratisbona e de Passau, tinham levado para lá a semente evangélica. Em 845, catorze príncipes checos fizeram-se batizar por sacerdotes do Ocidente, e em 852 o concílio de Mainz falava da "cristandade ainda semisselvagem da Morávia"; ao mesmo tempo, porém, continuavam a chegar monges gregos, o que já era excessivo. Em 846, subiu ao trono da Boêmia o príncipe Katislav, que Luís, o Germânico ali colocara na esperança de assim controlar esse perigoso Estado vizinho. Mas, mal se instalou, o novo rei não teve senão uma ideia: libertar-se do domínio germânico. Como já estava batizado, julgou com muita clarividência que a maneira como se fizesse a conversão do seu povo teria grande importância quanto à sua política. Dirigiu-se primeiro a Roma, pedindo que lhe enviassem missionários italianos que falassem a língua dos seus — o eslavo —, mas não pôde ser atendido, e voltou-se então para Bizâncio. Em 862, uma embaixada morávia chegou ao palácio do basileu, que era o tristonho Miguel III, mas ao pé do qual se encontrava o inteligente patriarca Fócio. Este compreendeu imediatamente que era uma excelente ocasião para adiantar-se à Sé Apostólica romana, com a qual as relações começavam a ficar tensas, e conseguiu que se desse uma resposta favorável ao pedido do príncipe boêmio.

Dois homens foram encarregados de levar o Evangelho à Morávia, dois irmãos, Constantino — que tomaria o nome de *Cirilo* — e *Metódio*, dos quais sobretudo o primeiro era de uma inteligência notável. Nascidos em Tessalônica, onde os eslavos eram numerosos, ambos falavam fluentemente a língua desse povo. Constantino tinha revelado ainda jovem os seus eméritos dons quando se desincumbira de uma missão semi-diplomática e semirreligiosa junto dos *khazares* do Baixo Volga e do Dniepr. Visivelmente abençoado por Deus, tivera a feliz sorte de encontrar em Quersoneso, quando por lá passara, os restos do grande papa São Clemente, que ali morrera exilado. Mostrou as suas eminentes qualidades no cuidado com que preparou a sua campanha de evangelização: como os morávios não tinham um alfabeto apropriado para transcrever a sua língua, Cirilo criou um, combinando o grego com elementos do hebreu e do copto, e daí nasceu o alfabeto *glagolítico*, antepassado do alfabeto russo. Com esta nova grafia, preparou a tradução dos principais textos da liturgia, a fim de poder ser compreendido por aqueles a quem se dirigia.

Chegados à Morávia em 863, os dois irmãos não tiveram um trabalho fácil. Os missionários latinos, ou melhor, germânicos, não estavam dispostos a facilitar-lhes a tarefa, e como os carolíngios da Alemanha intervinham constantemente pela força nas questões do país, os contragolpes eram sempre perigosos para Cirilo e Metódio. Apesar de tudo, e graças ao seu conhecimento da língua, fizeram rápidos progressos e as massas populares começaram a batizar-se. Os ocidentais inquietaram-se e, como o uso litúrgico do eslavo lhes parecia blasfemo, denunciaram os seus concorrentes ao papa como perigosos hereges. Em 868, quando os dois irmãos esperavam em Veneza um barco que devia conduzir a Bizâncio alguns dos seus discípulos a fim de serem ordenados — os irmãos não eram bispos —, receberam do papa Nicolau I um convite para virem prestar esclarecimentos. Mas levavam na sua bagagem o mais belo presente que se podia dar a um papa — os restos mortais de São Clemente —, e tudo se arranjou. Adriano II autorizou-os a celebrar a Missa em eslavo, e quando Metódio regressou sozinho, pois Cirilo morrera santamente em Roma, foi já com o título de arcebispo e com jurisdição sobre uma diocese bastante extensa, que cobria toda a Checoslováquia e pouco mais ou menos a atual Iugoslávia.

Os últimos anos de Metódio não foram, no entanto, mais tranquilos. Novamente criticado pelos prelados alemães, preso, vergastado e constantemente acusado em Roma de ser herege, chegou a ser desautorizado pelo papa João VIII que, mal informado, lhe ordenou que não usasse o eslavo senão em sermões e nunca na liturgia. Mas o corajoso missionário suportou o embate; quando morreu, em 884, toda a Morávia era cristã. Depois que Metódio desapareceu, a influência germânica tornou a prevalecer na região, os discípulos dos missionários foram expulsos e refugiaram-se na Bulgária, e as cristandades nascidas dos dois apóstolos voltaram-se para o Ocidente, ficando assim definitivamente ligadas a Roma. Mas não podemos, sem cometer uma injustiça, deixar de prestar homenagem a estas santas memórias: se a Boêmia veio a ser o principal baluarte cristão na Europa central, isso se deve, sem sombra de dúvida, a Cirilo e a Metódio, os dois santos bizantinos.

Quando os discípulos dos dois apóstolos da Morávia chegaram à Bulgária, encontraram ali uma cristandade já vigorosa. Vinte anos antes, o rei Bóris, ao verificar os progressos que o Evangelho fazia entre os seus, e vendo a influência de Bizâncio sobre o seu povo, compreendeu que o seu reino não podia ser uma ilhota de paganismo rodeada de populações cristãs. Fez-se, pois, batizar em 863 ou 864, e no seu ardor de neófito bárbaro obrigou a nobreza a imitá-lo, se bem que à custa de umas quantas execuções capitais. Mas, receando que a conversão colocasse o seu reino sob o controle de Bizâncio, pediu ao patriarca Fócio, num lance de habilidade política, que pusesse à frente da igreja búlgara um patriarca independente. O hábil prelado respondeu-lhe evasivamente, substituindo as esperadas promessas por belas páginas de especulação metafísica.

Bóris voltou-se então para o papa Nicolau I, pedindo-lhe o mesmo favor e formulando-lhe inúmeras perguntas sobre pontos que o preocupavam: se o Batismo o impedia de usar as calças nacionais, se podia continuar a arvorar a cauda de cavalo que constituía o seu estandarte, se podia ter várias mulheres, etc. Nicolau I respondeu-lhe com tanta habilidade, prometeu-lhe com tanta boa vontade um arcebispo e enviou-lhe tantos bons livros latinos que Bóris expulsou imediatamente do seu reino os missionários de Bizâncio.

Infelizmente, esta política, que poderia ter ligado os búlgaros a Roma, não teve seguimento: Adriano II recusou-se a criar o patriarcado. Furioso, Bóris enviou uma embaixada a Bizâncio para oferecer-lhe o reatamento da Bulgária à sua sé, o que teve lugar em 870. Quando Fócio, nove anos mais tarde, quis que o papa João VIII[4] o confirmasse no patriarcado, dispôs-se a abandonar os búlgaros, mas o rei Bóris resistiu; os sacerdotes latinos foram expulsos e substituídos pelos gregos. A nova cristandade tornou-se pois, definitivamente bizantina de religião e de cultura.

Subsistia, porém, um pequeno problema: o da língua litúrgica. No momento em que os discípulos de Cirilo e Metódio ali chegaram, passaram a aplicar a técnica dos seus mestres, pregando em língua eslava e celebrando os ofícios nesse idioma. Organizaram um novo alfabeto, o *cirílico*, antepassado do búlgaro, e Bóris compreendeu imediatamente que aí se encontrava o meio ideal de conciliar a sua ligação espiritual com Bizâncio e o seu afã de independência, e apoiou imediatamente essa iniciativa, que iria rematar a eslavização do elemento asiático original. O seu filho mais novo Simeão levou adiante essa política: feito *czar*, isto é, "césar", imperador, empenhou-se em fazer reconhecer a "autocefalia" da sua igreja, cujo chefe foi o arcebispo de Ócrida. Mesmo quando as terríveis vitórias de Basílio II anexaram a Bulgária ao Império, no limiar do século X, manteve-se intacta a independência religiosa, ao menos nominalmente. Impregnada de cultura bizantina, mas eslava na liturgia e nos ritos, a cristandade búlgara desempenhará futuramente o papel de traço de união entre Bizâncio e os povos eslavos, concretamente os sérvios, convertidos entre 870 e 890, e os russos, entre os quais o Evangelho triunfará no dobrar do ano mil.

As primeiras relações dos russos com Bizâncio haviam sido pouco felizes. Uma frota dos seus barcos atacara a capital em 861, servindo-se da estratégia típica dos normandos, e foram necessários toda a energia do patriarca Fócio e um milagre da Virgem de Blachernas para repelir os invasores. Mas este primeiro contato, por mais desagradável que tivesse sido, não impediu o estabelecimento de algumas relações, e pouco depois uma missão partia para Kiev, dando origem a um núcleo de batizados. Em princípios do século X, as relações com os russos eram tão numerosas quanto complexas. Por um lado, o Oriente comerciava assiduamente com eles, valendo-se dos grandes eixos formados pelos seus rios; por outro, surgiam incidentes guerreiros, como o fracassado ataque do príncipe Igor contra Constantinopla, em 941. Nada disto impediu que as influências cristãs penetrassem em diversas cidades russas, aqui como na Morávia através dos missionários latinos e gregos.

Em 945, a princesa Olga, viúva do príncipe Igor, aderiu abertamente ao cristianismo. Terá sido batizada segundo o rito grego ou segundo o latino? Não se sabe. Com intenções análogas às que tivera o rei Bóris da Bulgária, jogou provavelmente em dois tabuleiros, pois foi batizada em Bizâncio, mas pediu missionários ao imperador germânico Otão I. Num país imenso como esse, onde o paganismo estava ainda extremamente vivo, a penetração do Evangelho não foi fácil. As resistências deveriam ser grandes pelo menos durante meio século. Os sacrifícios humanos continuaram a ser praticados, e não foram poucas as vezes em que os missionários tiveram de fazer as malas. Foi somente por volta do ano mil que o cristianismo começou a ser praticado de forma sistemática, graças à energia — terrível — de *Vladimir*, neto da princesa Olga.

Curiosa figura de apologeta do Evangelho, este gigante sensual, este soldado feroz, que havia de morrer com o burel de penitente e que seria celebrado pela sua caridade e mansidão! Vladimir foi no mais alto grau o representante desse cristianismo russo cheio de inesgotáveis contradições e em que sempre coexistiram, levadas ao extremo, a fé viva e a complacência com o pecado. Quando ainda era pagão e cuidava mais de batalhas[5] e de mulheres do que de orações, recebera uma grande lição de sua avó Santa Olga, uma lição que não haveria de esquecer: a de que era indispensável tornar-se cristão para estabelecer relações úteis com "a cidade amuralhada de Deus". Uma lenda célebre conta que mandou trazer à sua corte representantes de todas as religiões, mesmo maometanos, e enviou a toda parte embaixadores para que vissem todos os tipos de igrejas. Os delegados mais persuasivos foram os gregos e, por sua vez, os mensageiros enviados a Bizâncio foram de longe os mais entusiastas. "Julgávamos estar no Paraíso". É certamente uma lenda, mas revela o estado de espírito que lhe deu origem.

Convertido em 987, Vladimir não descansou enquanto não conseguiu a mão de uma princesa "porfirogeneta", Ana, irmã do basileu. Com ela, a influência bizantina instalou-se definitivamente na Rússia. Construíram-se cidades fortificadas, igrejas de cúpulas douradas à moda do Oriente, e o clero bizantino forneceu os primeiros quadros às novas cristandades. Quase todos os escritos importados eram gregos, principalmente obras de São João Damasceno. Levada a cabo precisamente no momento em que a ruptura entre Bizâncio e Roma ia tornar-se definitiva, a ligação espiritual da Rússia com a dissidente Igreja "ortodoxa" do Oriente viria a ser de suma importância: oneraria toda a história do cristianismo.

Essa ligação, no entanto, não chegou à dependência. Em contato ininterrupto com a Morávia e a Bulgária, as cristandades russas compreenderam as vantagens que a liturgia eslava lhes oferecia. Quando a Grande Morávia sucumbiu aos golpes dos húngaros e a Grande Bulgária aos de Basílio II, numerosos refugiados instalaram-se na Rússia, levando consigo as suas liturgias eslavas, e quando o grande príncipe Jaroslav unificou firmemente os territórios russos, entre 1019 e 1054, encorajou essa tendência. A partir daí, o cristianismo russo tomou a sua forma definitiva, bizantina pela filiação espiritual e eslava nos seus elementos exteriores. E assim permaneceu.

Em resumo, foi devido aos esforços de Bizâncio que se conquistaram para o Evangelho essas imensas massas humanas, e o historiador da Igreja não pode deixar de mostrar-se reconhecido. Mas deverá fazê-lo sem reservas? Num livro célebre[6], o mais ecumênico dos autores russos, Vladimir Soloviev, lança um vivo descrédito sobre as origens bizantinas do cristianismo russo. Observa muito justamente que a adesão à igreja grega colocou a Rússia, desde as origens da sua vida nacional, fora do quadro histórico em que a Igreja católica forjava a civilização ocidental — a Europa. Por outro lado — a lenda de São Vladimir é bem verdadeira neste ponto —, o cristianismo russo recebeu de Bizâncio os seus piores defeitos, isto é, assimilou-lhe sobretudo o sentido artístico, a pompa, os elementos superficiais, que não eram capazes de penetrar profundamente na antiga alma pagã. Nem os bispos bizantinos, mais funcionários do que pastores, nem os monges bizantinos, inteiramente isolados do mundo e hostis à grande ideia da cultura, podiam desempenhar o papel que os bispos e os monges desempenharam no Ocidente. Todas as características do cristianismo eslavo têm aqui o seu ponto de partida.

Por volta de 1054, no momento em que o príncipe Jaroslav morria e a Europa rumava para a Idade Média, a Rússia cristã oferecia dois traços salientes: "uma igreja que atraía os fiéis pelos esplendores místicos do seu culto, mas que não dava outro ensinamento a não ser o oferecido pelas fórmulas rituais na sua belíssima versão eslava, e um ideal monástico colocado bem acima da vida quotidiana", isto é, desprovido de eficácia.

Mas, feitas estas reservas, nem por isso é menos verdade que, ao batizar os eslavos, Bizâncio realizou uma tarefa da maior importância. Não se deve esquecer que, depois da invasão muçulmana levada a cabo três séculos antes, a cristandade tinha perdido territórios imensos; que, no momento em que os missionários gregos levavam a cabo a sua obra, a Espanha cristã arquejava sob o domínio de Abd-er-Rhaman III e depois do vizir Almançor, e a liberdade estava reduzida a uns pobres e pequenos reinos nas montanhas; que na África do norte chegava ao seu desenlace a agonia das suas antigas e gloriosas igrejas, e que na Síria tanto os sobreviventes da hierarquia cristã, praticamente submetida aos funcionários do islã, como os cristãos livres se viam obrigados a passar para a clandestinidade. A conquista de novos domínios foi, portanto, uma compensação providencial para o cristianismo. Não foi em vão que a tantos desabamentos e ruínas correspondeu o surgimento e a elevação dos príncipes cristãos de Kiev, aos quais todos os reis da Europa sonharão unir o seu sangue. O Oriente cristão, despedaçado e diminuído na época precedente, refazia-se com esta expansão. A Bizâncio o mérito!

As cruzadas bizantinas

Os grandes imperadores macedônios não se contentaram com a compensação que a evangelização dos eslavos dava ao cristianismo. Recusaram-se a aceitar como fato consumado as anexações feitas pelos muçulmanos em terras batizadas e, num estado de espírito de verdadeira fé, que já prenuncia o dos nossos cruzados, opuseram-se ao mundo muçulmano com uma coragem e uma tenacidade admiráveis. O século X foi o da epopeia bizantina, e nela brilharam grandes nomes.

Os últimos vinte anos da dinastia isauriana tinham assistido à suspensão da ofensiva islâmica contra Bizâncio. O último ataque sério havia sido o de 845; os muçulmanos tinham tomado Ancira, e o cerco de Amório dera azo a um episódio sublime: o sacrifício de quarenta oficiais superiores gregos que, feitos prisioneiros e tendo-lhes sido oferecida a salvação se abjurassem Cristo, preferiram morrer à imitação dos soldados de Gaza, duzentos anos antes. Mas o sangue destes mártires fez virar a sorte. Em 858, a armada bizantina — que os árabes consideravam fora de jogo — devastou a cidade de Damieta, no Egito, e, em 863, um exército islâmico que se aventurara longe demais no planalto de Paflagônia foi surpreendido e massacrado por um dos generais de Miguel III.

Nada disso, porém, era razão para dormir sobre os louros. Embora parcialmente conjurado, o perigo muçulmano continuava a mostrar-se sempre temível. Não era esta a época em que, estabelecidos no sul da Itália, na Dalmácia e depois (em 870) em Malta, os sarracenos procuravam transformar o Mediterrâneo num lago islâmico? Não era ainda esta a época em que o imperador carolíngio Luís II batalhava ferozmente contra os infiéis, e o velho papa João VIII propunha a Bizâncio a coligação das duas partes da cristandade contra esse inimigo?[7]. O mérito da dinastia macedônia foi compreender quais eram as suas responsabilidades de cristãos neste ponto, assumindo--as plenamente.

É preciso dizer que a situação interna do mundo muçulmano, que se desagregava a olhos vistos, muito os ajudou nesta tarefa. A dinastia dos califas abássidas entra em decadência a partir de 861, e já não conserva sob a sua autoridade senão Bagdá e o Iraque; ao mesmo tempo, fundam--se nas províncias dinastias teoricamente submetidas a eles, mas na verdade autônomas. Na África, os fatimidas, descendentes diretos da filha de Maomé, tornam-se inteiramente independentes em começos do século X, tomam a Sicília e avançam em direção ao Egito, que ocupam em 969. Na Espanha, onde fatimidas e abássidas se enfrentam duramente, uma terceira dinastia reivindica os seus direitos: a antiga família dos Omíadas, que afirma ser a única legítima; há, portanto, na península ibérica três soberanos que se dizem igualmente sucessores do profeta e chefes dos crentes.

No que havia sido o imenso e poderoso império do islã, reina agora a anarquia. Também os fatimidas veem desmembrar-se rapidamente os seus estados, entre os quais a Argélia e o Marrocos, que se decompõem em pequenos principados berberes, e a Síria que sacode o jugo dos califas do Cairo. Entre os abássidas, subsistem a perpétua guerra civil, as rivalidades de famílias e a revolta dos povos submetidos. Por volta do ano mil, o império maometano não é mais do que uma pálida sombra do que fora, enxameada de elementos estrangeiros, berberes, negros, asiáticos e até eslavos, um corpo esgotado e amadurecido para o golpe mortal que os seus novos agressores, os turcos, lhe vão desferir.

A cruzada bizantina não começou efetivamente senão em 924, com o imperador *Romano Lecapene* (919-944), usurpador que Constantino VII tivera a sabedoria de associar ao trono. Antes dele, Basílio I, excessivamente ocupado, só pudera fechar com fortalezas as vias de acesso das incursões árabes e destruir os hereges paulicianos, que muitas vezes serviam de precursores aos muçulmanos. O perigo do islã continuava a ser temível, como se vira nesse triste dia de julho de 904 em que Tessalônica fora tomada por uma esquadra vinda da África, a sua população quase totalmente massacrada, e os sobreviventes — vinte e dois mil jovens de ambos os sexos — vendidos em Creta e Trípoli nos mercados de escravos. Obrigado a assinar uma paz pouco honrosa em 927, porque a ofensiva contra a Bulgária do czar Simeão diminuíra muito a força do Império, Romano Lecapene voltou-se finalmente para os muçulmanos e lançou a grande ofensiva por volta de 940.

Desde então, não houve ano em que, na terra ou no mar, o gládio bizantino não ferisse alguma parte do corpo islâmico. Soldado rude, ajudado por bons chefes — como o armênio João Kurkuas, que foi chamado "outro Trajano" —, Romano soube utilizar harmoniosamente os recursos da diplomacia e da estratégia. Ao mesmo tempo que se aliava à Armênia e à Ibéria, causando graves dificuldades aos califas nessas regiões, desembaraçava as fronteiras por meio de manobras audaciosas, conduzia as tropas gregas para o alto Tigre e alto Eufrates, e esboçava assim pelo nordeste um vasto cerco às terras ocupadas pelos árabes na Ásia Menor. O incêndio da armada tripolitana na baía de Lemnos, a tomada de Erzerum, o rápido cerco e a destruição de Melitene foram os feitos de armas mais brilhantes deste período. Bizâncio readquiriu a esperança.

Mas todos esses êxitos não passaram de um prelúdio de que Romano não pôde tirar todas as consequências, pois o seu reinado esteve minado pelas intrigas de palácio, que acabaram por quebrar-lhe a resistência. A situação manteve-se confusa por quase vinte anos, durante o fim do reinado de Constantino VII, bom letrado mas soldado medíocre, que se preocupou mais de escrever um manual de etiqueta — o *Livro das Cerimônias* — do que de combater; e o mesmo aconteceu no reinado de seu filho Romano II, ainda muito novo. Este último pelo menos teve o mérito de entregar o poder a um homem de valor, José Bringas, um eunuco em quem paradoxalmente refulgia o vigor de um cruzado. Nas fronteiras muçulmanas, as tropas, bem treinadas, só queriam entrar em combate. Tinham por chefe um grande soldado, *Nicéforos Focas*, hábil e infatigável. O eunuco confiou-lhe a luta contra o islã.

Começou então uma sequência de anos extraordinários, dignos dos mais ilustres da história romana. O primeiro objetivo, Creta — que era necessário tomar a todo o custo, a fim de tirar aos piratas sarracenos as suas bases e libertar o Mar Egeu —, foi reocupada em 961, mas Candia somente caiu depois de um terrível cerco de oito meses. Depois, sem interrupção, pulando por todo o continente, Nicéforos Focas tomou Tarso, atravessou de um só fôlego as passagens do Tauro, precipitou-se sobre a Cilícia, lançando através do império muçulmano colunas móveis que semeavam o terror e trazendo nas suas bagagens uma preciosa relíquia — um pretenso retrato de Cristo, que passava por milagroso. Detido um momento por exigências da política interna e obrigado a deslocar-se para Bizâncio, de onde regressou imperador e casado — com Teófana II, a encantadora viúva de Romano II[8] —, recomeçou sem demora as suas ofensivas.

A ilha de Chipre, perdida para os europeus desde o século VII, tornou-se cristã. A Síria, varrida pelas incursões bizantinas, começou a sacudir o jugo do islã. No outono de 969, vingando séculos de vergonha, Nicéforo Focas restituía à cristandade uma das cidades que ela mais trazia no coração: Antioquia. Se pensarmos que o imperador, levando adiante a política inaugurada pelo papa João VIII, intervinha ao mesmo tempo na Itália do sul e tentava expulsar os muçulmanos da Calábria, vendo-se por outro lado constantemente ameaçado pelas complexas intrigas do imperador germânico e dos príncipes lombardos, bem poderemos medir a sua estatura. Até onde teria ido a sua cruzada se, alguns dias depois da tomada de Antioquia, este soldado heroico não tivesse sido vítima da traição de uma mulher? Foi assassinado por outro general, João Tzimiscés, seu rival em glória, que a volúvel Teófana fizera seu amante.

Senhor do Império e do coração dessa formosa e perturbadora mulher, e tutor dos dois príncipes menores, o novo basileu só teve um fim em mira: retomar os desígnios do seu predecessor. A situação, porém, vinha piorando. A dinastia tunisina dos fatimidas acabava de ocupar o Egito, e as suas tropas, infinitamente mais sólidas que as dos infelizes abássidas, estavam-se instalando na Palestina e no litoral libanês, e em 974 Beirute era retomada aos bizantinos. Mas esses mesmos ataques não fizeram senão reforçar a determinação de João Tzimicés. Desprezando as ameaças dos califas de Bagdá, partiu em direção aos Lugares Santos. Em Bizâncio, onde não demoraram a chegar as notícias das vitórias, o espírito estava todo na cruzada: rezava-se, dava-se dinheiro, recrutavam-se voluntários para irem libertar o Santo Sepulcro. Caiu Damasco, onde o governador turco, Aftekin, rebelado contra o califa do

Cairo, se rendeu de um modo tão complacente que chegou a correr o boato da sua conversão ao Evangelho. Por Banias e pelo seu célebre desfiladeiro, o exército grego entrou na Palestina.

Havia trezentos e trinta e cinco anos, desde o desastre de Heráclio, que os soldados de Cristo não pisavam o solo sagrado. "Em Nazaré, onde a Virgem Maria ouviu da boca do anjo a Boa-nova, no monte Tabor, onde Cristo Nosso Senhor se transfigurou" — diz um cronista armênio —, as tropas de João misturaram as suas orações com os gritos de vitória, pois Jerusalém parecia-lhes ao alcance da mão. No entanto, o basileu desviou-se da rota. Talvez considerasse indispensável garantir solidamente a costa, e ao longo de vários meses dedicou-se a tomar de assalto, não sem dificuldades, as portas do Líbano. Mas o seu fim último era certamente a tomada da Cidade Santa, pois mandou um recado ao doge de Veneza, proibindo-lhe que continuasse a comerciar com os muçulmanos. Este grandioso desígnio, porém, não seria levado a termo. Durante o inverno de 975, João Tzimiscés adoeceu, provavelmente com febre tifoide, e foi necessário levá-lo com toda a urgência para Constantinopla, onde morreu em janeiro de 976.

Seria possível conquistar os Lugares Santos? Não seria uma empresa prematura? A dinastia macedônia, que cem anos antes das cruzadas do Ocidente esteve prestes a deixar o seu nome ligado a essa glória, acabou por desistir da tentativa. Basílio II, grande soldado, homem de ferro e excelente chefe de Estado e diplomata, que durante meio século (976-1025) assumiu os destinos de Bizâncio, achou preferível estender e consolidar a cristandade para o norte com a dupla conquista da Bulgária e da Armênia. Limitou-se a castigar, por meio de incursões — aliás magníficas — as excessivas audácias dos muçulmanos do Egito. Abandonou a Palestina e nem sequer reagiu quando, em 1009-1010, o califa Al-Hakim se pôs a perseguir os cristãos, obrigando-os a usar um distintivo infamante, incendiando as igrejas e — supremo sacrilégio — destruindo o Santo Sepulcro. Houve, pelo menos, um resultado que permaneceu: a fronteira, que por volta de 920 seguia a linha do Tauro, de onde as hostes muçulmanas se lançavam através dos planaltos da Anatólia, passou a estar solidamente estabelecida trezentos quilômetros mais ao sul, nos limites da Síria; além disso, o Mediterrâneo oriental tornou-se grego. Os imperadores macedônios prepararam assim as bases de partida para as cruzadas de Godofredo de Bulhões. No fim do período, por volta do ano 1000, aproximadamente, as relações entre gregos e árabes eram até muito corteses, inspirando-se num sentimento de respeito mútuo.

Bizâncio teve, pois, o mérito de ter mostrado o caminho da futura guerra santa. A memória destes feitos viria a sobreviver no mais belo dos poemas épicos que deixou — a *Canção de Digênis o Acrita*, êmula grega da nossa *Canção de Rolando*. Durante muito tempo, mesmo quando o turco maometano arrastar as cristandades para a escravidão, recitar-se-ão nas cidades e aldeias do Oriente as proezas do jovem chefe, do Acrita, do homem sem medo e sem mácula que batalhou durante toda a vida contra o infiel, com um heroísmo sobre-humano. Evocar-se-á a sua beleza, a sua generosidade e a sua delicadeza. Certas melodias, que ainda hoje se cantam no interior da Grécia e até na Rússia, embalarão os corações ternos com a evocação dos seus amores. Todo o prestígio de Bizâncio e todo o esplendor do rito grego hão de encontrar expressão nessas estrofes ardentes. Mais uma vez, a lenda consagrará a realidade.

O cesaropapismo e o clero oriental

Não nos surpreende que a restauração do poder bizantino, a grande obra da dinastia macedônia, tenha reforçado consideravelmente essa espécie de culto de que o basileu fora sempre objeto. É neste período que a etiqueta da corte atinge o apogeu, revestindo de um caráter quase sacramental os menores aspectos da vida do soberano, e que o *Livro das Cerimônias*, escrito sob a direção pessoal de Constantino VII, precisa todos os pormenores, quer se trate de batismos, casamentos, coroações e funerais dos "porfirogenetas", quer de recepções de embaixadores ou dos mais humildes fatos da existência imperial. Nunca as prosternações, as genuflexões, os beija-pés e os títulos superlativamente laudatórios estiveram tanto em uso. Foram raros, muito raros, os imperadores que ousaram sacudir esse jugo dourado; o rude Basílio II foi quase o único.

O caráter religioso deste cerimonial atingiu também o ápice. A etiqueta acabou por transformar-se numa liturgia. O "Palácio Sagrado" foi declarado "santo como uma igreja", e mesmo nas épocas em que ali se desenrolavam cenas que eram tudo menos cristãs, nunca se deixou de benzer todos os meses os quartos de dormir e as salas dos banquetes, com grande aparato de ícones, procissões e cânticos. Não se assemelhava o traje imperial, agora fixado pela tradição, ao do clero, com uma longa clâmide branca à maneira de alva e com uma casula rígida debaixo dos bordados de ouro e de pedrarias? E não chegava a enorme coroa, encimada pela Cruz, a evocar a tiara papal?

Tudo isto nos deixa perplexos e inquietos. Que diria o cristão de hoje diante do espetáculo da cerimônia pascal que se desenrolava sob a cúpula de Santa Sofia? Numa representação que tanto tinha de Missa como de teatro, o próprio basileu fazia o papel de Cristo ressuscitado. Conservava-se de pé e voltado para o povo, enrolado em pequenas faixas de ouro, tendo as coxas envolvidas por um lençol, sandálias douradas nos pés, o cetro com a Cruz numa das mãos e na outra a *akakía*, pequeno saco de púrpura que continha pó do Santo Sepulcro. À sua volta, doze dignitários representavam os doze apóstolos.

Tratava-se de uma montagem cênica? De maneira nenhuma. Era a própria expressão da verdade. Chefe espiritual no sentido completo do termo, o basileu assume pela sagração uma função sacra. É quase sacerdote. "O patriarca — escreve Simeão de Tessalônica — traça a Cruz com óleo santo sobre a fronte do príncipe, em memória dAquele que é o rei do universo e que, à imitação da sua própria unção, o constitui como autoridade sobre a terra". O seu poder é, portanto, sobrenatural. Quando indica um funcionário para algum cargo, fá-lo em nome da Santíssima Trindade e no uso da "minha majestade que me vem de Deus". Na realidade, é este soberano hierático quem simboliza o Todo-Poderoso e o representa na terra, ou antes é Deus quem, por trás das nuvens do céu, já não é senão uma forma de reflexo desta personagem refulgente? Não se sabe mais.

Na prática, a quase divinização do basileu provocou, nos dois séculos da dinastia macedônia, uma submissão da Igreja ao trono ainda maior do que a anterior. O "cesaropapismo", que sempre fora a miséria de Bizâncio, atingiu o auge. Não se devera aos imperadores o triunfo da verdadeira fé no drama das imagens? Em consequência, a Igreja encontrou-se do dia para a noite ainda mais atrelada a eles do que em qualquer outra época. Já não se conseguia distinguir entre o que era religioso e o que era político. Na corte, confraternizavam prelados e eunucos, e nas piores desordens costumavam andar implicados monges ao estilo de Rasputin, enigmáticos e poderosos. A função mais influente era a do ministro dos cultos, o *sincelo*, intermediário entre o imperador e o patriarca, geralmente designado sucessor deste último; aliás, intervinha em tudo e por tudo. Era uma situação bem diferente da do Ocidente, onde os imperadores, mesmo nos momentos em que fiscalizavam de perto a Igreja e se imiscuíam indiscretamente nos seus assuntos, reconheciam nela uma autoridade exterior à sua e diante da qual muitas vezes se viam obrigados a arriar a bandeira. Em Bizâncio, porém, a Igreja e a Coroa são literalmente a mesma coisa. A sagração não cria o imperador: reconhece um estado de fato, estabelecido pelo direito de nascimento, pelo direito da força ou por um acordo entre o povo e os nobres. Diante disso, perguntamo-nos que poder seria capaz de contrabalançar tal cesaropapismo.

O do patriarca? Era um poder que certamente existia, e que chegava a ser considerável. Aliás, na prática havia apenas um único patriarca. Uma vez que os de Antioquia, Alexandria e Jerusalém residiam *in partibus infidelium*, à mercê da cólera de qualquer emir, havia um só, o de Constantinopla, que fingia de papa do Oriente. Era ele quem sagrava o imperador e quem recebia deste o juramento ritual de ser fiel aos dogmas e de velar pela verdadeira fé. Dispunha de propriedades imensas, espalhadas por toda parte no Império, o que lhe assegurava uma clientela ilimitada; ao mesmo tempo, o exército dos monges, empenhados em defender a sua autonomia contra a autoridade dos bispos locais, pretendia não depender senão dele. Na capital, o seu prestígio era imenso; as instituições reconheciam-lhe direitos políticos, como por exemplo o de intervir em todas as questões que pudessem constituir uma ameaça à ortodoxia — e Deus sabe como era fácil, neste tempo, declará-la em perigo —; o de julgar ou de delegar juízes para todos os processos capitais; o de participar da regência do Império em caso de menoridade do imperador. Quando era nomeado, prestava juramento de fidelidade ao imperador e de não intrigar contra ele..., mas, em Bizâncio, esse tipo de boas intenções pavimentava o Inferno.

O patriarca teria podido, portanto, representar a independência da Igreja em face do trono, pelo menos em princípio; mas na realidade não foi nada disso. Os imperadores macedônios, que não eram bobos, trataram quanto antes de pôr as mãos nesta perigosa personagem. Desde os começos da dinastia de Basílio I, confiscaram a eleição: se até então o patriarca era designado por uma espécie de conclave de que participavam representantes do clero, do povo e do palácio, a partir de agora os metropolitas, reunidos em Santa Sofia na presença do *sincelo*, propunham três candidatos, e se algum deles agradava ao basileu, era sagrado; caso contrário, o imperador escolhia outro. O patriarca passou a ser, assim, fatalmente um apaniguado do príncipe ou um membro da sua família — por exemplo, o irmão mais novo do basileu, como se viu três vezes —; quase sempre tratava-se de um antigo alto funcionário, como Teodoro Cassiteras, Taraíso, Fócio, Nicolau o Místico, que haviam sido secretários de Estado antes de ascenderem ao patriarcado.

Investidos num cargo religioso, podiam estes homens esquecer os seus antecedentes "laicos"? Na cátedra arquiepiscopal, não continuariam a ser "primeiros ministros" do imperador? Efetivamente, muitos deles, no decurso dos dois séculos macedônios, foram notáveis administradores, chefes inteligentes e enérgicos, mas bem mais homens políticos do que homens de Igreja; os seus desígnios profundos e os interesses que serviam foram muito mais os do Estado bizantino do que os da *Ecclesia*

Mater. Faltou-lhes aquilo que sempre fez a grandeza do episcopado ocidental e do seu chefe, o pontífice romano: o eminente sentido de uma dependência superior a qualquer laço político, o de uma fidelidade ao universalismo cristão. O erro diagnosticado por Santo Agostinho muito tempo antes atingia o ponto culminante no cesaropapismo bizantino do século X — a confusão entre os dois espíritos, entre as duas *cidades*. E não se tardaria a ver os seus funestos resultados.

É quase espantoso observar que, nessas circunstâncias, o clero bizantino não se tenha mostrado mais domesticado do que em qualquer outra época. Aconteceu várias vezes que os patriarcas enfrentavam o imperador, não por graves questões de moral ou de fé, mas a propósito de regulamentos eclesiásticos, aos quais a igreja do Oriente — e isso é eminentemente bizantino — se aferrava com tanto maior força quanto mais esses regulamentos eram da sua própria lavra. Assim, proibia que uma viúva desposasse um viúvo, regra que deu motivo a um violento conflito entre o patriarca e Nicéforo Focas. Proibia também as quartas núpcias — e até as terceiras —, e o imperador Leão VI teve de aprendê-lo às próprias custas: dois patriarcas sucessivos se levantaram contra ele. Em Roma, onde as leis sobre o matrimônio, fiéis aos princípios estabelecidos por São Paulo, não punham quaisquer limites ao casamento de viúvos, seriam impensáveis semelhantes conflitos sobre formalidades desse calibre.

Em contrapartida, confunde-nos a facilidade com que o alto clero bizantino concordou em abençoar uniões que tinham — notoriamente — como base o crime e o adultério, e em sagrar imperadores que só tinham chegado ao trono graças ao punhal e ao veneno. As prosternações dos patriarcas diante de um João Tzimiscés, depois da cena de carnificina que foi o assassinato de Nicéforo Focas — para não citar senão um exemplo —, não nos parecem nada edificantes, bem como as suas bajulações a essa Teófana que trocava de homem com tão graciosa desenvoltura, ou a essa Zoé, uma das últimas grandes basilissas da dinastia, cuja carreira matrimonial multiplicou os escândalos e que, já cinquentenária, quis que fosse solenemente abençoada a sua união com um amante de vinte anos. Há, assim, sinais de uma submissão excessivamente evidente ao poder, e um dos mais terríveis exemplos que se pode apresentar deste envolvimento do alto clero na política é o de um arcebispo que, para desembaraçar o imperador, seu senhor, de um inimigo que o incomodava, aproveitou a Sagrada Comunhão para dar a esse homem uma hóstia envenenada.

É preciso notar aqui um fato cuja importância foi considerável. No Ocidente, a Igreja não esteve certamente isenta de faltas nem de erros, mas no seu seio existia uma espécie de reserva espiritual sempre apta a reformá-la: o monaquismo. Como já vimos diversas vezes, a influência dos monges foi decisiva para impedir que a cristandade cedesse às inclinações demasiado humanas. No Oriente, pelo contrário, para fazer face aos perigos do cesaropapismo — os piores de todos —, os monges não estavam em medida nenhuma capacitados para desempenhar esse papel. A querela das imagens fizera com que eles se encerrassem mais do que nunca nos seus conventos, unicamente preocupados com as suas orações e especulações místicas. Os monges gregos dos séculos IX e X, muito diferentes dos dos séculos VI ou VII, não se interessavam pela política, não se deixavam ver e estavam efetivamente mortos para o mundo. São Teodoro chegou a proibir os seus de manterem qualquer conversação com os leigos. Fugir da sociedade para "salvar-se" tornara-se o lema da vocação monástica, lema imposto pelo *Stoudion*. Daí a pouca vontade que mostraram de intervir entre os homens, de organizar os estudos ou mesmo de conservar os elementos da cultura — coisas que os beneditinos fizeram tão bem. Essa atitude contribuiu certamente para a esclerose da igreja oriental e deixou o cesaropapismo sem nenhum contrapeso.

A ingerência excessiva do poder imperial na Igreja foi sem dúvida, em última análise, o que levou ao doloroso conflito no decurso do qual os cristãos deixaram "de estar unidos como o Pai e o Filho estão unidos". O apogeu da dinastia macedônia — e do cesaropapismo — coincide com esse momento da história ocidental em que o desmoronamento do Império carolíngio havia trazido consigo uma revivescência do poder pontifício e das prerrogativas romanas; o pontificado de Nicolau I e a repercussão das falsas decretais são sinais desse fato; e também no Oriente, se a derrota do iconoclasmo tinha sido uma vitória imperial, a firme atitude tomada pelo papa ao longo de toda essa questão aumentara o seu prestígio. Não seria fatal um conflito entre os dois poderes? Não há dúvida de que as formas eram sempre respeitadas e a autoridade da Sé romana não era deixada de lado: os clãs monásticos invocavam-na nas suas discussões, e o mesmo fez o imperador Leão VI, quando se viu a braços com a questão da sua quarta esposa; o patriarca continuava a informar o papa sobre a sua eleição, antes de ser sagrado, e os concílios eram quase sempre presididos por um legado pontifício. Mas, no fundo, a oposição era tão essencial que, mais dia menos dia, teria de explodir. É portanto dentro desta perspectiva que devemos compreender os episódios das confusas lutas que viriam a desembocar no cisma grego.

O caso Fócio

Tudo começou no fim da dinastia isáurica, por ocasião de uma dessas discussões sobre a legitimidade de certa eleição patriarcal como houve tantas na história de Bizâncio.

Inácio, o patriarca, apaniguado da piedosa imperatriz Teodora — a mesma que restabelecera o culto das imagens —, escondia sob uma aparência reservada uma têmpera de ferro, e a mansidão, o talento diplomático e mesmo o discernimento não constituíam certamente as suas qualidades mestras. Nessa época, corriam boatos desagradáveis — que talvez não passassem de ditos caluniosos — sobre o comportamento do jovem basileu Miguel III: dizia-se que chamava aos seus companheiros de orgia "meus bispos e meus patriarcas", e que se divertia provocando distúrbios nas procissões quando estava embriagado. Também andava na boca do povo a reputação de Bardas, tio do príncipe e ministro todo-poderoso que mantinha uma ligação escandalosa com a própria nora.

Inácio, homem reto mas pouco experiente, não hesitou em dar crédito a esses boatos e a fazer ouvir os seus protestos, chegando ao ponto de afrontar publicamente o ministro Bardas, pois recusou-se a dar-lhe a Comunhão no dia da Epifania de 858. Foi só o tempo de preparar o contra-ataque e de forjar uma pretensa conspiração em que o patriarca pudesse estar verossimilmente implicado, e já em novembro Inácio se via acusado das desordens verificadas na cidade por ocasião do assunto da Comunhão. Persuadiram-no a pedir demissão, e em dois tempos estava internado num convento do arquipélago dos príncipes. Não era a primeira vez que um basileu contribuía assim para a santificação pessoal de um patriarca, restituindo-o à contemplação e ao silêncio monástico; mas, neste caso, a queda de Inácio ia ser o ponto de partida de uma crise muito violenta.

O homem designado para substituí-lo chamava-se *Fócio*. Não é fácil fazer um juízo claro deste personagem, que uns exaltariam em excesso e outros vituperariam com profunda sanha. Filho de família nobre, tinha um tio materno que desposara a irmã de Teodora e um tio paterno que fora patriarca. Ainda novo, entrara na alta administração, onde só conhecera êxitos; posteriormente embaixador junto do califa de Bagdá, e mais tarde secretário palatino, foi certamente uma das instâncias mais poderosas da corte. Era, além disso, um espírito enciclopédico, para quem nada do que se referisse às letras, à gramática, à filosofia e à teologia soava a coisa estranha. "Autêntico herdeiro da Grécia clássica — diz Amann —, um filho espiritual de Demóstenes, de Aristóteles, de Lísias e de Platão". Quanto ao caráter, revelava muita habilidade e esperteza, muita astúcia, aliadas à firmeza de um chefe, firmeza por vezes marcada pelo autoritarismo de um professor. Do ponto de vista religioso, era sem dúvida um homem de fé sincera e um verdadeiro cristão — à maneira bizantina. O enorme partido que apoiava as pretensões cesaropapistas do imperador, e todos aqueles que desejavam um cristianismo mais flexível e mais adaptado às exigências do seu tempo do que o puritanismo rígido de Inácio e dos monges — todos esses viam em Fócio o homem dos seus sonhos.

Teria Fócio aceitado de boa vontade este santo mas pesado encargo? Ele mesmo declarou ter hesitado muito antes de revolucionar assim a sua vida, mas fizeram-lhe ver o papel de pacificador que podia desempenhar entre a Igreja e o trono, e a clara consciência que tinha do seu próprio valor persuadiu-o sem muito esforço de que seria capaz de corresponder àquilo que dele se esperava. É verdade que havia um obstáculo à sua eleição patriarcal: era um simples leigo. Mas não era inédito o caso de leigos que se tinham tornado bispos, como o grande Santo Ambrósio; além disso, ninguém em Bizâncio se sentia embaraçado por tão pouco. Tonsurado a 20 de dezembro de 858, Fócio recebeu nos quatro dias seguintes os diversos graus do sacramento da Ordem, o que lhe permitiu ser sagrado patriarca no dia do Natal — aliás por um arcebispo que, para cúmulo, tinha sido suspenso e excomungado por Inácio.

Mas as irregularidades pouco representavam; a existência de Inácio era de longe o fator mais incômodo. Por mais que fizessem ao patriarca destituído as mais belas promessas, por mais que lhe tivessem concedido uma espécie de patriarcado honorário, por mais que um concílio dócil e organizado às pressas lhe censurasse a resistência, a situação não melhorou. Rebentou uma agitação antifociana em diversos pontos, especialmente em Esmirna e Neocesareia — cujos arcebispos se declararam favoráveis a Inácio —, e no próprio convento do *Stoudion*, cujo abade teve de ser enviado para o exílio no fundo do Quersoneso. Nada parecia levar à pacificação. Na ilha de Mitilene, para onde o haviam deportado, o velho patriarca — embora regularmente demitido, embora reconhecesse a autoridade de Fócio e não tivesse apelado para o papa nem para qualquer concílio — era o símbolo vivente da oposição ao imperador. Alguns inimigos do basileu, que conspiravam para reconduzir Teodora ao poder e Inácio ao patriarcado, foram presos, e como consequência o próprio ancião foi incomodado pela polícia e por fim posto sob vigilância.

Foi então que o papa resolveu intervir. Todo o patriarca, por ocasião da sua eleição, escrevia aos titulares das outras quatro Sés patriarcais uma carta — a *sinódica* — em que lhes explicava como havia sido escolhido e sagrado, e fazia a sua profissão de fé. Enviar essa carta aos patriarcas de Antioquia, de Alexandria e Jerusalém, prisioneiros do islã, constituía uma pura formalidade; mas enviá-la a Roma era da maior importância, pois a resposta da Cúria constituía um verdadeiro reconhecimento oficial. Ora, na ocasião em que a sinódica de Fócio chegou à Cidade Eterna, o papa não era outro senão Nicolau I (858-867), uma das personalidades mais firmes que ocuparam a Sé Apostólica nesse tempo, como nos lembramos. Como patriarca entre os patriarcas, não estava disposto a admitir que o seu papel fosse apenas homologar a decisão de Constantinopla; achava que devia exercer o direito de controle que o primado romano lhe conferia.

Por mais hábil que fosse, a carta de Fócio deixava ver muito mais do que a ponta das orelhas. Nicolau I respondeu apenas com um bilhete reservado, e enviou ao basileu Miguel dois legados encarregados de investigar as circunstâncias em que tivera lugar a eleição patriarcal. A carta que esses prelados levavam sublinhava as irregularidades cometidas, e ao mesmo tempo insinuava que seria muito bom que o imperador restituísse à igreja do Ocidente as partes do seu domínio outrora subtraídas por Leão III, o Isáurico. A questão, portanto, levava caminho de azedar. Os dois emissários chegaram a Bizâncio e, quer porque Fócio tivesse conseguido ludibriá-los, quer porque, sobre o terreno, tivessem compreendido melhor a situação e pensado — como bons canonistas que eram — que o reconhecimento pela igreja bizantina do direito pontifício de julgar um patriarca bem valia algumas concessões, ambos tomaram parte num concílio em que não só Fócio foi reconhecido, mas Inácio severamente condenado. Todos, porém, conheciam mal Nicolau I, esse homem intrépido que nessa mesma ocasião enfrentava o senhor do Ocidente, Lotário II[9]. Quando terminou de escutar o relatório dos seus legados, o papa não hesitou um segundo: demitiu-os por terem ultrapassado os seus poderes.

Coincidentemente, chegava a Roma uma delegação de partidários de Inácio — que, por sinal, não a havia enviado —, trazendo todos os documentos sobre o drama e reclamando justiça. Reuniu-se lá um concílio (863), cujas decisões — previsíveis — foram comunicadas a Bizâncio, enquanto os três outros patriarcas eram prevenidos de que o papa se recusava a reconhecer o patriarca bizantino. Transmitiu-se também ao imperador uma condenação formal de Fócio, mas num tom que não deixava entrever qualquer propósito de cortar relações.

Estavam as coisas neste pé quando o conflito assumiu um caráter mais agudo por causa da questão búlgara. A data da querela em torno de Fócio corresponde, efetivamente, àquela em que o rei Bóris se batizou (863-864) e em que teve de optar entre o rito latino e o grego, entre a obediência ao papa — mais longínquo e mais liberal — e a submissão a um vizinho mais próximo e mais inquietante, o cesaropapa do Oriente. Não há, pois, nada de extraordinário em que a escolha do búlgaro tivesse recaído sobre a Sé Apostólica. Quanto ao próprio papado, qual era a sua política neste assunto? No Ocidente, soubera agrupar em torno de si todos os bárbaros — germanos, francos e anglo-saxões —, mas no Oriente sentia-se entravado nesse esforço pelas pretensões de Bizâncio, e muito especialmente pela usurpação do Ilírico, isto é, dos Bálcãs do norte, levada a cabo pelo clero bizantino desde Leão III e cuja restituição era reclamada em vão. Chamar a si os búlgaros seria, pois, lançar uma cabeça de ponte no Ilírico do leste e combater o predomínio oriental no seu próprio terreno. Nicolau I cuidou muito de não perder essa ocasião, e devemos estar lembrados de que, aproveitando uma falta de habilidade de Fócio, manifestou uma compreensão deveras amistosa para com Bóris. Mas a expulsão dos missionários gregos da Bulgária exasperou a opinião bizantina, e o patriarca apressou-se a explorar o incidente. Uma missão pontifícia enviada a Constantinopla para advertir o basileu — aliás de forma bastante dura — de que a Bulgária era agora romana, foi maltratada, retida durante algum tempo, e depois expulsa com palavras amargas.

Fócio não ignorava que Nicolau I se debatia nesta mesma ocasião com consideráveis dificuldades, pois acabava de demitir os arcebispos que haviam aprovado o divórcio de Lotário II[10]; não seria possível uma ofensiva de conjunto contra o papado? Conduziu, pois, um ataque contra Roma com base em documentos emanados da sua sé e até num concílio em que se agruparam todos os inimigos do grande papa; acusaram-no de alimentar "pretensões injustificadas" e de ter inovações perigosas em matéria dogmática. Enfim — fato inaudito —, a igreja bizantina declarou deposto o papa. Assim se inaugurava essa tática que iria ser tão prejudicial para a Igreja: sublinhar os menores pontos de diferença, acentuar as tendências divergentes e infeccionar sistematicamente as menores feridas de amor-próprio, as invejas e as rivalidades.

Em novembro de 867, a tensão entre Roma e Bizâncio estava prestes a atingir o ápice quando, com dez dias de intervalo, desapareceram de cena os dois principais protagonistas: Nicolau I morreu no dia 13 e Fócio foi destituído no dia 23. Como é natural, ao papa morto sucedeu um novo papa, Adriano II; e que se passou com Fócio? Sucumbiu nada menos que ao golpe de força que pôs fim à dinastia isáurica. Basílio I, o Macedônio acabava de se apoderar do trono após o duplo assassinato de Bardas e de Miguel III.

Era, pois, normal que procurasse liquidar o protegido de Bardas, o que talvez tenha feito com excessiva precipitação (o concílio de Constantinopla de 869-870 foi durante muito tempo omitido pela igreja do Oriente da lista das assembleias ecumênicas). Aliás, Fócio ajudou-o nesse sentido com a sua atitude, tratando-o como assassino. De um só golpe, Basílio restabelecia a paz na Igreja, reconciliava-se com Roma, chamava a si todos os partidários do "mártir" Inácio e conseguia que se passasse uma esponja sobre o sangue que havia derramado. Não faltava esperteza a esse rude soldado.

O papado alcançava, pois, a vitória, mas Adriano II desejou-a demasiado completa. Infelizmente, não é hábil ter razão demais. Os bizantinos, por mais que tivessem recebido os legados romanos em procissão com círios e tochas, não podiam aceitar as decisões do papa sem dizer uma palavra. Houve mesmo necessidade de reunir um concílio em Constantinopla para julgar verdadeiramente Fócio, que aliás guardou o mais completo silêncio, "como Jesus perante os seus juízes", reservando-se para o futuro. Basílio I não tardou em achar que o acordo com Roma era demasiado severo. Começou a ter inveja do imperador do Ocidente Luís II, com quem Adriano simpatizava muito. A seguir, passou a julgar excessivas as declarações de submissão que se tinham exigido aos partidários de Fócio. Depois, o caso búlgaro veio envenenar as coisas pela segunda vez: o rei Bóris, furioso por ter pedido em vão a Roma um patriarcado independente para a sua Igreja, voltou-se para Basílio, que compreendeu a importância do caso e se apressou a entrar em negociações com os búlgaros. Nessa ocasião, pôde-se avaliar quanto valia a fidelidade dos prelados de Bizâncio: Inácio prontificou-se a sagrar um arcebispo e dez bispos para a Bulgária, pregando assim uma peça à própria Sé que o tinha defendido. Adriano sagrou São Metódio arcebispo de Sírmio, tentando contrabalançar a influência bizantina nos Bálcãs, mas a partida estava perdida. O antagonismo entre Oriente e Ocidente, que o caso Fócio trouxera à tona, chegava a resultados graves, tão graves que comprometiam o futuro.

Mas a ruptura não devia ser imediata: entre as duas partes da Igreja havia ainda demasiados laços e demasiadas tradições comuns. Além disso, os papas, que no tempo de Carlos Magno se tinham voltado para o Ocidente, precisavam novamente contar com o Oriente no momento em que a desagregação da Europa carolíngia os deixava sós e desarmados diante de mil ameaças, especialmente a dos sarracenos. Seria essa a política de João VIII (871-882), como nos lembramos[11], pois esse papa apelou para os gregos com o fim de resistir aos muçulmanos. Pessoalmente mais diplomata do que combatente, o sucessor de Adriano II inclinava-se para a conciliação.

Fócio, entretanto, soubera esperar. Ou melhor: por intermédio de personagens romanas, tinha estabelecido contatos com o velho papa João. Inácio, em dificuldades com Roma, que lhe censurava a sua quase traição no caso búlgaro, aproximou-se dele. O próprio Basílio, tendo necessidade de um preceptor para seu filho, nomeou para o posto esse homem de tão requintada cultura. As coisas correram tão bem que, quando Inácio morreu, Fócio recuperou o trono patriarcal com a maior facilidade. Também em Roma os ventos sopravam no sentido da pacificação. Um concílio, chamado "concílio fociano", reconheceu o novo patriarca em novembro de 879, anulou as antigas condenações, e Fócio aceitou muito cristãmente as repreensões que o velho papa lhe dirigiu. Tudo parecia, pois, correr pelo melhor no mais santo dos mundos. Mas nem por isso era menos verdade que a Bulgária continuava a recusar a entrada aos missionários latinos. Além disso, insidiosamente, como para se armar de motivos de discórdia, a igreja oriental ia lançando mão de chicanas contra o Ocidente a propósito de certas inovações que declarava suspeitas, como principalmente o uso do *Filioque* no Credo[12].

No momento em que ia findar o século IX, a situação era, pois, aparentemente boa. A igreja do Oriente e a igreja do Ocidente estavam reconciliadas e as tropas bizantinas vinham ajudar Roma a expulsar os sarracenos da Itália do sul. Na realidade, porém, abrira-se uma chaga que podia voltar a infectar-se a qualquer momento. Fócio desapareceu em 886, não se sabe bem como, caído em desgraça aos olhos do sucessor de Basílio, Leão VI, que o odiava[13]; mas os seus livros continuavam a espalhar-se, principalmente a sua brochura *Contra aqueles que dizem que Roma é a primeira Sé*, e o seu grande *Tratado do Espírito Santo*, em que criticava as "inovações" romanas. Eram leituras que afagavam os piores sentimentos dos bizantinos.

O antagonismo entre o Oriente e o Ocidente tomava agora uma feição nova: ao passo que anteriormente o primado de Roma não era nunca seriamente discutido, estava agora posto em xeque; se sempre haviam sido os papas quem condenava as heresias orientais, era agora a igreja de Bizâncio que tomava a iniciativa de criticar doutrinalmente a Sé Apostólica. Como vanguarda da luta do cesaropapismo contra o primado de Pedro, o caso Fócio abria caminho para o cisma. E assim esse patriarca surgirá cada vez mais, diante da história, como o porta-voz, o precursor da igreja bizantina separada de Roma, da ruptura que se dará cento e cinquenta anos mais tarde[14].

Miguel Cerulário e o cisma grego

Por que a ruptura definitiva demorou tanto tempo? Através da semiobscuridade em que os historiadores bizantinos, preocupados sobretudo com a exaltação da "epopeia" anti-muçulmana e anti-búlgara, envolvem os aspectos religiosos do século X, conseguimos entrever com bastante clareza as razões profundas desse adiamento. Relacionam-se simultaneamente com o Oriente e com o Ocidente.

Este século, como veremos, é o do desmoronamento do papado, entregue a facções rivais e manchado por muitos escândalos, a época mais negra da história da Igreja. Como poderia a Sé Apostólica levar adiante uma política de supremacia em semelhantes condições? Mas, por outro lado, a sucessiva extinção dos diversos ramos da dinastia carolíngia fez desaparecer uma das razões do antagonismo. O basileu nunca tinha perdoado a Roma o golpe de Estado do Natal de 800, essa "subreptícia sagração de um bárbaro", e a igreja oriental tinha visto nisso uma espécie de cisma profano que ameaçava submeter toda a cristandade à tutela da desprezível igreja franca. Agora que tinham deixado de existir os descendentes de Carlos Magno, porém, Bizâncio podia estar tranquila.

Mesmo do ponto de vista oriental, muitas razões impeliam a um acordo com Roma: entre elas algumas episódicas, mas que nem por isso foram as menos importantes. Assim, quando o imperador Leão IV, enviuvado e desejoso de casar-se pela quarta vez, se viu entravado pelo patriarca, apelou para o papa a fim de vencer a teimosia da sua própria igreja, e o papa deu-lhe razão; esses serviços não se esquecem. Além disso, houve motivos políticos para esse acordo: a colaboração romano-bizantina, inaugurada nos tempos do papa João VIII contra os muçulmanos, ia tornar-se uma necessidade absoluta na medida em que crescia um novo perigo, não menos temível — o dos normandos, encarniçados agora contra as terras pontifícias. O papado desempenharia, portanto, ao longo do século X e em princípios do século XI, um papel considerável na diplomacia bizantina. Mas de que serve um acordo que já não tem por base o sentido profundo do ecumenismo, a exigência espiritual da unidade em Cristo, e que flutua ao sabor dos interesses e das ambições?

Bem mais decisivas do que os motivos de acordo, continuavam vivas as causas do antagonismo, umas muito aparentes, outras secretas mas determinantes. A magnífica restauração de Bizâncio sob a dinastia macedônia leva a igreja do Oriente a reclamar cada vez mais alto a independência, a *autocefalia*, tanto mais que a quase desaparição dos três outros patriarcas, submetidos aos muçulmanos, deixa frente a frente os dois príncipes da Igreja, o da antiga e o da nova Roma. Os sucessivos patriarcas de Constantinopla, depois de Fócio, poderão de tempos a tempos dar ao papa uma ou outra prova de respeito diplomático, mas o seu distanciamento em relação à Sé Apostólica irá aumentando. Assim, o costume de enviar-lhe a *sinódica* ao serem eleitos só será observado muito irregularmente. Entre as duas igrejas já não se manifestam oposições doutrinais, o que em certo sentido é uma pena, porque, no tempo das grandes discussões teológicas, sempre houvera em Bizâncio um partido que se apoiava no papa; agora o papado já não desempenha aí esse papel de baluarte da ortodoxia. A questão do *Filioque*, levantada por Fócio, e que põe em causa o Espírito Santo na sua essência, só mais tarde é que apaixonará os espíritos. Em contrapartida, existem inúmeras dificuldades a propósito dos ritos, que no Oriente são rígidos e uniformes para toda a Igreja, ao passo que no Ocidente são variados. Pormenores de ínfima importância assumem aos olhos bizantinos a proporção de escândalos abomináveis.

Muitas outras causas arrastam para a cisão. Acentua-se a divergência entre a cultura intelectual do Oriente e a do Ocidente, e o novo patriotismo helênico, exaltado pela restauração macedônia, leva as classes dirigentes bizantinas a desprezar esse Ocidente bárbaro envolvido em sangrentas e confusas agitações. A elite cristã — isto é, os melhores elementos do monaquismo oriental, que desabrocha magnificamente nesta época — separa-se de Roma, desiludida por ver os papas acolherem Fócio, autorizarem as quartas núpcias de um basileu e elevarem pessoas indignas ao patriarcado. Compreende-se muito bem a cólera destes santos monges quando veem o triste papa João XI colaborar para a eleição ao patriarcado do último filho de Romano Lecapene, o jovem Teofilacto, que fora ordenado aos dez anos e sagrado aos dezesseis[15]. A partir de meados do século X, a causa da fidelidade a Roma praticamente já não tem apoio algum na consciência bizantina; bastará um acaso da política para que o progressivo distanciamento se converta numa ruptura.

Dois fatos históricos acabaram de preparar o ambiente. Um, no último terço do século X, foi a aparição do Sacro Império Romano-Germânico, a aliança entre os Otões e os papas, fato que prova aos bizantinos que a Sé Apostólica continua fiel à sua política ocidental, aos seus "bárbaros", e que provoca o furor dos orientais. "Como? Dar o título imperial a um bárbaro, a um homem insignificante, o mesmo título do divino Augusto?" O outro foi, uns quarenta anos depois do ano mil, a reabilitação do papado sob a influência da reforma clunicense e com o apoio direto dos imperadores germânicos, principalmente de Henrique III; a série de excelentes pontífices originários de Cluny trará consigo um retesamento da política papal para com Bizâncio. Estavam dadas as condições da ruptura, e bastaria a vontade de um homem para levá-la a cabo.

O homem que, lúcida e teimosamente, quis essa ruptura foi *Miguel Cerulário*, patriarca de Constantinopla entre 1043 e 1058. Personalidade estranha, pouco atrativa mas singular, a deste patrício cuja juventude se passou exclusivamente dedicada à política — a ponto de tomar parte numa grave conspiração e de ter sonhado com o trono —, e que, convertido e feito monge, já não mostrou senão a imagem de um asceta inflexível e de um teólogo apaixonado. A ambição que não pudera saciar nas antecâmaras do palácio sagrado, levou-a para o patriarcado, declarando após a eleição que, a seus olhos, a sua função não era "inferior nem à da púrpura nem à do diadema". Abrupto e sutil ao mesmo tempo, sabendo revestir-se da dureza da pedra "como se possuísse — afirma o historiador Psellos — as tábuas de Júpiter", mas igualmente capaz de todas as paciências, de todas as astúcias e de todas as perfídias, estava absolutamente decidido a ser sem contestação o papa do Oriente. Não há dúvida alguma de que o seu desígnio de provocar a crise foi longamente amadurecido.

Por que foi que Miguel Cerulário desencadeou a ofensiva por volta de 1050? Num momento em que os normandos estavam prestes a abocanhar a parte do leão na Itália do sul, os ventos eram favoráveis à aliança de todas as forças cristãs. O alto-comissário bizantino na Itália, o *catepano* Argiros, um lombardo, preconizava essa política, e numa das suas idas a Bizâncio conseguira a aquiescência do imperador Constantino IX. O papa Leão IX concordava também com a ideia, e em 1052 visitou o imperador germânico Henrique III para obter a sua adesão. Por toda parte se repetia uma profecia segundo a qual "o leão e o leãozinho exterminariam o onagro", isto é, o imperador velho e o jovem se aliariam contra o normando.

Nesta operação, o patriarca de Constantinopla bem podia recear que a influência do papa na Itália do sul acabaria por excluir a sua, o que ainda seria um mal menor. Mas sobretudo era evidente que, perante essa espécie de triunvirato em que o papa e os dois imperadores estavam em plano de igualdade, ele mesmo ficava relegado a uma posição inferior. Pelo seu temperamento, pela sua dupla formação de filho de alto funcionário e de monge, detestava Roma. Mais: a sua ambição estava ameaçada. Um episódio ocorrido no ano de 1052 mostrou-lhe que o primado com que sonhava para a sua sé corria perigo. O novo patriarca nomeado para a Síria, o bom e santo Pedro de Antioquia, que o cisma tanto devia afligir, retomara o velho costume e dirigira ao papa a sua *sinódica* de sagração — o que Cerulário nem por sombras pensava fazer. De repente, resolveu agir: obrigaria o imperador a pôr termo a essa política de entendimento, e, para isso, reconduzi-lo-ia ao seu velho papel "cesaropapista", fazendo-se ele próprio mais regalista do que o rei. Com esse propósito, montou uma manobra que a inépcia dos ocidentais coroaria de êxito.

Cerulário situou a ofensiva num terreno em que sabia que o povo de Bizâncio o seguiria — o dos sacrossantos ritos —, e para não se descobrir desencadeou a luta por intermédio de subalternos. O arcebispo Leão de Ócrida, na Bulgária — agora inteiramente submetida a Bizâncio —, escreveu uma carta ao bispo de Trani, na baixa Itália, que dependia de Roma embora estivesse em território bizantino; ou seja, por intermédio dessas pessoas, Cerulário dirigiu-se ao papa. Pouco tempo depois, um monge do *Stoudion*, Nicolau Stothatos, publicava uma espécie de panfleto. Os dois textos tinham idênticas intenções: denunciar os erros da igreja ocidental. E que erros monstruosos! Os ocidentais comungavam com pão ázimo, não fermentado — pão morto, matéria sem vida, repugnante imitação dos usos israelitas. Comiam carnes não sangradas, grave infração aos preceitos bíblicos. Jejuavam por vezes aos sábados, e portanto era evidente que guardavam o sábado. Suprimiam o *Aleluia* na Quaresma, terrível desprezo das tradições. Por último, os seus sacerdotes não usavam barba, o que a todas as luzes era indecente... Eis as bagatelas litúrgicas e alimentares em torno das quais ia travar-se batalha tão grave. Fócio pelo menos suscitara questões dogmáticas.

A este ataque, cujo sentido não lhe escapou, Roma respondeu com grande vigor, especialmente porque em Constantinopla, por ordem do patriarca, se tinham fechado as igrejas latinas e, no meio dos tumultos ocasionados por essa medida, se tinham calcado aos pés hóstias consagradas. Junto de Leão IX encontrava-se então, como *persona gratissima*, o cardeal Humberto de Moyenmoutier, homem de grande inteligência e de caráter firme, ainda que desprovido de maneiras afáveis e diplomáticas, e que era um daqueles que então vinham levando a cabo a indispensável reforma da Igreja[16]. Foi ele quem traduziu esses escritos para o latim, e o papa encarregou-o de responder-lhes.

Fê-lo com a elevação que convinha, sem se abaixar a discutir as estúpidas ninharias dos bizantinos, mas afirmando os direitos da Sé Apostólica que, segundo o Concílio de Niceia, "não deve ser julgada por ninguém", e opondo às flutuações dos patriarcas ao longo dos séculos a firmeza doutrinal dos papas. Em suma, o cardeal recolocou a questão no seu verdadeiro terreno, o do primado de Roma e do seu ecumenismo. Entretanto, Miguel Cerulário, começando já a descobrir as suas baterias, escrevia ao Santo Padre e dizia-lhe: "Se mandares venerar o meu nome numa só igreja de Roma, eu me comprometo a mandar venerar o teu em todo o universo" — o que era uma maneira sutil de se igualar ao papa. Não tardou, porém, a receber uma resposta igualmente firme: ou a igreja do Oriente permanecia na comunhão de Pedro ou devia resignar-se a não ser mais do que "um conciliábulo de hereges, um conventículo de cismáticos, uma sinagoga de Satanás". Como se vê, o tom começava a esquentar.

Certamente não foi muito hábil, da parte de Leão IX, mandar a Constantinopla para tratar do assunto o fogoso cardeal Humberto, acompanhado do chanceler da Igreja Frederico de Lorena (o futuro Estêvão IX), homem igualmente inflexível e pouco habituado às complexidades da diplomacia bizantina. Os dois ocidentais deixaram-se enredar em chicanas, concordaram em discutir a questão do pão fermentado ou não fermentado, criticaram a prática oriental do casamento dos padres, prestando-se maravilhosamente bem aos planos maquiavélicos de Miguel Cerulário, que não desejava senão prolongar e envenenar a discussão. Devidamente amestrado, o povo de Bizâncio afirmava teimosamente que todas as missas ditas pelos ocidentais desde as origens eram nulas e desprovidas de eficácia. Silencioso, intervindo pouco, o patriarca esperava que soasse a sua hora.

Foram os próprios legados pontifícios que lhe tocaram o sino. No dia 16 de julho de 1054, o cardeal Humberto e os seus auxiliares dirigiram-se a Santa Sofia, à hora do culto solene. Depois de terem proferido violentos protestos contra o patriarca — mencionado nominalmente como rebelde à autoridade do papa —, depositaram sobre o altar uma sentença de excomunhão contra ele e saíram da basílica sacudindo a poeira dos sapatos e exclamando: "Que Deus veja e nos julgue". Este gesto espetacular — pensavam —

seria decisivo e levaria o imperador a esmagar Cerulário. Canonicamente, nada daquilo era válido, por duas razões: os legados não tinham autoridade para tomar essa medida, e, por outro lado, como Leão IX já não existia desde 19 de abril, os poderes dos seus representantes tinham caducado. Mas ninguém se lembrou disso. O gesto foi decisivo, sim, mas não no sentido em que o tinha esperado a brusquidão lorena ou germânica dos legados.

Miguel Cerulário tinha o jogo na mão. Ao invés de sair do caso como uma espécie de criminoso acusado de querer rasgar, por orgulho, a túnica sem costura da Igreja, aparecia agora como o defensor da igreja oriental injuriado pelos ocidentais. O povo cerrou fileiras em torno dele. Constantino IX, mais desejoso que nunca de manter o acordo com Roma contra os normandos, tentou arranjar as coisas, mas um bom tumulto, suscitado no momento oportuno pelo patriarca, chamou o fraco basileu a uma consciência mais clara dos limites do seu poder: não voltou a tentar a experiência e foi consolar-se nos braços da sua jovem amante. Uma tentativa de mediação feita pelo santo patriarca de Antioquia foi repelida com desdém. Já senhor indiscutível do Oriente, Cerulário só teve que tratar dos arremates: a bula de excomunhão foi queimada em praça pública[17], e em 24 de julho de 1054 o "sínodo da igreja oriental" — uma dúzia de metropolitas e arcebispos reunidos em Santa Sofia — promulgou um edito sinodal em que os latinos eram declarados culpados de terem querido perverter a verdadeira fé. Algumas semanas mais tarde, Cerulário completava o edito com um requisitório em que, sob pretexto de fixar os direitos da sua sé em face de Roma, se apresentava como o único representante da verdadeira religião de Cristo.

Cerulário triunfara. Em Constantinopla era ele o senhor. Aliás, era-o excessivamente, pois tentou imiscuir-se nas crises políticas que se sucediam cada vez mais rapidamente a partir de 1054, apressando o desmoronamento da dinastia macedônia. Desgostoso de ver o jovem Miguel VI recalcitrar um pouco contra a sua palmatória, interveio ativamente na conspiração que terminaria por derrubar o basileu em 1057 e substituí-lo por *Isaac Comeno*, fundador de uma nova dinastia. Mas Comeno, por mais contente que estivesse ao cingir a coroa, não quis limitar-se a ser uma dócil criatura do terrível patriarca, e no Natal de 1058 aproveitou um retiro que Cerulário fazia num convento, longe da multidão de Constantinopla, para mandar prendê-lo. Estava a ponto de levá-lo a julgamento quando o patriarca morreu. Mas a opinião pública estava tão fanatizada que o próprio imperador se viu obrigado a mandar trasladar com grande pompa o corpo do "mártir" e a consentir que a Igreja lhe organizasse uma verdadeira apoteose. Mais tarde, no tempo do seu sucessor Constantino X, casado com a própria sobrinha de Cerulário, o patriarca seria canonizado e instituir-se-ia uma festa anual em sua honra...

Assim se encerrou este doloroso período da história da Igreja, um dos mais dolorosos, como só viria a sê-lo o da Reforma. Em 1054, o *cisma grego* estava consumado e, para nossa dor, ainda hoje não terminou. É desnecessário dizer que as responsabilidades estiveram divididas: orgulho e perfídia de um lado, inépcia grosseira e intransigência do outro. No dia do Juízo, os homens da Igreja de Cristo terão de prestar contas desta ruptura que — previsível havia muito tempo — não souberam evitar pela caridade e pelo amor.

No momento em que os fatos se deram, ter-se-á compreendido a sua gravidade? Tanto em Roma como em Constantinopla, a opinião pública ficou bem convencida de que o seu clã tinha alcançado a vitória: os latinos gloriaram-se de terem esmagado o orgulho do patriarca, os bizantinos felicitaram-se por terem afastado da sua fé os erros ímpios dos ocidentais. O cardeal Humberto conferia a si próprio um *satisfecit* num longo relatório. Nas margens do Bósforo, todos se deleitavam com a leitura de um libelo intitulado *Tratado sobre os francos*, no qual se podia ler, não sem horror, que durante a Missa, no Ocidente, as mulheres vinham divertir-se com o padre e que até se sentavam no trono episcopal.

Bobalhices como essas firmaram os espíritos num estúpido antagonismo. Apenas alguns raros corações, verdadeiramente cristãos, sentiram cruelmente a ferida que se abrira na Igreja. Assim aconteceu com Pedro de Antioquia, que exclamava: "Se as rainhas da terra estão angustiadas, por toda parte reinarão as lágrimas"; ou com o monge Jorge, o Hagiorita, que ousou declarar em 1064: "Não há diferença alguma entre gregos e latinos". Só passado muito tempo é que a cristandade se conformou com a ideia do cisma[18]. Os peregrinos da Terra Santa continuaram a passar pelo território bizantino, os papas continuaram a manter relações oficiais com o basileu, e houve até alguns imperadores de Bizâncio, como Miguel VII, que fizeram dádivas generosas a conventos do Ocidente, principalmente ao de Monte Cassino. Mas nem por isso o rasgão deixava de ser irremediável e de ir-se acentuando: a perda dos domínios bizantinos na Itália, tomados pelos normandos, e mais tarde os incidentes das cruzadas deviam torná-lo definitivo.

Fidelidade a Bizâncio

Mas, no momento em que Bizâncio se separa de Roma e em que as duas partes da Igreja de Cristo enveredam por caminhos diferentes, devemos ficar parados, simplesmente contemplando esses acontecimentos lastimáveis, esses patriarcas cheios de orgulho e esses teólogos agressivos? Resume-se nisto toda a igreja grega?, essa igreja herdeira de tantas gerações de cristãos admiráveis, depositária do pensamento dos Padres, para a qual ainda hoje se voltam tantos espíritos do catolicismo do Ocidente, como se se voltassem para uma fonte imensa e ainda hoje tão pouco conhecida? Devia a fé dos grandes Capadócios e a dos corajosos defensores das imagens extinguir-se pelo fato de maus pastores guiarem as suas ovelhas pelo caminho do cisma? Certamente que não; e por mais cruel que a ruptura de 1054 possa ser para um coração cristão, nunca poderia ela atingir uma fidelidade indestrutível a tudo o que a igreja grega, enquanto se manteve na unidade, deu ao cristianismo de original e de fervoroso.

Nos séculos IX e X, já não é, no entanto, no plano do trabalho doutrinal, em que outrora tinham sido mestres, que se pode admirar os bizantinos. Lembremo-nos de que o fim das grandes discussões teológicas marcou também o encerramento da alta teologia oriental: o facho passou para o Ocidente. Após a morte de São João Damasceno em 749 e a de São Teodoro Estudita em 826, já não há no Oriente grego nenhum nome que se possa igualar aos deles. O único teólogo que se destacou — aliás perniciosamente — foi Fócio; na sua *Mistagogia do Espírito Santo*, obra hábil e pérfida, os polemistas gregos encontraram e continuam a encontrar até hoje argumentos contra os latinos. Tomando no seu sentido mais estrito a célebre fórmula *Filioque procedit*, e entendendo-a deliberadamente como "proceder de um princípio sem princípio", Fócio quis mostrar que os ocidentais, aplicando-a ao Espírito Santo em relação ao Filho, tinham uma doutrina trinitária errônea, herética, e então organizou contra essa heresia imaginária todo um arsenal escriturístico e patrístico. A influência póstuma desse trabalho nefasto viria a ser considerável.

Mas a alma bizantina estava em outro lugar. Estava nesse povo apaixonado por ritos, maníaco por observâncias insignificantes, algumas quase supersticiosas, mas cuja fé permanecia sempre comovente sob tantos aspectos. Estava nesses sacerdotes para quem a liturgia constituía a armadura da vida espiritual e que se entregavam a essas cerimônias hieráticas com uma alegria tão grande. Estava nesses monges escondidos em longínquas montanhas, nos quais sobrevivia um pouco do espírito dos primeiros Padres, dos anacoretas que se retiravam para os desertos com o fim de melhor se entregarem a Deus.

Não há dúvida de que o ritualismo sempre crescente do cristianismo bizantino nos deixa surpreendidos; vimos exemplos bem insólitos nas discussões com a igreja latina, e poderíamos citar muitos outros em diversas circunstâncias, como o conflito de Bizâncio com a igreja armênia porque esta, no jejum, proscrevia os ovos e os queijos, coisa que os gregos consideravam "uma heresia repulsiva"... Mas podemos também perguntar-nos se ritos tão rígidos não seriam indispensáveis a um povo tão apaixonado, volúvel e contraditório; e se, ao impor-lhe uma disciplina, esses ritos não o impediram de se afundar nas heresias que tantas vezes o ameaçaram. Seja como for, não foram obstáculo ao desabrochar de uma fé profunda, de que temos muitíssimas provas.

Assim, a corrente de piedade mariana que vimos nascer e desenvolver-se nos séculos precedentes continua a crescer, e, quando se der a ruptura de 1054, a devoção à Santíssima Virgem não se extinguirá; pode-se mesmo afirmar que as homilias marianas da Idade Média bizantina superaram as dos tempos anteriores. Há uma fé vibrante, contraditória, cheia de contrastes, como já pudemos observar nesses imperadores e nessas grandes personagens que, muito sinceramente e com uma facilidade extraordinária, passam do crime ao arrependimento, da vida frenética à ascese; e há também uma fé mais serena, mais interior, que se nota em tantas famílias, encarnada em santas figuras de esposas, de mães e de religiosas. Tudo isto constitui o embasamento da alma grega; e essa admirável liturgia, cujas cerimônias imutáveis, prolongadas até os nossos dias, dão ainda hoje à igreja oriental um perfil de tão cativante beleza, que outra coisa é senão a expressão glorificada do sentimento de comunidade, de comunhão, que até certo ponto constitui a própria essência do cristianismo?

Um dos testemunhos mais significativos da vitalidade do cristianismo oriental nos séculos IX e X é o monaquismo. Poder-se-ia pensar que o desenvolvimento por ele atingido no decurso das épocas anteriores não seria ultrapassado; e, no entanto, o período macedônio imprimiu a essa instituição um impulso tão grande que inúmeras fundações ainda vivas nos nossos dias datam dessa época. A querela das imagens esteve prestes a levar à supressão dos mosteiros no Império, e promulgaram-se na ocasião leis draconianas que iam ao ponto de proibir-lhes o recrutamento de noviços e chegavam a secularizar monges e conventos. A derrota dos iconoclastas foi, portanto, considerada como vitória do monaquismo, que se expandiu gloriosamente. Os antigos lugares conventuais, tais como o Monte Olimpo — donde partira a resistência aos destruidores de imagens —, viram afluir enormes massas de postulantes, e criaram-se outros novos[19]. Os imperadores, as imperatrizes, os príncipes de sangue real e as grandes personagens multiplicaram as fundações, sobre as quais aliás mantinham um direito de controle, nem sempre exercido discretamente. O apelo da vida conventual tornou-se tão comum que o governo teve que fixar-lhe limites, impondo uma idade mínima de entrada — que tentou passar dos 10 para os 16 anos — e proibindo que os funcionários públicos e os soldados abandonassem sem licença os seus postos para se fazerem monges. Imensamente ricas na sua maioria, estas comunidades dos séculos IX e X são verdadeiros viveiros de cristãos de elite, e na prática detêm cada vez mais o monopólio do provimento episcopal.

Não podemos falar sem um grande respeito desse monaquismo bizantino. Os *higoumenes* destes conventos foram sob muitos aspectos os êmulos dos grandes abades ocidentais, e se não influenciaram tão diretamente a sociedade, por estarem mais afastados do mundo, não é menos verdade que muitos deles legaram um testemunho admirável de fé, de austeridade e de santidade. Nesta época, a forma antiga do monaquismo oriental proveniente de Santo Antão, de São Pacômio e de São Sabas, o anacoretismo solitário, encontra-se já em decadência; a maioria dos mosteiros segue a regra de São Basílio, que a reforma do *Stoudion* e a influência do grande São Teodoro tinham reconduzido à sua melhor observância: a vida em comunidade, a lei da obediência, a abstinência e o trabalho obrigatório são coisas que ali se praticam quase como em Cluny; a oração perpétua, o *laus perennis*, é uma prática mais ou menos geral. Neste monaquismo oriental, as ingerências laicas — que existem — são muito menos fortes do que no Ocidente submetido ao regime feudal. Por outro lado, são poucas as obras, literárias ou de outra natureza, que saíram destes conventos; mas, sob o olhar de Deus, quem poderá deixar de reconhecer os seus méritos?

Um dos grandes acontecimentos desta época, ao qual está associada uma das mais belas figuras de um santo *higoumene* é a fundação do *Monte Athos*. Situado ao norte da Grécia, constituindo o dedo setentrional da mão incompleta formada pela tríplice península da Calcídica, o Athos já estava há muito tempo povoado de ascetas disseminados em eremitérios e confederados sob a direção de um *prótos*, de um "primeiro". Por volta de 962, desembarcou ali um homem de excepcional envergadura, *Santo Atanásio de Laura*, que daria ao "monte santo" o aspecto que ainda hoje nos oferece.

Nascido em Trebizonda e educado em Constantinopla, Atanásio fora — já monge — diretor espiritual do futuro imperador Nicéforo Focas. Para não ser nomeado *higoumene* do seu convento em Bizâncio — pois era alma de delicada humildade —, retirara-se pela primeira vez para Athos em 958, mas Nicéforo arrancara-o de lá para nomeá-lo capelão da frota que, em 961, libertou Creta do domínio dos sarracenos. Mas a lembrança daquela silenciosa e querida península permanecia no coração do santo. Logo que pôde, voltou a partir para lá, mas desta vez com o desígnio de fundar um verdadeiro convento, uma *laura*, que Nicéforo dotou com todo o espólio que havia tomado aos muçulmanos. Em breve, e depois de algumas dificuldades com os solitários, todo o Monte Athos se organizou em torno desse mosteiro. A grande *Laura* tornou-se o centro dessa república monástica que ainda hoje se conserva, respeitada pela história, pelas guerras e pelos turcos. Construíram-se rapidamente outros conventos: Vatopedi, Zographon, Philoteu e muitos outros; e os séculos se encarregaram incessantemente de erguer outros ainda.

É a Athos que temos de ir nestes nossos dias se quisermos evocar a espiritualidade de Bizâncio naquilo que ela pode ter de mais impressionante para uma alma cristã. Ali, no meio de uma natureza selvagem em que parece permanecer viva a lembrança do Paraíso, entre as águas cantantes, os animais confiados e o murmúrio da brisa nos ramos das oliveiras, uma prece contínua se eleva para Deus, saída desses milhares de almas que, vindas de todos os pontos da cristandade "ortodoxa" dissidente, e falando cinco ou seis línguas diferentes, se unem no mesmo fervor. Enquanto o barco segue a costa cinzelada, orlada de espuma, o viajante avista, disseminados por toda parte, os múltiplos testemunhos dessa fé secular: nas paredes rochosas, por vezes inacessíveis, abrem-se as grutas dos *anacoretas* que, como nos tempos de Santo Antão, vivem inteiramente sós em Deus, inteiramente sós até a morte; as clareiras dos bosques deixam-nos ver os pequenos conventos rústicos dos *cenobitas* e as minúsculas casinholas em que os *sarabaítas* vivem aos dois ou aos três. E, de longe em longe, enormes, semelhantes a fortalezas no brilho dos seus ocres, dos seus rubros e dos seus dourados, voltando para o mar os seus andares de varandas sobrepostas com vigas em projeção, erguem-se, como verdadeiras cidadelas da fé, os grandes mosteiros *idioritmos*, de tesouros fabulosos.

Terá mudado muito a vida religiosa desde os tempos em que, entre duas batalhas, os imperadores macedônios iam lá fazer o seu retiro? O *catholicon*, a igreja de traçado em cruz grega, ergue-se sempre no centro de um pátio quadrado, escoltada por uma família dispersa de capelas. Nos refeitórios, as mesas de mármore, com cavidades que servem de pratos dispostos em intervalos regulares, mostram o polimento feito por gerações de mãos. Nas paredes, afrescos misturados, desconcertantes, evocam os ritos da igreja bizantina, sob formas que não devem ter mudado um ápice nestes mil anos. Uma profunda impressão de recolhimento cristão — de recolhimento pacífico e feliz — emana deste lugar votado à oração. Sob o luminoso sol grego, as cores e os tons formam uma sinfonia: rubro-sangue das fachadas, ocre pálido dos velhos mármores, esmeralda e safira dos afrescos nas galerias e, por toda parte, as manchas alaranjadas das bignônias e os cachos violetas das buganvílias. O mar próximo fere e ritma o silêncio. Águas ligeiras cantam nas bacias das fontes a ladainha do amor divino. Monges negros, vestidos de amplos hábitos, dão-nos a impressão de vagarem por aqui e por ali, recolhidos e silenciosos. De repente, soa um ruído forte, um ruído de madeira, seco e abafado ao mesmo tempo, e passa um jovem frade que segura debaixo do braço uma comprida tábua de cipreste na qual bate com um martelo, sinal equivalente ao dos nossos sinos ocidentais. Surgem de toda parte as negras silhuetas dos monges que se dirigem apressadamente para o *catholicon*, e pela porta aberta começa a escoar-se a lenta salmodia.

Assim é a imagem sempre viva dessa igreja grega que, apesar de novecentos anos de separação, um cristão não pode deixar de olhar fraternalmente, como não pode passar por alto o testemunho concreto de tudo o que a sua espiritualidade deu à cristandade. Como se lhe há de recusar fidelidade e gratidão? Sobretudo se nos lembrarmos de tudo aquilo que, na mesma época, Bizâncio presenteava ao mundo cristão: os eslavos evangelizados, os muçulmanos contidos e rechaçados, e a civilização enfim restaurada, no exato momento em que, no Ocidente, parecia condenada à morte.

A "renascença" macedônia

O último, mas não o menos importante dos contributos da Bizâncio macedônia para a humanidade, foi o admirável reerguimento de civilização que ocorreu durante os dois séculos dessa dinastia. Nenhuma época, nem mesmo a de Justiniano, ultrapassa em glória, riqueza e fecundidade aquela em que os descendentes do grande Basílio empunharam o cetro imperial: foi uma idade de ouro, cuja memória chegou até nós na glória de Veneza, filha de Bizâncio, e que serviu de contrapeso às tristezas da idade de ferro em que o Ocidente mergulhou.

O extraordinário desenvolvimento econômico de Constantinopla, que se tornara uma espécie de Nova York do Bósforo, para onde tanto o comércio externo como a indústria multiforme drenavam igualmente as fortunas do mundo; o prestígio dessa capital de que partiam, pela dupla vontade do Estado e da Igreja, as influências que helenizaram povos heteróclitos e procuraram fazer dela uma unidade viva — tudo isso contribuiu para fazer surgir a "renascença" macedônia, cujo fulgor, por sua vez, aumentou a glória dessa dinastia.

Nessa época, Constantinopla era já uma cidade de mais de um milhão de almas, onde se confundiam todas as raças e todos os tipos. Dispondo de folga suficiente no interior das suas muralhas para que ainda pudesse haver terrenos baldios em que erravam cães, crianças, jumentos e porcos, apresentava — como ainda hoje — singulares contrastes entre o rico decoro das avenidas suntuosas e das belas ruas com arcadas, e o fétido emaranhado de ruelas com pardieiros, onde a lama escorregadia e a poeira sufocante se alternavam conforme as estações. A *Mésé* — a sua avenida principal — atravessava-a de lado a lado no sentido leste-oeste, balizada por largas praças, e ia desembocar no lugar em que refulgia todo o poder imperial e cristão, o *Augusteon* — o formidável agrupamento de Santa Sofia, do Senado, do Hipódromo e do Palácio Sagrado. Por toda parte se viam igrejas, pórticos e colunas; por toda a parte se colhia uma impressão de riqueza e de pujança. E é neste entrelaçado prodigiosamente vivo que desabrocha essa nova flor de civilização, de arte e de pensamento que, indo beber múltiplas seivas nas profundas camadas do passado, soube revestir-se de novos e cada vez mais suntuosos aspectos.

A manifestação mais brilhante desta renascença foi, sem dúvida, a arquitetura. Pouco se havia construído na época dos isáuricos, durante as batalhas do iconoclasmo, mas construiu-se muito no tempo dos macedônios — naturalmente, instalações para o "senhor do mundo". Erigiu-se o *Kenourgion*, com as suas colunas de mármore vermelho e pavimentos de mosaico sulcados por valetas de mármore verde da Tessália, e as paredes cobertas de placas de cristal irisado, encimadas por uma guarnição de ouro. O velho castelo de *Boucoleon* foi transformado, ampliado e suntuosamente decorado. Tantos e tantos trabalhos se fizeram nestes dois séculos que o Palácio Sagrado acabou por ocupar uma área de quatrocentos mil metros quadrados, com os seus labirintos de pórticos, pátios, galerias, peristilos, imensas salas e terraços.

Mas os arquitetos dedicavam os seus esforços a Deus, pelo menos tanto ou mesmo mais do que ao todo-poderoso imperador. As igrejas começaram a brotar do chão em número incrível, e na Grécia e na Ásia Menor ainda hoje encontramos muitas que datam desse tempo. O primitivo plano da basílica continuou a ser utilizado aqui e ali, como se vê na grande *laura* do Monte Athos (1004), com nave de tripla ábside. Mas prevaleceu o plano com duas naves de comprimento igual e cruzadas a que chamamos "cruz grega". Foi o que aconteceu no convento vizinho de Vatopedi, que serviu de modelo a todas as igrejas da comunidade atosiana. A cúpula, celebrizada outrora pelo glorioso êxito de

Santa Sofia, empregou-se cada vez mais, tendendo porém a ser aliviada e a alcandorar-se sobre uma espécie de tambor provido de janelas, o que melhorava a iluminação e, visto de fora, dava maior elegância ao conjunto.

A obra-prima desta arquitetura macedônia era a *Nea*, "a nova igreja", construída a partir de 876 por Basílio I no interior do Palácio Sagrado, e que infelizmente desapareceu com ele. É pelas descrições do imperador Constantino VII — escritor sob o nome de Constantino Porfirogeneta — que conhecemos as suas magnificências, sobre as quais afirma o augusto cronista que rivalizavam em tamanho, beleza e suntuosidade com a Santa Sofia de Justiniano. Compreendia duas esplêndidas naves cruzadas e tinha cinco cúpulas, uma das quais sobre a intersecção das naves; não sabemos se as outras ficavam nas extremidades dos braços da Cruz ou nos ângulos. Quanto à decoração, escreve Constantino Porfirogeneta a Fócio, que a ela se referiu num sermão, "só um grito de admiração entusiástica poderá descrevê-la". Já no átrio se ficava subjugado pela beleza: duas fontes lançavam os seus jatos de pérolas líquidas, uma delas de pedra branca adornada com anéis de bronze, e a outra com uma bacia de sienito egípcio suportada por dragões. Por toda parte, só se viam brocados, mosaicos, esmaltes e metais cravejados de pérolas e de pedras preciosas. Na cúpula, um gigantesco Cristo Pantocrator, rodeado de anjos, presidia ao Juízo Final. Nos grandes lances de parede e no interior das cúpulas, a Virgem, os santos e os heróis do Antigo Testamento constituíam uma ininterrupta galeria de figuras, todas elas mais altas que o natural. No solo, os mosaicos e as placas de mármore policromadas representavam plantas e cabeças humanas, à moda oriental, com tal primor de colorido que se tinha a impressão de "caminhar, não sobre pedra, mas sobre tapetes".

Em que é que esta arte se distinguia da das épocas anteriores, especialmente da de Justiniano? Menos dominada pelas exigências clericais — a querela das imagens servira pelo menos para diminuir a influência do clero sobre os artistas —, podia agora ser mais livre. Pesquisaram-se e encontraram-se novas vias. Aos temas de inspiração estritamente religiosa juntaram-se muitos outros, como por exemplo os de inspiração histórica. Ao hieratismo dos tempos antigos sucedeu um realismo muito mais expressivo, que foi buscar inspiração na Grécia antiga, nas mais encantadoras obras-primas da época helênica e nos muçulmanos, apaixonados por fantasias decorativas. O mundo vegetal e animal passou a fornecer um número sem fim de motivos requintados, e "daí resultou uma amálgama de dignidade e de graça, de delicadeza e de ordem, e um refinamento sereno, que se tornaram as características centrais da arte bizantina no período da sua maturidade"[20].

Um dos aspectos mais curiosos desta decoração dos séculos IX e X foi que ela não se limitou ao interior das igrejas, mas invadiu literalmente o exterior. Os mosaicos e os arranjos de mármores coloridos aplicaram-se às fachadas, e os edifícios tornaram-se assim uma espécie de relicários gigantescos, brilhantes como joias, com uma suntuosidade que nunca tinha sido atingida. Hoje, o viajante que, ao sair das pequenas ruas estreitas de Veneza, desemboca nesse luminoso salão ao ar livre que é a praça de São Marcos, pode ainda ter uma ideia muito exata do que era a magnificência bizantina da grande época. Nos tímpanos e nos óculos em ogiva da catedral, bem como no interior dos arcos em semicírculo, cobrindo todas as superfícies e brilhando em todos os planos, o mosaico desprende centelhas de ouro e de cores vivas com a magnificência de um manto real. Tudo é prazer para os olhos: as colunas variegadas, os jogos de sombras, o breve brilho de um mármore branco, a sonoridade de um pavimento de brecha e de pórfiro. Mesmo as grandes catedrais góticas, povoadas de estátuas, não deviam causar semelhante impressão de rutilância quase excessiva, mais própria para exaltar o triunfo dAquele em quem se encontram em plenitude todas as riquezas do que para celebrar a humildade do vencido do Calvário. Teologia da glória mais do que teologia da Cruz: o cristianismo bizantino preferiu — e prefere sempre — a primeira à segunda.

São Marcos de Veneza foi construída a partir de 828 e restaurada depois do incêndio de 976; é, portanto, um edifício tipicamente "macedônio". A sua existência torna-nos palpável esse grande fato da história da arte que foi a irradiação da arte cristã oriental durante os dois séculos dessa dinastia, uma irradiação e uma influência consideráveis. Vamos encontrá-la desde o Mar Negro até Kiev, e tanto no interior da Rússia como no sul da Itália, de Sicília a Roma, ou na Itália do norte, onde Veneza e Ravena são os seus florões. A Bulgária, a Romênia e a Armênia não teriam tido os arquitetos que tiveram sem essa ação profunda de Bizâncio. Quantas vezes, ao acaso de uns dias de viagem pela Itália, em Amalfi por exemplo, ou em Grotta-Ferrata, ou ainda nestas ou naquelas capelas e igrejas de Roma, não descobrimos a mão de Bizâncio? E essa milagrosa obra-prima da Renascença italiana, a catedral de Orvieto, esse cofre de mármore branco coberto de mosaicos luminosos, teria sido o que é se a influência dos decoradores de Constantinopla não se tivesse feito sentir nessas remotas colinas da região etrusca?

Todas as outras artes apresentam nesta época características análogas: amor pelos materiais mais belos, mais ricos e mais cálidos, e uma retomada do ideal naturalista e concreto dos helenistas. O resultado foram obras-primas raras e preciosas. Poucos estofamentos chegaram até nós, mas os que conhecemos — por exemplo os famosos brocados do Museu das Sedas, em Lyon — são testemunhos desse poder criador tão valiosos como uma igreja ou um mosaico. Proliferam os manuscritos, com multidões de miniaturas, uns aristocráticos, com páginas inteiras decoradas a ouro e púrpura, outros mais simples, mais populares, mas de uma arte versátil e viva. Muitas vezes, como que por malícia, o artista introduz na decoração de algum livro bem piedoso, por exemplo o de algum bom Padre da Igreja, motivos de mitologia pagã — Artemis e Ácteon, as fabulosas histórias de Zeus ou a dança dos Curetas. A obra-prima desta arte do livro é, sem dúvida, o famoso *Saltério* de Paris, sobre o qual já passaram mil anos sem que tenha o menor traço de deterioração ou de envelhecimento, obra-prima de graça e de luz que parece ter nascido ontem.

Assim, nesta Bizâncio macedônia, surgiu uma forma de arte que reunia os elementos do passado e ao mesmo tempo lhes dava uma expressão nova. Aconteceu o mesmo com as coisas do espírito. A partir de meados do século IX, Constantinopla tende a retomar o seu lugar no cenáculo da mais alta cultura, que havia perdido um pouco nos últimos tempos. A sua Universidade, restaurada em 863 por Bardas, voltou a atrair multidões de estudantes, e ali vieram lecionar mestres de todo o mundo grego. Do século IX ao século X, diversos sábios se consagraram com ardor ao estudo dos clássicos e à redescoberta do saber antigo, desempenhando em suma o mesmo papel da Escola Palatina de Carlos Magno e dos mestres ocidentais da época carolíngia: Fócio e Aretas no século IX, os enciclopedistas que assinavam com o pseudônimo de Suidas, Constantino Céfalas, que publicou a *Antologia Grega* no século X, e depois, em princípios do século XI, o mais célebre dos escritores deste tempo, *Miguel Psellos*, seguido de João Mauropos, João o

Italiota e Cristóvão de Mitilene. Muitos traços destes homens — principalmente de Psellos — anunciam os grandes humanistas do Renascimento: a mesma paixão pelas coisas da Antiguidade, a mesma devoção a Platão e a Homero, a mesma imitação desses autores, e também a mesma vaidade e o mesmo ardor no combate pelas ideias.

Foi, portanto, uma época de intensa vida intelectual, em que se fez barulho em torno de muitas teses e se remoeram mil assuntos. Mas não foi uma época criadora. O tipo de obra característico foi, como na Roma do Baixo Império, a compilação, a lexicografia, a enciclopédia. Reunir os textos, os conhecimentos e documentos antigos, e organizá-los em suntuosos conjuntos era o que parecia mais útil na época; assim, um basileu escritor e amigo das letras, Constantino VII Porfirogeneta, consagrou a essa tarefa todos os momentos livres que o exercício do poder lhe deixava. A Igreja ganhou com isso, pois aproveitou a oportunidade para procurar e reunir os textos que lhe interessavam, principalmente os escritos dos Padres e as vidas dos santos. No século X, este trabalho foi continuado metodicamente por uma espécie de Migne do tempo, Simeão Metrafrasto, cujos *Martyria* constituem uma compilação preciosa, pois foram utilizadas muitas fontes hoje perdidas, não só coptas e sírias, como árabes e armênias. A Enciclopédia *Suidas*, da mesma época, um "Larousse" dos anos 950, não é menos útil pelas informações que nos fornece sobre uma multidão de santos e de mártires desconhecidos.

Tal como a arte, a literatura da época macedônia procurou não tanto suscitar novas formas de criação como fazer o inventário dos recursos que o mundo bizantino tinha à sua disposição. Era um trabalho de salvaguarda particularmente útil. Teriam os homens desse tempo o pressentimento da fragilidade da sua civilização? Adivinhariam eles que, a essa época gloriosa, sucederia um tempo de nova decadência, que arrastaria Bizâncio para um destino doloroso?

No dobrar dos anos 1050

Basílio II, o destruidor dos búlgaros, morreu em 1025, e o declínio seguiu-o de perto. Sob as aparências da glória, Bizâncio ocultava misérias profundas e terríveis fraquezas: uma anarquia monstruosa estava sempre prestes a explodir, a submergir tudo. Qual era o princípio que assegurava as bases do poder? A hereditariedade? Mesmo nas ocasiões em que se observavam as suas regras, não tinha força de lei. A sagração? Mas se a experiência provava que a Igreja sagrava docilmente pela unção a vitória fosse de quem fosse! A adesão popular? As multidões são versáteis, e não se deixavam impressionar senão pela força. Tudo dependia, portanto, em última análise, das qualidades do senhor: se admirado e temido, era todo-poderoso; se não sabia impor o seu terrível despotismo, era escarnecido. Que o ídolo revestido de dalmáticas de ouro se mostrasse indeciso, covarde ou desanimado, e sob os seus pés tudo começava a desmoronar-se.

Assim aconteceu no segundo quartel do século XI. A Providência que, durante tanto tempo, dera à dinastia macedônia a sorte de contar com homens fortes, acabou por afastar-se dela. Entregue às mãos de uma mulher, *Zoe*, sobrinha de Basílio II, que foi obrigada a casar-se com o alto funcionário Romano Argiro, a coroa não tardou a tremer. Surgiu depois um terrível drama de palácio em que a basilissa, cansada do marido, tentou envenená-lo e a seguir mandou afogá-lo na sua própria banheira, para depois desposar o amante na mesma cerimônia em que enterravam o morto. E tudo com a bênção do patriarca Aleixo! Sucedem-se então cenas verdadeiramente teatrais. O novo senhor da rainha e do Império, Miguel IV, aterrado com o crime, foge ao mesmo tempo da coroa e da esposa, uma e outra ensanguentadas, para se encerrar num convento a fim de obter pela penitência o perdão de Deus. Em seguida Zoe, sempre ardorosa, arranja outro homem, um jovem operário calafate, e faz dele Miguel V. Mas o novo amante, com a maior ingratidão, tenta imediatamente desembaraçar-se dela raspando-lhe o cabelo e enclausurando-a. O povo de Constantinopla revolta-se, prende o calafate, vaza-lhe os olhos e exige o regresso da velha basilissa que, aos sessenta e quatro anos, desposa ato contínuo o seu terceiro marido, Constantino Monômaco. Pouco depois, uma irmã de Zoe, de nome Teodora, sai do mosteiro em que vivia desde a juventude e exige que a associem ao poder.

Em 1050, o maior trono cristão estava dividido entre quatro influências: Zoe, com setenta anos, uma beleza fatigada que só estava interessada em "reparar o irreparável ultraje dos anos"; sua irmã Teodora, quase da mesma idade, retalhada entre uma devoção de freira e uma avareza que a levava a contar diariamente a sua fortuna; Constantino IX Monômaco, velho gotoso, esperto mas indolente, um debochado que passeava sobre o mundo o olhar de um cético; finalmente, para iluminar um pouco o quadro — ainda que não para acalmar os moralistas —, a sua jovem e encantadora amante Esclerena, que ele conseguira instalar no palácio impondo à esposa essa partilha, e que tomava parte no Conselho, fazendo muitas vezes prevalecer a sua opinião. Como é que tais fantoches poderiam manter firme o leme num momento em que a enorme nau sofria tempestades após tempestades e metia água por todos os lados?

Os perigos apertavam o cerco. Em primeiro lugar, os externos: no Danúbio, haviam-se instalado novas hordas asiáticas, os *petcheneques*, bem mais temíveis do que os húngaros, já em vias de cristianização. Parecia que se tinha voltado aos piores tempos dos búlgaros, e os Bálcãs estavam na iminência de serem tomados. Tentou-se conter os ataques contratando algumas das tribos invasoras como mercenários, mas isso só serviu para facilitar-lhes as coisas, permitindo-lhes lançar as suas incursões para além do Danúbio. Os anos centrais deste século assistiram ao incessante desfile dessas hordas: a planície de Sofia tornou-se domínio seu, Andrinopla sofreu os seus assaltos, e os exércitos imperiais, mesmo reforçados com tropas auxiliares francas ou russas, estavam longe de dominar a situação.

No sul da Itália, o grande perigo eram os normandos, que já tinham deixado para trás o período das incursões errantes e que agora possuíam praças fortes, como Melfi nas nascentes do Ofanto, onde empilhavam as suas armas e os espólios de guerra. A partir dessas instalações fixas, lançavam-se com mais eficácia contra as cidades mercantis e os comboios marítimos. E contavam, além disso, com o apoio dos lombardos que, revoltados contra Bizâncio, lhes prestavam o seu auxílio por toda parte: a partir de 1042, a ofensiva passou a ser dirigida por uma verdadeira aliança lombardo-normanda. As tropas imperiais mal conseguiram reter algumas fortalezas na península, como Brindisi, Otranto e Tarento.

Mas o maior perigo procedia, como sempre, da Ásia, embora não parecesse imediato e o Império pensasse ter tranquilidade nesse flanco. Desde o ano mil, aproximadamente, os califas fatimitas mostravam-se bem-humorados, e as relações com eles eram tão cordiais que Bizâncio chegou a abastecer de trigo a Síria muçulmana ameaçada pela fome e cooperou na reconstrução do Santo Sepulcro. Na Armênia, os esforços seculares dos gregos tinham enfim dado resultado, e quase todo o país lhes estava submetido.

Mas acabava de surgir um outro inimigo, em comparação com o qual pouco peso teriam os gregos, os califas de Bagdá e os armênios somados: os *turcos seldjúcidas*, cujo jovem ardor guerreiro ia substituir, na expansão do mundo muçulmano, os árabes e os persas amolecidos pela civilização.

Saídos das estepes do Mar de Aral, onde levavam vida nômade, tinham submetido ao seu chefe Toghril-Beg os outros povos turcos, por volta de 1040, e pouco depois subtraíram o Iraque aos iranianos. Ispahan foi tomada em 1051 e Bagdá em 1055, e o califa abássida nomeou Toghril-Beg seu "vigário temporal". Daí por diante, o sultão seldjúcida iria retomar por sua conta a guerra do islã, passavelmente adormecida. Na virada do século, o perigo só se manifestava nos confins do Império, principalmente na Armênia, onde os bandos turcos semeavam a desolação; mas dentro em breve estes iriam aparecer nas províncias próximas, ferozes e implacáveis. Era o fim das relações, em última análise bastantes corteses, que Bizâncio mantivera com os muçulmanos durante os últimos cem anos; o mundo maometano, novamente tomado de fanatismo e mergulhado numa terrível regressão à barbárie, recomeçava a política da intolerância. A cristandade bizantina ver-se-á dolorosamente afetada, mas não reagirá; será a cristandade ocidental que haverá de organizar a réplica — a *cruzada* —, que agora já se divisa no horizonte.

E foi justamente neste momento, em que os perigos externos se amontoavam nas fronteiras, que os senhores de Bizâncio criaram um outro, interno, que devia ao mesmo tempo paralisar em cheio a defesa e provocar os piores sobressaltos no Estado. Depois da morte de Basílio II, a direção dos negócios públicos tinha sido açambarcada pelos eunucos do palácio[21], e daí resultou um antagonismo crescente entre o governo civil e os chefes militares. Inquietos — e, em certo sentido, com razão — com o poderio cada vez maior dos generais, que de dia para dia se mostravam mais feudais e já se consideravam praticamente independentes do poder central, os altos funcionários, embora se julgassem incapazes de submetê-los, imaginaram medidas tortuosas cujas consequências deviam ser catastróficas. A armada de guerra foi negligenciada e perdeu rapidamente toda a força, e o exército foi sistematicamente enfraquecido, substituindo-se o serviço militar por um imposto. Além disso, multiplicaram-se as provocações aos generais.

O resultado não se fez esperar: os militares reagiram. Explodiram duas grandes revoltas no exército, uma entre as tropas da Sicília, que proclamaram basileu o seu general e atravessaram o Adriático, e outra em Andrinopla, que seguiu o mesmo figurino, mas levou os rebeldes até às muralhas da capital. Eram sintomas gravíssimos, não só pela dissensão que revelavam no interior do próprio Estado, mas sobretudo porque anunciavam a aparição do feudalismo, que tanto no Oriente como no Ocidente estava para apossar-se da sociedade.

Esta era, portanto, a situação do Império Oriental em meados do século XI. Forte, rico e poderoso na aparência; e, na realidade, minado por males secretos e incuráveis, ameaçado por perigos terríveis que não cessariam de agravar-se. Mas ao menos poderia o Império conservar nos planos moral e intelectual aquilo que se arriscava a perder na ordem política? Também aqui as aparências eram belas: depois da conversão dos russos, tudo parecia indicar que fora dado impulso a uma nova cultura cristã, eslavo-bizantina, tão viva e talvez até mais rica do que a cultura cristã romano-germânica do Ocidente. Mas também neste domínio os destinos deviam ser contrários: Bizâncio, na imediata contingência de enfrentar novos perigos, já não terá forças para levar avante uma política de expansão cultural com fôlego. Dentro em pouco, Kiev e o seu belo foco de civilização serão quase aniquilados pelos tártaros.

Além disso — é preciso dizê-lo —, os últimos tempos da dinastia macedônia já haviam assinalado um recuo da inteligência. Basílio II, que pensava que a Universidade custava muito dinheiro e que, aliás, como a maior parte dos tiranos, considerava os intelectuais um perigo público, acabou por suprimi-la. Cinquenta anos mais tarde, diante da terrível decadência que se observava na administração, Constantino IX Monômaco reabriu escolas de direito e filosofia com a ajuda de Psellos, "cônsul da filosofia", mas o antigo ardor estava extinto e essas reformas não duraram muito. O intelectualismo bizantino, que sempre fora privilégio de uma elite estreitamente ligada à alta Igreja e ao governo, incapaz de elevar e de animar as massas populares, foi-se esterilizando cada vez mais e acabou por encerrar-se no estreito quadro do "bizantinismo".

Nos anos que giram em torno de 1050, em que a Idade Média já se faz anunciar por muitos indícios — como por exemplo a invasão turca e o progresso do feudalismo —, e em que a última grande dinastia bizantina se esboroa, é impressionante observar a coincidência entre esse doloroso acontecimento que é o cisma grego de 1054 e esse dobrar-se sobre si mesmo, essa esclerose progressiva, que vai caracterizar Bizâncio. No meio de dificuldades sempre crescentes, os gregos conseguirão salvaguardar ainda por quatrocentos anos as suas formas de civilização; mas o novo estilo de vida, os novos dados sociais, morais e estéticos sobre os quais se apoiará a glória da Idade Média não serão descobertos por eles, mas por esses bárbaros do Ocidente que possuíam um dinamismo irresistível.

É aqui que se perfilam com exatidão as responsabilidades da igreja grega. Podemos resumi-las numa fórmula que parece paradoxal: para assumir a tarefa de salvaguarda e de guia que teria sido necessária, ela estava ao mesmo tempo demasiado ligada ao Estado e muito pouco presente no mundo.

No âmbito mais externo à fé, sucumbira — é preciso dizê-lo — à tentação permanente de todas as igrejas: a de confundir a sociedade dos santos com um organismo administrativo, e acabara por estar tão intimamente associada ao Império que não podia deixar de seguir o seu destino — ser rica com ele, e com ele cair no abismo. Quanto àquilo que nela era verdadeiramente admirável — a sua profunda espiritualidade —, tendia a afastar-se do mundo e não procurava de forma alguma transformá-lo.

Como estava longe a igreja grega daqueles monges reformadores que, neste mesmo dobrar do século XI, impeliam a igreja ocidental pelo caminho das mais altas exigências, e desses grandes papas que veremos erguer-se tão livremente diante dos poderes civis, corajosos até o heroísmo! A verdade de Cristo, a verdade em ato que constitui o fermento da história, não se encontrava confiada à guarda nem do patriarca-funcionário do Palácio Sagrado nem do *higoumene* dos *higoumenes*, perdido nas piedosas solidões do Monte Athos. Era aos beneditinos de Cluny e aos pontífices de Roma, predecessores de Gregório VII, que pertencia o futuro — e um futuro bem diferente.

Notas

[1] Chamavam-se assim os membros da família imperial nascidos legitimamente e que, por isso, podiam herdar o trono. Quando estava para nascer uma criança da hierarquia reinante, sua mãe dava à luz num aposento especial, revestido de pórfiro e mármore vermelho, o que verdadeiramente fazia dessa criança um "nascido na púrpura" e bastava para garantir a sua legitimidade. Diga-se entre parênteses que muitas vezes teria havido razões para pô-la em dúvida...

[2] Pelo menos na Ásia Menor, porque, trazida pelos colonos armênios, essa heresia espalhou-se entre os búlgaros e dali passou para os russos e para os sérvios, onde os seus adeptos tomaram o nome de bogomilos. Por volta do ano 1000, essa doutrina chegou a ameaçar o cristianismo na Rússia e nos Bálcãs. Discute-se ainda se a influência dos paulicianos e dos bogomilos está ou não na origem da heresia dos albigenses no Ocidente. A arte bogomila, principalmente a escultura, de um simbolismo estranho, evidencia nitidamente antiquíssimas influências asiáticas.

[3] Cf. cap. VI, par. *A irradiação cristã do Oriente.*

[4] Cf. neste cap., par. *O caso Fócio.*

[5] Conduziu guerras terríveis contra os poloneses na mesma época em que Boleslau o Valente fazia da Polônia uma nação cristã. Cf. cap. X, par. *Novas conquistas para a Cruz.*

[6] *A Rússia e a Igreja Universal.* Cf. também J. N. Danzas, *L'itinéraire réligieux de la conscience russe*, Juvisy, 1935.

[7] Cf. cap. VIII, par. *Os esforços supremos de um velho papa.*

[8] Personagem diferente da outra Teófana, mística e semilouca, já mencionada.

[9] Cf. cap. VIII, par. *São Nicolau I, o primeiro grande papa medieval.*

[10] Cf. cap. VIII, *ib.*

[11] Cf. cap. VIII, par. *Os esforços supremos de um velho papa.*

[12] Cf. cap. VII, par. "*O piedoso guardião dos bispos*", e neste cap. o par. *Fidelidade a Bizâncio.*

[13] Leão VI era legalmente filho do seu predecessor Basílio, mas de fato era filho adulterino de Miguel III, que casara a sua amante com o então favorito Basílio. Seu pai legal era, portanto, o assassino do seu verdadeiro pai, situação inteiramente "bizantina" e que explica o ódio do jovem imperador por todos aqueles que tinham servido Basílio I.

[14] Entre 996 e 998, Fócio foi colocado entre os santos patriarcas de Constantinopla, associado ao seu ex-inimigo Inácio. A partir dessa época, o seu nome tornou-se cada vez mais um sinal de contradição entre o Ocidente e o Oriente. Os ocidentais deslustrarão a sua memória; os orientais reterão a sua oposição às "pretensões tirânicas" do papado. Um juízo equitativo sobre ele deve deter-se a meio caminho entre a exaltação e o descrédito. Depois de ter sido tratado muito severamente pelos historiadores ocidentais da Igreja, vê-se que a partir de 1930 foi-lhe feita justiça e se pôde falar da sua "reabilitação" (Moreau). Cf. as notas bibliográficas deste capítulo.

[15] Estranho patriarca esse maníaco por cavalos, que numa Sexta-feira Santa abandonou a celebração dos ofícios quando lhe disseram que a sua égua preferida tinha dado à luz, pois quis verificar a qualidade do potro, e que acabou morrendo de uma queda sob as patas de um cavalo quando participava de uma corrida!

[16] Cf. cap. X, par. *O espírito da reforma conquista a Igreja.*

[17] Pormenor picante e bem característico das astúcias bizantinas: Cerulário mandou queimar apenas uma cópia, guardando o original como "prova da eterna desonra" dos ocidentais.

[18] O cristianismo russo fornece-nos a contraprova deste fato: o cisma de 1054 não teve a menor repercussão em Kiev e não determinou nenhuma mudança nas relações com o Ocidente. Assim, as três filhas do príncipe Jaroslav (falecido piedosamente em 1054), casadas com reis da França, da Hungria e da Noruega, nunca se viram a braços com qualquer questão

religiosa; e, da mesma forma, as princesas ocidentais casadas com príncipes de Kiev não se sentiam em país cismático. Sabe-se que o *Evangeliário* de Reims, usado para as cerimônias da sagração real na França, era um livro eslavo trazido pela rainha Ana, filha de Jaroslav, por ocasião do seu casamento com o rei Henrique I. Um século mais tarde, poder-se-ia citar ainda o caso de uma princesa russa que partiu com um grupo de moças para fundar um convento em Jerusalém, e que foi canonizada pela Igreja latina sob o nome de Santa Eufrosina. A consciência cristã não se conformou facilmente com a grande ferida do cisma.

[19] A expansão do monaquismo bizantino nesta época foi tão grande que se fundaram conventos gregos até na Itália, como o de Grotta Ferrata, próximo de Roma.

[20] O. M. Dalton, *East christian art*.

[21] O hábito de castrar rapazes ganhara enormes proporções na Bizâncio da época. A maior parte dos grandes funcionários eram eunucos, e Liutprando, no seu relatório de embaixada, afirma ter até encontrado bispos que o eram, mas o que ele diz não é lá muito infalível. Sobre a posição da Igreja no que se refere à castração, pode-se consultar com grande proveito a brochura muito substancial de Riquet, *La castration*, Paris, 1948, que é um excelente documento histórico relativo à questão. Convém saber que os médicos da Idade Média castravam os seus clientes por dá cá aquela palha. Uma hérnia era já razão suficiente para isso...

X. O DOLOROSO ALVORECER DO ANO MIL

A anarquia feudal e a Igreja

O ano mil: basta pronunciarmos estas sílabas para que desperte em nós a imagem de um tempo sinistro, dominado por angústias intoleráveis e entregue às piores forças de destruição.

Uma lenda — aliás de intenções suspeitas — pretende atribuir a esta época um ambiente apocalíptico e associar o final do primeiro milênio a não se sabe bem que pavores ante a iminência do Juízo Final e do fim do mundo. Mas a realidade é outra, ainda que seja suficientemente dramática para não tornar necessário o recurso à fábula. A verdade histórica é que não só o ano mil, mas todo o século que o precedeu e a primeira metade do que o seguiu, constituíram um período de obscuridade em que, cegados pelo sangue e mergulhados na lama, os homens se debateram numa incerteza terrível. Tudo o que pudemos ver no século IX, por ocasião do desmoronamento carolíngio — a brutalidade sem freios, a imoralidade, a decadência das instituições — atinge agora o paroxismo. O século V, traumatizado pelas invasões bárbaras, não foi nada em comparação com este longínquo sucessor.

No entanto, seria falso ficarmos presos a essas aparências. Se um mundo estava morto, outro procurava nascer: estes despedaçamentos, estes sofrimentos, não seriam sinais de um parto próximo? É isso o que torna apaixonante o estudo desta época tão mal conhecida, tão sumariamente julgada, em que se preparava essa obra-prima do homem que é a civilização cristã do Ocidente medieval. A noite do século X é um fato, mas não deve fazer-nos esquecer a aurora que se lhe seguiu, essa aurora que, inconscientemente, os homens desse tempo trágico vinham esperando e preparando.

Não é menos verdade que aquilo que, antes de mais nada, se impõe ao espírito humano são as aparências, e essas são acabrunhantes. A maré bárbara não cedeu: a Europa continua a ser uma praça sitiada sobre cujas muralhas se precipitam as hordas sempre renovadas. Aqui e ali há momentos de trégua, e há pontos em que as brechas são calafetadas; mas em quantos outros lugares não se manifesta a cada instante, imperioso, o perigo?

Os normandos, os piratas nórdicos, continuam ali, "arfando de sofreguidão pela presa", como muito bem diz o cronista Guilherme de Jumièges. Nos começos do século X, Carlos, o Simples teve a ideia — aliás excelente — de entrar em entendimentos com eles, de estabelecê-los na França, e foi assim que o chefe *viking* Rollon se tornou em 911 o "duque Rollon", titular do ducado da Normandia. Dez anos mais tarde, fez-se uma nova instalação amigável no Baixo Loire. Mas, de qualquer forma, seria ingênuo esperar que estes acordos pacíficos fossem suficientes para conjurar o perigo. Chefes isolados retomam as rapinas, e do mar desembarcam novos contingentes de apetite ainda fresco. Continuam, pois, as incursões: a Borgonha é sangrada até à medula em 924, e em 1013, cem anos depois da instalação de Rollon, não há planície na França que não gema sob os golpes daquele mesmo Olavo que, batizado, há de ser o padroeiro do seu povo. Não há país do Ocidente que escape: o centro de peregrinações de Santiago de Compostela, na Espanha, é saqueado em

970, o delta do Reno até Utrecht em 930, e Waal em 1006. A Itália bizantina, onde os primeiros normandos haviam aparecido como peregrinos, vê chegarem, a chamado desses piedosos visitantes, outros que o são menos. Assim começa, por volta de 1037, a grande aventura dos doze filhos de Tancredo de Hauteville que, comandados por Roberto Guiscard, vão talhar por meio da astúcia e da força um novo reino em Nápoles e na Sicília, e acabam por tornar-se, paradoxalmente, um elemento de estabilidade.

No Mediterrâneo, a ameaça islâmica parece de certa maneira menos grave do que anteriormente, pois já não é obra sistemática de uma potência, uma vez que o império islâmico estava nessa ocasião profundamente minado pela desunião e pela anarquia. Mas não é menos verdade que os bandos sarracenos operam por conta própria e infligem terríveis sevícias às populações ribeirinhas. Os mouros, concretamente, multiplicam as suas devastações. Ousados e treinados nas montanhas, "como verdadeiras cabras" — no dizer do cronista de Saint-Gall —, caem inopinadamente sobre os altos vales dos Alpes, saqueando os burgos e sequestrando nas estradas ricos mercadores ou abades poderosos, sem que Estado algum possa exercer sobre eles a menor repressão. Esta situação durará até meados do século XI, época em que as cidades italianas de Pisa, Gênova e Amalfi, desesperadas por verem os corsários arruinarem o seu comércio, irão atacá-los nas suas bases na Espanha e no Maghreb.

Normandos, sarracenos: estes nomes, apesar de tudo, não chegam a despertar sequer uma fração do horror que causa o de um terceiro grupo bárbaro, os *húngaros*. Com um viking ou com um mouro, ainda se pode chegar a acordo por meio de resgates, mas os magiares fazem o serviço completo, como foi o caso em Pavia, em que massacraram toda a população sem exceção alguma, desde o bispo até a última criança de peito, em 924. Nos começos do século X, sob o comando de Árpad — falecido em 907 —, acabam de desmembrar o que sobrava da Grande Morávia, e a partir de então intensificam os seus ataques, sobretudo contra os países germânicos — a Baviera, a Turíngia, a Saxônia —, que sofreram horrivelmente. A Lorena e a Alsácia não foram mais bem tratadas; Flandres, a Champagne e o reino de Arles são também varridos pelas suas hordas, e mesmo a longínqua região de Orleans vê surgir no seu vale os cavaleiros de cara amarela. Ser morto ou vendido como escravo por estes terríveis sucessores dos hunos constitui, durante quase todo o século X, um destino a que qualquer ocidental está sujeito, e a qualquer momento. Duas severas derrotas — no Unstrut em 933 e no Lech em 955 — quebram-lhes o ímpeto, mas o perigo húngaro durará até o ano mil, altura em que a conversão do seu rei Estêvão transformará estes nômades numa nação sedentária e agrícola, salvando a Europa e salvando-os também a eles.

Este primeiro dado da história — o persistente perigo bárbaro, acompanhado, como corolário, de um banditismo renitente, que as tristezas do tempo favoreciam — trouxe consigo um segundo: a instalação definitiva e a generalização em toda a Europa Ocidental daquilo que se costuma chamar o *regime feudal*. As diversas causas que há muito tempo se vinham observando na evolução histórica convergem no decorrer do século X para a criação de novas instituições: causas econômicas, que a partir das invasões deram à propriedade da terra uma importância primordial, originando assim o senhorio rural; causas políticas, que mesmo no tempo do poderoso Carlos Magno e, *a fortiori*, no dos seus débeis sucessores, incitaram os grandes proprietários a libertar-se do controle central pelo sistema da imunidade; por fim, e sobretudo, causas sociais, que, numa época de constantes ameaças, inclinam os homens a basear a sua hierarquia na força, dando a primazia aos que são capazes de combater e de proteger os outros.

O sistema para o qual tendem todos estes elementos é o que entrará em funcionamento a partir de fins do século XI, um sistema de certa forma piramidal, em que uma fidelidade se submete a outra fidelidade, uma pertença a outra pertença, desde o mais modesto cavaleiro até o mais alto suserano. O século X ainda não chegou a esse ponto, mas já atingiu um estado de grande fluidez social, em que os elementos de ordem se reconstituem mais ou menos ao acaso. A desagregação da autoridade central é completa, e o poder transfere-se de uma maneira ou de outra para o plano local ou regional, onde os grandes senhores, fortalecidos pelas numerosas "recomendações" de que se beneficiaram, ou os antigos funcionários reais, usurpando as terras administradas, deitam as mãos ao poder no momento em que este se desmorona. A grandiosa sociedade feudal dos séculos XII e XIII funda-se assim, espontaneamente, sem nenhum plano preconcebido, apenas por força das exigências e da necessidade: esta "primeira idade feudal", na exata expressão de Marc Bloch, é um período de gestação, e ainda terrivelmente penoso.

Só a muito custo se pode imaginar a complexidade e a mobilidade daquilo que agora faz o papel de organização. Em princípio, o vassalo depende daquele a quem prestou homenagem e de quem recebeu o único bem que continua a ter qualquer valor: a terra, o *feudo*. Mas este dado elementar entrecruza-se com muitos outros: as rivalidades de linhagens, os conflitos de interesses, os sentimentos pessoais, a ação dos reis e a ação da Igreja. No meio do desabamento do direito antigo, concomitante com o desabamento do Estado central, improvisam-se novos direitos que nada têm a ver com a justiça. E o enxame de principados mais ou menos independentes e vagamente hierarquizados que surge, encontra-se em perpétua agitação, em constantes litígios e guerras. Este é o ambiente em que a Igreja de Cristo deve assumir a sua missão.

À primeira vista, parece que será incapaz de fazê-lo. Muito mais do que nos dias imediatos às invasões, dá a impressão de estar prestes a ser submergida pelas vagas da barbárie e, ao mesmo tempo, minada por elas. E isso não só porque os dramas do tempo e sobretudo as incursões destruidoras dos novos invasores abriram brechas terríveis nas suas fileiras, mas especialmente porque uma evolução fatal tende a incluí-la no próprio sistema do mundo feudal em gestação[1]. Se a Igreja tem terras, como há de escapar à lei desse tempo, que impõe que todas as terras sejam "recomendadas", colocadas sob a obediência de quem as proteja? Qualquer chefe religioso, bispo ou abade, é levado pela força das circunstâncias a desempenhar um papel análogo ao dos leigos. "Nenhuma terra sem senhor!", é o princípio: podemos estranhar que as funções acabem por confundir-se?

A secularização dos bens da Igreja, essa doença do século IX, continua e ultrapassa em gravidade o que se viu no tempo dos merovíngios. Generaliza-se o preenchimento dos cargos eclesiásticos pelos poderes civis, prática já muito cara a Carlos Magno. Chega-se, pois, ao cúmulo daquele erro que há cinco séculos vinha ameaçando continuamente a sociedade cristã: a intromissão do poder civil na Igreja e a sistemática confusão entre os dois poderes. As eleições episcopais, que em princípio podem ser tanto canônicas como reais, na realidade dependem apenas dos soberanos, e as coisas chegam a tal ponto que, em 921, o papa João X repreende o arcebispo de Colônia por não se ter empenhado suficientemente em deixar que o rei da Lorena, Carlos, o

Simples, nomeasse o bispo de Leódio. Quer se chame Otão da Germânia ou Hugo Capeto, aquele que exerce o mando laico entende que deve controlar o episcopado.

Quanto aos mosteiros, recrudesce a pressão secular. Torna-se corrente o hábito de receber ou de dar um mosteiro em autêntica propriedade. Hugo, por exemplo, é abade secular de quase todas as ricas abadias dos seus domínios, e é deste "cargo" abacial que lhe vem o célebre sobrenome de *Capeto*, "portador da capa". A operação era até mais simples do que no caso das dioceses, pois o direito canônico exigia que todo o titular recebesse a sagração episcopal, ao passo que no caso dos mosteiros não havia nada disso. Podia-se perfeitamente ser abade, ter o cargo de governar os monges — e mesmo os ofícios e a vida espiritual — e ser-se ao mesmo tempo um repugnante veterano de guerra.

Mas isto não é tudo: temos que descer ainda mais fundo na escala da decadência. Generaliza-se o hábito de fazer negócios com os títulos e as funções sagradas. A *simonia*, que a Igreja nunca conseguira extirpar, está agora mais florescente que nunca. Para nomearem um bispo, um abade e até um modesto pároco, os senhores que exercem o controle local exigem dinheiro, e os padres que deram dinheiro para obter uma dignidade fazem-se pagar por sua vez pelo exercício do seu ministério. Abbon de Fleury porá nos lábios de um desses simoníacos este saboroso e aflitivo pequeno discurso: "Fui sagrado pelo arcebispo e, para obter as suas boas graças, entreguei-lhe cem soldos; se não lhos tivesse pago, não seria bispo. Dei ouro para conseguir o episcopado. Mas, se não morrer, em breve recobrarei os meus soldos, porque ordeno padres e diáconos, e assim me voltará para o bolso o ouro que de lá saiu..."

É certo que, para acalmar o que ainda resta de consciência, se afirma que não é a função espiritual que se compra, mas o benefício, as terras, os proventos associados ao cargo — puro sofisma, que não engana ninguém. Desde os mais altos príncipes até ao último pároco, passando pelos bispos, estende-se toda uma cadeia infernal de cumplicidades nestes abusos. Podem citar-se algumas exceções dignas de elogio, reis e prelados que não cedem à tentação. Mas mesmo esses não se encontram completamente indenes porque, sem serem simoníacos no sentido estrito do termo, muitíssimas vezes acabam por pactuar com a simonia em sentido lato, isto é, cedem ou obtêm coisas santas e funções sagradas por razões de interesse, de família, de política ou de relações.

A verdade é que, de uma maneira ou de outra, todo o aparelho clerical está em conluio com o regime feudal. No momento em que as terras eclesiásticas são negociadas ou dadas tal como quaisquer outras, no momento em que os sacerdotes, os monges e bispos são obrigados a combater ou a fornecer tropas para as incessantes guerras do tempo, parece realmente que a absorção da Igreja pela própria sociedade que ela deve evangelizar está prestes a efetivar-se. Entre a casta guerreira, dona da força, do poder e do dinheiro, e a casta religiosa, guardiã dos valores supremos da civilização, o antagonismo parece estar em vias de resolver-se por meio da mais deplorável das fusões. Irá o mundo feudal contaminar o cristianismo, como esteve prestes a fazê-lo o mundo bárbaro? Se isso acontecer, adivinha-se o que a humanidade irá perder.

Mas semelhante absorção não se verificará, e este é certamente o fato mais surpreendente desta época obscura. A crise do século X será terrivelmente grave para o mundo cristão do Ocidente, mas não será mortal. Ao passo que, para o Estado, a anarquia feudal chegará até à destruição total, para a Igreja a sua ação apenas arranhará a superfície. É aqui que se vê a diferença fundamental entre o Oriente e o Ocidente: se a igreja bizantina forma literalmente corpo com o regime e é parte integrante da sociedade política, a do Ocidente sabe preservar a sua alma. Não foi vão o esforço dos bispos depois da morte de Carlos Magno, nem o dos santos e dos monges como Bento de Aniana, que trabalharam pela liberdade do espírito. Permanece vivo em muitas almas o ideal da independência espiritual, e será graças a ele que, em última análise, a Igreja conseguirá reerguer-se e preparar o alvorecer da renovação.

São Pedro e os tiranos de Roma

Ao salvaguardarem a sua vida espiritual, os membros da Igreja revelaram nesta época o mais elevado mérito — tanto mais que não puderam contar, durante todo o século, com o apoio daquela Sé de São Pedro que, nos dias de provações, tantas vezes tinha desempenhado o papel de "rocha" inquebrantável que Cristo lhe havia atribuído. Em nenhum outro tempo o papado se mostrou tão fraco e tão indigno da sua missão. "Foi uma época das mais lamentáveis — escreve Moehler —, e talvez a mais triste de que se faz menção nos anais da história eclesiástica". Gostaríamos de lançar sobre o espetáculo dessas desordens o manto com que os filhos de Noé cobriram o pai bêbado, mas em qualquer caso a verdade é que, quando as consideramos, distinguimos melhor as forças que permaneceram intactas e prontas para entrar em ação. Sob o pus que escorre na superfície dos acontecimentos, descobrimos um sangue profundo e puro.

Em Roma, o século IX tinha-se praticamente encerrado com a ignóbil mascarada de Formoso (897)[2], mas o século X não lhe devia ficar atrás em ignomínia. Convertida numa peça do jogo de ambições em que se debatia o violento feudalismo romano, a Sé de São Pedro balançava para um lado e para o outro, esquartejada entre poderes que não recuavam diante de meio algum. A brutalidade nórdica dos lombardos e dos francos combinara-se perfeitamente com a refinada crueldade de Bizâncio, produzindo uma incessante renovação de horrores. Sucedem-se as tragédias, e é surpreendente verificar com que facilidade qualquer pessoa incômoda, seja ela papa ou príncipe, morre oportunamente se tiver dado o flanco aos inimigos.

Não se fala senão de vencidos torturados com todos os requintes da arte, de mulheres açoitadas até ao sangue, de cadáveres atirados para um monturo ou pendurados até apodrecerem em algum monumento de qualquer praça pública. À crueldade mistura-se a orgia, em condições que é preferível não relatar, e os escândalos do tempo dos Bórgias poderão talvez igualá-las, mas não ultrapassá-las. E, como na era do *Quattrocento*, desempenhando com maestria um papel tipicamente shakesperiano, as mulheres ocupam o primeiro plano do cenário, belas, ambiciosas e dissolutas, tão hábeis em usar dos seus encantos como em ministrar veneno. As Teodoras e as Marósias chegarão a ter uma autoridade tão grande em Roma que o povo murmurará à maneira de provérbio: "Temos mulheres por papas!"[3]

É inútil, evidentemente, acompanhar em detalhe os acontecimentos desta época, embora alguns pormenores — temos de confessá-lo — não deixem de ser pitorescos e divertidos como um romance de Alexandre Dumas. É inútil também enumerar a sequência dos papas, muitos dos quais não têm mais importância do que uma "torre" ou um "bispo" num tabuleiro de xadrez. Quanto aos escândalos, o caso mais notável foi o de João XII (955-964), rapazote de vinte anos investido na autoridade suprema da Igreja por vontade de seu pai Alberico. "Príncipe de todos os romanos", envolvido em todas as intrigas em que se jogava a sorte da Cidade Eterna, contam-se a respeito dele — talvez com certo exagero, mas sem dúvida não gratuitamente — as piores histórias de orgíacos banquetes, nos quais os convivas faziam brindes ao próprio Lúcifer.

Reduzidos ao essencial, os fatos deste período — que vai de 896 a 1045 — dividem-se em dois grandes grupos. Até 960, mais ou menos, o papado está nas mãos dos *Teofilactos*, rica e ambiciosa família toscana, descendente de um antigo duque de milícia que administrara Ravena em fins do século IX e se tornara praticamente independente do Estado papal. A sua mulher Teodora e as suas filhas Teodora a jovem e Marósia tinham intervindo incessantemente, por muitos anos, nos negócios romanos. Certos papas seriam criaturas suas, como foi o caso de Sérgio III, sobre quem pesava a grave acusação de ter sido amante da sua protetora; ou o de João XI, que era muito autenticamente, se não legitimamente, o próprio filho de Marósia; e ainda o de João XII, que por seu pai Alberico era neto da mesma. Na maior parte muito novos e frequentemente incapazes, estes papas, feitos e desfeitos pelas mais contraditórias ambições, não tiveram peso algum nos destinos quer da Igreja quer do mundo.

Em 962, João XII, posto de escanteio pela aristocracia romana e ameaçado pelas manobras do pretenso "rei da Itália" Berengário ,o jovem, marquês de Ivreia — neto desse outro Berengário que, em 901, o papa Bento IV sagrara imperador —, resolveu voltar-se para a Alemanha e chamou em seu auxílio Otão I da Saxônia. Daí resultou que as turbulências mudaram de feição: em lugar das algazarras entre os senhores italianos, o trono pontifício passou a ser também objeto de luta entre a nobreza romana e o imperador germânico, entre o "protetor" e o "opressor". Reaparecem então os conflitos sangrentos, em que papas sobre papas desaparecem misteriosamente, em que surgem antipapas — a certa altura, chegou a haver três papas eleitos ao mesmo tempo —, e em que os clãs rivais dos Crescenzi e dos Túsculos, descendentes respectivamente dos Teofilactos e de Alberico, se despedaçam entre si como selvagens, dispostos a encaixar um dos seus no trono pontifício — à custa de práticas simoníacas que se exibiam com o maior cinismo... Que podemos acrescentar? O último papa desta triste série foi Bento IX (1033-1045), que, sagrado aos doze anos e já cheio de vícios, acumulou tantos escândalos que o povo romano acabou por revoltar-se contra ele e o pôs a correr.

Assim se nos apresenta este doloroso período em que o papado foi alvo das piores tiranias e esteve à beira de soçobrar definitivamente. Mas não podemos ater-nos unicamente às aparências para podermos formular um juízo equitativo. Mesmo sem querermos brincar de advogados de defesa, temos de sublinhar aspectos positivos que não deixam de ter o seu peso. E o primeiro é que a maior parte dos pormenores escandalosos que possuímos sobre a corte pontifícia foram fornecidos por Liutprando, bispo de Cremona, o mesmo que já vimos desempenhar o cargo de embaixador germânico junto de Nicéforo Focas em Bizâncio[4]; ora, Liutprando era uma personagem medíocre, biliosa, um adulador que literalmente rastejava aos pés do seu senhor alemão Otão, o Grande, e que detestava a tiara. Não era em vão que a sua obra se intitulava *Antapódose*, isto é, *Desforra*. Belo programa. É, portanto, muito provável que esse homem tenha insistido nos horrores de Roma, "essa taberna e mau lugar", a fim de exaltar — por comparação — a glória do seu patrão leigo. Os trabalhos mais recentes[5] provaram que não se podem tomar ao pé da letra as insídias desta venenosa comadre.

Além disso, na medida em que a indignação de Liutprando é sincera e reflete a de muitos dos seus contemporâneos — coisa de que não há dúvida, a julgar pelas atas conciliares —, esse mesmo sentimento é significativo. O fato de a consciência cristã ter ficado chocada por já não encontrar na cátedra de São Pedro os elevados exemplos que estava habituada a ver é prova de que a veneração por essa Sé se mantinha intacta e de que subsistia na hierarquia um ideal moral exigente. A situação de Roma não deve fazer-nos esquecer a das outras partes da cristandade. "A Bélgica e a Germânia — escrevia em 991 Arnoul, bispo de Orleans — têm grande número de bispos eminentes e de insigne piedade". Mesmo na Itália, Atton de Verceil e Rathier de Liège, bispo de Verona, estão prestes a lançar as grandes ideias reformadoras que triunfarão no século seguinte. E o êxito de Cluny, bem como o seu prodigioso fulgor, demonstrarão suficientemente que a "podridão romana" era apenas local e passageira.

Por outro lado, os escândalos e as violências que durante este tempo mancham o trono pontifício não são de forma alguma imputáveis à instituição divina, mas à opressão a que estava submetida. Os verdadeiros culpados não são esses papas efêmeros e incapazes, às vezes indignos, que subiram os degraus de São Pedro, mas os senhores leigos que ali os empoleiraram, esses príncipes toscanos, nobres romanos ou imperadores germânicos. Na "primeira idade feudal", tudo era ainda demasiado violento e confuso para que a Igreja conseguisse compreender desde o princípio que era preciso separar-se a todo o custo do feudalismo incipiente; mesmo assim, ela soube preservar o vigor espiritual necessário para levar a cabo mais tarde essa separação.

Para sermos equitativos, porém, não basta darmos a César o que é de César, isto é, atribuir a culpa aos principais responsáveis. Há mais: mesmo no meio destes papas "feudais" colocados na Sé de São Pedro pelas piores tramoias ou pela violência, encontram-se almas santas e personalidades que, debatendo-se com circunstâncias terríveis, se esforçam por cumprir o seu dever. Assim, os cinco primeiros papas designados pelo tirano Alberico foram homens de costumes puros e de perfeita doutrina, e mesmo o sexto, o seu pobre filho João XII, se moralmente foi aquilo que sabemos, escapa a qualquer crítica no plano doutrinal. No bulário destes medíocres pontífices, não podemos apontar nada que tenha comprometido a pureza da fé ou a firmeza dos princípios.

Várias destas figuras que ocuparam a cátedra de Pedro neste período merecem coisa melhor que o desprezo ou o silêncio. *João X* (914-928) foi um homem corajoso que, prosseguindo a política do seu predecessor e homônimo *João VIII*, lutou valorosamente contra os sarracenos, atacou pessoalmente os seus bandos e morreu por fim assassinado por ordem de Marósia, que o considerava muito independente. *João XIII* (965-972), criatura de Otão I, impôs-se ao imperador pela sua piedade e pelo cuidado que lhe mereciam os assuntos da Igreja, e apoiou tanto quanto pôde aqueles que, na França, na Alemanha e na Inglaterra, preparavam a reforma eclesiástica; depois do escândalo do pontificado de João XII, este ao menos permitiu respirar. Bento VII (974--983) presidiu a nada menos que catorze concílios, na sua maior parte dedicados a essa reforma, e foi o papa que escreveu clarividentemente ao abade de Cluny: "A congregação a que vós presidis não tem mais devotada protetora do que esta Igreja, que desejaria vê-la espalhada pelo mundo inteiro e que se empenha em defendê-la de todos os seus inimigos". *Gregório V* (996-997) era um jovem príncipe alemão de vinte e três anos, neto de Otão, o Grande, cuja nobreza e generosidade se aliavam a uma grande energia, e foi o papa que ousou excomungar o rei da França Roberto, o Piedoso e que descobriu os excepcionais méritos do monge Gerberto. E temos ainda, num gênero diferente, *Sérgio IV* (1009-1012), cujo epitáfio diz expressivamente que foi o pão dos pobres, a vestimenta dos nus, o doutor do povo, o pastor venerado por todos".

Há uma figura pontifícia que neste tempo domina todas as outras. Trata-se de *Silvestre II* (999-1003), o papa do ano mil, o primeiro papa francês, que no seu curto reinado não chegou a mostrar quanto valia, mas que pelo menos teve tempo de prestar um testemunho que não se revelaria inútil. Quando o monge Gerberto, ex-senhor Auvergnat d'Aurillac, um ano após a sua nomeação para a sé arquiepiscopal de Ravena foi eleito papa com o apoio do imperador Otão III, seu antigo aluno, toda a cristandade soube que Pedro tinha enfim como sucessor um homem de excepcional categoria. A sua erudição tornara-o célebre[6]; estudara matemática, astronomia — ciência a que consagrava as suas noites —, letras latinas, música e, acima de tudo, as ciências religiosas, filosofia e teologia, em que Santo Agostinho era o seu mestre preferido. "A fé faz viver o justo — dizia —, mas é bom adicionar-lhe a ciência". Formado segundo a espiritualidade de Cluny, continuou a ser no sólio pontifício um monge austero, exigente consigo próprio e com os outros, segundo o modelo que a reforma beneditina havia estabelecido e que ia estender-se a toda a Igreja. E não somente deu o exemplo, como também encorajou em todas as frentes os protagonistas da reforma.

Dominado pela ideia de que a Igreja tinha de ser fortalecida, aumentada e defendida, foi ele quem libertou a Polônia católica da tutela germânica, e quem coroou o grande príncipe cristão Santo Estêvão, rei da Hungria; como primeiro ocidental da história a pressentir a importância do problema dos Lugares Santos, foi também ele quem lançou o primeiro apelo às armas para a libertação de Jerusalém, cem anos antes da primeira cruzada. Era um homem humilde e forte, uma alma simultaneamente de grande ternura para com Deus e de uma intrepidez sem desfalecimentos. Nos últimos tempos, as circunstâncias foram-lhe adversas, e uma arruaça romana — mais uma entre tantas — mandou-o para o exílio, onde veio a morrer. Mas havia já apontado o caminho que os seus futuros sucessores Gregório VII e Inocêncio III iriam trilhar. Embora um pouco exagerado, o seu epitáfio não é inteiramente falso: *Gaudet omne saeculum, frangitur omne reum* — "alegrou todo o século e esmagou todo o crime". Não conseguiu "esmagar todo o crime", é verdade, mas assinalou felizmente essa virada do século em que se encontrou colocado.

Há, pois, um contraste — sobre o qual não será mau insistir — entre os aspectos penosos e escandalosos que é costume considerar, e a realidade espiritual do papado neste *século de ferro*. Esse contraste observa-se, aliás, também naqueles que têm as mais pesadas responsabilidades neste domínio. Os cristãos do ano mil são homens dotados de um temperamento extremista e inclinado aos excessos, mas que se mostram capazes de emocionantes demonstrações de fé. Neste ponto, não são muito diferentes dos cristãos de Bizâncio, que tantas vezes vimos oscilar entre o misticismo e os piores pecados. Esse Alberico, por exemplo, em quem toda a violência feudal parecia haver-se encarnado, e que durante trinta anos submeteu o papado ao seu duro jugo, mostrou-se inerme como uma criança perante o grande abade de Cluny Santo Odão, dedicou-lhe o mais profundo respeito e chegou mesmo a ajudá-lo nos seus esforços reformadores; um cronista chama-lhe "protetor dos mosteiros"... Outro exemplo: Otão III, o imperador germânico, continuou durante toda a vida a ser o aluno de Gerberto que fora na juventude, e quando os interesses dos seus respectivos tronos entraram em choque, submeteu-se cristãmente ao papa.

Tudo isto compõe um painel de signos favoráveis. A crise que a Igreja atravessava era grave — e mais grave por ter como cenário a Sé para a qual todos os olhos se voltavam —, mas não era mortal, e o futuro se encarregaria de prová-lo. Mas nem por isso as consequências imediatas deixaram de ser devastadoras. Vimos como a carência do papado contribuiu para que a igreja do Oriente enveredasse por um caminho que, sob Miguel Cerulário, acabaria por separá-la de Roma. A mesma tendência para a ruptura não ameaçaria, nessas circunstâncias, a própria igreja do Ocidente? Na França, veremos efetivamente esboçar-se um movimento que já merece o nome de *galicanismo* — com todas as reservas que o emprego desse termo fora do seu contexto histórico habitual suscita —, um movimento cuja alma foi Arnoul, bispo de Orleans, por volta de fins do século X. No concílio de Saint-Basle de Verzy, em 991, puderam ouvir-se frases como esta: "Onde estão os Leões e os Gregórios?... É por acaso culpa nossa se a cabeça das igrejas, que tão alto se erguia, coroada de glória e de honra, caiu tão baixo, manchada de infâmia e vergonha?... Ao que parece, estamos assistindo à vinda do anticristo, pois temos diante dos olhos a ruína de que fala o apóstolo, não a ruína das nações, mas a das igrejas..." E como esta, que é quase um apelo à revolta: "É a tais monstros (a um João XII, a um Bonifácio VII), inflados de ignomínia e desprovidos de toda a ciência humana ou divina, que os inumeráveis sacerdotes de Deus, espalhados por todo o mundo e notáveis pelo seu saber e pelas suas virtudes, devem estar legalmente submetidos?"

Temos de considerar estes gritos de indignação como um protesto da alma cristã, que é levada pela sua veneração para com a Sé Apostólica a julgar severamente os homens indignos que a ocupam. Os fatos hão de responder-lhes mais tarde, e o papado, reerguendo-se, vai colocar-se à frente do movimento de reforma. Mas nem por isso Roma deixou de dar os mais deploráveis exemplos durante cento e cinquenta anos, aumentando a angústia das almas numa época em que não lhes faltavam tribulações...

Cristãos do ano mil: o lamaçal

Efetivamente, os homens desta época tinham muitas razões para andarem angustiados. As condições materiais eram realmente aflitivas, e raramente o sofrimento coletivo é uma escola de virtudes. Pode-se imaginar o que seria a vida dessas gentes quando diariamente corriam o risco de ver surgir bandos de normandos, incursões sarracenas ou esquadrões húngaros. Essa constante expectativa da catástrofe — que o século XX conheceu muito bem, nas cidades bombardeadas —, essa inquietação profunda que se amalgama com todos os sentimentos e com todas as reações da consciência, acabando por obliterar tudo, foi certamente a dominante psicológica destas gerações — mais penosa talvez por agir sobre almas rudes e elementares —, numa época em que era inconcebível qualquer proteção séria.

Mas o medo da violência não era o único, nem se corria apenas o risco de morrer sob os golpes dos invasores bárbaros. A consequência das novas invasões (e também das guerras feudais) foi um terrível recuo da agricultura depois dos belos dias de Carlos Magno. Deixou-se de fazer o esforço de desbravar novas terras, e mesmo nas planícies mais férteis a floresta, a charneca e o pântano retomaram a ofensiva. Por isso, em terras tão pouco valorizadas e cuja produção está continuamente ameaçada, a fome espreita por toda parte. Há ocasiões em que se torna geral, como aconteceu pelo menos cinco ou seis vezes entre 900 e 1050, devido a más colheitas, a invasões ou a guerras. Numa página célebre, o cronista borgonhês Raoul Glaber descreve os horrores da grande escassez de 1033, que parece ter-se estendido a todo o Ocidente: "Esgotados os recursos que ofereciam os animais e as aves, foi preciso decidir-se a devorar os cadáveres, a desenraizar as árvores e a arrancar a erva dos vales para matar a fome"... E não é em vão que acrescenta: "A memória humana sente repugnância em relembrar todos os horrores desse tempo abominável". Só a custo conseguimos crer nas cenas de canibalismo que nos descreve. E como todos esses alimentos asquerosos, aliados a uma higiene deplorável, só podiam causar epidemias, o tifo, a diarreia, a peste e muitas outras doenças que mal se podem identificar atiravam os vivos, em grandes pazadas, à vala comum.

Não há dúvida de que, no meio de todas estas misérias sem nome, o irresistível impulso da vida continuava a sua obra. A uma enorme mortalidade correspondia uma natalidade vigorosa e inesgotável. O Ocidente estava agora em plena juventude, e as mais graves crises não podiam deter a fermentação da sua força vital. Mas, psicológica e moralmente, o que dominava os homens deste tempo era a tristeza, o pessimismo esmagador e o terror espalhado por toda parte. Curvados sob um céu negro, para que luz voltariam a face?

Para a da religião, sem dúvida. Os próprios horrores do tempo levavam a isso. "Tudo é inútil, pois quem nos poderá subtrair à cólera de Deus, a não ser o próprio Deus?" — exclama Raoul Glaber. Por isso a fé é universal; o tipo do descrente, do "livre-pensador", do espírito autossuficiente, não existe. Mas o que é essa fé, que representa ela exatamente para a maior parte dos homens? Continua a ser o que já se via nos últimos quatro ou cinco séculos — um conjunto de preceitos e de costumes sem verdadeiros alicerces.

Nem se pode pensar em dar uma formação teológica e filosófica à imensa maioria da população, e apenas algumas almas de elite, pouco numerosas, dão mostras de ter algum ideal espiritual mais elevado. Mais ligados do que nunca aos bens deste mundo pelos terríveis ferros do medo, os homens são insensíveis à doutrina da renúncia e do amor ao próximo. A religião decai, portanto, ao nível do que era no paganismo romano — uma relação quase mercantil com Deus e com os santos, a quem são devidas certas homenagens em troca da sua benevolência. O espírito verdadeiramente cristão está ausente dos atos de culto, que se acompanham muitas vezes sem compreender grande parte da liturgia, e a esmola é dada sem a verdadeira caridade do coração. Veneram-se as relíquias dos santos, mas cuida-se muito bem de não lhes seguir o exemplo. Há exceções, certamente, mas, em conjunto, o que acabamos de dizer vale para quase todos os homens, incluída a classe dirigente, a nobreza, composta por almas ao mesmo tempo rudes e selvagens, nas quais a graça não consegue opor diques sólidos às bruscas tempestades das paixões.

É supérfluo dizer que os costumes não refletem em nada a influência da doçura evangélica. A violência, que se converteu no mal endêmico do Ocidente a partir das invasões, atinge o seu cúmulo. O feudalismo nascente repousa exclusivamente na força dos punhos. Embora seja um mal necessário numa época de perpétuas ameaças e de omissão do Estado, isso não impede que o seu prestígio seja temível: impera o *faustrecht*, o direito da força bruta. A organização que esse sistema tende a estabelecer consagra o hábito da vingança particular, da velha *vendetta* germânica, que a dupla influência das tradições romanas e da Igreja já havia tentado eliminar nos séculos VI e VII, que um poder forte como o de Carlos Magno praticamente tinha reduzido a nada, mas que depois dele retomou o seu lugar. Imperam a inveja e o desejo frenético de aumentar as próprias terras à custa das dos vizinhos; à violência acrescenta-se a perfídia, e o assassinato político torna-se tão abundante na Europa ocidental do século X como o será na Itália do século XV. Banditismo, destruições e pilhagens são coisas tão habituais que se preveem como riscos nos contratos comerciais.

Queremos conhecer um desses "cristãos" do ano mil, uma dessas terríveis máquinas de guerra que eram os senhores do mundo de então? Eis um deles. Chamava-se *Foulques Nerra* (987-1040), e pertencia à família dos condes de Anjou. É a ele que se atribui a ideia de substituir as antigas fortalezas de madeira pelos gigantescos castelos de pedra que lhes sucederam por toda parte. Tudo neste homem era paixão desenfreada e temperamento levado ao extremo. Quando tinha a menor diferença com um vizinho, precipitava-se sobre as suas terras, roubava, saqueava, violava e matava sem que nada o detivesse — sobretudo os mandamentos de Deus. Menos ainda o respeito devido aos ministros do Senhor: vemo-lo atacar o convento de São Martinho de Tours, saquear a casa de um cônego e pôr fogo ao mosteiro de Saint-Florent. São incontáveis os crimes que pesam sobre a consciência deste homem terrível. O que não o impedia de entregar-se a penitências quase incríveis quando o assaltava uma crise de arrependimento. O próprio túmulo de São Martinho, cujos monges tratou tão mal, vê-lo-á prostrado, descalço e com o burel de penitente, e por quatro vezes na sua vida irá a Jerusalém, como devoto peregrino, seguindo com o torso nu a Via Dolorosa e gritando: "Senhor, recebe o teu perjuro Foulques", enquanto dois dos seus criados o açoitam até ao sangue. Este é o tipo de homem que nesta época se reproduz em múltiplos exemplares.

Não é preciso dizer que o mesmo impudor que se observa no que se refere ao "não matarás", se encontra igualmente difundido a propósito do sexto e do nono mandamentos. A imoralidade sexual campeia por toda parte: no baixo povo, em que as condições de vida material são tais que mesmo hábitos verdadeiramente animalescos se tornam quase desculpáveis; e entre os senhores feudais, nos quais a luxúria se alia à violência, como bem o sabiam as suas prisioneiras. Alguns desses altos barões têm costumes... muçulmanos. O filho de Foulques Nerra, Geoffroy Martel, mantém um verdadeiro harém, e um certo duque da Borgonha, Roberto, o Velho, expulsa de casa a esposa, dizendo-lhe sem rodeios que quer viver com mais liberdade, e mata sem mais o sogro que cometeu a imprudência de lhe censurar semelhante atitude.

O mais grave de tudo isto é que a desmoralização não poupa o clero, que se vê arrastado com muita frequência pelo turbilhão das paixões desenfreadas. Tornado senhor feudal, não terá o bispo ou o abade de um mosteiro a tentação de responder à força com a força? Há, sem dúvida, exemplos comoventes de "não-resistência", como o do cabido de São Martinho que, atacado por Foulques Nerra, se trancou piedosamente no claustro, orando e entoando cânticos. Mas poderiam ser apontadas dúzias de exemplos em sentido contrário, verdadeiras guerras travadas entre bispos e senhores, tal como aquela que pôs frente a frente durante vinte anos Geoffroy Martel e o bispo de Mans. Por aqui se vê o triste resultado da absorção da Igreja pelo feudalismo.

Temos ainda de reconhecer que a própria crise de imoralidade sexual, cujos efeitos já vimos entre os leigos, causou estragos também entre o clero. É um fato em que muitos historiadores anticristãos têm insistido com certo regozijo, e que infelizmente não é falso. Basta ler as decisões conciliares para nos convencermos da extensão do mal, embora, por outro lado, seja evidente que, se os concílios reagiam assim, é porque ainda havia muitos elementos sãos na Igreja. É o concílio de Trosly, em 919, que vocifera contra as concubinas dos padres; o de Augsburg, em 952, que manda prender, açoitar e tosquiar essas mulheres; o de Anse, perto de Lyon, em 994, e o de Poitiers, no ano 1000, que repetem as mesmas decisões, e o de Pavia, em 1023, no qual o próprio papa Bento VII se indigna publicamente contra os costumes dos eclesiásticos e ordena que todos os filhos de padres e de monges sejam reduzidos à servidão. Parece que a incontinência clerical — chamada *nicolaísmo*, talvez em lembrança dos nicolaítas denunciados pelo *Apocalipse* — é neste tempo um mal universal. Os que mais respeitam a moral, ao invés de manterem uma concubina casam-se oficialmente e, quando os censuram, respondem citando as célebres palavras de São Paulo: "Mais vale casar do que abrasar-se".

A situação é a mesma na Alemanha, na Itália, na França. Bispos e prelados dão o tom. São Pedro Damião fala sem rodeios desse Raimbaud de Fiésole, que vivia "rodeado de um enxame galante", ou desse Denis de Placência que se mostrava "mais perito em beleza feminina do que em ciência eclesiástica". Em Bremen, os bons bispos veem-se obrigados a mandar a polícia expulsar as concubinas dos seus cônegos. No que diz respeito à França, cronistas como Raoul Glaber ou Gilbert de Nogent apontam o mesmo mal, e ver-se-ão concílios condenarem bispos que não têm menos de três ou quatro filhos. Mesmo que os cronistas e pregadores possam ter pintado este quadro com cores demasiado negras, a verdade é que o perigo era grande. O concílio de

Trosly dissera com toda a razão: "Os maus padres que apodrecem na esterqueira da luxúria contaminam com a sua conduta todos aqueles que são castos, pois os fiéis sentem-se inclinados a dizer: — São assim os padres da Igreja".

Reação normal, cujos efeitos não tardarão a aparecer: a *heresia*, que praticamente desaparecera do Ocidente havia dois séculos, ressurge e toma uma feição acentuadamente anticlerical. Por volta de fins do século X, na povoação de Vertus (Champagne), um homem do povo chamado Leutard sonhou que um enxame de abelhas "lhe entrara no corpo pela secreta saída natural" e lhe saíra pela boca na forma de palavras inspiradas: improvisou-se, pois, como reformador, e declarou-se profeta de Deus; depois repudiou a esposa "segundo os princípios bíblicos", foi à igreja arrancar o crucifixo, assegurando que estava manchado, e pôs-se a pregar uma doutrina de revolta contra o clero, contra os senhores e contra os dízimos, o que lhe valeu um belo auditório. Convocado pelo tribunal do bispo de Châlons, foi posto em liberdade como louco inofensivo, e ele mesmo pôs termo à sua revolta atirando-se de cabeça para dentro de um poço.

Isto ainda não era lá muito grave; o pior foi a reaparição, a princípio insidiosa e tímida, mas depois bastante ruidosa, do velho maniqueísmo, que se julgava enterrado para sempre. Em Mainz, em Orleans, em Arras, depois em Limoges e em Toulose, bem como no norte da Itália, voltou a ver-se a doutrina dualista que fora combatida por Santo Agostinho, condimentada agora ao gosto moderno. O fato mais grave ocorreu em 1022, em Orleans, onde a heresia se organizou em seita; padres, cônegos do cabido, professores e até o confessor da rainha lhe deram a sua adesão. Passou a ensinar-se uma fé que anunciava a dos cátaros: rebelião contra a Igreja estabelecida, recusa dos dogmas e dos mistérios cristãos, especialmente a Encarnação, a Paixão e a Ressurreição, abandono do culto, da hierarquia e das imagens. Por outro lado, proclamava-se a aversão à vida terrena e à carne, não só àquela que se consumia, mas principalmente à que estava ligada ao uso do matrimônio. Como virá a acontecer com os albigenses, semelhante doutrina moral, demasiado exigente para o comum dos mortais, andava de mãos dadas, entre os adeptos, com uma grande desvergonha, porque, se toda a carne é pecado, que importa um pouco mais ou um pouco menos?

Corriam os rumores mais horríveis a respeito destes hereges[7], acusados de magia, de bruxaria e de costumes infames, a tal ponto que Roberto, o Piedoso mandou prender os seus catorze chefes principais, que foram julgados, refutados e condenados, sem no entanto terem renunciado à sua estranha fé[8]. No meio de uma fúria tremenda — a própria rainha Constança vazou um dos olhos ao seu antigo confessor —, morreram todos nas chamas, mas proclamando unanimemente que não esperavam nada melhor do que esse martírio. O rei gloriou-se deste ato de grande fé, mas a Igreja, pela voz do bispo Wazon de Liège, fez ouvir o seu protesto vigoroso e caritativo. Era a primeira vez na história cristã que se acendia a fogueira da heresia; infelizmente, continuaria a arder por muito tempo...

Estes bruscos ressurgimentos do erro e a terrível agitação que provocaram na consciência popular são característicos da fraqueza dos espíritos nestes tempos de noite cerrada. A religião, tal como então se praticava, estava literalmente encharcada de superstições as mais absurdas. Entre Deus, Senhor terrível, de quem dependem todas as desgraças que se encarniçam contra o mundo, e o homem miserável que a custo ousa erguer a fronte, agita-se uma multidão de seres intermediários, bons ou maus, santos, anjos e demônios, que só a custo conseguimos distinguir. O culto dos santos torna-se universal e toma todas as formas das piores latrias. Não há nenhuma cidade ou paróquia que não tenha o seu patrono, o seu intercessor, e este é tão admirado que Deus acaba por ser esquecido. As relíquias são cada vez mais procuradas; vendem-se, compram-se, subdividem-se, trocam-se e, se necessário, também se roubam... Por princípio, todas são verdadeiras e todas são eficazes: o cajado de Moisés, descoberto em Sens por volta do ano mil, não é menos autêntico do que as diversas tíbias de Santo Estêvão.

Tudo é sinal, sintoma e ameaça do céu. Se o Vesúvio ruge, se os incêndios se multiplicam por entre as casas de barro amassado com palha e seus tetos de colmo, se um eclipse faz parecer lívida a face dos homens, se aparece uma enorme baleia no canal da Mancha — não há dúvida de que se trata de fenômenos premonitórios, e o menor raio que caia desenha nos muros da universal Babilônia o *Mane, thecel, phares* do livro de Daniel. Quantas coisas prodigiosas e dignas de atenta fé não se produzem neste tempo! Em Orleans, é um lobo que substitui o sacristão e toca a rebate por ocasião de um incêndio; noutra parte, é uma imagem da Santíssima Virgem que geme e estende os braços com bondade; e não faltam crucifixos que choram ou lápides tumulares que suam frias lágrimas. Quanto ao diabo, encontra-se por toda parte, multiforme, agitado, trabalhando sem cessar por arrastar as almas para os seus domínios. Não o vedes no alto desse campanário, como um gnomo que se diverte fazendo trejeitos? Ou na cela onde o bom cronista Raoul Glaber trabalha no seu livro, com o nariz achatado, a boca enorme, barba de bode, dentes de cão e corcunda? Ou assistindo, com toda uma coorte infernal, à morte de um religioso ímpio? Riem-se dele, troçam dele em escritos populares e, em breve, nas esculturas das igrejas, mas ninguém se sente muito seguro quando, à noite, pensa no seu poder.

Há um homem que resume suficientemente a psicologia destes cristãos do ano mil, e uma obra que nos fornece, se não fatos verdadeiros, pelo menos a visão que deles podia ter um contemporâneo: trata-se de *Raoul*, o autor das *Histórias*, conhecido pela alcunha de "calvo" ou *Glaber*. É um homem bem do seu tempo, este monge irrequieto e insuportável, que nenhum abade consegue manter submetido à regra e que durante toda a vida girou de convento em convento; esse semivisionário constantemente perseguido por temores supersticiosos, que vê o diabo a cada passo; essa comadre crédula que coleciona sem o menor critério todas as patacoadas e todas as lendas mais disparatadas, registrando-as incontinenti no seu pergaminho. Nascido em 980 e falecido em 1050, a cavalo da fatídica data do ano mil, não é evidentemente um historiador, mas a sua obra é uma coleção singularmente útil, e muito pitoresca, de tudo o que se arrastava então pela consciência dos pobres batizados do Ocidente.

Será o caso de dizer, como escreveu Gebhardt, "que este homem parece ter vivido no fundo de alguma cripta de catedral romana, à luz de uma lâmpada sepulcral, não ouvindo senão gritos de angústia e soluços de dor, e não vendo senão cortejos de figuras melancólicas ou terríveis"? Não é totalmente verdade. É certo que Glaber lança mão liberalmente de guerras, violências, invasões, fomes, pestes e todas as espécies de prodígios, para alimentar com argumentos chocantes a sua ingênua apologética. Mas encontram-se também na sua obra passagens que soam de outra maneira, ao ritmo da esperança cristã. É o cronista que nos fala do "branco manto das igrejas" com que a cristandade se cobre, que pinta sorrindo a alegria do céu e da terra no fim do primeiro milênio da morte do Senhor, que evoca a intervenção dos santos e da Virgem nas vitórias alcançadas sobre os infiéis, e que sublinha perfeitamente a importância que teve na época o batismo dos normandos e o dos húngaros. Glaber não é o pessimista sistemático que se diz; também neste aspecto é um homem do seu tempo, tempo negro, vergado sob as mais terríveis ameaças, mas que mesmo assim deixa pressentir o despontar da aurora.

É a todo este conjunto psicológico que acabamos de esboçar, assim como ao próprio Glaber, que temos de ligar o famoso — exageradamente famoso — problema histórico dos *terrores do ano mil*. Que essa questão existiu, é mais que certo, mas quantos dos nossos contemporâneos sabem que ela está já definitivamente resolvida e arrumada? Não é verdade que, quando se pronuncia essa data famosa, o grande público logo pensa no "fim do mundo"? O esquema da versão popular difundida por alguns historiadores é este: durante o século X, os homens ter-se-iam persuadido de que o milésimo ano da Encarnação seria o último, e de que o "dia do Senhor" ia chegar ao som das trombetas do Apocalipse. Todas as desgraças deste tempo, aliás incontestáveis, não anunciavam por acaso a proximidade da suprema catástrofe? Não seria esta humanidade dolorida, perturbada e angustiada que nós vimos, a mesma que a Escritura predissera? Os visionários deste tempo teriam, pois, dado rédeas soltas à imaginação: "O cativo esperava no seu negro torreão, o servo esperava na sua gleba, o monge esperava nas abstinências do seu claustro", escreve Michelet, todo contente com o giro poético da sua frase. "No meio da sua terrível desgraça, não tinham outra esperança que não a espantosa espera do Juízo Final".

Ora, para sermos exatos, temos de atribuir a esta pintura romântica outras intenções diferentes das puramente literárias: o anticlericalismo moderno soube tirar partido dos fatos, pretendendo que a Igreja explorou os "terrores do ano mil" para extorquir dos fiéis ricas doações, e uma coleção de ilustrações publicada por volta de 1880, e que se intitulava *O ensino patriótico pela imagem*, chegou mesmo a publicar uma bela gravura que ilustra esta maneira de ver.

Que há de verdade em toda esta história? Não muita coisa. O exame dos textos mais precisos[9] demonstrou que os únicos documentos em que se afirma formalmente o terror do ano mil datam de vários séculos depois do ano mil... É o caso, por exemplo, da crônica de Tritheim de Hirschau, publicada em 1599, e da qual apenas a segunda edição, aliás cento e trinta anos posterior, contém uma passagem explícita sobre a questão. Todos os textos mais antigos, e sobretudo os contemporâneos da data fatídica, fazem muitas alusões ao caráter apocalíptico das desgraças do tempo, mas nenhum as relaciona com a hipótese do fim do mundo no ano mil. Raoul Glaber afirma que a sétima época da história, aquela em que ele vivia, seria a última, mas em momento algum imagina que se encerrará no ano mil; quando muito, é possível que atribua ao ano 1033 — milenário da Paixão — um significado apocalíptico.

Acreditaram, pois, os homens deste tempo no fim do mundo? Alguns, certamente; por exemplo, na Lorena, em 970 — ano em que a Sexta-feira Santa e a Anunciação recaíam no mesmo dia —, alguns espíritos fracos julgaram que, não podendo a concepção e a morte do Senhor ser simultâneas, essa coincidência anunciava o pior dos dramas. Alguns exegetas e teólogos professavam essa opinião ao interpretarem o versículo do *Apocalipse* em que se diz que um anjo encarcerará por mil anos a antiga serpente (20, 1-7), o que já mais ou menos servira de base para o antigo milenarismo. Também Santo Odão de Cluny, falecido em

942, fora dessa opinião. Mas outros combatiam-na vigorosamente, como Abbon de Fleury que, tendo-a ouvido pregar do púlpito em 960, numa igreja de Paris, imediatamente se pôs a refutar o pregador com citações do Evangelho, do Apocalipse e do livro de Daniel.

A ideia do fim do mundo sempre exerceu maior ou menor atração sobre alguns espíritos desde a vinda de Cristo; mas não é provável que o historiador que, por volta do ano 2100, venha a fazer a narração dos acontecimentos do nosso tempo, encontre um número considerável de obras e de artigos, por vezes muito sérios, nos quais se demonstre que os homens do século XX, impressionados com os seus sofrimentos, esperaram o fim do mundo para o segundo milênio? Não chegou mesmo Étienne Gilson a escrever ironicamente sobre *Os terrores do ano 2000*?... Isto não significa, evidentemente, que a humanidade atual, na sua maioria, viva nesse receio.

Não foi diferente no século X, e os fatos desmentem categoricamente os historiadores que defendem a tese dos profetas do fim do mundo. Conhecem-se muitos documentos de doações e testamentos, redigidos pouco antes do ano mil, que contêm disposições a serem efetivadas muitos anos mais tarde. Em 998, o concílio de Roma impunha ao rei francês Roberto uma penitência de sete anos; em 999, o papa Silvestre II reconhecia ao arcebispo de Reims o privilégio de sagrar os futuros reis da França, o que prova que o pontífice pensava que haveria muitos reis a serem sagrados; no ano mil, o imperador Otão III anunciava a sua intenção de se estabelecer em Roma para governar o mundo; e basta ver os sólidos pilares de uma basílica como São Filiberto de Tournus, que se achava em plena construção no ano mil, para admitirmos que os homens de então ousavam desafiar o tempo...

Não houve novos terrores na véspera do ano mil. Houve, sim, alguns receios — muito justificados pelas desgraças da época —, que determinados espíritos interpretavam de modo profético, mas sem que tal fato implicasse um fenômeno de massas. Mais verdadeira que a famosa lenda é esta pequena frase de outro cronista da época, Thietmar de Merseburg: "Tendo chegado o melhor ano depois do salvífico parto da Virgem sem mácula, viu-se brilhar sobre o mundo um alvorecer radiante". Apesar de todas as trevas, a luz aguardava a sua hora, e no fundo do lamaçal desta época corria ainda a água que tudo havia de revivificar.

Cristãos do ano mil: a água viva

Há evidentemente um abismo entre uma sociedade como a do Ocidente do século XX, que em grande parte esqueceu a Deus e pretende esvaziar a fé, e uma sociedade como a deste mesmo Ocidente no século X, cuja fé pode parecer muito exterior e convencional, mas não deixava de ser a base de toda a civilização. Mesmo reduzido em numerosos casos a um conjunto de práticas, e incapaz de opor um dique às vagas conjugadas da violência e da superstição, o cristianismo nem por isso deixava de ser o dado imediato mais incontestável da consciência coletiva, aquele que ninguém se lembrava de recusar. Não se pode compreender nada acerca da forma como, lenta e dolorosamente, se preparou o êxito radiante da Idade Média, se não se reconhecer que, apesar das suas torpezas e dos seus dilaceramentos sanguinários, o mundo que a precedeu era um mundo cristão.

Podemos sorrir perante as bruscas reviravoltas de consciência dum Foulques Nerra, ora bruto sanguinário, ora peregrino exemplar, mas essa ironia não passaria de mera incompreensão. Deus vomita os tíbios. O caso do célebre conde de Anjou não é único; contam-se às centenas os seus êmulos. Roberto, o Velho, duque de Borgonha, entrega-se às mesmas penitências humilhantes, depois de se ter entregado às mesmas violências, e os barões de segunda fila comportam-se de maneira semelhante: crime e arrependimento sucedem-se com uma rapidez espantosa. Estes terríveis senhores feudais, grandes perseguidores de bispos e saqueadores de mosteiros, guardam um profundo respeito por esse clero que tratam tão mal, chamam-no no leito de morte e são pródigos com ele. Quando um deles se encontra na presença de um autêntico santo, muitas vezes a sua crueldade cede; foi o que aconteceu com Eudes I da Borgonha, descendente de Roberto, o Velho — e seu igual quanto à conduta —, que, tendo prendido Santo Anselmo de Cantuária, ficou tão impressionado com ele que o tratou com toda a espécie de atenções, "julgando ver um anjo do Senhor".

A fé destes arrebatados não é a única coisa que poderemos admirar, pois há entre os senhores feudais muitos exemplos dignos de respeito e até de veneração, tantos que qualquer enumeração seria uma injustiça. Apesar das fraquezas em que caiu, apesar do penoso incidente matrimonial que o pôs em conflito com a Igreja, apesar até do caráter demasiado "clerical" da sua religião, Roberto, o Piedoso, rei da França, bem merece esse cognome: foi na verdade um homem de fé, "doce e humilde de coração", como diz o seu biógrafo Helgaud. O seu antecessor Eudes não lhe era inferior neste domínio; foi ele o rei que, depois da vitória que lhe alcançara o mosteiro de Saint-Vaast, em Artois, correu a ajoelhar-se junto do túmulo desse santo, dando graças a Deus e chorando copiosamente a guerra fratricida que o opusera a outro cristão, o conde Balduíno. Alguns destes príncipes do século X e de começos do século XI são figuras admiráveis, nas quais já desponta o ideal do cavaleiro; é o caso do conde Geraldo de Toulouse, cuja modéstia, moderação, pureza e quase-pobreza voluntária são louvadas sem reservas pelo seu biógrafo, o abade beneditino Odão. Mais tarde, Guilherme, o Grande, duque da Aquitânia, será também um modelo de piedade e de equidade.

O que vale para a nobreza da França não é menos verdade em outros países. Assim sucede na Alemanha, onde um Otão III, no meio da glória e do fausto, continua a ser penitente de São Nilo, praticando em privado a ascese e a mortificação, e onde Henrique II se torna tão popular pela sua bondade, caridade e amor pela paz, e ao mesmo tempo tão respeitado pela sua vida quase monacal no trono, que a Igreja o canonizará menos de cem anos após a sua morte. Na Polônia, na Boêmia e na Hungria — a Hungria de Santo Estêvão —, veremos exemplos semelhantes. E não é necessário mencionar todos os descendentes das mais nobres famílias que renunciaram a tudo para entrarem para o claustro, e que ali se elevaram a um alto grau de santidade. Citemos apenas Gerardo de Brogne, na Lorena, um dos primeiros protagonistas da reforma monástica, bem como esse filho de um duque de Ravena que viria a ser São Romualdo, ou ainda esse doge de Veneza, Pier Orsolo I, que depois de um encontro com o mesmo Romualdo deixou tudo para entrar num convento.

À medida que seguimos o curso do século X, e mais ainda os começos do século XI, vai em aumento o número destes príncipes cristãos e começa a observar-se neles alguma coisa de novo: não contentes com proclamar a sua fé, passam a conformar a sua vida com ela e procuram propagar o seu ideal. Convém sublinhar que são as virtudes cristãs que os tornam respeitados dos seus súditos, fato notório no que se refere a um Santo Henrique ou a um Santo Estêvão; e se nos lembrarmos dos vexames que a devoção de um Luís, o Piedoso lhe valeu, teremos de admitir que, a despeito das aparências, alguma coisa mudou entre o século IX e os começos do século XI.

O curso desta corrente de água viva que se observa nas classes dirigentes é talvez menos fácil de identificar na alma popular, mas é possível distinguir bastante bem os seus reflexos. Esta fé rente ao chão, embebida de temores supersticiosos, nem por isso deixa de ser uma fé sólida; o deserdado homem desta época sabe muito bem que só pode sentir-se verdadeiramente homem na medida em que é cristão, e como se apercebe disso, ainda que de forma confusa, procura agarrar-se à Igreja. Um dos sinais mais emocionantes deste laço é a sua generosidade para com ela. Imagina-se muitas vezes o cristão da Idade Média como um ser explorado pelo clero e espoliado do seu trabalho pelos impostos eclesiásticos, mas a verdade é bem outra, e podem-se citar casos bem concretos em que as doações ultrapassavam de longe o total que era devido simultaneamente como foro feudal e como dízimo.

Outro aspecto desta fé — não menos comovente, pois revela um belo senso de comunidade e de fidelidade ancestral à terra — é o *culto dos santos*. Por mais que nos divirtam as estranhas devoções de que se rodeiam as relíquias, por mais que não tomemos muito a sério as fantásticas narrativas que tentam ligar a um santo particularmente brilhante as origens de inúmeras paróquias, a verdade é que o culto dos santos, que imprimiu uma marca tão profunda nos velhos países da Europa, correspondia a um esforço por estabelecer contato entre Deus e o homem. Já se disse a respeito desses santos locais que gozavam de tanta importância: "São como grandes vassalos de Deus, a cuja proteção as pessoas se acolhem"[10].

Também os milagres que se operam junto dos seus túmulos agem como fermentos da fé. Apesar da sua credulidade, o povo deste tempo não se engana sobre o verdadeiro sentido desses milagres, e mesmo os cronistas que refletem os ângulos mais ingênuos da consciência popular, como Glaber, sabem que Deus é o único autor desses fatos extraordinários e que a relíquia é somente a ocasião. Por isso, como são queridos os santos intercessores! É a eles pessoalmente que se fazem as oferendas, e não à igreja ou ao mosteiro que guardam os seus despojos. As festas que se celebram em memória do santo padroeiro são de uma importância primordial em cada paróquia — ainda resta alguma coisa disso nas nossas aldeias mais descristianizadas —, e as procissões com as suas relíquias são um verdadeiro acontecimento público, em que a alma coletiva se exalta na fé. É este o período em que os parisienses erigem tantas mostras do seu amor a Santa Genoveva, a São Marcelo e a São Severino; o período em que tantas aldeias tomam o nome do seu santo padroeiro; o período em que a devoção à Santíssima Virgem, sem se expressar em nenhum documento importante, se grava sobre o solo em inumeráveis *Notre-Dame*. Reduzir a religião deste período a um conjunto de práticas e de superstições significa simplesmente desconhecer os fatos.

Queremos outro testemunho da vitalidade desta fé cristã, que agora levanta o Ocidente e vai arrancá-lo do sangrento atoleiro dos tempos sombrios? É a *peregrinação*. Vimo-la nascer no século IV e desenvolver-se no pior momento das invasões, e agora o fenômeno toma um desenvolvimento inacreditável. Todos os anos contam-se por milhares os piedosos viajantes que se põem a caminho. A rota mais célebre que tomam é a Terra Santa, e a conversão dos húngaros permite-lhes seguir por terra, evitando uma travessia perigosa. Quem são estes peregrinos? Pertencem a todas as classes sociais, e há entre eles grandes senhores como Foulques Nerra e Guy de Limoges, prelados como Alduíno e Raoul, e Gauzlin, irmão natural do rei Roberto e futuro arcebispo de Bourges.

Mas há também gente obscura e pobre, que parte sob o impulso de um amor sobrenatural. Por isso, que gritos de amargura e de cólera não se ouviram no universo inteiro quando se soube, em 1010, que o califa Hakem destruíra a basílica do Santo Sepulcro num acesso de fanatismo súbito! Já que não podia ripostar imediatamente aos muçulmanos, a multidão enraivecida cedeu a uma paixão absurda e precipitou-se contra os judeus, acusados de pactuarem com os infiéis. Durante um certo tempo, as peregrinações a Jerusalém afrouxaram; apenas alguns intrépidos, como Foulques Nerra, ousaram lá retornar. Mas logo que a situação melhorou, voltou a formar-se a corrente. As peregrinações partiam agora em fila cerrada, como aconteceu na de 1026, à qual se incorporaram milhares de lorenos. Depois de visitarem os Lugares Santos, eram recebidos nas paróquias como mensageiros de Deus, e era indizível a emoção quando um deles, como Ulric, bispo de Orleans, contava ter visto o milagre do fogo sobre a pedra do Sepulcro.

Mas a Palestina não era o único lugar sagrado para onde os peregrinos se dirigiam. Muitos iam a Roma visitar não somente a basílica de São Pedro, mas a da Santa Cruz de Jerusalém, a de São Paulo Extramuros, a de São Sebastião — onde tinham estado recolhidos os corpos de São Pedro e de São Paulo —, bem como o Panteão, convertido em "Nossa Senhora da Rotonda", e o Coliseu, tão cheio de evocações dos mártires. Outros dirigiam-se aos santuários que a memória — às vezes um pouco lendária — de grandes santos tornara célebres. Assim, quando se difundiu a notícia de que as relíquias de São Tiago, o Maior haviam sido descobertas na Espanha e autenticadas com vários milagres, Compostela, na Galiza, tornou-se esse notável centro de piedade que toda a Idade Média há de conhecer, e o "barão cristão Santo Iago" viu afluírem enormes multidões, transformando-se nesse "mensageiro da esperança" que Dante, no Canto XXV do *Paraíso*, há de interrogar sobre esta bela virtude.

Na França, São Martinho de Tours continua a atrair muitos visitantes, apesar da concorrência que lhe fazem agora outros centros de peregrinação, como Sainte-Baume na Provença, onde São Maximino teria escondido os restos mortais de Madalena num túmulo de alabastro — é nesta época que a lenda ganha impulso —, e onde reis e papas gostavam de vir orar; ou como Vézelay, onde se colocaram algumas das relíquias da mesma santa em 1037, numa abadia que depressa se tornou um centro de atração cristã. E, embora de menor importância, poderiam ser citados muitos outros lugares santos, e inumeráveis "Notre-Dame", entre as quais a "Virgem subterrânea" de Chartres, com a sua velha estátua de ébano cinzento e resplandecente; a Virgem de Puy, tão rica em milagres; a de Fourvière, rio acima de Lyon, venerada desde 840; e a de Rumengol na Bretanha, associada à lendária catástrofe de Ys, a cidade pecadora. Como é que esta cristandade que tanto caminhava — no sentido mais literal do termo — a serviço de Deus, poderia ter sido essa massa amorfa, estagnada e em vias de apodrecer que alguns historiadores tanto insistem em apresentar-nos?

Dominaram-na nobres e santas figuras, e bem podemos afirmar que o século X e os começos do século XI não as tiveram em menor número do que os tempos precedentes; parece mesmo que as canonizações, agora feitas com mais prudência, lançam certa luz até sobre as virtudes dos seus antecessores da época carolíngia. Já encontramos atrás, ocupando um lugar de destaque na história, *Santo Henrique*, imperador romano-germânico e homem exemplar. Poderíamos citar muitos outros. Temos *Santo Adalberto* da Boêmia que, obrigado a deixar Praga por causa de uma perseguição e refugiado em Roma, vive na mais absoluta pobreza, como predecessor do *Poverello* de Assis, numa época em que o papado dava um triste exemplo de excessivo apego aos bens deste mundo; voltou depois para a sua diocese, a fim de ali prestar o testemunho supremo e morrer mártir na missão da Prússia. Temos *São Nilo*, um grego da Itália do sul que, expulso pelos sarracenos, vai instalar-se não longe de Cápua, onde a sua comunidade segue a regra oriental de São Basílio e serve de laço entre o Oriente e o Ocidente. Temos *João de Fécamp*, um dos primeiros grandes místicos da França, cognominado "Jeannelin" — Joãozinho — por causa da sua pequena estatura, que, já nomeado abade do mosteiro da Trindade, escreveu páginas tão inspiradas que a Idade Média atribuirá a Santo Agostinho as suas admiráveis *Meditações*. E mais tarde, quando estudarmos a reforma que neste tempo vai reavivar o organismo da Igreja, quantas nobres personagens fiéis a Cristo não havemos de encontrar, como a gloriosa sequência dos grandes abades de Cluny, patéticos e ardentes — um São Romualdo, um São João Gualberto, um São Pedro Damião![11]

A verdade sobre o cristianismo desta época não deve ser procurada unicamente no espetáculo pouco edificante dos prelados corruptos, dos padres amasiados ou dos papas incapazes e indignos. O que impressiona é o contraste entre essas aparências desoladoras e a realidade profunda do espírito cristão que sobrevive. Nessas abadias submetidas ao poder de leigos, exploradas como fonte de rendas, subsistem almas — muitas almas — que têm o sentido da fé vivida e autêntica, e que em breve imporão o seu ideal à sociedade. Mais ainda: é corrente ouvir um príncipe que explora cinicamente os bens religiosos e dispõe a seu gosto dos títulos abaciais ou episcopais, declarar alto e bom som que é urgente reformar a Igreja e regressar à pureza de outrora; a intenção, como se vê, é melhor do que a ação...

Aquilo que o arcebispo de Reims Adalberão escrevia no seu *Poema satírico* é, no fundo, o que pensam todos os seus contemporâneos: "A Igreja, no seu clero, tem por único dever conservar-se pura quanto ao corpo e quanto à alma, ter costumes exemplares e velar pelos dos outros. É a lei eterna de Deus que lhe impõe, como sua serva que é, que se conserve intacta". E a própria Roma, essa Roma sobre a qual correm tantos rumores penosos e inquietantes, continua a merecer a confiança da alma cristã, pois cuida de não confundir a indignidade de alguns pastores com a dignidade sobrenatural das funções que exercem. Escutemos o grito de amor que brota de um pequeno guia para uso dos peregrinos, escrito por volta do ano mil: "Ó nobre Roma, senhora do mundo, tingida de rubro pelo sangue dos mártires e de branco pelos cândidos lírios das virgens, nós te bendizemos! Possas tu viver através dos séculos! Enquanto o Coliseu estiver de pé, Roma viverá; e se o Coliseu vier a cair, Roma cairá também, e com Roma cairá o mundo". Pode-se expressar melhor o laço de fidelidade que une estas almas àqueles que fundaram o cristianismo no sangue e no amor pelo sacrifício? Uma sociedade capaz de pensar semelhantes pensamentos estava preparada para a mais bela das renovações.

Novas conquistas para a Cruz

Encontramos ainda, neste período sombrio do cristianismo, outros sinais que anunciam o alvorecer que se aproxima. Um dos mais importantes é a expansão da Igreja, concretamente o esforço admirável dos missionários, que não se interrompera nos últimos seis séculos. A decomposição do Império carolíngio não deteve de forma alguma o impulso que Carlos Magno imprimira à ação evangelizadora. Na época em que o Oriente bizantino semeia a mãos cheias o bom trigo entre os búlgaros, na Grande Morávia e depois na Rússia, na época em que a extraordinária aventura das missões nestorianas acaba por ganhar para Cristo tantos povos, do Malabar até o Tibet e do Turquestão até a grande curva do Rio Amarelo[12] — também a igreja do Ocidente está em plena azáfama à busca de novas conquistas. É uma obra missionária notável, não só pelos resultados obtidos, mas também pelas características novas de que se reveste. Ao passo que o Batismo quase sempre havia significado, nas épocas anteriores, a submissão a um vencedor e o abandono das tradições nacionais dos povos que o aceitavam, nos séculos X e XI trabalhará antes em prol da formação de Estados cristãos nacionais. O Batismo passa agora a consagrar a personalidade dos povos convertidos, sem procurar submetê-los a um poder estrangeiro, o que, aliás, está mais de acordo com o espírito do Evangelho e facilitará a sua expansão.

Demonstraram-no claramente os medíocres resultados obtidos entre os eslavos da Alemanha mediante o emprego da força bruta. Nem Carlos Magno nem os seus sucessores tinham pensado seriamente em embrenhar-se na massa compacta formada pelas tribos eslavas, isto é, no quadrilátero limitado pelo Báltico, pelo Oder, pelo Elba e pelas montanhas da Boêmia. Mas quando os príncipes saxões tomaram as rédeas do Império, quiseram quebrar esse dique de resistência. No tempo de Henrique, o Passarinheiro e de Otão, o Grande, a Igreja participou nos seus cometimentos de modo análogo ao que Carlos Magno usara para com os próprios saxões, mas ainda mais brutalmente: os padres e os monges seguiam as tropas, a organização eclesiástica vinha reforçar a administração militar, e em consequência uma guerra de religião acrescentava-se à guerra das raças.

O resultado foi o que se pode imaginar: um ódio espantoso dos pagãos vencidos contra os missionários germânicos de mãos ensanguentadas e contra a religião do amor que eles representavam tão mal. Evidentemente, não foi difícil instalar pela força bispos em Magdeburgo e em Hamburgo, mas na primeira ocasião os vênedos vencidos revoltaram-se (980-983), estrangularam um dos seus bispos, prenderam e torturaram clérigos, saquearam catedrais e conventos. Foi necessário empreender novas campanhas e enviar novos evangelizadores para que o cristianismo pudesse lançar algumas magras raízes nessas regiões. Nem mesmo os esforços de um santo — Santo Adalberto de Hamburgo, este sim um verdadeiro seguidor do espírito de Cristo —, em meados do século XI, levaram a resultados mais sólidos. Prova-o a nova revolta que estalou em 1066.

Já o método empregado na Hungria, onde se escreveu neste período uma das grandes páginas da história cristã, foi completamente outro. É aqui que surge uma figura particularmente gloriosa, a de *Santo Estêvão*, cuja herança espiritual todos os soberanos que depois reinariam em Budapeste fariam questão de reivindicar, e cujo nome a coroa húngara usará até uma época recente. Quando o jovem príncipe Vajk — de quem Raoul Glaber havia de dizer "que pôs toda a sua honra em ser um grande cristão" — se tornou "duque da Hungria" em 997, havia já quase meio século que a ação tenaz e persistente da Igreja tinha tocado a rude consciência dos magiares. Depois da brutal fase de expansão de começos do século X, no decorrer da qual tinham desmembrado a Grande Morávia, os húngaros, detidos na batalha do Lech em 955, haviam-se estabelecido para além de Leitha, na planície danubiana, onde pouco a pouco se tornaram camponeses sedentários e se misturaram com as antigas populações.

Cedo receberam as primeiras noções de cristianismo; alguns prisioneiros magiares que se encontravam na Alemanha tinham despertado o interesse do clero, e muitos missionários ardiam em desejos de conquistar para Cristo esse povo de fama tão terrível. É verdade que as intenções puramente apostólicas não foram as únicas a pressionar nesse sentido: certo bispo de Passau, chamado Pilgrin, nutria o secreto desígnio de fazer erigir a Hungria num arcebispado cuja metrópole seria a sua sé, e conseguiu quem o apoiasse na corte de Roma, baseado em muitas falsidades; mas, para vergonha sua, todo o assunto veio à luz. Seja como for, Deus serve-se de tudo para realizar a sua obra, e este ambicioso teve pelo menos o mérito de enviar para a região do Danúbio um grande número de evangelizadores.

O resultado acabou por ser atingido. Em 970, o duque Gesa compreendeu que a única possibilidade de a sua nação permanecer independente estava na conversão ao cristianismo, e a sua mulher, Santa Adelaide, princesa eslava, estava ao seu lado como uma segunda Clotilde. Junto dela, Santo Adalberto de Praga, seu parente, batalhava virtuosamente por estender a vinha do Senhor. Em 997, assumiu o poder o filho de Gesa e de Adelaide, que recebera no Batismo o nome de Vajk — Estêvão —, e que devia completar magnificamente a obra materna e ao mesmo tempo dar à cristandade o modelo de um príncipe fiel a Cristo.

Casado com uma princesa alemã, Gisela, aproveitou-se inteligentemente das grandes ideias do imperador Otão III sobre uma "confederação" cristã para fazer erigir o seu

Estado como reino autônomo. Em 1001, o papa Silvestre II sagrava-o "rei apostólico". A Igreja nacional húngara recebeu o seu quadro administrativo, os seus arcebispos e bispos, e numerosas comunidades monásticas se estabeleceram nas suas terras, batizando os camponeses, construindo aldeias, estendendo a civilização. Mas ainda terão de decorrer muitos anos de grandes esforços antes que o Evangelho penetre nos povoados mais remotos e nas montanhas da Transilvânia graças a grandes missionários como *São Bruno de Querfurt*, antigo capelão de Otão III, jovem nobre conquistado para o apostolado por Santo Adalberto de Praga, e que morreu mártir. Mas a etapa principal estava transposta, e Santo Estêvão mostrara-se de forma esplêndida, e mais santamente do que o chefe franco, o Clóvis dos húngaros.

A Igreja consagrava, pois, neste caso, uma nacionalidade, o que por outro lado não significa que se dispusesse a entrar no jogo das paixões nacionalistas. Trabalhando a favor da formação das futuras pátrias cristãs, conservava-se no entanto, e mais do que nunca, fiel ao grande ideal agostiniano de uma união dos cristãos sob a sua égide, fiel às teorias de Paulo Orósio e às intuições do velho papa João VIII sobre o verdadeiro sentido da cristandade. Ao mesmo tempo em que batizava os magiares, ganhava para si também outros povos que consideravam os húngaros os seus piores inimigos: os herdeiros e todos os que restavam da Grande Morávia, que os cavaleiros húngaros tinham acabado de esmagar.

A Boêmia, que por trás das suas montanhas tinha resistido ao assalto dos invasores, também não se deixara influenciar pela propaganda cristã dos missionários bizantinos, de São Cirilo e de São Metódio; o paganismo continuava a florescer ali, tanto mais que era encarado como um símbolo da independência nacional perante as influências germânicas.

A penetração do Evangelho só pôde realizar-se à custa de crises terríveis. *Santa Ludmila*, por ter propagado a fé cristã, morreu mártir por volta de 920, estrangulada pela própria nora pagã. Seu neto, *São Venceslau*, de quem ela fizera um homem de fé vigorosa, depois de ter chamado missionários para o seu reino e construído a catedral de Praga, morria também mártir em 935, assassinado pelo irmão mais novo Boleslau, chefe do partido pagão. Mas o sangue destes mártires não foi derramado em vão. Boleslau I, o criminoso, arrependeu-se e retomou a política do seu irmão, ao mesmo tempo que suas filhas, também cristãs, fundavam na Boêmia os primeiros conventos femininos. Boleslau II, seu filho, erigiu em 973 um bispado em Praga e chamou para seu titular aquele que viria a ser *Santo Adalberto*. Mesmo assim, ainda havia muito que fazer por volta do ano 1000, e o próprio Santo Adalberto, desgostoso por ver que as coisas não lhe corriam bem, abandonou a sua sé para se internar num mosteiro italiano, antes de acabar os seus dias como mártir às mãos dos prussianos. Mas também neste caso estava dado o passo decisivo.

O mesmo aconteceu quase simultaneamente com outro povo eslavo, que, como a Boêmia, estava destinado a percorrer uma admirável trajetória cristã: a Polônia. A evangelização processou-se aqui de forma menos trágica. Também neste caso o catalizador da conversão foi uma mulher, a princesa boêmia *Dombrowska*, dotada daquele espírito das santas rainhas cristãs que, desde há tantos séculos, se vinham revelando como testemunhas do Senhor junto dos tronos. Seu marido, o duque Miecsyslav, aconselhado por ela, levou a cabo uma política pró-cristã e de entendimento com os imperadores germânicos. Fundou-se um bispado em Poznam, e em breve, de acordo com os alemães, a cristandade polonesa estendia-se até o Báltico. Mas, muito habilmente, esse bispado "recomendava-se" à Santa Sé — para não ter de ficar submetido ao Império —, inaugurando assim essa união confiante com Roma que seria uma das características perenes dos reis poloneses.

Aliás, a casa real polonesa foi criada pelo filho de Miecsyslav e de Dombrowska, *Boleslau*, o Valente (992-1025). Empreendendo contra os eslavos ainda selvagens do norte e do leste a brilhante série de campanhas que lhe valeu o cognome, seguiu a mesma diplomacia hábil do seu contemporâneo Estêvão da Hungria, e soube aproveitar-se das generosas teses idealistas de Otão III para fazer sair o seu país da tutela germânica. Quando as relíquias de Santo Adalberto de Praga, martirizado na Prússia, foram transportadas para Gniezno, capital de Boleslau, e Otão III foi orar sobre o túmulo daquele que tanto admirara em vida, o príncipe polonês aproveitou a ocasião para se fazer reconhecer soberano. Ao mesmo tempo, ficou constituída a igreja polonesa, com Gniezno como sé arquiepiscopal, e Kolberg, Breslau e Cracóvia como sufragâneas. Mas também neste país, como acontecia na Hungria e na Boêmia, a obra não ficou concluída, e ainda foram possíveis reações pagãs como a de 1033, que incendiou os conventos e massacrou grande parte do clero. A crise só se encerrou com o *restaurator Poloniae Casimiro I*. Mas a semente evangélica fora lançada à terra, e daí para a frente nada a poderia desenraizar.

Os admiráveis resultados desta evangelização constituem uma prova tangível da vitalidade que a Igreja possuía, principalmente porque os seus esforços não se desenvolviam numa única direção, mas estendiam-se também para um norte ingrato e para um sul islâmico. No norte, desenrolou-se uma aventura impressionante, que infelizmente não conhecemos em detalhe, pois os documentos que possuímos têm bastantes lacunas, mas que é fértil em episódios e em personagens curiosas e cativantes. Em três séculos — do século IX ao XI —, o mundo escandinavo passa do brumoso paganismo dos seus grandes sonhos marítimos e guerreiros para os límpidos domínios da fé evangélica. Os grandes corsários que vimos saquear os países cristãos vão agora batizar-se, muitas vezes no próprio lugar das suas rapinas, e os seus bons sentimentos chegam a tal ponto que passam a roubar relíquias ao invés de tesouros, coisa que nesta época era uma prova de grande fé... Ao mesmo tempo, missionários heroicos embrenham-se nesses países selvagens, impulsionados sobretudo pelos arcebispos de Hamburgo, a quem Santo Anscário legara as suas lições. Estreitamente ligada às guerras que levaram os homens do norte a instalar-se na França e na Inglaterra, a história da cristianização dos escandinavos atinge momentos de verdadeira epopeia.

Quais são os grandes nomes? Um deles é Harald "dente-azul", o primeiro príncipe nórdico a receber o Batismo — por volta de 950 —, que se esforçou por converter os seus dinamarqueses com a ajuda da esposa Gunhild. Outro é *Olavo, o Santo*, rei da Noruega, antigo pirata dos mares que, com o auxílio de numerosos padres e monges por ele chamados da Inglaterra, trabalhou eficazmente para eliminar o paganismo dos seus domínios. Na Suécia, vamos encontrar Eric, que durante toda a vida hesitou entre as duas crenças, mas cujo filho *Olavo* foi um cristão militante; no entanto, foi no seu reinado que se deu o martírio do bispo inglês *Wolfred* que, querendo reeditar as audácias de São Bonifácio, levantou o machado contra o ídolo nacional de Upsala e foi imediatamente massacrado. A personalidade mais rica de todas foi certamente a de *Knut, o Grande* (1017-1035), que soube construir um império magnífico, constituído por todas as Ilhas Britânicas e pela Escandinávia, e que se empenhou vigorosamente em fazer dos seus domínios um império cristão. A sua grande obra política não lhe sobreviveu, mas os seus esforços por extirpar o paganismo foram eficazes.

Nos estados que resultaram do desmembramento do seu, um *Magno* da Noruega, digno filho de Santo Olavo, e um *Emond Gamul* da Suécia haveriam de conservar-se fiéis aos seus princípios. Por volta de 1050, com o inteligente apoio do arcebispo Adalberto de Hamburgo, criaram-se por fim as cristandades nórdicas nacionais, com a sua hierarquia própria, diretamente ligada a Roma. O cristianismo tinha agora bases sólidas na Escandinávia, e de lá começaram a partir novas levas de missionários para longínquas conquistas, como a daqueles que deviam pôr o pé na Islândia e lá encontrar recordações dos antigos monges celtas, dos filhos de São Columba e de São Brandão, o Navegador. Ali fundaram colônias de batizados, cujos vestígios se veem ainda hoje em toscas inscrições sobre cruzes de pedra.

A Groenlândia, descoberta em pleno século X, logo se torna terra cristã. Eric, o Vermelho, esse *viking* com cognome de *gangster* — e com quanta razão! —, a quem se deve o mérito da descoberta, enviou para lá colonos cristãos que recrutou na Islândia. Surgiram então, mesmo nessa terra ingrata, igrejas e mosteiros. Descobriram-se lá as ruínas de doze igrejas e a sepultura de um bispo — houve um a partir de 1126 —, que foi enterrado sem caixão, mas com um soberbo báculo feito de dente de morsa. Os dentes de morsa desempenhavam um papel importante na economia deste país; era com eles que os habitantes pagavam o seu foro ao papa... Esta cristandade desapareceu em torno do século XV, provavelmente em consequência de uma queda de temperatura que comprometeu a vegetação necessária para a alimentação dos rebanhos[13].

Há um outro ponto da cristandade cujo espírito de ardor e de conquista podemos igualmente admirar. É a Espanha, essa Espanha onde há três séculos reinam os califas omíadas, mas onde ainda sobrevive, no norte, o sinal visível da indestrutibilidade cristã — o Estado castelhano, herdeiro do "rei" Pelágio (718), que compreende os atuais Leão e Galiza, e onde Santiago de Compostela se ergue como um facho da fé. Os soberanos cristãos das montanhas detêm já um poder razoável, tanto mais que os muçulmanos se encontram mais ou menos em decadência. Mais para nordeste, subsistem ainda os minúsculos reinos de Aragão e de Navarra, e, no Mediterrâneo, a antiga "marca carolíngia" converteu-se no condado de Barcelona; mas, encurralados de encontro aos Pireneus, estes maravilhosos reinos guerreiros sentem-se ainda muito fracos para lutar contra os seus adversários, e o califa Al Mansur deu-lhes uma terrível lição quando devastou Barcelona. Durante todo o decorrer do século X, continua, pois, a existir o perigo muçulmano da Espanha, e a França acaba por tomar conhecimento dele às próprias custas, quando as cidades do sul são atacadas diversas vezes seguidas.

Foram precisamente os cristãos do norte que, por volta do ano mil, estimularam a contra-ofensiva. Não era Santiago de Compostela tão querida ao coração dos fiéis? Em 987, o conde Borel de Barcelona pediu auxílio a Hugo Capeto contra Al Mansur, mas não foi atendido porque o pequeno rei da França tinha outras preocupações. Em breve, porém, esse apelo — já então um apelo à cruzada — ecoou entre os barões franceses. Aventura! Aventura! Cristandade! Cristandade! Até o amor terreno desempenhou o seu papel, quando a bela condessa Ermessinda de Barcelona clamou por socorro e o galante normando Rogério acorreu imediatamente em seu auxílio, decidido a espalhar o terror entre os sarracenos. Pouco tempo depois, é o duque Guilherme

Sanches da Gasconha que atravessa os Pireneus com os seus joviais soldados e vai devastar as cidades muçulmanas do Ebro. E é ainda a Borgonha que, ao apelo de Odilão, o santo abade de Cluny, envia uma expedição que ataca com os melhores resultados a costa oriental da Espanha e remete para aquela abadia uma boa parte da presa. Desde a primeira metade do século XI, está pois travada a luta por Cristo na velha península de Santo Hermenegildo. Abre-se a história medieval da *Reconquista*.

As estruturas da Igreja

Não é somente na expansão para além das suas antigas fronteiras que devemos ver a prova da vitalidade da Igreja neste doloroso alvorecer da Idade Média. A sua constituição e as suas estruturas, por mais que tivessem sido obliteradas pelo regime feudal, não só resistem nos seus traços essenciais, mas ainda se reforçam de muitas maneiras. No plano das instituições, observa-se de alto a baixo o mesmo fato: a Igreja da Idade Média encontra-se em fase final de preparação.

Na base, o grande fato é a extensão do *regime paroquial*, que vimos nascer durante a época merovíngia e expandir-se nos tempos carolíngios[14]. Nos países de fé tradicional, como a Itália ou a Gália, em que uma densa rede de igrejas cobre já os campos, constroem-se mais outras novas nas regiões que se vão desbravando. Na Alemanha, embora ainda pouco numerosas em meados do século IX, as igrejas rurais brotam por toda parte século e meio mais tarde, e a Boêmia, a Polônia e a Hungria também hão de contá-las em grande número.

Em torno da igreja matriz estende-se a paróquia, e é nesta época que a palavra passa a designar definitivamente a circunscrição elementar que ainda hoje conserva esse nome[15]. Cada paróquia tem um administrador, que continua a chamar-se simplesmente *presbyter* ou às vezes *rector ecclesiae*; embora se diga que tem a seu cargo a *cura animarum*, o "cuidado das almas", nunca se lhe chama *curatus*, cura. É ele o verdadeiro e único pastor imediato do rebanho, um rebanho tão intimamente ligado à sua pessoa que paroquianos de outras aldeias não têm permissão para assistir à sua Missa, a não ser que se trate de viajantes. Em princípio, depende estritamente do bispo, embora a autoridade episcopal esteja muitas vezes em conflito com a autoridade do senhor leigo em cujos domínios se encontra situada a paróquia.

A igreja paroquial, quer seja, como outrora, um humilde edifício de barro amassado, quer comece a estar edificada em pedra, é o tocante símbolo da comunidade, não apenas o lugar sagrado onde se celebram os ofícios, mas uma verdadeira casa comum em que têm lugar as audiências do senhor feudal e em cujo átrio fronteiro se realizam as transações, as vendas e os atos públicos. É amada e venerada; as doações que lhe fazem são generosas, e os dízimos, taxas em espécie que o concílio de Trosly de 909 definiu com precisão e que incidem sobre todos os rendimentos — e não apenas sobre os agrícolas —, não parecem ser excessivamente pesados. Esta igreja em que se foi batizado, em que a liturgia vai acompanhando ano a ano o retorno das estações, à sombra da qual se espera ser enterrado, constitui verdadeiramente a célula viva do organismo cristão. As faltas de alguns padres e as roubalheiras dos senhores nada podem contra este fato, que continuará a ser um fenômeno básico da cristandade.

Aquilo que a paróquia representa na base da Igreja, é-o no degrau imediatamente superior a organização dos *bispados*. Em face das estruturas senhoriais que tendem a absorver tudo, somente a grande rede das circunscrições diocesanas consegue manter-se de pé. É verdade que o feudalismo arranjou maneira de intrometer-se também neste terreno, e que em numerosos casos confiscou dignidades e bens episcopais, mas não é menos verdade que a diocese persiste e que nada conseguirá despedaçá-la. A antiga *civitas* romana, que já não representa nada, nem no plano administrativo nem no político, sobrevive no *episcopatum*, e a linguagem corrente da época entende cada vez mais por *cidade* um burgo fechado em que reside um bispo, mesmo que nunca tenha sido sede da administração imperial da Roma antiga.

É, pois, ao abrigo das muralhas da cidade que o bispo tem a sua igreja-sé, a igreja da sua cátedra — "catedral" —, mãe de todas as igrejas da região. Os cristãos orgulham-se dela e gastam muito para que seja alta e grande. Colocam-na sob a proteção de santos ilustres, muitas vezes da Santíssima Virgem, ou de Santo Estêvão Protomártir, ou ainda de uma dessas testemunhas de Cristo, apóstolo ou personagem do Evangelho que, graças a histórias muitas vezes lendárias, goza de especial estima por parte da cristandade local.

Em volta do bispo, organiza-se uma administração, um verdadeiro estado-maior; os cônegos, reunidos num capítulo — "cabido" —, têm por primeira missão assegurar a oração pública da cidade episcopal, de forma análoga à dos monges; pretende-se que a sua vida, submetida a uma regra, seja bastante monástica, embora na prática esse princípio seja seguido sem muito rigor. Este grupo de homens, escolhidos entre a elite do clero, e muitas vezes numeroso[16], assume também funções administrativas, gerindo os bens do bispado e cuidando das escolas e das obras de caridade. À sua frente, encontra-se uma personagem importante, que normalmente começou a carreira como arcediago para depois tornar-se o primicério ou preboste; além disso, costumam fazer parte do cabido o mestre-chantre (regente e diretor do coro), o mestre-escola (diretor da escola diocesana), o chanceler ou protonotário e os guardas do tesouro.

A autoridade episcopal abrange um território bem maior que o da cidade, o *suburbium*, que começa frequentemente a ser designado pelo velho nome imperial de *diocese*, e que em princípio depende da autoridade do bispo *metropolita* ou *arcebispo*; depende mais ou menos, talvez menos do que mais... Proprietário ou administrador de bens enormes, dispondo de um orçamento que tem como receita os dízimos paroquiais e as doações piedosas, o bispo continua a ser — embora de maneira diferente — uma personagem de primeiro plano, a mola-mestra da sociedade cristã, como vinha sendo desde há sete ou oito séculos: *Ecclesia in episcopo*.

É aqui que fica claro até que ponto a estrutura da Igreja se mostra sólida. Tudo o que se tem dito dos tristes resultados da influência feudal sobre os bispados é a pura verdade; a laicização do episcopado e o declínio moral de alguns dos seus membros são fatos muito reais. Mas mesmo estes bispos feudais estabeleciam uma espécie de separação entre o homem particular e o titular da sé e, com muita frequência, o segundo mostrava-se infinitamente superior ao primeiro. Quantos foram infatigáveis construtores! O de Noyon reconstruiu, por volta de 990, a catedral arruinada pelos normandos; o de Metz transformou completamente a sua; os de Beauvais terminaram a sua ao fim de setenta anos de esforço, de 924 a 996; e em Chartres, no ano 1020, logo a seguir a um grave incêndio, Fulbert inicia imediatamente a reconstrução. A enumeração podia ser longa, e poderíamos acrescentar-lhe inúmeros exemplos na Alemanha. Quantos destes bispos feudais foram também cristãos generosos, caritativos e benevolentes para com os pequenos! Em volta deles, os rendeiros, as pessoas da "*familia*", eram certamente mais felizes do que em qualquer outra parte. "É bom viver à sombra do báculo", diz um provérbio que data desta época. Longe de diminuir a força da instituição episcopal, a primeira idade feudal transmite-a em bom estado à época que se ia seguir.

Outro elemento essencial da estrutura da Igreja é o *mosteiro*. Já vimos a crescente importância que esta instituição ganhou depois do triunfo da regra beneditina; os conventos constituíram simultaneamente os baluartes do cristianismo e da civilização, e continuam agora a desempenhar o mesmo papel. Cada um deles é um centro de irradiação numa região mais ou menos ampla; as populações agrupam-se à sua volta, e assim formam-se aglomerados que muitas vezes se convertem em cidades. Toda a Europa ocidental se cobre de uma vasta rede monástica, cujas malhas cada vez se estreitam mais[17].

Ora, esta instituição foi talvez a que melhor resistiu à ação desagregadora do feudalismo. Evidentemente, a resistência esteve longe de ser geral e sempre vitoriosa, pois já vimos como foi perigosa a usurpação dos cargos abaciais pelos leigos. No entanto, é indubitável que a Igreja regular — submetida à "regra" — estava mais bem armada para fazer frente aos barões do que a Igreja secular. Com efeito, dispunha de um tríplice sistema de defesa: a proteção dos reis, a proteção dos "advogados" e sobretudo a imunidade pontifícia.

Os dois adversários de uma abadia são quase sempre o conde e o bispo, um e outro igualmente invejosos — embora por razões diferentes — do poder, da riqueza e da independência dos regulares. O conde pensa sobretudo em servir-se dos bens monásticos; o bispo, ainda que semelhantes preocupações não lhe sejam inteiramente estranhas, olha com desconfiança para esse abade que, na sua comunidade, é o senhor depois de Deus, e pensa que as prerrogativas de "visitador" que lhe são reconhecidas não significam lá muita coisa. No século X e em começos do século XI, o episcopado feudal reúne muitas vezes na mesma pessoa ambas as ameaças, e os monges empregam contra ele as suas três armas. Muitas abadias "doam-se" ao rei, numa operação que impede o conde e o bispo de se mostrarem excessivamente indiscretos; os Capetos, desde os começos da sua ascensão, praticaram esta política de proteção às abadias, ajudando-as como centros independentes, baluartes da ordem, da unidade e da fidelidade perante a crescente anarquia do feudalismo, e também como seminários de onde sairiam os homens de Estado e os escritores que refariam a França. A monarquia dos Capetos ficará a dever muito às grandes abadias de Fleury, Cluny, Saint-Denis, São Martinho de Tours, Saint-Bénigne de Dijon e Saint-Riquier.

Se o rei estava demasiado longe ou demasiado ocupado, nomeava como protetor da abadia um *advogado* ou procurador, um senhor da vizinhança encarregado de afastar pela força todos os perigos. Embora haja inúmeros documentos que provam que estes homens muitas vezes se comportavam como ratos no queijo, tratava-se no entanto de um mal necessário e menos danoso do que teria sido o abandono da abadia a todas as cobiças rivais, além de que diversos desses procuradores serviram com a maior fidelidade as comunidades que tinham a seu cargo.

Finalmente — e sobretudo —, aparece no século VIII a praxe da *isenção* pontifícia, que se desenvolverá cada vez mais ao longo dos cento e cinquenta anos seguintes e que constituirá o grande meio de salvação da instituição monástica. Desde que, em 751, o papa Zacarias colocara a abadia de Fulda "sob a jurisdição direta de Roma, para que não estivesse submetida a qualquer igreja", o exemplo passou a ser seguido. Depender do papa torna-se o sonho de todas as comunidades; Vézelay obtém a isenção em 865, Fleury em 878, e depois muitas outras. Os resultados da medida foram tão felizes que, dali por diante, ver-se-ão os próprios príncipes fundarem mosteiros e colocarem-nos sobre a proteção dos "bem-aventurados apóstolos". Ninguém podia causar qualquer prejuízo a essas abadias "isentas", sob pena das mais graves sanções. E assim, muito naturalmente, essas comunidades virão a ser também preciosos instrumentos da política da Santa Sé, quando essa política se inaugurar.

A própria Sé Apostólica, que vimos tão estilhaçada pelas piores forças de ruptura, desenvolve nesta mesma altura as suas instituições e prepara um futuro melhor, quase sem o saber, e isso é o mais impressionante do caso. Não é apenas no plano sentimental que Roma continua a ser Roma — essa Roma em que a piedade das multidões rodeia de veneração o túmulo do apóstolo; é também no plano das fidelidades históricas, onde alguma coisa mais forte do que os apetites e as paixões humanas se torna garantia de permanência.

Em torno destes papas fracos ou indignos, ao lado desta corte tantas vezes corrupta, há um mundo de clérigos que trabalham para a glória da Igreja. Há os *juízes ordinários* ou *palatinos*, que auxiliam o papa no governo, tal como os oficiais de palácio de Bizâncio auxiliam o basileu: há o primicério, o vice-primicério, o proto-secretário, o arcário ou guarda da caixa, o saculário ou ministro das despesas, o nomenclador e o defensor, que pleiteia as causas junto do Santo Padre. São sete ao todo, mas no decorrer do século X o seu papel ir-se-á atenuando, porque os papas acabarão por julgá-los excessivamente irrequietos.

Os três primeiros pertencem à *chancelaria*, corpo de secretários que redige e expede os documentos pontifícios, e que existe há pelo menos quatro séculos. Este organismo é depositário de uma tradição que ele mesmo não deixa caducar;

os papas podem passar ou errar, mas a chancelaria permanece, e é ela que, nas tempestades, segura verdadeiramente entre as mãos o leme da barca de Pedro. A prova é que os documentos continuam a ser redigidos pouco mais ou menos segundo a diplomacia vigente em tempos de São Gregório Magno! Perante os soberanos mais poderosos, a chancelaria conserva o tom de superioridade de que os maiores papas se tinham servido outrora para dirigir-se aos príncipes. A dignidade da Santa Sé deve muito a esses obscuros escribas.

Além disso, o papa dispõe de um corpo de *legados apostólicos*. Outro fato que importa sublinhar: mesmo os papas mais discutíveis jamais renunciaram a fazer sentir a sua autoridade onde quer que pudessem fazê-lo, e as intervenções dos legados muitas vezes mostraram-se profundamente eficazes. Estava assim pronta a ferramenta de que Gregório VII e os seus sucessores haviam de servir-se com tanta perícia.

Mas o fato mais importante é, incontestavelmente, a importância crescente que essas personagens que chamamos *cardeais* adquiriram ao longo deste século e meio. Primitivamente, o termo designava vagamente os clérigos, que eram como que o gonzo — *cardo* — da Igreja; *incardinar* um clérigo era fixá-lo numa igreja local como se fixa um gonzo numa porta. Nos começos do século X, o termo ganhou um sentido mais geral, passando a significar "principal". A princípio, empregava-se como um qualificativo lisonjeiro para designar determinadas altas personalidades não só de Roma, mas também de Constantinopla, Ravena, Pádua, Compostela, Colônia, etc. Como no decorrer do mesmo século o "clero cardeal" foi conquistando um prestígio considerável em Roma, em parte devido à figura apagada dos papas, estabeleceram-se por fim umas regras estritas para caracterizá-lo.

Compreendia as três célebres categorias que ainda se conhecem — cardeais-bispos, cardeais-presbíteros e cardeais-diáconos. Os primeiros foram os sete bispos das cidades imediatamente vizinhas de Roma, como Óstia, Albano e Porto, e o que residia mais longe, o de Palestrina, não tinha de percorrer mais de trinta e nove quilômetros para chegar à Cidade Eterna. Como tinham pouco que fazer nas suas minúsculas dioceses, estavam praticamente a serviço da Sé Apostólica e assistiam o papa nas grandes reuniões. Os cardeais-presbíteros eram os párocos das principais paróquias de Roma; durante muito tempo foram vinte e cinco, mas no século X criou-se um vigésimo sexto, o de Santo Estêvão no Célio. Enquanto os cardeais-bispos oficiavam na igreja de São Salvador do Latrão, os cardeais-presbíteros deviam fazê-lo nas três grandes basílicas de São Pedro, São Paulo Extramuros e São Lourenço Extramuros. Por último, os cardeais-diáconos eram os descendentes dos antigos diáconos e dos sete diáconos regionais que administravam os sete bairros da cidade[18]; a bem dizer, pouco se ocupavam das suas "regiões", pois trabalhavam no Latrão.

Estes três elementos não constituíam ainda um colégio nem estavam encarregados de eleger o papa, mas pelo simples fato de nessas três categorias do clero se encontrarem personalidades de renome, era de prever que viessem a formar um verdadeiro corpo. Quando o papado quiser subtrair a eleição do pontífice à influência do imperador germânico, irá apoiar-se neste corpo, e o grande ato de Nicolau II será o de confiar ao colégio dos cardeais, em 1059, a responsabilidade de eleger o papa — ato decisivo, ao qual o papado medieval deverá praticamente todo o seu poder e prestígio.

"Um branco manto de igrejas"

Nesta alvorada da Idade Média, que vimos já tingir tantos pontos do horizonte do ano mil, poderemos distinguir também alguns raios de luz no campo da cultura e da arte? A célebre frase de Barônio, nos seus *Anais Eclesiásticos*, afirma a respeito do século X que, "pela sua rudeza, esterilidade e carência de escritores, este século merece ser chamado, como é costume, o século das trevas". Mas será inteiramente exata essa afirmação?

É verdade que os últimos anos do século IX, e mais precisamente os que se seguiram à morte de Carlos, o Calvo, assistiram a um obscurecimento crescente; o impulso dado por Carlos Magno fora murchando pouco a pouco, e a inércia dos espíritos voltara a ser a regra geral. No terrível caos das invasões e das lutas fratricidas, os próprios instrumentos de cultura correram grande perigo, e as bibliotecas dos mosteiros, entregues às pilhagens e aos incêndios, haviam desaparecido em boa parte. A permuta de manuscritos, tão frequente e fecunda nos tempos carolíngios, cessara quase por completo, o que obrigava os pesquisadores a contentar-se com fontes locais. Por outro lado, a evolução dos costumes tendia a tornar a cultura — já de per si desprezível aos olhos dos barões e dos militares — apanágio e especialidade do clero, o que não estimulava os jovens a enveredar pelo estudo. O surpreendente não é que, nessas condições, o século X tenha sido um tempo obscuro, mas sim que não tenha sido ainda mais obscuro, e que tenham podido subsistir ilhas de verdadeira cultura, de pensamento não utilitário e de arte. O cunho que a renascença carolíngia imprimira ao Ocidente tinha sido tão profundo que duzentos e cinquenta anos de barbárie não o puderam apagar.

Os centros de formação intelectual não desapareceram todos. Subsistiram sobretudo as escolas monásticas, onde jovens da nobreza e jovens da plebe se acotovelavam numa igualdade verdadeiramente cristã, bem como as escolas catedrais, que, por volta do ano mil, à medida que a civilização urbana ia adquirindo maior importância, começaram até a suplantar aqueles outros centros de ensino. A teoria e a prática do latim continuavam a ocupar um lugar de destaque, não só por causa da liturgia, mas, como escrevia um arcebispo inglês, "porque esta língua é indispensável a quem quiser completar a sua educação e a todo aquele que aspire a uma posição de destaque". Eram um latim muitas vezes medíocre e um ensino frequentemente pobre, e as disciplinas que constituíam o *quadrivium* deviam ser bastante negligenciadas, mas de lá saíram homens de excelente cultura e até verdadeiros sábios, como Gerberto, o futuro papa Silvestre II. Fleury-sur-Loire, Auxerre, Saint-Gall, Ramsay na Inglaterra, Pavia e Ravena eram as Oxford e as Sorbonne da época, e as desgraças dos tempos jamais aniquilaram nesses redutos os labores do espírito.

Assim, embora pouco numerosos e muito ameaçados, os centros intelectuais da época obscura não deixaram de subsistir e de preparar o futuro. Os conventos, que no século IX se haviam empenhado tão fervorosamente em copiar os manuscritos e em traduzir as grandes obras latinas, continuaram, nestes tempos ainda mais hostis, o mesmo esforço a que tanto devemos. Na França, Saint-Germain-des-Prés, a abadia tantas vezes visada pelos normandos, salvaguardava o gosto pelo humanismo e pela poesia. Em Corbia, copiava-se afanosamente. Na Lorena, região intermédia para a qual confluíam muitas influências, Prüm, Toul e Gorze aliavam elementos germânicos aos da França ocidental, e foi lá que nasceu o antepassado latino do célebre *Roman de Renart*.

A Alemanha e a Lotaríngia, menos devastadas que o resto do mundo, possuíam dois centros que faziam empalidecer todos os demais — Corvey (a Nova Corbia) e Saint-Gall, cuja biblioteca e cujo *scriptorium* eram célebres por toda parte. Ambos esses mosteiros chegaram a chamar monges gregos para que copiassem os manuscritos da sua língua. Em Corvey, cultivava-se a história e a poesia; foi lá que Widukind escreveu a sua *Crônica dos saxões*, e que a poetisa Rotswitha de Gandersheim evocou em verso as gestas dos mártires e a vida do imperador Otão, se é que não redigiu algumas comédias ao estilo do poeta latino Terêncio, comédias a que não faltava espírito.

Subsistia, portanto, uma atividade real, que será levada avante ao longo de todo o século X, e ainda há de aumentar pouco depois do ano mil, quando as circunstâncias se tornarem um pouco melhores, preparando-se assim a expansão já próxima. Esta época não foi, portanto, tão "estéril" como dizia Barônio. É certo que a produção teológica foi pobre, e mesmo as personalidades que adquiriram notoriedade neste domínio, como Odão de Cluny e Rathier de Liège, nos parecem simples comentadores e compiladores, inferiores em ciência a um Alcuíno ou a um Rábano Mauro. Apenas um — Berengário de Tours — nos parece mais avançado no tempo, pois pressente o papel da razão a serviço da fé, mas logo se desviará para a heresia. Os trabalhos jurídicos não são mais originais nesta virada do ano mil, e um Burchard de Worms também não ultrapassa o nível de compilador. Apesar de todos os seus defeitos, é talvez entre os historiadores e os cronistas que vamos encontrar maior riqueza de nomes: o ríspido Liutprando, o ingênuo e saboroso Raoul Glaber, Guibert de Nogent, Ademar de Chabannes, Adalberão, Helgaud e Widukind o Saxão. Mas, em circunstâncias semelhantes às que eles enfrentaram, as obras deixadas pelos homens contam menos que o seu testemunho, e é animador verificar que, apesar de tudo, foi dado um testemunho de permanência e de fidelidade[19].

É o mesmo testemunho que nos é dado — e de forma bem mais categórica — pela arte deste tempo, que já não se preocupa apenas de manter vivos alguns elementos do passado, mas de pressentir, descobrir e começar a realizar o que amanhã se completará. Há aqui um paradoxo histórico que devemos sublinhar: nos piores momentos deste século X e dos começos do século XI, quando a civilização se debate com as piores ameaças, há artistas desconhecidos que trabalham, criam e inventam. Mais do que em qualquer outro domínio, há aqui um milagre da alma humana exaltada pela fé.

Esta impressão de febre criadora reflete-se na famosa passagem de Glaber em que o cronista borgonhês nos assegura que, pouco depois do ano mil, o Ocidente cristão multiplicou as construções religiosas: "Dir-se-ia que o mundo se sacudia para despojar-se da sua vetustez e se revestia por toda parte de um branco manto de igrejas". Não devemos concluir desta frase que o ano mil tenha marcado uma reviravolta na história da arte religiosa, pois construiu-se tanto nos últimos anos do século X como nos primeiros do seguinte. Mas esta bela fórmula corresponde maravilhosamente à impressão que se experimenta ao considerar a arte deste tempo — gestação, pressentimento do amanhecer, pesquisas tateantes e ousadas, todas estas expressões são verdadeiras para definir um esforço tão impregnado de promessas.

E como nos comovem, quando as vemos, essas igrejas do ano mil! Restam-nos ainda muitos espécimes, geralmente em lugarejos perdidos dos campos do Ocidente, onde mais tarde não houve dinheiro suficiente para destruir e construir de novo: desde São Martinho d'Aime, de Saorge ou de Vallouise nos Alpes franceses, desde San Giovanni dei Campi ou de Santa Maria del Sasso no Piemonte, até essas estranhas naves catalãs em que sobrevive, nítida, a influência moçárabe, ou até essas surpreendentes realizações de Bernay, de Saint-Vorles em Châtillon ou da antiga igreja de São Remígio de Reims. São numerosas essas igrejas anunciadoras, nenhuma das quais deixa de representar visivelmente um esforço refletido, uma tentativa cheia de audácia e de sabedoria. É agora que a *primeira arte românica* se desprende da sua crisálida carolíngia. No dobrar do ano mil, São Filiberto de Tournus erige as suas formas poderosas e quase perfeitas; amanhã será Saint-Gilles do Ródano, e depois de amanhã ver-se-ão florescer Santo Estêvão de Caen, Saint-Sernin de Toulouse e Nossa Senhora a Grande em Poitiers.

Falávamos de uma "crisálida carolíngia", e é um fato que os monumentos da idade imperial, mais ou menos destruídos, mais ou menos bem restaurados, servem sempre de modelo. Mas a transformação da velha basílica, tal como se costumava construí-la no decorrer do século IX, o alongamento do seu corpo central, a adição do transepto, a ereção das torres e dos campanários que agora emolduram o pátio central à moda do Oriente, a generalização do deambulatório que permite ir comodamente visitar as relíquias, tudo isso suscita problemas que é preciso resolver custe o que custar. Podemos seguir o tatear dos arquitetos à busca de soluções de uma igreja para outra. Consideremos, por exemplo, a coluna, elemento arquitetônico originado nos templos pagãos da Antiguidade e que permaneceu inalterado ao longo dos séculos. Como já não era suficientemente sólida para os vastos edifícios que agora se construíam, destinados a abrigar multidões cada vez maiores, passou-se a substituí-la por pilares de secção quadrada, ao invés de pedra talhada em cilindros, como sempre se usara. Mas a inovação pareceu excessivamente audaciosa, de forma que, por um longo tempo, se alternaram as duas soluções. Por fim, descobriu-se o pilar composto, semelhante a um feixe de colunas, e será esta a solução adotada pelos arquitetos.

O plano em cruz "latina", que já nos é familiar, impõe-se definitivamente. Os numerosos peregrinos que voltam de Jerusalém trazem do Santo Sepulcro a imagem da rotunda coberta por uma cúpula, que já havia sido descoberta nos tempos merovíngios e fora muito apreciada em tempos de Carlos Magno; renova-se em consequência a sua popularidade para igrejas de pequenas dimensões, como Charroux, Neuvy do Santo Sepulcro e principalmente — excetuando-se a dimensão — Saint-Bénigne de Dijon. Também o plano habitual retangular complica-se à medida que vai sendo necessário alongá-lo, pois a nave central, agora insuficiente, é flanqueada por outras laterais, e ao mesmo tempo o coro passa a ser cercado pelo deambulatório. Em cada cruzamento do transepto começam a aparecer absidíolas orientadas no sentido da abside principal. Quando os monges de Cluny assumem as grandes obras da construção religiosa, é esse o plano que vão impor a todo o Ocidente.

Mas o agrandamento das formas suscita um novo problema: o da cobertura. Começa assim uma batalha apaixonante cujos episódios se desenrolarão ao longo de toda a Idade Média — a história da luta travada pelo arquiteto para se libertar da servidão do peso e das pressões, para poder alargar ao máximo a nave e fazer o edifício subir cada vez mais alto. Enquanto a igreja era relativamente estreita, as vigas tradicionais mostravam-se suficientes, e era costume usar-se um vigamento aparente, mais ou menos ornamentado. Mas a nave alargou-se, e foi necessário recorrer à solução da abóbada que já se tinha empregado quatro séculos antes, importada da antiga Roma e do Oriente. A grande diferença é que aqueles construtores a aplicavam em edifícios de dimensões modestas, ao passo que agora é a naves gigantescas que se vão dar por cobertura pedras trabalhadas. Quantos esforços, quantas tentativas e quantos cálculos serão ainda necessários para talhar e ajustar com exatidão as pedras, e mais ainda para evitar que a pressão exercida pelo seu peso faça desaprumar as paredes, como tantas vezes sucedeu no princípio! Foi a esta pesquisa que se devotaram os homens do "século das trevas", com uma fé e uma inteligência admiráveis. Diante das primeiras igrejas pré-românicas, pesadas, com abóbadas rústicas e paredes muito grossas, não será justo prestarmos a nossa homenagem a esses precursores dos grandes mestres-de-obra góticos? Estes nada teriam podido fazer sem o esforço obscuro daqueles.

Estas igrejas do século X estão ainda longe, evidentemente, de ter a faustosa ornamentação do românico e, por maioria de razão, do gótico. A sua beleza reside na sua nudez. Houve algumas tímidas tentativas de recorrer à decoração, como aconteceu, por volta de 1020 com Saint-Genis-des-Fontaines, pequena igreja do Roussillon cuja porta está ornada com um Cristo em Majestade, emoldurado de anjos e de personagens, e cercado a toda a volta por um belo entrançado de folhagens. Os únicos pontos em que os arquitetos se permitem alguma fantasia costumam ser os capitéis, mas mesmo assim trata-se de uma fantasia ainda muito prudente: plantas e animais estilizados, ornamentos geométricos ao estilo bizantino; por vezes, sobretudo na Alemanha, adota-se uma forma de base cúbica, que permite uma grafia mais fácil. Seja como for, está-se longe dessas belas páginas bíblicas que haveremos de ver nos capitéis de Saint Benoît e de Vézelay.

Mais arcaica que a arquitetura, mas audaciosa, a escultura mantém-se fiel às suas tradições, aos seus modelos talhados em marfim. Há apenas uma exceção importante: as portas de bronze de Hildesheim, que um bispo empreendedor mandou vir de Constantinopla; os seus painéis lembram os da coluna trajana, em Roma, e anunciam simultaneamente os de todas as portas análogas da época românica, que os imitarão.

Se a escultura é ainda medíocre, se o mosaico foi abandonado, a pintura experimenta um grande desenvolvimento. Temos a pintura em vidro, os vitrais, a propósito dos quais Adalberão diz sugestivamente que na catedral de Reims, reconstruída em 980, "as janelas contavam toda a espécie de histórias", e bem assim as pinturas sobre massa corrida, os afrescos, que por vezes se reencontram debaixo de uns borrões de épocas posteriores, e que anunciam os esplendores de Saint-Savin, de Saint-Clef e de Rocamadour. Já representam verdadeiras "bíblias em imagens", ensinando aos fiéis os episódios da história sagrada; em Reichenau, na célebre abadia, encontrou-se o mais prestigioso desses conjuntos, irmão gêmeo muito ampliado dos mesmos conjuntos que, por volta da mesma época, os monges copistas criavam em miniaturas nos seus manuscritos.

Igualmente a arte do manuscrito continua viva, apesar dos obstáculos que lhe são impostos pelas desgraças do tempo. Reichenau é célebre como oficina de transcrição, bem como Saint-Gall, Fleury-sur-Loire e outras. Na Irlanda, continuam a desenhar-se entrelaçamentos e ornatos caligráficos especialmente maravilhosos. Papas, bispos e reis fazem as suas encomendas, e esses livros iluminados valem fortunas. Em São Maximiano de Tréveris, o bispo Egberto chega a fundar uma escola de especialistas para trabalhos deste tipo, e a sua obra-prima, um *Evangeliário*, tem o nome de

Codex Egberti. Mais sóbria de formas do que a carolíngia, menos "bizantina", a miniatura do "século das trevas" é já quase tão perfeita como a do tempo de São Luís e da rainha Ingeburga. É mais um ponto do horizonte em que o alvorecer permite vislumbrar os primeiros clarões.

A paz de Cristo

Há outro setor do horizonte do ano mil em que desponta a aurora, ainda muito pálida e pouco luminosa, mas cheia de promessas; e é justamente o ponto em que podia parecer que a noite era mais opaca: o dos costumes. É aqui que melhor se observa a tenacidade da Igreja e a sua fidelidade à mensagem de Cristo.

No mundo desumano do feudalismo nascente, onde — como dizia um pregador — "os homens têm garras e vivem com as feras", só ela estava em condições de lembrar aos homens a existência de princípios superiores. Apesar dos males internos com que se defrontava, lançou-se a essa tarefa sem jamais perder a coragem, apesar da mediocridade dos resultados iniciais. O grave problema em que se debatia a Europa ocidental desde a decomposição do império carolíngio[20] só começaria a resolver-se no bom sentido a partir do ano mil; a despeito das aparências, a Igreja não deixaria que os elementos civilizadores de que era a guardiã se dissolvessem no meio da barbárie feudal.

Começou por lembrar incansavelmente os princípios evangélicos. Podemos tomar ao acaso os cânones de qualquer concílio realizado entre 900 e 1050, e ali leremos fórmulas admiráveis que fazem ressoar o mais puro som cristão. Eram apenas vozes isoladas clamando no deserto? De forma alguma. Quando um bispo ou um monge dizia e voltava a dizer a um príncipe que o seu único dever era "não deixar subsistir no seu reino nenhuma iniquidade", o seu interlocutor admitia perfeitamente que ele tinha razão, mesmo que na prática acabasse por agir de forma totalmente diferente. Há uma frase profunda de Hugo Capeto que bem merece ser citada: "A sublimidade da nossa piedade não tem verdadeiramente razão de ser, se não fizermos justiça a todos e por todos os meios". Foram inumeráveis os grandes senhores feudais que disseram e pensaram o mesmo; e era muito importante que, mesmo violados *de facto*, os princípios da caridade e da justiça fossem admitidos por todos como superiores *de iure*.

A Igreja não se limitou, porém, a este apelo platônico, mas procurou agir por todos os meios ao seu alcance. O homicídio, essa praga do tempo — a vida humana contava tão pouco! —, foi encarniçadamente perseguido por ela, e não houve nenhum concílio que deixasse de condenar e de impor as mais severas penitências aos criminosos. Mas não bastava castigar os culpados: era preciso prevenir os crimes. E a Igreja compreendeu que dispunha de um meio muito eficaz de influenciar neste sentido umas almas que, embora rudes, se conservavam religiosas. Ela era a guardiã dos juramentos; era ela quem lhes emprestava o caráter solene, sobretudo àqueles que os guerreiros prestavam ao seu suserano; ela mesma lembrava muitas vezes aos vassalos que esses compromissos deviam ser considerados sagrados. Não poderia então servir-se do mesmo método para impor a obediência aos seus princípios?

Daí nasceram, no decorrer do século X, essas belas instituições que fariam a grandeza da Idade Média: a *paz de Deus* e a *trégua de Deus*[21]. É comovente verificar que a Igreja teve em vista em primeiro lugar proteger os fracos, os pequenos, aqueles que não podiam defender-se a si mesmos das manifestações da força bruta. Talvez a *Ecclesia Mater* nunca se tenha mostrado tão maternal como nesta época.

A cruzada pela paz partiu sobretudo do concílio de *Charroux* em Poitou, realizado em 1 de junho de 989, e seguido um ano depois pelo de Puy-en-Velay. Em termos magníficos, expressou-se nessas assembleias a maior indignação contra os excessos da violência, e a soldadesca que roubasse ou destruísse os bens dos pobres foi assimilada aos sacrílegos. Dentro em pouco, e quase por toda parte, a Igreja estabelecia tratados de paz que os senhores feudais se comprometiam a observar mediante um juramento solene, e foi em *Verdun-sur-Saône* que pela primeira vez se exigiu esse juramento. Deve ter havido resistências; diversos nobres esquivaram-se, e houve bispos, como Geraldo de Cambrai (1013-1050), servidor excessivamente devotado aos príncipes, que se recusaram a exigi-lo porque não queriam — diziam eles — ser obrigados a excomungar tantos barões... Este esforço pacificador, no meio de uma sociedade que destilava naturalmente a guerra, era talvez um belo sonho, possivelmente uma doce loucura, e certamente um paradoxo. Mas era a esperança cristã que abria o caminho na direção certa, e que pouco a pouco haveria de impor o seu ideal.

No grande movimento a favor da paz, é preciso distinguir entre a *paz de Deus* e a *trégua de Deus*. A primeira visava expressamente proteger os sacerdotes e os pobres, bem como os seus bens, ou seja, limitar os estragos do poderio militar desenfreado. O texto do juramento de Verdun-sur-Saône, muito preciso e divertido nos seus detalhes, indica-o claramente. O ascendente dos bispos reunidos devia ser tão grande que a maioria dos barões presentes acabaria por prontificar-se a prestar o juramento de paz, e de fato muitos o fizeram. Previram-se sanções contra aqueles que o violassem, ao ponto de ameaçar com o interdito toda a região em que se violasse o pacto: não haveria Missa pública, nem batismos, nem casamentos, nem enterros, nem toque de sinos; era a vida ferida de morte...

Este movimento pela paz partiu da Auvergne e do Poitou, e foi-se estendendo pouco a pouco por toda a França, sendo acolhido por toda parte com um grande entusiasmo popular, como era de esperar. Assim o diz Glaber: "Os que assistiam ao concílio gritavam de alegria; os bispos levantavam ao céu os seus báculos, e todos estendiam as suas mãos para o Senhor e gritavam: 'Paz, paz, paz!', em sinal da eterna aliança que acabava de ser contratada com Deus!" E, como o maravilhoso florescia livremente nesta época, um bom bispo chegou a afirmar que caíra do céu uma carta na qual se recomendava aos homens que observassem o pacto de paz...

Por volta de meados do século XI, o movimento ultrapassou o Reno, os Alpes e os Pireneus, e a realeza começou a favorecê-lo por toda parte, compreendendo que essa invenção do episcopado lhe seria muito útil na tarefa de sofrear o feudalismo anarquizante. Roberto, o Piedoso quis dar força de lei na França às decisões conciliares, o que não é nada estranho, pois esse soberano sonhava com uma paz universal e chegou a falar muito seriamente a esse respeito com o imperador germânico Henrique II, quando o encontrou no concílio de Ivois em 1021. Em 1043, o imperador Henrique III promulgou "um dia de indulgências", isto é, uma anistia, comprometendo-se a desistir de vingar as injúrias, e convidou todos os príncipes a fazerem o mesmo. Tais tendências do pensamento mostravam com clareza que nem tudo estava irremediavelmente perdido nesta idade de trevas: por um lado, a guerra perpétua, o sangue que se derramava com tanta facilidade, os horrores das invasões e das epidemias de fome; e, por outro, semelhantes surtos de generosidade. Subsistia a esperança de um futuro melhor.

A segunda etapa para a concretização deste ideal foi transposta com a trégua de Deus, a *treuga Dei*. A intenção era diferente. Se a paz de Deus só tinha por fim afastar os sofrimentos da guerra daqueles que não podiam defender-se, a trégua de Deus proibia a própria guerra durante alguns períodos. A ideia foi lançada pela primeira vez, em 990, pelo papa *João XV* (988-996), por ocasião do conflito entre o duque da Normandia e o rei da Inglaterra; não chegou, porém, a ter êxito. Em 1017, em Elne, cidade episcopal próxima de Perpignan, um sínodo decidiu proibir qualquer operação militar "desde a nona hora do sábado até à primeira da segunda-feira". Pioneiro e nobre esforço! Vinte e quatro anos mais tarde, quando a grande fome de 1041 deixou aterradas as almas, o concílio de Nice foi mais longe e ordenou tréguas absolutas desde a noite da quarta-feira até à manhã da segunda. Os bons bispos que tomaram esta decisão não deixaram de explicar por que esses quatro dias da semana deviam ser de paz: a quinta-feira, por causa da Ascensão do Senhor aos céus; a sexta, por causa da sua Paixão; o sábado, em memória do seu sepultamento; e o domingo, para celebrar a Ressurreição. Com um pouco de esforço, quem sabe se não conseguiriam assim fixar celebrações para a semana inteira...

Mas o exemplo foi seguido. Em certas dioceses, a trégua estendeu-se a duas grandes partes do ciclo litúrgico — o Advento e a Quaresma; noutras, ia desde as Rogações até à oitava de Pentecostes. Diversas festas da Virgem e as vigílias das Quatro Têmporas deviam também ser celebradas com a paz. Em 1054, o concílio de Narbonne codificou toda esta regulamentação. E enquanto a trégua de Deus se espalhava pelo norte da França, depois pela Alemanha renana, e ultrapassava o canal da Mancha e os Alpes e era aceita na Espanha, o papado chamou a si a iniciativa a fim de associá-la a uma nova intenção.

Na prática, quais foram os resultados destas belas exortações? Na aparência, medíocres. A ameaça de excomunhão não bastou para impedir os excessos da brutalidade, e o século XI ainda findará banhado em sangue e violência; o cronista Lambert de Waterloo conta, por exemplo, que dez irmãos do seu pai foram mortos no mesmo dia, numa guerra privada contra um senhor vizinho, e não se tratou de um caso isolado! Lutar pela paz e pela fraternidade nunca foi nem será tarefa fácil. Por vezes, chegou mesmo a acontecer que esses esforços davam um resultado contrário àquele que se esperava; assim, o arcebispo de Bourges, Aimon, instituiu em 1038 uma "milícia da paz", formada por voluntários que deviam punir os senhores que violassem a trégua de Deus, e que efetivamente, ao que parece, castigou grande número deles; mas, passado algum tempo, esta piedosa milícia pôs-se a imitar os que pretendia atacar, entregando-se também a todo o tipo de depredações, pelo que, segundo lemos nos *Milagres de São Bento*, Deus os castigou: foram dizimados por um senhor feudal que estava mais bem armado. Por mais fracos e insuficientes que nos possam parecer esses resultados, a criação de tais instituições pacíficas era, no entanto, importante: que sulco não abririam nas almas todas essas boas intenções!

Os chefes mais lúcidos da Igreja começavam, porém, a compreender que talvez não fosse possível jugular por inteiro a violência feudal, e que seria mais oportuno fazê-la derivar para outro objetivo. No concílio de Narbonne de 1054, ouviu-se esta bela afirmação: "Um cristão que mata outro cristão derrama o sangue de Cristo". Outro cristão... mas, e se fosse um infiel? A conclusão impunha-se *de per si*. Já o papa João VIII tivera a intuição de que a cristandade devia alcançar a unidade pela luta contra o infiel. Assim, quando chamar a si as instituições da "paz", o papado dar-lhes-á uma nova intenção, e do salteador feudal fará um cruzado. O famoso discurso de Urbano II em Clermont, conclamando o povo para a cruzada, mostrará formalmente esta associação dos dois aspectos. A guerra aos muçulmanos servirá de válvula de escape à violência dos barões.

Há ainda outro aspecto no qual se manifesta a influência da Igreja sobre os costumes: através dela, ofereciam-se a homens de condição inferior os meios de terem acesso à elite. Adalberão, arcebispo de Reims, dizia admiravelmente no seu *Poema satírico:* "A lei divina não admite nenhuma distinção de natureza entre os ministros da Igreja. A todos ela torna de condição igual, por mais desiguais que os tenham feito a estirpe e o nascimento; aos seus olhos, o filho do artífice não é inferior ao herdeiro do monarca". E não se trata de simples afirmações teóricas; nas cadeiras episcopais ou abaciais, ou mesmo no trono de São Pedro, tanto se assentam príncipes como filhos do povo. São Pedro Damião, na sua juventude, foi guardador de porcos, e Gerberto, o papa Silvestre II, pastoreou carneiros. A Igreja contribuiu assim para que todos os que não podiam ascender à nobreza pelo valor das armas tivessem oportunidade de subir na escala social, favorecendo também desse modo a renovação das camadas superiores.

A mesma concepção da igualdade cristã perante Deus a levou também a lutar pela classe mais deserdada: a dos *servos da gleba*. Não há dúvida de que a servidão já não era a antiga escravidão, pois a evolução iniciada no século V estava já concluída. O escravo era tratado como uma coisa, ao passo que o servo era um homem; possuía família, lar e bens. Estava "ligado à terra", mas em contrapartida esta não lhe podia ser tirada. Havia, no entanto, certas restrições muito graves à sua liberdade, como principalmente a da interdição do *formariage*, isto é, do casamento fora do feudo do seu senhor. A Igreja lutou vigorosamente contra esta regulamentação, que atentava contra as liberdades familiares; numerosos concílios e sínodos trataram do assunto, e no decorrer do século X estabeleceu-se a praxe de autorizar o *formariage* mediante o pagamento de uma indenização por parte do servo que, casando-se noutro feudo, "reduzia" os bens do seu senhor.

A Igreja foi muito mais longe nesta via igualitária; reclamou para os servos a mesma liberdade de que usufruíam os outros camponeses. Já no decurso do século IX personalidades religiosas recomendavam aos proprietários leigos que libertassem os seus servos; durante o século X, decresceu a servidão, e começou a esboçar-se o movimento de libertação que viria a ser decisivo no século XII[22]. Pregando com o exemplo, houve por volta do ano mil diversos mosteiros, principalmente as grandes abadias normandas Saint-Wandrille e Jumièges, que libertaram em massa os seus servos. Preparava-se uma profunda transformação social, que virá a ser fato consumado no período clássico da Idade Média.

Cluny e a reforma monástica

Em plena "noite" do século X, a Igreja soube portanto mostrar-se fiel de muitas maneiras à missão que assumira depois das invasões. Mas teria esse esforço sido possível se ela própria se tivesse deixado contaminar no seu íntimo pelas influências do mundo, se a alma cristã, no que tinha de mais vivo, não se tivesse oposto ao processo de decadência do qual vimos tantos sintomas penosos? Levanta-se, pois, nesta época, o mesmo problema que já tinha surgido nos séculos VI e VII[23]; assim como a Igreja tivera então que reagir para não se deixar contaminar pelo mundo bárbaro que devia evangelizar, da mesma forma teve agora de lutar contra a pressão exercida sobre ela pela anarquia feudal.

No século VI, o instrumento dessa resistência havia sido o *concílio*, a assembleia dos bispos que se elevava acima dos interesses e das paixões particulares para traçar a direito os caminhos do Senhor. No século X, esse instrumento será o *mosteiro*, onde sobrevive o que há de mais fecundo e vigoroso no campo do espírito. É o ascetismo dos monges que vai libertar a Igreja dos seus perigos, e ao mesmo tempo salvaguardar dois dos elementos essenciais de toda a civilização: o sentido do universal, em vias de apagar-se do quadro político por entre os inumeráveis tabiques divisórios, e o sentido da pessoa humana, que a organização social tendia a asfixiar.

Mas, para isso, era necessário que a própria instituição monástica renovasse a sua pele, pois também nela se observavam os graves sintomas de decadência que já mencionamos. Dominadas pelas influências mais tristemente laicas, expostas à violência dos guerreiros, contaminadas em maior ou menor proporção pelos dois males do tempo — o nicolaísmo e a simonia —, quantas comunidades não tinham deixado de encarnar o ideal da santidade! A restauração da disciplina sob a influência de São Bento de Aniana não sobrevivera ao desmoronamento da ordem carolíngia. Mais uma vez se manifestava a grande lei que rege a consciência cristã, tanto a das instituições como a dos indivíduos: o progresso espiritual nunca pode ser adquirido de uma vez por todas; é preciso lutar sem descanso contra os ardis do demônio e contra as fraquezas de um coração que facilmente se torna seu cúmplice; é preciso *reformar-se* incessantemente. Como o fizera no tempo de São Columbano e de São Bonifácio, a Igreja do século X voltou a compreendê-lo.

O movimento de reforma monástica partiu da Lotaríngia em 914, onde um jovem nobre ávido de Deus, *Gerardo*, construiu na terra de Brogne, perto de Namur (Bélgica), uma abadia que submeteu à Regra de São Bento. A sua iniciativa, apoiada pelos condes da Lorena e de Flandres, repercutiu por todo o país belga, e chegou mesmo à Normandia, onde um dos seus discípulos reformou Saint-Wandrille, Mont-Saint-Michel e Saint-Ouen de Rouen. Surgiu a seguir um êmulo de Gerardo, *João de Gorze*, que, depois de uma visita a Monte Cassino, decidiu seguir à letra os preceitos do patriarca dos monges, o que levou à reforma de muitos mosteiros nas dioceses de Metz, Toul, Liège e Tréveris.

O impulso estava dado. O ideal da existência monástica perfeita sacudiu as almas num grande terremoto: vivia-se, lutava-se, empenhava-se a vida por esse ideal, e houve até quem estivesse disposto a morrer por ele, como Erluin, abade de Gembloux, arrancado certa noite ao seu convento por uns monges antirreformistas que o moeram a pancadas, lhe vazaram os olhos e lhe cortaram metade da língua. Apoiado por numerosos bispos, um dos quais muito notável — Bruno de Colônia, irmão do imperador Otão I —, o movimento alastrou-se por toda a região intermédia entre a França e a Alemanha, numa renovação incessante de boas vontades e de influências mútuas. Por volta do ano 1000, recebeu novo impulso por ação de *Ricardo*, abade de Saint-Vanne em Verdun, e depois do seu discípulo *Poppon*, abade de Stavelot. Eram esforços magníficos e admiráveis testemunhos de santidade, mas faltava-lhes ainda, para serem verdadeiramente eficazes, uma unidade que os reunisse num só feixe. Essa concentração, essa organização da vontade reformadora, foi a obra do mosteiro de *Cluny*.

O viajante que hoje, afastando-se um pouco da estrada que liga Paris a Lyon, for visitar o pequeno burgo da Borgonha que ainda ostenta esse grande nome, não poderá deixar de entristecer-se se tiver o sentido da fidelidade. É verdade que algumas recordações do esplendor passado ainda permanecem de pé, como o palácio do papa Gelásio, as igrejas de São Marcelo e de Notre-Dame, o palácio abacial e muitas casas românicas com o seu encanto velhusco. Falta, porém, o essencial: a gigantesca igreja que, séculos a fio, ergueu até ao céu a glória de Cluny nas flechas dos seus sete campanários. Um ato de vandalismo inigualado mandou demolir, na França de 1798 a 1812, esta obra-prima da arte românica. O mosteiro já não existe; dos seus jardins e construções, que cobriam um retângulo de 450 por 350 metros, restam apenas alguns edifícios secundários. Dos sete campanários, somente um se mantém de pé, o do cruzamento meridional do grande transepto, chamado "da água benta"; ladeado pela torre quadrada do Relógio, alteia-se tão nobre, tão impressionante com os seus trinta metros de altura, com a dupla fileira de arcadas da sua base octogonal, que quase basta por si só para evocar a antiga grandeza.

Foi uma grandeza que resultou de tantos trabalhos e de uma permanência tão firme na fidelidade, que sem sombra de dúvida é legítimo admirarmos na história desta construção uma intenção providencial. Quando Guilherme, o Piedoso, duque da Aquitânia, doou em 910 uma terra do seu feudo de Mâcon a *São Bernão*, abade de Baune, para que nela se instalasse com doze companheiros, não pensava certamente estar fazendo mais do que outros senhores feudais do seu tempo que, por amor de Deus e para a salvação da sua alma, faziam semelhantes fundações. Mas a sorte da nova abadia foi ter à sua frente, quase continuamente durante dois séculos, e cada um durante longo tempo, chefes que foram santos: *Santo Odão* (926-942), *São Maïeul* (954--994), *São Odilão* (994-1049) e *São Hugo* (1049-1109), todos de forma diferente, mas com um mesmo coração, devotados à grande ideia da reforma monástica — isto é, muito simplesmente, monges totalmente fiéis aos seus votos.

Beneficiando-se das circunstâncias, isto é, não estando ligado a nenhum poder político vacilante, mas dispondo ao mesmo tempo da grande possibilidade de recrutamento que a insegurança da época assegurava ao claustro, o movimento clunicense ia pôr-se à frente de todos os movimentos de reforma monástica, a ponto de quase chegar a absorvê-los na sua irradiação. Já Bernão, o fundador, tinha lembrado aos seus irmãos os princípios monásticos: oração, pobreza, silêncio. Odão, jovem nobre aquitano apaixonado pela causa da reforma, instalou-a definitivamente.

A renúncia, a castidade, a obediência, tal como São Bento as tinha ensinado, vivem-se agora à perfeição em Cluny. E Odão, esse grande monge, perfeito modelo do abade segundo a Regra, tal como o definira São Gregório Magno, discípulo de São Bento; esse chefe ao mesmo tempo maravilhosamente bom e sobrenaturalmente firme, enraiza-se na verdadeira tradição e reanima-a orientando toda a vida do convento para o *opus Dei*, a glória de Deus. Maïeul não teve senão de seguir as suas pisadas, o que fez talvez com mais encanto, matizando a austeridade com uma mansidão a que a sua boa figura e a sua eloquência davam um aspecto atraente. Depois, durante cinquenta e cinco anos, é Odilão quem governa a pesada barca, outro jovem nobre, de baixa estatura, nervoso, apaixonado, severo para consigo e afável para com os outros. "Se tenho de ser condenado —

dizia ele —, antes quero que seja por causa da minha mansidão do que por causa da minha severidade".

A vida em Cluny foi a vida beneditina total, a regra vivida em todas as suas exigências, mas também em toda a sua inteligente e humana simplicidade. O emprego do tempo estava minuciosamente regulado; as horas de oração e de trabalho eram estritamente determinadas, mas o trabalho manual ia perdendo importância em benefício do Ofício litúrgico. A alimentação consistia em legumes, algum derivado de farinha, um pouco de queijo e de peixe, mas nunca carne; havia vinho todos os dias. O silêncio era absoluto, e os monges tinham de comunicar-se uns com os outros por meio de sinais. A regra da castidade era observada com um rigor que o mundo cristão da época estava longe de conhecer. Um pormenor mostrava — se assim o quisermos — o avanço dos monges de Cluny em relação aos do seu tempo: a extraordinária limpeza que se exigia dos noviços, razão pela qual Santo Odão mandara instalar lavabos e toalheiros no convento. Por último, a caridade ocupava também um posto de honra: todos os dias muitos pobres e viajantes se sentavam à mesa dos monges, e havia constantemente dezoito velhos que eram sustentados pelo convento e a quem se lavavam os pés diariamente.

Assim se constitui uma verdadeira milícia cristã, dotada de um caráter absolutamente novo. Escolhidos na maior parte desde a infância, entre os filhos dos camponeses que frequentavam a escola do mosteiro, submetidos à humildade e à obediência, habituados a desprezar o mundo, estes monges da tradição clunicense puderam ser comparados no seu tempo a "um imenso exército de soldados do Senhor, hierarquizado, que possuía na pessoa do abade de Cluny um chefe único e poderoso", um exército cujo espírito de grupo era levado pela fé a uma intensidade extraordinária:

individualmente, o monge de Cluny é nada, mas, coletivamente, tem a consciência de ser o arauto do Senhor. "Cluny é a nova força, pura e implacável, destinada a destruir os quadros apodrecidos da sociedade cristã e fazer reinar por toda parte a virtude e o temor de Deus, apesar de todos os bispos simoníacos e devassos"[24].

O prestígio de Cluny tornou-se imenso em breve tempo, e já Glaber não deixa de prestar-lhe a sua homenagem: "Este mosteiro, que não tem igual no mundo românico para a salvação da almas", é um lugar em que, graças ao grande número de monges, "se celebram missas sem interrupção desde o romper da aurora até à refeição do meio-dia", e onde a comunhão é tão abundante que todos os dias muitas almas são arrancadas ao poder do maligno. Também o seu exemplo se tornou contagioso: os monges de Cluny foram muitas vezes chamados por outros para reformarem conventos, ou então eram os leigos proprietários de abadias que, conquistados pela ideia da reforma, lá mandavam os célebres enviados borgonheses. Sem chegar a absorver a totalidade do mundo monástico, nem mesmo a totalidade dos beneditinos, a comunidade clunicense foi incluindo pouco a pouco na sua órbita um número crescente de casas. As cifras que se conhecem com maior precisão referem-se aproximadamente ao ano 1100, e revelam-nos o impulso que as precedeu: 1450 casas, povoadas por 10000 monges, dependem agora de Cluny, das quais 815 situadas na França, 109 na Alemanha, 23 na Espanha, 52 na Itália e 43 na Grã-Bretanha. Mais ou menos nessa data, não faltava razão para que se perguntasse a Roma se não conviria unificar toda a instituição monástica sob a bandeira de Cluny.

Este êxito — em boa parte obra dos santos abades do primeiro mosteiro — permitiu que se implantasse uma *organização centralizada* de um tipo absolutamente novo. Ao passo que anteriormente a reforma era esporádica, dependendo de influências pessoais, as abadias clunicenses procuravam estreitar os laços que as uniam entre si e à reforma. O princípio da organização é simples. Toda a congregação clunicense é considerada como constituindo um único mosteiro, e o abade de Cluny é o abade de todos, o abade geral. Os priores, isto é, os superiores das comunidades locais, são nomeados pelo abade, e as novas fundações são também chamadas priorados, não abadias, mesmo que reúnam um grande número de monges; procura-se, além disso, transformar em priorados as abadias anexadas. Na realidade, porém, esses princípios gerais eram matizados nos pormenores por uma certa variedade nos estatutos; assim, nos conventos que se incorporaram à reforma, umas vezes o abade é nomeado por Cluny, outras é eleito pelos monges sob a supervisão do abade geral. Depois, à medida que o movimento se alastra, certas abadias "filhas" criam outras comunidades, outros priorados, cujo superior são elas que nomeiam. Cada abadia é, assim, o centro de uma verdadeira constelação monástica, como aconteceu com Charité-sur-Loire, que não teve menos de cinquenta e dois priorados sob a sua dependência. Mas nem por isso o princípio deixa de ser absoluto: todos os abades e todos os priores devem dirigir-se a Cluny a fim de prestarem juramento, e pelo menos até o século XII é em Cluny que os monges de todos os conventos devem vir pronunciar os seus votos. O abade geral, sempre em viagem, inspeciona tudo, vela por tudo, contando com a ajuda do prior principal, do prior claustral, do camareiro, do celeireiro — hoje diríamos administrador —, e com a assistência do cabido conventual quotidiano, que é já um anúncio do que será mais tarde, no século XII e sobretudo no século XIII, o cabido geral. Constituiu-se, com efeito, um verdadeiro Estado dentro da Igreja.

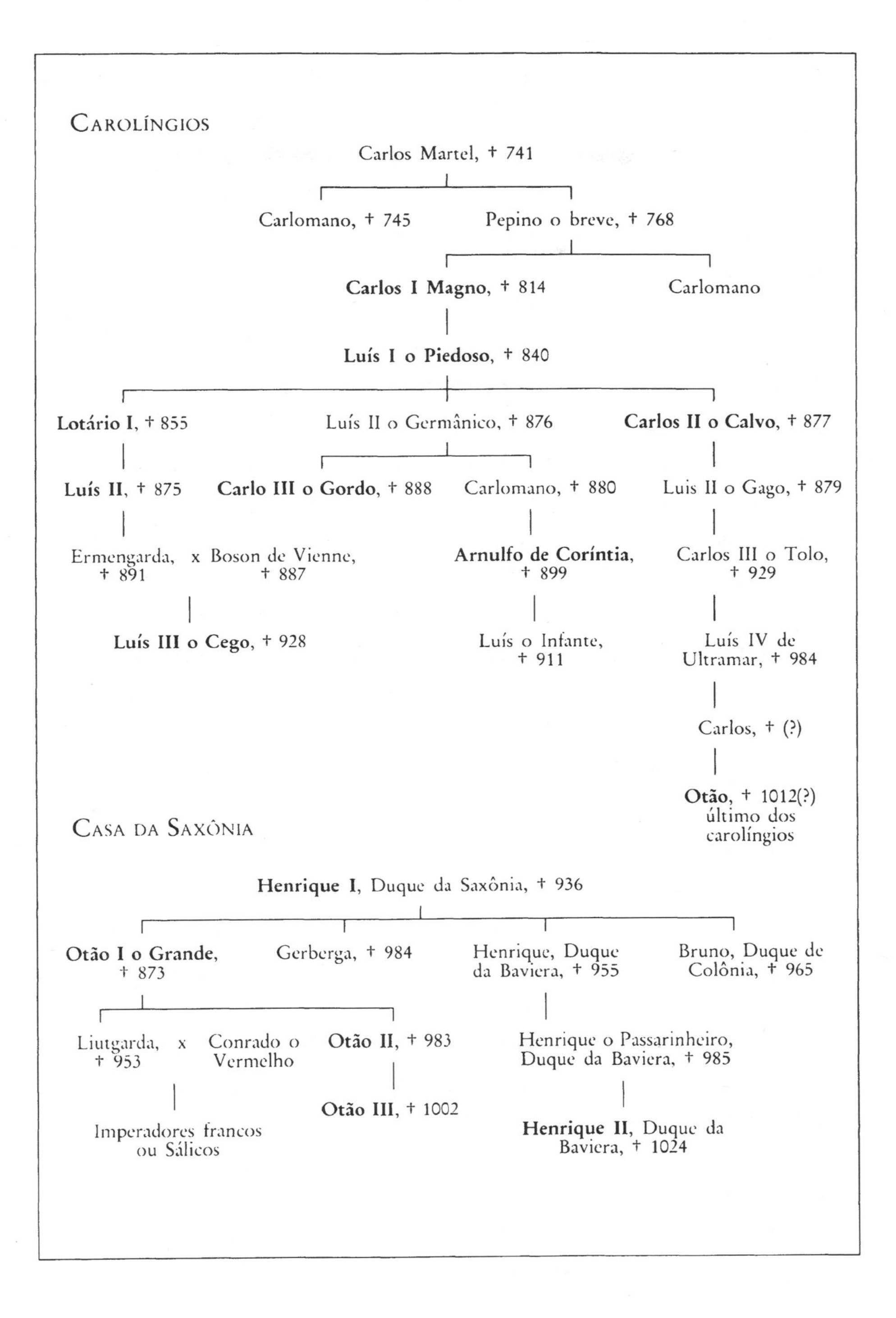

Carolíngios
Carlos Martel, † 741
Carlomano, † 745
Pepino o breve, † 768
Carlos I Magno, † 814
Carlomano
Luís I o Piedoso, † 840
Lotário I, † 855
Luís II o Germânico, † 876
Carlos II o Calvo, † 877
Luís II, † 875
Carlo III o Gordo, † 888
Carlomano, † 880
Luis II o Gago, † 879
Ermengarda, † 891
x
Boson de Vienne, † 887
Arnulfo de Coríntia, † 899
Carlos III o Tolo, † 929
Luís III o Cego, † 928
Luís o Infante, † 911
Luís IV de Ultramar, † 984
Carlos, † (?)
Otão, † 1012(?) último dos carolíngios
Casa da Saxônia
Henrique I, Duque da Saxônia, † 936
Otão I o Grande, † 873
Gerberga, † 984
Henrique, Duque da Baviera, † 955
Bruno, Duque de Colônia, † 965
Liutgarda, † 953
x
Conrado o Vermelho
Otão II, † 983
Henrique o Passarinheiro, Duque da Baviera, † 985
Otão III, † 1002
Imperadores francos ou Sálicos
Henrique II, Duque da Baviera, † 1024

Poderemos surpreender-nos se a prodigiosa irradiação de Cluny[25] e a aparição dessa força provocaram resistências? Cluny encontrou certamente grandes apoios na Igreja e no mundo leigo. O papado, que se apercebia dos perigos que ameaçavam a alma cristã — aliás, ele mesmo estava mergulhado por inteiro nesses perigos —, tratou de estimular os reformadores. Assim o fez Bento III, como já vimos, ou João XI, que escreveu a Santo Odão felicitando-o por ser ele o que era "num tempo em que quase todas as abadias são infiéis à sua regra". Assim fizeram também imperadores como Santo Henrique II, e reis como Roberto, o Piedoso, da França, grandes amigos dos monges de Cluny. Como um sucesso arrasta outro, as autoridades, um pouco por toda parte, começaram a olhar com respeito esses monges aureolados por uma reputação de santidade. Além disso, não estava Deus com eles, como o provavam os numerosos milagres que deles se contavam — multiplicação de peixes, travessia de rios a pé seco, transformação de água em vinho — e que tinham como protagonista principal Santo Odilão?

Mas o entusiasmo não era partilhado por todos: Cluny encontrou adversários. Diversas abadias, orgulhosas dos seus antigos títulos, declararam não ter necessidade alguma de reforma. Assim sucedeu com a ilustre Fleury — hoje Saint-Benoît-sur-Loire —, onde os monges sustentaram um cerco de três dias contra os inspetores clunicenses enviados pelo duque de Borgonha. O mesmo se verificou na abadia de Lobbes, em Flandres, onde os partidários da reforma quiseram eleger um abade clunicense, mas os religiosos teimaram em eleger um dos deles e apelaram para Roma. Tais incidentes não foram raros. Em alguns casos, como na abadia de Saint-Gilles, que dependia de Roma, foi necessária nada menos que a intervenção pessoal do papa para acalmar os ânimos.

A situação chegou a ser ainda mais tensa nas relações com "o ordinário", isto é, com os bispos. O primeiro cuidado das abadias reformadas foi, como é natural, conseguirem a *isenção*, esse privilégio que já muitas comunidades tinham obtido. Efetivamente, um pouco antes do ano mil, Gregório V estabeleceu: "Que nenhum bispo ou padre ouse ir ao venerável mosteiro de Cluny, para ordenação de padres ou diáconos, para consagração de uma igreja ou para a celebração de missas, sem ter sido convidado pelo abade", e especificou que o abade, eleito por consentimento unânime dos religiosos, seria sagrado por um prelado da sua própria escolha. Em 1016, Bento VIII declarava que Cluny "está livre de toda a sujeição diante dos reis, bispos e condes, e não está submetida senão a Deus, a São Pedro e ao papa"[26].

É perfeitamente humano que isso não fosse do agrado de todos os bispos, e assim as algazarras foram frequentes. Os próprios abades de Cluny tiveram de sustentar verdadeiras lutas épicas contra os condes de Mâcon, chegando-se às vias de fato a golpes de lança, sem falar das excomunhões. Em Clermont, os cônegos da catedral foram assolar com tropas de choque o priorado clunicense de Saint-Loup. Em Orleans, os bispos lutaram contra Fleury depois que este se tornou mosteiro da reforma. Como o prelado tivesse mandado ocupar como uma espécie de refém uma vinha da abadia, os religiosos reconquistaram-na mediante uma arma de guerra muito especial: levaram para lá duas caixas cheias de relíquias, à vista das quais as tropas do bispo fugiram desordenadamente... É evidente que, à questão da liberdade espiritual e canônica, se misturavam interesses de outra natureza. Estavam os monges "isentos" igualmente livres de pagar ao bispo os dízimos sobre as rendas da terra e dos outros bens? Em Limoges, desenrolou-se a esse propósito uma controvérsia bastante cômica: os monges clunicenses de Saint-Martial afirmavam que o seu santo padroeiro era um dos "setenta e dois" discípulos de Cristo, e que portanto nada tinham que pagar; por sua vez, o bispo, lançando mão de argumentos que a crítica moderna não desdenharia, tratou de demonstrar que aquele belo título apostólico era usurpado, para concluir que... os monges eram tão contribuintes como os outros fiéis.

Seja como for, apesar das resistências, o movimento estava lançado. A sua importância viria a ser enorme, porque pela primeira vez — e foi nisto que residiu a genialidade dos abades de Cluny — se atacou o verdadeiro perigo que ameaçava a Igreja: a sua contaminação pelo regime feudal. Quando eram os senhores ou os reis que mandavam reformar um mosteiro — como foi o caso, por exemplo, de Filipe I, que teve de reconduzir ao bom caminho os religiosos de Faremoutiers —, esses suseranos, por mais bem intencionados que fossem, acabavam por contribuir para a decadência da Igreja, pois intervinham no domínio espiritual. Admitida a legitimidade da sua interferência, nada se opunha a que interviessem tanto para bem quanto para mal; aliás, é o mesmo Filipe I quem impõe ao convento de Saint-Médard de Soissons ou a São Dinis uns abades ignóbeis. A verdadeira reforma tinha de partir da própria Igreja e levar-se a cabo por meio de uma ruptura entre ela e a sociedade feudal; os monges de Cluny aperceberam-se exatamente disso, e o que eles fizeram foi, nada mais nada menos, uma revolução.

O espírito da reforma conquista a Igreja

A situação do clero secular era igual à dos monges, pois a ameaça do declínio moral era igualmente grave diante dos estragos causados pelo nicolaísmo e pela simonia. Firmada nos seus bens de raiz e integrada nos quadros feudais, toda a Igreja parecia arriscada a ser absorvida pelo regime. A reforma, tanto nos bispados como nas paróquias, não era menos indispensável do que nos conventos, e é portanto no sentido de uma reforma geral que a Igreja vai orientar-se pouco a pouco.

Que papel representou Cluny neste esforço? Tem-se discutido muito a esse respeito. Do ponto de vista prático e imediato, a reforma — essa que em fins do século XI será conhecida como "reforma gregoriana" — não será obra dos monges, mas do papado. O espírito de Cluny não convidava a ordem a agir no século, mas isso não impediu que a influência dos beneditinos fosse considerável. Antes de mais nada, eles pregaram com o exemplo e, denunciando os vícios do tempo por vozes tão abalizadas como as de Santo Odão e de Abbon de Fleury, propuseram ao mundo um cristianismo vivido em toda a sua exigência, e praticado na castidade, na pobreza e na caridade.

Os conventos clunicenses foram verdadeiros oásis em que a alma podia refazer-se e expandir-se; à sua volta, o clima moral transformou-se. Foram também viveiros aos quais a Igreja não demorou a ir buscar chefes segundo o espírito de Cristo — bispos e mesmo papas; no dia em que os responsáveis pelo clero secular passaram a ser homens impregnados do espírito clunicense, a reforma passou a estar próxima do triunfo. Enfim, a conclusão que se impunha extrair da experiência de Cluny era a de que esta não teria sido possível sem uma revolução contra a ordem "estabelecida" havia séculos, fugindo à investidura laica, causa da simonia: a eleição livre dos abades tinha sido a salvação. *Mutatis mutandis*, a eleição livre dos bispos e a libertação do clero secular do domínio laical seriam, da mesma maneira, a salvação da Igreja. A ação dos clunicenses foi, portanto, não uma ação exterior, combativa e violenta, mas uma ação interior, silenciosa e profunda. Seria uma injustiça menosprezá-la.

É admirável verificar quantas almas desta época se sentiram inclinadas a prestar ouvidos ao comovente apelo dos monges de Cluny, quantos não foram iluminados em pleno "século das trevas" pela mesma chama do Senhor que ardia no coração de um Odão, de um Maïeul, de um Odilão!

Temos na Itália *São Romualdo*, esse jovem príncipe de Ravena que entra num convento para expiar um assassinato cometido por seu pai, e a quem o amor de Cristo lança numa experiência terrível e sublime. O que ele quer é opor a uma sociedade, cujas taras conhece muito bem, o exemplo do heroísmo cristão, do heroísmo dos primeiros tempos. Pouco lhe importa passar além da medida, e não o preocupam os conselhos de prudência dados pelo sábio do Monte Cassino. O seu ideal é o dos Padres do deserto, o de Santo Antão, o dos ascetas cujas proezas se tornaram lendárias. Ele mesmo dá o exemplo: as mais espantosas mortificações fazem as suas delícias; o seu cilício tem pontas de aço, e, na Quaresma, o seu jejum consiste em água engrossada com farinha e ervas silvestres. Quando volta dos seus retiros, com os cabelos hirsutos e a tez queimada, será um demente ou um santo? É um louco de Deus. Aponta mais alto que São Bento! Regressar ao eremitismo! Aqueles que o imitarem deverão viver em células isoladas, mas não longe de um mosteiro, onde farão o seu noviciado e encontrarão, de tempos a tempos, algum conforto espiritual. Isto nos faz pensar nas *lauras* do Oriente: aliás, não esteve o grego São Nilo também na Itália? E foi assim que em 982, nos Apeninos toscanos, nasceu o convento eremítico de Camaldoli, em que se multiplicou a congregação dos camaldulenses.

Alguns anos mais tarde, *São João Gualberto* formula de maneira um pouco diferente o mesmo protesto contra a decadência do tempo. Em Valombrosa, num lugar paradisíaco dos Apeninos, entre carvalhos e abetos, a comunidade que reuniu vive uma vida tão mortificada como a dos seus vizinhos camaldulenses, mas vive-a coletivamente. Reclusão absoluta, proibição formal de abandonar o mosteiro em vida, recusa de qualquer contato com o exterior, são precauções bem tomadas, que garantem a pobreza, a disciplina e a castidade. Que belas lições dão estes camaldulenses e valombrosianos ao alto clero simoníaco e aos clérigos fornicadores! A consciência cristã começa a estabelecer a comparação. No momento em que se elevar uma voz que diga em voz alta o que todos pensam baixinho, o movimento será irresistível.

E esse movimento esboça-se entre o povo. É obra da *pataria*. *Pataria*? É um termo depreciativo que, na Itália, designava os bufarinheiros, os vendedores ambulantes de ferro-velho, que em certas regiões da França ainda hoje se chamam *pattiers*; também em Milão continua haver a *Via dei pattari*. Era com este termo que os nobres designavam os lojistas e comerciantes, essa burguesia que eles viam enriquecer, mas que desprezavam olimpicamente. Ora, se a alta nobreza, aliada ao alto clero por mil laços de família e de interesses, se mostrava, como este, hostil à reforma, a *pataria* toma o partido contrário. Aclama Santo Arialdo, pobre pároco de uma aldeia próxima do lago de Como, que fustiga aos brados os bispos demasiado ricos e demasiado orgulhosos dos seus apetrechos de caça, bem como os bispos casados e os que negociam com as suas funções. Corre atrás de São Landulfo, esse filho da alta nobreza que se tornara inimigo da sua classe por amor de Cristo e em quem se anuncia o espírito de um Savonarola, e que não hesita em organizar verdadeiras expedições punitivas contra padres simoníacos ou cônegos libidinosos. O movimento popular torna-se tão violento que Roma acaba por emocionar-se e por atender a essas imperiosas reclamações. Mas a Itália não tem o monopólio da agitação; há também uma *pataria* na França, principalmente em Rouen, onde a catedral se torna centro de tumultos inacreditáveis. Há aí, certamente, reações detestáveis, mas significativas; a consciência dos cristãos exige que a sua Igreja seja digna de Cristo.

É então que aparece o homem que vai orientar definitivamente esse movimento ainda confuso: *São Pedro Damião* (1007-1072). Nascido em Ravena, oriundo de uma família pobre, duramente educado por um dos seus irmãos, entrou ainda jovem para o eremitério de Fonte Avellana, fundado por São Romualdo, onde se revelou um gigante da ascese, um recordista da maceração, que nos faz pensar nos heróis da *História lausíaca*. Jejuar cinco dos sete dias da semana era pouco! As delícias do monge deviam ser a flagelação, uma boa flagelação quotidiana, até o sangue espirrar, durante o tempo necessário para cantar quarenta salmos — e, na Quaresma, até sessenta! Em honra deste santo suplício, Damião escreveu um livro, e, como pregava com o exemplo, foram muitos os seus imitadores nas comunidades que dirigia. Um deles, São Domingos, chegará a entoar doze saltérios inteiros durante uma noite, flagelando-se sem cessar, e graças a esses exercícios a sua pele ficará tão curtida e retesada que lhe chamarão "o encouraçado"...

Tais proezas não provocariam certamente uma admiração sem mescla, mas calcula-se qual devia ser a atitude de um homem desses diante das ignomínias praticadas por certos prelados. O nicolaísmo e a fornicação dos clérigos eram coisas que São Pedro Damião denunciava com uma franqueza que torna irrisórias as mais violentas diatribes de um Tertuliano ou de um Hilário de Arles. É absolutamente impossível traduzir o seu livro *Liber gomorrhianus* nalguma linguagem suportável. As concubinas dos padres são arrastadas na lama pelo terrível pregador: "prostitutas, tigresas ímpias, harpias, criaturas de monturo..." são das expressões menos inconvenientes a saírem daquela santa boca. A simonia não encontra nele menos severidade, e aponta-a com casos precisos, especificamente identificados. Imagine-se com que ouvidos os pátaros, partidários da reforma, escutariam sermões deste gênero, ao ouvirem anatematizar assim os seus piores inimigos!

Por meio da sua correspondência e dos seus escritos, o arauto de Deus, infatigável, estende cada vez mais a sua influência. À imitação de Fonte Avellana, criam-se outras comunidades que são autênticos viveiros de ascetas. As coisas assumem tais proporções que o papado lança os olhos sobre o santo. Utiliza-o primeiro como legado para arbitrar diversos assuntos relativos à reforma, e depois, em 1057, o papa Estêvão IX vai mais longe e enfia-lhe no dedo o anel episcopal e põe-lhe nas mãos o báculo, praticamente à força e num ataque de surpresa. E assim, como cardeal-bispo de Óstia, Pedro Damião será um dos artífices da reforma que será levada a cabo por Gregório VII.

O movimento reformador parece, pois, estar em pleno desenvolvimento em meados do século XI. Mas não foi sem resistências — resistências terríveis — que isso aconteceu. Padres casados ou simoníacos e bispos bem instalados na vida ripostam por todos os meios. Em Rouen, um motim fomentado ocultamente pelos cônegos da catedral expulsa o próprio arcebispo por ser partidário da reforma. Em Milão, acontece o contrário: o arcebispo Guy, inimigo da reforma, é atacado pela multidão e o seu palácio saqueado. Em Florença, os tumultos são incessantes e fanáticos. O episódio mais doloroso destas lutas, em que se anuncia já a Itália dos guelfos e gibelinos, é o martírio de Santo Arialdo que, feito prisioneiro pela sobrinha do arcebispo Guy e por dois padres casados, é torturado junto do lago Maggiore com horríveis requintes de malvadez; encontrá-lo-ão sem nariz, sem orelhas, sem lábios, sem a mão direita, sem língua e, naturalmente, com os olhos vazados. Quanto custava nesse tempo ser testemunha da Verdade de Cristo!

Mas que resultados poderia dar toda esta agitação, embora fosse singularmente reveladora de um estado de espírito novo? São Pedro Damião sonhava com uma reforma realizada pelos bispos e apoiada pelo Império. Havia nisso uma contradição nos próprios termos. Como é que os bispos podiam aceitar com sinceridade, fácil e unanimemente, medidas que os privavam de inúmeras vantagens? Bastava que a um bispo reformador sucedesse um bispo indigno, para que tudo voltasse à situação anterior. E como é que os poderes civis, fossem eles reais ou imperiais, podiam aderir a uma política que representava para eles um suicídio? Era necessária uma ruptura absolutamente radical: desvincular por completo a Igreja do regime feudal, isto é, ouvir a voz de Cluny. O mérito de alguns homens foi terem compreendido isso mesmo. À frente desses homens, encontrava-se o cardeal *Humberto*.

Antes dele, já alguns bispos tinham visto claramente a solução do problema; entre eles, Rathier de Liège em meados do século X, homem que aprendera a desconfiar dos poderes civis graças às dolorosas disputas que tivera de sustentar contra os príncipes durante os seus dois episcopados em Verona. Cem anos mais tarde, a ideia fizera progressos; numa assembleia de 1044 em Aix-la-Chapelle, Wazon, também bispo de Liège, declarava formalmente que o imperador não devia intervir na nomeação ou na deposição dos bispos.

Na mesma ocasião, na abadia lorena de Moyenmoutier, o monge Humberto meditava profundamente nesses problemas e redigia um enorme tratado em três tomos, *Contre les simoniaques*, que apareceria em 1057. Tendo ido por acaso à Itália, e nomeado por Leão IX cardeal-bispo de Silva Candida, esse homem havia de desempenhar na reforma um papel de primeiro plano, bem mais feliz do que aquele que desempenhou por ocasião do cisma grego[27], onde os resultados, como vimos, foram tristes, pois talvez a sua rudeza de loreno não se adaptasse ao clima de Bizâncio. São Pedro Damião, asceta místico, tinha pregado sobretudo a reforma moral, a luta contra os erros mais graves do clero; o cardeal Humberto, um realista, percebe perfeitamente que é preciso cortar o mal pela raiz. Diz, por exemplo, de forma divertida: "Nós, cães de Deus, não só não ladramos livremente, não só não mordemos os ladrões, mas ganindo e abanando a cauda, lisonjeadores cegos e perversos, encorajamos todas as rapinas". A conclusão impunha-se de per si: era necessário suprimir a investidura laica, mas para ousar dizê-lo em voz alta, e sobretudo para adotar essa medida, era necessário nada menos que um papa revolucionário, que fosse ao mesmo tempo santo e herói: Gregório VII.

Efetivamente, e em última análise, o movimento de reforma não podia ter êxito se não fosse assumido e dirigido por uma autoridade superior a todas as autoridades laicas, e apenas uma era concebível: a do papado. Ora, isso era impossível numa época em que o trono de São Pedro estava ocupado por personagens indignas, mas a situação mudou em começos do século XI. Como sinal precursor, exatamente no ano mil, o monge Gerberto tornava-se o papa Silvestre II e abria as portas da tiara ao espírito da reforma. A partir de 1046, sucedem-se os papas clunicenses: Clemente II (1046), Dâmaso II (1048), Leão IX (1049) e Vítor II (1055). A seguir, Estêvão IX e Nicolau II serão também do partido da reforma. Papas "pré-gregorianos", anunciam as glórias que se avizinham, e é necessário prestar-lhes uma legítima homenagem. Numa situação ainda infinitamente confusa, esses homens souberam enxergar o caminho do futuro.

No dobrar do ano 1050, ocupa o trono de São Pedro o papa mais ativo e mais notável desta época: *São Leão IX* (1049-1054). Era um alsaciano fogoso, tão firme teólogo como viril chefe de guerra, alma santa e de exemplar humildade. Capelão de Conrado II, bispo de Toul, ligado de perto ao drama que obrigara Gregório VI a sair de Roma, foi chamado ao pontificado pela voz unânime dos bispos alemães reunidos em Worms. A princípio hesita, mas o seu amigo Hildebrando — o monge que mais tarde seria Gregório VII — consegue convencê-lo, e juntos partem para a Cidade Eterna, vestidos de peregrinos. Confirmada a eleição de Worms, mete mãos à obra com uma energia terrível. Que foi que não fez em cinco anos? Um concílio que convocou empreende a luta contra a simonia e a devassidão clerical; o heresiarca Berengário, que nega a Presença Real de Cristo na Eucaristia, é condenado; os reis Henrique III, Eduardo da Inglaterra e Fernando de Castela são convidados a promover a reforma; a coleção dos *Setenta e quatro títulos*, compilada por sua ordem, reúne todos os elementos de direito canônico úteis aos reformadores. Nesse meio tempo, o infatigável papa visita a Europa, guerreia contra os normandos, faz frente aos bizantinos — de forma extremamente categórica, visto que o cisma está consumado — e lança a ideia, que Nicolau II porá em prática dez anos mais tarde, de fazer eleger o papa pelos cardeais... Durante os cinco anos deste pontificado, Roma volta a ser o lugar em que bate o coração do mundo. E quem é esse visitante que vem de tão longe ajoelhar-se aos pés do pontífice? O lendário Macbeth, rei da Escócia, aquele mesmo que Shakespeare virá a imortalizar a seu modo...

E um aspecto de importância capital: graças aos papas "pré-gregorianos"[28], a reforma não se fará *contra* Roma, como acontecerá no século XVI, mas *com* ela, e o papado medieval emergirá de uma crise de cento e cinquenta anos com toda a grandeza e com todo o prestígio de um Gregório VII e de um Inocêncio III.

A Igreja e as novas forças

Não havia dúvida, portanto, de que a desagregação do cristianismo, que tanto era de temer devido à ação do poder mortal da anarquia, já não se produziria. A Igreja ia voltar a assumir o papel central de força ordenadora que já tantas vezes a vimos desempenhar. Mas, nesta mesma ocasião — mais ou menos por volta do ano 1000 —, outra força de ordem começava a surgir do caos da primeira idade feudal: a monarquia hereditária e nacional. As relações da Igreja com o novo poder político oferecem mais um exemplo desse sentido das exigências da história que a Igreja manifestou em tantas circunstâncias, isto é, dessa intuição inspirada que a faz descobrir no presente os dados do futuro.

Havia muitas razões para um bom entendimento entre a monarquia e a Igreja. Em primeiro lugar, ambas tinham os mesmos inimigos: os senhores feudais. A Igreja compreendera perfeitamente que os progressos dos barões eram paralelos ao seu próprio declínio. Concentradores e civilizadores, os reis nada tinham a recear mais do que a pulverização anárquica do feudalismo que, para os senhores, só trazia vantagens. Noutro plano ainda, a Igreja tinha razões para estimar e apoiar a realeza: pela sagração, pelos ritos de unção e de coroação, agora já habituais por toda parte, os reis possuíam um caráter quase sacerdotal e, em certo sentido, faziam parte da hierarquia religiosa, tal como a concebiam na época. Em todos os países, portanto, embora de maneiras diferentes e adaptadas às circunstâncias locais, veremos a Igreja apoiar a reentrada da realeza em cena, mostrando-se aqui e acolá mais favorável a uma dinastia do que a outra, e tentando também servir-se desta nova força no sentido que mais lhe interessava — o da reforma do mundo cristão. Este é o último aspecto sob o qual se manifesta, em pleno período de trevas, a gestação do mundo novo.

Na França, o grande acontecimento que verdadeiramente deveria condicionar o futuro foi o de 3 de julho de 987: a coroação em Reims, pelo arcebispo Adalberão, de *Hugo*, cognominado *Capeto*, "glorioso duque dos francos". Como sucedera em 751, quando o futuro carolíngio substituíra o último merovíngio *fainéant*, a Igreja desempenhou um papel decisivo na substituição de uma dinastia por outra. No entanto, não foram "mandriões" os últimos carolíngios, esses "reis de Laon" enérgicos e corajosos: Carlos, o Simples ou, melhor, o Leal, Luís IV de Além-mar, cujo arrojo juvenil viria a ser consagrado nas canções de gesta com o belo cognome de "Luís do rosto altivo", e mesmo os últimos: Lotário e Luís V. Mas estes descendentes de Carlos Magno, encurralados entre as fronteiras lorenas que queriam retomar aos germanos e as regiões independentes da França ocidental, não souberam manter a sua autoridade sobre a nobreza nem garantir a ordem e a paz que as invasões haviam perturbado.

Surgia-lhes agora pela frente uma família solidamente instalada entre o Loire e o Sena, claramente francesa, ardorosa na defesa do seu solo: a dos descendentes do duque Roberto, o Forte — esse herói que se deixara matar ao deter os normandos em 866 — e de seu filho Eudes, o defensor de Paris por ocasião do grande cerco de 885. Entre as duas famílias — a que declinava e a que subia —, a luta era inevitável e desencadeou-se de fato em várias ocasiões. A nobreza foi jogando a carta que lhe parecia mais vantajosa em cada circunstância, isto é, a da família que, no momento, achasse menos forte. Foi por isso que a coroa balançou muito tempo entre robertianos e carolíngios. Em quatro ocasiões — em 888, 922, 925 e 987 —, a escolha dos nobres se mostrou favorável a Eudes, Roberto, Raul da Borgonha e Hugo Capeto, e noutras quatro — em 898, 936, 954, 986 — respeitou-se o princípio dinástico em benefício de Carlos, o Simples, Luís IV de Além-mar, Lotário e Luís V. Nesta partida complexa, o apoio da Igreja viria a ser decisivo.

No princípio do século, a Igreja estava ligada aos carolíngios. Ainda em 936 reconhecia como titular legítimo Luís IV de Além-mar, contra Hugo, o Grande, duque de França, que era de longe a personagem mais importante do país, a ponto de lançar contra este último a excomunhão por sua traição ao rei. Mas, cinquenta anos mais tarde, a situação inverteu-se. Por quê? Porque a Igreja compreendeu que só uma família profundamente enraizada no solo francês poderia impor-se à nobreza, e também porque — fiel à ideia cristã da universalidade — desconfiava da política dos últimos carolíngios com relação à Lorena, uma política que podia facilmente provocar conflitos com o reconstituído Império romano-germânico, outra força necessária da ordem europeia e cristã. A guerra absurda que conduzira os franceses até às portas de Aix em 978, e depois os germanos até à colina de Montmartre, servira de exemplo suficiente.

Diante disso, escreve o monge Gerberto: "O rei Lotário não governa a França senão de nome; o chefe é Hugo". Não se ouve nestas palavras categóricas o eco da célebre resposta do papa Zacarias a Pepino, o Breve? E será por isso que, no momento em que Luís V, o último carolíngio do oeste, acusar de traição o arcebispo Adalberão por ter ajudado ao mesmo tempo o imperador germânico e o barão robertiano, a Igreja da França cerrará fileiras em torno do prelado, amigo e agente de Hugo Capeto.

O advento da terceira dinastia francesa foi portanto, incontestavelmente e em grande medida, obra da Igreja. Aliás, logo haveria de dar a esse aliado uma nova prova de amizade. Com efeito, de que lhe teria servido colocar um homem no trono se, por ocasião da sua morte, uma nova eleição dos barões voltasse a imprimir à coroa uma direção diferente? Para que a coroação de 987 tivesse um sentido, era necessário torná-la estável, e só a Igreja podia fazê-lo — como de fato o fez. Ao sagrar Roberto, filho de Hugo, como futuro rei ainda em vida de seu pai, o arcebispo de Reims restabelecia o princípio da hereditariedade em benefício da família dos Capetos, e essa prática manter-se-ia por muito tempo, ao longo de reinados sucessivos.

Estabeleciam-se assim os dois polos da França medieval: Igreja e realeza. A partir de 987, fixam-se os três elementos da cerimônia da coroação real, todos com um caráter nitidamente eclesiástico: o *juramento real*, em que o príncipe jura defender a Igreja e fazer reinar a justiça; a *eleição*, pronunciada pelo arcebispo, ratificada pelos prelados presentes e só depois proposta à aclamação do povo; finalmente a *unção*, feita com óleo bento da "santa ampola", essa ampola que, segundo a lenda, um anjo trouxera do céu por ocasião do Batismo de Clóvis. Esta família é, portanto, elevada pela Igreja acima de todas as outras; pouco importa que, materialmente, seja ainda pouco poderosa; o que conta é o seu caráter sagrado. Atribuir-se-ão a estes reis poderes de taumaturgos, de curadores de escrófulas, e ver-se-á neles os sucessores dos reis da Bíblia. Numa sociedade impregnada de cristianismo, a unção real será um grande trunfo.

Significa isto que as relações de fato entre os primeiros Capetos e a Igreja foram totalmente bonançosas? No plano dos princípios, a Igreja é efetivamente dona da situação; assim, quando Roberto, o Piedoso, fiel perfeito e um apaixonado da teologia, desposou a sua amante Berta apesar dos impedimentos canônicos considerados na época como dirimentes, bastou uma simples excomunhão e uma ameaça de interdito para fazê-lo arrepender-se. Mas, no plano dos interesses, as coisas não foram tão simples. O papado foi bem sucedido quando proibiu que Hugo Capeto depusesse Arnoul, sucessor de Adalberão em Reims, mas não houve poder no mundo que o impedisse de "anexar" todas as principais abadias dos seus domínios. Roberto, o Piedoso, por sinal, comporta-se exatamente da mesma maneira e, contra a vontade não só do clero como também do povo, impõe bispos a algumas dioceses. O seu filho Henrique I entregar-se-á descaradamente ao tráfico de cargos e de bens da Igreja, o que lhe valerá ser mimoseado com cognomes como "tirano de Deus" e "Anticristo" pelo terrível cardeal Humberto. A situação continua a ser ambígua, e as convicções verdadeiramente cristãs dos reis capetos, frequentemente favoráveis à reforma, enredam-se e entrechocam-se com os seus interesses materiais. Esta situação prolongar-se-á até à grave crise de Filipe, o Belo.

Na Inglaterra também se observa nitidamente a ação da Igreja, e é uma ação que nos pode parecer ainda mais surpreendente, quase escandalosa, se só julgarmos as aparências: não se trata aqui de uma simples substituição dinástica, mas de uma conquista estrangeira; mais uma vez a Igreja pressente as novas forças e trata de apoiá-las. Deus sabe como a monarquia saxônica de Wessex, no fim do século IX e nos tempos de Alfredo, o Grande, tinha sido cristã, e como no século X a fusão entre o Estado e a Igreja tinha sido tão completa que os concílios eclesiais e as assembleias leigas se encontravam misturados. No entanto, na virada no ano mil, a Igreja haveria de desligar-se dos saxões e receber aqueles em cujas mãos estava o futuro — os normandos. Estes tinham-se estabelecido pela primeira vez nas Ilhas Britânicas em 878, graças a Alfredo, o Grande, que lhes concedera algumas terras, tomando embora o cuidado de mantê-los "na paz do rei"... com um bom exército. Mas, no decurso do século X, a história dos descendentes de Alfredo foi a de uma decadência tão grave como a da sociedade continental: enquanto as costas eram de novo presa dos piratas nórdicos, os costumes se relaxavam e a cultura se afundava; em consequência, o feudalismo teve campo livre, com os mesmos resultados que se verificavam na França. Tornava-se urgente, pois, uma força de ordem.

A 13 de novembro de 1002, os saxões, numa explosão de cólera vã, precipitaram-se sobre os normandos instalados no Wessex e os massacraram. Mas a vingança dos seus irmãos da Dinamarca não se fez esperar, e sob o comando do rei Swein estes conquistaram pouco a pouco toda a Inglaterra. Em 1017 o filho de Swein, *Knut*, foi reconhecido "rei de todos os ingleses" pela assembleia do povo, o antigo *witenagemot*, em que predominavam os bispos. Mais uma vez, foi incontestável o papel do clero, e a prova está na influência que os bispos tiveram junto ao grande chefe durante todo o seu reinado. Ajudar Knut equivalia a permitir o restabelecimento da ordem na Inglaterra, e era ao mesmo tempo conseguir do rei o envio de missionários para os países escandinavos. Cristão recém-convertido mas sólido, Knut multiplicou as fundações de mosteiros, apoiou os primeiros movimentos de reforma e cuidou de imprimir à sua legislação um caráter evangélico. Não quis morrer sem fazer uma peregrinação a

Roma para "redenção da sua alma e salvação do seu povo", e foi no decurso desta viagem que colocou o seu reino sob a obediência direta do papa, fiel às tradições da igreja da Inglaterra que, como vimos, esteve desde as suas origens muito ligada à Santa Sé. Os seus sucessores continuaram a mesma política, e *Eduardo, o Confessor* (1035-1066) viria a ser santo. A monarquia cristã da Idade Média lançava também as suas raízes na Inglaterra.

Voltemos agora os olhos para a Alemanha. No século IX, sob os seus primeiros reis eleitos, também este país tinha atravessado uma grave crise, devastado a sudeste pelas incursões magiares e açoitado a nordeste pelos eslavos. Os carolíngios do leste, tal como os do oeste, tinham visto debilitar-se o seu poder, e o feudalismo avançava a grandes passos; tinha, porém, características diferentes daquelas que se observavam na França; não era um simples resultado da anarquia, mas um retorno aos velhos quadros das tribos, que reapareciam sob a forma de grandes ducados como a Saxônia, a Francônia, a Baviera e a Suábia. Os reis já não passavam de fantasmas. Quanto à coroa imperial, durante um certo tempo ornara a fronte de um príncipe alemão, passeara depois sobre umas fátuas cabeças italianas, e acabara enfim por desaparecer; durante trinta e sete anos, tinha deixado de haver imperador.

Menos abalada pelas invasões do que os outros países da Europa, tendo sofrido pouco os ataques dos normandos e nunca os *raids* sarracenos, a Alemanha conservava por isso maior estabilidade. A oposição entre o alto clero, dirigido pelos poderosos arcebispos de Mainz, Tréveris e Colônia, e os duques ambiciosos, aplainava o caminho para uma eventual autoridade superior, e a ideia do Império sobrevivia no coração de inúmeros alemães como uma ideia poderosa que parecia sempre possível. Reconciliar a descentralização germânica, baseada em feudos enormes, com a centralização romana e imperial, este foi o desígnio que uma nova dinastia, a dos *Otões*, levou a cabo com o apoio da Igreja.

Quando morreu o último carolíngio, Luís IV, o Infante (895-911), os grandes senhores elegeram imperador o duque da Francônia, Conrado I (912-918), por ser aliado da família imperial e sobretudo por não lhes parecer muito poderoso. Desprezado pelos nobres, traído pelo irmão, atacado pelos húngaros e tendo por rival na Itália o medíocre Berengário de Friul, este pobre homem acabou por aconselhar aos príncipes que escolhessem como seu sucessor o duque Henrique da Saxônia. Fundou-se assim, em 919, a dinastia saxônica, que devia durar mais de um século. Logo de entrada, *Henrique I*, cognominado o *Passarinheiro* (919-936) — porque, segundo uma lenda tardia, o encontraram absorvido em preparar armadilhas para os pássaros quando lhe foram anunciar a sua eleição —, mostrou-se dotado de uma energia notável. Assegurou a coroa a seu filho, esfacelou os húngaros e os eslavos, e forçou os duques a reconhecer-lhe a supremacia com o apoio não dissimulado dos arcebispos renanos. Ainda não era, evidentemente, senão o chefe de uma confederação de estados, "rei dos saxões e dos francos", e não rei da Germânia; mas tinha dado o primeiro passo.

O passo decisivo foi dado por seu filho *Otão I, o Grande* (936-973). Este príncipe de vinte e quatro anos, belo, valente, de barba comprida e estatura compacta, não possuía o gênio de um Carlos Magno, mas encarnava uma autêntica grandeza. Extremamente piedoso — à maneira do seu tempo, isto é, com uma piedade que não punha excessivos embaraços às suas fantasias sexuais —, logo no princípio do seu reinado se mostrou amigo do clero. O arcebispo de Mainz anunciou-lhe ao sagrá-lo que ele seria "o mata-mouros dos maus cristãos". Ajudado pelos clérigos, Otão fez do seu reino o único Estado verdadeiramente organizado do seu tempo, e quando os duques se revoltaram, esmagou-os, reduzindo-os à sua primitiva situação de funcionários sujeitos a demissão e substituindo praticamente a autoridade dos senhores pela dos bispos, que passaram a ser funcionários temporais.

Exterminador dos húngaros no Lech, empreendeu junto aos eslavos uma campanha de aculturação pela força, em que os evangelizadores acompanhavam as tropas, e cujos decepcionantes resultados já vimos. Seja como for, a Igreja tinha razões para estar-lhe reconhecida, e mostrou-lhe o seu agradecimento sagrando em vida o seu filho a fim de restabelecer a favor da sua família o princípio hereditário. Mas isso não lhe bastou; a um homem daquela estatura, apenas uma coroa podia convir — a do Império. Chamado à Itália em 951 por uma encantadora e infeliz rainha, Adelaide, Otão libertou-a, casou-se com ela e, para "vingá-la", chamou à ordem os nobres italianos. Reclamado em altos brados pelo papa — na época, o lamentável João XII —, atravessou os Alpes, marchou sobre Roma e, a 2 de fevereiro de 962, era coroado imperador no meio de um cerimonial digno de Carlos Magno. Estava fundado o que se iria chamar o *Sacro Império Romano Germânico*.

A Igreja saía, portanto, vitoriosa; mas só na aparência. Na prática, a situação era mais complicada. Otão era certamente amigo do clero, mas com a condição de que lhe estivesse bem sujeito. Nomear, transferir e até demitir bispos parecia-lhe absolutamente natural; na prática, subtraía-se completamente à autoridade espiritual no que dizia respeito às investiduras. Carlos Magno nunca subjugara o episcopado até esse ponto. Esta foi a primeira razão do conflito com o papado, pois, por mais indigno que fosse, o pontífice irritava-se com semelhante atropelo. Por outro lado, ao intrometer-se nos negócios italianos, o imperador pôs o pé num vespeiro; pretendendo restabelecer o ato carolíngio de 824, colocou a administração pontifícia sob controle dos funcionários imperiais, e assim surgiu o segundo motivo para o conflito.

Este rebentou dezoito meses depois da faustosa coroação; o imperador tomou a cidade defendida pelo pontífice, e seguiu-se um verdadeiro carrossel de papas, com o antipapa Leão VIII, o papa Bento V, rapidamente deposto, e o papa João XIII. Em Roma, famílias inimigas fizeram tréguas entre si para enfrentarem Otão. Por fim, a paz foi restabelecida por meio do terror, e a *declaração otoniana*, considerada como lei de Estado do Império, decidiu que a partir desse momento o soberano pontífice não seria sagrado antes de ter jurado fidelidade ao imperador. A reconstituição do Império sob a forma do Sacro Império Romano-Germânico parecia, pois, chegar a um duplo resultado: na Germânia, um episcopado avassalado, reduzido ao papel de meros funcionários do Estado; em Roma, um papado estritamente submetido ao poder laical.

Mas a situação evoluiria de forma diferente da prevista, e a Igreja acabaria por tirar partido das circunstâncias a fim de se libertar dessa dupla e inquietante sujeição. A enorme e gloriosa obra de Otão, o Grande carecia de armadura suficiente, e os seus sucessores não atingiram a sua estatura como homens de Estado. Na Alemanha, os bispos tinham nas mãos poder e riqueza, e haviam-se tornado indispensáveis em todos os cargos políticos, diplomáticos e até militares; aproveitaram, pois, todas as ocasiões para se emanciparem, e os imperadores, envolvidos no *imbroglio* dos assuntos italianos, não deixaram de lhes oferecer de mão beijada muitíssimas dessas ocasiões. Quanto ao papado, foram os próprios imperadores que trabalharam pela sua recomposição.

Pelo menos dois dos descendentes de Otão, o Grande foram verdadeiros homens espirituais e serviram ardentemente a causa do cristianismo, preconizando a reforma. O primeiro foi Otão III (983-1002), personagem extremamente sedutora e complexa, em quem o sangue germano do vencedor de Lech se misturava com o de sua mãe Teófana, filha do basileu Nicéforo Focas. Alma aberta e generosa, embebida em sonhos grandiosos, Otão III concebeu o Império sobre novas bases. Já não seria esse baluarte abrupto, edificado sobre a força, que seu pai levantara a fim de dominar o Ocidente; não seria também um Império à maneira de Carlos Magno, mas sim o Império ideal à maneira de Constantino, o Império universal à sombra da Cruz, em que o papa e o soberano, cada um no seu domínio, trabalhariam para a felicidade da humanidade e para a sua salvação. Tudo isso era puro Santo Agostinho e aplicação dos grandes planos elaborados pelo seu discípulo Orósio. Nascia uma nova consciência: a da cristandade concebida como uma comunidade fraterna[29]. Belo ideal? Utopia? Seja como for, dentro dessas perspectivas, o papado já não corria o risco de ser domesticado.

Tudo não passou, efetivamente, de um sonho, ao qual já *Henrique II* (1002-1024), sobrinho-neto de Otão, o Grande, e que herdara o seu realismo, renunciou quase totalmente. O admirável é que este Henrique II foi um autêntico santo, que a Igreja viria a canonizar no século XII juntamente com a sua fiel colaboradora, a esposa Cunegunda; mas um santo que tinha os dois pés no chão. Restabelecendo a ordem por toda parte, quebrando o feudalismo romano e impondo-lhe o papa Bento VIII, tendo nas mãos os bispos alemães como eles nunca o haviam estado desde os tempos de Otão, o Grande, este cristão pensava sinceramente que a glória de Cristo e a sua própria andavam misturadas. A famosa declaração otoniana foi recordada em voz bem alta, e assim se voltava, na aparência, aos velhos perigos.

Mas Henrique II era um santo, e portanto um encarniçado partidário da reforma. Todo o seu desejo era ver sobre o trono romano homens que fossem dignos de ocupá-lo. Foi neste sentido que ele exerceu os seu direitos e ensinou os seus sucessores a exercê-los, tão bem que, quando um papa se mostrar indigno — como Bento IX —, será varrido, tão bem que mesmo imperadores sem escrúpulos — como Conrado II, outro "tirano de Deus", no dizer do terrível cardeal Humberto — não poderão opor-se a isso. Os papas clunicenses que reinarão por volta do ano 1050 serão todos criaturas dos imperadores germânicos, mas nem por isso deixarão de ser excelentes papas, reformadores "pré-gregorianos".

Chega-se, portanto, a esta situação paradoxal: os imperadores germânicos controlam estritamente o papado e o episcopado, o que parece consagrar o perigo de laicização da Igreja; mas, influenciando-os em profundidade, a Igreja conquista-os para a causa da reforma, isto é, ao fim e ao cabo, para a causa da sua própria libertação. No momento em que a coroa imperial se mostrar debilitada, se por exemplo vier a cair nas mãos de uma criança, e se Roma tiver nessa hora um papa consciente da sua grandeza, a Sé Apostólica sacudirá a tutela dos seus protetores germânicos. Essa será a obra de Gregório VII. O futuro parece, pois, muito mais claro do que à primeira vista; por outro lado, porém, já se pressente, muito próximo, o drama que será o mais grave da Idade Média e que se designará sucessivamente como *questão das investiduras* e *luta entre o sacerdócio e o Império*.

Ao fim de dez séculos de esforços

Certamente, não há nada mais difícil nem mais arbitrário do que traçar uma linha de separação entre dois períodos da história. A vida, que não se preocupa com classificações, mistura de maneira inextricável o passado, o presente e o futuro, e os próprios momentos que, com a perspectiva dos séculos, nos parecem mais decisivos para a civilização — anos de "virada" da sociedade —, são geralmente vividos pelos contemporâneos numa incompreensão quase total da sua importância e das possibilidades futuras que esses momentos permitem descortinar. Os destinos dos homens não se articulam como os capítulos de um livro; a sua lógica escapa a todo o espírito de sistema e não obedece senão à lei do fluir perpétuo.

No entanto, é bem manifesto que os meados do século XI se caracterizaram por uma conjugação tão impressionante de fatos capitais que basta enumerá-los para vermos encerrar-se uma época e abrir-se outra. Essa conjugação, como nos lembramos, já surpreende na história do Oriente, em que o desmoronamento da dinastia macedônia é o primeiro toque a finados da agonia de Bizâncio, onde o cisma condena a cristandade "ortodoxa" a conduzir os seus destinos num isolamento crescente e onde o aparecimento dos turcos nas fronteiras da Palestina vai ser a causa imediata da santa cavalgada dos cavaleiros do Ocidente. E impressiona mais ainda nos países em que se elabora, após seis séculos de um trágico tatear, a civilização da qual há de surgir a nossa.

Que se passa, pois, no Ocidente, por volta de 1050? Em primeiro lugar, um fato repleto de consequências favoráveis: encerra-se a era das invasões, aberta em 405; fixados os normandos[30] e tornados irmãos os húngaros, a "nossa" Europa está livre, daqui para a frente, das devastações das hordas e desse contínuo fluxo e refluxo de povos que tinha constituído até então a trama da sua história. O Oriente — o de Bizâncio e o da Rússia — não deixará de sofrer essa provação durante séculos, mas os turcos e os mongóis mal se deixarão ver nas fronteiras do Ocidente. Marc Bloch, historiador penetrante, disse-o bem: "Não é descabido pensar que esta extraordinária imunidade foi um dos fatores fundamentais da civilização da Europa, no sentido profundo e no sentido justo do termo".

Ao mesmo tempo, o regime feudal — que nascera da decomposição do Império romano, e que durante quase trezentos anos não passou de um arriscado compromisso entre a anarquia e a força bruta — hierarquiza-se, ordena-se e procura envolver todo o Ocidente na sua armadura. Simultaneamente, porém, surgem as grandes forças que hão de antagonizá-lo — as casas reais centralizadoras e a burguesia das cidades —, e essa luta imprimirá o seu sentido em toda a política da Idade Média[31].

O ano de 1050 marca também uma reviravolta na ordem dos costumes: a violência dos filhos dos bárbaros começa a apaziguar-se, a disciplinar-se e a concentrar-se, já não na alegria de destruir, mas em empreendimentos criadores; o chefe de guerra ou de bando transforma-se pouco a pouco em administrador; as hierarquias do espírito tendem a retomar a sua importância, e todo esse ideal — que os poetas das *Canções de gesta* irão exaltar — é agora elaborado e vai tomar consciência de si próprio.

O ano de 1050 é, portanto, uma etapa decisiva na história da cultura ocidental: marca o fim da "idade das trevas" e o ponto de partida de um impulso em direção ao progresso que se prolongará até os tempos modernos. Ao passo que as tentativas de restauração levadas a cabo por Justiniano e depois por Carlos Magno tinham degenerado nas piores barbáries, esta que se esboça em meados do século XI, mais modesta e mais difícil de definir, será infinitamente mais sólida e mais durável. É o tempo em que a inteligência pressente as futuras sínteses e em que, na pesada falta de graça das suas abóbadas e colunas, o estilo românico começa a germinar.

A Igreja de Cristo encontra-se estreitamente ligada a estes elementos fundamentais do novo mundo que se encontra em vias de nascer. Foi ela quem mais trabalhou para fixar os novos bárbaros; o Batismo foi a porta de entrada dos húngaros e dos normandos na comunidade dos civilizados e o meio de realizá-lo. Foi ela quem, em condições extremamente difíceis, apesar dos terríveis problemas em que se debatia, se empenhou em humanizar o mundo feudal e em equilibrar o poder dos barões apoiando aqueles que os combatiam. Foi ela ainda quem se esforçou incansavelmente por fazer triunfar um quadro moral superior, por restituir o homem a si mesmo. E foi ela, finalmente, quem, como única depositária dos valores da inteligência durante a época obscura, preparou no seu seio o próximo desabrochar desses valores.

Também para ela os anos de 1050 são de "virada". Neste solo do Ocidente, revolvido em todos os sentidos por seiscentos anos de drama, os melhores dos seus filhos vêm lançando à terra a semente da vida: monges clunicenses, santos e papas reformadores concentram-se na tarefa de infundir a vida de Cristo nesse corpo que há mil anos traz na fronte a Cruz de Cristo. As graves questões que ficam por encaminhar — a do intercâmbio de funções com os poderes civis, a do relacionamento com esse mundo feudal em que ela mergulha as suas raízes —, nada disso conta; de uma forma ou de outra, esses problemas acabarão por resolver-se. O essencial é o novo impulso que a anima e que lhe vai permitir levar o Ocidente à plenitude da sua realização.

Este impulso verifica-se por toda parte e em todos os planos. Não é somente o dos santos monges que, no claustro, levam a cabo a heroica luta do "eu" contra o "eu"; também fora do convento, muitos deles espalham incessantemente a boa palavra. Os missionários entregam-se como nunca ao seu labor evangélico, e ao invés de se fechar em si mesma, a civilização cristã do Ocidente prepara-se para uma nova expansão a norte e a leste, rumo à Escandinávia, em todas as direções. Amanhã o impulso da fé, aproveitando da melhor forma possível os instintos ancestrais, há de lançar os filhos da Igreja nessas grandes aventuras de expansão que serão a reconquista da Espanha e a cruzada, fatos primordiais da Idade Média cristã.

Este fervor de conquista que caracteriza a nova humanidade do Ocidente em todos os domínios alimenta-se das mais vivas fontes. A espiritualidade da Idade Média, tal como se vai encarnar sucessivamente num São Bernardo, num São Francisco de Assis ou num São Luís, não será essencialmente diferente da dos homens de fé do ano mil, como um João de Fécamp, um São Romualdo ou um Santo Henrique. O ideal do cavaleiro, que fundirá no mesmo tipo humano os dois aspectos antagônicos do guerreiro e do cristão, está prestes a brotar na alma dos melhores barões. A própria piedade medieval, que há de gerar a nossa — a da *Imitação*, por exemplo, ou a do culto mariano —, lança visivelmente as suas raízes nesta Alta Idade Média tantas vezes caluniada. Ensombrecida pelas superstições, ainda pouco feliz na sua expressão e sulcada por tentações violentas, a fé que anima as almas em meados do século XI é uma fé viva, sobre a qual se poderá construir como se constrói sobre rocha.

Assim, para condensar tudo numa palavra só, o fato central deste momento decisivo da história é que nele discernimos uma *nova consciência cristã*. Os fiéis começam a compreender, de uma maneira simultaneamente mais vasta e mais profunda, o papel da fé na vida — não só na vida pessoal como na da sociedade. No plano histórico, isso significa que se impõe uma noção nova, expressa por uma palavra cujo uso começa agora a generalizar-se[32], a noção de *cristandade*. O Império, cuja grandiosa imagem de unidade e de harmonia flutuou nostalgicamente através dos séculos, não voltará a ressuscitar senão em parte e incompleto, sob a égide germânica; a realidade de amanhã é a da comunidade cuja essência sobrenatural configura a sociedade dos homens e lhe dá a sua verdadeira finalidade. A bela intuição do velho papa cujo destino trágico já conhecemos, João VIII[33], está a um passo de tornar-se a ideia-força do Ocidente, essa que um Otão III acaricia nos seus sonhos, essa sobre a qual um Gregório VII e um Inocêncio III apoiarão toda a sua obra, essa pela qual os cruzados de Godofredo de Bulhões estarão dispostos a morrer. É agora e é assim que se opera a síntese tornada indispensável pelas invasões: os fiéis de Cristo tomam consciência de pertencerem a uma realidade coletiva única, simultaneamente sobrenatural e humana, estendida no espaço como uma pátria, mas prolongando-se para além dela no Céu: a cidade terrena anuncia a cidade de Deus. A ideia de cristandade prepara assim os alicerces da coletividade ocidental. Nada se compreende da Idade Média se não se tem em conta esta perspectiva. Eis o resultado de seis séculos de pacientes esforços realizados pela Igreja.

Pacientes esforços... Ao lançarmos um olhar retrospectivo sobre este longo período de confusão e de desordem, e ao considerarmos a obra levada a cabo pela Igreja, são essas as palavras, simples e belas, que se impõem naturalmente ao nosso espírito. Podem parecer modestas, mas não há outras que caracterizem melhor a obra realizada em seis séculos, e cujo resultado definitivo foi nada menos que a salvação do homem e da civilização.

No momento em que a arremetida bárbara atirou para o abismo o mundo antigo já carcomido, a *Ecclesia Mater* teve como primeiro desígnio o de resistir à monstruosa tempestade e salvar, juntamente com o depósito sagrado que lhe estava confiado, os elementos fundamentais da civilização. Sozinha, no meio de uma sociedade que abdicava de si própria, recusou-se a desesperar. Foi a Igreja, unicamente a Igreja, quem preservou as possibilidades de luz. Graças à Igreja, nem tudo soçobrou.

Ainda não se acalmara o furacão, e já ela, ultrapassando essa primordial intenção de salvaguarda, se entregava por inteiro à tarefa — aparentemente impossível — de servir-se das terríveis forças desencadeadas e de empregá-las para a glória de Deus. Soube amar esses bárbaros que acabavam de deitar abaixo um mundo, soube amar as suas almas violentas que Cristo chamava, e pacientemente, heroicamente, conseguiu conquistá-las para Ele. Ao mesmo tempo, beneficiando-se daquela espécie de lei de alternância que fez subir o Oriente no momento em que declinava o Ocidente, e vice-versa, soube conduzir a favor dos seus profundos desígnios as ambições dos basileus de Bizâncio.

No século VII, quando o grande choque do islã desconjuntou o mundo dos batizados, quando uma imensa parte do domínio adquirido à custa de tantos sacrifícios voltou a desmoronar-se, a Igreja multiplicou os seus esforços para compensar com novas expansões essas perdas irreparáveis. Na sua lucidez, compreendeu que os destinos temporais dos seus filhos já não estavam centrados no Mediterrâneo, mas no continente. Pressentiu também que, por razões profundas ligadas às próprias raízes da alma oriental, Bizâncio já não podia desempenhar o papel de guia da Europa, e optou por aqueles que seriam capazes de assumi-lo.

Foi o tempo da esperança, que se abriu em meados do período. A grandiosa tentativa levada a cabo por Carlos Magno no sentido de impor uma ordem ao caos, dilatar o mundo cristão e dar bases seguras à cultura e à civilização foi apoiada pela Igreja com todas as suas forças, e talvez com demasiada confiança e generosidade. Graças à Igreja e com a Igreja, o imperador do Ocidente julgou estar realizando para sempre a síntese entre os elementos sobreviventes do velho mundo e aquilo que os bárbaros tinham trazido de valioso. Durante meio século, efetivamente pareceu que essa síntese estava feita e que os resultados do esforço empreendido seriam felizes.

Mas a tentativa era prematura. Voltou a cair a noite e a maré da barbárie voltou a subir. Novamente a nau cristã corria o risco de soçobrar. Tratava-se agora, em certo sentido, de um perigo pior do que aquele que correra no século V, porque sob certos ângulos a própria Igreja parecia cooperar com a ação dos poderes corrosivos. A nave parecia meter água. No entanto, mesmo em circunstâncias tão terríveis, a Mãe Igreja não se desesperou mais do que nos dias de Alarico e de Átila. Enquanto nos mosteiros os seus filhos salvavam, juntamente com a santidade da sua alma, as possibilidades da cultura e do espírito, ela examinava tudo o que podia levar a humanidade a reerguer-se e a levar de vencida o inimigo. Feudalismo, Império e mesmo Bizâncio — a Igreja soube servir-se de tudo em proveito de um único fim, esse que apontava para Cristo.

E surge então, ao longo de dois séculos de trevas crescentes, esse maravilhoso pressentimento da aurora que se traduz em mil discretos sinais. Mesmo que os novos bárbaros devastem as terras cristãs, mesmo que os filhos da luz se tornem cúmplices da pior das noites, mesmo que as primeiras e mais excelsas testemunhas de Cristo sobre a terra, os próprios herdeiros de São Pedro, se mostrem incapazes de corresponder às exigências da história, nada impedirá que a alma da Igreja continue a afirmar-se por si mesma, sempre tão jovem e tão transbordante que acabará por triunfar. No momento em que a conjunção dos fatos parece marcar o fim da civilização, os esforços seis vezes seculares da Igreja têm já preparados os alicerces sobre os quais se vai edificar uma das obras-primas da humanidade. Parecendo que nada fizera, a *Ecclesia Mater* fizera tudo.

Fez tudo, mas não com intenções humanas nem lançando mão de meios meramente humanos. O seu fim, o seu único fim, sempre foi levar aos homens a mensagem da salvação, elevar a cidade da terra até à cidade de Deus, pôr em prática o quotidiano anelo da oração: "Venha a nós o vosso Reino". E os pacientes esforços que a vimos desenvolver não se explicam segundo critérios humanos; as suas causas são sobrenaturais: são as virtudes da esperança e da fé.

"Nenhuma instituição humana durou dezoito séculos", escreve Joseph de Maistre, e em nenhuma época o simples fato de a Igreja ter sobrevivido parece tão admirável como nestas seis centúrias em que tudo parecia coligar-se contra o Evangelho. Mas é que a Igreja não é apenas uma "instituição humana"; é-o secundariamente, e não pelo seu principal destino. Se pôde resistir aos poderes encarniçados em destruí-la e, ao salvar-se a si própria, salvar também a civilização, não foi apenas por ter tido uma "política" hábil, mas porque lhe fora prometido que "as portas do Inferno não prevaleceriam contra ela"; não foi só por ter contado com homens de coragem e de inteligência, mas porque teve santos.

Esta é, em última instância, a grande lição que extraímos destes tempos de trágica confusão. Quem foram os guias que conduziram a humanidade para a luz, senão esses bispos cheios de firmeza que enfrentaram as hordas, esses missionários que continuaram até ao sacrifício a obra empreendida pelos apóstolos e pelos mártires na aurora da Igreja, esses monges que, empenhados noutra espécie de combate — o do homem contra si mesmo —, reconduziram a alma cristã às suas exigências, esses grandes papas que tantas vezes intervieram tão visivelmente no seu tempo sob o influxo do Espírito? Quem, senão todos aqueles para quem Cristo verdadeiramente representava "o Caminho, a Verdade e a Vida", e que nunca duvidaram dEle?

A verdadeira Igreja é a dos santos, a daqueles que dão na terra o seu testemunho e a de todos aqueles que, humildemente e com os seus pobres meios humanos, tendem para o único ideal de serem um com Jesus. A história da Igreja não é senão a história da santidade da Igreja, e em momento algum esta verdade resplandece com tanta evidência como nestes tempos de traição e de miséria, em que, cedendo à sua inclinação, a humanidade como que se deixou atrair pelo abismo e esteve prestes a despenhar-se nele.

Neully, março de 1948.
Tresserve, abril de 1950.

Notas

[1] Cf. cap. VIII, par. *Cai a noite sobre o Ocidente.*

[2] Cf. cap. VIII, par. *Cai a noite sobre o Ocidente.*

[3] Foi provavelmente neste período que se originou a lenda da papisa Joana. Cf. cap. VIII, nota 14.

[4] Cf. cap. IX, par. *As cruzadas bizantinas.*

[5] Principalmente os de Fedele, professor da Universidade de Turim.

[6] Foi ele quem trouxe da Espanha os algarismos árabes e se empenhou na sua difusão. Devido a este fato e ao seu renome de sábio, surgiram curiosas lendas a seu respeito: dizia-se que assinara um pacto com o diabo para conseguir o saber e as honras, e que em troca deveria entregar a sua alma ao maligno quando "fosse a Jerusalém". Ora, um dia em que, sendo já papa, celebrava Missa em honra da Santa Cruz de Jerusalém, Satanás teria aparecido ao seu lado, e Silvestre teria sentido uns suores frios e morrido no mesmo dia, depois de dar ordem de que lhe retalhassem o corpo para que o demônio não pudesse apoderar-se dele. Desde então — afirmava a lenda —, sempre que um papa entrava em agonia, o túmulo de Silvestre ficava coberto de suores frios e os ossos se punham a chocalhar. Na realidade, quando se abriu a sua sepultura em 1648, o corpo de Silvestre apareceu intacto, tendo as mãos cruzadas sobre o peito e a mitra na cabeça.

[7] Eis o que narra Raoul Glauber: "Reuniam-se algumas noites numa casa previamente determinada e, segurando cada um deles uma luz na mão, entoavam em forma de ladainha os nomes do demônio, até que de repente viam o diabo aparecer no meio deles sob a forma de um animal. Apagavam imediatamente todas as luzes e entregavam-se à maior devassidão. Cada um lançava mão da mulher que se encontrasse mais perto e abusava dela sem querer saber se se tratava da sua própria mãe, de uma irmã ou de uma religiosa. A criança que nascesse deste ato infame era levada à reunião quando contasse oito dias, e, depois de acenderem uma enorme fogueira, imolavam-na à maneira dos antigos pagãos. As cinzas do pobre inocente eram recolhidas e guardadas com a mesma veneração com que os cristãos guardavam o corpo de Cristo. Com efeito, essas cinzas tinham uma virtude diabólica tão forte que todo aquele que as provasse nunca mais poderia abandonar a heresia para regressar à verdadeira fé". É escusado dizer que dificilmente se distingue neste relato o que é verdade e o que é fruto da imaginação popular; tanto mais que as mesmas coisas se diziam outrora dos primeiros cristãos...

[8] Dos catorze apenas um abjurou, o que prova desde já a ineficácia da pena de morte em matéria religiosa, lição que não será compreendida tão cedo.

[9] Resumidos em E. Pognon, *L'an mille.*

[10] Henri Pirenne.

[11] Uma das formas de piedade mais curiosas que se desenvolveram nesta época é a *reclusão.* Já em uso no Ocidente desde os séculos IV e V — havia reclusos na ilha de Lérins ao tempo de Santo Euquério —, esta prática devia revestir-se agora de certa importância, porque foram muitos os concílios que se ocuparam dela. Homens, e por vezes mulheres, encerravam-se num pequeno cubículo de dez pés por dez, cuja porta era selada ou murada, e passavam a receber o alimento físico e espiritual somente através de uma pequena fresta. São Romualdo, na sua regra, foi obrigado a prever o caso destas vocações singulares. A cerimônia da reclusão terminava com uma jubilosa procissão, ao som de sinos e cânticos, que conduzia o recluso coberto de um capuz (ou de um véu, se se tratava de mulher) até o lugar do seu voluntário encerramento, e depois de o ter recluído retirava-se orando. Em princípio, o recluso não saía de lá senão morto ou, pelo menos, moribundo.

[12] Cf. cap. VIII, par. *Cai a noite sobre o Ocidente.*

[13] Cf. Paul Nörlund, *Le Groenland au Moyen Age*, na *Revue historique*, 1933, vol. 172, com fotografias de recordações cristãs em madeira e em marfim.

[14] Cf. o cap. V, par. *Uma obra de longa paciência.*

[15] Cf. cap. V, nota 9.

[16] Na França, o menor desses corpos de cônegos era o de Maguelone, com doze membros, e o maior era o de Chartres, com setenta e dois, em memória dos "setenta e dois discípulos" do Evangelho.

[17] Cf. o mapa anexo neste cap.

[18] Cf. *A Igreja dos Apóstolos e dos Mártires*, cap. VII, par. *O desenvolvimento das instituições cristãs* e cap. XI, par. *Uma organização de futuro.*

[19] Neste tempo, começa também a nascer uma literatura mais popular. Já existem os "menestréis", que vão recitando os seus poemas pelos castelos e pelos burgos, e a partir dos começos do século X há provas da existência de verdadeiros "mistérios" representados nas igrejas, sobretudo no Natal, na Páscoa, na Epifania e na festa dos Santos Inocentes, peças compostas de cenas mímicas e de diálogos mais ou menos versificados.

[20] Cf. o cap. VIII, final.

[21] Reservamos para o próximo volume as origens da *cavalaria*, instituição que nos permitirá verificar melhor a intenção que a Igreja tinha de cristianizar a força militar. As fórmulas mais antigas que a anunciam remontam ao ano mil, como por exemplo esta oração que um jovem nobre alemão devia recitar ao cingir a espada: "Ouvi, Senhor, as nossas preces e abençoai com a vossa majestosa mão esta espada que o vosso servo deseja cingir, a fim de com ela poder defender e proteger as igrejas, as viúvas, os órfãos e todos os servos de Deus contra a crueldade dos pagãos, e a fim de atemorizar todos os pérfidos".

A partir de 1050, a cavalaria começará a espalhar-se; mas, como escreve Henri Pirenne, "os costumes da cavalaria, isto é, desse código de cortesia e lealdade que distingue o gentil-homem participante das cruzadas, ainda não existe neste tempo. Será necessário um maior refinamento cultural para produzi-lo".

[22] O esforço da Igreja a favor da libertação dos servos foi muito provavelmente reforçado pelas descobertas técnicas que o século X — esse século "de trevas"! — levou a cabo. O comandante Lefebvre des Noëttes, na sua célebre obra *L'attelage* (Paris, 1931), demonstrou que em torno desta época o antigo modo de atrelar o cavalo por meio de uma coleira maleável cingindo o pescoço do animal foi substituído pelo modo atual, isto é, por uma correia dura apoiada sobre os ossos do peito e dos ombros. O primeiro modo não permitia puxar mais de 500 quilos, ao passo que o segundo permite puxar até 2500. Houve outras invenções: o emprego generalizado das ferraduras do cavalo, a descoberta do leme de cadaste para os barcos, ao invés dos remos de manobra usados até então, a roda de moinho movida a água corrente. Todas estas invenções contribuíram para pôr à disposição da humanidade muito mais energia do que anteriormente, isto é, tornou-se menos necessário recorrer à energia humana e servil. É certo que não se deve exagerar o argumento do determinismo histórico, segundo o qual a libertação dos servos foi *consequência* das invenções técnicas, mas a verdade é que elas concorreram para isso. Neste caso, deu-se uma conjunção entre o esforço propriamente espiritual realizado pela Igreja a fim de tornar a organização social mais humana, e as novas possibilidades oferecidas pela técnica. Impressiona, neste sentido, observar que as primeiras grandes libertações de servos se realizaram em terras monásticas; a Igreja colocava-se à testa do progresso. (cf. Daniel-Rops, *Par-delà notre nuit*, Paris, 1943).

[23] Cf. cap. V, par. *A reforma, princípio fundamental da Igreja.*

[24] E. Pognon, *L'An Mille*, *op. cit.*

[25] A projeção de Cluny e dos mosteiros clunicenses manifestou-se também no aspecto econômico; a influência das comunidades reformadas exerceu-se no mesmo sentido da dos antigos conventos, mas foi especialmente benéfica num tempo em que as devastações dos normandos

e dos sarracenos, bem como as guerras civis, tinham multiplicado os sofrimentos. As inúmeras novas fundações provocaram o aparecimento de colônias de camponeses e de povoados que não demoraram a desenvolver-se.

No plano intelectual, Cluny não se notabilizou muito no século X ou mesmo em princípios do século XI, e entre tantos monges houve poucos escritores, com a exceção de Santo Odão. Mas em Saint-Bénigne de Dijon, em Fleury, em Bec na Normandia e noutras partes, trabalhou-se mais nesse plano, e nomes como os de Raoul Glaber, Albon, Lanfranc e, um pouco mais tarde, Anselmo, são nomes clunicenses; aliás, um pouco por toda parte a reforma clunicense favoreceu a produção literária na medida em que impôs a ordem nos conventos.

Por fim, no plano artístico, é clássico falar do laço que existiu entre a arte românica e a gloriosa abadia da Borgonha, mas aqui é preciso ter cuidado com as datas. Não há dúvida de que a espiritualidade de Cluny, pela importância sem igual que atribuía ao Ofício divino, não podia deixar de dar um grande impulso à arquitetura: nada seria suficientemente belo para o Senhor. Mas, antes de 1050, esse impulso certamente não se deveu aos monges clunicenses. Na própria Cluny, Maïeul tinha substituído em 981 a pequena igreja primitiva por outra mais bela, que Santo Odilão reformou; era já românica, com a sua abóbada, a torre cruzada em transepto, os dois campanários e um largo pórtico. Mas foi só mais tarde que se operou o grande movimento do estilo românico a que devemos tantas obras-primas. Aliás, a gigantesca igreja da abadia só foi construída entre 1088 e 1130, num momento em que o espírito de Cluny, o dos fundadores, já não estava tão vivo; quando os arquitetos monásticos erguiam para o céu as suas obras-primas, o movimento espiritual que lhes dera origem estava já em declínio, e começava a preparar-se a reação cisterciense. (Cf. Daniel-Rops, *A Igreja da catedral e da cruzada*).

[26] No século IX aparece até uma curiosa instituição destinada a assegurar a unidade entre os mosteiros: o "rolo dos mortos". Trata-se de um rolo muito comprido — conhecem-se alguns de 9 metros — que um funcionário encarregado dessa tarefa, o *rolliger*, levava de abadia em abadia, para nele se inscreverem os falecimentos e outros acontecimentos notáveis. Estes rolos são documentos preciosos e comoventes. O seu vaivém é, por assim dizer, o prelúdio do serviço dos correios (Cf. E. Vaillé, *Histoire générale des postes françaises*, Paris, 1947, t. I, pág. 210).

[27] Cf. cap. IX, par. *Miguel Cerulário e o cisma grego.*

[28] Sobre o papel do papado na época dos "pré-gregorianos", cf. *A Igreja da catedral e da cruzada.*

[29] Tal concepção, como é óbvio, foi profundamente favorável à constituição das cristandades independentes da Hungria e da Polônia, como já vimos. O generoso Otão III, recusando-se a manter os países vizinhos sob a tutela do clero germânico, foi certamente um bom artífice da expansão do Evangelho. Sobre o "agostinismo" dessas concepções, cf. cap. I, n. 36.

[30] A fixação dos normandos e a sua cristianização andaram de mãos dadas. A instalação dos "homens do Norte" fez-se nos fins do século IX ou começos do X, mediante a paz de Wedmore para as Ilhas Britânicas (878), o tratado de Saint-Clair-sur-Epte para a França (912) e o estabelecimento dos grupos nórdicos no baixo Loire na França.

No norte da França, o chefe que negociou o tratado foi o famoso Rollon, e, segundo o grande historiador dos normandos Henrique Prentout, a conversão foi uma das condições da paz. O arcebispo de Rouen teve um papel importante nas negociações; meteu-se de permeio entre as duas partes e, a conselho do papa João X, aplicou-se pacientemente a converter as feras que acabavam de ser apaziguadas. Assim, os normandos foram levados daquilo que eles chamavam "a missa das lanças" para a Missa pura e simples. Pouco numerosos, em breve se misturaram às populações indígenas, tanto mais que tinham vindo sem mulheres e as procuraram no país. Sabe-se que o bom cronista Dudon fez correr a lenda de que a Normandia se teria tornado uma terra cristã ideal de um dia para o outro; os costumes ter-se-iam transformado de tal maneira que os roubos seriam desconhecidos, podendo-se deixar um bracelete de ouro pendurado numa árvore... Prentout repôs os fatos no seu lugar, mas não há dúvida de que o governo dos duques "normandos" na Normandia foi prudente; a dupla influência do cristianismo e de um solo fértil dominou os instintos dos piratas. "Os normandos — diz Lavisse — abraçaram a sua nova religião com um zelo de neófitos". A Normandia tornou-se uma das províncias mais cristãs da França, e os duques trabalharam pela reforma da Igreja, como foi o caso de Ricardo I no Mont-Saint-Michel. Da Normandia partiram inúmeros missionários. Por isso, a Igreja verá com bons olhos esta dinastia ducal, e será com o apoio do papa que Guilherme irá conquistar a Inglaterra. Leia-se o esclarecedor artigo de H. Prentout, *Le rôle de la Normandie dans l'histoire*, in *La Revue historique* de janeiro de 1929, e também os relatórios das *Conférences ecclésiastiques du diocèse de Coutances*, 1947.

[31] Na sua *Histoire du droit français*, Olivier-Martin protesta, não sem razão, contra a expressão tradicional "anarquia feudal". O feudalismo é, pelo contrário, um sistema muito hierarquizado, muito articulado e autoritário. Mas, antes de chegar a esse ponto, desmembrou a organização real e fez reinar a confusão. O termo "anarquia" é válido, portanto, nos princípios da idade feudal, mas deixou de sê-lo mais tarde.

[32] Sobre o termo *cristandade* empregado no sentido atual, isto é, de comunidade humana ao mesmo tempo espiritual e temporal, cf. J. de Rupp, *L'idée de chrétienté*, Paris, 1939.

[33] Cf. cap. VII, final.

Quadro cronológico

Data	Ocidente	Oriente	Igreja
396	Honório, imperador, 395-423	Arcádio, imperador, 395--408	Santo Agostinho, bispo de Hipona, 354-430 Santo Anastácio, papa, 399-401
400	Invasão de Radagaiso na Itália, 405 Vândalos, alanos, suevos e burgúndios invadem a Gália, 406-409	Teodósio II, imperador, 408--450	Santo Inocêncio I, papa, 401-417
410	Tomada e saque de Roma por Alarico Os visigodos na Aquitânia, 416		Santo Agostinho escreve a *Cidade de Deus*, 413-426 São Zósimo, papa, 417-418 São Bonifácio, papa, 418-422
420	Valentiniano III, imperador, 423-455 Roma evacua a Bretanha; invasão anglo-saxônica, 423		Desenvolvimento monástico de Lérins: Santo Honorato, Santo Hilário São Celestino I, papa, 422-432

430	Tomada de Hipona pelos vândalos Domínio da África pelos vândalos, 431		Morte de Santo Agostinho a 28 de agosto de 430 Concílio de Éfeso, III° ecum. (contra Nestório), 431 São Patrício na Irlanda, 432 São Sisto III, papa, 432-440
440	Os bretões emigram para a Armórica, 442		São Leão I Magno, papa, 440-461
450	Derrota de Átila nos Campo Cataláunicos, 451	Marciano, primeiro imperador sagrado pela Igreja, 450--457	Concílio de Calcedônia, IV° ecum. (contra o monofisismo), 451
	Genserico e os vândalos saqueiam Roma. Valentiniano III é assassinado, 455	Leão I, imperador, 457-474	Santo Hilário, papa, 461-468
470	Morte do suevo Ricimer, 472 Deposição de Rómulo Augústulo, último imperador do Ocidente, 476 Reinado de Odoacro na Itália, 476-493	Zenão, imperador, 474-491	São Simplício, papa, 468-483
480	Conquista da Gália por Clóvis, rei dos Francos, 481	Cisma do patriarca Acácio, 483-518	Nascimento de São Bento, 480 São Félix III, papa, 483-492

490	Morte de Odoacro. Reinado do ostrogodo Teodorico na Itália, 493-526 Batismo de Clóvis, 498 ou 499. Reinado de Clóvis na Gália, 498-511	Anastácio, imperador, 491-518	São Gelásio I, papa, 492-496 Santo Anastácio II, papa, 496-498 São Símaco, papa, 498-514 Conversão dos burgúndios
500	Morte de Clóvis, 511	Justino, imperador, 518-527	Santo Hormisdas, papa, 514-523
520	Morte de Teodorico, 526	Justiniano, imperador, 527-565	São João I, papa e mártir, 523-526 São Félix IV, papa, 526-530 São Bento funda Monte Cassino, 529
530	Desaparição do reino burgúndio, 534	Sedição de Nika, 532 Retomada da África aos vândalos, 533 Construção de Santa Sofia, consagrada em 537	Bonifácio II, papa, 530-532 João II, papa, 532-535 Santo Agapito I, 535-536 São Silvério, papa e mártir, 536-537 Vígilio, papa, 537-555 2º Concílio de Constantinopla, Vº ecum. Morte de São Bento, 547

550	Vitória dos bizantinos sobre os ostrogodos no Vesúvio, 553 Reinado de Clotário I na França, 558-561	A indústria da seda é trazida para a Europa, 552	Pelágio I, papa, 555-560
560	Invasão da Itália pelos lombardos, 568	Nascimento de Maomé, entre 570 e 580	São Columba funda Iona, na Escócia, por volta de 565 Conversão dos suevos, por volta de 570
580	Aguilulfo, rei dos lombardos, desposa a católica Teodelinda, 582 Reinado do visigodo Recaredo na Espanha, 586-601	Maurício, imperador, 582-602	Martírio de Santo Hermenegildo na Espanha, 585 Conversão dos visigodos, 589
590			Eleição de São Gregório Magno, papa, 590-604 São Columbano na Gália; fundação de Luxeuil, em 590 Evangelização da Inglaterra por Santo Agostinho de Canterbury, 596 Conversão de Ethelberto, rei de Kent, 597. Fundação de Canterbury

600	O Senado de Roma deixa de reunir-se, 603		Morte de São Gregório Magno, 604 São Bonifácio IV, papa, 608-615
610	Restabelecimento da unidade do reino franco por Clotário II, 613	Reinado de Heráclio, 610-641. Tomada de Jerusalém pelos persas, 614	Fundação da abadia de Westminster, 610 Princípio da crise monotelita
620	Reinado de Dagoberto na França, 628-638	A Hégira, início da era islâmica, 622 Queda do Império persa e morte de Cósroes II, 628	Honório, papa, 621-638
630		Morte de Maomé, a 8 de junho de 632 Os quatro primeiros califas, 632-667 Conquista da Síria, da Palestina, da Pérsia e do Egito pelo islã, 633-643 Tomada de Jerusalém pelos árabes, 638	

640		Constante II, imperador, 641-668	São Martinho I, papa e mártir, 649-658 Conversão dos lombardos, 653 Santo Eugênio I, papa, 654-657 São Teodoro de Canterbury; segunda missão pontifícia à Inglaterra, 657
660		Dinastia omíada, 661-750 Constantino IV, imperador, 668-685 Primeira derrota do islã por Constantinopla, 673-678 Conquista da África pelos árabes, 669-708. Tomada de Cartago, 698	Santo Agatão, papa, 678-681
680	Vitória de Pepino d'Héristal em Testry, 687	Justiniano II "do nariz cortado", 685-695 e 705-711	3º Concílio de Constantinopla, VIº ecum., 680-681; fim do monotelismo Concílio *in trullo*, 691
700			São Sérgio I, papa, 687-701 São Constantino, papa, 708-715

710	Carlos Martel, 714-741	Conquista da Espanha pelos árabes, 711 Dinastia isáurica; Leão III, imperador, 717-741 Segunda derrota dos muçulmanos diante de Constantinopla, 717-718 A querela das imagens, a partir de 726	São Gregório II, papa, 715-732 São Bonifácio, evangeliza a Germânia, 716-754
730	Poitiers, vitória cristã que detém o avanço dos muçulmanos no Ocidente, 732 Pepino, o Breve, 741-768	Desmembramento do império muçulmano; início da dinastia abássida em Bagdá, 750 Constantino V Coprônimo, imperador, 740-775	São Gregório III, papa, 732-741 São Zacarias, papa, 741-752
750	Reinado de Pepino, o Breve na França; início da dinastia carolíngia Pepino bate os lombardos, 756	Concílio iconoclasta reunido por Constantino V, 754	Estêvão II, papa, 752-757 Nascimento do Estado pontifício, 756 São Paulo I, papa, 757-767
760	Reinado de Carlos Magno na França, 768-814		Estêvão III, papa, 768-772

770	Destruição do reino lombardo, 774 Anexação da Baviera ao reino franco, 788 Derrota da Saxônia, 793-803 Vitória sobre os ávaros, 796	Restabelecimento do culto das imagens pela imperatriz Irene, 780-802 Harun-al-Raschid, califa de Bagda, 785-809	Adriano I, papa, 772-795 2º Concílio de Niceia, VIIº ecum., 787; restabelecimento do culto das imagens São Leão III, papa, 795-816
800	Sagração de Carlos Magno e restabelecimento do Império do Ocidente		
810	Morte de Carlos Magno, 814 Luís, o Piedoso, imperador, 814-840 Invasões normandas e árabes, de 820 em diante	Recomeça a querela das imagens em Bizâncio	Estevão IV, papa, 816-817 São Pascal I, papa, 817-824 Eugênio II, papa, 824-827 Valentim I, papa, 827 Gregório IV, papa, 828-844
840	Lotário I, imperador, 840-855 Carlos, o Calvo, rei da França, 840-877 Tratado de Verdun, 843 Saque de São Pedro de Roma pelos árabes, 846	Teodora, regente no lugar de Miguel III, 842 Fim da querela das imagens	O antipapa João, 844 Sérgio II, papa, 844-847 São Leão IV, papa, 847-855 O antipapa Anastácio, 855 Bento III, papa, 855-858

850	Luís II da Itália é associado ao trono imperial	Princípio do caso Fócio, 858 Batismo do rei Bóris da Bulgária, 863	São Nicolau II Magno, papa, 858-867 Evangelização da Morávia por São Cirilo e São Metódio, 862-884
860	Lotário II, imperador, 867 Reinado de Alfredo, o Grande, na Inglaterra, 871-899 Cerco de Paris pelos normandos, 885-886 Aumenta a frequência das invasões normandas, 890-900	Fim da dinastia isáurica. Princípio da dinastia macedônia, 867 Basílio I, imperador, 867-886 Simeão, czar da Bulgária, 893-927	Adriano II, papa, 867-872 João VIII, papa, 872-882 Estêvão V, papa, 885-891 Formoso, papa, 891-896 Cinco papas em quatro anos, 896-900 Sérgio III, papa, 904-911 Fundação de Cluny, 910
910	Instalação dos normandos na Normandia, 911 Fim da dinastia carolíngia na Germânia, 911 Invasão húngara, 910-955 Casa da Saxônia na Germânia. Reinado de Henrique, o Passarinheiro, 919-936	Constantino VII, 913-957, e Romano Lecapene, 919-944, imperadores	João X, papa, 914-928 Reforma de Cluny por Santo Odão, 926-942

930	Fundação do reino de Arles, 933 Reinado de Otão I na Germânia, 939-973 Numerosas invasões sarracenas e normandas Otão I detém os húngaros sobre o Lutz, 955	Batismo da grão-princesa Olga na Rússia, 945	São Maïeul, abade de Cluny, 952-994 O triste papa João XII, 955-964
960	Fundação do Sacro Império Romano Germânico, 962	Creta é retomada aos muçulmanos Nicéforo II Focas, imperador, 963-969 Antioquia é retomada aos árabes, 969 João Tzimiscés, imperador, 969-976	João XIII, papa, 965-972
970	Otão II, imperador, 973-983	Basílio II, imperador, 976-1025	São Romualdo funda Camaldoli, 982
980	Otão III, 983-1002 Aparecimento dos capetos na França: Hugo Capeto, rei, 987-996	Conversão do príncipe russo Vladimir, 987 Reinado de Boleslau, o Valente, fundador da Polônia, 992-1025 Reinado de Santo Estêvão I, na Hungria, 997-1038	O concílio de Charroux-en-Poitou, 989, e o de Puy-en-Vellay, 990, reclamam a *paz de Deus* João XV, papa, 985-996; lança em 990 a ideia da *trégua de Deus* Santo Odilão, abade de Cluny, 994-1049 Silvestre II, papa, 999-1003

1000	São Henrique II, imperador, 1003-1024 Knut, o Grande, na Inglaterra, 1017-1035	Jeroslav, príncipe de Kiev, 1019-1054	Sérgio IV, papa, 1009-1012 Destruição da Basílica do Santo Sepulcro pelos árabes, 1010 Sínodo de Verdun-sur-Saône, 1016, que instituiu o juramento de paz
1030	Henrique III, imperador, 1039-1056	Primeiros avanços dos turcos seldjúcidas, 1040 Zoé, imperatriz, 1042-1055 Miguel Cerulário, patriarca de Constantinopla, 1043-1058	Instituição da trégua de Deus pelo concílio de Nice, 1041 São Leão IX, papa, 1049-1054
1050		O cisma grego, 1054 Extinção da dinastia macedônia, 1056 Os turcos no Oriente Próximo, por volta de 1050	Ação reformadora de São Pedro Damião, bispo-cardeal, em 1057 O Cardeal Humberto publica *Contra os simoníacos*, 1057 Nicolau II decide que, no futuro, os papas serão eleitos pelo Colégio dos Cardeais, 1059

ÍNDICE BIBLIOGRÁFICO

Como no tomo precedente desta coleção, limitamo-nos a indicar aqui algumas obras essenciais que permitirão ao leitor informar-se com mais detalhe sobre os assuntos aqui tratados. Não se trata, portanto, de estabelecer uma bibliografia completa, nem mesmo de fornecer a lista de todas as obras que nos serviram para o desenvolvimento deste ou daquele assunto.

Obras de caráter geral

A história da Igreja é o ramo das ciências históricas que tem realizado maiores progressos nos últimos cinquenta anos, para o que concorreu, em primeiro lugar, o impulso de Leão XIII. Está longe o tempo em que os Rohrbacher e os Darras levantavam enormes pilhas com as suas prolixas compilações, cujo aspecto bastava para afastar do assunto quaisquer almas de boa vontade. As coleções que se vêm publicando honram os editores atuais e a sua autoridade é reconhecida em todos os meios, porque são obras de sábios, homens nos quais a fé não prejudica a ciência nem a ciência prejudica a fé.

Obras de interesse histórico geral são: Louis Halphen, *Les Barbares des grandes invasions aux conquêtes turques du XIe siècle*, Paris, 5ª edição, 1948, da coleção *Peuples et Civilisations*, dirigida por Halphen e Sagnac, excelente. Lot, Pfister e Ganshof, *Les destinées de l'Empire en Occident*, Paris, 1935-1937, vols. I e II; A. Fliche, *L'Europe occidentale*, Paris, 1929; Diehl e Marsais, *Le Monde oriental*, Paris, 1936, todos os três da col. *L'Histoire générale*, dirigida por G. Glotz. R. Latouche, *Les grandes invasions et la crise de l'Occident au Ve siècle*, Paris, 1946. Pierre Courcelle, *L'histoire littéraire des grandes invasions germaniques*, Paris, 1948, mina extraordinariamente rica de textos raros, muitas vezes traduzidos pela primeira vez. J. Calmette, *Le Moyen Âge*, Paris, 1948, e Henri Pirenne, *Histoire des invasions au XVIe siècle*, Paris e Bruxelas, 1936.

Duas obras, que visam menos expor fatos do que pôr em evidência correntes e temas de meditação sobre a história, são especialmente interessantes: Cristopher Dawson, *The making of Europe*, e Jacques Pirenne,

Les grands courants de l'histoire universelle, Neuchâtel e Paris, I, 1945, II, 1946.

Sobre a história da Igreja, cf. em A. Fliche e V. Martin, *Histoire de l'Église*, vol. IV: G. Bardy, Labriolle, Louis Bréhier e René Aigrain, *De la mort de Théodose à l'éleccion de Grégoire le Grand*, Paris, 1937; vol. V: L. Bréhier e René Aigrain, *Grégoire le Grand, les États barbares et la conquête arabe*, Paris, 1938; vol. VI: Émile Amann, *L'époque carolingienne*, Paris, 1937; vol. VII: E. Amann e A. Dumas, *L'Eglise au pouvoir des laïcs*, Paris, 1942. Cf. também Poulet, *Histoire du christianisme*, Paris, 1950; Duchesne, *Histoire ancienne de l'Église*, Paris, 1910, vols. III, e IV, 1925; A. M. Jacquin, *Histoire de l'Église*, Paris, vol. I, 1929; vol. II, 1936; e *Histoire illustrée de l'Église*, dirigida por G. de Plinval e Romain Pittet, Genebra e Paris, 1945-1947; e os manuais clássicos de F. Mourret, A. Dufourcq e A. Boulenger.

Merecem destaque: G. Schnüner, *Kirche und Kultur im Mittelalter*, Paderborn, 1926; Fernand Hayward, *Histoire des papes*, Paris, 1942; Charles Pichon, *Histoire du Vatican*, Paris, 1947; J. Hefele-Leclercq, *L'Histoire des Conciles*, 22 vols., Paris, 1907-1950; J. Tixeront, *Histoire des dogmes*, Paris, 1931; René Draguet, *Histoire du dogme catholique*, Paris, 1946; Fulbert Cayré, *La Patrologie et histoire de la théologie*, vols. I e II, 1949, mina de ensinamentos sobre os Padres da Igreja; Gabriel Le Bras, *Histoire de la pratique religieuse*, Paris, 1950.

Sobre o cristianismo nos diversos países: Georges Goyau, *Histoire religieuse de la France*, Paris, 1922; Ferdinand Lot, *Naissance de la France*, Paris, 1948; Emile Mâle, *La fin du paganisme en gaule et les plus anciennes basiliques chrétiennes*, Paris, 1950; Moreau, *Histoire de l'Église en Belgique*, 1950; A. Hanck, *Kirchengeschichte Deutschlands*; Du Mesnil, *Les missions*, Paris, 1948.

Interessa também a *Bibliothèque catholique des sciences religieuses*, editada por Bloud e Gay. Indicamos já H. X. Arquillière, *L'Église au Moyen Âge*, e outros trabalhos serão citados a propósito dos diversos capítulos.

Sobre esta matéria, a historiografia não se limita a sínteses, e não se pode ignorar o imenso trabalho disperso em revistas, em boletins e nas sociedades eruditas. Trata-se de um trabalho obscuro, que faz progredir o nosso conhecimento histórico e que lhe prepara os materiais com que se constroem os conjuntos. Neste sentido, veja-se a *Revue d'Histoire ecclésiastique*, Lovaina; a *Revue d'Histoire de l'Église de France*, órgão da Sociedade de História Eclesiástica de França, a revista de história eclesiástica suíça, e as revistas de estudos históricos das ordens religiosas, entre as quais a *Revue d'histoire bénédictine* e a *Revue Mabillon*, vinculadas aos beneditinos. Entre as duas guerras fundou-se a *Revue d'histoire des Missions*. Algumas dioceses têm também uma revista de história diocesana.

Acrescentem-se Cabrol e Leclercq, *Dictionnaire d'Archéologie et de Liturgie*; e o *Dictionaire d'histoire ecclésiastique*.

I. O santo dos novos tempos

A bibliografia sobre Santo Agostinho é, literalmente, inesgotável; ter-se-á uma ideia da sua imensidade folheando o livro de Nebreda, *Bibliografia augustiniana*, publicado em 1930, por ocasião do XV centenário do santo (1930). Esta bibliografia está já incompleta, por causa dos livros publicados depois. Indicamos aqui somente algumas das obras mais úteis: *Recueils collectifs publiés en 1930*, edição especial de *Vie Spirituelle*, Paris, 1930; *Cahier de la nouvelle journée*, Paris, 1930; *Miscellanea agostiniana*, Roma, 1930; *Santo Agostino*, in *Rivista di filosofia neo-scolastica*, Milão, 1931; e *A monument to Saint Augustine*, Londres.

Textos de Santo Agostinho: as grandes edições são a dos beneditinos de Saint-Maur, reproduzida na *Patrologia* de Migne, e a do *Corpus scriptorum ecclesiasticorum* de Viena. As edições Desclée de Brouwer empreenderam uma vasta publicação em volumes práticos. As *Confissões* são a única obra do santo que se reedita frequentemente; veja-se principalmente a edição de Labriolle, Paris, 1925-1926, e a de L. Mondadon, Paris, 1947. Uma visão de conjunto muito exata é-nós fornecida pela compilação de textos do santo organizada por L. Bertrand, *Les plus belles pages de Saint Augustin*, Paris, 1919, e pela pequena obra de Bardy com o mesmo título, Paris, 1941.

Obras de caráter geral: não existe nenhuma obra que dê uma ideia verdadeiramente completa da riquíssima personalidade do santo. A biografia de Luís Bertrand, Paris, 1919, ardente e colorida, despreza muito o teólogo, o filósofo e o místico, e o mesmo se pode dizer da de Giovanni Papini. G. Bardy, *Saint Augustin, l'homme et l'oeuvre*, Paris, 1940, é extremamente sólida, mas pouco viva; o artigo de Portalié no *Dictionnaire de théologie catholique*, de Vacant et Mangenot, Paris, 1909, vol. I, págs. 2268-2272, é límpido e bastante completo, mas seco; a obra de Étienne Gilson, *Introduction à l'étude de Saint Augustin*, Paris, 1929, é de primeira ordem, mas analisa mais o pensamento do que o homem; é talvez em Paul Monceaux, na grande *Histoire littéraire de l'Afrique chrétienne*, Paris, 1922, vols. VI e VII, que se encontra o retrato mais completo.

Para estudar Santo Agostinho como filósofo e grande escritor, cf. F. Cayré, *Initiation à la philosophie de Saint Augustin*, Paris, 1947; Henri-Irenée Marrou, *Saint Augustin et la fin de la culture antique*, Paris, 1938; P. Alfaric, *L'évolution intellectuelle de saint Augustin*, Paris, 1918; P. Boyer, *Christianisme et néoplatonisme dans la formation de Saint Augustin*;

G. Combès, *Saint Augustin et la culture classique*, Paris, 1927, e diversas obras de R. Jolivet, Grandgeorge, etc.

Os aspectos propriamente religiosos desta personalidade não têm sido menos estudados. Veja-se sobretudo F. Cayré, *La contemplation augustinienne*, Paris, 1927; P. Batiffol, *Le catholicisme de Saint Augustin*, Paris, 1920; P. Guilloux, *L'âme de saint Augustin*, Paris, 1921; G. Combès, *La charité selon Saint Augustin*, Paris, 1934.

É preciso destacar o estudo de G. Combès, *La doctrine politique de Saint Augustin*, Paris, 1927; e U. A. Padovani, *La Città de Dio, teologia e non filosofia della storia*, na *Revista di filosofia neo-scolastica*, ed. especial, Roma, 1930; e Gustav Schnürer, *op. cit.*, capítulo sobre Santo Agostinho. Estes trabalhos põem bem em evidência o sentido da concepção agostiniana da história da humanidade.

II. O furacão dos Bárbaros e as muralhas da Igreja

além das obras gerais sobre o conjunto das invasões, há dois livros de primeira ordem: Ernest Stein, *Histoire du Bas-Empire*, Bruxelas, 1949, e Ferdinand Lot, *La fin du monde antique et les débuts du Moyen Âge*, Paris, 1927. Veja-se também: idem, *Les invasions germaniques*, Paris, 1930; L. B. Moos, *La naissance du Moyen Âge* (tradução francesa), Paris, 1937; G. Bardy, *L'Église et les derniers romains*, Paris, 1948, e Léon Homo, *De la Rome païenne à la Rome chrétienne*, Paris, 1950.

Sobre o fim do paganismo, cf. índice bibliográfico do vol. I, principalmente Labriolle, *La réaction païenne*, Paris, 1930, e E. Mâle, *op. cit.*

Há numerosas monografias sobre determinados personagens: F. Martroye, *Genséric*, Paris, 1907-1935; E. F. Gautier, *Genséric*, Paris, 1932; Marcel Brion, *Alaric*, Paris, 1930; Marcel Brion, *Théodoric*, Paris, 1935; G. Pfeilskhifter, *Theoderich*, Paderborn, 1937; F. Lizerand, *Aetius*, Paris, 1910; sobre os hunos, cf. René Grousset, *L'empire des steppes*, Paris, 1939.

Sobre as questões que interessam ao cristianismo entre os bárbaros, cf. J. Revillout, *De l'arianisme des peuples germaniques*, Paris, 1850; e a obra de J. R. Palanque, ed., *Le christianisme et la fin du monde antique*, Lyon, 1943, e *Le christianisme et l'Occident barbare*, Paris, 1945; cf. também Léon Cristiani, *Lérins*, Saint-Wandrille, 1946; A. Régnier, *Saint Léon le Grand*, Paris, 1910; P. Batiffol, *Le Siège apostolique de saint Damase à saint Léon le Grand*, Paris, 1920, e idem, artigo sobre São Leão Magno no *Dictionnaire de théologie catolique*, IX, 6, 218-301; e também A. Baudrillart, *Saint Séverin, apôtre du norique*, Paris, 1908.

III. Bizâncio dos autocratas e dos teólogos

O essencial sobre Bizâncio encontra-se resumido em Diehl e Marsais, *Le monde byzantin*, vols. I: *Vie et mort de Byzance*, Paris, 1947; II: *Les institutions de l'Empire byzantin*, Paris, 1949; III: *La civilisation byzantine*, Paris, 1953. Ver também C. Diehl, *Théodora, impératrice de Byzance*, Paris, 1914; idem, *Justinien et la civilisation byzantine*, Paris, 1901; idem, *Histoire de l'Empire byzantin*, Paris, 1919. Veja-se ainda A. A. Vasiliev, *Histoire de l'Empire byzantin*, Paris, 1932; N. Iorga, *Histoire de la vie byzantine*, Bucarest, 1934; Charles de Clercq, *Dix siècles d'histoire byzantine*, Paris, Bruxelas, 1946; Ernest Stein, *Histoire du Bas-Empire*, Bruxelas, 1949.

Sobre os contatos e conflitos de Bizâncio e do Oriente, cf. R. Grousset, *L'histoire de la question d'Orient*, vol. I: *L'Empire du Levant*, Paris, 1946. Sobre a arte bizantina, C. Diehl, *Manuel d'art byzantin*, Paris, 1910; Luís Bréhier, *L'art byzantin*, Paris, 1934, e J. Ebersolt, *Saint-Sophie de Constantinople*, Paris, 1910.

Todas as questões religiosas que dizem respeito a Bizâncio encontram-se tratadas nas histórias que acabamos de citar e ocupam a maior parte de Fliche e Martin, *Histoire de l'Église*, vol. IV; cf. também C. Lagier, *L'Orient chrétien*, vol. I: Paris, 1935; vol. II: Paris, 1950; A. Puech, *Un réformateur de la société chrétienne au IVe siècle: Saint Jean Chrysostome et les moeurs de son temps*, Paris, 1891; M. Jugie, *Nestorius et la controverse nestorienne*, Paris, 1912; P. Battiffol, *L'Empereur Justinien et le siège apostolique*, in *Recherches de sciences religieuses*, 1926.

IV. A Igreja converte os bárbaros

Veja-se, sobre a história missionária, Du Mesnil, *Les Missions*, já citado; Duchesne, *L'Église au VIe siècle*, Paris, 1925. Sobre as sagrações reais, Jean de Pange, *Le Roi très-chrétien*, Paris, 1949. As obras gerais de história monástica, e especialmente as que se referem à ordem beneditina, serão citadas no capítulo V. Por último, Duchesne, *Fastes épiscopaux de l'ancienne Gaule*, vols. II e III.

Sobre o batismo de Clóvis, e a conversão dos francos, ver principalmente C. Bayet, C. Pfister, A. Kleinclaus, *Histoire générale*, vol. II, col. Lavisse, Paris, 1903; F. Lot, *Naissance de la France*, já citado; J. Goyau, *Histoire religieuse de la France*, Paris, 1942; Griffe, *Origines chrétiennes en Gaule*, Toulouse, 1948; e as biografias de Clóvis, como as de G. Kurth, Bruxelas, 1923, e a de Gorce, Paris, 1936; cf. também Barroux, *Dagobert*, Paris, 1938; Édouard Salin, *La civilisation mérovingienne*, Paris, 1950.

A propósito da conversão dos outros povos: H. Leclercq, *L'Espagne chrétienne*, Paris, 1906; Goubert, *L'Espagne byzantine*; Jules Roussier, *L'aventure lombarde en Italie*, in *Revue de la Mediterranée*, maio-junho de 1946; L. Gougaud, *Les chrétiens celtiques*, Paris, 1911; R. Largillière, *Les saints et l'organisation primitive de l'Armorique bretonne*, Rennes, 1925; J. Roussel, *Saint Colomban et l'épopée colombanienne*, Besançon, 1942, e M. M. Dubois, *Saint Colomban*, Paris, 1950; F. Cabrol, *L'Angleterre chrétienne avant les normands*, Paris, 1908; G. Kurth, *Saint Boniface*, Paris, 1913; E. de Moreau, *L'histoire de l'Église de Belgique*, *op. cit.*; e sobre Gregório Magno, cf. a obra de Batiffol, Paris, 1928.

V. Cristãos dos tempos obscuros

A vida cristã na época que vai das invasões até à renascença carolíngia encontra-se estudada em todas as obras gerais, e por isso remetemos especialmente o leitor para a de Poulet, que pinta essa vida da forma mais pormenorizada e impressionante. Completaremos as indicações bibliográficas referindo-nos apenas a alguns pontos particulares.

A origem das paróquias rurais provocou numerosos trabalhos. O ponto de partida foi o estudo de Imbart de la Tour, *Les paroisses rurales du IVe au IXe siècle*, Paris, 1900, resumido em Vaissière, *Curés de campagne de l'Ancienne France*; depois, o artigo de Chaume, *Le mode de constitution et de délimitation des paroisses rurales*, na *Revue Mabillon*, Paris, 1937, vol. XXVII, e a interessante controvérsia de Boulard, Le Picard e Le Bras, *Sur les anciennes paroisses*, no *Bulletin des anciens élèves de Saint-Sulpice*, Limoges, 1946. Encontrar-se-á também a evocação deste problema nas histórias regionais, como a de Moreau para a Bélgica, de Gain para a Lorena, etc.

Sobre São Bento, basta citar as obras de Cabrol, Paris, 1933, de Herwegen, Paris, 1935, do cardeal Schuster, Paris, 1950, a obra de Dom C. Butler sobre *Le monachisme bénédictin*, Paris, 1924, e indicar, entre as numerosas edições da *Regra*, a de Filibert Schmitz, Maredsous, 1945. Cf. também a *Histoire de l'ordre de S. Benoît*, do mesmo autor.

A propósito da influência da Igreja sobre a sociedade, e principalmente da sua atitude perante o problema dos servos, veja-se Marc Bloch, *Comment et pourquoi finit l'esclavage antique*, em *Annales d'histoire sociale*, 1945, e C. de Clercq, *La législation religieuse franque de Clovis à Charlemagne*, Paris, 1936.

No que se refere às letras, a obra clássica é Labriolle, *Histoire de la littérature latine chrétienne*, Paris, 1942; cf. também M. Roger, *L'enseignement des lettres classiques d'Ausone à Alcuin*, Paris, 1905, e Henri-Irenée Marrou, *Histoire de l'éducation dans l'antiquité*.

Sobre o canto gregoriano, as principais obras são: G. Morin, *Les véritables origines du chant grégorien*, Maredsous, 1890; P. Wagner, *Origine et développement du chant grégorien*, Tournai, 1904; A. Gastoué, *Les origines du chant romain; l'antiphonaire grégorien*, Pau, 1907, e R. Aigrain, *La musique religieuse*, Paris, 1929.

Por último, sobre a arte, L. Bréhier, *L'art chrétien; son développement iconographique jusqu'à nos jours*, Paris, 1928; H. Leclercq, *Manuel d'archéologie chrétienne depuis les origines jusq'au VIIIe siècle*, Paris, 1907; E. Mâle, *op. cit.*; e os trabalhos de Jean Hubert e Robert Rey sobre as origens do estilo românico.

Entre a monografias de santos, mencionamos especialmente René Aigrain, *Sainte Radegonde*, Paris, 1916.

VI. Dramas e dilacerações do Oriente cristão

Para tudo o que se refere à história de Bizâncio neste segundo período, consultem-se as obras indicadas nas notas bibliográficas do capítulo III, em especial Fliche e Martin, vol. V, G. Schnürer e C. Dawson.

Sobre as questões propriamente bizantinas, assinalemos também: J. Pargoire, *L'Église byzantine de 527 a 847*, Paris, 1905; L. Bréhier, *La querelle des images*, Paris, 1904; e Drapeyron, *L'empereur Héraclius*, Paris, 1869, obra superada mas vivaz.

Sobre o islã e os árabes, a melhor exposição é G. Marçais e C. Diehl, *Le monde oriental de 395 a 1081*, Paris, 1936, na *Histoire générale* de Glotz; como introduções gerais à civilização islâmica, veja-se H. Massé, *L'Islam*, Paris, 1930; Gaudefroy-Demombynes, *Les institutions musulmanes*, Paris, 1921; e H. Lammens, *L'Islam, croyances et institutions*, Beirute, 1926. Sobre a biografia de Maomé, cf. E. Dermenghen, *Vie de Mahomet*, Paris, 1929. Sobre o Alcorão, ver as antologias de Édouard Montet, Paris, 1925, e a de Charles Ledit para o manual *Littérature religieuse*, de J. Chaine e R. Grousset, Paris, 1949.

A propósito das grandes etapas da conquista árabe, veja-se G. Hanotaux, *Histoire de la nation égyptienne*, vols. III e IV, Paris, 1933; C. Diehl, *L'Afrique byzantine*, Paris, 1898; E. F. Gautier, *Le passé de l'Afrique du Nord*, Paris, 1937; R. Dozy, *Histoire des musulmans d'Espagne*, Leiden, 1932; e Jean Descola, *Histoire de l'Espagne chrétienne*, Paris, 1950.

A espiritualidade dos últimos Padres gregos é estudada nos grandes manuais já indicados, principalmente na *Patrologie* de F. Lavré. Textos de

João Moschus e de Máximo, o Confessor podem encontrar-se na coleção *Sources chrétiennes*; ver também Jugie, *Saint Jean Damascène*, em *Échos d'Orient*, 1924; Perrier, *id.*, Strasbourg, 1863; Ermoni, *id.*, Paris, 1904; e Marim, *Saint Théodore Studite*, Paris, 1906.

Sobre a expansão cristã, ver Du Mesnil, *op. cit.*, e Olichon, *id.*

VII. O papado e o novo império do Ocidente

Sobre Carlos Magno e a obra carolíngia, veja-se L. Halphen, *Charlemagne et l'Empire carolingien*, Paris, 1947; J. Calmette, *Charlemagne, sa vie, son oeuvre*, Paris, 1945; R. Grousset, *Figures de proue*, Paris, 1949. Mais antigos são A. Kleinclausz, *L'Empire carolingien, ses origines, ses transformations*, Paris, 1902; e de Lavisse, Bayet, Pfister, Kleinclausz, *L'Histoire de France*, vol. II, Paris, 1911. Todos estes livros falam muito da Igreja, à qual são consagradas duas obras fundamentais: Fliche e Martin, *op. cit.*, vol. II: *L'époque carolingienne*, de E. Amann; e Glotz, *Histoire générale*, com a colaboração de H. X. Arquillière. Cf. também: Duchesne, *Les premiers temps de l'État pontifical*, Paris, 1911; L. Levillain, *La dynastie carolingienne et les origines de l'État pontifical*, Paris, 1935; J. de Pange, *Le Roi très-chrétien*. Por fim, para compreender a "filosofia" deste período, é preciso ler H. X. Arquillière, *L'augustinisme politique*, Paris, 1934, e R. Bonnaud-Delamare, *L'idée de paix à l'époque carolingienne*, Paris, 1939. Também Bressoles, *Saint Agobard*, Paris, 1949.

VIII. A Igreja diante de novos perigos

Quanto ao século IX, são numerosas as monografias sobre pormenores, mas raros os trabalhos de conjunto. Além das obras gerais, cf. a respeito de todo o período: L. Halphen, *Charlemagne et l'Empire carolingien*; e Kleinclausz, *L'effondrement d'un Empire et la naissance d'une Europe*, Paris, 1941. Sobre as origens do feudalismo, ver Marc Bloch, *La société féodale: la formation de liens de fidélité*, Paris, 1939. Sobre as últimas invasões, o essencial está em F. Lot, *Les invasions barbares et le peuplement de l'Europe*, Paris, 1939. Sobre os normandos, Prentout, *Dudon de Saint-Quentin*, Paris, 1916; T. D. Kendrick, *A history of vikings*, Londres, 1933. Veja-se também o artigo de Lechanteur, *La mentalité des vikings*, nos *Archives de la Manche*, 1951, pág. 58. Pouco mais há sobre as grandes personalidades religiosas do tempo: sobre Hincmar, H. Schrörs, 1884; sobre Nicolau I, em ligação com o Pseudo-Isidoro, a obra de Haller; além disso, A. Lapôtre, *Jean VIII*, Paris, 1895; Moreau, *Saint Anschaire, missionaire de Scandinavie*, Lovaina, 1929; e Henri Pirenne, *Mahomet et Charlemagne*, Bruxelas e Paris, 1937, com muitas teses discutíveis.

IX. Bizâncio recompõe-se, mas separa-se de Roma

As obras indicadas para os capítulos III e VI são evidentemente indispensáveis. Sobre vários dos grandes imperadores macedônios, existem diversos estudos já antigos, como os de Vogt sobre Basílio I; *Les quatre mariages de Léon le Sage*, em C. Diehl, *Figures byzantines*; G. Schlumberger, *Nicéphore Phocas*, 1923, *Jean Tzimiscès*, 1896, e *Basile II*, 1900; por fim, A. Rambaud, *Constantin Porphyrogénète*, 1870, e J. Gay, *L'Italie méridionale et l'Empire byzantin*, Paris, 1901.

Sobre a conversão dos eslavos, cf. F. Dvornik, *Les Slaves, Byzance et Rome au IXe siècle*, Praga, 1926; L. Léger, *Cirilo e Metódio*, Paris, 1868, já antiquado; Guérin, *Histoire de la Bulgarie*, Paris, 1913. Para a Rússia, vejam-se as histórias desse país, como a de M. Brian-Chaninov, Paris, 1929, ou de F. Platonov, *La Russie chrétienne*, em Cavaignac, *Histoire du monde*, e Brian-Chaninov, *L'Église russe*, Paris, 1928. Veja-se também o excelente ensaio de J. M. Dangas, *L'itinéraire religieux de la conscience russe*, Juvisy, 1935.

Sobre o cisma grego, os trabalhos de F. Dvornik, que reabilitaram Fócio, ofuscam as obras anteriores, especialmente *Le schisme de Photius*, Paris, 1950, prefácio de Y. Congar; ver também Moreau, *La réhabilition de Photius*, na *Nouvelle Revue Théologique*, fevereiro de 1950. São mais antigos: Jugie, *Le schisme byzantin*, Paris, 1941, e L. Bréhier, *Le schisme oriental du XIe siècle*, Paris, 1899.

Sobre os monges e o monte Athos, ver: Varille, *Voyage au pays des monastères byzantins*, Lyon, 1935, e Randolf Coates, *Le mont Athos*, Grenoble e Paris, 1948.

Em E. Pognon, *L'an mille*, que citamos adiante, há um texto consagrado a Bizâncio no tempo de Nicéforo Focas, que dá uma descrição extremamente saborosa da vida oriental no século X.

X. O doloroso alvorecer do ano mil

As obras indicadas no capítulo VIII interessam também aqui. Acrescentemos: Léon Homo, *Rome médiévale*, Paris, 1934; e E. Pognon, *L'an mille*, Paris, 1947, coletânea de textos bem apresentados, que não somente enfoca com clareza a famosa questão dos terrores do ano mil, mas traz um quadro extremamente vivo de quase todo o período. Sobre o nascimento do feudalismo, lembramos os trabalhos de Marc Bloch.

Sobre o papado desta época: Gay, *Les Papes du XIe siècle et la chrétienté*, Paris, 1926; F. Picavet, *Gerbert*, Paris, 1897, antigo mas ainda vivo e útil; Martin, *Saint Léon IX*, Paris, 1904; e Sittler e Stintzi, *St. Léon IX*, Colmar, 1950.

Sobre a expansão cristã, veja-se E. Horn, *Saint Étienne*, Paris, 1899, e as histórias da Polônia, principalmente as de Halecki e de H. de Montfort.

Tudo quanto se refere à reforma encontra-se (com bibliografias completas) nos trabalhos de A. Fliche, principalmente em *La réforme grégorienne*, Lovaina-Paris, 1924. Por outro lado, todas as histórias monásticas estudam o nascimento de Cluny e a sua obra; muitas obras particulares lhe têm sido consagradas por Pignot, Letonnelier, Besse, sobretudo A. Chagny, *Cluny et son empire*, Paris, 1949, e Guy de Valous, *Le monachisme clunisien*, Paris, 1936. Ver também R. Biron, *Pierre Damien*, Paris, 1908.

Sobre as origens cristãs dos capetos, veja-se por exemplo F. Lot, *La naissance de la France*, já citada. Sobre o nascimento do Sacro Império germânico, cf. os trabalhos já antigos de Bryce e de Kleinclausz; L. Hampe, *Le Haut Moyen Âge*, Paris, 1943; e H. Lesêtre, *Saint Henri*, Paris, 1901.

Sobre a situação intelectual, cf. J. Leflon, *Gerbert, humanisme et chrétienté au Xe siècle*, Paris, 1946. Sobre as origens da arte românica no século X e em princípios do século XI, cf. L. Bréhier, *L'art en France, des invasions barbares à l'époque romane*, Paris, 1930; R. de Lasteyrie, *L'architecture religieuse en France à l'époque romane*, Paris, 1912; F. Deshoulières, *Au début de l'art roman: les églises du XIe siècle en France*, Paris, 1929; Puigi Cadafalch, *Le premier art roman*, Paris, 1928; J. Hubert, *L'art pré-roman*, Paris, 1938; R. Rey, *L'art roman et ses origines*, Toulouse e Paris, 1945.

Sobre a vida intelectual, na época inseparável da vida religiosa, ler-se-á M. M. Dubois, *Aelfric, sermonnaire, docteur et grammairien*, Paris, 1942. Por fim, cf. Jean Rupp, *L'idée de chrétienté*, Paris, 1939.

ÍNDICE ANALÍTICO

ESTE LIVRO ACABOU DE SE IMPRIMIR
A 5 DE NOVEMBRO DE 2024,
EM PAPEL IVORY SLIM 65 g/m².